AF238027

ACCESO GRATIS *a la Lectura en la Nube*

Para visualizar el libro electrónico en la nube de lectura envíe junto a su nombre y apellidos una fotografía del código de barras situado en la contraportada del libro y otra del ticket de compra a la dirección:

ebooktirant@tirant.com

En un máximo de 72 horas laborales le enviaremos el código de acceso con sus instrucciones.

DERECHO JURISDICCIONAL

II

Proceso Civil

JUAN MONTERO AROCA

Catedrático Emérito de la Universidad de Valencia

JUAN LUIS GÓMEZ COLOMER   SILVIA BARONA VILAR

MARÍA PÍA CALDERÓN CUADRADO

Magistrada

Catedráticos de Derecho Procesal en las Universidades de Castellón y Valencia

DERECHO JURISDICCIONAL

II
Proceso Civil

27ª Edición

tirant lo blanch

Valencia, 2019

© Juan Montero Aroca
   Juan Luis Gómez Colomer
   Silvia Barona Vilar
   María Pía Calderón Cuadrado

© TIRANT LO BLANCH
   EDITA: TIRANT LO BLANCH
   C/ Artes Gráficas, 14 - 46010 - Valencia
   TELFS.: 96/361 00 48 - 50
   FAX: 96/369 41 51
   Email:tlb@tirant.com
   www.tirant.com
   Librería virtual: www.tirant.es
   DEPÓSITO LEGAL: V-1990-2019
   ISBN: 978-84-1313-923-4
   IMPRIME: Guada Impresores, S.L.
   MAQUETA: Tink Factoría de Color

Si tiene alguna queja o sugerencia, envíenos un mail a: *atencioncliente@tirant.com*. En caso de no ser atendida su sugerencia, por favor, lea en *www.tirant.net/index.php/empresa/politicas-de-empresa* nuestro procedimiento de quejas.

Responsabilidad Social Corporativa: http://www.tirant.net/Docs/RSCTirant.pdf

Índice

Lección Tercera
Las partes: Legitimación

CAPÍTULO II

LA COMPETENCIA

CAPÍTULO III
EL OBJETO DEL PROCESO

Lección Sexta
El objeto del proceso de declaración

CAPÍTULO IV
ACTIVIDADES PREVIAS NO JURISDICCIONALES

Lección Séptima
Actividades previas al proceso

CAPÍTULO V
DISPOSICIONES COMUNES A LOS PROCESOS DECLARATIVOS

Lección Octava
Tipos de procesos, cuestiones incidentales y costas

Lección Novena
La prueba. Nociones generales (I)

Lección Décima
La prueba. Nociones generales (II)

Lección Undécima
La prueba: Los medios de prueba en concreto (III)

Lección Duodécima
La prueba: Los medios de prueba en concreto (IV)

Lección Decimotercera
La prueba: Los medios de prueba en concreto (V)

CAPÍTULO VI
LA PRIMERA INSTANCIA

Lección Decimocuarta
La demanda

Lección Decimoquinta
Las actitudes del demandado

Lección Decimosexta
La audiencia previa

Lección Decimoséptima
La sentencia

Lección Decimoctava
Desarrollo y terminación anormal del proceso

Lección Decimonovena
El juicio verbal

CAPÍTULO VII
LOS RECURSOS

Lección Vigésima
Conceptos generales

CAPÍTULO VIII
LOS EFECTOS DEL PROCESO

Lección Vigesimotercera
La cosa juzgada

LIBRO III
EL PROCESO DE EJECUCIÓN

CAPÍTULO I
CONCEPTOS GENERALES

Lección Vigesimosexta
El título ejecutivo

CAPÍTULO II
LA EJECUCIÓN PROVISIONAL

Lección Vigesimoséptima
La ejecución provisional

CAPÍTULO III
LA EJECUCIÓN DEFINITIVA

Lección Vigesimoctava
Unidad, incoación y oposición a la ejecución

Lección Trigésima segunda
Ejecuciones no dinerarias

LIBRO IV
EL PROCESO CAUTELAR

Lección Trigésimo tercera
La tutela cautelar. Elementos personales y medidas cautelares

Lección Trigésimo cuarta
Proceso y procedimiento cautelar

LIBRO V
LOS PROCESOS ESPECIALES

CAPÍTULO I
LOS PROCESOS DISPOSITIVOS

Lección Trigésimo Quinta
Procesos civiles privilegiados

CAPÍTULO II
LOS PROCESOS NO DISPOSITIVOS

Lección Trigésimo Sexta
Procesos civiles no dispositivos

CAPÍTULO III
DIVISIÓN JUDICIAL DE PATRIMONIOS

Lección Trigésimo séptima
Los procedimientos para la división judicial de patrimonios

CAPÍTULO IV
LA TUTELA PRIVILEGIADA DEL CRÉDITO

Lección Trigésimo octava
El proceso monitorio

Lección Trigésimo novena
El juicio cambiario

Lección Cuadragésima
La ejecución hipotecaria

CAPÍTULO V
EL PROCESO CONCURSAL

Lección Cuadragésimo primera
El proceso concursal

II. PARTE ESPECIAL
El proceso civil

LIBRO I
INTRODUCCIÓN

Lección Primera
La formación del proceso y de la Ley de Enjuiciamiento Civil

I. INTRODUCCIÓN
Siglos de tradición. Derecho común y Las Partidas. S. XIII
Localismo jurídico y unificación

II. LAS PARTIDAS Y EL PROCESO ORDINARIO:
A) Características esenciales
   a) *Ius commune* + b) Jurista profesional
   Fuente supletoria
B) El proceso
   «Dueñas de los pleitos»
   Solemnis ordo iudiciarius. Proceso ordinario

III. LOS PROCESOS PLENARIOS RÁPIDOS:
Decretales. Clemente V
A) En el ámbito mercantil
   Consulados y proceso para mercaderes
   1. Conciliación. 2. Abogados. 3. Oralidad y 4. Poderes procesales
B) En el civil
   1. Simplificar + 2. Proceso plenario rápido

IV. LA CODIFICACIÓN DE LOS PROCESOS MERCANTIL Y CIVIL
A) La codificación del proceso mercantil
   CCo 1829 y Ley 1830
B) Hacia la codificación del proceso civil
   D. 9/10/1812; D, 26/9/1835; Ley 20/1/1838
   Instrucción Marqués de Gerona, 1853

V. LA LEY DE ENJUICIAMIENTO CIVIL DE 1855
A) Principios del proceso:
   1. Presupuestos procesales
   2. Impulso procesal
B) Principios del procedimiento
   1. Secreto. 2. Juicio menor cuantía
C) La exclusión de influencias externas
   Code Louis de 1667, CPC francés

VI. LA LEY DE ENJUICIAMIENTO CIVIL DE 1881
Decreto de Unificación de Fueros de 1868
A) Los fenómenos de huida
   a) Huida del juicio de mayor cuantía
   b) Huida de la LEC
B) Las reformas parciales
   Al final: 1984 y 1992

I. INTRODUCCIÓN

En un país como España, con una tradición jurídica de muchos siglos, no puede explicarse una institución tan importante como es el proceso civil, sin intentar comprender cuál ha sido su evolución. No se trata de hacer arqueología, sino de atender a lo que es necesario para entender la regulación actual. Por ello en lo que sigue no vamos a referirnos ni al Derecho romano, ni a la situación anterior a Las Partidas (1265).

Antes de la recepción del Derecho común en el siglo XIII, la situación político jurídica de Castilla se caracterizaba por lo que se ha llamado «localismo jurídico» o «dispersión normativa», con predominio del derecho consuetudinario y la paulatina aplicación de los fueros, entendidos como derecho local. Esta situación refleja una concepción conforme a la cual el rey no ha asumido la función legisladora, no se cree competente para dictar leyes con las que dar contenido al Derecho, pues éste es algo propio de la sociedad y no del Estado. Se ha dicho que Castilla vivió sin leyes hasta el siglo XIII, lo que debe entenderse como que los reyes no legislaron, no que no hubiera Derecho.

A partir del siglo XIII se manifiesta un claro intento real de acabar con la dispersión, y ello se hace, primero, mediante la atribución a las varias ciudades de un mismo fuero, derecho local, y, después, con la redacción de Las Partidas, que pretende ser un texto de general aplicación.

El otorgamiento de un mismo fuero se basó, primero, en el Fuero Juzgo, que era una versión castellana del *Liber Iudiciorum* o *Liber Iudicium* (cuya primera versión es del siglo VII), y, luego, en el Fuero Real, que fue ya una obra realizada por juristas con pretensiones centralizadoras y cultas.

En el momento anterior a Las Partidas existían tres tipos de normas básicas: 1) Unos lugares y villas se regían por sus fueros propios y distintos de los demás, 2) Un grupo importante de ciudades reconocía al Fuero Juzgo, y 3) Otro menos numeroso se atenía al Fuero Real. Si a todo ello se añade la gran importancia del derecho consuetudinario, se comprenderá el maremágnum jurídico en que vivía Castilla en la mitad del siglo XIII.

II. LAS PARTIDAS Y EL PROCESO ORDINARIO

Las Partidas son, sin duda, el monumento jurídico más importante de nuestra historia, no superadas hasta ahora ni siquiera por la codificación, pues gravitaron durante seis siglos sobre la vida española y llegaron vivas hasta el siglo XIX.

A) Características esenciales

Sin atender aquí a la discutida atribución de las mismas al reinado de Alfonso X (1252-1284), ni a su finalidad política, ni a su estilo claramente doctrinal y justificador de lo que se ordena, sí hay que destacar:

a) Dada la situación del siglo XIII, la obra sólo podía estar basada en la recepción del *ius commune*. Esto es algo que la doctrina española, desde la más antigua, no ha discutido, pues en Las Partidas se encuentran ejemplos sobrados incluso de traducción de textos romanos.

El descubrimiento de la obra de Justiniano *(Corpus iuris civilis)*, a finales del siglo XI y principios del XII, supuso un nuevo método de estudiar el Derecho, sobre todo en la Escuela de Bolonia, en el que importaba su consideración, primero, de que ese Derecho no era algo del pasado sino algo positivo y vigente todavía en el Imperio, lo que legitimaba a éste políticamente, y, después, de que el mismo se correspondía con la razón natural, con la *ratio iuris*, lo que explica su gran prestigio y su inmediata difusión.

b) Atendido su contenido, Las Partidas tuvieron una inmediata difusión y gran éxito entre la nueva clase de juristas profesionales que se estaba formando en el espíritu del Derecho común, si bien, correlativamente, provocó el rechazo del hombre no letrado, que pretendía seguir rigiéndose por sus fueros y costumbres.

> Antes de Las Partidas no puede citarse en España nombre alguno de jurista procesalista, y cuando aparecen esos nombres se trata de colaboradores de Alfonso X en su redacción, que o son italianos de origen o han estudiado en ese país. El nombre más importante es el de Jacobo de las Leyes, que fue el autor de la Partida III, la procesal. Estos juristas aparecen como un grupo o casta que cultiva una nueva ciencia, de la que queda excluido el pueblo llano, incluso por la lengua utilizada.

Asumido en Las Partidas el Derecho común se produjo, por un lado, el rechazo de las mismas por el pueblo, lo que impidió incluso que llegaran a promulgarse como ley vigente, y, por otro, el que se difundieran entre los juristas, dándose el contrasentido de que una norma no promulgada fuera aplicada por los tribunales.

Hay que recordar que Las Partidas fueron la última fuente, aplicable sólo de modo supletorio, desde el Ordenamiento de Alcalá (1348) y pasando por las Leyes de Toro (1505), pero que ello no impidió que de hecho su influencia llevara a que se aplicara como fuente primera. En la legislación posterior se parte implícitamente de que la norma aplicable es la contenida en Las Partidas, y se trata de ir llenando lagunas de la misma o de modificarla en aspectos concretos.

B) El proceso

En la concepción del Derecho común las partes son «las dueñas de los pleitos» (los «señores de los pleytos») y por eso la Partida III se inicia con el estudio de las partes (demandador y demandado), siguiendo con el juez, para referirse después a los personeros o procuradores y a los *boceros* o abogados. Su principio básico es el de que el proceso es un drama entre tres personas, que sólo se inicia por una de las partes, de modo que ninguna persona puede ser obligada a demandar.

A partir de ahí el *solemnis ordo iudiciarius* respondía a la concepción de que las partes tenían que disponer con toda amplitud de los medios de ataque y de defensa que consideraran oportunos, planteando sin limitaciones el litigio que las separaba, porque se trataba de acabar para siempre con dicho litigio, de modo que la sentencia que se dictara tenía que producir los efectos de cosa juzgada material, no siendo posible otro proceso posterior. Lo anterior iba unido a la creencia de que ese proceso necesitaba un procedimiento complicado, lento y formalista y, por tanto, originador de un elevado coste, pues se trataba de ofrecer a las partes las mayores posibilidades para su defensa.

En el sistema del Derecho común el proceso ordinario es el proceso único, en el sentido de que no existen procesos especiales. Un proceso es ordinario cuando por medio del mismo pueden conocerse todo tipo de objetos o pretensiones, y un proceso es especial cuando está previsto para que por medio de él los órganos jurisdiccionales conozcan sólo de un objeto o pretensión determinada (retracto, desahucio, por ejemplo), y lo que estamos diciendo es que el proceso ordinario de Las Partidas estaba previsto para todos los objetos, pues en todos ellos se trataba de ofrecer la misma defensa plena a las partes.

Esta concepción es la que se asume en Las Partidas y la que se va a mantener en la base del proceso civil hasta la codificación, ya en el siglo XIX. Naturalmente en esos seis siglos se dictaron miles de normas dadas, bien en Cortes, bien por el rey, que fueron completando o modificando la regulación de aquéllas. Lo más grave es que esas normas no contenían disposición derogatoria, lo que produjo un fenómeno de acumulación normativa, en la que lo más difícil era llegar a saber qué es lo que estaba en vigor.

Las recopilaciones posteriores (Ordenamiento de Díaz de Montalvo, de 1484, el Libro de Bulas y Pragmáticas de Ramírez, de 1505, y la Nueva Recopilación, de 1567), fueron significando modificaciones parciales, pero la concepción del proceso ordinario no se alteró. Se siguió creyendo que un proceso, para decidir de modo definitivo una cuestión entre partes, necesitaba de muchas complicaciones, que eran imprescindibles si se quería ofrecer a aquéllas todas las posibilidades que precisaba su derecho de defensa.

III. LOS PROCESOS PLENARIOS RÁPIDOS

La ineficacia de un proceso como el ordinario civil para solucionar con eficacia los conflictos entre partes, llevó a configurar un nuevo tipo procesal que, sin dejar de ser ordinario (de referirse a cualquier objeto) y plenario (en el que se producía cosa juzgada), significara reducir el tiempo y el dinero. Este nuevo tipo de proceso fue el plenario rápido.

El nuevo proceso tiene sus manifestaciones tanto en el Derecho canónico, principalmente en las decretales de Clemente V *Saepe contingit* (de 1306) y *Dispendiosam* (de 1311), como en el Derecho civil, en el que las reformas provienen de los estatutos de las ciudades mercantiles italianas, y en los dos casos se trataba de la supresión de formalidades superfluas y concesión de facultades al juez para repelerlas, de la suavización del principio de preclusión en aras de la elasticidad, de la limitación o supresión de apelaciones independientes contra las resoluciones interlocutorias, de acortamiento de los plazos, y, sobre todo, de predominio de la oralidad frente a la escritura.

A) En el ámbito mercantil

La recepción en España de la idea del proceso plenario rápido se produce, como es lógico, de modo mucho más acusado en el ámbito del Derecho mercantil, dándose lugar a la creación de un proceso para y entre mercaderes. Las manifestaciones primeras deben registrarse en la corona de Aragón, pero las que van a tener trascendencia posterior son las del reino de Castilla.

> En la corona de Aragón el origen se encuentra en las ordenanzas dadas por Pedro III a Valencia, después de que en 1283 creara el Consulado del Mar de esta ciudad, que fueron adoptadas después por Palma de Mallorca, para regir el nuevo Consulado creado en 1343 por Pedro IV, y que se comunicaron en 1347 a Barcelona, cuando el mismo Pedro IV constituyó el tribunal consular. En el reino de Castilla el origen debe buscarse en la creación de los consulados, empezando por el de Burgos, en 1494, cuando los Reyes Católicos conceden jurisdicción al prior y cónsules de la universidad de mercaderes para que conozcan de los pleitos entre ellos, y a partir de ahí se inicia una muy compleja evolución con la creación de consulados en distintas ciudades. Con el paso del tiempo las ordenanzas de mayor prestigio fueron las de Bilbao de 1737.

Realmente estamos aquí ante la creación de tribunales especiales mercantiles, en los que la potestad jurisdiccional se atribuye al prior y a los cónsules del Consulado, además de la regulación de un nuevo proceso. Este supuso una ruptura de concepción con el ordinario y básicamente respondía a estas características:

1.ª) Conciliación previa obligatoria.

> Si al principio el intento de conciliación fue voluntario, pronto se dispuso de modo obligatorio que el prior y cónsules debían intentar la conciliación entre las partes.

2.ª) Prohibición de la intervención de abogados.

> Desde las Ordenanzas de Burgos la misma existencia del Consulado se justificó con un ataque a los abogados, hasta el extremo de que en aquéllas se decía que los pleitos entre mercaderes «nunca se concluían ni fenecían, porque se presentaban escritos de libelos de letrados, por manera de que por mal pleyto que fuese, los sostenían los letrados, de manera que los hacían inmortales».

3.ª) Oralidad: Frente al proceso ordinario civil totalmente escrito, el mercantil pretendió encontrar la rapidez en la oralidad.

> La fórmula tradicional fue: «simpliciter et de plano, ac sine strepitu et figura iudicii procedi mandamus» (de la *Saepe contingit*); «simpliciter et de plano, absque juditiorum strepitu et figura, sine libello litis contestatione et aliis solemnitatis et ordinibus iudiciorum etiam substancialibus» (Estatuto de Forli de 1369); «lo libren y determinen breve y sumariamente según estilo de mercaderes, sin dar luengas ni dilaciones ni plazos de abogados» (Ordenanzas de Burgos de 1494).

4.ª) Aumento de los poderes procesales del juzgador.

> La oralidad y una cierta indeterminación procedimental, supuso la posibilidad de que el prior y los cónsules no se sintieran constreñidos por una legalidad estricta en la forma.

También aquí hay fórmula que se repite en las distintas normas: «la verdad sabida y la buena fe guardada», o «atendida la sola verdad del hecho, según se ha acostumbrado a hacer a uso y estilo de mar».

B) En el civil

Si el proceso mercantil rompe con el civil e inicia una vía propia, en la que el proceso plenario rápido aparece como alternativa al proceso ordinario, en el campo del proceso civil se manifestaron también algunos deseos de reforma. Estas se plasmaron en una doble dirección:

a) Por un lado se trató de simplificar el proceso ordinario, sobre el que se dispusieron medidas concretas relativas, por ejemplo, a permitir que se dicte sentencia aunque faltase alguna formalidad de las que «deben de ser puestas según la sutileza del Derecho» (en 1348), a la limitación de número escritos de las partes, fijando incluso el máximo de sus hojas (desde

1387 y con reiteración, lo que demuestra su incumplimiento), a la prohibición de las sentencias ilíquidas (en 1558), a la necesidad de declarar la rebeldía sólo una vez, no tres (en 1564), etc., aunque hay que dudar de la efectividad de todas estas medidas de aceleración del proceso.

b) Por otro se procedió a la creación de un proceso plenario rápido, pues, aunque con algún antecedente en Las Partidas, en 1534 se permitió un juicio rápido para asuntos civiles de pequeña cuantía, que fue manteniéndose en disposiciones posteriores, con sucesivas elevaciones de la cuantía. Su parentesco con el proceso mercantil es evidente y se encuentra aquí el origen del juicio verbal que se plasmó en las leyes de enjuiciamiento civil.

Como puede comprobarse la extensión de la idea del proceso plenario rápido al campo civil fue muy limitada, pues no supuso una verdadera alteración de éste. Con todo, lo que importa destacar ahora es la existencia de dos sistemas procesales durante muchos siglos, sistemas que permanecieron incomunicados entre sí, y especialmente que los juristas centraron su atención en el civil, sin atender al mercantil.

Los juristas españoles que publican desde Las Partidas hasta la Novísima Recopilación están inmersos en la creencia de que el proceso ordinario es el juicio tipo por excelencia, y que sobre el deben centrar sus esfuerzos de estudio y divulgación. Los juicios plenarios rápidos, y especial el mercantil, no son merecedores de su atención.

IV. LA CODIFICACIÓN DE LOS PROCESOS CIVIL Y MERCANTIL

El siglo XIX se abre con los dos sistemas procesales sin relación entre sí y en los dos se advierte pronto la aspiración de codificar. La codificación no va a suponer la unificación de los dos sistemas, sino la consolidación de los mismos.

A) La codificación del proceso mercantil

El sistema procesal mercantil, o del proceso plenario rápido, llegó al siglo XIX con problemas derivados de dos causas. La primera se refería a la multiplicación de consulados con regulaciones diferentes, lo que provocaba confusión y largas cuestiones de competencia entre ellos. La segunda atendía a la indeterminación procedimental, origen de prácticas diferentes y de arbitrariedad por los priores y cónsules. Se estaba así ante la necesidad de unificar y regular.

A ello atendió el Código de Comercio de 1829 y la Ley de Enjuiciamiento sobre los negocios y causas de Comercio de 1830. El Código regulaba la «Administración de justicia en los negocios de comercio», basado en los tribunales comercio, constituidos por el prior y dos cónsules, conociendo de la segunda y tercera instancia las Audiencias y, por fin, del recurso de injusticia notoria el Consejo de Castilla (luego el Tribunal Supremo). La Ley regulaba dos clases de juicios:

1.°) El de mayor cuantía perdió alguno de los elementos que lo caracterizaban como plenario rápido, sobre todo el de la simplicidad, aproximándose al proceso ordinario civil. Basta advertir que constaba de primera instancia, segunda, tercera y recurso de injusticia notoria, aparte de que la oralidad sufrió un gran retroceso.

2.°) El de menor cuantía era el clásico juicio verbal, con demanda escrita preparatoria y citación de las partes a juicio, realizándose éste en audiencia única, no admitiéndose apelación contra la sentencia.

Esta Ley de Enjuiciamiento se mantuvo en vigor hasta 1868, por lo que a lo largo de la mayor parte del siglo XIX tuvimos en España tribunales especiales mercantiles y proceso propio. El Decreto de Unificación de Fueros supuso la desaparición de los tribunales y del proceso, sin que las normas que habían regulado éste tuvieran influencia alguna en la regulación del proceso civil, el ordinario.

B) Hacia la codificación del proceso civil

La regulación del proceso civil en el inicio del siglo XIX se encontraba en La Partida III y en el Libro XI de la Novísima Recopilación de 1805. El inicio de las reformas se encuentra en la Constitución de 1812 y, especialmente, en algunos decretos que dieron las Cortes de Cádiz, produciéndose después sucesivamente hasta la Ley de Enjuiciamiento Civil de 1855. Los pasos más importantes fueron:

a) En el Decreto de 9 de octubre de 1812, Reglamento de las Audiencias y Juzgados de Primera Instancia, se contenían tres clases juicios: 1) El juicio verbal, el que hemos dicho que procede de 1534, con procedimiento muy poco determinado, 2) El juicio ordinario, que quedó íntegro y sin modificación alguna, y 3) Un nuevo juicio, intermedio entre los dos anteriores por la cuantía, aunque sujeto a los principios propios del ordinario, incluida la escritura, al que no se le da denominación.

b) El segundo paso fue el Decreto de 26 de septiembre de 1835, Reglamento provisional para la Administración de Justicia en lo respectivo a la Real jurisdicción ordinaria, que mantiene las tres clases de juicios, el último también sin denominación.

c) El paso decisivo fue obra de la Ley de 10 de enero de 1838, pro-visional para la sustanciación de los juicios de menor cuantía, en la que el juicio intermedio tiene ya denominación pero, sobre todo, en la que se regula un verdadera proceso plenario rápido, sujeto a los principios de oralidad, concentración, inmediación, publicidad e impulso de oficio, y en el que todos los plazos eran perentorios e improrrogables.

d) El último paso a considerar es la Instrucción del marqués de Gerona, de 30 de septiembre de 1853, referida al proceso ordinario, en la que se trataba de hacer frente a los abusos, corruptelas, dilaciones innecesarias, prácticas ilegales que habían convertido al proceso ordinario en «la muer-te de la justicia misma». En la Instrucción se introducía el impulso de ofi-cio, concentración, publicidad, aumento de los poderes del juez, supresión de trámites.

La Ley de 1838 y el sistema de principios que informaban al juicio de menor cuantía, chocaba frontalmente con el resto de la legislación proce-sal y, precisamente por eso, fue rechazada por la doctrina y la práctica, apegadas una y otra a las viejas concepciones. La Instrucción no pudo mantenerse en vigor ocho meses.

La opinión de la doctrina y la práctica de la época respecto del proceso ordinario puede sintetizarse así:

1) Se creía en la bondad de la legislación tradicional, hasta el extremo de considerar que era la envidia de Europa.

2) La excelente legislación vigente había sido oscurecida por corrupte-las que era preciso suprimir, pero manteniendo el sistema.

3) El proceso lento y complicado era la salvaguardia de los derechos de las partes y las solemnidades en el juicio garantía de la seguridad jurídica.

4) Las partes debían seguir siendo las «dueñas del proceso», sin con-ceder facultades de dirección del proceso al juez, para asegurar la impar-cialidad de éste.

5) La lentitud de la justicia se debía al gran volumen de asuntos, por lo que debía aumentarse el número de tribunales.

La doctrina y la práctica estaban conformes con el sistema procesal. Era necesario aclarar y simplificar, pero no innovar. Acabar con las co-rruptelas, pero mantener los principios, aumentando el número de órganos jurisdiccionales.

V. LA LEY DE ENJUICIAMIENTO CIVIL DE 1855

Los que se opusieron a la Ley de 1838 y los que consiguieron la de-rogación de la Instrucción de 1853, fueron los que se encargaron de la redacción de la primera ley procesal civil, la Ley de Enjuiciamiento Civil de 5 de octubre de 1855. En el mismo año de 1855 las Cortes aprobaron una Ley de Bases denominada «para la reforma de los procedimientos en los juicios civiles», por medio de la que se pretendía «ordenar y compilar las leyes y reglas del enjuiciamiento civil», con el fin de «restablecer en toda su pureza las reglas cardinales de los juicios consignadas en nuestras antiguas leyes». No se trataba, pues, de innovar, sino de consolidar lo existente, de petrificar el viejo sistema.

> En la Exposición de Motivos de la Ley de Bases queda claro que la revisión que se debía hacer no pretendía «la destrucción de los fundamentos venerables sobre los que descansa la obra secular de nuestras instituciones procesales. Su objeto, por el contrario, debe ser dar nueva fuerza a los principios cardinales de las antiguas leyes, principios basados en la ciencia, incrustados por más de veinte generaciones en nuestras costumbres, aprendidos como tradición hasta por las personas ignorantes del derecho, y con los cuales pueden desenvolverse con sobrada anchura todos los progresos, todas las reformas convenientes».

Desde estos planteamientos el sistema de principios de la Ley respondió al viejo juicio ordinario, que se asumió íntegramente, de modo que la Ley se articuló sobre ese juicio.

A) Principios del proceso

El proceso civil se concibe como un medio de solucionar contiendas privadas, en las que el juez cumple una función de pacífico mediador, siendo las partes las que asumían todas las facultades. Esto supuso la plasmación del principio dispositivo (lo que es obvio en la actuación del Derecho privado) y el de aportación de parte (entendido éste en su más amplio sentido, incluyendo todo lo relativo a la prueba, que era «cosa de las partes»), pero sobre todo que en lo que se refiere a las facultades procesales de dirección:

1.º) El juez no tenía control de oficio de los presupuestos procesales. El principio general era el de que «nada debe hacerse oficio en los negocios civiles, sino que debe dejarse todo al interés de la parte y a su excitación» (lo que supuso que no había verdaderos presupuestos procesales, siendo todos impedimentos).

2.º) El impulso procesal se confió a las partes. El proceso tenía que avanzar a instancia de parte, pues éstas debían solicitar al juez que declarase terminada una fase procesal y abriese la siguiente. De este modo todos los plazos quedaban a la discrecionalidad de las partes, pues no se entendía precluído un trámite mientras una parte no lo pidiera al juez expresamente.

Naturalmente la Ley no pudo mantener el sistema de valoración legal en todos los medios de prueba, pues ello iba contra la lógica de los tiempos, pero se inventó la «sana crítica» que, en aquel momento, no era una manera de decir que la valoración de la prueba debía motivarse en la sentencia, sino un modo de pretender limitar el arbitrio judicial.

B) Principios del procedimiento

La Ley proclamó la escritura como principio básico y la mantuvo con todas sus consecuencias de mediación y dispersión de los actos procesales. El brocardo *quod non est in actis non est in mundo* reflejaba exactamente la concepción de que el juez, para dictar sentencia, sólo podía tomar como base aquello que se encontraba documentado. Pero son mucho más significativos otros dos aspectos.

a) Secreto: La Ley mantenía parcelas importantes de secreto en las actuaciones puesto que, si bien las vistas de los pleitos serán públicas, en la práctica de la prueba no se admitía: 1) Ni la publicidad general, o para el público, 2) Ni la presencia de la parte contraria en las pruebas de confesión o testifical, con lo que se limitaba el principio de contradicción.

b) Juicio de menor cuantía: La concepción general de la Ley llevó a desvirtuar este juicio tal y como lo reguló la Ley de 1838; sus principios inspiradores en ésta (oralidad, concentración, inmediación, impulso de oficio, plazo improrrogables) quedan abandonados, estimándose que debía aplicarse lo dispuesto para el juicio ordinario, haciendo algunas variaciones meramente procedimentales de simplificación de trámites y de reducción de plazos.

> El principal autor de esta LEC de 1855, Pedro Gómez de la Serna, dejó claro que la comisión redactora «tuvo por punto de partida lo tradicional, lo español, lo consignado en nuestro foro», de modo que la Ley se centra en el juicio ordinario, el cual al mismo tiempo era la fórmula general de los juicios que carecieran de tramitación especial y el tipo supletorio de los especiales. Sobre este juicio «poco tuvo la comisión que discutir... sólo era necesario purificarlo de las prácticas viciosas que habían afectado la mejor obra sin duda de nuestras instituciones procesales».

C) La exclusión de influencias externas

Como hemos ido viendo la codificación procesal civil supuso la consolidación de lo dispuesto en nuestras viejas leyes, principalmente Las Partidas, y su concepción del viejo *solemnis ordo iudiciarius*. Destaquemos ahora que lo contrario estaba sucediendo en los demás países de Europa.

Durante siglos el *ordo iudiciarius* se consideró manifestación de la racionalidad que se iba creando por la intervención de los jueces y abogados, de modo que las reglas del mismo no eran susceptibles de ser impuestas desde fuera, por la autoridad de un legislador estatal. El legislador podía incidir en la regulación del proceso ordinario por medio de reformas parciales, tendentes a evitar corruptelas o prácticas viciosas, pero no podía alterarla completamente.

Como ha explicado Picardi el *ordo iudiciarius* no sólo garantizaba el derecho de defensa en los juicios, sino también la resistencia frente a las autoridades externas. El proceso se concebía como algo originario, que respondía a las reglas de un arte, de las que nadie podía prescindir. La intervención del rey, o de cualquier legislador externo, hubiera representado una *perversio ordinis*, una acción odiosa, inadmisible, tanto como la alteración de la moneda o la imposición de reglas al médico.

La situación empieza a cambiar cuando en 1667 se dicta el llamado *Code Louis*, que realmente fue la *Ordonnance civile touchant la reformation de la Justicie*, en la que por primera vez de modo directo el rey Luis XIV afirmó el monopolio real sobre la legislación en materia procesal civil. Ese monopolio no supuso, de momento, la ruptura total frente a lo anterior, pero sí la introducción de reformas de mucho calado.

> Pueden ponerse muchos ejemplos, pero bastará con algunos significativos, y sin aludir al profundo cambio en la función del juez:
>
> 1.º) Frente a la existencia de cuatro o cinco escritos de alegaciones por cada parte en el inicio del proceso, se suprimieron la mayor parte de ellos, dejándolos reducidos a dos.
>
> 2.º) La vieja práctica de la *litis contestatio* que se manifestaba en la existencia de un acto formal, que a veces era incluso una sentencia llamada interlocutoria, se suprimió.
>
> 3.º) Todo lo relativo a las preclusiones, a las que era contrario el viejo sistema, recibió nueva regulación, admitiéndose la necesidad de la preclusión misma, como único medio para que el proceso pudiera avanzar, aunque no se llegó a un sistema rígido.
>
> 4.º) La importancia tradicional de la prueba testifical cedió a favor de la prueba documental, limitando el valor de aquélla e incluso prohibiéndola en algunos supuestos (los relativos a negocios jurídicos de cuantía económica importante).

Lo más significativo fue la admisión de procesos plenarios rápidos frente al proceso ordinario, con lo que éste dejaba de ser el único e, incluso, el esencial. Además, el juez quedaba sometido de modo claro a la ley, precisamente a aquélla que dictaba el rey.

La Ordenanza puso en marcha una nueva manera de entender el proceso, que va a concluir con el *Code de procédure civile* de 1806 de Napoleón, el cual servirá de base a la mayor parte de los códigos que se promulgan en Europa en el siglo XIX. El caso más claro es el de los códigos italianos, incluido el nacional de 1865. Esto no ocurre en España, en la que la LEC de 1855 mantuvo la tradición del viejo proceso ordinario basado en el Derecho común.

VI. LA LEY DE ENJUICIAMIENTO DE 1881

En la evolución que estamos describiendo hito fundamental fue el Decreto de Unificación de Fueros de 1868, con el que se suprimieron los tribunales de comercio, convirtiéndose los tribunales ordinarios en los únicos competentes para conocer de la aplicación del derecho privado, y también el proceso mercantil. La unificación de fueros supuso la unificación de los procesos civil y mercantil, no por fusión, sino por supresión, quedando sólo en pie el peor de ellos. El proceso mercantil, que tantos siglos de experiencia acumulaba, simplemente desapareció.

La derogación de la Ley de 1830 se quiso paliar ordenando la realización de una nueva Ley de Enjuiciamiento Civil. A ese efecto se promulgó la Ley de Bases de 21 de junio de 1880, en la que se advierten simplemente reformas de detalle con relación a la LEC de 1855. Esta se convierte en la base más importante, pues se trataba simplemente de «introducir en la ley actual... las reformas y modificaciones que la ciencia y la experiencia aconsejen como convenientes» (base 19.ª). Se vuelve así a insistir en que «el juicio ordinario, reducido por la ley de 1855 a sus proporciones esenciales, apenas reclamaba nuevas y fundamentales reformas», por lo que si no fuese por otras materias «realmente no sería necesaria la reforma de la ley vigente de enjuiciamiento».

A finales del siglo XIX se dictó, pues, la Ley de Enjuiciamiento Civil de 1881 en la que se trataba también de mantener lo existente, sin introducir verdaderas reformas en el sistema procesal civil. No es necesario, pues, repetir lo que antes hemos dicho para los principios del proceso y del procedimiento, pues los de la LEC de 1855 se reiteran en la de 1881, sin perjuicio de que en ésta se introdujo la publicidad general de los actos procesales y se aumentó la contradicción en la prueba.

> Como dijo Goldschmidt el proceso civil español era «un recipiente liberal del siglo XIX, en el que se ha vaciado el vino antiguo del proceso civil de los siglos pasados», y como dijo Guasp «lo que el legislador de 1880 tomó el proceso común fue su técnica arcaica e insuficiente lógicamente dada la *discordantia temporis*, y afianzó esta técnica, con sus defectos fundamentales, en pensamientos políticos de innegable significación liberal».

A) Los fenómenos de huida

Lo que sí importa destacar es que en el siglo largo de vigencia de la LEC de 1881 se han producido dos fenómenos muy significativos de huida, que han puesto de manifiesto la falta de adecuación a la realidad, primero, del juicio ordinario de mayor cuantía, y, luego, de la propia Ley.

a) Huida del juicio de mayor cuantía

Hemos asistido, en primer lugar, a una huida del juicio ordinario, que se llamaba de mayor cuantía, de modo que el mismo al final había quedado prácticamente excluido de la normal aplicación.

Los sucesivos legisladores parciales fueron conscientes de que el proceso ordinario medieval, el que se asumió en la LEC de 1881 como juicio de mayor cuantía, no podía seguir siendo aquél por el que se tramitaban la mayor parte de los asuntos, dada su extraordinaria complejidad, y poco a poco, por medios de sucesivas elevaciones de las cuantía acabaron por convertirlo en un «cementerio de elefantes» por el que se conocían muy escasos asuntos.

Debe, en este sentido, tenerse en cuenta que si en 1881 el tope mínimo de la cuantía de un asunto que se tramitaba como juicio de mayor cuantía era de 1.500 pesetas, en 1984 se elevó a 100 millones y en 1992 quedó en 160 millones de pesetas. Por este medio dicho juicio fue desapareciendo de la realidad, pues son muy escasos los pleitos que superan esa cantidad. Acabó así siendo el juicio normal el de menor cuantía, que si en el origen comprendía los asuntos entre 250 y 1.500 pesetas, en 1992 pasaron a ser los de cuantía entre 800.000 pesetas y 160 millones de pesetas. Además, a esa tramitación se recondujeron los asuntos de cuantía indeterminada.

b) Huida de la LEC

La huida más importante, con todo, fue la de propia LEC, lo que se hizo a base de regular un número extraordinario de procesos especiales, produciéndose una verdadera proliferación procedimental.

Este fenómeno de proliferación se ha considerado normalmente como un defecto técnico procesal, centrándose su estudio en que el legislador, en casi todas las leyes materiales, se ha sentido en la necesidad de dotarlas de un proceso específico, y ello hasta el extremo de que podían contarse por lo menos cuarenta modos diferentes de tramitar los asuntos en primera instancia, es decir, cuarenta procesos especiales.

Pero la proliferación fue algo más que una cuestión de técnica procesal. Supuso la configuración de tutelas judiciales privilegiadas frente a la tutela judicial ordinaria que se prestaba por medio de los procesos de la LEC. En efecto, la regulación de procesos especiales respondía, en la mayor parte de los casos, a la existencia de fuerzas sociales capaces de lograr del legislador la creación de tutelas propias frente a la tutela normal que se prestaba por los procesos ordinarios. Determinados titulares de derechos (sobre todo del de propiedad) y determinados grupos sociales (grandes acreedores), consiguieron del legislador que sus asuntos no se sometieran a la tutela normal, y que se les creara una tutela distinta, que por lo mismo sólo puede concebirse como privilegiada.

B) Las reformas parciales

Junto a todo lo anterior deben tenerse en cuenta algunas de las reformas importantes de la LEC de 1881. Su promulgación produjo una importante reacción contraria doctrinal y práctica, que propuso su inmediata reforma, pero el caso fue que la Ley se mantuvo alrededor de cincuenta años sin que fuera objeto de modificaciones de importancia. En los años treinta del siglo XX se produjo una segunda oleada de críticas que tampoco consiguió frutos de interés.

Con la moda de los tiempos, y no faltando manifestaciones reformistas, los años sesenta y setenta fueron de aspiración de dejar las cosas como estaban, de no romper con el pasado, de mantener la tradición jurídica española, de respeto a nuestro predecesores, y tanto fue así que en la conmemoración del centenario de la LEC no faltó quien defendió su mantenimiento con pequeñas reformas, imputando los males de la realidad, no a la Ley, sino a algunos aplicadores de la misma.

La situación, con todo, se hizo insostenible en la realidad, sobre todo como consecuencia del extraordinario aumento en el número de asuntos. La LEC pudo hacer frente, mejor o peor, a una situación en la que la sociedad era predominante rural y los conflictos eran los propios de la misma, pero se manifestó profundamente inadecuada para solucionar los conflictos propios de una sociedad industrial y urbana. Las nuevas necesidades exigían una nueva Ley, pero los sucesivos legisladores prefirieron acudir a la técnica de las leyes de reforma urgente y parcial de la LEC. Esa técnica se utilizó principalmente en las siguientes leyes:

1.ª) La Ley 34/1984, de 6 de agosto, de reforma urgente de la LEC, que en su Exposición de Motivos dijo responder «a las necesidades más apremiantes» mientras se procedía «con el cuidadoso tacto que requiere el tratamiento de la ordenación del proceso» al estudio del que «podría ser el nuevo ordenamiento procesal». En esta Ley el juicio de menor cuantía se convirtió en el juicio tipo, desplazando al de mayor cuantía, aunque ello se hizo a base de desnaturalizar a aquél que dejó de ser un plenario rápido.

2.ª) La Ley 10/1992, de 30 de abril, de medidas urgentes de reforma procesal, en cuya Exposición de motivos volvió a decirse que la reforma del ordenamiento procesal debía acometerse sin precipitaciones y ponderando cuantos elementos confluyen en el proceso, pero volviendo a dejar para sine die la verdadera reforma, contentándose con atender a aspectos de detalle y, sobre todo, a procurar «quitar papel» de los tribunales.

El sistema de las reformas urgentes se reveló insuficiente para atender a las necesidades de la realidad y era preciso abordar una nueva LEC. Para ese fin el Ministerio de Justicia difundió en abril de 1997 un llamado «Borrador», sometiéndolo a la consideración y sugerencias de todos los interesados. En diciembre de 1997 se dio a conocer el Anteproyecto, y el Consejo de Ministros de 30 de noviembre de 1998 remitió a las Cortes el oportuno Proyecto de Ley, que se ha convertido en la nueva Ley de Enjuiciamiento Civil, Ley 1/2000, de 7 de enero (BOE del 8).

El examen de la misma, incluyendo las más de 30 reformas que se han producido hasta ahora y con especial atención a cómo se está aplicando, es el objeto de las lecciones que siguen.

Lectura: MONTERO, *Los principios políticos de la nueva Ley de Enjuiciamiento Civil. Los poderes del juez y la oralidad*, Valencia, 2001, traducido al italiano con el título *I principi politici del nuovo processo civile spagnolo*, Nápoles, 2002;

LIBRO II
EL PROCESO DE DECLARACIÓN

CAPÍTULO I
LAS PARTES

Lección Segunda
Las partes: Capacidad

I. NOCIONES DE PARTE Y DE TERCERO
Actus trium personarum
A) Concepto de parte
   Conflicto de intereses. Pero no siempre
   Parte procesal o parte sin más. Y 6 precisiones
B) Concepto de tercero: Quien no es parte. Negativo

II. CAPACIDAD DE LAS PARTES
Capacidad jurídica de derecho privado

III. CAPACIDAD PARA SER PARTE
Capacidad jurídica
A) Capacidad de las personas físicas
   Todo hombre es persona. *Nasciturus*. Muerto no
B) Capacidad de las personas jurídicas
   Otorga el Estado. Art. 35 CC:
   a) De Derecho público
   b) De Derecho privado

IV. CAPACIDAD PROCESAL
De obrar o de actuación procesal
A) La actuación de las personas físicas
Mayores de edad no incapaces
   a) Edad: Representante legal:
      1. Menores de edad no emancipados
      2. Menores de edad emancipados
      3. Mayores de edad y patria potestad
   b) Incapacidad
   c) Prodigalidad
   d) Situaciones provisionales
B) La actuación de las personas jurídicas
   No representar. 2 voluntades

V. SUPUESTOS ESPECIALES
A) Comunidad de bienes
B) Uniones sin personalidad
C) Sociedades irregulares
D) Patrimonios autónomos
E) Grupos
F) Fiscal

VI. TRATAMIENTO PROCESAL DE LA CAPACIDAD
A) Justificación
B) ¿Quién puede...?
C) ¿Cómo puede hacerse?
D) ¿Qué efectos produce su falta?

I. NOCIONES DE PARTE Y DE TERCERO

El proceso, por su misma esencia, requiere la existencia de un sujeto imparcial (el juez) y de dos sujetos parciales (las partes). La tutela de los derechos de las personas en el caso concreto por los órganos jurisdiccionales sólo se realiza por medio del proceso, y éste es necesariamente *actus trium personarum*. Es por esto por lo que en la Parte General (Tomo I) estudiamos los requisitos atinentes a la existencia del juez y los principios configuradores de la existencia (dualidad) y actuación (contradicción e igualdad) de las partes.

Iniciado el estudio del proceso civil no corresponde ya cuestionarse respecto de las partes lo que hace a su esencia, sino que debe atenderse al desarrollo de aquellos principios en la ley procesal ordinaria por medio de reglas conformadoras específicas. Se trata ahora de precisar, además del propio concepto de parte, quién puede serlo en general (capacidad) y quién debe serlo en un proceso determinado (legitimación), para que el órgano jurisdiccional pueda cumplir con eficacia su función de realizar el derecho en el caso concreto.

> A este nivel del estudio deben tenerse claros los principios de dualidad de posiciones, contradicción e igualdad; estos principios tienen tal rango que, además de ser comunes a todos los procesos, conforman la existencia de la actividad jurisdiccional, son inherentes a la existencia del proceso mismo. Con relación al proceso civil no cabe sino partir de su conocimiento.

A) Concepto de parte

Normalmente el proceso surgirá como consecuencia de un conflicto de intereses respecto de una relación jurídico material y los titulares de esa relación se convertirán en partes en el proceso. Con todo, esto no tiene por qué ser siempre así. La actividad del órgano jurisdiccional, es decir, el proceso, se inicia simplemente porque ante aquél se interpone una pretensión.

Si desde una perspectiva de normalidad el proceso se entabla entre los titulares de la relación jurídico material que se afirma existente, es también posible que se inicie sin que los titulares de esa relación estén en el proceso, bien porque se faltó a la verdad en la afirmación, bien porque se incurrió en error, bien porque cabe que inicie el proceso quien no es titular de esa relación.

De lo anterior deriva que, desde el punto de vista del proceso, lo que importa es quién lo hace, quién está en él; la condición de parte material no interesa. Parte procesal (en realidad parte sin más) es la persona o personas que interponen la pretensión ante el órgano jurisdiccional (demandante o actor) y la persona o personas frente a las que se interpone (demandado), o dicho de otra manera, quien pide la tutela judicial y frente a quien se pide.

La exacta comprensión de este concepto puede exigir algunas precisiones:

1.°) Normalmente las partes vendrán determinadas en la demanda, y en ella habrá de decirse quién pretende y frente a quién se pretende.

> La determinación inicial de las partes puede ser completada a lo largo del desarrollo del proceso; aludiremos después a fenómenos de entrada en el proceso de personas que no han demandado ni han sido demandadas, y que se incorporan a él con posterioridad a la demanda, y ostentando la condición de parte con plenitud de contenido.

2.°) La situación de las partes no queda completamente fijada en la demanda; ésta determina la condición de demandante o actor y de demandado, pero además a lo largo del proceso pueden ir recibiendo denominaciones distintas, que se corresponden con la posición procesal que adoptan; así apelante, recurrente, ejecutante y apelado, recurrido, ejecutado.

3.°) La parte es quien asume los derechos, cargas y obligaciones que se derivan de la realización del proceso, lo que significa que en los supuestos de representación (tanto voluntaria como legal y necesaria), la verdadera parte es siempre el representado.

4.°) Recuérdese lo dicho sobre el principio de dualidad de posiciones (Lección Decimotercera del Tomo I).

> En el proceso han de existir necesariamente dos posiciones, pero parte se identifica con sujeto individual, en el sentido de que una posición (o las dos) puede estar ocupada por dos o más partes, y todas ostentar la condición con la plenitud de sus efectos.

5.°) Quien sea parte en el proceso va a condicionar toda una serie de fenómenos posteriores, como son los relativos a la competencia (que puede determinarse por el domicilio del demandado), el marco subjetivo de la litispendencia o de la cosa juzgada, la referencia de las causas de abstención y recusación, la condena en costas, la posibilidad de ser o no testigo, etc.

6.°) Las partes han de estar determinadas.

> La identificación del demandante no ofrece problemas, porque éste asume la carga de su identificación completa; la del demandado es más problemática. No cabe exigir al actor que identifique al demandado con todas las circunstancias posibles, porque ello conduciría en ocasiones a la denegación de justicia; lo importante es que el demandado esté suficientemente identificado para no ser confundido con otras personas.

B) Concepto de tercero

Tercero procesal es quien no es parte. Si la noción de parte es positiva, el concepto de tercero sólo puede enunciarse negativamente; lo es quien no es parte, quien no está en el proceso. Entre parte y tercero no existen situaciones intermedias (cuasi parte o parte accesoria), de modo que se es o no se es parte, y en el segundo caso se es tercero.

Cosa distinta es el que el tercero pueda llegar o no a sufrir efectos del proceso. En el caso de que esos efectos existan, los mismos no convierten al tercero en parte automáticamente, aunque sí pueden legitimarlo para pedir que se le admita como parte (vid. Lección Tercera, Los supuestos de intervención).

II. CAPACIDAD DE LAS PARTES

Cuando se hace referencia a la capacidad de los sujetos parciales del proceso de lo que se trata es de determinar quién puede ser parte en general, esto es, sin referencia a un proceso concreto. Estamos, pues, ante el correlativo de la capacidad jurídica del derecho privado, y tal como en éste sucede también en el derecho jurisdiccional se distingue entre capacidad para ser parte y capacidad procesal.

En la LEC no se contiene una verdadera regulación de la capacidad, sino que existen simplemente unas normas incompletas de remisión, los arts. 6 y 7, y luego algunas referencias concretas a masas patrimoniales, patrimonios separados y entidades sin personalidad jurídica que han de ser completadas por las jurisprudencia. Ya antes de la LEC esa jurisprudencia había ido reconociendo la condición de parte en el proceso a entes sin personalidad, y ahora no se trata ya de crear sino interpretar lo dispuesto en la ley.

III. CAPACIDAD PARA SER PARTE

El primer paso en el estudio de la capacidad se refiere a la aptitud para ser titular de los derechos, cargas y obligaciones que se derivan de la realidad jurídica que es el proceso. Estamos aquí ante el correlativo de la capacidad jurídica; no ante la aplicación al proceso de la capacidad jurídica civil, sino ante una aplicación del fenómeno más general de la capacidad.

Desde el principio hay que poner de manifiesto la distinta actitud del Derecho respecto de las personas físicas y jurídicas. El Derecho no atribuye capacidad a los hombres sino que se limita a reconocerla; la personalidad va unida a la condición de hombre, el cual por el mero hecho de serlo es ya titular de derechos y obligaciones. En cambio la persona jurídica sí es reconocida por el Derecho, el cual puede fijar los requisitos para otorgar a aquella capacidad. Partiendo de esta diferencia radical podemos contemplar los dos casos.

A) Capacidad de las personas físicas

El art. 6.1, 1.º LEC reconoce la capacidad para ser parte a las personas físicas, partiendo de que todo hombre es persona y, por tanto, puede ser parte en el proceso desde su nacimiento hasta su muerte. Para la determinación del momento en que surge la capacidad hay que estar al CC, en concreto a sus arts. 29 y 30; para cuando se termina con la muerte al art. 32.

> Un muerto no puede pedir la tutela judicial y frente a él tampoco puede pedirse. Ahora bien, la muerte de una parte, es decir, la producida durante el curso de un proceso, no tiene por qué suponer la terminación de éste; lo normal es que entonces se abra la denominada sucesión procesal (Lección Tercera), pues los herederos suceden al difunto en «sus derechos y obligaciones» (art. 661 CC) y, por tanto, también en su situación procesal.

El *nasciturus*, es decir, el concebido pero no nacido, también puede ser parte en el proceso, como dice el art. 6.1, 2.º LEC, para todos los efectos que le sean favorables.

B) Capacidad de las personas jurídicas

La capacidad para ser parte de estas entidades sociales, a las que el Estado reconoce como individualidades a las que imputar derechos y obligaciones, tampoco ofrece dudas, primero, atendido el art. 6.1, 3.º LEC y, después, con base en el art. 38 CC, en donde se les reconocía ya la posibilidad de «ejercitar acciones civiles o criminales».

> Si los ámbitos civil y penal eran los únicos en que se permitía el ejercicio de la potestad jurisdiccional a finales del siglo XIX (Lección Tercera del Tomo I), momento de la redacción del CC, es lógica su referencia exclusiva a ellos. Hoy la capacidad para ser parte de las personas jurídicas ha de referirse a todos los ámbitos de actuación de la jurisdicción. El art. 6.1, 3.º LEC se refiere al proceso civil, pero la norma puede generalizarse para todos los supuestos de actuación procesal.

Si las personas jurídicas tienen capacidad en tanto se la otorga el Estado, quiere ello decir que su creación y extinción no vendrán representadas por hechos naturales, sino por actos jurídicos, y que éstos están sujetos a los requisitos que determine la ley. Así puede decir el art. 35 CC que la personalidad de las corporaciones, asociaciones y fundaciones empieza desde el instante en que, con arreglo a derecho, hubiesen quedado válidamente constituidas. En realidad lo que el CC está haciendo aquí es remitirnos a una multitud de normas que determinan, caso por caso, cómo surgen a la vida jurídica estas «personas» y cómo adquieren capacidad. Para la capacidad de las personas jurídicas extranjeras hay que estar a su ley personal (art. 9.11 CC).

Los criterios para la sistematización de las personas jurídicas son muchos, pero posiblemente el más fructífero, desde el punto de vista procesal, es el que distingue entre personas de derecho público y personas de derecho privado.

a) Las personas jurídicas de derecho público son hoy muy variadas.

> Van desde la Administración del Estado (art. 2.2 de la Ley 40/2015, de 1 de octubre, de Organización y Funcionamiento de la Administración General del Estado) hasta las asociaciones profesionales de jueces y magistrados. En la Constitución hay referencias a muchas de ellas: partidos políticos (LO 6/2002, de 27 de junio), sindicatos de trabajadores (LO 11/1985, de 2 de agosto), asociaciones empresariales (Ley de 1 de abril de 1977), asociaciones (LO 1/2002, de 22 de marzo), colegios profesionales (Ley 2/1974, de 13 de febrero, modificada por la Ley 74/1978, de 26 de diciembre), etc. Las de mayor trascendencia son naturalmente la Unión Europea, las Comunidades Autónomas, las provincias y los municipios (RD-legislativo 781/1986, de 18 de abril).

b) Las personas jurídicas de derecho privado pueden ser mercantiles y civiles.

> Las primeras precisan normalmente para su existencia escritura pública e inscripción en el Registro Mercantil (art. 20 del RDLeg. 1/2010, Ley de Sociedades de Capital). Por el contrario las sociedades civiles pueden constituirse de cualquier forma (siempre que no se mantengan los pactos en secreto), salvo cuando se aportan bienes inmuebles o derechos reales en que se precisa escritura pública (art. 1.668 CC).
>
> Las personas jurídico privadas pueden también disolverse y consiguientemente liquidarse. Generalmente las leyes suelen prever lo necesario sobre la capacidad en los momentos iniciales y finales. Así el RDLeg. 1/2010, de las Sociedades de Capital, se refiere a la responsabilidad de los fundadores y promotores, y también dispone el art. 371 del mismo RDLeg. que la sociedad disuelta conservará su personalidad jurídica mientras la liquidación se realiza y que entonces, añade el art. 379, el poder de representación corresponderá a cada liquidador individualmente, de modo que los liquidadores podrán comparecer en juicio en representación de la sociedad y concertar transacciones y arbitrajes cuando así convenga al interés social.
>
> Mención especial merecen las Asociaciones de Consumidores y Usuarios (Real Decreto Legislativo 1/2007, texto refundido de la Ley General para la defensa de los consumidores y usuarios, modificado por la Ley 3/2014, de 27 de marzo) que se constituyen conforme a la Ley de Asociaciones (art. 20), aunque con algunos requisitos especiales. El art. 6.1, 8.º de la LEC dice ahora (después de

la Ley 39/2002) que podrán ser parte en los procesos civiles «las entidades habilitadas conforme a la normativa comunitaria europea para el ejercicio de la acción de cesación en defensa de los intereses colectivos y de los intereses difusos de los consumidores y usuarios». Con esta norma se ha acogido la Directiva 98/27 CE, de 19 de mayo de 1998, en la que, entre otras cosas, se prevé la creación de una lista de entidades habilitadas para el ejercicio de la acción de cesación en cualquiera de los Estados miembros, lista que se publicará en el Diario Oficial de las Comunidades Europeas.

IV. CAPACIDAD PROCESAL

Esta capacidad (que también se denomina de obrar procesal o de actuación procesal) alude a la aptitud para realizar válidamente los actos procesales o, en términos del art. 7 LEC, para comparecer en juicio. En un sentido más moderno puede referirse a la capacidad para impetrar válidamente la tutela judicial.

De la misma forma como en el derecho civil el titular de derechos y obligaciones (el capaz jurídicamente) no siempre tiene capacidad para adquirir por sí los derechos, para ejercitarlos o para asumir obligaciones (capacidad de obrar), en el derecho jurisdiccional no todos los que tienen capacidad para ser parte tienen capacidad procesal.

En el derecho jurisdiccional las cosas se complican más cuando se advierte que en la mayor parte de los casos es necesaria la actuación por medio de procurador, esto es, por medio de un representante procesal necesario, de modo que el capaz procesalmente aún precisa de la llamada postulación procesal (Lección Cuarta).

A) La actuación de las personas físicas

El punto de partida es el art. 7.1 LEC, conforme al que pueden comparecer en juicio los que estén en el pleno ejercicio de sus derechos civiles. Se está haciendo así una remisión al CC, que es donde se determina quiénes están en esa situación de pleno ejercicio y quiénes no. En general puede afirmarse que tienen esta capacidad los mayores de edad en los que no concurra alguna causa de incapacidad declarada judicialmente.

Partiendo de la regla anterior, hay que especificar la influencia de la edad en la capacidad procesal, las causas de incapacidad respecto de los mayores de edad y, en los dos casos, los mecanismos establecidos en la ley para suplir (representación legal) o para integrar (asistencia) la incapacidad. A ello se refiere el art. 7.2 LEC: «Las personas físicas que no se hallen en el caso del apartado anterior habrán de comparecer mediante representación o con la asistencia, la autorización, la habilitación o el defensor exigido por la ley».

Aun antes de ello hay que recordar que concedida capacidad para ser parte a los concebidos no nacidos, el art. 7.3. LEC dispone que por los mismos comparecerán las personas que legítimamente los representarían si ya hubieren nacido, con lo que se está generalizando la norma especial contenida en el art. 627 CC para las donaciones.

a) Edad

El pleno ejercicio de los derechos civiles se atribuye, en principio, a los mayores de edad (art. 322 CC) y esta condición empieza a los 18 años (art. 12 CE y art. 315 CC). La representación legal del menor de edad puede ser asumida, primero, por los padres que ostentan la patria potestad (art. 162 CC), bien conjuntamente, bien por uno solo con el consentimiento expreso o tácito del otro (arts. 154 y 156 CC), y, después, por el tutor (art. 222 CC).

En realidad los casos posibles son mucho más complejos y así cabe distinguir tres supuestos:

1.º) Menores de edad no emancipados.

> Es de aplicación lo dicho respecto de los arts. 162, 154 y 156 CC, pero hay que tener en cuenta la posibilidad de desacuerdo entre los padres titulares de la patria potestad (art. 156 CC) y los casos de conflicto de intereses entre los padres y el hijo, con el nombramiento de un defensor judicial (arts. 163 y 299 a 302 CC y art. 8.1 LEC) o entre un progenitor y el hijo, asumiendo el otro en exclusiva la representación (art. 136, II, CC). Debe estarse a los arts. 27 a 32 de la Ley 15/2015, de 3 de julio, de la Jurisdicción Voluntaria.
>
> Cuando se extingue la patria potestad y subsiste la minoría de edad aparece la tutela (art. 222, 1.º CC), confiándose la representación legal al tutor (art. 267 CC), o tutores (art. 236 CC). Importa aquí que, según el art. 271, 6.º CC, el tutor necesita autorización judicial «para entablar demanda en nombre de los sujetos a tutela, salvo en los asuntos urgentes o de escasa cuantía». De este precepto pueden deducirse tres conclusiones: 1) Que el tutor no necesita autorización judicial para actuar por el menor cuando sea demandado, 2) Que por urgente habrán de entenderse aquellos casos en que existe plazo de caducidad de la acción, pero no siempre que se trate de prescripción, y 3) Que la escasa cuantía no se refiere ya a la clase de juicio (antes se decía juicio verbal), sino que los comprende todos (arrendamientos, trabajo, etc.) con el único límite de la cuantía, que si ha de ser «escasa» no parece que pueda superar el límite cuantitativo fijado para el juicio verbal.
>
> La LO 1/1996, de 15 de enero, de protección jurídica del menor, asumiendo que el menor comparece en juicio representado, les ha reconocido una cierta participación en los procesos en que esté directamente implicado, principalmente el derecho a ser oído, aunque parece que se trata más bien de su esfera personal, familiar y social, que la estrictamente económica (art. 9), y no cuando se trate de parte.

2.º) Menores de edad emancipados.

> En los diversos supuestos de emancipación de menores (art. 314 CC), el régimen legal derivado de la Ley de 13 de mayo de 1981 ha supuesto la atribución a aquéllos de capacidad procesal (art. 323, II, CC), aunque subsistan actos materiales para los que se precisa el consentimiento de los padres o tutor.

3.º) Mayores de edad sometidos a patria potestad.

> Se admite ahora la declaración de incapacidad de menores de edad para prorrogar la patria potestad después de la mayoría (arts. 201 y 171 CC). Existen así mayores de edad sometidos a patria potestad, con la representación legal que ello supone, que será sustituida por la tutela y el tutor cuando cese aquélla.

b) Incapacidad

Respecto de los mayores de edad la capacidad se presume y la incapacidad ha de declararse por sentencia (art. 199 CC). Esta determinará la extensión y límites de la incapacidad, así como el régimen de tutela o de guarda a que quedará sometido el incapacitado (arts. 760 LEC, y 222 y 287 CC).

En la tutela el tutor o tutores asumen la representación legal del incapacitado, con lo que sustituyen la voluntad de éste, si bien precisan de autorización judicial para demandar. En la curatela no se está ante la representación legal sino ante la asistencia, con lo que la voluntad del curador no sustituye a la voluntad del incapacitado, precisándose la concurrencia de las dos voluntades para iniciar un proceso.

c) Prodigalidad

Los declarados judicialmente pródigos están sujetos a curatela (art. 286, 3.º CC), debiendo establecer la sentencia los actos que el pródigo no puede realizar sin el consentimiento del curador (art. 298 CC), entre los cuales pueden estar los procesales, totalmente o de modo parcial (por ejemplo, allanamiento, renuncia, desistimiento, transacción).

d) Situaciones provisionales

En todos estos supuestos de minoría de edad, incapacidad y prodigalidad la ley presume que existe la persona que representa o asiste a quien no se halla en el pleno ejercicio de sus derechos civiles, pero si no ocurre así pueden aparecer dos situaciones provisionales a las que se refiere el art. 8 LEC:

1.ª) La representación y la defensa la asumirá el Ministerio fiscal, mientras se procede al nombramiento de defensor judicial (es esta una de las funciones del Fiscal conforme al art. 3.7 de su Estatuto, Ley 50/1981, de 30 de diciembre). El proceso quedará en suspenso mientras no conste la intervención del Fiscal.

2.ª) La representación y la defensa la asumirá un defensor judicial, que debe nombrársele (arts. 299 a 302 CC), mientras se le designa, por el tribunal y por simple providencia, la persona que debe representarlo o asistirlo.

> Ni la extranjería, ni el matrimonio ni el estado religioso son causas que limiten la capacidad procesal. Tampoco son incapaces los:
>
> 1) Ausentes: La ausencia (en el sentido de los arts. 181 y ss. CC) no priva de la capacidad, pero dado que el ausente no puede defenderse la ley le fija, primero, un defensor judicial y, después, una representación legítima y dativa.
>
> 2) Concursados: A pesar de lo que dice la ley el concurso no es causa de incapacidad, pero sí de la privación de legitimación para los actos de administración y disposición de los bienes. Dice el art. 6.1, 4.º LEC que tienen capacidad para ser parte las masas patrimoniales o los patrimonios autónomos cuyo titular haya sido privado de sus facultades de disposición y administración, y con ello no se está diciendo que el concursado pierda la capacidad para ser parte ni la capacidad procesal, pues lo que pierde es la legitimación; las masas patrimoniales en este supuesto adquieren capacidad para ser parte y por ellas actuará quienes las representen conforme a la ley, sin perjuicio de que el concursado sigue teniendo capacidad y legitimación para actuar en los procesos no económicos (podrá, por ejemplo, ser parte plenamente en un proceso de divorcio).

B) La actuación de las personas jurídicas

Las personas jurídicas no pueden plantear problemas de incapacidad; la capacidad procesal la tienen desde su constitución. Ahora bien, advertido que se trata de entes ideales suele sostenerse que precisan para actuar de una representación que se denomina necesaria, y en este sentido el art. 7.4 LEC dice: «Por las personas jurídicas comparecerán quienes legalmente las representen».

Con todo, hay que advertir que no existen aquí dos voluntades, una la de la representada y otra la del representante, sino una sola, la del órgano que conforma la voluntad única del ente, con lo que puede concluirse que no existe representación alguna, sino actuación de la persona jurídica por medio de sus órganos.

Cuando se acude a la norma reguladora de estas personas se comprueba que, para los distintos actos jurídicos, se atribuye competencia a varios órganos. Así en la Ley de Sociedades de Capital (RDLeg. 1/2010) el art. 160 se refiere a la competencia de la Junta General, y el art. 209 a la competencia de los administradores, añadiendo luego el art. 233 que en la sociedad de capital la representación de la sociedad, en juicio o fuera de él, corresponde a los administradores en la forma determinada por los estatutos. Pero además está el consejo de administración y la comisión ejecutiva. Surge así una cadena de órganos, con competencias determinadas, que configuran la voluntad de la sociedad dentro de cada uno de ese marco de competencias. No cabe hablar, pues, de representación, sino de actuación por órganos.

V. SUPUESTOS ESPECIALES

Hasta aquí hemos partido de la dualidad persona física o persona jurídica, pero la misma no comprende toda una serie de supuestos intermedios en los que se sobrepasa la existencia de una persona física y no se llega a la configuración de una persona jurídica.

A) Comunidad de bienes

Suele decirse que en las comunidades de bienes de los arts. 392 a 406 del CC no existen problemas de capacidad, pues se trata de un inexistente ente colectivo que, al carecer de personalidad jurídica, tampoco tiene capacidad, pero el caso es que las cosas están cambiando.

1.º) No se duda de que cuando la comunidad de bienes demanda, la cuestión se plantea como un problema de legitimación y se dice que un comunero puede actuar por la comunidad en todo lo que le beneficie, con lo que se concede legitimación a cada comunero.

2.º) Por el contrario, si la comunidad es demandada el problema pasa a ser de capacidad y se dice entonces que la comunidad no puede ser demandada, debiendo serlo todos los comuneros. Esta segunda conclusión es la que se está ya en tela de juicio.

El caso de las comunidades de copropietarios de la Ley 49/1960, de 21 de julio, de Propiedad Horizontal, (con sus reformas, sobre todo la de la Ley 8/1999, de 6 de abril) tiene especial trascendencia práctica. Esas comunidades no son personas jurídicas, pero el art. 13.3 dice que el presidente representa a la comunidad en juicio y fuera de él, con lo que está reconociéndoles capacidad procesal y fijando el órgano que actúa por ellas.

B) Uniones sin personalidad

En la realidad ocurre con frecuencia que varias personas se organizan transitoriamente para la obtención de una finalidad común, realizando para conseguirla actos jurídicos internos y externos. Es este el caso de la «comisión del paso del ecuador», de la «junta por homenaje a X» de la «comisión organizadora del congreso Y» y de tantas otras comisiones, juntas o comités. No se trata aquí de entidades que no han cumplido los requisitos legales para constituirse como personas jurídicas, sino de entes transitorios sobre los que ni siquiera está dispuesto legalmente que deban constituirse como personas jurídicas.

Todas esas comisiones o juntas no son personas jurídicas y, sin embargo, realizan actos jurídicos internos (se relacionan con sus adheridos y reciben de ellos aportaciones económicas) y externos (contratan con agencias de viaje, establecimientos hoteleros y comerciantes en general) que en teoría deberían ser nulos por carecer una de las partes de capacidad jurídica. La realidad social, con todo, se impone y esos actos no son cuestionados respecto de su validez.

Los problemas procesales empiezan cuando alguno de los actos jurídicos materiales originan un conflicto y éste ha de llegar al plano judicial. En ocasiones esos problemas pueden ser resueltos demandando a los integrantes del comité, comisión o junta, sin perjuicio de las posteriores relaciones internas, pero ello no es siempre posible y la jurisprudencia había acabado reconociendo capacidad para ser parte a estas uniones, partiendo del principio de que quien ha realizado con ellas negocios jurídicos materiales no puede luego oponer en juicio su falta de capacidad para ser parte, y ello tanto actúen como demandantes o como demandadas.

El art. 6.1, 5.º LEC, en lugar de reconocerles sin más capacidad para ser parte, hace una remisión genérica a la ley, de modo que no acaba de entenderse cómo una ley distinta de la LEC puede reconocerles capacidad para ser parte, siendo aquélla la norma adecuada para el otorgamiento de ese tipo de capacidad. De la misma manera el art. 7.6 LEC dice que esas entidades sin personalidad comparecerán en juicio por medio de las personas a quienes la ley, en cada caso, atribuya la representación en juicio de dichas entidades, y otra vez no se entiende esa remisión genérica a la ley.

C) Sociedades irregulares

Se refiere a toda una serie de hipótesis caracterizadas porque los diversos entes no han adquirido personalidad jurídica al no haber cumplido todos los requisitos establecidos en la ley, aunque existe una cierta aspiración de estabilidad, y no de provisionalidad; es este el caso de la sociedad civil oculta (art. 1.669 CC, comunidad de bienes), de la sociedad civil irregular (art. 1.667 CC) y de la sociedad mercantil irregular (art. 119 Cdc). Ha sido también la jurisprudencia la que les ha reconocido capacidad para ser parte y procesal, porque muchas veces la solución de demandar todos los socios o de demandar a todos los socios no es práctica.

La LEC les reconoce capacidad para ser parte (en concepto de demandadas) en el art. 6.2, cuando habla de las entidades, que no habiendo cumplido los requisitos legalmente establecidos para constituirse en personas jurídicas, estén formadas por una pluralidad de elementos personales y patrimoniales puestos al servicio de un fin determinado (sin perjuicio de la responsabilidad que pueda corresponder a los gestores y a los partíci-pes), y luego el art. 7.7 dice que por esos entes comparecerán en juicio las personas que, de hecho o en virtud de pactos de la entidad, actúen en su nombre frente a terceros.

D) Patrimonios autónomos

Aun partiendo de la base de que no existen bienes sin que haya un titular de los mismos, se dan situaciones interinas respecto de conjuntos de bienes en los que o bien ha cesado la titularidad originaria, y no se ha producido aún su adquisición concreta (caso de la herencia yacente), o bien existe una pérdida por su titular de la facultad de disposición (caso de las masas activas del concurso).

En estos casos la ley sí regula quien actúa por esos patrimonios, de-biendo resaltarse que la condición de parte se atribuye al patrimonio en sí mismo considerado, no al representante, como dice expresamente el art. 6.1, 4.º LEC, y para la representación el art. 7.5 LEC efectúa una remisión a las leyes correspondientes:

1.º) Masas concursales.

> Por ellas actuará la administración concursal, en el concurso necesario, pues es ésta la que asume la legitimación en todos los aspectos económicos, conforme a la Ley Concursal. En ésta se ha vuelto a incurrir en el error de decir que el con-curso afecta a la capacidad del concursado, cuando lo afectado es la legitimación para la realización de actos de administración o de disposición.

2.º) Herencia yacente.

> Los supuestos aquí son muy numerosos y la defensa activa o pasiva de la masa hereditaria puede corresponder a: administrador (art. 798 LEC), herederos o albaceas (art. 901 CC).

E) Grupos

El art. 7.3 LOPJ atribuye legitimación a los «grupos» para la defensa de los intereses colectivos (en realidad, colectivos y difusos), lo que tiene que suponer el reconocimiento de su capacidad, aunque no son personas jurídicas, y el que por el «grupo» comparecerá en juicio su órgano de dirección.

El art. 6.1, 7.º LEC reconoce de modo expreso capacidad para ser parte a los grupos de consumidores y usuarios afectados por un hecho dañoso cuando los individuos que lo compongan estén determinados o sean fácilmente determinables, exigiendo que para demandar en juicio el grupo se constituya con la mayoría de los afectados, y luego el art. 7.7 LEC dispone que por el grupo comparecerán en juicio las personas que, de hecho o en virtud de pactos de la «entidad», actúen en su nombre frente a terceros.

> La representación voluntaria no tiene nada que ver con la capacidad, ni con los mecanismos para suplir o integrar la incapacidad. Siempre será posible que una persona capaz confíe su representación para comparecer en juicio a otra persona, y que sea ésta la que luego otorgue el poder a procurador y la que realice los actos procesales, pero entonces se tratará de un supuesto más de aplicación de la teoría general de la representación derivada de la autonomía de la voluntad, que se rige por las normas comunes del mandato (arts. 1.709 a 1.739 CC).

F) Ministerio Fiscal

Decir que el Ministerio Fiscal tiene capacidad para ser parte, «pero respecto de los procesos en que, conforme a la ley, haya de intervenir como parte» (que es lo que dice el art. 6.1, 6°) es absurdo. La capacidad se tiene o no se tiene, no con referencia a unos procesos determinados, pues respecto de estos lo que puede tenerse o no es legitimación; por ello lo que la norma quiere decir, en sitio inadecuado, es que el Ministerio Fiscal tiene legitimación en aquellos procesos en que deba intervenir como parte.

VI. TRATAMIENTO PROCESAL DE LA CAPACIDAD

Cuando se pregunta sobre lo que suele denominarse tratamiento procesal se está hablando de cómo se cuestiona en el proceso el tema correspondiente; en nuestro caso de ¿cómo puede discutirse en el proceso la existencia o no del presupuesto procesal de la capacidad?

A) Justificación

Partiendo de la amplitud con que la capacidad para ser parte se reconoce a las personas físicas, no existe norma alguna que exija acreditar su concurrencia; y lo mismo cabe decir de la capacidad procesal cuando la persona física litiga por sí misma. Por ello con la demanda o con la contestación no hay que acompañar documento alguno relativo a estos extremos.

Cuando existe representación legal (personas físicas) o actúa el órgano de una persona jurídica el art. 264.1, 2.º LEC, exige que, junto con la demanda o la contestación (o al comparecer a la vista del juicio verbal), se acompañe el documento o documentos que acrediten la representación que el «litigante» se atribuye y por la que se presenta en juicio, con lo que se está comprendiendo: la representación legal y voluntaria de las personas físicas y respecto de las personas jurídicas su existencia, la condición de órgano con la facultad de comparecer en juicio y, en su caso, la representación voluntaria.

B) ¿Quién puede poner de manifiesto la falta de capacidad y de acreditamiento de las representaciones voluntaria, legal y necesaria?

Según el art. 9 el tribunal debe de oficio apreciar la falta de cualquiera de las capacidades (y debe entenderse también la acreditación de la representación). Ello no puede impedir la posibilidad que se atribuye a las partes de controlar la falta de estos presupuestos procesales con relación a la contraria. Con todo esta afirmación sin más es incompleta, pues hay que distinguir entre demandante y demandado y atender a cada presupuesto en concreto.

1°) El demandante no puede alegar ni su propia falta de capacidad ni el no haber acreditado su representación, porque lo contrario sería absurdo. También lo es, en principio, que alegue la falta de capacidad de la parte por él demandada, pero si el demandado pretendiera comparecer sin la debida representación, el demandante sí podría alegar su falta.

2°) El demandado podrá alegar, sin duda, respecto del demandante, pero respecto de sí mismo sólo podrá alegar su falta de capacidad para ser parte y carecer de la representación con que se le demanda. No podrá alegar el no acreditar la representación con que comparece, dado que ello sería inadmisible; si el demandante dirige su demanda contra un menor, por ejemplo, la representación legal de éste tiene la carga de comparecer acreditando dicha representación.

El juez no puede admitir la realización de actos procesales por quien carece de alguna de las capacidades, ni que por alguien los realice quien no ha acreditado su representación.

C) ¿Cómo puede hacerse?

Se cuestiona aquí si la toma en consideración de la falta del presupuesto puede o debe tener carácter previo al tema de fondo que se discute en el proceso, teniendo trámite específico, o si ha de hacerse en la sentencia, antes de entrar en el tema de fondo, y aun hay que distinguir entre el juez y las partes.

1.°) Cuando se trata del juez debe tenerse en cuenta que su toma en consideración de oficio de los presupuestos procesales de las capacidades y de las representaciones puede hacerse en varios momentos:

1") En el momento de la admisión de la demanda: Al decidir sobre la admisión o inadmisión de la demanda el tribunal debe: +) Inadmitirla si falta la capacidad para ser parte o la capacidad procesal, para lo que se cuenta con base suficiente en los arts. 9 y 403.1 LEC, teniendo en cuenta que la falta de estas capacidades no es subsanable +) Inadmitirla por falta de la acreditación de la representación, pues hemos dicho que junto con la demanda y con la contestación se deben presentar los documentos que acrediten la representación por parte de quien se la atribuya, y correlativamente debe concluirse que el juez no debe admitir la demanda o la contestación si esos documentos no se presentan con ella; el art. 403.3 LEC permite llegar a esta conclusión. Naturalmente la falta de acreditación de la representación es subsanable, por lo que deberá estarse a conceder plazo para ello.

2") En la audiencia previa del juicio ordinario y en la vista del juicio verbal: Los arts. 414.1, II, y 415.1, III, LEC, permiten también concluir que el juez en la audiencia previa del juicio ordinario tiene que controlar de oficio la capacidad y representación, con los efectos que luego diremos. En el juicio verbal el art. 443.3 permite sostener lo mismo para la vista.

2.°) Respecto de las partes debe distinguirse según se trate de una u otra:

1") El demandado deberá alegar la falta de algún presupuesto procesal en la contestación de la demanda (art. 405.3 LEC: excepciones procesales).

2") El demandante hará la alegación en la misma audiencia previa (o vista).

En cualquiera de estos supuestos la cuestión procesal relativa a la capacidad de los litigantes o a la representación en sus diversas clases es uno de los objetos de la audiencia previa (art. 416.1, 1.ª LEC) y de la vista (art. 443.2 y 3 LEC), sobre la que debe resolverse de modo previo, siendo además la primera cuestión a decidir. No cabe en la audiencia o en la vista dejar la decisión para la sentencia.

D) ¿Qué efectos produce su falta?

En general debe tenerse en cuenta que:

1.°) La falta de capacidad para ser parte y de la capacidad procesal son insubsanables, y ello por la evidente razón de que se es o no capaz, de modo que, bien se inadmitirá la demanda, bien se dictará auto poniendo fin al proceso.

2.°) La falta de representación también es insubsanable, puesto que se tiene o no se tiene, lo que debe llevar a las mismas consecuencias dichas antes.

3.º) La falta de acreditación de la representación es subsanable, y la subsanación, que consiste en presentar el documento correspondiente, puede hacerse en cualquier momento del proceso.

Regulación expresa existe cuando esa falta se ha advertido en la audiencia previa al juicio (art. 418 LEC), de modo que la subsanación podrá hacerse, bien en el acto, bien dentro del plazo no superior a diez que debe conceder el juez a este efecto, con suspensión, entre tanto, de la audiencia. Si dentro de ese plazo se procede a la subsanación el proceso continuará; si no se subsana, debe distinguirse:

1") Si falta la acreditación de la representación del demandante, realmente lo que sucede es que no existe la representación, por lo que el proceso no puede continuar, debiendo dictarse auto poniendo fin al proceso.

2") Si falta la acreditación de la representación del demandado, atendido que éste ha debido velar por aquélla, el proceso ha de seguir pero entonces declarando rebelde y excluyendo sus actuaciones de los autos.

Respecto del juicio verbal la situación no es tan clara y no lo es porque es dudoso que en el mismo, en la vista, quepa la interrupción de la misma concediendo plazo para subsanar, pues pudiera sostenerse que el legislador no ha considerado oportuno esa interrupción para subsanar los defectos en la comparecencia del actor. Otra cosa podría tener que sostenerse respecto del demandado.

Legislación: Ley de Enjuiciamiento Civil (arts. 6 a 9)
Lectura: DE LA OLIVA: *La sociedad irregular mercantil en el proceso*, Pamplona, 1971.

I. ORIGEN DEL CONCEPTO

Cuando se plantea lo que es la legitimación se trata, con referencia ya a un proceso determinado, de resolver la cuestión de quién debe interponer la pretensión y contra quién debe interponerse para que el juez pueda dictar una sentencia en la que resuelva el tema de fondo, esto es, para que en esa sentencia pueda decidirse sobre si se estima o desestima la pretensión.

El cuestionamiento mismo de lo que es la legitimación es algo relativamente reciente, tanto que en España hasta los años treinta del siglo XX el concepto no existía, no habiéndose ocupado de él los procedimentalistas. En nuestra tradición jurídica se usaba la palabra *legitimatio* con unos sentidos que no guardan relación con el contenido actual de la legitimación.

En efecto, se hablaba de:

1.º) *Legitimatio personae*, con lo que se hacía referencia a la *legitima persona standi in iudicio*, es decir, a lo que hoy se conoce como capacidad para ser parte y capacidad procesal, y que legalmente se resuelve en la actualidad en los arts. 6 y 7 LEC.

2.º) *Legitimatio ad processum*, expresión con la que se aludía a los supuestos de representación legal de las personas físicas y necesaria de las personas jurídicas, acogidos hoy en los arts. 7 y 264.1, 2.º LEC.

> En buena medida la *legitimatio ad processum* se basaba en una confusión, al no tenerse claro quién era la verdadera parte en el proceso, el representante o el representado, confusión que se sigue manifestando en el art. 264.1, 2.º LEC al decir «representación que el litigante se atribuya», pues si se atribuye representación no es el verdadero «litigante», que es el representado.

3.º) *Legitimatio ad causam*, que atendía al supuesto de que alguien se presente en juicio afirmando que el derecho reclamado proviene de habérselo otro transmitido por herencia o por cualquier otro título.

Todos estos sentidos de la palabra *legitimatio* no se corresponden con lo que hoy se entiende por legitimación, aunque la doctrina y la jurisprudencia hayan pretendido equiparar la vieja *legitimatio ad processum* con la capacidad y la *legitimatio ad causam* con la legitimación.

A) Derecho subjetivo, acción y legitimación

La razón del silencio en la doctrina inicial de siglo XX se encuentra en que se identificaban derecho subjetivo y acción, con la consecuencia de que sólo podía ejercitar la acción quien era titular del derecho subjetivo, por lo que la cuestión de la legitimación no podía ni existir. De la legitimación sólo se empieza a hablar cuando se distingue entre derecho subjetivo y acción.

Sin pretender reconstruir ahora la teoría de la acción (Lección Undécima del Tomo I), conviene recordar que en las concepciones monistas la acción y el derecho subjetivo eran una misma cosa, de modo que para Savigny, por ejemplo, la acción es el aspecto bajo el que se presenta el derecho subjetivo cuando ha sido violado; es un momento del derecho subjetivo, por lo que si el derecho no existe la violación no es posible, y si no hay violación el derecho no puede revestir la forma especial de acción. Naturalmente el titular de la acción es el ofendido, en cuanto titular del derecho violado, y el destinatario de la misma es quien ha realizado la violación.

Si para un jurista era inimaginable la distinción entre derecho subjetivo y acción, y si el titular de la acción tenía que ser necesariamente el titular del derecho subjetivo, con lo que ni siquiera se cuestionaba que quien no fuera titular del derecho subjetivo pudiera demandar en juicio su cumplimiento, el tema de la legitimación ni existía ni podía existir.

La ruptura entre el derecho subjetivo y la acción marca el verdadero giro conceptual, aparecen las doctrinas dualistas y se comprende que:

1.º) Existen dos derechos diversos, uno el derecho subjetivo material, que se dirige frente a un particular y es de naturaleza privada, y otro el derecho de acción, que se dirige contra el Estado y tiene naturaleza pública.

2.º) El proceso en sí mismo es una relación jurídica, de naturaleza pública, de la que hay que considerar entre qué personas puede tener lugar y a qué objeto se refiere, distinta de la relación jurídica material que sea afirmada como existente por la persona que presenta la demanda.

Por estas dos vías se acaba distinguiendo entre titular del derecho subjetivo y titular de la acción o, si se prefiere, entre sujeto de la relación jurídica material (parte material) y sujeto del proceso (parte procesal), con lo que están ya puestas las condiciones para que pueda suscitarse el tema de la legitimación.

B) Acción sin derecho subjetivo

El mismo concepto de legitimación va unido a la posibilidad de tener acción para pedir en juicio la tutela de un derecho subjetivo sin tener que afirmar la titularidad de ese derecho subjetivo, pues es esa posibilidad la que explica todos los supuestos de legitimación extraordinaria de que luego haremos mención.

La doctrina constató que en las leyes sustantivas existen normas que permiten expresamente que pida la tutela judicial de un derecho subjetivo quien claramente no es titular de ese derecho subjetivo, aunque se tenga que proceder a afirmar que el derecho existe. El caso más evidente fue el de la acción subrogatoria del art. 1111 del CC, por cuanto respecto de él no podía negarse que el acreedor está facultado para ejercitar los derechos y las acciones del deudor. A partir de aquí la legitimación apareció como un concepto autónomo, no pudiendo entenderse comprendido ni en la capacidad ni en la cuestión de fondo debatida en el proceso.

En su origen el concepto de legitimación no nace para explicar los supuestos en que los titulares de una relación jurídica material se convierten en partes del proceso, sino que por medio de él se pretende dar sentido a aquellos otros supuestos en los que las leyes permiten que quien no es sujeto de una relación jurídica material se convierta en parte del proceso, bien pidiendo la tutela de un derecho subjetivo en un caso concreto, bien pidiéndose frente a él esa tutela. Sólo después se aspira a generalizar el concepto y acaba por aplicarse al supuesto normal de quiénes deben ser parte en un proceso determinado y concreto para que en éste pueda tutelarse un derecho subjetivo, llegándose a dictar una sentencia que se pronuncie sobre el fondo del asunto.

Se comprende así que el punto de partida sea necesariamente el de distinguir entre:

1.º) Titularidad activa o pasiva de la relación jurídica material que se deduce en el proceso, la cual ha de regularse por normas de derecho material y que, junto con el contenido de la misma, es la cuestión de fondo que se plantea ante el órgano jurisdiccional y respecto de la que se pide un pronunciamiento con todos los efectos propios de la cosa juzgada.

2.º) Posición habilitante para formular la pretensión (legitimación activa) o para que contra él se formule (legitimación pasiva) en condiciones de ser examinada por el órgano jurisdiccional en cuanto al fondo, que está regulada por normas de naturaleza procesal.

Se trata, pues, de distinguir entre partes materiales y partes procesales, y respecto de estas segundas la legitimación resuelve la cuestión de quién puede pedir en juicio la tutela de un derecho subjetivo en el caso concreto y contra quién puede pedirse. La misma existencia de la cuestión sólo puede plantearse cuando se admite la posibilidad de que unas sean las partes materiales y otras las partes procesales, pues si esta distinción no se considerara posible carecería de sentido incluso el planteamiento de la cuestión. La legitimación adquiere entidad cuando se admite que la misma puede existir sin derecho subjetivo.

C) Clases de legitimación

Las dificultades en el estudio de la legitimación provienen de que las posiciones habilitantes activa y pasiva, para impetrar la tutela de un derecho subjetivo o para que contra alguien se pida, no son únicas, sino que han de referirse a supuestos muy distintos, supuestos que, además, están sufriendo una evolución constante para adecuarse a la realidad socio-económica. En síntesis, que desarrollaremos después, esos supuestos son:

a) Ordinario: En los casos normales de Derecho privado la función jurisdiccional se actúa con sujeción al principio de oportunidad; la autonomía de la voluntad y la existencia de verdaderos derechos subjetivos privados suponen que la tutela jurisdiccional de los mismos sólo puede realizarse cuando quien comparece ante el órgano judicial afirma su titularidad del derecho subjetivo e imputa al demandado la titularidad de la obligación; la legitimación se resuelve así en esas afirmaciones.

> La tutela judicial que el particular puede pedir no cabe referirla a cualquier derecho, sino que ha de atender precisamente a los derechos que afirme como propios; el artículo 24.1 de la CE alude a sus derechos e intereses legítimos, no a los derechos, y el art. 10, I, LEC dice que es parte legítima quien comparezca y actúe en juicio como titular de la relación jurídica (material) u objeto litigioso.

b) Extraordinarios: En los que la posición habilitante para formular la pretensión, en condiciones de que sea examinada por el juez en cuanto al fondo y pueda procederse a la tutela de un derecho subjetivo de otra persona, se confiere en virtud de una expresa atribución por la ley, que es lo que hace el art. 10, II, LEC por remisión.

> En los supuestos de legitimación extraordinaria normalmente se produce una ampliación de la legitimación, por cuanto se permite a quien no afirma su titularidad de una relación jurídica material que pida la tutela de un derecho subjetivo ajeno. Y es aquí donde estamos asistiendo a una evolución que está desbordando los cauces originales. Las normas procesales que atribuyen esta legitimación extraordinaria van arrastradas, no tanto por las normas materiales, las que reconocen derechos subjetivos, cuanto por el nuevo marco socioeconómico en el que se está descubriendo que muchas veces sólo es eficaz la tutela jurisdiccional cuando la legitimación es colectiva.

II. LEGITIMACIÓN ORDINARIA

Hemos dicho antes que en este tipo de legitimación la tutela judicial se pide con referencia a derechos que el particular afirme como propios, pero ahora debemos desarrollar el concepto para distinguir entre relaciones y situaciones jurídicas.

A) Relaciones jurídicas

Como hemos dicho en los casos normales de Derecho privado la tutela judicial sólo puede realizarse cuando quien comparece ante el órgano judicial afirma su titularidad del derecho subjetivo material e imputa al demandado la titularidad de la obligación, con lo que hay que distinguir entre legitimación y tema de fondo. Tiene legitimación quien comparece en el juicio como titular de la relación jurídica y, se entiende, imputando esa titularidad, desde su aspecto pasivo, al demandado (art. 10, I LEC).

> Veamos con unos ejemplos esa distinción.
>
> 1.º) Si A demanda a B respecto de un contrato de compraventa y afirma que él, A, es el comprador y que B es el vendedor, con esas simples afirmaciones uno y otro quedan legitimados, pudiéndose entrar en el tema de fondo y debatir y resolver en torno a la existencia del contrato y de cualquiera de las consecuencias jurídicas derivadas del mismo.
>
> 2.º) Si C demanda a D con referencia a una concreta relación jurídico material y afirma que él, C, no es titular de esa relación o que no lo es D, estaremos ante un supuesto de falta de legitimación, siendo ya inútil continuar el debate respecto de la existencia de la relación o de alguna de las consecuencias de la misma.

La tutela judicial que el particular puede pedir no cabe referirla a cualquier derecho, sino que ha de atender precisamente a los derechos que afirme como propios. Recordemos que el art. 24.1 CE alude a *sus* derechos e intereses legítimos, no a los derechos.

Por mucho interés de amistad o de otro género que una persona tenga en que el vendedor de una casa cobre el precio, si no afirma su titularidad del derecho carecerá de legitimación para interponer la pretensión contra el comprador. En un ordenamiento basado en la autonomía de la voluntad y en la libre disposición, el único que puede formular la pretensión con legitimación es quien afirme su titularidad activa de la relación jurídico material. Si una persona que no realiza esa afirmación, interpone la pretensión en beneficio de quien ella afirma que es titular, el juez tendrá que declarar que se actúa sin legitimación activa y no podrá llegar a pronunciarse sobre el fondo del asunto.

Por esto en el acoso sexual y en el acoso por razón de sexo la única persona legitimada es la acosada (art. 11.bis 3 LEC).

B) Sucesión en la titularidad de la relación

A estos efectos es indiferente que se trate de las llamadas legitimación originaria o derivada. En la primera las partes comparecen en el proceso afirmando el demandante que él y el demandado son los sujetos originarios del derecho subjetivo y de la obligación, aquéllos respecto de los cuales nació inicialmente la relación jurídica. En la segunda, en la derivada, el demandante afirmará que una de las partes (o las dos) comparece en el proceso siendo titular de un derecho subjetivo o de una obligación que originariamente pertenecía a otra persona, habiéndosele transmitido de modo singular o universal.

El ejemplo más común de legitimación derivada se refiere al caso de que el demandante afirma que él es el titular del derecho subjetivo porque se lo ha transmitido por herencia su padre muerto. Aquí la legitimación se refiere a la afirmación del derecho y el tema de fondo constará de dos cuestiones de derecho sustantivo: 1) La condición de heredero, y 2) La existencia de la relación jurídica afirmada. El que estas dos cuestiones deban resolverse de modo lógicamente separado, no convierte a la primera en tema de legitimación, pues la atribución personal del derecho es siempre tema de fondo que se resuelve conforme al derecho material.

C) Situaciones jurídicas

Existen otros casos en los que la legitimación ordinaria no puede referirse a la afirmación de titularidad de un derecho subjetivo o a la imputación de una obligación, simplemente porque no existe ni uno ni otra. Se trata de las situaciones jurídicas en las que es la ley directamente la que determina qué posición debe ocupar una persona para que esté legitimada; esto es lo que ocurre, por ejemplo, con la pretensión de nulidad del matrimonio (arts. 74 a 76 CC), de separación (art. 81 CC), de divorcio (arts. 86 y 88 CC), de filiación (arts. 131 a 133, 136 y 137, y 139 y 140 CC) o de incapacitación (art. 759 LEC).

El art. 757.1 LEC determina quién puede promover la declaración de incapacidad de una persona, y dice que el cónyuge (o asimilado), los descendientes, los ascendientes y los hermanos del presunto incapaz (y el Ministerio fiscal), con lo que está determinado *ex lege* quienes están legitimados para formular la pretensión. En este supuesto, que estamos resaltando como ejemplo, se evidencia que:

1.º) La legitimación aparece claramente diferenciada del tema de fondo; una cosa es quién puede pretender (legitimación) y otra si la pretensión debe estimarse o no (tema de fondo).

2.º) La atribución de la legitimación se realiza en una norma de naturaleza claramente procesal; independientemente de que el sujeto demandado sea capaz o no, el legislador puede aumentar o disminuir las personas legitimadas para pretender la incapacitación.

3.º) Si pretende la incapacitación una persona no legitimada, la resolución a dictar no podrá entrar en el tema de fondo, sino que deberá limitarse a decir que el demandante no tiene legitimación.

La LO 3/2007 añadió a la LEC un art. 11 bis que es una clara manifestación de desconocimiento de lo que es la legitimación. En lo que importa ahora el apartado 1 dice que para la defensa del derecho a la igualdad de trato entre mujeres y hombres estarán legitimados: 1) El afectado (propiamente no los afectados, con lo que no se dice nada nuevo) y 2) Con autorización del afectado estarán legitimados los sindicatos y las asociaciones legalmente constituidas respecto de sus afiliados y asociados, respectivamente. Con esta segunda norma se evidencia que no se está atribuyendo legitimación propia a los sindicatos ni a las asociaciones, sino que se está ante un supuesto de representación; si se necesita de la autorización del afectado, esa autorización es realmente atribución de representación.

III. LEGITIMACIÓN EXTRAORDINARIA

Si la legitimación ordinaria se basa normalmente en las afirmaciones de la titularidad del derecho subjetivo y en la imputación de la obligación, existen otros casos en los que las normas procesales permiten expresamente interponer la pretensión a quien no puede afirmar su titularidad del derecho subjetivo. La posición habilitante para formular la pretensión, en condiciones de que sea examinada por el tribunal en cuanto al fondo y pueda procederse a la actuación del Derecho objetivo, radica en una expresa atribución de legitimación por la ley y teniendo la norma correspondiente naturaleza procesal. Se habla entonces de legitimación extraordinaria, que aparece permitida, en general, por el art. 10, II, LEC: La ley puede atribuir legitimación a persona distinta del titular del derecho subjetivo.

A) Interés privado

Unas veces, las más comunes en las leyes, por medio de la concesión de esta legitimación se trata de proteger derechos subjetivos particulares frente a otros derechos particulares, que es lo que sucede en la llamada sustitución procesal. Con esta expresión se hace referencia a los casos en que una persona en nombre propio (es decir, sin que exista representación) puede hacer valer en juicio derechos subjetivos que afirma que son de otra persona.

> Casos de sustitución procesal se encuentran en el CC en los arts. 507 (el usufructuario puede reclamar los créditos que forman parte del usufructo), 1.111 (la llamada acción subrogatoria), 1.552 (el arrendador puede reclamar del subarrendatario el importe de la renta convenida en el subarrendamiento), 1.597 (los que ponen su trabajo y materiales en una obra ajustada alzadamente por el contratista tienen acción directa contra el dueño de ella hasta la cantidad que éste adeude a aquél cuando se hace la reclamación), 1.722 (el mandante puede dirigir acción contra el sustituto nombrado por el mandatario) y 1.869 (el acreedor pignoraticio puede ejercitar las acciones que competan al dueño de la cosa pignorada para reclamarla o defenderla contra terceros.

El caso más frecuente de sustitución procesal es el de la acción subrogatoria del art. 1.111 CC, y para entenderla hay que tener en cuenta la existencia de dos relaciones jurídico materiales; una la que existe entre acreedor y deudor y otra la que se estima existente entre el deudor anterior y el deudor del mismo. Respecto de esas dos relaciones lo que hace el art. 1.111 es simplemente decir que el acreedor queda legitimado para ejercitar las «acciones» de su deudor; esto es, no le concede derecho material alguno sino sólo el poder ejercitar derechos que ha de afirmar que son ajenos.

Resulta de lo anterior que el acreedor en la demanda tendrá que afirmar dos cosas:

1.ª) Que concurre el supuesto del art. 1.111 CC, conforme al cual él está legitimado, esto es, que ha perseguido los bienes de su deudor de modo inútil por no haber encontrado los suficientes con que cobrar su crédito.

2.ª) Que su deudor es, a su vez, acreedor de un tercero, es decir, en nombre propio afirmará un derecho subjetivo ajeno e imputará la obligación al demandado.

La acción subrogatoria no confiere al acreedor derecho material alguno, y sí un derecho procesal; las dos relaciones jurídico materiales a que nos venimos refiriendo no se ven alteradas por la legitimación que se confiere al acreedor; a éste no se le da nada que materialmente no tuviera antes. Por eso el acreedor en la demanda no debe pedir para sí; deberá pedir para su deudor, para integrar el patrimonio de éste y luego sobre el mismo posibilitar la efectividad de su derecho material.

> Atendido que sí concede derechos materiales al perjudicado o a sus herederos no son casos de sustitución procesal, ni aún de legitimación extraordinaria, los de las acciones directas de los dichos contra el asegurador, tanto cuando se trata de accidentes de vehículos de motor (art. 4 del RD 8/2004, de 29 de octubre), como cuando se trata del seguro de responsabilidad civil (art. 76 de la Ley 50/1980, de 8 de octubre, de contrato de seguro).
>
> Asimismo no es un supuesto de sustitución procesal el caso de los colegios profesionales y el cobro de los honorarios de sus miembros (art. 5, p, de la Ley 2/1974, de 13 de febrero) y especialmente el de los arquitectos [art. 7.2.b) y 4,g) del RD 327/2002, de 5 de abril]. Se trata aquí de una representación institucional, similar a la del art. 20 de la Ley reguladora de la Jurisdicción Social (Ley 36/2011, de 10 de octubre).

B) Interés social

Otras veces el reconocimiento legal de la legitimación extraordinaria atiende a mejor proteger situaciones en las que se ven implicados grupos más o menos numerosos de personas, como consecuencia de que las relaciones jurídicas no son siempre individuales. En los últimos tiempos se habla de intereses colectivos, difusos, de categoría, de grupo, sociales, supraindividuales, sin que siempre exista la necesaria claridad. A ese conjunto heterogéneo se refiere el art. 11 LEC aludiendo a las asociaciones de consumidores y usuarios y otras entidades legalmente constituidas para la defensa de los derechos e intereses de aquéllos.

Esa referencia general precisa matizarse con referencia a los siguientes supuestos:

1.º) Intereses individual y plural.

> La existencia de negocios jurídicos idénticos, con la única diferencia de que una de las partes es distinta en todos ellos, ha aumentado de modo extraordinario, dando lugar a lo que se llama conflicto plural. Este se resuelve en la suma de los intereses individuales, y procesalmente puede dar lugar a una simple acumulación de pretensiones, que es un fenómeno sobradamente conocido (todos los compradores de pisos de una urbanización contra la entidad promotora) (art. 72 y Lección Sexta).

2.º) Interés colectivo.

> Corresponde a una serie de personas, más o menos numerosa, que están o pueden estar determinadas, entre las cuales existe un vínculo jurídico (pertenecen a un colegio profesional, trabajadores del metal), existiendo una entidad que es persona jurídica a la cual se atribuye por la ley la «representación institucional» para la defensa de ese interés. Esa persona jurídica cuando actúa en juicio no tiene la representación individual de cada una de las personas físicas implicadas, pero sí tiene confiada la «representación institucional» del conjunto y por ello habrá de afirmar la titularidad del interés colectivo (el sindicato cuando actúa para la defensa del interés colectivo de los trabajadores del metal).

3.º) Intereses difusos.

> Se caracterizan porque corresponden a un número indeterminado de personas, radicando su afección conjunta en razones de hecho contingentes, como ser consumidores de un mismo producto o destinatarios de una misma campaña publicitaria. Cada uno de los afectados podría, por medio de su legitimación ordinaria, pretender el cese de la publicidad engañosa, por ejemplo, pero dado que ello no sería práctico la ley concede legitimación extraordinaria a las asociaciones de consumidores y usuarios, las cuales no pueden ni afirmar que representan a todos los consumidores ni afirmar su titularidad de derecho subjetivo material alguno.
>
> Esta legitimación se ha otorgado en el art. 24 del RDLeg. 1/2007, de 16 de noviembre, General para la Defensa de Consumidores y Usuarios, en el art. 25 de la Ley 34/1988, de 11 de noviembre, general de publicidad, en el art. 19.2, b) de la Ley 3/1991, de 10 de enero, de competencia desleal, y en el art. 16 de la Ley 7/1998, de 13 de abril, de condiciones generales de la contratación, y en el art. 150 de la Ley de Propiedad Intelectual (RD Legislativo 1/1996, de 12 de abril).
>
> Supuesto especial es el de la legitimación para la defensa de la igualdad entre mujeres y hombres cuando los afectados sean una pluralidad de personas indeterminada o de difícil determinación (según el nuevo art. 11 bis.2 en la redacción de la LO 3/2007).

4.º) Grupos de afectados.

Todavía el art. 11 LEC, siguiendo lo dispuesto en el art. 7.3 LOPJ, atribuye legitimación a los grupos de afectados para pretender la tutela de intereses colectivos.

5.º) Por último, el art. 11.4 LEC atribuye legitimación al Ministerio Fiscal y a las entidades habilitadas conforme a la normativa comunitaria europea para el ejercicio de la acción de cesación para la defensa de los intereses colectivos y de los intereses difusos de los consumidores y usuarios.

C) Interés público

Por último cuando en una parcela del derecho el legislador entiende que existe un interés público concede legitimación al Ministerio fiscal; esa legitimación puede ser activa y pasiva (por ejemplo, arts. 74, 75 CC, y arts. 757.2 y 761.2 LEC) o sólo pasiva (art. 50 de la Ley de Registro Civil, por ejemplo).

En los dos últimos casos la ampliación o la reducción de la legitimación de las asociaciones o del Ministerio fiscal responde a motivos políticos. Son criterios de esta índole los que llevan a que el legislador conceda la legitimación extraordinaria, por cuanto considera que los intereses sociales y públicos se defienden mejor mediante la actuación como parte en el proceso de una asociación o del Fiscal.

IV. TRATAMIENTO PROCESAL

El tratamiento procesal hace referencia, como ya dijimos en la lección anterior, a cómo se cuestiona en el proceso el tema correspondiente, en este caso la legitimación.

A) Naturaleza

La fijación de la naturaleza de la legitimación sirve para determinar la clase de norma aplicable, bien para regularla, bien para resolver los problemas atinentes a su existencia, y la discusión se centra en si esas normas son de derecho sustancial o de derecho procesal. Después de lo que llevamos dicho hay que concluir que los problemas atinentes a la legitimación se resuelven aplicando normas procesales, lo que se desprende de modo más evidente cuando se trata de la legitimación extraordinaria, pero no pudiendo ser distinto en la legitimación ordinaria.

En los casos que hemos visto de legitimación extraordinaria (sustitución procesal, intereses difusos y Ministerio fiscal) creemos demostrado que la atribución de esta legitimación no supone conceder derechos subjetivos materiales al legitimado, sino que sólo se le confiere el poder procesal de realizar el proceso sin pedir nada para sí mismo. El acreedor que ejercita la acción subrogatoria no puede pedir que se condene al *debitor debitoris* a que le pague a él, sino que debe pedir que se condene a ese deudor a pagar al suyo.

En los supuestos de legitimación ordinaria las cosas se presentan de modo igualmente claro cuando se trata de las situaciones jurídicas. En las relaciones jurídicas no puede ocurrir de modo distinto, sobre todo si se advierte que la norma legitimadora es el art. 24.1 CE con la referencia a sus derechos e intereses legítimos, norma procesal que no atribuye derecho material alguno.

B) Justificación

Si la legitimación ordinaria se basa en la afirmación por el demandante de su titularidad activa de la relación jurídico material y de la imputación de la pasiva al demandado, aparece claro que en general no debe ser necesaria justificación previa alguna; con esas afirmaciones la legitimación ya existe y todo lo demás es tema de fondo a debatir en el proceso y resolver en la sentencia.

> A pesar de lo anterior existen casos para los que se contiene norma expresa de que la legitimación se acredite de modo previo. Son aquéllos respecto de los que la ley exige que para que el juez admita la demanda es preciso que junto con ella se acredite la legitimación. En contra de lo que pudiera parecer no se trata de acreditar en ellos de modo previo la existencia del derecho material, sino la legitimación. Así ocurre, por poner unos ejemplos, en los arts. 266, 2.º LEC (alimentos), 266, 3.º LEC (retracto), 595.3 LEC (tercería de dominio) y 614.1 LEC (tercería de mejor derecho).

La legitimación extraordinaria tampoco precisa de justificación previa, por cuanto su existencia o no vendrá condicionada por la realidad de la norma que la conceda, sin perjuicio de que pueda discutirse con carácter previo en torno a la concurrencia de los hechos base de esa norma.

C) ¿Quién puede poner de manifiesto su falta?

En la disyuntiva de si la falta de legitimación puede ponerse de manifiesto de oficio por el juez o si ha de alegarla el demandado, la doctrina y la jurisprudencia dan respuestas diversas. Es evidente, con todo, que debe llegarse a una única solución por ser lo contrario incoherente. Esa única solución ha de consistir en que la falta de legitimación debe tenerse en cuenta de oficio, sin perjuicio de la alegación por el demandado.

> La diversidad de respuestas se manifiesta en que unas veces se dice que cabe la apreciación de oficio (así con relación al Ministerio fiscal y al caso del litisconsorcio necesario al que nos referimos después), mientras que en otras se sostiene la necesidad de la alegación del demandado (en la legitimación ordinaria y también en algunos casos de extraordinaria). Esta diversidad pone de manifiesto ausencia de claridad conceptual, pues si existe un único concepto de legitimación, única debe ser también la consecuencia de su falta.

Si el demandante afirma que él no es el titular del derecho subjetivo o que el demandado no lo es de la obligación, ello es algo que el juez no podrá desconocer, aún sin alegación del demandado. Si a pesar de lo que diga el actor no existe norma que le legitime de modo extraordinario, tampoco podrá desconocerlo el juez.

D) Examen previo

La doctrina viene estimando con reiteración que la legitimación no puede tratarse *in limine litis*, al comienzo del proceso, pudiendo hacerse sólo en la sentencia, pero ello es consecuencia del error de considerarla tema de fondo. Conviene distinguir:

1.°) De oficio: Existen algunos casos en los que el juez no podrá admitir la demanda por faltar la legitimación.

> Esos casos son:
> 1) Cuando falta el acreditamiento inicial de la legitimación que viene impuesto en ocasiones por la ley, como vimos antes en la «Justificación».
> 2) Cuando se trata de la legitimación ordinaria relativa a las situaciones jurídicas y el demandante no se encuentra en la posición habilitante establecida en la ley para pretender la actuación del derecho objetivo en el caso concreto.
> 3) Cuando el actor afirma paladinamente que él actúa en nombre propio ejercitando un derecho ajeno y que no existe norma alguna que le legitime extraordinariamente.

2.°) Con alegación del demandado: Si el control de la existencia de la legitimación se realiza ante la alegación de su falta por el demandado, la posibilidad del examen previo depende de que la regulación procedimental del juicio concreto contengan un trámite que lo permita. En la LEC se autoriza el control previo de la falta de litisconsorcio necesario (arts. 416.1, 3.ª y 420 LEC), pero no hay referencia a otros supuestos de legitimación.

La cuestión se plantea, pues, en torno a si el art. 425 LEC, cuando se refiere a circunstancias procesales análogas a las comprendidas en el art. 416, atiende también la legitimación. Todo dependerá de la naturaleza que se le atribuya a la legitimación; si ésta es procesal, como sostenemos, podrá cuestionarse su existencia en la audiencia previa, para el juicio ordinario, o en el inicio de la vista, para el juicio verbal.

E) Decisión procesal

Durante la vigencia de la LEC/1881 la falta de legitimación podía ser apreciada en el momento de dictar sentencia y entonces producía efectos distintos.

Estos efectos según la jurisprudencia eran:

1) Cuando se estimaba que no existía legitimación ordinaria o que no concurría el supuesto de la sustitución procesal, se dictaba sentencia de fondo absolutoria del demandado.

2) Si no se había demandado al Ministerio Fiscal, legitimado expresamente por la ley, se declaraba la nulidad de actuaciones, reponiéndolas al trámite inicial de emplazamiento para contestar a la demanda.

3) Cuando se estimaba que concurría un litisconsorcio pasivo necesario no habiéndose demando a todos los litisconsortes, se dictaba sentencia meramente procesal, de absolución en la instancia, sin pronunciarse sobre el tema de fondo.

Es evidente que la pluralidad de efectos ante una misma situación, como era la falta de legitimación, era consecuencia de la imprecisión conceptual.

En la LEC 2000 parece haberse partido de la naturaleza material de la legitimación, lo que conduciría a que su falta debería alegarse como excepción material, de modo que se dicte sentencia sobre el fondo del asunto absolviendo al demandado, pero es evidente que ello no es posible en algunos casos. En el del litisconsorcio necesario el art. 420 prevé dictar auto de archivo, y hay que entender que en el caso del Ministerio Fiscal debería continuar la situación anterior de nulidad de actuaciones. A todo ello debe añadirse que no caben sentencias de absolución de la instancia, por lo que la falta de legitimación ha de poder oponerse como excepción procesal y debatirse en la audiencia previa, con base en el art. 425.

V. PLURALIDAD DE PARTES

Tradicionalmente se consideraba el proceso partiendo del supuesto —más común en la práctica pero no el único— de que la pretensión es ejercitada por una única persona y frente a una única persona. Con todo este supuesto, si es el más común, no es el único. Existen casos en los que se ejercita una pretensión por varias personas y/o frente a varias personas.

En un procedimiento judicial pueden aparecer varias personas en la posición de demandante y/o de demandado y ello deberse a dos fenómenos procesales muy distintos: acumulación de procesos y proceso único con pluralidad de partes. Nos ocupamos aquí del segundo.

El fenómeno de la acumulación de procesos parte de la base de que un procedimiento judicial puede ser la envoltura externa de más de un proceso; si toda pretensión da origen a un proceso, la acumulación atiende a la conexión entre pretensiones y a la economía procesal, de modo que dos o más pretensiones (originadoras de dos o más procesos) son examinadas en un mismo procedimiento judicial y decididas en una única sentencia en sentido formal, aunque la misma habrá de contener tantos pronunciamientos como pretensiones. La acumulación no es un fenómeno consecuencia de la legitimación plural, sino de la posibilidad de que dos o más pretensiones se debaten juntas y se resuelvan conjuntamente, pero siempre teniendo en cuenta que darán lugar a dos o más procesos que exigen dos o más pronunciamientos (Lección Sexta).

A) Concepto

Estamos ante un proceso único con pluralidad de partes cuando dos o más personas se constituyen en él, en la posición de actor y/o de demandado, estando legitimadas para ejercitar o para que frente a ellas se ejercite una única pretensión (originadora de un único proceso), de tal modo que el juez ha de dictar una única sentencia, en la que se contendrá un solo pronunciamiento, la cual tiene como propiedad inherente a la misma el afectar a todas las personas parte de modo directo o reflejo.

La pluralidad de partes es un fenómeno consecuencia de la legitimación plural. La legitimación, tanto la activa como la pasiva, puede corresponder a una única persona pero también puede corresponder a varias, sin que ello signifique que las personas legitimadas tengan que actuar coordinadas o subordinadas. No se está diciendo que en el proceso civil puede existir una tercera posición, distinta de la de actor y de la de demandado; se trata de que dentro de esas dos posiciones puede haber más de una persona y tratarse de un único proceso.

> Pueden presentarse multitud de supuestos en los que más de una persona tienen legitimación, activa o pasiva, y ha de oírse a todas para dar una decisión única. Si una tercera persona interesada pretende obtener la anulación de un matrimonio contraído entre dos personas (art. 74 CC), ha de interponer una única pretensión frente a marido y mujer, los cuales podrán adoptar posturas distintas, tanto en lo que se refiere a la anulación en sí misma como en los medios de defensa procesal que van a usar. Si un socio pretende que se declare nulo el contrato de constitución de la sociedad, ha de demandar a todos los socios restantes, que serán independientes en su defensa. En ambas hipótesis, como en todas en

las que la legitimación para una pretensión corresponda a más de una persona, el pronunciamiento del órgano jurisdiccional ha de ser único y afectará a todas las partes, del mismo modo que el matrimonio existe o no para todos y que la sociedad lo es o no.

B) Litisconsorcio necesario

a) Concepto

El proceso único con pluralidad de partes es necesario cuando las normas jurídicas conceden legitimación para pretender y/o para resistir, activa y/o pasiva, a varias personas conjunta, no separadamente; en estos casos todas esas personas han de ser demandantes y/o demandadas, pues se trata del ejercicio de una única pretensión que alcanzará satisfacción con un único pronunciamiento.

En la legitimación ordinaria basta para que exista que el actor afirme que él es titular del derecho subjetivo material (activa) y que el demandado es titular de la obligación (pasiva). Ahora bien, existen casos en que esto no es suficiente, siendo necesario para que exista legitimación que la afirmación activa la hagan todos los titulares del derecho y/o que la imputación pasiva se haga frente a todos los titulares de la obligación. Estamos ante un supuesto de legitimación conjunta de dos o más personas en una u otra posición, o en las dos, que viene denominándose tradicionalmente litisconsorcio necesario.

b) Fundamento

La existencia de este litisconsorcio responde a dos supuestos muy claramente diferenciados. El más sencillo de ellos, pero el menos común, es aquél en el que la propia ley lo impone expresamente.

> Este es el caso del art. 1.139 CC, respecto de las obligaciones indivisibles, en que la deuda sólo puede hacerse efectiva «procediendo contra todos los deudores», y del art. 600 LEC que en las tercería de dominio ordena que la demanda se dirija contra el ejecutante y el ejecutado cuando el bien a que se refiera haya sido designado por él (a pesar de la terminología legal no se trata de un litisconsorcio voluntario). Con todo, normas de esta naturaleza no es fácil encontrarlas en las leyes.

El supuesto normal de litisconsorcio no precisa de norma expresa, porque su necesidad viene impuesta por la naturaleza de la relación jurídico material respecto de la que se hacen las afirmaciones legitimadoras. Es esa relación la que impone que, en ocasiones, la afirmación de titularidad de una persona sola o la imputación de la obligación a una única persona, no sea suficiente para que el juez pueda entrar a decidir sobre el fondo del asunto. Por eso el art. 12.2 LEC dice que cuando por razón del objeto del proceso la tutela jurisdiccional sólo pueda hacerse efectiva frente a varios sujetos conjuntamente considerados, todos ellos habrán de ser demandados como litisconsortes.

> Veamos algunos ejemplos en los que la existencia de esta clase de litisconsorcio aparece de modo indudable:
>
> 1.º) Cuando un tercero intenta pretender la declaración de nulidad de un matrimonio, ha de demandar a los dos cónyuges (art. 74 CC).
>
> 2.º) Si se pretende la nulidad de un negocio jurídico, debe demandarse a todos los que sean parte (material) del mismo; así si se cuestiona la validez de un testamento hay que demandar a todos los herederos, si se quiere declarar nulo un contrato de sociedad hay que demandar a todos los socios, si se demanda la revocación de un contrato en fraude de acreedores hay que traer al proceso al deudor y al tercero adquirente, etc.
>
> 3.º) En los casos de cotitularidad de varias personas sobre un mismo bien, como es la pretensión reivindicatoria sobre un bien propiedad indivisa de varias personas, cuando la reivindicación se refiere a toda la cosa.

Si el fundamento del litisconsorcio necesario ha de encontrarse en lo que tienen en común los ejemplos dichos, parece claro que no lo hallaremos, a pesar de lo que dice la jurisprudencia, ni en la supuesta extensión de la cosa juzgada a quien no fue parte, ni en el principio de contradicción, ni en el evitar sentencias contradictorias, ni en la imposibilidad de ejecución de la sentencia y ni siquiera en la más antigua teoría de la sentencia *inutiliter data*.

El fundamento hay que buscarlo en la inescindibilidad de ciertas relaciones jurídico materiales respecto de las cuales, independientemente de cuál haya de ser el contenido de la sentencia estimando o desestimando la pretensión, aparece de modo previo la exigencia de que las afirmaciones en que se resuelve la legitimación han de hacerlas varias personas o han de hacerse frente a varias personas.

Esa inescindibilidad es la que lleva a que los casos de litisconsorcio activo sean excepcionales en la práctica, en la que lo común es que sean pasivos; y tanto es así que el art. 12.2 LEC se refiere sólo a éstos, sin tomar en cuenta los activos. En lo que sigue nos centraremos en los pasivos.

c) El proceso litisconsorcial

El que exista una legitimación conjunta no tiene porque significar actuación procesal coordinada. Las partes que integran la posición litisconsorcial pasiva pueden actuar con un mismo abogado y procurador, pero también es posible que cada una de ellas adopte actitudes materiales y procesales distintas por lo que cada parte comparecerá con abogado y procurador propios.

Cada litisconsorte pasivo puede formular sus propios escritos de alegaciones y proponer los medios de prueba correspondientes, manteniendo actitudes materiales distintas (las razones de la oposición pueden ser diferentes) y haciéndolas valer procesalmente de manera autónoma. Por lo mismo los medios de impugnación pueden ser interpuestos por uno solo de ellos, si bien su éxito beneficiará a los demás. Lo único que tienen que hacer conjuntamente son los actos de disposición; la disposición del objeto del proceso sólo valdrá si es realizada por todos.

El no haber sido demandado alguno de los legitimados puede ponerse de manifiesto por los sí demandados y por el juez. Los primeros lo harán por medio de la excepción procesal de falta de litisconsorcio pasivo necesario, de la que se conocerá en la audiencia previa o en la vista (arts. 416.1, 3.ª y 420 LEC, para el juicio ordinario, y 443, para el juicio verbal), pero el juez también debe, de oficio, poner de manifiesto el defecto procesal.

El defecto procesal de no haber demandado a todos los legitimados, con la inexistencia de litisconsorcio pasivo necesario, bien haya sido denunciado por las partes, bien lo haya tomado en consideración el juez de oficio, conduce a la posible integración de la litis y, en su caso, a una resolución meramente procesal, de archivo de las actuaciones (art. 420).

Si a pesar de todo el juez entra en el fondo del asunto y condena a los litisconsortes sí demandados, su sentencia no es nula pero es ineficaz e inoponible frente a quien no ha sido parte procesal debiendo serlo. Incluso debe ser ineficaz frente a los que sí fueron parte, pues normalmente será imposible ejecutarla también contra ellos sin que se cause un perjuicio irreparable a los ausentes.

C) Litisconsorcio cuasi-necesario

La pluralidad de partes es eventual y originaria en el caso del denominado litisconsorcio cuasi-necesario, es decir, cuando la legitimación activa y/o pasiva corresponde a varias personas, pero no de manera necesariamente conjunta; en estos casos se permite la existencia del proceso entre dos únicas personas, limitándose a exigir la norma que, en el supuesto de que más de una persona demanden o sean demandadas han de hacerlo conjuntamente, tratándose de una única pretensión y de un único proceso que finalizará también con un único pronunciamiento. La existencia del litisconsorcio queda a la voluntad del o de los demandantes.

El caso que la doctrina suele destacar es el de las obligaciones solidarias. Entre él y el del litisconsorcio necesario hay similitudes y diferencias:

1) Similitudes: Siempre se ejercitará una única pretensión, también cuando se demanda a varios deudores solidarios, originadora de un único proceso, dictándose un único pronunciamiento, pues la obligación existe o no frente a todos los deudores.

2) Diferencias: En este litisconsorcio cuasi-necesario la existencia de la pluralidad de partes no viene impuesta por la naturaleza de la relación jurídico material, siendo posible que se demande a un único deudor solidario; la ley impone sólo que si se quiere demandar a varios deudores simultáneamente ha de hacerse en un único proceso.

Naturalmente en este caso no podrá oponerse excepción de falta de litisconsorcio si se demanda a un solo deudor. Si el litisconsorcio se constituye, porque el actor demanda a varios, el proceso litisconsorcial tendrá un desarrollo similar al que antes hemos visto para el necesario, pudiendo mantener las partes posturas materiales y procesales diferentes.

D) Intervención voluntaria

La intervención de terceros en el proceso supone siempre la injerencia de alguien, que hasta entonces era tercero, en un procedimiento judicial ya en marcha para convertirse en él en parte, con lo que se trata de una decisión voluntaria de ese hasta entonces tercero, pero el contenido y el fin perseguidos por el acto formal de intervención impiden la consideración del mismo como un fenómeno único. Unas veces la intervención produce una acumulación de procesos (Lección Sexta) y otras un proceso único con pluralidad de partes.

El art. 13.1 LEC contiene una norma general sobre esta intervención voluntaria, en virtud de la cual se permite, a quien acredite tener interés directo y legítimo en el resultado del pleito, pedir y ser admitido como parte mientras se encuentre pendiente un proceso. Ahora bien, a pesar de la generalidad de la norma, deben distinguirse dos supuestos.

a) Intervención litisconsorcial

Existen terceros que pueden afirmar su cotitularidad de la relación jurídico material deducida en el proceso por las partes iniciales. Cuando un tercero hubiera podido figurar desde el comienzo en el proceso como parte, y si no sucedió así fue porque su presencia no era imprescindible, estamos ante la posición habilitante del tercero para intervenir litisconsorcialmente. Su legitimación se basará en la afirmación de la cotitularidad. El tercero al intervenir tratará de defender derechos propios, no ajenos, pero no ejercitará una pretensión distinta de la ya ejercitada por el demandante.

El ejemplo más claro de intervención litisconsorcial es la que puede realizar el acreedor solidario que no demandó y el deudor solidario que no fue inicialmente demandado, pero existen otros casos como el del coheredero en el supuesto del art. 1.084 CC, o el del accionista que interviene en el proceso de impugnación de acuerdos de sociedades anónimas para mantener la validez de los mismos (art. 206.4 del RD-legislativo 1/2010, de 2 de julio, por el que se aprueba el texto refundido de la Ley de Sociedades de Capital.

Un caso muy especial es el de la intervención de cualquier consumidor o usuario en el proceso instado por las entidades legalmente reconocidas para la defensa de intereses de aquéllos, o del afectado en el proceso instado por el grupo, a los cuales el art. 13.1, II, LEC les legitima para intervenir, lo que reitera el art. 15.2 LEC.

b) Intervención adhesiva simple

La pluralidad de partes eventual puede producirse también con base en una legitimación que no consiste en afirmar la cotitularidad de la relación jurídico material deducida en el proceso por las partes iniciales, sino en afirmar la titularidad de otra relación jurídica que es dependiente de la primera, de modo que la decisión que en el proceso se adopte será hecho constitutivo, modificativo o extintivo de la relación segunda. Es el supuesto de la intervención adhesiva simple que presupone la llamada eficacia refleja de la cosa juzgada.

La eficacia refleja de la cosa juzgada se basa en las interferencias entre la relación jurídico material deducida en el proceso por las partes iniciales y la relación jurídica de la que afirma ser titular el tercero con una de las partes. Esas interferencias consisten en un vínculo de dependencia que se resuelve en la prejudicialidad, de modo que la sentencia que se dicte en el proceso determinará el nacimiento, modificación o extinción de la relación jurídica del tercero con una de las partes.

Por intervención adhesiva simple hay que entender, pues, la injerencia de un tercero en un proceso pendiente entre otras personas, con el fin de evitar el perjuicio jurídico que pueda ocasionarle, como consecuencia de los efectos reflejos de la cosa juzgada, la derrota procesal de una de las partes.

El tercero al intervenir persigue, pues, evitar unos perjuicios. En algunos casos su actuación puede limitarse a coadyuvar a la victoria de una de las partes, apoyándola con alegaciones y medios de prueba, pero en otros tendrá que suplir la inactividad de la parte originaria e incluso es posible que tenga que enfrentarse a ella cuando se trate de un proceso fraudulento o simulado. Al intervenir el tercero lo hace para defenderse a sí mismo. Si la finalidad de la intervención se redujera —como pretende la mayoría de la doctrina— apoyar, colaborar, coadyuvar a la victoria de una de las partes originarias, en buena parte de los casos la intervención no sería útil ni económica. De ahí que la única solución práctica consista en reconocer al interviniente la condición de parte.

En la jurisprudencia casi todos los casos de esta intervención partían de la base de la existencia de confabulación entre las partes; así cuando el subarrendatario interviene en el proceso entre arrendador y arrendatario o cuando el notario interviene en el proceso en que se impugna un testamento por defectos de forma. Si al interviniente no se le concede la cualidad de parte, con todos los poderes procesales inherentes a tal condición (salvo los de disposición), estaremos ante una institución inútil. Además de que en el proceso se es o no se es parte, no pudiendo darse situaciones intermedias.

En todo caso esta intervención tampoco supone el ejercicio de una nueva pretensión. Si el interviniente se coloca en la situación de actor, mantendrá la misma pretensión que ya interpuso el originario demandante. Si se coloca en la situación de demandado podrá formular resistencia. La intervención no supone acumulación sino proceso único con pluralidad de partes.

c) Forma de la intervención

Los problemas procesales sobre la actuación del interviniente dependerán de si se le considera o no parte en el proceso en que interviene. El art. 13 LEC le concede la condición de parte y por ello:

1.ª) Modo de realizar la intervención: Esta se solicitará por escrito al juzgador, justificando el interés; habrá de oírse a las partes ya personadas, por plazo de diez días, y se decidirá por auto.

2.ª) Incidencia de la intervención sobre el proceso.

> Puede enunciarse en tres principios: 1») La intervención no puede hacer retrotraer las actuaciones; 2») A pesar de lo anterior el interviniente puede hacer las alegaciones necesarias para su defensa que no hubiere efectuado por corresponder a momentos procesales anteriores a su admisión en el proceso, alegaciones de las que se dará traslado a las demás partes por plazo de cinco días, y 3») Podrá interponer recurso de modo autónomo, esto es, aunque su litisconsorte no recurra.

Lo anterior está presuponiendo que el interviniente se convierte en parte en el proceso, con todos los poderes procesales inherentes a esa condición. El interviniente litisconsorcial, al ser titular de la relación jurídico material deducida en el proceso, puede realizar los actos de disposición material; el interviniente adhesivo simple no, pero puede oponerse a los realizados por las otras partes.

VI. LOS SUPUESTOS DE INTERVENCIÓN PROVOCADA

En los casos vistos hasta aquí la intervención depende de una decisión que debe tomar el tercero sin incitación alguna, y por lo mismo se suelen denominar de intervención voluntaria. Existen otros, que se denominan de intervención provocada, en los que la iniciativa para la intervención proviene de una de las partes que está en el proceso.

En el Derecho español no existe, en general, la intervención por orden del juez, porque la misma sería contraria a los principios que informan nuestro proceso civil; en éste no es imaginable, ante la falta de norma expresa, que el juez imponga a un tercero la carga de intervenir. Lo más parecido a ello es la integración de la litis en caso de litisconsorcio necesario, pero adviértase que el art. 420 LEC dispone que esa integración es voluntaria.

El art. 15.1 atiende a un caso especial que, más que una llamada por orden del juez, es dar publicidad a la existencia de un proceso cuando se trata de intereses difusos y en atención a que les afectará la cosa juzgada (art. 222.3 LEC). Se trata de que, en los procesos promovidos por asociaciones o entidades constituidas para la protección de los derechos e intereses de los consumidores y usuarios (o por los grupos de afectados), se llame al proceso a quienes tengan la condición de perjudicados, por medio de la difusión de la admisión de la demanda en medios de comunicación social.

El art. 14 LEC regula dos supuestos de intervención provocada, uno a instancia del demandante y otro a petición del demandado, y en los dos casos existe una remisión a lo que disponga la ley, que debe entenderse que es la ley material. Lo cierto es que los posibles casos de intervención provocada por el demandante están por determinar, mientras que los de intervención por llamada del demandado sí tienen alguna previsión legal expresa.

Para los casos de intervención provocada por el demandado se regula la forma de la intervención, de modo que:

1.º) El demandado, dentro del plazo para contestar a la demanda, pedirá al tribunal que sea notificada al tercero la pendencia del proceso.

> Esta petición lleva a suspender el plazo para contestar a la demanda, con efectos del día de su presentación, que se reanudará, bien con la notificación del auto desestimando la petición, bien, si la petición es estimada, con el traslado del escrito de contestación a la demanda presentado por el tercero o con la expiración del plazo que se le haya concedido para ello.

2.º) El letrado de la administración de justicia ordenará la interrupción del plazo para contestar a la demanda, y dará traslado al demandante por plazo de 10 días, resolviendo el juez por auto lo que proceda.

3.º) Cabe la extromisión del demandado.

> Éste puede pedir, si ha comparecido el tercero, que su lugar sea ocupado por dicho tercero (art. 14.2, 4.ª). Oídas las partes, por plazo de cinco días, el juez puede decidir la extromisión del demandado, que el art. 18 regula como forma de sucesión procesal.

4.º) En el caso de en la sentencia se absuelva al tercero las costas pueden imponerse a quien solicitó su intervención (pero de acuerdo con los criterios generales del art. 394).

A) Llamada por causa común

En otros ordenamientos se regula en general la posibilidad de que una de las partes pueda llamar al proceso a un tercero respecto del que considera que la causa es común. De esta posibilidad en el Derecho español se conoce únicamente el caso específico del art. 1.084 CC. Los acreedores pueden exigir el pago de sus créditos por entero de cualquiera de los herederos que no hubieren aceptado la herencia a beneficio de inventario, pero al mismo tiempo el artículo faculta al heredero demandado para hacer citar o emplazar a los coherederos (siempre que no hubiera quedado él solo obligado al pago de la deuda).

> Ahora puede atenderse también al caso de la responsabilidad basada en las obligaciones resultantes de la intervención en la edificación, conforme a lo dispuesto en la Disposición Adicional 7.ª de la Ley 38/1999, de 5 de noviembre, de Ordenación de la Edificación, al regular la solicitud de la demanda de notificación a otros agentes.

B) Llamada en garantía

Mediante esta llamada una parte (normalmente el demandado) provoca la intervención en el proceso de un hasta entonces tercero, que debe garantizar al llamante de los resultados del mismo. La llamada puede ser formal o simple.

1ª) En la llamada formal el tercero está obligado a garantizar al llamante en virtud de una transmisión onerosa de derechos efectuada con anterioridad, como es el caso de los arts. 638 (evicción en la donación onerosa), 1475 a 1482 (saneamiento en caso de evicción en la compraventa), 1.529 (cesión de créditos), 1.540 (permuta), 1.557 (arrendamiento) y 1.681 (evicción por lo aportado a la sociedad) del CC.

2ª) En la llamada simple la obligación de garantizar procede de un vínculo de cooobligación que da lugar, entre los obligados, a pretensiones de regreso total o parcial, después de satisfacer al acreedor común, como ocurre en los arts. 1.145 (obligaciones solidarias), 1.830 y 1.839 (fiador demandado) y 1.837 (cofiadores) del CC.

Debe entenderse que el art. 14 LEC ha abrogado el art. 1482 CC en lo relativo a la forma de la llamada al tercero, pero sigue tratándose de una simple denuncia del litigio, no del ejercicio de la acción de garantía.

De las normas dichas se desprende:

1.°) Que la llamada es una simple denuncia del litigio por la que se invita al tercero a intervenir, de modo que si no lo hace no podrá después alegar que la sentencia es *res inter alios iudicata*, y si interviene hay que considerarlo interviniente adhesivo, aunque conteste a la demanda antes que el demandado.

2.°) Que no existe en nuestro ordenamiento unión entre la denuncia del litigio y la acción de garantía; estamos ante la denuncia del litigio sin más, pues el comprador demandado no formula la pretensión de garantía contra el tercero vendedor.

C) Nominatio auctoris

Se trata aquí de que alguien que detenta una cosa como poseedor inmediato, es demandado por el que afirma ser su dueño, ejercitando una *actio in rem* o *in rem scripta*; el poseedor inmediato afirma poseer en nombre de otro, que es el poseedor mediato. Lo aconsejable en esta situación es que el demandado ponga en conocimiento del verdadero poseedor la perturbación que sufre en la posesión, para que éste lo defienda y se defienda. Esta llamada se conoce también en la doctrina como llamada al poseedor mediato.

La legislación española es muy deficiente. En el CC habría que referirse al usufructuario (art. 511) o al arrendatario (art. 1.559) y a su obligación de poner en conocimiento del propietario cualquier acto de tercero que sea capaz de lesionar el derecho de propiedad. Este «acto» puede ser un proceso y la puesta en conocimiento una *nominatio auctoris*. El propietario, si interviene, se convertirá en parte de un proceso único.

D) Llamada al tercero pretendiente

Puede ocurrir que una persona reconozca su condición de obligado en una relación jurídico material pero desconozca quien es el titular del derecho subjetivo, y partiendo de esta situación pueden presentarse dos posibilidades procesales:

1.ª) Que ese sujeto pasivo haya sido demandado ya en dos o más procesos por otras tantas personas que afirman su titularidad del derecho subjetivo; la solución aquí radica en que el demandado en los varios procesos pida la acumulación de los mismos, y luego utilizando el art. 1.176, II, CC deposite en el juzgado el importe de la deuda, con lo que estaríamos ante un litigio entre pretendientes.

2.ª) Que ese sujeto pasivo haya sido demandado ya en un proceso por uno solo de los pretendientes, y entonces puede llamar al procedimiento a los otros pretendientes, los cuales si intervienen darán lugar a una intervención principal, aunque cabe la extromisión del demandado, el cual deberá depositar previamente lo reclamado.

Legislación: Ley de Enjuiciamiento Civil (arts. 10 a 15 bis)
Lectura: MONTERO, *De la legitimación en el proceso civil*, Barcelona, 2007

Lección Cuarta
Las partes: Otras cuestiones

I. **SUCESIÓN PROCESAL**
   A) Muerte de la persona física
   B) Fusión o absorción de personas jurídicas
   C) Transmisión intervivos de la cosa litigiosa

II. **POSTULACIÓN PROCESAL: COMO PRESUPUESTO PROCESAL**

III. **LA REPRESENTACIÓN PROCESAL: LOS PROCURADORES Y EL MONOPOLIO**
   A) Sus caracteres. El poder:
      1. Escritura pública
      2. Apud acta
      3. Comparecencia electrónica
      4. Oficio del Colegio de Procuradores
      Legalidad e insuficiencia
   B) Desarrollo y cese de la representación
      Aceptación y Causas de cese: Absolutas y relativas
   C) Exclusividad de la representación y excepciones
      Supuestos exceptuados: 10
   D) Tratamiento procesal:
      a) Inexistencia de poder
      b) Ilegalidad o insuficiencia
   E) Actos de comunicación

IV. **LA DEFENSA TÉCNICA: PROFESIÓN DE ABOGADO**
   A) Obligatoriedad y excepciones
      Excepciones: 7 supuestos
   B) Tratamiento procesal
      De oficio. Subsanar

V. **INTERVENCIÓN NO PRECEPTIVA DE ABOGADO O DE PROCURADOR**
   A) Igualdad de las partes
   B) Condena en costas

VI. **LA JURA DE CUENTAS**
   3 supuestos

VII. **LA ADMINISTRACIÓN COMO PARTE:**
   A) Privilegios del Estado
      Ley 52/1997: 9 privilegios
   B) Privilegios de las Comunidades Autónomas
      Complejidad
   C) Privilegios de las Entidades Locales
      5 privilegios

VIII. **EL MINISTERIO FISCAL EN EL PROCESO CIVIL:**
   A) Como parte
   B) Como representante legal
   C) Como dictaminador

I. SUCESIÓN PROCESAL

La tramitación de todo proceso precisa de un tiempo, más o menos largo, durante el cual la situación inicial de las partes puede cambiar. Aunque cabe registrar una cierta aspiración a que esa situación inicial se mantenga sin modificaciones (*lite pendente nihil innovetur*), la realidad se impone a los deseos y es preciso solucionar los problemas que aquélla inevitablemente plantea. Se trata ahora de determinar los cambios que pueden producirse en las partes desde la iniciación del proceso (es decir, desde el momento de producción de la litispendencia, Lección Novena) y mientras éste esté pendiente. Los verdaderos supuestos de sucesión procesal son aquéllos en los que se produce el cambio de una parte por otra en la misma posición procesal.

> Existen otras modificaciones que también tienen interés, pero que no son casos de verdadera sucesión procesal. Nos referimos a cambios relativos a las personas físicas que pueden afectar a:
>
> 1.º) La capacidad: A lo largo del proceso puede producirse la adquisición de la mayoría de edad o la pérdida de la capacidad por sentencia de incapacitación; en el primer caso el representante legal deja de serlo y en el segundo tendrá que comparecer el tutor o curador, si bien en ninguno se produce un verdadero cambio de parte.
>
> 2.º) La representación legal: El titular de la patria potestad puede morir y hay que nombrar tutor, o éste ser removido, y en los dos casos habrá de comparecer el nuevo representante legal.
>
> En la LEC no existe una previsión directa de estos casos sino sólo indirecta, en el art. 30.1, 3.º y 2, relativas al cese del procurador en su representación técnica cuando se produce el fallecimiento del poderdante, y a que los cambios en la representación necesaria (personas jurídicas) o en la administración (masa patrimonial, patrimonios autónomos, entes sin personalidad) no extinguen el poder del procurador ni darán lugar a una nueva personación.

La sucesión procesal atiende al cambio en el proceso de una parte por otra, en la misma posición procesal, por haberse convertido la segunda en titular de la posición habilitante para formular la pretensión o para que frente a ella se formule.

A) Muerte de la persona física

Se trata de una aplicación particular del supuesto general de la sucesión, por el cual el heredero sucede al difunto en todos sus derechos y obligaciones (art. 661 CC), pero pueden ocurrir circunstancias en alguna medida especiales, y así el sucesor procesal puede ser la persona determinada en el art. 16 de la LAU cuando el litigio verse sobre un arrendamiento urbano. En algunos casos la muerte de la parte extingue el proceso (por ejemplo, en el juicio de divorcio).

El art. 16 LEC prevé el supuesto de la muerte de la parte y la transmisión *mortis causa* de lo que sea objeto del juicio, y lo hace distinguiendo varias posibilidades:

1.ª) El sucesor puede comunicar al tribunal la defunción de alguno de los litigantes, caso en el que el letrado suspenderá el proceso y, previo traslado a las demás partes, acreditados la defunción y el título sucesorio y cumplidos los trámites pertinentes, se tendrá por personado al sucesor, especialmente a efectos de la sentencia que dicte.

2.ª) Si la defunción de un litigante consta al tribunal y el sucesor no se persona en el plazo de los cinco días siguientes, se permitirá a las demás partes pedir, con identificación de los sucesores y del domicilio, que se les notifique la existencia del proceso, emplazándolos para que comparezcan en el plazo de diez días, con suspensión también del proceso.

3.ª) En especial, si el fallecido es el demandado puede ocurrir que: 1) Las demás partes no conozcan a los sucesores, 2) Estos no puedan ser localizados, y 3) Conocidos y emplazados no quieran comparecer, pero en los tres casos seguirá adelante, con declaración de rebeldía de la parte demandada.

4.ª) También en especial, si el fallecido es el demandante y sus sucesores no se personan por: 1) Las demás partes no los conocen, y 2) No pueden ser localizados, en los dos casos se entenderá que ha habido desistimiento (salvo que el demandado se opusiera a esta declaración, aplicándose entonces el art. 20.3).

5.ª) Por último, si el fallecido es el demandante y sus sucesores no quieren comparecer, se entenderá que existe renuncia a la acción ejercitada.

B) Fusión o absorción de las personas jurídicas

Normalmente la extinción de la persona jurídica no producirá el cambio de parte, porque la ley prevé mantener su personalidad a los efectos de concluir las operaciones pendientes. Sí hay cambio de parte en los casos de absorción o fusión; en el primero se extingue una sociedad y en el segundo las dos, y en ambos deberá acreditarse el cambio en el proceso.

C) Transmisión inter vivos de la cosa litigiosa

La pendencia procesal de los derechos relativos a una cosa no convierten a ésta en intransmisible. En el CC hay base suficiente para referirse a la transmisión negocial de cosas litigiosas (art. 1.291, 4.º), o a la cesión de créditos litigiosos (art. 1.535), y aún cabría referirse a las transmisiones forzosas. El art. 17 LEC regula la sucesión procesal en este supuesto.

El adquirente de lo que sea objeto del juicio podrá solicitar, acreditando la transmisión, que se le tenga como parte en la posición que ocupaba al transmitente, y el letrado de la administración de justicia, con suspensión de las actuaciones, dará traslado a la otra parte por diez días. La parte contraria puede:

1.º) No oponerse a la sucesión: El tribunal, por medio de auto, acordará la sucesión en la posición procesal y alzará la suspensión.

2.º) Oponerse a la sucesión: El tribunal tendrá que decidir, por medio de auto, y lo hará:

1") Denegando la sucesión: Procederá la denegación cuando la parte contraria acredite que le competen derechos o defensas que, en relación con lo que sea objeto del juicio, solamente puede hacer valer contra la parte transmitente, o un derecho a reconvenir, o que pende una reconvención, o que el cambio de parte pudiera dificultar notoriamente su defensa. En este caso continuará el juicio asumiendo la condición de parte el transmitente, y sin perjuicio de las relaciones jurídico privadas que existan entre ambos.

2") Admitiendo la sucesión: Si no concurren los casos anteriores.

II. POSTULACIÓN PROCESAL

Aunque la capacidad procesal se define como la aptitud para realizar válidamente actos procesales, los ordenamientos jurídicos no suelen permitir a las partes la realización por sí mismas de todos esos actos, sino que suelen exigir que se actúe por medio de un profesional del Derecho; aparece así la postulación procesal. El legislador considera que se defienden mejor los intereses de las partes si éstas han de actuar por medio de una persona perita en Derecho, la cual aparece como ente intermedio de relación entre las partes y el órgano jurisdiccional. Y lo entiende hasta el extremo de configurarla: 1) Como un presupuesto procesal y por tanto de carácter obligatorio y 2) Como un derecho fundamental del ciudadano, aunque con especial incidencia en el proceso penal (art. 24.2 CE).

> La capacidad de postulación no comprende, sin embargo, todos los actos procesales. Lo normal es que los actos de parte sean realizados por el procurador y/o el abogado, pero existen necesarias excepciones derivadas de la condición de personalísimos de ciertos actos, los cuales han de realizarse personalmente por la parte o han de realizarse con ella (arts. 25.3 y 28.4 LEC); este es el caso del interrogatorio de la parte (art. 301 LEC), de la mayoría de los requerimientos (como el de la suspensión de obra nueva, art. 441.2 LEC, o el del cuerpo de escritura, art. 350.3 LEC).

En nuestra legislación la postulación procesal no se atribuye a una única persona técnica, sino a dos, entre las cuales existe división de funciones.

La postulación comprende así tanto la representación procesal, por medio del procurador, como la defensa técnica, encomendada al abogado.

III. LA REPRESENTACIÓN PROCESAL

La representación procesal se atribuye en exclusiva a los procuradores de los tribunales, los cuales reciben de la parte un mandato expreso, remunerado, representativo y típico (arts. 5 del EGPTE, RD 1281/2002, de 5 de diciembre, Estatuto General de los Procuradores de los Tribunales de España, y 27 LEC). Los procuradores tienen el monopolio de esta representación, con lo que el mandato es voluntario sólo en el aspecto de que la parte puede elegir de entre los incorporados al Colegio correspondiente.

A) Sus caracteres. El poder

El mandato se confiere por medio del poder, palabra con la que se designa tanto la declaración de voluntad que hace el poderdante, como el documento en que aquélla consta. El documento puede ser:

1.°) Escritura pública (arts. 1.280, 5.°, CC, y 24 LEC). El apoderamiento notarial puede realizarse en virtud de poder general para pleitos o de poder especial (art. 25 LEC).

> El primero faculta al procurador para realizar, en nombre del poderdante, todos los actos procesales comprendidos, de ordinario, en la tramitación de los procesos, de cualquier proceso, aunque en el mismo el poderdante puede excluir, de modo expreso e inequívoco, asuntos y actuaciones para los que no se exija poder especial. El segundo, el especial, es necesario para algunos actos: 1) Renuncia, transacción, desistimiento, allanamiento, sometimiento a arbitraje y las manifestaciones que pueden comportar sobreseimiento del proceso por satisfacción extraprocesal o carencia sobrevenida de objeto, 2) Ejercitar las facultades excluidas del poder general, y 3) Todos los demás previstos en las leyes. La falta de poder especial puede ser suplida por la realización del acto por el procurador con el poder general y la ratificación posterior y personal de la parte.

2.°) *Apud acta* (arts. 453.3 LOPJ y 24 LEC).

La representación se confiere mediante comparecencia ante el letrado de la administración de justicia de cualquier oficina judicial. Este otorgamiento de poder se efectuará al mismo tiempo que la presentación del primer escrito o, en su caso, antes de la primera actuación, sin necesidad de que a dicho otorgamiento concurra el procurador.

3°) Comparecencia electrónica en la sede judicial

El otorgamiento por comparecencia electrónica deberá ser efectuado al mismo tiempo que la presentación del primer escrito o, en su caso, antes de la primera actuación, sin necesidad de que a dicho otorgamiento concurra el procurador. Este apoderamiento podrá igualmente acreditarse mediante la certificación de su inscripción en el archivo electrónico de apoderamientos apud acta de las oficinas judiciales.

La copia electrónica del poder notarial de representación, informática o digitalizada, se acompañará al primer escrito que el procurador presente.

4.º) Oficio del Colegio de Procuradores en la casos de turno de oficio.

> Cuando la parte pide que se le designe procurador por el turno de oficio, por estimar que debe gozar del beneficio de asistencia jurídica gratuita o porque ya se le ha reconocido, la designación del procurador, por el Colegio de Procuradores, supone sin más el otorgamiento de la representación (arts. 15 y 21 de la Ley 1/1996, de 10 de enero, de asistencia jurídica gratuita). Además, esta designación por el Colegio puede hacerse también a los que no tengan derecho a la asistencia jurídica gratuita, cuando la intervención del procurador sea preceptiva (art. 33 LEC), sin perjuicio entonces de que habrán de retribuir la actuación.

Los requisitos básicos del poder son legalidad y suficiencia. El primero es un requisito absoluto y atiende a que haya sido otorgado conforme a la ley, por lo que puede examinarse sin referencia a un proceso o acto concreto. La suficiencia es requisito relativo y para determinar su concurrencia es preciso relacionar el poder con el proceso o acto determinado para el que se pretende usarse.

Cuando la representación procesal se define como un mandato típico quiere decirse que el contenido del mismo viene determinado, en general, por las normas del mandato (arts. 1.709 a 1.739 CC a los que se remite supletoriamente el art. 27 LEC), y, especialmente, por lo dispuesto en la LEC (arts. 26, 28 y 29) y en el EGPTE (art. 5). A las obligaciones que podemos considerar realmente procesales asumidas por el procurador se refiere el art. 26 LEC, al que nos remitimos. La obligación principal de la parte es pagar al procurador sus derechos que se fijan por medio de arancel.

B) Desarrollo y cese de la representación

El procurador asume la representación cuando «acepta el poder», lo que suele ocurrir de manera tácita por el hecho de usar del mismo (art. 26.1 LEC). A partir de ahí, y mientras subsista la representación, el procurador oirá y firmará los emplazamientos, citaciones, requerimientos y notificaciones de todas clases, incluso las de sentencias, que deban hacerse a su parte en el curso del pleito y hasta que quede ejecutada la sentencia, teniendo estas actuaciones la misma fuerza que si interviniere en ellas directamente el poderdante (art. 28.1 LEC).

> Como hemos dicho antes existen algunas excepciones de actos personalísimos que han de realizarse por la propia parte o que han de realizarse con ella

(art. 28.4 LEC), pero la tendencia legal es a reforzar la actuación del procurador en los actos de comunicación. Ese reforzamiento se manifiesta en los párrafos 2 y 3 del art. 28 LEC.

Las causas de cese en la representación puede ser absolutas o relativas; conforme a las primeras el procurador cesará en todas las representaciones que tenga confiadas, mientras que las segundas atienden a una representación concreta.

> Las causas absolutas se enumeran en el art. 30.1, 2.º y 3.º LEC y en los arts. 20 y 56 EGPTE (así cesar en su oficio el procurador o muerte del mismo). Las causas relativas están todas en el art. 30 LEC (revocación del poder, desistimiento voluntario del procurador, separarse el poderdante del pleito o haber finalizado éste, muerte del poderdante, etc.).

Debe tenerse en cuenta que los cambios en la representación necesaria de personas jurídicas o de administración en entes sin personalidad no extingue el poder a procuradores ni requiere nueva personación (art. 30.2 LEC).

C) Exclusividad de la representación y excepciones

El principio general, establecido en el art. 23.1 LEC, es el de que las partes comparecerán en el proceso civil preceptivamente por medio de procurador legalmente habilitado para actuar en el tribunal que conozca del juicio. A este principio el art. 23.2 LEC añade los supuestos exceptuados, aquéllos en que las partes pueden no servirse de procurador, y a ellos hay que adicionar algunos que se contienen en leyes especiales:

1.º) Los juicios verbales determinados por la cuantía, sin exceder de 2.000 euros.

2.º) En los procesos en que se ejercite la llamada acción de rectificación (art. 5 de la LO 2/1984, de 26 de marzo, que ahora se tramitan por el juicio verbal, según lo dispuesto en el art. 250.1, 9.ª LEC.

3.º) La petición inicial en el procedimiento monitorio.

4.º) Los juicios universales, cuando se limite la comparecencia a la presentación de títulos de crédito o derechos, o para concurrir a Juntas (art. 184 LC).

5.º) El incidente relativo a impugnación de resoluciones en materia de asistencia jurídica gratuita.

6.º) Medidas urgentes con anterioridad al juicio.

> Los requisitos de urgencia y preliminar se dan en: 1) Las diligencias del art. 256 LEC, pero no en todos los casos, sólo cuando existe urgencia; 2) En la anticipación de la prueba del art. 293 LEC, 3) En el aseguramiento de la prueba antes del inicio del proceso del art. 297 LEC, y 4) En todas las medidas cautelares que

pueden solicitarse antes de la presentación de la demanda del proceso principal. En estas medidas cautelares hay que distinguir dos posibilidades, incluso con referencia al embargo preventivo: 1) Si la medida cautelar se pide junto con la demanda o iniciado ya el proceso principal, el procurador será necesario, y 2) Si se pide antes de la presentación de la demanda del proceso principal, el procurador no será necesario.

7.º) Sin necesidad de abogado el procurador puede comparecer en todos los procesos, si bien sólo a los efectos de oír o recibir actos de comunicación y efectuar comparecencias, pero sin que pueda realizar solicitud alguna.

8.º) Los abogados del Estado, de las Comunidades Autónomas y de las Entidades Locales comparecen sin necesidad de procurador (art. 551 LOPJ).

9.º) Cuando un procurador es parte no precisa ser representado por otro procurador (art. 17 del EGPTE).

10.º) En el procedimiento de jura de cuenta del art. 35 LEC debe estimarse que el abogado no precisa de procurador para reclamar los honorarios al cliente.

11º) En los actos de conciliación (art. 141. 3 LJVol).

En todos estos casos exceptuados la comparecencia podrá hacerse: 1) Con procurador de manera voluntaria, pues la excepción no significa prohibición de servirse del mismo, 2) Por medio de abogado, y 3) La parte por sí misma (no cabe personarse en juicio por persona distinta de procurador o abogado).

D) Tratamiento procesal

Teniendo en cuenta lo que disponen los arts. 24.2, 264, 1.º, 403.3 y 416.1, 1.ª, LEC, el poder debe acompañar al primer escrito que presenta cada una de las partes o constar al realizar la primera actuación. Partiendo de esa carga, el control de su cumplimiento puede hacerse desde dos perspectivas:

a) Inexistencia del poder

El tribunal de oficio inadmitirá el escrito de demanda o de contestación, o cualquier otro que sea el primero de las actuaciones, o no admitirá al procurador a la primera actuación.

Aunque no existe una norma que así lo diga de modo expreso es evidente que esa tiene que ser la solución, sin perjuicio de estimar que se trata de un defecto subsanable, para lo que se concederá el plazo oportuno (aunque no se suspenderá la actuación). Tratándose de subsanación los efectos del escrito se producen desde el momento de la presentación del mismo, no a partir de cuándo se realice la subsanación. Naturalmente si el tribunal no advierte la falta del poder, el defecto podrá ser denunciado por la parte contraria como excepción procesal (art. 405.3 LEC), para debatirse en la comparecencia previa (en el juicio ordinario, arts. 416.1, 1.ª y 418 LEC) o en el inicio de la vista (en el juicio verbal, art. 443.3 LEC).

b) Ilegalidad o insuficiencia del poder

Partiendo de la existencia formal del poder, la alegación de estos otros defectos ha de ser posible, a pesar de que el art. 416.1, 1.ª LEC se refiere sólo a la «falta... de representación en sus diversas clases», pues la palabra «falta» debe entenderse en sentido amplio. Estos defectos han de ser alegados por la parte contraria para ser debatidos en la audiencia previa (juicio ordinario) o en la vista (juicio verbal).

Si en la audiencia previa o en la vista se debate en torno a la existencia del poder o a su legalidad o suficiencia debe tenerse en cuenta que se tratará siempre de defecto subsanable, consistiendo la subsanación en la presentación del poder notarial que sea legal o suficiente (o en el otorgamiento de la representación apud acta).

E) Actos de comunicación

El art. 23.4 a 6 LEC atribuye a los procuradores los actos de comunicación y la realización de tareas de auxilio y cooperación con los tribunales. A ese efecto se dispone:

1º) Para la realización de los actos de comunicación, ostentarán capacidad de certificación y dispondrán de las credenciales necesarias.

> En el ejercicio de las funciones contempladas en este apartado, y sin perjuicio de la posibilidad de sustitución por otro procurador conforme a lo previsto en la Ley Orgánica del Poder Judicial, actuarán de forma personal e indelegable y su actuación será impugnable ante el letrado de la administración de justicia conforme a la tramitación prevista en los artículos 452 y 453. Contra el decreto resolutivo de esta impugnación se podrá interponer recurso de revisión.

2º) Para la práctica de los actos procesales y demás funciones atribuidas a los procuradores, los Colegios de Procuradores organizarán los servicios necesarios.

IV. LA DEFENSA TÉCNICA

El abogado asume la defensa técnica de la parte y ambos están unidos por un contrato de arrendamiento de servicios también típico, en cuanto los derechos y obligaciones de uno y otra están determinados legalmente (arts. 42 a 44 del EGA, RD 658/2001, de 22 de junio, Estatuto General de la Abogacía). La defensa no precisa estar recogida en un documento, y tanto es así que este contrato de arrendamiento de servicios suele ser verbal, y se entiende celebrado cuando el abogado inicia las gestiones procesales.

Resulta así que las relaciones cliente-abogado-órgano jurisdiccional son mucho menos formales que las relativas al procurador, hasta el extremo que para el juzgador el abogado es «fungible», entendiéndose que actúa por el cliente por el mero hecho de firmar los escritos o de realizar actuaciones orales (con la firma del procurador o con la presencia de éste). Desde el punto de vista del proceso no existen problemas de poder ni de cese en la defensa.

A) Obligatoriedad y excepciones

La regla general es la de la obligatoriedad de la defensa técnica, conforme a la cual: 1) Los litigantes serán dirigidos por abogado habilitado para ejercer su profesión en el tribunal que conozca del proceso, y la habilitación hace referencia a la incorporación a un Colegio de Abogados, y 2) Los tribunales no proveerán escritos que no lleven la firma de abogado (art. 31.1 LEC), lo que comprende también que no permitirán la realización de actos orales sin su presencia.

El mismo art. 31.2 LEC establece los casos exceptuados, aunque existen otros previstos fuera del mismo:

1.º) Los juicios verbales cuya determinación se haya hecho por la cuantía y ésta no exceda de 2.000 euros.

2.º) En los procesos en que se ejercite la llamada acción de rectificación (art. 5 de la LO 2/1984, de 26 de marzo, que ahora se tramitan por el juicio verbal, según lo dispuesto en el art. 250.1, 9.ª, LEC.

3.º) La petición inicial de los procedimientos monitorios.

4.º) Los escritos de personación en juicio.

5.º) Los escritos en que soliciten medidas urgentes con anterioridad al juicio, pudiendo repetirse aquí lo que antes hemos dicho para el procurador en el mismo supuesto.

6.º) Los escritos en que se pida la suspensión urgente de vistas o actuaciones, aunque si la suspensión se pide por causas que se refieren especialmente al abogado, éste también deberá firmar el escrito si es posible.

7.º) El procedimiento de jura de cuentas de los arts. 29 y 34 LEC, en los que debe entenderse que el procurador no precisa de letrado.

8º) En la mayor parte de los actos de jurisdicción voluntaria y desde luego para el acto de conciliación (LJVol 15/2015)

En estos casos exceptuados la parte puede defenderse a sí misma, pero teniendo en cuenta que también puede hacerlo por medio de abogado o con la representación de procurador, no por cualquier otra persona.

B) Tratamiento procesal

En principio, y según el art. 31.1 LEC, el tribunal no proveerá a ninguna solicitud que no lleve la firma de abogado, lo que debe entenderse en el sentido de que concederá plazo para que subsane el defecto, y si no se subsana el escrito no producirá el efecto que le sea propio.

Si se trata de la demanda, por ejemplo, y el defecto no se subsana, procederá a no admitirla, con lo que el proceso no se tramita; si se trata de la contestación a la demanda, y no se subsana, se declarará que el demandado no ha contestado. El presupuesto procesal es, por tanto, controlable de oficio, y en el mismo momento en que se produce el acto.

El Tribunal Constitucional, desde la sentencia 57/1984, de 8 de mayo, se ha pronunciado por la subsanabilidad del defecto, de modo que la subsanación produce efectos desde el momento de la presentación del escrito sin firma. Naturalmente la subsanación no consiste en que el abogado ponga la firma en el escrito que se había presentado sin ella, sino en presentar nuevo escrito en el que se diga que el abogado tiene por suyo el escrito anterior.

La LEC no dice de modo general y expreso cuáles son los efectos de la inasistencia del abogado a los actos orales (principalmente, vistas), aunque sí existe norma para algún caso especial (art. 414.4 audiencia previa), no pudiendo generalizarse esta solución específica. El acto podrá o no celebrarse según el contenido del mismo.

V. INTERVENCIÓN NO PRECEPTIVA DE ABOGADO Y DE PROCURADOR

Hemos visto antes los supuestos en los que no es necesaria la representación por procurador ni la defensa por abogado, y hemos dicho también que ello no impide que las partes puedan personarse con uno y/u otro. En el caso de que las partes, no siendo necesarias esas intervenciones, deseen comparecer con procurador o con abogado, el art. 32 establece dos importantes consecuencias:

A) Igualdad de las partes

El mantenimiento de la igualdad entre las partes lleva a que cuando una de ellas vaya a comparecer con abogado o con procurador tenga que ponerlo en conocimiento de la contraria, para que ésta pueda comparecer con el o los mismos profesionales. Esto supone que:

1.º) Si es el demandante el que va a comparecer con procurador o con abogado, o con los dos, debe hacerlo constar en la demanda.

Notificada la demanda, si el demandado pretendiera valerse también de abogado y procurador, lo comunicará al tribunal dentro de los tres días siguientes, pudiendo solicitar también, en su caso, el reconocimiento del derecho a la asistencia jurídica gratuita. En este último caso, el tribunal podrá acordar la suspensión del proceso hasta que se produzca el reconocimiento o denegación de dicho derecho o la designación provisional de abogado y procurador.

2.º) Si es el demandado el que desea comparecer con procurador y/o con abogado (se entiende cuando no ha anunciado este propósito el actor), pondrá esta circunstancia en conocimiento del tribunal en el plazo de tres días desde que se le notifique la demanda, dándose cuenta al actor de tal circunstancia.

Notificado al demandante el propósito del demandado, si quisiera valerse también de abogado y procurador, lo comunicará al tribunal en los tres días siguientes a la recepción de la notificación, y si solicitare el reconocimiento del derecho a la asistencia jurídica gratuita, se podrá acordar la suspensión del proceso en los términos prevenidos para el supuesto anterior.

En los dos supuestos en que se notifique a una parte la intención de la contraria de servirse de abogado y procurador, se le informará del derecho que le corresponde conforme al art. 6.3 de la Ley 1/1996, de 10 de enero, de asistencia jurídica gratuita.

> Estas normas deben interpretarse en sentido favorecedor de la igualdad de las partes en el proceso. Por ello: 1) No puede referirse a los casos en que se trata de la simple presentación de un escrito, y 2) Comprende tanto al abogado como al procurador en los casos de actuación procesal contradictoria. Cuando se exceptúan de la necesidad de procurador y de abogado determinados juicios verbales, si la parte va a comparecer a la vista representada por procurador y sin la asistencia de abogado resulta que será un licenciado en derecho el que actúe en ella, y entonces la igualdad requiere el ofrecer a la parte contraria la posibilidad de acudir a dicha vista con licenciado en derecho. Por este camino se está admitiendo, ineludiblemente, que un procurador acaba asumiendo la defensa técnica.

B) Condena en costas

Cuando la intervención de abogado y procurador no sea preceptiva, los honorarios y derechos de uno y otro no se incluirán en la condena en costas de la parte contraria.

La condena en costas incluye normalmente los honorarios y derechos (arts. 394 y 241), pero no cuando la intervención de estos profesionales no es preceptiva, salvo que el tribunal aprecie temeridad en la conducta del condenado en costas o que el domicilio de la parte representada y defendida esté en lugar distinto a aquél en que se haya tramitado el juicio, si bien entonces con las limitaciones del art. 394.

VI. LA JURA DE CUENTAS

El derecho más importante de abogados y procuradores en sus relaciones con el cliente es el de percibir honorarios el primero y derechos el segundo. Además el procurador debe hacer frente a todos los gastos que origina el proceso (excepto los honorarios de los abogados y de los peritos, las tasas y los depósitos necesarios para recurrir) (art. 26.2, 7.º LEC), para lo cual necesita ser provisto de fondos. Con el fin de que el cliente-deudor haga frente a estas obligaciones con la máxima rapidez, la LEC ha previsto tres procedimientos especiales que suponen un claro privilegio a favor de los profesionales del derecho. No podía ser de otra manera si se tiene en cuenta quiénes hacen las leyes. Veamos los tres supuestos.

1.º) A favor del procurador y para la provisión de fondos: El art. 29 LEC atiende al caso de que el poderdante no provea al procurador de fondos para realizar el proceso, y faculta a éste para pedir al letrado de la administración de justicia que el poderdante sea apremiado para verificar la provisión.

2.º) A favor del procurador contra la parte y para el cobro de derechos y suplidos: El art. 34 LEC contempla el caso del procurador que ha suplido gastos por el cliente y que no ha percibido sus derechos, pueda instar del letrado de la administración de justicia el procedimiento de apremio.

3.º) A favor del abogado (o sus herederos) por sus honorarios y contra la parte: El art. 35 LEC permite reclamar al abogado los honorarios devengados en un pleito, acudiendo también a un procedimiento de apremio.

En los tres casos se trata de una tutela judicial privilegiada en la que el legislador permite que el procurador o el abogado constituyen un título ejecutivo, de modo que se va a proceder a una verdadera ejecución sin que haya existido antes un verdadero proceso de declaración. Esta tutela privilegiada ha sido declarada constitucional en la sentencia 110/1993, de 25 de marzo.

VII. LA ADMINISTRACIÓN COMO PARTE

Al hablar de la capacidad hicimos alusión a las personas jurídico públicas, pero la actuación de las administraciones públicas (en su sentido más general, incluyendo a los órganos constitucionales) en el proceso civil requiere consideración específica porque esas administraciones no asumen su condición de parte en el proceso en situación de igualdad con las partes privadas, sino que actúan con algunos privilegios procesales. Estos han quedado regulados, casi en su totalidad, en la Ley 52/1997, de 27 de noviembre, de asistencia jurídica al Estado e Instituciones Públicas.

A) Privilegios del Estado

La Ley 52/1997 ha procurado sistematizar y dar base legal a los privilegios de las Administraciones Públicas en el proceso civil, aunque algunos de ellos siguen en sus normas de origen:

1.º) La competencia territorial para conocer de los procesos en que sea parte el Estado se atribuye a los juzgados y tribunales que tengan su sede en las capitales de provincia, en Ceuta y en Melilla, con preferencia a cualquier otra norma de competencia (salvo en los juicios universales y en los interdictos de obra ruinosa) (art. 15).

2.º) La representación y defensa en juicio del Estado se atribuye a los abogados del Estado, los cuales no precisan utilizar procurador ni estar colegiados (arts. 544.2, 551 LOPJ y art. 1 de la Ley 52/1997).

3.º) Las peticiones para celebrar acto de conciliación con el Estado no se admitirán a trámite (art. 139.2.2º Ley 15/2015) (Lección Séptima).

4.º) Las notificaciones en general (esto es, los actos de comunicación a la parte que es la Administración) se entenderán directamente con el abogado del Estado y en la sede oficial de la respectiva Abogacía del Estado (art. 11).

5.º) El Abogado del Estado puede pedir, al recibir el primer acto de comunicación, la suspensión del proceso para recabar antecedentes y para elevar consulta al Servicio Jurídico, y el órgano judicial ha de acordarla, pero fijando plazo que no podrá exceder de un mes ni ser inferior a quince días. Ese plazo es inferior, entre seis y diez días, en determinados asuntos que se estiman especialmente urgentes. La suspensión no se concederá si excepcionalmente se estima que la misma produciría grave daño al interés general (art. 14).

6.º) El Estado está exento de la obligación de constituir los depósitos, cauciones, consignaciones o cualquier otro tipo de garantía previsto en las leyes procesales (art. 12).

7.º) Respecto de la condena en costas se distingue: 1) Si se condena a la parte que litiga contra el Estado, se estará a las normas generales de la condena en costas y de la tasación, ingresándose su importe en el presupuesto del Estado, y 2) Si es condenado éste, se procederá a su abono con cargo a los respectivos presupuestos, si bien «de acuerdo con lo establecido reglamentariamente» (art. 13).

8.º) En el proceso de ejecución los privilegios del Estado son extraordinarios, pues, primero, no existe una verdadera ejecución forzosa contra él, ni aún después de la LJCA 29/1998, de 13 de julio, y, segundo, no pueden despacharse mandamientos de embargo contra los bienes del Estado (art. 23.1 de la Ley 47/2003, de 26 de noviembre). Para completar el cuadro el art. 18.2 LOPJ permite la expropiación de los derechos reconocidos en sentencia firme contra la Administración.

Las cosas pareció que empezaban a cambiar desde la STC 166/1998, de 15 de julio, confirmada por otras posteriores, pues aunque referidas a ayuntamientos, la primera declaró la inconstitucionalidad del art. 154.2 de la Ley 39/1988, de 28 de diciembre, reguladora de las Haciendas Locales, en la parte del mismo que declaraba la inembargabilidad de «y bienes en general», «en la medida en que no excluye la inembargabilidad los bienes patrimoniales no afectados a un uso o servicio público». Aunque queda excluido de modo expreso el embargo de dinero, se han abierto nuevas perspectivas para el embargo de los bienes del Estado no afectados a la prestación de un servicio público.

> El art. 179.2 del RD-Legislativo 2/2004, de 5 de marzo, por el que se aprueba el texto refundido de la Ley Reguladora de las Haciendas Locales, dispone: «Los tribunales, jueces y autoridades administrativas no podrán despachar mandamientos de ejecución ni dictar providencias de embargo contra los derechos, fondos, valores y bienes de la hacienda local ni exigir fianzas, depósitos y cauciones a las entidades locales, excepto cuando se trate de bienes patrimoniales no afectados a un uso o servicio público».
>
> Conforme al art. 23.1 de la nueva Ley General Presupuestaria de 2003 entre las prerrogativas se cuenta que: «Ningún tribunal ni autoridad administrativa podrá dictar providencia de embargo ni despachar mandamiento de ejecución contra los bienes y derechos patrimoniales cuando se encuentren materialmente afectados a un servicio público o a una función pública, cuando sus rendimientos o el producto de su enajenación estén legalmente afectados a fines diversos, o cuando se trate de valores o títulos representativos del capital de sociedades estatales que ejecuten políticas públicas o presten servicios de interés económico general».

B) Privilegios de las Comunidades Autónomas

En los estatutos de autonomía no existe una regulación uniforme de los privilegios con que actúan las Comunidades Autónomas, existiendo normas dispersas en algunos de ellos y en otros no. Tenemos así un complejo maremagnum, al que hay que añadir el art. 551.3 de la LOPJ, según el cual las Comunidades Autónomas confían su representación y defensa en juicio a los letrados que sirvan en los servicios jurídicos, pero también pueden comparecer por medio de abogados colegiados (a lo que hay que añadir el art. 554.2 de la misma LOPJ).

> Por si faltara algo varias Comunidades Autónomas (han dictado leyes propias regulando su comparecencia en juicio, si bien debe tenerse en cuenta que, en virtud de lo dispuesto en el art. 149.1, 5.ª CE, las Comunidades no pueden dictar normas relativas a la competencia territorial de los tribunales.

Las últimas disposiciones dictadas han hecho referencia expresa a un privilegio concreto. La Disposición Adicional 4.ª de la Ley 52/1997, de 27 de noviembre, establece que los privilegios que antes hemos relacionado en los números 5.º (notificaciones), 6.º (suspensión), 7.º (depósitos) y 8.º (costas) se aplican también a las Comunidades Autónomas; respecto del fuero territorial especial también serán competentes los juzgados y tribunales que tengan su sede en la capital de la Comunidad Autónoma cuando no sea capital de provincia (Santiago de Compostela y Mérida).

C) Privilegios de las Entidades Locales

La regulación de estos Entes ha insistido en algunos privilegios, no en todos, similares a los del Estado. Hay que referirse a:

1.º) Según el art. 551.3 LOPJ estas Entidades pueden comparecer en juicio representadas y defendidas por los letrados de sus servicios jurídicos o por letrado colegiado (lo que implica que los primeros no precisan de colegiación, art. 544.2 LOPJ).

2.º) También es de aplicación el art. 139.2.2º de la Ley 15/2015, sobre la no admisión a trámite de peticiones de conciliación.

3.º) Están exceptuadas de la presentación de cauciones, fianzas y depósitos ante los tribunales.

4.º) Respecto de la ejecución de sentencias debe recordarse que las sentencias del Tribunal Constitucional a que aludimos antes se dictaron precisamente con relación a ayuntamientos y que el art. 154.2 de la Ley 39/1988, de 28 de diciembre, reguladora de las Haciendas Locales, era inconstitucional en la parte en que declaraba inembargables todos los bienes de las mismas, pues los excluidos son sólo los que están afectados a un servicio público.

VIII. EL MINISTERIO FISCAL EN EL PROCESO CIVIL

Si se tiene en cuenta, primero, que los intereses en juego en el proceso civil son privados, predominando en ellos la autonomía de la voluntad de los particulares, y de ahí los principios de oportunidad y dispositivo, y, segundo, que el Ministerio fiscal, según el art. 124 CE, tiene por misión promover la acción de la justicia en defensa de la legalidad con referencia principal al interés público tutelado por la ley y a la satisfacción ante los tribunales del interés social, se comprenderá que no es el proceso civil el campo normal de actuación del Ministerio fiscal. Tanto es así que no cabe hacer una referencia general a la presencia de éste en aquél, sino que es preciso aludir a los casos concretos en que la ley prevé, en sus diferentes aspectos, la actuación de este órgano administrativo.

La única referencia general que cabe hacer atiende a lo que puede denominarse publicización de parte del derecho civil, que tiene su reflejo en la existencia de un proceso civil no dispositivo. A ello hay que añadir que, en ocasiones y por motivos políticos, la ley amplía la legitimación dando entrada en el proceso al Ministerio fiscal, con lo que está reflejando una cierta publicización de los derechos que no abandona al libre juego de los particulares. Consiguientemente el campo de actuación del Ministerio fiscal en el proceso civil no siempre es el mismo, sino que hay que atender a un momento determinado y a un país concreto para saber qué medidas tiene ese campo de actuación.

La actuación del Ministerio fiscal no tiene siempre la misma calidad (o, si se prefiere, la misma intensidad). En unos casos se le atribuye la condición de parte con plenitud, lo que significa que puede interponer pretensiones y oponerse a ellas, pudiendo realizar en el proceso todos los actos propios de las partes; el ejemplo típico que se suele poner es el del art. 74 CC, que legitima al Ministerio fiscal para pedir y para oponerse a la nulidad matrimonial. En otros supuestos su intervención no proviene de tener la condición de parte, sino que queda reducida a una labor dictaminadora, de expresión de una opinión jurídica que suele denominarse dictamen o informe y más comúnmente audiencia (art. 52 LOPJ y art. 48.3 LEC, sobre competencia objetiva).

Todavía puede hacerse referencia a una tercera posibilidad de actuación que no es permanente sino transitoria: la representación de menores, incapacitados y ausentes, a que se refiere en general el art. 3.7 del EOMF de 1981, que tiene también su reflejo en diversos supuestos concretos, como son los arts. 207 y 299 bis CC y el art. 8.2 LEC. Normalmente esta función de representación y defensa en juicio es transitoria, para mientras se designa representante legal o se nombra defensor.

Y resta aún todo lo relativo a la jurisdicción voluntaria, de la que hacemos aquí sólo mención.

A) Como parte

Es aquí donde cabe referirse propiamente a la publicización de los derechos, por cuanto el Ministerio fiscal asume con plenitud la condición de parte, si bien se trata de una parte especial, dado que su interés no es privado, actuando en defensa del interés general. Así como el abogado del Estado es parte parcial, defendiendo los intereses concretos de la Administración, el Ministerio fiscal, en todo caso, defiende los intereses de la sociedad, atendido el hecho de que ésta ha reflejado cuál es su interés en la ley, y siguiendo los principios de unidad y dependencia.

En su actuación procesal el Ministerio fiscal ostenta la representación y la defensa conjuntamente, y no puede realizar actos de disposición del derecho material (renuncia, allanamiento), aunque sí del proceso (desistimiento). En todo caso podrá oponerse a la realización de actos dispositivos por las partes privadas (aunque éstos, normalmente, no pueden realizarse en los procesos en que él interviene, por ser de naturaleza no dispositiva).

La actuación del Ministerio fiscal depende de la existencia de una norma concreta que le confiera legitimación. La norma general es el art. 749.1 LEC, según la cual en los procesos sobre incapacitación, en los de nulidad matrimonial y en los de determinación e impugnación de la filiación el Ministerio fiscal será siempre parte, y su legitimación puede ser:

a) Activa y pasiva: Puede pedir la actuación del derecho objetivo en el caso concreto, y si no la pide él ha de ser necesariamente parte en el proceso. Esto ocurre:

1.º) En algunos procesos matrimoniales, específicamente los relativos a la nulidad matrimonial por las causas que especifica el art. 74 del CC.

2.º) En los juicios de incapacitación, según los arts. 757.2 LEC, y en el de reintegración de la capacidad, por el art. 761.2 LEC.

3.º) Para instar la remoción del tutor, según el art. 248 del CC.

> Supuesto especial es el del recurso en interés de la ley (si alguna vez entra en vigor), que puede ser interpuesto por el Ministerio fiscal, para lo que tiene por tanto legitimación activa (art. 491 LEC), pero en el que si no ha recurrido no es luego parte.

b) Sólo pasiva: Que es lo que sucede cuando la ley dice que el Ministerio fiscal será parte en algunos procesos, pero al mismo tiempo no le reconoce legitimación para demandar, y así:

1.º) En los procesos de nulidad matrimonial instados por causas diferentes de las enunciadas en el art. 74 del CC.

2.º) En los de determinación e impugnación de la filiación, según la regla general del art. 749.1 LEC.

3.º) En los procesos en que se pretenda la tutela del derecho al honor, a la intimidad y a la propia imagen o se pida la tutela jurisdiccional civil de otro derecho fundamental (salvo el de rectificación), según el art. 249.1, 2.º, LEC.

4.º) En la Sección Sexta, de calificación del concurso, el Ministerio Fiscal será parte (art. 184 de la Ley Concursal).

5.º) En los procesos que supongan modificación de los asientos del Registro Civil sobre filiación, según el art. 50 de la Ley del Registro Civil.

6.º) En los procesos para la protección de derechos e intereses colectivos y difusos de consumidores y usuarios (art. 15.1, II, LEC).

En todos los casos en que el Ministerio fiscal no es demandante adoptará la posición formal de demandado, pero esto no quiere decir que tenga que oponerse necesariamente a la estimación de la pretensión del actor. Una cosa es su posición formal y otra que la defensa de la legalidad le lleve a sostener lo que estime más adecuado a esa legalidad, incluida la estimación de la demanda.

B) Como representante legal

En los casos en que la ley dice que el Ministerio fiscal asume la representación legal de los incapaces, menores y ausentes no se le está reconociendo una legitimación propia para la defensa de los intereses de la sociedad, sino que la ley lo convierte en defensor de los intereses de esas personas.

La diferencia entre la actuación anterior y ésta puede comprobarse si se atiende al art. 3 del Estatuto del Ministerio fiscal (Ley 50/1981, de 30 de diciembre):

a) En el párrafo 6 se dice que corresponde al Fiscal «tomar parte, en defensa de la legalidad y del interés público o social, en los procesos relativos al estado civil y en los demás que establece la ley», con lo que se está haciendo alusión a los procesos a los que nos hemos referido inmediatamente antes.

b) En el párrafo 7 se dice que corresponde al Fiscal «intervenir en los procesos civiles que determine la ley cuando esté comprometido el interés social o cuando puedan afectar a personas menores, incapaces o desvalidas en tanto se provee a las mismas de los mecanismos ordinarios de representación», con lo que, a pesar de la repetición del interés social, se está aludiendo a la defensa de los intereses específicos de esas personas.

En este segundo supuesto se comprenden:

1.º) Los procesos de filiación, en los que el art. 765.1 LEC atribuye al Fiscal la representación del hijo menor de edad o incapacitado para demandar.

2.º) Los procesos de separación y divorcio, según el art. 749.2 LEC.

3.º) Con carácter provisional, y mientras se constituyen los organismos tutelares o se nombra defensor judicial, el Fiscal asumirá la representación legal en juicio de todos los menores, incapaces o ausentes (art. 8 LEC).

C) Como dictaminador

Si compleja es la actuación del Ministerio fiscal como parte y como representante legal, más difícil de explicar aún es su intervención como dictaminador, informante o, en terminología legal, la necesidad de ser oído, dada la variedad de supuestos a los que se refiere.

> En ocasiones se ha hablado de que «asesora» al órgano jurisdiccional, pero esta pretendida explicación supone alterar todo el sistema de la actuación jurisdiccional basada en el conocimiento y aplicación del derecho objetivo por el juez. Posiblemente la explicación provenga de que estamos ante una situación intermedia; el interés público no llega al extremo de legitimar al Fiscal, pero la existencia de aquél hace conveniente que el juez tenga conocimiento de cuál es la opinión del Ministerio fiscal en el caso concreto.

El dictamen puede referirse tanto a la aplicación del derecho material como a la del procesal, y así por ejemplo.

a) Sobre derecho material: El dictamen o informe o la audiencia puede referirse a aspectos del fondo del asunto: 1.º) En la calificación del concurso (art. 169 de la Ley Concursal), 2.º) La ejecución de sentencias extranjeras (art. 956 LEC/1881), y 3.º) La estimación de la revisión (art. 514.3 LEC).

b) Sobre derecho procesal: El Fiscal ha de ser oído, aunque a veces sea por escrito en: 1.º) Los conflictos de competencia (art. 45 LOPJ), 2.º) Las cuestiones de competencia (art. 52 LOPJ), 3.º) La declaración de incompetencia objetiva y territorial (arts. 48.3 y 58 LEC), 4.º) Suspensión por prejudicialidad penal en la ejecución (art. 569.1, II, LEC), y 5.º) El planteamiento de la cuestión de inconstitucionalidad (art. 35.2 de la LOTC).

Legislación: Ley de Enjuiciamiento Civil
Lectura: MONTERO, *Proceso civil e ideología. Un prefacio, una sentencia, dos cartas y quince ensayos*, 2ª edición, Valencia, 2011.

CAPÍTULO II
LA COMPETENCIA

La competencia

I. EXTENSIÓN Y LÍMITES DE LA JURISDICCIÓN ESPAÑOLA EN EL ORDEN CIVIL

Normas que determinan si el litigio debe resolverse por un juez y éste español.

A) Criterios de atribución: Exclusividad, generales y especiales, fijando la LOPJ fueros que establecen un punto de conexión con un tribunal español.

B) Tratamiento procesal: De oficio y a instancia de parte por declinatoria.

II. LA COMPETENCIA CIVIL GENÉRICA

Atribuye los asuntos al orden jurisdiccional civil, que conoce de las materias que le son propias y de las no atribuidas a otro orden jurisdiccional (*vis* atractiva).

III. LAS CUESTIONES PREJUDICIALES

Son aquellas conexas con la cuestión de fondo planteada en el proceso civil que están atribuidas a tribunales de distinto orden jurisdiccional. Pueden ser de naturaleza (civil?, laboral, administrativa, penal, constitucional y comunitaria.

IV. LOS CRITERIOS DE ATRIBUCIÓN DE LA COMPETENCIA

Son el objetivo, el funcional y el territorial.

V. COMPETENCIA OBJETIVA Y FUNCIONAL

La objetiva determina la competencia por la materia o la cuantía del asunto; la funcional determina la competencia de cada fase, instancia e incidencia del proceso.

A) Especificación para cada juzgado y tribunal: Tienen competencia objetiva y funcional civil: Juzgado de Paz, Juez de Primera Instancia (Juez de Familia), Juzgado de lo Mercantil, Juzgado de Violencia sobre la Mujer, Audiencia Provincial, Sala de lo Civil y Penal del Tribunal Superior de Justicia y Sala I del Tribunal Supremo.

B) Tratamiento procesal: De oficio por el juez y a instancia de parte mediante la declinatoria.

VI. LA COMPETENCIA TERRITORIAL

Con base en el territorio, atendiendo a la existencia de puntos de conexión o fueros.

A) Fueros convencionales: Sumisión expresa y en su defecto la sumisión tácita.

B) Fueros legales: En defecto de los fueros convencionales, o en otros casos legalmente se establecen fueros obligatorios especiales y generales.

VII. EL PRINCIPIO DE PRUEBA

Para la fijación inicial de la competencia territorial se necesita una apariencia de certeza sobre la concurrencia del fuero, que viene proporcionada por los documentos de fondo que se acompañan a la demanda.

VIII. TRATAMIENTO PROCESAL

A) Control de oficio: En los fueros legales imperativos.

B) La declinatoria: El demandado por declinatoria, único instrumento válido hoy para resolver esta cuestión.

IX. EL REPARTO DE ASUNTOS

Se regulan por la LEC en función también de su carácter supletorio, dejando para la LOPJ las normas sobre aprobación del reparto y la vigilancia de su aplicación. Son normas gubernativas.

I. EXTENSIÓN Y LÍMITES DE LA JURISDICCIÓN ESPAÑOLA EN EL ORDEN CIVIL

Los tribunales españoles no pueden asumir el conocimiento de cualquier asunto que le plantee cualquier persona y referido a cualquier materia. La jurisdicción española, ahora sus tribunales del orden civil, ejercen su potestad necesariamente dentro de un ámbito y atendiendo a los límites establecidos en los arts. 22 y ss. LOPJ y 36 LEC.

> Los límites puede estar fijados bien por el propio Estado español de modo unilateral (arts. 9.1 y 21.1 LOPJ), bien por el Derecho Internacional Público con referencia a los tratados y convenios internacionales en que España sea parte (arts. 21.2 LOPJ y 36 LEC). Los tratados más importantes han sido el Convenio de Bruselas de 1968 (entre los países de la Unión Europea) y el de Lugano de 1988 (entre los países de la Asociación Europea de Libre Cambio), pero desde el 1 de marzo de 2002 ha de estarse al Reglamento núm. 44/2001 del Consejo, de 22 de diciembre de 2000 (llamado Bruselas I), relativo a la competencia judicial, el reconocimiento y la ejecución de resoluciones judiciales en materia civil y mercantil (DOCE núm. L 012, de 16 de enero de 2001), que modifica y sustituye en parte a los anteriores.
>
> Ha de estarse también al Reglamento núm. 1215/2012 del Parlamento y del Consejo, de 12 de diciembre de 2012, relativo a la competencia judicial, el reconocimiento y la ejecución de resoluciones judiciales en materia civil y mercantil, así como a la nueva DF-25ª LEC (introducida por la Ley 29/2015, de 30 de julio, de Cooperación Jurídica Internacional en materia civil).

En cualquier caso debe tenerse en cuenta que las normas internas sobre la materia no «reparten» los asuntos entre los tribunales españoles y los tribunales de cada uno de los países distintos de España, sino que se limitan a afirmar cuándo un asunto debe ser conocido por los tribunales españoles, sin poder decir cuándo un asunto corresponde a la jurisdicción de otro determinado país.

A) Criterios de atribución

La extensa reforma operada en la LOPJ por la LO 7/2015, de 21 de julio, ha introducido varios artículos que regulan con sumo detalle la extensión de la jurisdicción española en el ámbito civil. Siguen distinguiéndose tres criterios, pero ahora los supuestos se concretan mucho más:

a) Exclusividad: En primer lugar se establece la existencia de pretensiones sobre materias respecto a las que los tribunales españoles van a ejercer su jurisdicción con carácter exclusivo, exista o no pacto de sumisión.

> Se detallan en el art. 22 y son: 1°) Derechos reales y arrendamientos de bienes inmuebles que se hallen en España. No obstante, en materia de contratos de arrendamiento de bienes inmuebles celebrados para un uso particular durante un plazo máximo de seis meses consecutivos, serán igualmente competentes

los órganos jurisdiccionales españoles si el demandado estuviera domiciliado en España, siempre que el arrendatario sea una persona física y que éste y el propietario estén domiciliados en el mismo Estado; 2°) Constitución, validez, nulidad o disolución de sociedades o personas jurídicas que tengan su domicilio en territorio español, así como respecto de los acuerdos y decisiones de sus órganos; 3°) Validez o nulidad de las inscripciones practicadas en un registro español; 4°) Inscripciones o validez de patentes, marcas, diseños o dibujos y modelos y otros derechos sometidos a depósito o registro, cuando se hubiera solicitado o efectuado en España el depósito o el registro; y 5°) Reconocimiento y ejecución en territorio español de sentencias y demás resoluciones judiciales, decisiones arbitrales y acuerdos de mediación dictados en el extranjero.

Este último criterio no tiene nada que ver con la exclusividad jurisdiccional, sino que es algo connatural a la soberanía que sean los tribunales españoles los que homologuen y ejecuten en España las sentencias, laudos y acuerdos de mediación dictados en el extranjero.

b) Generales: Siempre que no se trate de una de las materias exclusivas, la LOPJ establece en segundo lugar dos reglas generales de atribución de la jurisdicción a los tribunales españoles.

A saber: 1ª) Sumisión expresa o tácita (art. 22 bis): Siempre que una norma expresa lo permita el acuerdo de sumisión, sea expreso o tácito, a jurisdicción española es válido, atendidos además los requisitos particulares fijados en el precepto, básicamente que se cumpla con el acuerdo de sumisión formalmente definido y que no afecte a los fueros especiales que veremos a continuación.

2ª) Domicilio del demandado en España (art. 22 ter): En defecto de fuero exclusivo y no existiendo sumisión, la jurisdicción española es procedente si el demandado tiene su domicilio en España, en función de los requisitos fijados en el precepto.

c) Especiales: En defecto de los criterios generales, la LOPJ establece varios fueros especiales para atribuir jurisdicción a los tribunales españoles, en realidad largos listados de los cuales puede deducirse, ahora todavía más que antes de la reforma, la existencia de un cierto «imperialismo» jurisdiccional.

La LOPJ los ha distribuido de la siguiente manera: 1°) Fueros especiales en algunas materias relacionadas con las personas y el Derecho de familia (art. 22 quáter); 2°) Fueros especiales en determinadas materias de Derecho de obligaciones civiles y mercantiles, así como de derechos reales (art. 22 quinquies); 3°) Fueros especiales en materia de adopción de medidas provisionales y aseguramiento respecto a personas que se hallen en España (art. 22 sexies); y, en su caso, en materia concursal (art. 22 septies).

B) Tratamiento procesal

La falta del presupuesto procesal de la jurisdicción, aparte de producir la nulidad de pleno derecho de lo actuado (arts. 238,1° LOPJ y 225 LEC), es:

a) Controlable de oficio por el tribunal (art. 22 octies.2 LOPJ), quien deberá tener en cuenta las normas vigentes y las circunstancias concurrentes en el momento de presentación de la demanda. Los tribunales españoles no serán competentes si no se cumplen los fueros anteriores (art. 22 octies.1 y 3), y, por otro lado, no podrán declinarla si hay alguna relación con España y los tribunales de los otros Estados posibles afectados se han negado a conocer (art. 22 octies.3, II). Antes de decidir, el tribunal deberá oír a las partes y al Ministerio Fiscal (art. 38 LEC). Normalmente, el momento para efectuar esa declaración es el trámite de admisión de la demanda (arts. 404 y 440 LEC), pero también es posible en la audiencia previa (art. 416.2) y, en último caso, en el de la sentencia.

b) A instancia de parte, pues el demandado podrá alegar la falta de jurisdicción por medio de la declinatoria (art. 39 LEC), para la que debe estarse a lo dispuesto en los arts. 63 a 65 LEC. La falta de jurisdicción sólo puede alegarse por la parte por este medio procesal.

c) La defensa procesal de litispendencia (y de cosa juzgada internacional, aunque no lo diga la ley), así como de conexidad internacional, se alegarán conforme lo dispuesto en las leyes procesales (art. 22 nonies LOPJ).

II. LA COMPETENCIA CIVIL GENÉRICA

La LOPJ atribuye competencia a los tribunales partiendo de la existencia de cuatro órdenes jurisdiccionales. En concreto el art. 9.2 dice que los tribunales y juzgados del orden civil conocerán: 1) De las materias que les son propias, es decir, de la actuación del derecho privado; y 2) De todas aquellas materias que no estén atribuidas a otro orden jurisdiccional, con lo que establece una norma general de competencia y con *vis attractiva*.

> Los tribunales del orden civil se convierten así en los tribunales ordinarios por excelencia, pues su competencia se extiende, además de a la aplicación del Derecho privado, al conocimiento de todas las materias que no estén atribuidas, por el art. 9.4 y 5, a los órdenes contencioso-administrativo y laboral, los cuales son, por esto mismo, tribunales de competencia especializada. Naturalmente no puede existir confusión entre la competencia de los tribunales penales (que se extiende siempre a la imposición de penas o de medidas de seguridad) y la de los tribunales civiles.

Para el tratamiento procesal de esta competencia puede repetirse lo dicho antes, pues es controlable: a) De oficio: El tribunal debe abstenerse de oficio de conocer de los asuntos atribuidos a otro orden jurisdiccional (art. 37 LEC), previa audiencia de las partes y del Ministerio Fiscal (art. 38), lo que hará normalmente en el trámite de admisión de la demanda, en la audiencia previa y, en último caso en la sentencia; y b) A instancia de parte, por medio de la declinatoria (art. 39 LEC).

III. LAS CUESTIONES PREJUDICIALES

Estas cuestiones son aquellas conexas con la cuestión de fondo planteada en el proceso civil, que por su naturaleza están atribuidas al conocimiento de juzgados y tribunales de distinto orden jurisdiccional, en el que pueden dar lugar a un proceso y resolución propia.

> Como explicaremos en la Lección Octava las verdaderas cuestiones prejudiciales son aquéllas que:
> 1.º) Existiendo un proceso civil en marcha, la resolución sobre el mismo está condicionada por la decisión que se adopte respecto de una cuestión que está en conexión con el objeto del proceso civil (no con su tramitación procedimental), de modo que el proceso civil no puede ser resuelto sin antes decidir sobre esta cuestión conexa.
> 2.º) La cuestión conexa no está atribuida a la competencia de los tribunales del orden civil, sino a los tribunales de cualquier otro orden jurisdiccional, pues si en un proceso civil surge una cuestión civil conexa, se tratará de una cuestión incidental.

Las cuestiones prejudiciales han dado siempre lugar a graves problemas de aplicación en la práctica, que han pretendido ser solucionados, primero, por el art. 10.1 y 2 de la LOPJ y, después, por los arts. 40 a 43 de la LEC, y lo han hecho a base de distinguir una clasificación de estas cuestiones.

A) La llamada prejudicialidad civil

En un proceso civil no puede surgir una verdadera cuestión prejudicial civil, pues cuando para resolver sobre una pretensión debe decidirse antes de modo lógico sobre otra cuestión civil, ello no ofrecerá problemas, dado que el tribunal civil tendrá competencia. En este caso estaremos ante una cuestión incidental relativa al objeto del proceso que dará lugar a un incidente (arts. 387 y ss. LEC). A pesar de lo anterior, el art. 43 LEC se refiere a la que llama prejudicialidad civil, si bien debe tenerse en cuenta que no existe realmente tal.

> En el art. 43 se distinguen tres supuestos: 1.º) Cuando en un proceso civil surge una cuestión civil que es presupuesto lógico de la decisión sobre aquél, y sobre ella no existe otro proceso civil ya en marcha, la decidirá el mismo tribunal sin más; 2.º) Cuando para resolver sobre el fondo de un proceso civil sea necesario decidir sobre una cuestión que es, a su vez, objeto principal de otro proceso civil ya pendiente, ante el mismo o ante distinto tribunal, puede acudir a la acu-

mulación de procesos de los arts. 74 y ss.; y 3.º) Cuando en el caso anterior no sea posible la acumulación de procesos, el tribunal, a petición de ambas partes o de una de ellas y oída la contraria, podrá decretar la suspensión del curso de las actuaciones hasta que finalice el proceso en el que tenga por objeto esa cuestión.

B) Prejudicialidad laboral y administrativa

La regla general consiste en que el tribunal civil que está conociendo de un proceso de esta naturaleza en el que surge una cuestión prejudicial laboral o contencioso-administrativa, se pronunciará sobre ella como elemento lógico para decidir el objeto del proceso civil, si bien a los solos efectos prejudiciales (arts. 10.1 LOPJ y 42.1 LEC).

> La decisión a los solos efectos prejudiciales supone que lo decidido por el tribunal civil no produce efectos de cosa juzgada, de modo que puede surgir después un proceso laboral o contencioso-administrativo en el que lo que fue cuestión prejudicial en el proceso civil se convierta en objeto principal de ese proceso posterior. Esto es lo que viene a decir el art. 42.2 LEC.
>
> Lo anterior no impide que excepcionalmente el proceso civil pueda suspenderse mientras en un proceso laboral o contencioso-administrativo se decide la cuestión prejudicial, siempre que así lo prevea la Ley expresamente o lo decida el tribunal civil ante el acuerdo de las partes. En este caso lo decidido por el tribunal laboral o por el tribunal contencioso-administrativo vinculará al tribunal civil, al haber sido decidida ya la cuestión (art. 42.3 LEC).

C) Prejudicialidad penal

El que en la tramitación de un proceso civil aparezca la existencia de un hecho aparentemente constitutivo de delito o falta perseguible de oficio, no implica existencia de cuestión prejudicial penal. En este supuesto, el tribunal se limitará a poner el hecho en conocimiento del Ministerio fiscal por si hubiere lugar al ejercicio de la acción penal (art. 40.1 LEC).

1.ª) *Clases*: Las verdaderas cuestiones prejudiciales penales que afectan al desarrollo del proceso civil son de dos tipos:

1") General: En el caso de que un mismo hecho aparezca, por un lado, como elemento que fundamenta la pretensión o la resistencia de las partes en un proceso civil y, por otro, como hecho investigado en un proceso penal ante su apariencia delictiva, la consecuencia debe ser la de suspender el proceso civil hasta que se decida el proceso penal (art. 40.2), aunque esa suspensión sólo se acordará una vez que el proceso civil esté ya pendiente de dictar sentencia (art. 40.3).

> Ahora bien, para que ello sea necesario deben concurrir estos requisitos: 1) Que se acredite la existencia del proceso penal relativo al mismo hecho; y 2) Que la decisión del tribunal penal relativa al hecho pueda tener influencia decisiva en la resolución a dictar en el proceso civil.

2") Documental: Supuesto especial es el relativo a la posible falsedad de un documento aportado al proceso civil, pues entonces la suspensión de éste podrá acordarse tan pronto como se acredite que se sigue proceso penal sobre ese hecho (art. 40.4 y 5).

En este caso los requisitos son: 1) Que se acredite ante el tribunal civil la existencia de proceso penal sobre el delito de falsedad relativo precisamente a un documento determinado; y 2) Que ese documento pueda ser decisivo para resolver la cuestión de fondo planteada en el proceso civil.

La posibilidad de que suscitando esta cuestión prejudicial se pretenda retrasar la tramitación del proceso civil es lo que lleva a dos normas: 1.ª) Si la parte a la que favorece el documento en el proceso civil renuncia a él, y es separado de los autos, no se acordará la suspensión o se levantará la ya acordada; y 2.ª) Si el proceso penal, incoado por denuncia o querella de una de las partes, finaliza declarándose auténtico el documento o sin haberse probado su falsedad, la parte perjudicada por la suspensión del proceso civil (que será normalmente el actor) podrá pedir en éste indemnización de daños y perjuicios, que se liquidarán conforme a lo previsto en los arts. 712 y siguientes (lección 29.ª).

2.ª) *Disposiciones comunes*: La prejudicialidad penal puede llevar a la suspensión del proceso civil, lo que supone la existencia de decisión del tribunal acordándola o denegándola.

Esa resolución es necesariamente un auto y:

1") Si se deniega la suspensión contra el auto cabe sólo reposición, sin perjuicio que la petición de suspensión pueda reproducirse durante la segunda instancia y pendientes los recursos extraordinarios de infracción procesal y de casación (art. 41.1).

2") Si se acuerda la suspensión, debe distinguirse: a) Contra el auto que la acuerda cabe apelación, y contra el auto dictado en apelación acordando o confirmando la suspensión se dará, en su caso, recurso extraordinario por infracción procesal (art. 41.2); y b) La suspensión durará hasta que se acredite en el proceso civil que el proceso penal, bien ha terminado, bien se encuentra paralizado por motivo que haya impedido su normal continuación (art. 40.6).

3.ª) *Vinculación del tribunal civil*: La existencia de un delito declarado en sentencia penal no produce consecuencias civiles, pues el delito es la calificación jurídica de un hecho. A lo que puede quedar vinculado el tribunal civil es a los hechos declarados o no probados en la sentencia penal, que es cosa muy diferente.

La mera existencia de una sentencia penal puede ser el supuesto de hecho de una norma civil que le atribuya consecuencias de esta naturaleza. Por ejemplo, el art. 756, 2.º CC convierte en incapaz para suceder por indignidad al que fuere condenado en juicio por haber atentado contra la vida del testador, su cónyuge, descendientes o ascendientes.

La vinculación del tribunal civil a lo declarado en los hechos de la sentencia penal es, en ocasiones, obvia. En el supuesto de la prejudicialidad documental si el tribunal penal declara el documento falso, ese documento no puede ser tenido en cuenta por el tribunal civil para fundamentar su decisión sobre el fondo del asunto. Otras veces las cosas se presentan mucho más complicadas y la norma básica a tener en cuenta es el art. 116 LECRIM, conforme al cual la sentencia penal firme declarando que no existió el hecho vincula al tribunal civil, que no podrá declararlo existente.

> La norma es manifiestamente insuficiente para resolver todas las cuestiones posibles, pero debe tenerse en cuenta que: 1) Declarado existente un hecho en la sentencia penal, el tribunal civil no podrá declararlo inexistente; y 2) Estimado por el tribunal penal que un hecho no ha sido probado (no que no existe objetivamente, sino que no ha sido probado), es posible que el tribunal civil en su proceso declare probado ese hecho, lo que supone que puede existir absolución penal y condena civil.

D) Prejudicialidad constitucional

Los tribunales ordinarios no pueden proceder a declarar la inconstitucionalidad de las leyes promulgadas después de la entrada en vigor de la Constitución, pues el sistema español es de jurisdicción concentrada, quedando atribuida esa función en exclusiva al Tribunal Constitucional. Aparece así, cuando sea necesario plantear la constitucionalidad de la ley por el tribunal civil, la cuestión prejudicial constitucional, a tramitar conforme a lo previsto en los arts. 163 CE y 35 a 37 LOTC.

> Deben tenerse en cuenta dos consideraciones: 1.ª) El TC tiene el monopolio de la declaración de inconstitucionalidad de las leyes promulgadas después de 1978, pero no es el único que aplica la CE, pues ésta es de aplicación directa por todos los tribunales, como recuerda el art. 5.1 LOPJ; y 2.ª) Los tribunales ordinarios sí pueden y deben declarar que la CE ha derogado las leyes anteriores a la misma, en aplicación de la Disposición Derogatoria 3.ª.

E) Prejudicialidad comunitaria

Hay que estar al Tratado de Lisboa de 2007, y a las nuevas versiones consolidadas del Tratado de la Unión Europea y del Tratado de Funcionamiento de la Unión Europea. La competencia para pronunciarse con carácter prejudicial sobre determinadas cuestiones se atribuye tanto al Tribunal de Justicia de la Unión Europea con carácter general (art. 267 TFUE) como al Tribunal General para algunas materias específicas (art. 256.3 TFUE).

> La cuestión prejudicial es clave para lograr una aplicación uniforme del Derecho Comunitario en cada uno de los países miembros, porque implica la solicitud por el juez nacional al tribunal europeo que emita una opinión sobre la interpretación o validez de una norma comunitaria en un tema de influencia decisiva para la resolución del pleito interno. El planteamiento de la cuestión por un

órgano jurisdiccional español es obligatorio si no hay posibilidad ya de recurso; mientras que en otro caso puede plantearla si estima necesaria una decisión al respecto para poder emitir su fallo.

IV. LOS CRITERIOS DE ATRIBUCIÓN DE LA COMPETENCIA

Los criterios de atribución de la competencia son los clásicos objetivo, funcional y territorial (que ya fijamos en la Lección Décima del Tomo I). El art. 44 de la LEC insiste en el principio de legalidad, que en materia de competencia guarda relación con la garantía del juez legal o predeterminado por la ley (art. 24.2 CE).

En este momento bastará recordar esos criterios en general, para atender después a la competencia en concreto de cada tipo de órgano jurisdiccional:

a) *Objetivo*: Presupone la existencia de variedad de tribunales del mismo tipo y toma como base, bien la cuantía, bien la materia de la pretensión para determinar a cuál de esos tipos se atribuye la competencia para conocer de los procesos, se entiende en primera o única instancia (para la determinación de la cuantía y de la materia, vid. Lección Décima del Tomo I).

> En el orden civil nos resuelve si una pretensión es de la competencia de los Juzgados de Paz, de los Juzgados de Primera Instancia, de los Juzgados de Familia, de los Juzgados de Violencia sobre la Mujer o de los Juzgados de lo Mercantil (y para casos muy determinados de la Sala de lo Civil y Penal de los Tribunales Superiores de Justicia y de la Sala de lo Civil del Tribunal Supremo), partiendo de la regla general de los arts. 85, 1.º LOPJ y 45 LEC: los Juzgados de Primera Instancia conocerán de los juicios que no estén atribuidos por disposición legal expresa a otros Juzgados o Tribunales.

b) *Funcional*: Atiende a la existencia de etapas o fases en la actividad jurisdiccional, e incluso dentro de cada una de ellas de incidentes o secuencias y, correlativamente de tribunales de distinta naturaleza. Lo fundamental en este criterio es la existencia de instancias, recursos y ejecución (arts. 61 y 62). En el orden civil distribuye la competencia entre todos los tribunales dichos antes, más la Audiencia Provincial.

c) *Territorial*: Presupone que existen varios (o muchos) órganos del mismo tipo entre los que hay que distribuir la competencia con base en el territorio. Nos servirá para atribuir competencia a los Juzgados de Paz, a los Juzgados de Primera Instancia, a los Juzgados de Familia, a los Juzgados de Violencia sobre la Mujer o a los Juzgados de lo Mercantil, a las Audiencias Provinciales y a la Sala de lo Civil y Penal de los Tribunales Superiores de Justicia.

V. COMPETENCIA OBJETIVA Y FUNCIONAL

Los conceptos generales anteriores deben concretarse en el orden civil distinguiendo entre:

A) Especificación para cada juzgado y tribunal

En la LEC se ha efectuado una relativa simplificación, dentro de lo que era posible sin modificar la LOPJ (aunque reformas posteriores lo han complicado). Debe atenderse pues a los varios juzgados y tribunales:

a) *Juzgados de Paz*

Conocen principalmente del juicio verbal de cuantía no superior a 90 euros, siempre que no se trate de juicio verbal por razón de la materia (art. 47).

b) *Juzgados de Primera Instancia*

Son el órgano básico de la justicia civil, a los que se atribuye competencia objetiva de modo general, conociendo de todos los asuntos no atribuidos a otro órgano judicial civil (arts. 85, 1.º LOPJ y 45 LEC) (debe recordarse que en muchas ciudades determinados Juzgados de Primera Instancia pasan a denominarse Juzgados de Familia con competencias específicas).

> La regla anterior implica que los Juzgados de Primera Instancia conocen: 1) Del juicio ordinario; 2) Del juicio verbal (en todo caso por razón de la materia y por razón de la cuantía cuando excede de 90 euros, teniendo en cuenta que en las poblaciones donde estén radicados conocen de todos los juicios verbales, sea cual fuere la cuantía); y 3) De casi todos los juicios especiales.
>
> A pesar de su denominación, conocen también funcionalmente de los recursos de apelación y queja contra las resoluciones dictadas por los Juzgados de Paz de su partido (arts. 85, 3.º LOPJ y 455.2, 1.º y 494 LEC), de la impugnación de resoluciones de la Dirección General de los Registros y del Notariado en materia de Registro Civil (art. 87 LRCiv de 2011), de la rescisión de sentencias firmes a instancia del rebelde cuando la sentencia la hubiere dictado el mismo Juzgado de Primera Instancia (art. 501 LEC) y del reconocimiento y ejecución de sentencias y demás resoluciones extranjeras (art. 85.5 LOPJ; y de los concursos de persona natural que no sea empresario en los términos previstos en su Ley reguladora (art. 85.6).
>
> Es posible que determinados JPI adquieran competencias objetivas y funcionales exclusivas para conocer en forma especializada de determinados asuntos y de la ejecución forzosa (art. 98.2 LOPJ).

c) Juzgados de lo Mercantil

Creados en 2003 tienen competencia para conocer de cuantas cuestiones se susciten en materia concursal, pero además, de un conjunto de materias que van desde pretensiones relacionadas con el concurso, en cuanto afectan al patrimonio del concursado, hasta pretensiones simplemente mercantiles (derecho marítimo, competencia desleal, propiedad industrial) o de naturaleza no tan definida (propiedad intelectual, publicidad, disolución de sociedades cooperativas europeas), aparte de condiciones generales de la contratación, defensa de la competencia y protección de consumidores y usuarios, transportes y arbitraje (art. 86 ter.3 LOPJ), además de la ejecución de sentencias o resoluciones judiciales extranjeras en materias que sean de su competencia.

d) Juzgados de Violencia sobre la Mujer

Creados por la LO 1/2004, de 28 de diciembre, de Medidas de Protección Integral contra la Violencia de Género (art. 87 bis LOPJ), como órgano mixto, es decir, con competencia civil y penal, conoce en lo civil de las materias fijadas en el art. 87 ter.2 LOPJ, con los requisitos de su núm. 3, básicamente procesos matrimoniales, relaciones paterno-filiales y de adopción cuando se dé una situación de violencia de género. Las posibles colusiones competenciales con los Jueces de Familia se regulan en el art. 49 bis LEC.

e) Audiencias Provinciales

Sólo tienen competencia funcional para conocer de los recursos de apelación y queja contra las resoluciones de los Juzgados de Primera Instancia (constituyéndose en un solo magistrado si es un recurso en juicio verbal por razón de la cuantía, de acuerdo con el art. 82.2-1, II LOPJ), de los Juzgados de lo Mercantil (art. 82.2,2º LOPJ) y de los Juzgados de Violencia sobre la Mujer (art. 82.4 LOPJ). El art. 80.3 permite la creación de Secciones especializadas, como ha ocurrido con la materia de familia, con lo mercantil y puede suceder con violencia sobre la mujer.

De importancia menor es la competencia para conocer de la rescisión de la sentencia firme a instancia del demandado rebelde (art. 501 LEC).

> Caso específico es la AP de Alicante, pues tiene una sección especializada para conocer con jurisdicción nacional de la segunda instancia en pleitos sobre marcas, dibujos y modelos comunitarios (art. 82.4 LOPJ).

f) Salas (de los Tribunales Superiores de Justicia) de lo Civil y Penal

Estas Salas de los Tribunales Superiores de Justicia tienen tanto competencia objetiva como funcional, si bien su importancia cuantitativa es reducida.

> Objetivamente conocen, en única instancia, de las demandas de responsabilidad civil, por hechos cometidos en el ejercicio de sus cargos, dirigidas contra: 1) El presidente y miembros del Consejo de Gobierno de la Comunidad Autónoma y contra los miembros de la Asamblea Legislativa, cuando tal atribución según el Estatuto de Autonomía no corresponda al Tribunal Supremo [art. 73.2, a) LOPJ]; y 2) Todos o la mayor parte de los magistrados de una Audiencia Provincial o de cualquiera de sus Secciones [art. 73.2, b) LOPJ].
>
> Funcionalmente conocen del recurso de casación y del «recurso de revisión» contra las resoluciones dictadas por las Audiencias Provinciales de la Comunidad Autónoma, siempre que el Estatuto haya previsto esta competencia, y el recurso se funde en infracciones de normas de derecho civil, foral o especial, propio de la Comunidad [arts. 73.1, a) y b) LOPJ y 478 y 509 LEC]. También conocen de la ejecución de laudos o resoluciones arbitrales extranjeras en materias que sean de su competencia.

g) Sala de lo Civil del Tribunal Supremo

Su competencia básica es funcional: Recursos de casación, «recursos de revisión» y otros extraordinarios que establezca la ley (arts. 56, 1.º LOPJ, 478 y 509 LEC). Entre estos últimos, y mientras no se reforme en este sentido la LOPJ, se cuenta el recurso por infracción procesal (Disp. Final 16.ª LEC). También el recurso en interés de la ley (art. 490 LEC).

> Objetivamente conoce en instancia única de las demandas de responsabilidad civil, por hechos realizados en el ejercicio de su cargo, dirigidas contra los más altos cargos políticos de la Nación y los más altos cargos judiciales (art. 56, 2.º y 3.º LOPJ). Debe recordarse la existencia de la Sala Especial del Tribunal Supremo (art. 61, 3.º LOPJ) que conoce también de demandas de responsabilidad civil.

B) Tratamiento procesal

Las normas de competencia objetiva y funcional son de *ius cogens* o, si se prefiere, de orden público.

a) Control de oficio

La falta de competencia objetiva se apreciará de oficio, tan pronto como se advierta, por el tribunal que esté conociendo del asunto (art. 48.1 LEC), lo que supone que esa declaración debe hacerse por cualquier tribunal y en cualquier fase del proceso, si bien para ello debe antes el tribunal oír a las partes y al Ministerio Fiscal (art. 48.3).

> El momento lógico para efectuar esa declaración es el de la admisión de la demanda (arts. 404 y 440.1 LEC), pero también es posible en la audiencia previa (art. 416.2) y en la vista (art. 443.2) y en la sentencia, comportando la declaración de nulidad de lo actuado. Lo mismo sucede cuando se declare por el tribunal que conoce de un recurso devolutivo (art. 48.2). Para la funcional debe estarse al art. 62.

b) A instancia de parte

El demandado podrá denunciar la falta de competencia objetiva por medio de la declinatoria (art. 49 LEC) y esa es la única manera en que puede hacerlo (arts. 416.2 y 443.2 LEC).

> Debe tenerse en cuenta que una cosa es impugnar la falta de competencia objetiva por razón de la cuantía, lo que debe hacerse por la declinatoria (sin perjuicio de que se hará rara vez, pues la competencia de los Juzgados de Paz recordemos que sólo llega a las 90 euros), y otra distinta impugnar la cuantía y la clase de proceso (ordinario o verbal) o la adecuación del recuso de casación, para lo que debe estarse al art. 255 LEC).

Respecto de la competencia funcional no existe norma para el control a instancia de parte, si bien el art. 63.2 dice que la declinatoria es el medio para denunciar la falta de competencia de todo tipo.

VI. LA COMPETENCIA TERRITORIAL

Sabiendo ya qué tipo de órgano jurisdiccional civil es competente objetiva y funcionalmente, el último criterio para que se pueda fijar con exactitud ante qué juez tendrá que iniciarse el proceso es el territorial, dado que existen varios órganos iguales del mismo tipo, por tanto, con la misma competencia objetiva, que pueden ser competentes.

> La determinación de quién va a ser el juez territorialmente competente se realiza mediante la articulación de una serie de reglas, que se denominan tradicionalmente en nuestro Derecho «fueros». Para la LEC la esencia del tratamiento de esta cuestión consiste en prever ella misma fueros, llamados por esto mismo «fueros legales», pero también permitir que las partes puedan acordar la fijación de un lugar, en virtud del carácter dispositivo que históricamente han tenido estas normas, que es el que consideren en principio conveniente, llamándose a éstos «fueros convencionales», que por esta razón serán los primeros a tratar. A su vez, los fueros legales pueden ser generales o especiales, siendo en verdad posibles otras muchas clasificaciones.

A) Fueros convencionales

La LEC quiere que sea tribunal competente territorialmente, en primer lugar, aquél al que las partes se hayan sometido expresa o tácitamente (art. 54.1), bien entendido que para ser válida la sumisión ese tribunal debe ser competente objetivamente (art. 54.3), dado el carácter indisponible (improrrogable) de este criterio de atribución.

Obsérvese, pues, que el legislador parte de la autonomía de la voluntad, y si falta el fuero convencional, entonces entran en juego los fueros legales, especiales o generales, que consideraremos más adelante. Pero la autonomía de la voluntad no se admite en todos los casos, siguiendo las últimas tendencias legislativas de prohibir o limitar los fueros convencionales. Por ello, la competencia territorial es, como lo ha sido inveteradamente en nuestro Ordenamiento Jurídico, prorrogable, o, si se prefiere este término, disponible (art. 54 LEC). Y esta disposición puede hacerse expresa o tácitamente.

> Antes de continuar la exposición, conviene explicar claramente la preferencia entre los distintos fueros: Si existe pacto válido de sumisión expresa, es tribunal competente el del territorio acordado por las partes; no existiendo pacto, puede entrar en juego la sumisión tácita si se dan los presupuestos que estudiaremos a continuación; y sólo si no concurren éstos, y el demandado impugna en tiempo y forma la elección efectuada por el actor, entonces se consideran primero los fueros legales especiales y, en su defecto, los generales.

a) Sumisión expresa

Antes de considerarla en particular, debe decirse que existe desde la reforma de la LOPJ por la LO 7/2015, de 21 de julio, una definición legal de sumisión que es válida tanto para el sometimiento a la jurisdicción española como para el sometimiento al tribunal territorialmente competente:

1º) «Se entenderá por acuerdo de sumisión expresa aquel pacto por el cual las partes deciden atribuir a los Tribunales españoles el conocimiento de ciertas o todas las controversias que hayan surgido o puedan surgir entre ellas respecto de una determinada relación jurídica, contractual o no contractual. La competencia establecida por sumisión expresa se extenderá a la propia validez del acuerdo de sumisión» (art. 22 bis.2). Debe constar por escrito, en una cláusula incluida en un contrato o en un acuerdo independiente, o verbalmente con confirmación escrita; también se admite la sumisión pactada conforme a los usos comerciales al uso, o cuando no se haya negado por la otra parte (art. 22 bis.2, II).

2º) La sumisión tácita se produce cuando comparece ante el tribunal el demandado y no impugna la competencia (art. 22 bis.3).

En efecto reguló hasta la Ley SBAP las dos categorías fundamentales de áreas marinas protegidas (AMP) denominadas "reservas marinas" y "parques marinos" establecidas en 1991[261] con el objeto de preservar los recursos marinos[262] que ahora fueron refundidas con sus homólogos terrestres por la Ley SBAP, formando parte del SNAP mientras no se concluya dicho proceso. Sin embargo, como veremos más adelante, la ley cobra aún mucha relevancia para la protección de la biodiversidad marina y recursos naturales marinos bajo otros instrumentos de conservación y protección que serán analizados fuera del sistema de AP.

5. *Ley sobre Monumentos Nacionales*[263]

Esta ley ha perdido relevancia ambiental luego de la derogación de la categoría de los "Santuarios de la Naturaleza" que contenía y que han pasado a la Ley SBAP. Sin embargo, esta categoría forma parte del SBAP y pervive manteniendo vigente su estatuto jurídico mientras pasa por un proceso de homologación.

Además, no es posible obviarla desde el punto de vista del patrimonio ambiental que incluye las expresiones culturales, entre las que se cuentan los "restos de los aborígenes, las piezas u objetos antropo-arqueológicos o paleontológicos, que existan bajo o sobre la superficie del territorio nacional o en la plataforma submarina de sus aguas jurisdiccionales y cuya conservación interesa a la historia, al arte o a la ciencia" (art. 1). En la misma línea no pueden obviarse las "Zonas Típicas o Pintorescas" como categoría de AP propiamente cultural (art. 29), que serán analizadas fuera del SNAP.

---

[261]   El texto refundido, coordinado y sistematizado de la ley N° 18.892, de 1989 y sus modificaciones, Ley general de Pesca y Acuicultura fue fijado por DS N° 430 de 28 de septiembre de 1991.

[262]   Por ejemplo, la reserva marina denomina "Rinconada" ubicada en Bahía Moreno, Antofagasta II Región a las que habría que agregar las reservas genéticas de "Pullinque" y de Putemún". Cfr. www.sernapesca.cl; CODEFF, *Las áreas silvestres protegidas privadas en Chile. Una herramienta para la conservación*, 1999.

[263]   Ley N° 17.288/ 1970.

6. Ley de Bosque Nativo[264]

Esta ley regula los ecosistemas forestales naturales de Chile, tal vez una de las mayores expresiones de biodiversidad. Sin embargo, no fue mayormente abordada por la Ley SBAP.

Así, por ejemplo, regula y entrega a CONAF la protección de ecosistemas de la mayor relevancia tales como los "bosques de preservación", que son aquellos que presenten o constituyan actualmente hábitat de especies vegetales protegidas legalmente o aquéllas clasificadas en las categorías definidas por UICN de "extinto, extinto en estado silvestre, en peligro crítico, en peligro, vulnerable, casi amenazada, preocupación menor, datos insuficientes y no evaluada"; o que corresponda a ambientes únicos o representativos de la diversidad biológica natural del país, cuyo manejo sólo puede hacerse con el objetivo del resguardo de dicha diversidad.

Importa por cuanto de esta definición participan "los bosques comprendidos en las categorías de manejo con fines de preservación que integran el Sistema Nacional de Áreas Silvestres Protegidas del Estado o aquel régimen legal de preservación, de adscripción voluntaria, que se establezca" (art. 2 Nº 4).

7. Ley de Turismo[265]

Esta ley si bien estableció la institucionalidad del turismo en Chile, se abocó especialmente en un Título V al desarrollo turístico en áreas protegidas.

Recogiendo los anhelos de la Ley Ambiental fijó los límites de la actividad turística en AP admitiéndola sólo "cuando sean compatibles con su objeto y se ajusten al respectivo plan de manejo del área".. Sin embargo, estas concesiones quedan regidas por la Ley SBAP (art. 18).

---

[264]   Ley Nº 20.283/2008.
[265]   Ley Nº 20.423/2010.

1.ª) No cabe la sumisión, ni expresa ni tácita, cuando el procedimiento adecuado para un asunto sea el juicio verbal;

2.ª) No cabe en el mismo sentido ni la sumisión expresa, ni la tácita, rigiendo los fueros legales establecidos para los casos especiales recogidos en el art. 52.1 LEC, pero no en todos los supuestos, sino en la mayoría (núms. 1.º y 4.º a 15.º de ese apartado, además de los comprendidos en el art. 52.2 LEC); y

3.º) Tampoco cabe cuando la ley atribuya expresamente carácter imperativo a la competencia territorial fijada legalmente, lo que se hace, bien diciendo que no cabe sumisión (arts. 813 y 820), bien que el tribunal examinará de oficio su competencia territorial (art. 769.4). Naturalmente la existencia de una norma legal especial de esta competencia no equivale a prohibir sin más la sumisión.

B) Fueros legales

Cuando las partes no se hayan sometido o cuando exista prohibición legal de las sumisiones, entran en juego las normas de atribución de la competencia territorial, denominadas «fueros legales».

Estos fueros están establecidos por la ley, a su vez, con base en dos consideraciones distintas: Se fija la competencia territorial, en primer lugar, teniendo en cuenta la naturaleza de diversas pretensiones que podrían dar lugar a dificultades de interpretación, y, en segundo lugar, para el caso de que la pretensión no haya sido prevista en esas normas, se establecen otras reglas también supletorias. Las primeras se denominan «fueros legales especiales», y las segundas «fueros legales generales».

a) Especiales

El larguísimo art. 52 LEC, determina especialmente en sus 17 reglas (en realidad son 18), fueros de competencia territorial tomando en consideración pretensiones y objetos procesales diferentes. Pero ténganse en cuenta igualmente los fueros legales especiales fijados para determinados procesos especiales, que tienen carácter imperativo en todo caso (procesos matrimoniales y de menores, art. 769.1 LEC; o proceso monitorio, art. 813 LEC).

b) Generales

No estando previsto especialmente un fuero territorial, los arts. 50, 51 y 53 LEC establecen cuatro reglas que sirven para determinar con carácter general qué tribunal va a ser el territorialmente competente.

1.ª) Personas físicas: El fuero territorial es el juez del domicilio del demandado (art. 50.1 LEC, teniendo en cuenta las normas específicas del CC, como los arts. 40 y 70).

> Si el demandado no tuviere domicilio en España, será tribunal competente el de su residencia en España (art. 50.1 *in fine* LEC), y si no tiene ni domicilio ni residencia, el demandado podrá serlo en el lugar en que se encuentre dentro del territorio nacional, o en el de su última residencia, o, como última solución, en el lugar del domicilio del actor (art. 50.2 LEC).
>
> Tratándose de empresarios y profesionales, en los litigios derivados de su actividad empresarial o profesional, podrán ser demandados también, es decir, sin perjuicio de los fueros anteriores a nuestro entender, en el lugar en donde se desarrolle su actividad y, si tuvieren establecimientos a su cargo en diferentes lugares, podrán ser demandados en cualquiera de ellos a elección del actor (art. 50.3 LEC).

2.ª) Personas jurídicas y entes sin personalidad: Para las personas jurídicas, se entiende que en cualquier forma prevista por el Ordenamiento Jurídico, rige el fuero de su domicilio legal en primer término. También podrán ser demandadas en el lugar en donde la situación o relación jurídica a que se refiera el litigio haya nacido o deba surtir efectos, siempre que en dicho lugar tengan establecimiento abierto al público o representante autorizado para comparecer en juicio en nombre de la entidad (art. 51.1 LEC). En cuanto al Estado, v. art. 15 Ley 52/1997, de 27 de noviembre, de asistencia jurídica al Estado e Instituciones públicas. Los entes sin personalidad serán demandados en el domicilio de sus gestores o en cualquier lugar en que desarrollen su actividad (art. 51.2 LEC).

3.ª) Acumulación de pretensiones: En caso de acumulación de pretensiones («acciones» en terminología legal), el art. 53.1 LEC dispone que será tribunal competente el del lugar correspondiente a la pretensión que sea fundamento de las demás, y, en su defecto, aquél que deba conocer del mayor número de pretensiones acumuladas y, en último término, el del lugar que corresponda a la pretensión más importante cuantitativamente (Lección Sexta).

4.ª) Litisconsorcio pasivo: El art. 53.2 LEC dispone que, cuando hubiere varios demandados, será tribunal competente el de cualquier lugar al que pudiera corresponder la competencia territorial conforme a las reglas generales, a elección del demandante.

VII. EL PRINCIPIO DE PRUEBA

La aplicación de las normas de competencia territorial para la resolución de las cuestiones que se susciten (a tratar *infra*), depende de la verificación de los supuestos de hecho de esas normas, v. gr., la existencia y contenido del acuerdo de sumisión (art. 54.1 LEC), cuál es el lugar de desarrollo de la actividad en orden a la aplicación del art. 50.3 LEC, o cuál es la población en la que el demandado vive para la aplicación del fuero del domicilio (art. 50.1 LEC).

El problema, por un lado, es que no puede decidirse la competencia por la mera afirmación del actor sobre aquellos extremos, porque se harían inútiles las reglas de la competencia y se lesionarían los derechos que éstas confieren a las partes, y, por otro, que todavía no estamos en fase probatoria, por lo que no puede practicarse ningún medio de prueba. Menos todavía puede pensarse en la posibilidad de que se puedan producir en esta materia sorpresas e indefensiones, en contra del art. 24 CE. Aparece así lo que se denomina principio de prueba.

No se trata de una prueba que produzca total convicción, sino de una apariencia, de unos elementos que hagan considerar inicialmente como ciertos los hechos relevantes para la aplicación de la regla competencial. Y esta apariencia de certeza ha de resultar de los documentos.

> De acuerdo con la STS de 29 de noviembre de 1975 (RA 4316), por principio de prueba por escrito hay que entender «todo elemento que, sin servir para formar de una manera plena la convicción del Juez sobre la existencia de determinados hechos, induzca sin embargo a una creencia racional de su certeza». Se consideran principio de prueba a los efectos de la decisión de competencia los documentos siguientes, entre otros:
>
> 1.º) En primer lugar, es principio de prueba el reconocimiento o la mera falta de negación expresa de hechos alegados por la otra parte. Estas manifestaciones se han de deducir del escrito del demandado proponiendo la declinatoria, frente a las alegaciones del demandante en la demanda, y de la propia demanda. Se trata del procedimiento de fijación de hechos por admisión.
>
> 2.º) No fijados los hechos por admisión, han de acreditarse mediante documentos. Éstos no pueden ser otros más que los presentados por el actor con la demanda, por el demandado al proponer la declinatoria y por el actor al alegar sobre ella, y así se desprende claramente del propio art. 65.1 LEC.
>
> Estos documentos se consideran principio de prueba cuando no haya sido expresamente impugnada su autenticidad, aunque se hubiesen negado los hechos; también cuando se haya impugnado su autenticidad, pero por el contenido del documento no se estime verosímil que hubiera sido producido falsamente.

VIII. TRATAMIENTO PROCESAL

El control de la aplicación de las normas de competencia territorial puede realizarse, bien de oficio por el tribunal, cuando se está ante normas imperativas, bien a instancia de parte, cuando se trata de la aplicación de normas dispositivas.

A) Control de oficio

Cuando la competencia territorial viene determinada en virtud de normas imperativas la aplicación de éstas se realiza de oficio por el tribunal, y ese control se efectuará normalmente después de presentada la demanda y antes de su admisión (arts. 58, 404 y 440 LEC), pero nada impide que el pronunciamiento sobre la misma se efectúe también en la audiencia previa (art. 416.2) o en la vista (art. 443.2, II).

El examen de la competencia territorial por el tribunal precisa la audiencia del Ministerio fiscal y de las partes personadas, pudiendo decidirse: 1º) Que es competente territorialmente, caso en el que continuará el proceso por trámites normales (auto de admisión de la demanda o continuación de la audiencia o de la vista); y 2º) Que es incompetente, supuesto en el que lo declarará así por medio de auto, remitiendo las actuaciones al tribunal que considere competente, en su caso, es decir, cuando fueren aplicables fueros electivos, oyendo y estando a lo que manifieste el actor, tras ser requerido para ello (art. 58).

> El tribunal ante el que se ha presentado la demanda debe decidir sobre la competencia territorial oyendo a las partes personadas, y ello condiciona la eficacia de su decisión en el caso de declararse incompetente. En efecto, según el art. 60:
>
> 1.º) Si las partes personadas han sido todas las partes, el tribunal al que se han remitido las actuaciones después de la inhibición del primero habrá de estar a lo decidido sin que pueda declarar de oficio su incompetencia territorial.
>
> 2.º) Si las partes personadas no han sido todas las partes, lo que implica que habrá sido sólo el actor, el tribunal al que se remitan las actuaciones podrá declarar de oficio su falta de competencia territorial, previa audiencia de las partes personadas ante él, y con ello se plantea una verdadera cuestión de competencia.
>
> Para la decisión sobre esta cuestión se declara competente al tribunal inmediato superior común a los dos tribunales entre los que ha surgido la cuestión, al que deben remitirse todos los antecedentes. El tribunal superior, sin oír ya a las partes, pues fueron antes oídas, decidirá por auto irrecurrible, ordenando la remisión de las actuaciones al tribunal que estime competente y, en su caso, emplazando ante él a las partes, dentro de los diez días siguientes.

B) La declinatoria

Cuando no se trata de norma de competencia territorial imperativa, el demandado y quienes puedan ser parte legítima en el proceso pueden impugnar la competencia por medio de la declinatoria (art. 59).

> La referencia a «quienes puedan ser parte legítima» debe entenderse con relación, bien a la intervención de sujetos inicialmente no demandados o a la intervención provocada (arts. 13 y 14), bien a la integración del litigio de los litisconsortes necesarios no demandados (art. 420). En los dos supuestos no puede

privarse a los intervinientes ni a los litisconsortes de la posibilidad de oponerse a la competencia territorial por medio de la declinatoria.

La LEC concibe la declinatoria como el medio procesal único por el que el demandado cuestiona la jurisdicción del tribunal ante el que se ha interpuesto la demanda, por corresponder el conocimiento de ésta a tribunales extranjeros [también el arbitraje (art. 11.1 LArb), la mediación civil o mercantil, o el pacto previo entre consumidor y empresario de someter el asunto a resolución alternativa de litigios, de acuerdo con la reforma operada por la Ley 7/2017, de 2 de noviembre], la competencia genérica del mismo, por estar atribuida al conocimiento de órganos judiciales de otro orden jurisdiccional o a árbitros, y la competencia de todo tipo (art. 63.1).

> De este modo queda claro que la oposición por el demandado a la jurisdicción y a la competencia abre un incidente específico, de previo pronunciamiento, que debe ser resuelto antes de que se conteste a la demanda. La oposición a la jurisdicción y a la competencia no es una excepción a alegar en la contestación a la demanda y a decidir en la audiencia previa, sino una cuestión incidental de previo pronunciamiento.

a) *Planteamiento*

La declinatoria se plantea ante el mismo tribunal que esté conociendo del pleito y al que se considere carente de jurisdicción o de competencia (art. 63.2), por medio de escrito que ha de presentarse dentro de los 10 primeros días del plazo para contestar a la demanda (tanto en el juicio ordinario como en el juicio verbal) y surte siempre el efecto de suspender, hasta que sea resuelta, el plazo para contestar y el curso del procedimiento principal (art. 64.1).

> Se admite también que el escrito se presente ante el tribunal del domicilio del demandado, que lo hará llegar por el medio de comunicación más rápido al tribunal ante el que se hubiera presentado la demanda, sin perjuicio de remitírsela por oficio al día siguiente de su presentación (art. 63.2).
> En general ese escrito de declinatoria habrá de acompañarse de los documentos o principios de prueba en que se funde (art. 65.1) y en especial cuando se trate de la competencia territorial habrá de indicarse el tribunal que se considera competente y al que habrían de remitirse la actuaciones (art. 63.1, II).

b) *Tramitación*

Del escrito de declinatoria se dará traslado a los restantes litigantes, los cuales, en el plazo de cinco días, podrán alegar y aportar lo que consideren conveniente para sostener (y lógicamente también para impugnar) la jurisdicción o la competencia del tribunal, el cual resolverá sin más trámite en el plazo de cinco días (art. 65.1).

> En esta tramitación deben tenerse en cuenta algunas particularidades:
>
> 1.ª) Tratándose de la competencia territorial, el actor al impugnar la declinatoria podrá alegar la falta de competencia territorial del tribunal a favor del cual se hubiese pedido declinar el conocimiento del asunto (art. 65.1, II).
>
> 2.ª) La suspensión del procedimiento principal no obsta para que el tribunal acuerde, a instancia de parte, bien el aseguramiento de la prueba (lección 13.ª), bien la adopción de medidas cautelares, salvo que el demandado preste caución bastante para responder de los daños y perjuicios que se derivaran de la tramitación de una declinatoria desprovista de fundamento (art. 64.2).

c) Decisión

La declinatoria se decide por medio de auto, cuyo contenido depende de la decisión que en él se adopte. Naturalmente siempre que se desestime la declinatoria el proceso continúa por su tramitación normal. Lo diferente radica en que se estime la declinatoria pues entonces el art. 65 tiene que distinguir las diversas posibilidades.

> Estas posibilidades son:
>
> 1.º) Falta de jurisdicción de los tribunales españoles y sometimiento de la cuestión a arbitraje o mediación: Se abstendrá de conocer sobreseyendo el proceso.
>
> 2.º) Falta de competencia genérica (a la que la LEC llama también jurisdicción, pero incorrectamente) y de competencia objetiva: Se abstendrá de conocer y señalará a las partes ente qué órganos han de usar su derecho.
>
> 3.º) Falta de competencia territorial: Se abstendrá de conocer y ordenará remitir las actuaciones al tribunal que estime competente, pero teniendo en cuenta que: 1) Si se trata de norma competencial imperativa, habrá de estar a lo dispuesto legalmente; y 2) Si la norma es dispositiva, habrá de considerar competente al tribunal señalado por el promotor de la declinatoria (salvo que el actor haya cuestionado esta atribución proponiendo otro tribunal).

d) Recursos

Los pronunciamientos sobre la jurisdicción y la competencia, que pueden producirse bien de oficio, bien por la declinatoria, son recurribles de modo limitado, pues los arts. 66 y 67 distinguen entre:

1.º) Respecto de la jurisdicción, el sometimiento a arbitraje, el sometimiento a mediación civil o mercantil, la competencia genérica y la competencia objetiva: 1) Contra el auto de abstención cabe recurso de apelación; y 2) Contra el auto por el que se rechaza la declinatoria, sólo cabe reposición, sin perjuicio de alegar la falta del presupuesto procesal en la apelación contra la sentencia definitiva.

2.º) Respecto de la competencia territorial, los autos que se pronuncien sobre la misma son irrecurribles, si bien en los recursos de apelación y extraordinario por infracción procesal contra la sentencia definitiva se permitirá alegar su falta cuando se trate de la aplicación de normas imperativas (aunque el art. 469.1, 1.º no alude a la competencia territorial).

IX. EL REPARTO DE ASUNTOS

La LEC contiene, finalmente, disposiciones sobre el reparto de asuntos, que, en virtud de su carácter de norma común y supletoria (art. 4), deberían ser aplicables en todos los procesos, civiles o no. Para sede de la LOPJ se dejan las normas relativas a la aprobación del reparto, y a la vigilancia de su aplicación (arts. 152, 160.9 y 167).

Estamos ante disposiciones no competenciales, sino gubernativas, de una gran importancia, pues caen conceptualmente bajo los efectos del principio del juez legal del art. 24.2 CE. Ese carácter gubernativo se desprende igualmente de la LEC, pues su art. 68.3 excluye la declinatoria como medio de impugnación del reparto, pudiendo las partes denunciar la vulneración en el momento de la presentación, parece, de la demanda.

Pero su fundamento constitucional tiene un tratamiento procesal todavía más indubitado, pues la infracción de las normas de reparto causa la nulidad de todo lo actuado con posterioridad (art. 68.2 y 4), que es todo el procedimiento, pues la diligencia de reparto es la primera actuación que debe realizar el Juez Decano cuando se le presente un escrito, sin cuya constatación no se puede cursar (art. 68.2), acto sujeto al plazo de 2 días (art. 69).

Partiendo de esa primera, las demás reglas de la LEC atienden básicamente al hecho de que, para que deba repartirse un asunto civil, se requiera que en la ciudad o población haya dos o más JPI, o más de una Sección si se trata de AP (art. 68.1).

Finalmente, debe tenerse en cuenta que los Jueces Decano y los Presidentes de Tribunales y Audiencias podrán, a instancia de parte, adoptar las medidas urgentes en los asuntos no repartidos cuando, de no hacerlo, pudiera quebrantarse algún derecho o producirse algún perjuicio grave e irreparable (art. 70).

Legislación: Ley Orgánica del Poder Judicial (arts. 9 y 22), Ley de Enjuiciamiento Civil (arts. 36 a 70).
Lectura: ORTEGO PÉREZ, *La competencia territorial indisponible*, Pamplona 2002.

CAPÍTULO III
EL OBJETO DEL PROCESO

Lección Sexta
El objeto del proceso de declaración

I. LA PRETENSIÓN COMO OBJETO DEL PROCESO
 A) Pretensión: objeto del proceso
 B) Resistencia: Objeto del debate
 C) El tema de la prueba

II. RELEVANCIA TÉCNICO-JURÍDICA DEL OBJETO DEL PROCESO
 1. Transformación de la demanda. 2. Congruencia. 3. Acumulación.
 4. Reconvención. 5. Litispendencia. 6. Cosa juzgada

III. ELEMENTOS DELIMITADORES DEL OBJETO: SUBJETIVOS APARTE
 A) La petición o *petitum*
  a) Inmediata
  b) Mediata: 1) De condena. 2. Declaración. 3 Constitución
 B) La causa de pedir o *causa petendi*
  Insuficiencia de la petición
  a) Irrelevancia de la fundamentación jurídica
  b) Hechos con trascendencia jurídica
  c) En cada clase de pretensión:
   1. De condena: Obligación y Dr. real
   2. Mera declaración: 1. Positivas. 2. Negativas
   3. Constitución

IV. LA ACUMULACIÓN DE OBJETOS PROCESALES:
 A) Concepto: fenómeno procesal por conexión
 B) Presupuestos: Conexión, y 2 finalidades

V. LA ACUMULACIÓN INICIAL (DE ACCIONES): NOCIÓN
 A) Simple, alternativa, subsidiaria y accesoria: 4 conceptos
 B) Acumulación exclusivamente objetiva
  a) Presupuestos de admisibilidad
  b) Efectos
  c) Control de la acumulabilidad
 C) Acumulación objetivo-subjetiva
  No litis consortio

VI. ACUMULACIÓN PENDIENTE EL PROCESO
 Ampliación de la demanda; reconvención intervención principal

VII. LA ACUMULACIÓN DE PROCESOS
 A) Presupuestos de admisibilidad
 B) Procedimientos
  Ante mismo tribunal + Ante distintos tribunales

· I. LA PRETENSIÓN COMO OBJETO DEL PROCESO

La teoría del objeto del proceso cumple principalmente una función de identificación del proceso, esto es, de individualización del mismo, de distinción de los demás procesos posibles, y por ello la pretensión (a la que nos referimos en el Tomo I) sirve perfectamente para esa finalidad.

> Aunque en ocasiones se haya sostenido que el objeto del proceso civil es un derecho subjetivo y una obligación o, incluso, una relación jurídica material o una situación jurídica material, parece claro que hay que desechar de entrada estas explicaciones, atendido simplemente que un derecho o una relación o una situación jurídica pueden dar lugar a una gran variedad de pretensiones, es decir, de verdaderos objetos del proceso. Si un derecho subjetivo y una relación jurídica pueden dar origen a muchos objetos de otros tantos procesos, dicho está que ni aquél ni aquélla pueden servir para identificar el objeto de un proceso determinado.

A) La pretensión: el objeto del proceso

En sentido estricto el objeto del proceso, es decir, aquello sobre lo que versa éste de modo que lo individualiza y lo distingue de todos los demás posibles procesos, es siempre una pretensión, entendida como petición fundada que se dirige a un órgano jurisdiccional, frente a otra persona, sobre un bien de la vida.

En el Tomo I vimos que la pretensión es una declaración de voluntad petitoria que se caracteriza porque ha de estar fundamentada, esto es, que tiene que hacer referencia a un acontecimiento determinado de la vida. La petición puede ser, por ejemplo, una cantidad de dinero, pero esa petición por sí sola no está identificada. La identificación exige que la petición se base, también por ejemplo, no en la relación jurídica de préstamo, sino precisamente en un préstamo concreto, que habrá que individualizar con referencia a un conjunto fáctico preciso.

B) La resistencia: el objeto del debate

Como par alternativo de la pretensión aparece la noción de resistencia o de oposición a la pretensión. La resistencia es la petición que el demandado dirige al órgano jurisdiccional como reacción a la pretensión formulada contra él por el demandante. Lo que hemos dicho sobre la naturaleza de la pretensión es aplicable a la resistencia. Esta es también una petición, si bien es siempre la misma: no ser condenado.

Aunque pudiera pensarse que la petición del demandado debe ser la de ser absuelto, hay que tener en cuenta que no siempre es así, mientras que sí lo es siempre la de no ser condenado. En efecto, si el demandado alega excepciones procesales su petición no puede ser la de ser absuelto, sino que ha de ser la de no ser condenado, por cuanto la estimación de las excepciones procesales impide al juez entrar en el fondo del asunto y pronunciarse sobre la pretensión.

Centrados en el objeto del proceso importar advertir que:

1.º) La fundamentación en la resistencia no es necesaria: El demandado puede, aparte de no dar ninguna respuesta, limitarse a negar los fundamentos de la pretensión y formular petición de no condena. Cabe que la resistencia se fundamente, y entonces tendrán que afirmarse hechos distintos de los afirmados por el actor, pero esta fundamentación no es necesaria.

2.º) La resistencia no sirve para delimitar el objeto del proceso: La oposición del demandado, esté o no fundamentada, no introduce un objeto del proceso nuevo y distinto del fijado en la pretensión (salvo en el caso de la reconvención, pero ésta no es mera resistencia, sino algo más).

La resistencia sí puede:

1) Ampliar los términos del debate: Si el demandado fundamenta su resistencia, esto es, si alega hechos base de excepciones materiales, esos hechos, no sirviendo para delimitar el objeto del proceso, sí amplían la materia del debate procesal.

2) Completar a lo que debe referirse la congruencia de la sentencia: Si el demandado opone excepciones la congruencia de la sentencia no ha de referirse sólo a la pretensión (petición y su fundamentación) sino que ha atender también a la fundamentación de la resistencia.

Con todo debe quedar claro que ni la petición de no condena ni su fundamentación sirven para determinar el objeto del proceso, como se demuestra teniendo en cuenta que la misma existencia de la resistencia expresa depende de la voluntad del demandado. El objeto de un proceso no es distinto dependiendo de que el demandado oponga o no resistencia expresa. Lo distinto puede ser el ámbito sobre el que versará el debate y al que debe referirse la congruencia de la sentencia, pero esto es algo diferente.

C) El tema de la prueba

La distinción anterior entre objeto del proceso y objeto del debate precisa completarse atendiendo al tema de prueba (no al objeto de prueba que es cosa diferente), esto es, a lo que debe probarse en un proceso concreto para que el juez declare la consecuencia jurídica pedida por la parte. El tema de prueba son:

1.º) Los hechos afirmados por una o por otra parte: En todo caso la prueba ha de referirse a los hechos afirmados por el actor, pero también a los afirmados por el demandado, cuando éste no se ha limitado a negar la fundamentación de la petición del actor.

2.º) Los hechos controvertidos: Dentro de los hechos afirmados por la partes, la necesidad de prueba sólo puede referirse a los hechos que, después de las alegaciones, resulten controvertidos. Los hechos afirmados por las dos partes, o afirmados por una y admitidos por la otra, quedan existentes para el juez y excluidos de la necesidad de prueba (art. 281.3 LEC).

La prueba no se refiere ni a la pretensión ni a la resistencia, sino simplemente a la fundamentación de una y otra, es decir, a los hechos que se afirmen como causa de pedir de la petición que hace el actor y como causa de pedir de la resistencia que opone el demandado.

II. RELEVANCIA TÉCNICO-JURÍDICA DEL OBJETO DEL PROCESO

La discusión doctrinal en torno al objeto del proceso es cualquier cosa menos algo inútil o meramente teórico. Sin perjuicio de que al objeto del proceso ha de atenderse para considerar la extensión y límites de la jurisdicción española en el orden civil (art. 22 LOPJ), la competencia genérica o del orden civil en relación con los demás órdenes jurisdiccionales (art. 9 LOPJ), la competencia objetiva (tanto por la materia como por la cuantía, arts. 45 y 47 LEC) y la competencia territorial (arts. 50 y ss. LEC), la verdadera relevancia ha de referirse a:

a) Las prohibiciones de transformación de la demanda que se contienen en el Ordenamiento procesal, como las de los arts. 412 y 426 LEC: Es cierto que estas normas prohíben también la transformación de la contestación de la demanda, pero el caso es que sólo podrá saberse si ha existido verdadera modificación («alteración sustancial») cuando antes se haya determinado el objeto del proceso.

b) La congruencia de la sentencia, en los términos del art. 218 LEC: También aquí es cierto que la congruencia no se refiere sólo al objeto del proceso, dado que comprende asimismo el objeto del debate (pues la congruencia ha de referirse también a la resistencia del demandado), pero es obvio que la exigencia de pronunciamiento sobre todo lo pedido por el actor y la prohibición de pronunciamiento sobre lo no pedido, ha de referirse al objeto del proceso.

c) La acumulación: La fijación del objeto del proceso condiciona, primero, si existen o no dos objetos diferentes (presupuesto de la acumulación misma) y, después, la conexión entre ellos.

d) La reconvención: Las dificultades existentes para la determinación de cuando existe verdadera reconvención, porque el demandado no se limita a oponerse a la pretensión del actor sino que introduce un objeto nuevo, sólo pueden resolverse cuando se ha perfilado el objeto del proceso introducido en la demanda.

e) La litispendencia: La excepción de litispendencia sólo puede estimarse cuando el objeto del segundo proceso es el mismo que el del primero, y para ello es imprescindible fijar uno y otro.

f) La cosa juzgada: Como dice el art. 222.2 la cosa juzgada alcanzará a las pretensiones de la demanda y de la reconvención, y en párrafo 1 se alude al objeto del proceso.

III. ELEMENTOS DELIMITADORES DEL OBJETO

Los elementos identificadores de la pretensión son:

a) Subjetivos, que se refieren a las personas, es decir, a las partes y que, por consiguiente, no atienden ni a la petición ni a la fundamentación de la misma, no sirviendo para determinar el objeto del proceso, aunque sí quedan comprendidos en la congruencia y en la cosa juzgada.

b) Objetivos, que se refieren a la petición y a su causa de pedir o fundamentación, y que son los que sirven para delimitar el objeto del proceso.

A) La petición o *petitum*

En la llamada petición que se dirige al órgano jurisdiccional hay que distinguir, realmente, dos peticiones:

a) *Inmediata*

Una inmediata, que atiende a la actuación jurisdiccional y que ha de referirse a un tipo de tutela jurisdiccional, consistente en juzgar, en decir el derecho en el caso concreto.

A su vez, dentro de este tipo de tutela judicial, hay que distinguir varias subclases:

1.ª) De condena: Lo que se pide al órgano jurisdiccional es que declare la existencia de una prestación a cargo del demandado y le imponga el cumplimiento de la misma. Lo específico de las sentencias de condena es que, además de producir cosa juzgada, constituyen título ejecutivo, con el que puede iniciarse después la ejecución forzosa.

2.ª) De mera declaración: Se pide al órgano jurisdiccional la mera declaración de la existencia (positiva) o de la inexistencia (negativa) de un derecho o situación jurídica, de modo que la sentencia estimatoria agota su fuerza en la producción de cosa juzgada, pero no llega a crearse un título ejecutivo.

3.ª) De constitución: La petición de la pretensión se dirige a obtener la creación, modificación o extinción de una relación o situación jurídica, es decir, a lograr un cambio respecto de lo existente y con fuerza de cosa juzgada, pero tampoco se produce la creación de un título ejecutivo.

b) Mediata

Otra mediata, que atiende siempre a un bien jurídico al que se refiere la tutela judicial, dado que ésta no se pide ni puede prestarse sin referencia a un bien. La tutela judicial, sea cual fuere su clase, no puede prestarse sola, en el vacío, sino que ha de atender a un bien. También aquí hay que subdistinguir:

1.º) De condena: El bien jurídico es siempre una prestación, tal y como se entiende en el Derecho privado y más concretamente en el art. 1088 del CC: dar (y la cosa puede ser genérica o específica), hacer o no hacer alguna cosa.

> La cosa más genérica en las prestaciones de dar es siempre el dinero, y en nuestro Ordenamiento se han prohibido las peticiones ilíquidas o con reserva de liquidación, debiendo pedirse, al menos, las bases con las que se liquide por medio de una simple operación matemática (art. 219 LEC). Cuando se trata de cosas genéricas distintas del dinero (frutos, rentas, utilidades o productos) ha establecerse en la petición por lo menos la calidad (el género) y la cantidad. Y cuando se trata de cosas específicas, sean muebles o inmuebles, ha de estar perfectamente identificada la cosa, de modo que no pueda confundirse con ninguna otra.

En las prestaciones de hacer y no hacer han de quedar perfectamente establecidas la conducta y las circunstancias de las mismas (cualitativas y cuantitativas), bien que se pide se impongan al demandado, bien que se pide se le prohíban.

2.º) De mera declaración: El bien jurídico consiste aquí en la declaración de existencia (y conformación) o inexistencia de la relación o situación jurídica (o de algún elemento de ella), o de un negocio o acto jurídico (o de un elemento del mismo). Para el actor es, sin duda, un bien jurídico que se declare inexistente una servidumbre de paso o la nulidad de un matrimonio.

El art. 5 de la LEC parece aludir sólo a la declaración de la existencia (positiva) no de la inexistencia (negativa), con lo que pudiera creerse que sólo admite las pretensiones declarativas puras positivas, no las negativas. Sin embargo existen en la misma LEC claras manifestaciones de estas pretensiones negativas; por ejemplo en el art. 251.1, 6.ª LEC. También fuera de la LEC existen claros ejemplos, como en el art. 121 (acción negatoria) de la Ley 24/2015, de 24 de julio, de Patentes.

Tradicionalmente se ha sostenido que para que esta pretensión pueda triunfar no basta con que el demandante sea titular del derecho material alegado, es preciso además que acredite un interés jurídico suficiente en lograr la declaración del órgano judicial. Se dice así que los tribunales no pueden realizar declaraciones retóricas de derechos, y de ahí que el actor haya de encontrarse en una situación tal que, sin la declaración judicial, pudiera sufrir un daño, daño que puede ser evitado precisamente con la declaración judicial. Lógicamente se exige, además, que la declaración se pida frente a la persona con la que esa declaración crea una situación de certeza.

Esta teoría del interés (o de necesidad de tutela judicial) añadido a la pretensión meramente declarativa para que la misma pueda admitirse o, en todo caso, ser estimada, debe, por lo menos, ponerse en cuestión, pues no acaba de comprenderse porqué un tipo de pretensión necesita del mismo y los demás no, aparte de que cuando una persona se gasta el tiempo y el dinero en interponer una pretensión, dando lugar a un proceso, y dejando a un lado los casos patológicos, es difícil negar la existencia de interés.

3.º) De constitución: También el bien se refiere aquí a la creación, modificación o extinción de una relación o situación jurídica (o algún elemento de ella) o de un negocio o acto jurídico (o un elemento de él). Bien jurídico es así la declaración de divorcio o la rescisión de un contrato por fraude de acreedores.

En las pretensiones constitutivas hay que distinguir dos supuestos: 1) Unas veces son necesarias en el sentido de que, teniendo la parte derecho al «cambio», éste sólo puede producirse por la jurisdicción y por medio del proceso, de modo que si la parte quiere el «cambio» el ejercicio de la pretensión es para ella necesario; es el caso del divorcio o de la declaración de incapacidad; y 2) Otras veces la pretensión constitutiva no es necesaria, en el sentido de que las partes de la relación jurídica material podrían lograr el «cambio» por sí mismas, si bien se precisaría la voluntad concorde de todas ellas; es el caso de la disolución de una sociedad, que puede realizarse por todos los socios, pero si uno de ellos se niega habrá de acudirse a la jurisdicción y al proceso.

B) La causa de pedir o *causa petendi*

La petición, tanto en su sentido mediato como en el inmediato, es insuficiente para determinar el objeto del proceso, y ello por la elemental razón de que un mismo bien puede pedirse con base en causas de pedir muy diversas, tanto que sin referencia a una causa precisa y determinada la pretensión no está individualizada, en el sentido de distinguida de las demás posibles.

El ejemplo que pusimos al principio respecto de una petición de cantidad de dinero puede repetirse aquí. Pero pueden añadirse otros. La petición de que se condene al demandado a que entregue la posesión de una casa determinada no es en sí misma suficiente para individualizar la pretensión, y no lo es porque esa posesión puede tener que entregarse por razones muy diversas, que van desde la afirmación de la propiedad hasta la existencia de un contrato de arrendamiento, pasando porque el demandante tiene el derecho de usufructo sobre la misma.

a) *Irrelevancia de la fundamentación jurídica*

La causa de pedir no puede consistir en normas ni en calificaciones jurídicas, pues ni unas ni otras pueden cumplir con la finalidad de individualizar un proceso con respecto a otros posibles. Las normas no añaden realmente nada a la identificación del proceso, a su distinción de otros posibles.

En primer lugar las normas jurídicas por ser abstractas y referirse a una plural diversidad de hechos de la vida social no son aptas para identificar la causa de pedir de una determinada petición, y lo mismo puede decirse de la calificación jurídica. Así decir que la causa de pedir de una petición de una cantidad de dinero es el art. 1500 del CC o que es la compraventa es manifiestamente insuficiente, pues la norma que establece que el comprador está obligado a pagar el precio no dice nada respecto de la existencia de unos hechos concretos que sean constitutivos de una compraventa determinada, y lo mismo cabe decir de la referencia general a la compraventa.

Pero además, y en segundo lugar, la función de los órganos jurisdiccionales consiste en la actuación del derecho objetivo en el caso concreto, y el conocimiento de las normas jurídicas se presupone en aquéllos, los cuales están obligados a aplicarlas conforme al principio *iura novit curia*, por lo que la mera alegación de una norma no puede añadir nada identificador respecto de la petición (art. 218.1, II, LEC).

Cuando unos mismos hechos pueden calificarse jurídicamente de formas distintas, porque esos hechos son el supuesto fáctico de dos normas, la calificación jurídica alegada por la parte, en cuando condiciona la petición concreta, sí puede servir para delimitar el objeto del proceso, y a ese concreto objeto han de referirse la congruencia y la cosa juzgada.

b) Hechos con trascendencia jurídica

En principio la causa de pedir es un conjunto de hechos, aunque el mismo tiene que tener trascendencia jurídica. Esto supone que:

1.º) La causa de pedir tiene que ser hechos, acontecimientos de la vida que sucedieron en un momento en el tiempo, y que además tengan trascendencia jurídica, es decir, que sean el supuesto de una norma que les confiere consecuencias jurídicas. Con ello se está diciendo que no cualesquiera hechos integran la causa de pedir, sino precisamente sólo los hechos que tiene importancia jurídica, con lo que se excluyen los hechos intrascendentes desde el punto de vista jurídico.

2.º) Los hechos intrascendentes para la determinación de la causa de pedir pueden tener importancia desde el punto de vista de la prueba, pero se trata de dos aspectos muy diferentes.

> La causa de pedir en una pretensión dineraria de condena puede ser el no pago del precio por una compraventa determinada y concreta y habrá que hacer referencia a los hechos determinadores de la existencia de esa relación jurídica. El que de los hechos fueran testigos unas personas no hace a la existencia de la causa de pedir, pero puede servir para utilizar a esas personas como medios de prueba.

3.º) No todos los hechos con trascendencia jurídica sirven como fundamento de la petición o, dicho de otra manera, no constituyen la causa de pedir; es preciso todavía distinguir entre hechos constitutivos y hechos identificadores de la pretensión.

Los hechos constitutivos son aquellos que conforman el supuesto fáctico de la norma cuya alegación hace el actor como base de la consecuencia jurídica que pide, de modo que de su alegación y prueba depende la estimación de la pretensión, mientras que los hechos que identifican la pretensión del actor, la causa de pedir, son sólo una parte de los anteriores y no se refieren a la estimación de la pretensión del actor por el juez, sino simplemente a su distinción de otras posibles pretensiones.

> Por ejemplo y escalonadamente:
> 1) Si en la demanda se dice que se reclama una cantidad de dinero (que se fija) en concepto de comisión por el trabajo efectuado por un agente de la propiedad inmobiliaria, esa demanda no contendrá la causa de pedir de la pretensión.
> 2) Si en la misma demanda se añade que la operación concreta por la que se pide la comisión se refiere a la venta de una determinada vivienda, la pretensión tendrá fundamentación o causa de pedir, pero con sólo esos hechos no podrá llegarse a una sentencia estimatoria.
> 3) Si además de todo lo anterior se añade que la comisión se refiere a una venta determinada y concreta, la que se hizo en un momento determinado en el tiempo y habiendo puesto en relación el agente de la propiedad inmobiliaria al comprador y al vendedor, quedarán determinados los hechos constitutivos que, si son probados, darán lugar a la estimación de la pretensión.

c) En cada clase de pretensión

Partiendo del anterior esquema general de la causa de pedir hay que referirse ahora a cada una de las pretensiones declarativas:

1.ª) De condena

La causa de pedir es muy distinta según se trate de una pretensión que se basa en un derecho de obligación o en un derecho real:

1") Derecho de obligación: La causa de pedir serán siempre los hechos concretos que dan lugar al nacimiento del derecho subjetivo. La pretensión habrá de referirse a unos hechos específicos de los que nazca el derecho de crédito alegado y lo distingan de los otros posibles derechos de crédito.

> Si se está reclamando una cantidad de dinero por responsabilidad extracontractual tendrá que hacerse mención de la acción o de la omisión concreta en que intervino culpa o negligencia, lo que supone ubicar esa acción u omisión en el tiempo y en el espacio.

2") Derecho real: La titularidad del derecho real es la misma sea cual fuere el modo de su adquisición y todas las personas están obligadas a respetarlo en los mismos términos, por lo que el hecho determinante de la adquisición del derecho no hace a la causa de pedir sino que es simplemente un hecho constitutivo (art. 400 LEC).

> En la pretensión reivindicatoria se ve muy claro lo que estamos diciendo. Esta es una pretensión de condena cuya petición ha de referirse a un bien concreto pero cuya causa de pedir es la afirmación de la propiedad sin más. Existiendo una demanda donde el actor pida que el demandado sea condenado a entregarle la posesión de una cosa cierta con base en que aquél es el propietario de la misma, la pretensión está individualizada por la petición y por la causa de pedir.
>
> Naturalmente para que la pretensión sea estimada, el actor tendrá que alegar y probar un título de adquisición (una herencia concreta, una donación determinada, una compraventa, la usucapión), pero el título no hace a la identificación de la pretensión (al objeto del proceso), sino al hecho constitutivo que permitirá la estimación de la demanda.
>
> La cosa juzgada que en el proceso se forme cubrirá todos los títulos posibles de adquisición, y por eso puede la jurisprudencia sostener que, reivindicada una finca con base en el título de adquisición de un contrato de compraventa, y desestimada la pretensión, no puede luego el demandante ejercitar otra vez la pretensión reivindicatoria alegando la usucapión, por ejemplo, por cuanto la cosa juzgada formada en el primer proceso opera en el segundo, concurriendo entre los dos identidad objetiva.

Para explicar la causa de pedir suele atenderse a las teorías de la individualización y de la sustanciación, si bien la poca utilidad de las mismas se evidencia cuando se advierte que ninguna de ellas sirve para explicar todos los supuestos.

2.ª) De mera declaración

Como hemos dicho esta pretensión puede ser positiva (cuando se pide la declaración de la existencia de la relación o de la situación jurídicas o que tiene un contenido determinado) o negativa (si se pide la declaración de inexistencia o nulidad de la relación jurídica) y la causa de pedir es distinta en uno y otro supuesto.

1") En las pretensiones positivas puede repetirse lo que hemos dicho antes para las pretensiones de condena, con su distinción entre derechos de crédito (el conjunto de hechos del que nace) y derechos reales (la afirmación de la existencia del derecho mismo).

2") En las pretensiones negativas la situación es mucho más compleja y lo es tanto que falta precisión doctrinal y la solución legal es dudosa, tanto que el art. 5 LEC parece no referirse a esta clase de tutela jurisdiccional.

> Para comprender las dificultades puede ponerse un ejemplo, el de la declaración de nulidad del matrimonio.
>
> A veces se ha sostenido que la petición de nulidad es por sí misma suficiente para identificar el objeto del proceso, sin necesidad de hacer referencia a conjunto alguno de hechos de los contemplados en el art. 73 del CC como causas de nulidad. De seguirse esta orientación se estaría, por un lado, diciendo que la alegación de una causa concreta sería necesaria como hecho constitutivo, pero no como elemento identificador de la pretensión, pero por otro se estaría también concluyendo que, dictada sentencia desestimando la pretensión, por no haberse probado la concurrencia de una causa de nulidad, todas las causas posibles quedarían cubiertas por la cosa juzgada, de modo que no podría intentarse otro proceso pidiendo la nulidad y alegando otra causa.
>
> Otras veces se ha defendido que la petición de nulidad no es suficiente por sí sola para identificar el objeto del proceso, siendo preciso añadir una causa, esto es, el conjunto de hechos que es concebido en la norma como una causa de nulidad específica. La consecuencia más importante de esta concepción es la de que la cosa juzgada incluirá solamente esa causa, siendo entonces posible acudir a un proceso posterior en el que se pida la nulidad por una causa diferente.
>
> Esta segunda postura parece la más correcta pero aún debe tenerse en cuenta que entonces la causa de pedir no sería propiamente el conjunto de hechos afirmado por el actor, sino la causa tal y como se enuncia en la ley. Es decir y por ejemplo, la causa de pedir no sería el hecho concreto afirmado por el actor del que se dedujera la falta de consentimiento matrimonial, sino que la causa sería la falta de este consentimiento, de modo que en un proceso posterior ya no podría volver a alegarse esta causa, aunque pretendiera basarse en otros hechos de los afirmados en el primero.

El art. 400.1 LEC parece inclinarse por la solución de que el objeto del proceso queda delimitado sólo por la petición de nulidad, quedando incluídas en ella todos los hechos y fundamentos o títulos jurídicos que pudieran invocarse al tiempo de la presentación de la demanda. En el mismo sentido el art. 408.2 se refiere a la oposición de nulidad absoluta del negocio jurídico. Con esta solución se quiere impedir la existencia de varios procesos consecutivos en los que se pide la nulidad de un matrimonio o de un negocio jurídico alegando causas distintas.

3.ª) De constitución

Esta pretensión puede referirse, bien a la creación o modificación de una situación o relación jurídica, bien a la extinción de la misma, y la causa de pedir requiere precisiones específicas en uno y otro caso.

1") Si el actor pretende la creación o modificación, parece que la causa de pedir la conforma el conjunto de los hechos de los que la ley hace derivar el derecho a crear o modificar.

> Esto supone, por ejemplo, que la causa de pedir en la pretensión de incapacitación de una persona es la enfermedad o deficiencia física o psíquica que impide a la persona gobernarse por sí misma (art. 200 CC) y con relación a un momento determinado, con lo que la sentencia que se dicte desestimando la pretensión impedirá que se inicie un nuevo proceso si la situación de enfermedad o deficiencia se sitúa en un momento anterior al de haberse dictado esa sentencia. Por el contrario, la cosa juzgada no podrá alegarse (o deberá desestimarse) si la petición de incapacitación se basa en la enfermedad o deficiencia producida después de haberse dictado la anterior sentencia.

2") Cuando el actor pretende la extinción de una relación o situación jurídica, debe estarse a lo que hemos dicho antes con relación al art. 400 LEC.

IV. LA ACUMULACIÓN DE OBJETOS PROCESALES

Normalmente el procedimiento tendrá un único objeto procesal, entendido como hemos visto antes, pero no faltan ocasiones en que un procedimiento envuelve más de un objeto procesal.

A) Concepto

Cuando existe pluralidad de objetos procesales en un único procedimiento se habla de acumulación, consistiendo ésta en aquel fenómeno procesal, basado en la conexión y que sirve algunas veces para evitar sentencias contradictorias y siempre para obtener economía procesal, por el que dos o más pretensiones (es decir, dos o más procesos) son examinadas en un mismo procedimiento judicial y decididas en una única sentencia (en sentido formal).

> La expresión «acumulación de procesos» es correcta, siempre que se entienda que se está haciendo referencia más a la unión de objetos procesales en un procedimiento único que a la unión puramente material o física de expedientes. La expresión «acumulación de acciones» responde a la concepción romana de lo que era la acción, por lo que debe entenderse que lo que realmente se acumulan son las pretensiones, es decir, los objetos de los procesos.

Posiblemente la manera correcta de entender el fenómeno pase por la distinción entre proceso y procedimiento. En este segundo lo que destaca es la forma, la sucesión de trámites como continentes de actividades que han de realizar el juez y las partes, mientras que en el proceso importa más su objeto (que es siempre una pretensión), los nexos que median entre los actos, los sujetos que los realizan, la finalidad a que tienden, los principios a que responden, las cargas que imponen y los derechos que otorgan.

La comprensión de la distinción puede verse muy clara si se atiende, por ejemplo, a los principios del proceso y a los principios del procedimiento. El principio dispositivo no dice nada respecto de la forma de los actos procesales, y así un proceso dispositivo (sobre relaciones económicas) y otro no dispositivo (de incapacitación de una persona) pueden tener un mismo procedimiento. El principio de oralidad atiende a la forma de realización de los actos procesales, pero no afecta a si en el mismo las partes tienen o no la plena disposición de la relación jurídica material.

Partiendo de esta distinción debe afirmarse que: 1) Toda pretensión da lugar a un proceso, 2) Todo proceso se desarrolla formalmente por medio de un procedimiento, y 3) Un solo procedimiento puede ser la forma externa de dos o más pretensiones y, consiguientemente, de dos o más procesos.

La acumulación se refiere precisamente a esta última posibilidad. Lo característico de ella es que se interponen dos o más pretensiones, que dan lugar a dos o más procesos y, sin embargo, existe un único procedimiento.

B) Presupuestos

La posibilidad misma de la acumulación va unida a que entre las pretensiones ejercitadas exista conexión, esto es, a que alguno de los elementos de las varias pretensiones sea igual en todas ellas. Normalmente en otros Ordenamientos jurídicos se exige que ese elemento igual sea objetivo, esto es, que se refiera a la petición o a la causa de pedir, pero en nuestro Ordenamiento en algunas acumulaciones basta con que sea igual algún elemento subjetivo, esto es, alguna de las partes.

Partiendo de la conexión la acumulación puede servir a dos finalidades: 1.ª) Unas veces se pretende con ella evitar sentencias contradictorias, y para que esto sea así tiene que existir entre las varias pretensiones conexión objetiva. Esta conexión puede llevar incluso a que una pretensión sea prejudicial con relación a otra (en el sentido de que la resolución de la primera sirve para determinar el contenido de la resolución de la segunda), pero no siempre se exige este alto grado de conexión siendo posible simplemente que el hecho determinante de la causa de pedir sea el mismo en las varias pretensiones.

2.ª) Otras veces se aspira sólo a la economía procesal, es decir, a que mediante un único procedimiento, en una sola serie concadenada de actos procesales, de debatan y se resuelvan varias pretensiones. Esto se produce muy claramente cuando se trata de la acumulación basada sólo en que las partes son las mismas, sin que exista conexión objetiva.

Si la conexión es el eje mismo de la acumulación, la determinación de los presupuestos concretos de cada una de las clases de acumulación exige referirse a ellas, pues se trata de precisar los requisitos que deben concurrir para su admisibilidad en cada caso.

V. LA ACUMULACIÓN INICIAL (DE ACCIONES)

Este tipo de acumulación se produce cuando en una única demanda se interponen varias pretensiones, bien entre un demandante y un demandado (acumulación exclusivamente objetiva), bien entre varios demandantes y/o varios demandados (acumulación objetivo-subjetiva).

Con esta definición ya se advierte la existencia de dos clases de acumulaciones en atención al número de personas que han de participar en el procedimiento, y a ellas nos referiremos después, pero ahora es necesario atender a otro criterio.

A) Simple, alternativa, subsidiaria y accesoria

a) Acumulación simple: Cuando se solicita del juzgador que sean estimadas todas y cada una de las pretensiones ejercitadas, que es el supuesto normal en la acumulación.

b) Acumulación alternativa: Cuando se solicita la estimación por el juzgador de una de las dos o más pretensiones interpuestas, sin establecer preferencia entre ellas.

El anterior es el concepto tradicional de la acumulación alternativa, pero el fenómeno mismo es contrario a la determinación del objeto del proceso pues no cabe que se deje al juez la elección de la pretensión a estimar. Por ello pudiera estimarse que la LEC de 2000 no admite este tipo de acumulación, como se deriva del art. 71, apartados 2 (no admisión de la incompatibilidad de las pretensiones), 3 (que se excluyan mutuamente o la elección de una impida o haga ineficaz el ejercicio de la otra) y 4 (admisión de la acumulación eventual).

c) Acumulación subsidiaria (llamada también eventual propia): Se da cuando el actor interpone varias pretensiones (contra el mismo o contra varios demandados), pero no pide la estimación de todas ellas, sino solo la de una, si bien conforme a un orden de preferencia que especifica.

d) Acumulación accesoria (llamada también eventual impropia): Concurre cuando el actor interpone una pretensión como principal y otra u otras como complementarias, debiendo ser estimadas éstas sólo en el caso de que lo sea la primera, pues dicha estimación se convierte en el fundamento de la estimación de la o las pretensiones accesorias.

> Con unos ejemplos pueden verse las diferencias entre estos dos últimos tipos. Hay acumulación subsidiaria (o eventual propia) cuando el actor pide primero que un contrato se declare nulo por falta de causa, con base en el art. 1275 del CC y, sólo para el supuesto de que esta pretensión sea desestimada, pide después que el contrato se rescinda por haberse celebrado en fraude de acreedores, atendido el art. 1291, 3.º CC. Por el contrario estamos ante una acumulación accesoria (o eventual impropia) cuando el actor ejercita una pretensión reivindicatoria y, para el caso de que sea estimada, pide a continuación que se condene al demandado al abono de los frutos percibidos y que se declare la nulidad, y subsiguiente cancelación, de la inscripción del bien inmueble en el Registro de la Propiedad procediéndose a inscribirlo a su favor.

Independientemente del sentido que la palabra tenga en el Diccionario el llamar a estos dos últimos tipos de acumulaciones eventual, propicia la confusión terminológica, dado que entre las mismas existen profundas diferencias, tantas que no es conveniente denominarlas con una sola palabra. Por ello sería conveniente reservar el nombre de acumulación eventual para la propia, que es lo que hace el art. 71.4 LEC.

Con relación, pues, únicamente a ella, puede decirse:

1.º) La competencia objetiva por la cuantía no puede venir determinada por la suma del valor de las pretensiones, y en este sentido el art. 252, 1.º, LEC dice que en la acumulación eventual debe estarse a la cuantía de la acción de mayor valor. El mismo criterio tiene que servir para determinar el procedimiento adecuado.

2.º) Para determinar la competencia territorial habrá de entenderse que es siempre pretensión principal la que se ejercita en primer lugar de la preferencia del actor, la que es «fundamento de la demás», como dice el art. 53.1 LEC.

3.º) La compatibilidad de las pretensiones no puede ser presupuesto de la acumulación eventual, pues en ésta lo normal será que esas pretensiones sean incompatibles, dado que en caso contrario carece de sentido la acumulación misma, y por eso el art. 71.4 excluye el requisito de la compatibilidad.

B) Acumulación exclusivamente objetiva

Se produce cuando un demandante y frente a un solo demandado interpone en una única demanda dos o más pretensiones para que todas se conozcan en un único procedimiento y se resuelvan en una única sentencia (formal, aunque contendrá tantos pronunciamientos como pretensiones). Este es el supuesto del art. 71.2 LEC: «El actor podrá acumular en la demanda cuantas acciones le competan contra el demandado, aunque provengan de diferentes títulos, siempre que aquéllas no sean incompatibles entre sí».

a) Presupuestos de admisibilidad

La misma existencia de la acumulación depende de la concurrencia de los siguientes presupuestos:

1.°) Iniciativa del demandante: La acumulación sólo se producirá cuando el demandante así lo decida, con lo que queda excluida cualquier posibilidad de acumulación de oficio.

> En alguna ocasión la ley impone la acumulación. Es el caso del art. 38, II, de la Ley Hipotecaria conforme al cual si el demandante ejercita una «acción» contradictoria del dominio de inmuebles o derechos reales inscritos a nombre de persona o entidad determinada, tendrá que pedir también la nulidad o cancelación de la inscripción correspondiente.

2.°) Competencia objetiva: Las pretensiones acumuladas tendrán que ser de la competencia genérica del orden jurisdiccional civil, pero además:

1") Por la materia: El tribunal tendrá que ser competente para conocer de todas las pretensiones por razón de la materia (art. 73.1, 1.° LEC).

2") Por la cuantía: En principio se exige que el tribunal sea también competente por razón de la cuantía, pero el juez que tiene competencia para lo más también la tiene para lo menos (no al revés), de modo que cabe acumular pretensiones de diferente cuantía incluso cuando ello suponga la modificación de la competencia objetiva respecto de alguna de ellas (art. 73.1, 1.°, LEC).

En este caso la competencia objetiva y el procedimiento adecuado se determinará según lo dispuesto en el art. 252 LEC, que distingue según las «acciones» provengan (suma) o no (la de mayor valor) de un mismo título.

3.°) Competencia territorial: Según el art. 53.1 LEC la competencia se atribuye atendiendo a la «acción» que sea fundamento de las demás, al Juzgado que deba conocer del mayor número de «acciones» acumuladas y, en último término, al de la acción más importante cuantitativamente.

4.°) Procedimiento adecuado: La acumulación no será posible cuando, por razón de la materia, las pretensiones deban ventilarse y decidirse en juicios de diferente tipo (art. 73.1, 2.°, LEC), lo que supone que: 1) No pueden acumularse a un juicio ordinario pretensiones que deban conocerse en un proceso especial, y 2) No pueden acumularse pretensiones para las existan juicios especiales distintos.

> Debe tenerse en cuenta, además, que la acumulación no será posible cuando la ley la prohíba expresamente en atención a que se ejerciten determinadas «acciones», bien por razón de su materia, bien por razón del juicio que se haya de seguir (art. 73.1, 3.°, LEC).

5.°) Conexión subjetiva: En el Ordenamiento español esta acumulación inicial es posible incluso en el caso de que exista sólo conexión subjetiva, es decir, no es preciso que exista conexión objetiva entre las pretensiones. Un demandante puede ejercitar en una única demanda (formal) todas las pretensiones que estime conveniente contra un demandado.

6.°) Compatibilidad entre las pretensiones: Las pretensiones a acumular han de ser compatibles entre sí (art. 71.2 y 3), y existe incompatibilidad cuando las pretensiones se excluyen mutuamente o son contrarias entre sí, de suerte que la elección de la una impida o haga ineficaz el ejercicio de la otra. En otras palabras, bien cuando la estimación de una excluya la estimación de la otra o la haga ineficaz, bien cuando para fundamentar una pretensión hayan de afirmarse como existentes unos hechos que se niegan para fundamentar la otra, no cabe la acumulación.

Esta regla de la incompatibilidad tiene sentido cuando se trata de la acumulación simple, pero no cuando se trata de la acumulación alternativa o de la acumulación eventual propia. Adviértase que en la acumulación alternativa las pretensiones ejercitadas tienen ser, por esencia, incompatibles.

b) Efectos

Aparte de las alteraciones que pueden producirse en la competencia objetiva y territorial, los efectos más importantes de esta acumulación (y en general de todas ellas) se refieren a:

1.°) Procedimiento único: Todas las «acciones» se discutirán en un mismo procedimiento, dice el art. 71.1 LEC. Debe tenerse en cuenta que esto no puede significar que las pretensiones acumuladas pierdan su individualidad, sino que se trata de la utilización de los trámites procesales con un doble contenido.

> Por ejemplo, llegada la hora de contestar a la demanda el demandado tendrá que tener en cuenta que en realidad debe resistir a más de una pretensión por lo que, en el mismo escrito, deberá dejar claro que primero responde a una pretensión y después a otra. En este mismo orden de cosas es conveniente la distinción cuando se trata de proponer prueba o de concluir.

2.°) Sentencia única: Sigue diciendo el art. 71.1 que todas las «acciones» se resolverán en una sola sentencia, pero tiene que quedar claro que sentencia única no equivale a pronunciamiento único. La sentencia tendrá que contener tantos pronunciamientos como pretensiones, por lo que habrá que distinguir entre forma (una sentencia) y contenido (tantos pronunciamientos como pretensiones).

En el momento de la sentencia adquiere pleno sentido la finalidad de evitar sentencias contradictorias. Decisiones no contradictorias no equivale a decisiones iguales (todas las pretensiones se estiman o todas se desestiman), sino decisiones en las que una no niegue lo que se afirma para otra. Cada pronunciamiento tendrá que responder a sus presupuestos materiales, pero no cabrán apreciaciones distintas de los mismos hechos, ni interpretaciones jurídicas diversas de la misma norma.

c) Control de la acumulabilidad

El cumplimiento de los requisitos que permiten la acumulación debe controlarse de oficio por el tribunal y puede controlarse a instancia de parte:

1.°) De oficio, el letrado de la administración de justicia requerirá al actor, antes de proceder a admitir la demanda, para que subsane el defecto en el plazo de cinco días, manteniendo las «acciones» cuya acumulación fuere posible. Si no se realiza la subsanación, o si mantuviera la circunstancia de no acumulabilidad, el letrado dará cuenta al tribunal para que éste decida sobre la admisión de la demanda (art. 73. 3).

2.°) A instancia del demandado, que en la contestación a la demanda puede oponerse a la acumulación (art. 402 LEC), sobre lo que se decidirá en la audiencia previa, continuándose la audiencia y el proceso respecto de la acción o acciones sí acumulables (art. 419 LEC). Para el juicio verbal, arts. 438.3 y 443.3.

C) Acumulación objetivo-subjetiva

Estamos ante esta acumulación cuando un actor ejercita varias pretensiones frente a varios demandados (acumulación activa), o bien varios demandantes ejercitan varias pretensiones frente a un único demandado (acumulación pasiva) o bien varios demandantes interponen varias pretensiones frente a varios demandados (acumulación mixta), inciándose en todo caso tantos procesos como pretensiones que se sustanciarán en un único procedimiento y se resolverán en una única sentencia. A este tipo de acumulación se refiere el art. 72 cuando dice que «podrán acumularse, ejercitándose simultáneamente, las acciones que uno tenga contra varios sujetos, o varios contra uno».

Esta acumulación se conoce tradicionalmente con el nombre de litisconsorcio voluntario, simple o facultativo (y a él se refiere también el art. 12.1 LEC), pero nos parece clara la incorrección de esta denominación, dado que no existe ni litigio único (hay tantos procesos como pretensiones) ni comunidad de suertes entre los litisconsortes (pues al final se dictará una sentencia que contendrá tantos pronunciamientos como pretensiones y cada uno de ellos tendrá su contenido propio).

> La denominación de litisconsorcio por la que ha venido conociéndose este fenómeno procesal no es correcta. La expresión proviene del latín, y la integran *lis (litis)*, que puede ser traducida por litigio, y *consortio (consortionis)*, de *cum* y *sors*, que significa comunidad de suerte, esto es, comunidad de suerte en el litigio. Sin embargo, en este pretendido litisconsorcio no existe ni litigio único ni comunidad de suerte para los distintos litigantes. No existe litigio único, sino tantos como pretensiones se han ejercitado, y no hay comunidad de suerte porque los pretendidos litisconsortes no precisan desarrollar una actividad procesal unitaria, ni a va a dictarse un único pronunciamiento, sino tantos como pretensiones, aunque todos ellos se contengan en una sentencia formalmente única. Estamos, pues, ante un puro fenómeno de acumulación, como se demuestra en la propia LEC que, aunque se refiere al litisconsorcio voluntario en el art. 12.1, tiene que regular el fenómeno en la acumulación, en el art. 72.

En principio todo lo dicho antes para la acumulación exclusivamente objetiva es aplicable a este otro tipo, salvo lo relativo a dos presupuestos de admisibilidad:

1.º) Competencia territorial: Existe norma expresa en el art. 53.2, que a lo dicho antes añade que si la competencia pudiera corresponder a los jueces de más de un lugar, la demanda podrá presentarse ante cualquiera de ellos, a elección del demandante.

2.º) Conexión objetiva: Para que esta acumulación sea posible lo determinante es la conexión objetiva o, como dice el art. 72, que entre las «acciones» exista un nexo por razón del título o causa de pedir. Se entenderá que el título o causa de pedir es idéntico o conexo cuando las «acciones» se funden en los mismos hechos.

VI. ACUMULACIÓN PENDIENTE EL PROCESO

Este tipo de acumulación, que se ha denominado por inserción, presupone que se ha ejercitado ya una pretensión, que ha dado lugar al correspondiente procedimiento, y a él se añade en el curso del mismo otra u otras pretensiones que hasta ese momento no se habían ejercitado. La acumulación puede provenir aquí del actor (ampliación de la demanda), del demandado (reconvención) y de un tercero (intervención principal).

A) Ampliación de la demanda

La acumulación procede del actor, el cual, después de haber iniciado el procedimiento con el ejercicio de una o más pretensiones, ejercita otra u otras pretensiones contra el mismo demandado (o la misma pretensión contra nuevos demandados) para que sean conocidas y decididas en el mismo procedimiento. A esta acumulación se refiere el art. 401 LEC, y del mismo se deduce, respecto a los presupuestos de admisibilidad y a los efectos, que es aquí también aplicable lo dicho antes.

> Concurren estas dos especialidades:
> 1.ª) Respecto de los presupuestos de admisibilidad, debe tenerse en cuenta que la ampliación de la demanda sólo es posible desde la presentación de la misma y hasta la contestación (o hasta que precluya el plazo para contestar) y además que la acumulación no podrá afectar ni a la competencia objetiva por la cuantía ni a la adecuación del procedimiento por la cuantía (si el procedimiento ya se ha iniciado es obvio que la ampliación de la demanda no puede significar una alteración de la competencia ni del procedimiento, atendido que aquélla se determinó por la demanda y que éste está ya en marcha).
> 2.ª) Respecto de los efectos debe tenerse en cuenta que la ampliación de la demanda ha de significar la concesión al demandado de un nuevo plazo para la contestación, que se contará desde el traslado del escrito de ampliación (art. 401, II). Por lo demás los efectos son los mismos dichos antes para la acumulación inicial.

B) Reconvención

Se trata del ejercicio por el demandado de una pretensión contra la persona que le hizo comparecer en juicio, entablada ante el mismo juez y en el mismo procedimiento en que la pretensión del actor se tramita. Esta figura ha de ser estudiada en la Lección Décima.

C) Intervención principal

Esta intervención supone que, iniciado un proceso entre dos personas, a él se acumula otro u otros como consecuencia del ejercicio por un hasta entonces tercero de una o más pretensiones que son incompatibles con la ya ejercitada, con lo que se da lugar a una acumulación pendiente el procedimiento o por inserción objetivo-subjetiva. La intervención principal está admitida en otras legislaciones pero en España sigue siendo muy dudosa su admisibilidad.

VII. LA ACUMULACIÓN DE PROCESOS

Se trata de dos o más procesos que han nacido independientes, cada uno con su procedimiento respectivo, pero que se reúnen en un procedimiento único para que sean resueltos en una única sentencia (formal) (art. 74 LEC).

> No nos ocuparemos aquí de algunas acumulaciones especiales, como: 1.ª) La acumulación de procesos singulares a procesos universales (art. 98 LEC), y 2.ª) La acumulación entre procesos de ejecución, que tiene norma propia en el art. 555 LEC.

A) Presupuestos de admisibilidad

Para que la acumulación sea posible han de concurrir los siguientes presupuestos:

a) Instancia de parte o de oficio: Según el art. 75 LEC tienen legitimación para instar esta acumulación quienes sean parte en cualesquiera de los procesos cuya acumulación se pide. Y además la acumulación se debe decretar de oficio en los casos del artículo 76.

b) Casos en que procede: La acumulación debe decretarse:

1.º) Casos generales (art. 76.1): 1) Cuando la sentencia que haya de recaer en uno de los procesos pueda producir efectos prejudiciales en el otro, y 2) Cuando, entre los objetos de los procesos, exista tal conexión que pudieran dictarse sentencias con pronunciamientos o fundamentos contradictorios, incompatibles o mutuamente excluyentes.

2.º) Casos especiales: En el art. 76.2 se preven tres casos especiales referidos a: 1) Procesos incoados para la protección de los derechos e intereses colectivos o difusos que las leyes reconozcan a consumidores o usuarios, 2) Procesos de impugnación de acuerdos sociales y 3) Procesos en los que se sustancie la oposición a resoluciones administrativas en materia de protección de un mismo menor, tramitados conforme al artículo 780, siempre que en ninguno de ellos se haya iniciado la vista.

En sentido negativo no procederá la acumulación, según el art. 78 LEC:

1.º) Cuando el riesgo de sentencia con pronunciamientos o fundamentos contradictorios, o incompatibles o mutuamente excluyentes, pueda evitarse mediante la excepción de litispendencia.

2.º) Cuando no se justifique que, bien con la primera demanda, bien con la ampliación de la misma, bien con la reconvención, no pudo promoverse un proceso que comprendiese pretensiones y cuestiones sustancialmente iguales a las suscitadas en los procesos distintos, cuya acumulación se pide. En el caso de que los procesos cuya acumulación se pretende fueren promovidos por el mismo demandante o demandado reconviniente, sólo o en litisconsorcio, se entenderá que pudo promoverse un único procedimiento.

Lo anterior no será de aplicación a los procesos incoados para la protección de los derechos e intereses colectivos o difusos que las leyes reconozcan a consumidores y usuarios.

c) Requisitos procesales: Esta regulación de la acumulación se refiere a los procesos declarativos (art. 77 LEC) y procesalmente se requiere:

1.º) Ha de tratarse de procesos que se sustancien por los mismos trámites o cuya tramitación pueda unificarse sin pérdida de derechos procesales.

> Se entenderá que no hay pérdida de derechos procesales cuando se acuerde la acumulación de un juicio ordinario y un juicio verbal, que proseguirán por los trámites del juicio ordinario, ordenando el tribunal en el auto por el que acuerde la acumulación, y de ser necesario, retrotraer hasta el momento de contestación a la demanda las actuaciones del juicio verbal que hubiere sido acumulado, a fin de que siga los trámites previstos para el juicio ordinario.

2.º) Han de encontrarse en la primera instancia, y en ninguno de ellos ha de haber finalizado el juicio a que se refiere el art. 433 LEC.

3.º) La acumulación puede alterar la competencia objetiva (a favor del Juzgado que pueda lo más) y la territorial.

> Como excepción no se admitirá la acumulación cuando de los procesos estén conociendo tribunales distintos, si ello supone que: 1) El tribunal del proceso más antiguo carece de competencia objetiva por razón de la materia o por razón de la cuantía para conocer del proceso que se quiera acumular, y 2) La competencia territorial del tribunal que conozca del proceso más moderno tenga carácter inderogable, es decir, cuando no quepa sumisión.

d) Competencia: La competencia para conocer de los procesos acumulados se atribuye al tribunal que estuviera conociendo del proceso más antiguo, al que se formulará la petición de acumulación (art. 79).

La antigüedad de los procesos se determinará por la fecha de la presentación de la demanda; y si se hubieren presentado el mismo día, el que se hubiere repartido primero. Cuando los procesos penden ante tribunales distintos, o no fuere posible determinar qué demanda se repartió primero, la solicitud podrá hacerse en cualquiera de los procesos cuya acumulación se pretende, y esa petición determinará el tribunal competente.

En los juicios verbales, la acumulación de procesos que estén pendientes ante el mismo Tribunal se regulará por las normas de la Sección siguiente (dice el art. 80).

B) Procedimiento

En la LEC se regulan dos procedimientos diferentes para realizar la acumulación, atendiendo a si de los dos procesos a acumular conoce el mismo o diferente órgano judicial.

a) Cuando los procesos penden ante el mismo tribunal

La tramitación de este incidente específico es, en este supuesto, muy simple, contando sólo de: 1) Petición fundada, que puede ser rechazada por auto (arts. 81 y 82), 2) Traslado a las partes personadas en todos los procesos cuya acumulación de pide, por plazo de diez días (art. 83), y 3) Decisión por auto, en el plazo de cinco días, otorgando o denegando la acumulación, contra la que únicamente cabe reposición (art. 82 a 85).

b) Cuando los procesos penden ante distintos tribunales

En este otro supuesto la tramitación del incidente tiene que ser más compleja, no en su primera parte, pero sí en la segunda. La actuaciones ante el tribunal al que se pide la acumulación constan de petición no suspensiva (arts. 87 y 88), traslado (art. 88) y decisión (arts. 88 y 89) y son prácticamente iguales al supuesto anterior.

Las diferencias atienden a la segunda parte:

1.º) Pedida la acumulación, el tribunal debe dar noticia de este hecho, por el medio más rápido al otro u otros tribunales, el cual se abstendrá de dictar sentencia (art. 88.2).

2.º) Decretada la acumulación, se mandará dirigir oficio al otro tribunal, requiriéndole de acumulación y para que remita el o los procesos de que esté conociendo (art. 89).

3.º) Recibido en el segundo tribunal el oficio, se dará traslado a las partes personadas, por plazo de cinco días (art. 90).

4.º) Decisión sobre el requerimiento de acumulación (art. 90) aceptándolo (art. 91) o denegándolo (art. 92).

5.º) En el caso de denegación, ha surgido entre dos tribunales una discrepancia que debe resolver el superior inmediato común a requirente y requerido, al que se remitirán testimonios de lo necesario para decidirla (arts. 93 y 94), lo que hará, en el plazo de veinte días, con tramitación escrita (art. 95).

Legislación: Ley de Enjuiciamiento Civil (arts. 71 y ss.)

Lectura: DE LA OLIVA, *Objeto del proceso y cosa juzgada en el proceso civil*, Madrid, 2005, y GASCÓN, *La acumulación de acciones y procesos en el proceso civil*, Madrid, 2000.

CAPÍTULO IV
ACTIVIDADES PREVIAS NO JURISDICCIONALES

Lección Séptima
Actividades previas al proceso

I. **CLASES DE ACTIVIDADES PREVIAS**

II. **LA CONCILIACIÓN PREVENTIVA:**
Arts. 139 a 148 Ley 15/2015
A) Concepto, clases y naturaleza
B) Carácter voluntario y supuestos excluidos:
C) Competencia:
  a) Objetiva
  b) Territorial
  c) Reparto
D) Procedimiento:
  a) Solicitud
  b) Admisión de la solicitud
  c) Citación de las partes
  d) Incomparecencia de las partes
  e) Comparecencia y resultado: 1) Sin y 2) Con avenencia
  f) Documentación
E) Efectos:
  a) De la existencia del acto
  b) De lo convenido
F) Impugnación de lo convenido:
  a) Nulidad
  b) Anulabilidad
  c) Rescisión

III. **LAS DILIGENCIAS PRELIMINARES:**
A) Concepto y generalidades
Previstas en la ley y competencia+Postulación y gastos
B) Enumeración de las medidas
  a) Capacidad, representación y legitimación
  b) Exhibiciones:
    1) Cosa mueble,
    2) Documentos: sucesorios, socios, seguro
  c) Historia clínica;
  d) Integrantes de grupo
  e) Intelectual e industrial;
  f) Leyes especiales
C) Procedimiento
1) Petición, 2) Decisión, 3) Citación y 4) Oposición

I. CLASES DE ACTIVIDADES PREVIAS

El proceso civil de declaración empieza siempre por medio de la demanda. Este acto debería ser, en consecuencia, el primero a estudiar cuando se inicia la explicación de este proceso. Sin embargo, las leyes regulan una serie de actividades previas a la incoación del proceso que es conveniente analizar aquí (sobre todo por razones pedagógicas).

> En realidad cuando se habla de actividades previas al proceso habría que distinguir entre aquéllas que están reguladas por la ley y aquéllas otras que no lo están. Todo proceso comporta necesariamente una actividad previa, realizada normalmente por el abogado elegido por el cliente, dirigida, primero, a decidir si es o no conveniente ir a la vía judicial y, después, a preparar el proceso, sobre todo en lo que se refiere a la búsqueda de las fuentes de prueba. Ahora bien, esta actividad no sólo no es jurisdiccional sino que ni siquiera es judicial, y de ahí que no pueda abordarse la misma aquí, lo que no impide destacar que un buen profesional aconseje acudir al proceso cuando tiene en sus manos las cartas del triunfo. En estas páginas hemos de aludir sólo a las actividades previas reguladas por la ley.
>
> Después debería distinguirse entre las actividades previas que se atribuyen a los juzgados y las atribuidas a otros órganos. El caso más destacado de las segundas es el de la mediación, conforme a la Ley 5/2012, de 6 de julio, pero no vamos a entrar en esa actividad, primero porque es voluntaria y luego porque no es judicial o asimilada.

Nuestro examen va a limitarse en estos momentos a las actividades previas que podemos considerar generales, prescindiendo ahora de las relativas a procesos especiales; quedan así fuera, por ejemplo, las actividades preparatorias del proceso de patentes (arts. 123 y ss. de la Ley 24/2015, de 24 de julio), etc. Por razones elementales se excluyen ahora también las medidas cautelares que pueden adoptarse antes del comienzo del proceso al que sirven.

Las actividades aquí estudiadas en la actualidad sólo pueden ser facultativas. Suprimida la reclamación administrativa previa por la Ley 39/2015, de 1 de octubre (con efectos del 2 de octubre de 2016), que operaba de modo necesario únicamente cuando era demandada una Administración pública, restan únicamente la conciliación y las diligencias preliminares que sí pueden preceder a cualquier proceso de declaración, dependiendo de la voluntad del futuro e hipotético demandante.

> Aparte queda la mediación, regulada en el RD-Ley 5/2012, de 5 de marzo, si bien la misma no es sentido estricto una actividad previa al proceso, que es la razón por la que no se incluye aquí.

II. LA CONCILIACIÓN PREVENTIVA

La Disposición Derogatoria 1, 2.ª de la LEC/2000 mantuvo en vigor, hasta que se dicte una ley sobre jurisdicción voluntaria, el Titulo I del Libro II de la LEC/1881, es decir, los arts. 460 a 480, que regulaban la conciliación preventiva. La Ley 15/2015, de 2 julio, de la Jurisdicción Voluntaria, ha regulado esta conciliación en los arts. 139 a 148, y lo ha hecho manteniendo en lo esencial la regulación anterior.

A) Concepto, clases y naturaleza

Por conciliación entendemos, en general, la actividad desplegada ante un tercero por las partes de un conflicto de intereses, dirigida a lograr una composición justa del mismo. En este sentido el nombre no hace referencia al resultado que se obtenga, sino al camino para lograrlo; es decir, no al *status termini*, sino al conjunto de esfuerzos que se realizan para lograr la composición, aunque no se alcance esta.

> La actividad puede desarrollarse ante un órgano público o ante un particular, pero la ley solo puede regular la primera. La existencia de actuaciones conciliadoras en el ámbito familiar o basadas en la amistad o incluso ante entidades privadas, tiene que quedar fuera de nuestro estudio. Por lo mismo no se incluye, como ya dijimos, la mediación de la Ley 5/2012, de 6 de julio, porque esta mediación no se celebra ante un Juzgado.

En sentido estricto la conciliación se define como la comparecencia necesaria o facultativa de las partes en un conflicto de intereses, ante una autoridad designada por el Estado, para que en su presencia traten de solucionar el conflicto que las separa, regulada por el ordenamiento jurídico que atribuye determinados efectos, asimismo jurídicos, a lo en ella convenido.

Atendiendo únicamente a las conciliaciones civiles y a las judiciales distinguir dos clases de ellas:

1.ª) Preventiva o preprocesal: regulada en la Ley de la Jurisdicción Voluntaria y que se atribuye al letrado de la administración de justicia del Juzgado de Primera Instancia o del Juzgado de lo Mercantil y, en su caso, al Juez de Paz.

2.ª) Intraprocesal: regulada en los arts. 415 y 428.2 LEC para el juicio ordinario (por mas que en el se hable de intento de arreglo, acuerdo o transacción y no literalmente de conciliación) y 443 (para el juicio verbal) que realiza el juez de primera instancia.

La distinción se basa en el tiempo en relación con la litispendencia, de modo que si la conciliación se realiza antes de la litispendencia será preventiva, tendiendo a evitar el proceso, y si se realiza después, tendiendo a terminar el proceso ya comenzado, será intraprocesal. Aquí nos ocupamos solo de la primera, que es la que tiene carácter general.

Esta conciliación preventiva es un medio de autocomposición ofrecido a las partes de un conflicto. Si logra su objetivo, si se logra la avenencia, se resuelve en desistimiento, allanamiento o transacción materiales. Si no se logra la avenencia, si no hay acuerdo, es simplemente una actividad que tiende a la auto-composición sin alcanzarla.

> En cualquier caso la conciliación no era ni es un proceso y por ello ha podido ser atribuida al letrado de la administración de justicia. Excluido que se trate de un proceso, la conciliación judicial preventiva solo puede ser un acto de jurisdicción voluntaria y así es hoy manifiesto en la Ley de la Jurisdicción Voluntaria, la 15/2015.

B) Carácter voluntario y supuestos excluidos

El intento de conciliación es voluntario, se entiende para el futuro demandante.

> La conciliación puede preceder a cualquier clase de juicio, no solo a los declarativos, sino además a los de ejecución. Es cierto que en la práctica no es usual que el ejecutante haga preceder la conciliación al proceso de ejecución, pero legalmente no hay obstáculo para ello. Con todo, la conciliación no será posible antes de dos actividades judiciales:
>
> 1.ª) No puede preceder a los procesos cautelares, que son no solo actividad judicial sino jurisdiccional.
>
> 2.ª) La conciliación no es posible con relación a los actos de jurisdicción voluntaria, que es judicial (en parte) pero no jurisdiccional.
>
> Ahora bien, importa precisar que si la conciliación es inimaginable en los supuestos en que la intervención judicial sea necesaria, como sucede, por ejemplo, en los actos de protección del patrimonio de las personas con discapacidad (y así ¿cómo puede haber conciliación para la venta bienes de menores?), si es posible, en cambio, en aquellos supuestos en los que la ley utiliza incorrectamente la jurisdicción voluntaria, como podría ser el caso de los arts. 1.320 y 1.377 CC, relativos a la autorización judicial para los actos de Disposición sobre la vivienda familiar y sobre los bienes gananciales.

En art. 139 LJV establece excepciones, que lo son a la posibilidad del acto, es decir, son supuestos en los que se prohíbe la conciliación, y de ahí que se diga que «no se admitirán a trámite las peticiones de conciliación que se formulen en relación con:

1.º) Los juicios en que estén interesados los menores y las personas con capacidad modificada judicialmente para la libre administración de sus bienes.

> Las razones de esta excepción se encuentran en las dificultades para la transacción, pues aquí se exige autorización judicial (arts. 1.810 y 1.811 CC que se remiten a: 1) Para menores: art. 166 CC, y 2) Para incapacitados: arts. 271, 3.a y 273, 290 y 298 CC.

2.º) Los juicios en que estén interesados el Estado, las Comunidades Autónomas y las demás Administraciones publicas, Corporaciones o Instituciones de igual naturaleza (art. 139.2.2º Ley 15/2015).

> La razón de esta exclusión suele buscarse en que estos entes, se dice, no pueden transigir, pero ello no es cierto, como se comprueba con la mera lectura del art. 8 de la Ley 39/2015, de 1 de octubre, de los arts. 7.2 y 10.2 de la Ley 47/2003, General Presupuestaria, para el Estado, y del art. 7 de la Ley 52/1997, de 27 de noviembre, de asistencia jurídica al Estado e Instituciones Publicas. Con carácter general el art. 1812 CC admite la transacción para las corporaciones. Tampoco debe buscarse la razón en la equiparación entre conciliación y reclamación administrativa previa, pues la primera se prohíbe incluso cuando la Administración va a ser la demandante, es decir, cuando no es necesaria la reclamación. La prohibición se basa en la complejidad del procedimiento administrativo necesario para que la Administración transija.

3.º) El proceso de reclamación de responsabilidad civil contra jueces y magistrados.

> La copia de los arts. 460 y siguientes de la LEC/1881 llevó al absurdo. Si la LO 7/2015, de 21 de julio, ha suprimido la responsabilidad civil directa de los Jueces y Magistrados, la mención de la misma en el art. 139 de la LJV carece de sentido.

4.º) En general, los que promuevan sobre materias no susceptibles de transacción ni compromiso.

> No se trata solo de los casos indicados en el art. 1.814 CC (estado civil de las personas, cuestiones matrimoniales y alimentos futuros), sino de todos los supuestos en los que las partes no tiene libre disposición.

En estas excepciones no se admitirá a tramite la petición de conciliación, lo que supone la declaración de nulidad de lo actuado si se admitió indebidamente. Si a pesar de todo llegó a realizarse la conciliación con avenencia, aun será posible la impugnación de lo convenido por la vía del art. 148 de la LJV.

C) Competencia

a) *Objetiva*: Viene atribuida a los letrados de la administración de justicia de los Juzgados de Primera Instancia y de lo Mercantil y a los jueces de paz (art. 140.1 LJV). Si la cuantía de la petición fuera inferior a 6.000 euros (y no se tratara de cuestiones atribuidas a los Juzgados de lo Mercantil) la competencia corresponderá a los jueces de paz.

b) *Territorial*: La regla general es que será Juzgado competente el del domicilio del requerido y, en su caso, el de su última residencia en España.

En la interpretación de estas reglas debe precisarse:

1.º) Sumisión: El pacto de sumisión expresa para el proceso posterior no altera la competencia territorial de la conciliación, pero es perfectamente posible la sumisión tácita a juzgado objetivamente competente. El letrado no puede examinar de oficio la competencia territorial, y el planteamiento por el pretendido de cuestión de competencia (o de recusación del letrado o juez de paz) equivale a tener por intentada la comparecencia sin más trámite).

2.º) Sucursales de personas jurídicas: Si el requerido fuera persona jurídica es también competente el Juzgado del lugar del domicilio del solicitante, siempre que en este radique delegación, sucursal u oficina abierta al publico o representante autorizado del primero, lo que deberá acreditarse.

c) *Reparto*: No tiene especialidades, aun advirtiendo que no hay localidad alguna en la que exista más de un Juzgado de Paz.

D) Procedimiento

El legislador ha pretendido, y en alguna medida logrado, establecer un procedimiento simple; este consta de las siguientes fases o actos:

a) *Solicitud*: El que intente el acto de conciliación presentara solicitud por escrito, en la que consignara los datos y circunstancias de su identificación y la del requerido, con los domicilios para citaciones, y fijara con claridad y precisión el objeto de la avenencia. Cabe la presentación de la solicitud en impreso normalizado. No es precisa, pero es posible, la intervención de abogado y procurador.

La solicitud no puede contener una pretensión en sentido técnico (Lección Sexta). La LJV de 2015 alude a solicitante y requerido y es obvio que debe decirse sobre que quiere el solicitante que verse el acto de conciliación y, en su caso, la avenencia. Obviamente no se requiere que exista fundamentación en el sentido de justificación. Sí podrán presentarse los documentos que se estimen oportunos por el solicitante.

b) *Admisión de la solicitud*: El letrado de la administración de justicia (o el juez de paz) habrá de pronunciarse, en el plazo de cinco días, primero, sobre su admisibilidad y, admitida que sea, determinara el día, hora y lugar de la comparecencia y ordenara citar a las partes. El control de oficio habrá de atender a: 1) Si la petición de conciliación se refiere a alguno de los supuestos exceptuados en el art. 139 LJV; 2) Su atribución objetiva y territorial, y 3) Si en la solicitud concurren los requisitos del art. 141 LJV. En los dos primeros casos inadmitirá la solicitud; en el tercero ofrecerá plazo al interesado para la subsanación del defecto.

c) *Citación de las partes*: Si concurren los presupuestos y requisitos el letrado de la administración de justicia (o el juez de paz), en el plazo de cinco días, citará a los interesados, señalando día y hora en que haya de tener lugar la comparecencia. Entre la citación y el acto de conciliación deberán mediar al menos cinco días. En ningún caso podrá demorarse la celebración del acto de conciliación mas de diez días desde la admisión de la solicitud.

d) *Incomparecencia de las partes*: El art. 144 LJV regula los efectos de la incomparecencia de las partes (que pueden comparecer por sí mismas o por medio de procurador):

1º) Si no comparece el solicitante (no alega justa causa): Se le tendrá por desistido y se archivará el expediente.

> El requerido podrá reclamar al solicitante la indemnización de los daños y perjuicios que su comparecencia le haya originado, si el solicitante no acreditare que su incomparecencia se debió a justa causa. De la reclamación se dará traslado por cinco días al solicitante, y resolverá el letrado de la administración de justicia o el juez de paz, sin ulterior recurso, fijando, en su caso, la indemnización que corresponda.

2º) Si no comparece el requerido (ni alegare justa causa): Se pondrá fin al acto, teniéndose la conciliación por intentada a todos los efectos legales. Si, siendo varios los requeridos, concurriese solo alguno de ellos, se celebrará con el acto y se tendrá por intentada la conciliación en cuanto a los restantes.

> Si el letrado de la administración de justicia o el juez de paz, en su caso, considerase acreditada la justa causa alegada por el solicitante o requerido para no concurrir, se señalará nuevo día y hora para la celebración del acto de conciliación en el plazo de los cinco días siguientes a la decisión de suspender el acto.

e) *Comparecencia al acto y resultados*: El acto de conciliación se celebrará en la forma siguiente: Comenzara el solicitante exponiendo su reclamación y manifestando los fundamentos en que la apoye. Contestará el pretendido lo que crea conveniente, y podrá también exhibir cualquier documento en que funde su oposición. Después de la contestación podrán los interesados replicar y contrarreplicar, si quisieren. Si no hubiera avenencia entre ellos, el letrado de la administración de justicia (o el juez de paz) procurará avenirlos. El acto puede terminar de dos maneras.

1) Sin avenencia: Se dará el acto por terminado sin avenencia. Se ha realizado el acto sin alcanzar el resultado deseado, aunque si pueden producirse consecuencias sobre la prescripción, como luego veremos.

2) Con avenencia en todo o en parte: Finaliza el conflicto (o parte del mismo) existente entre las partes, y el letrado de la administración de justicia dictara decreto aprobando la avenencia (o el juez de paz dictara auto en el mismo sentido).

> Se esta aquí ante un grave error. Si la conciliación versa sobre derechos disponibles de las partes no se *aprueba* la avenencia, pues aprobar significa que podría no aprobarse, y que ello sería por ser ilegal el acuerdo. La avenencia simplemente se *homologa*.

f) *Documentació*n: El desarrollo de la comparecencia se registrará, si fuera posible, en soporte apto para la grabación y reproducción del sonido y de la imagen, de conformidad con lo dispuesto en la Ley de Enjuiciamiento Civil.

Las partes podrán solicitar testimonio del acta que ponga fin al acto de conciliación. Los gastos que ocasionare el acto de conciliación serán de cuenta del que lo hubiere promovido.

E) Efectos

Debemos distinguir dos clases de efectos que se refieren a aspectos distintos del acto de conciliación:

a) *Efectos de la existencia del acto*: La mera presentación y admisión de la solicitud interrumpe la prescripción, tanto adquisitiva como extintiva, en los términos y con los efectos previstos en las leyes y desde el momento de la presentación (art. 143 LJV). Prácticamente lo que hace aquí la Ley es remitirse a otras normas, básicamente a los arts. 1.947 y 1.973 CC y al art. 944 Cdc.

Más en concreto hay que distinguir tres supuestos: 1.º) Prescripción adquisitiva: art. 1.947 CC, 2.º) Prescripción extintiva mercantil: art. 944 Cdc, y 3.º) Prescripción extintiva civil: art. 1.973 CC. El plazo para la prescripción volverá a computarse desde que recaiga decreto del letrado de la administración de justicia o auto del juez de paz poniendo termino al expediente.

b) *Efectos de lo convenido*: Cuando el acto de conciliación termina con avenencia lo normal es que las partes cumplan voluntariamente lo acordado. Con todo, puede no ocurrir así y entonces se cuestiona el valor de lo convenido, para lo que hay que estar a lo dispuesto en el art. 147 LJV conforme al que: El testimonio del acta con el decreto del letrado de la administración de justicia o el auto del juez de paz tiene aparejada ejecución, constituyendo supuesto del título del art. 517.2, 9.º LEC.

Dicho lo anterior, el art. 147 entra en una distinción poco clara:

1.º) Lo convenido se llevara a efecto en el mismo Juzgado en que se tramitó la conciliación, cuando se trate de asunto de la competencia del propio Juzgado. Se trata, sin duda, de la competencia objetiva por razón de la cuantía, de modo que un Juzgado de Paz no ejecuta avenencias que superen los 90 euros.

2.º) En los demás casos la competencia para la ejecución se atribuye al Juzgado a quien hubiere correspondido conocer de la demanda. Está clara la regla anterior de la competencia por la cuantía, pero no la de la materia.

F) Impugnación de lo convenido

Lo que se establece en el art. 148 LJV es hoy muy difícil de mantener. La norma pareciera entender que se trata sólo de la impugnación por motivos procedimentales y por ello sostiene que la demanda debe interponerse en el plazo (de caducidad) de quince días, ante el juez competente y se sustanciará por el juicio ordinario correspondiente a la cuantía.

Pero no alude (y debería haberlo hecho) a que inmediatamente después de la entrada en vigor de la LEC/1881 el Tribunal Supremo procedió atender a estos motivos para concluir que la llamada «acción de nulidad» comprende en realidad los casos de nulidad, anulabilidad y rescisión y para ello debe estarse a las normas generales del CC:

> El artículo 437 LEC, para el juicio verbal, también dice que este otro proceso principiará por demanda, pero seguidamente admite la existencia de una denominada demanda sucinta en la que, además de los datos de las partes, bastará con fijar lo que se pida concretando los hechos fundamentales en que se basa la petición. De este modo la demanda sucinta puede no contener de modo completo la pretensión.

1) La acción de nulidad no tiene plazo de prescripción y además no es de necesario ejercicio, si bien la parte oportuna puede instar la pretensión declarativa pura de nulidad.

> Las causas básicas de nulidad son la falta de los requisitos del art. 1.261 CC, pero ademas debe estarse a los arts. 1.255, 6.3, 1.275 y 1.271 CC. Las prohibiciones del art. 139 LJV constituyen vicio material incluible dentro de esta acción de nulidad, no tratándose de motivo procedimental.

2) Para la acción de anulabilidad hay que tener en cuenta el art. 1.300 CC y, en lo que ahora nos importa, el plazo de caducidad de cuatro años del art. 1.301 CC.

3) Las causas de rescisión son las del art. 1.291 CC, y el plazo, también de caducidad, es de cuatro años, según el art. 1.299 CC.

En los tres casos desde el punto de vista procesal no hay especialidad alguna. Debe estarse a las normas generales sobre competencia y sobre proceso adecuado.

III. LAS DILIGENCIAS PRELIMINARES

El Capítulo II del Título I del Libro II de la LEC (arts. 256 a 263) recoge un conjunto heterogéneo de las llamadas diligencias preliminares, cuya naturaleza jurídica es discutible.

A) Concepto y generalidades

La realización de las diligencias depende de la voluntad del futuro demandante, de que las considere convenientes, y su finalidad puede ser doble: 1) Despejar dudas sobre la afirmación de titularidad, normalmente pasiva, pero en algún caso también activa, a hacer en un futuro proceso, pretendiendo evitar la realización de actividad jurisdiccional inútil, que acabaría en una sentencia meramente procesal, y 2) Preparar el futuro proceso aclarando algún elemento desconocido del tema de fondo.

La mezcla producida entre diligencias con una larga tradición (algunas provienen del Derecho romano, como la *interrogatio in iure* y la *actio ad exhibendum*) y otras nuevas (como la relativa a los intereses colectivos), es de difícil reducción a la unidad, pero con carácter general puede afirmarse:

a) Sólo pueden pedirse y decretarse las diligencias previstas expresamente en alguna ley.

Se trata de que las diligencias preliminares han de estar previstas en norma con rango de ley, permitiéndose que la previsión se contenga en leyes especiales; por ello el art. 256.1, 9.º LEC contiene una remisión genérica a las diligencias previstas en leyes especiales, remisión que debe completarse con lo dispuesto en el art. 363, según el cual lo dispuesto en la LEC se aplicará de modo supletorio, esto es, en tanto no se oponga a lo dispuesto en la legislación especial.

b) La competencia para acordarlas se atribuye al Juzgado de Primera Instancia o de lo Mercantil del domicilio de la persona que, en su caso, hubiere de declarar, exhibir o intervenir en las actuaciones que se acordaren como diligencia preliminar (art. 257).

> Norma especial de competencia es la referida al caso de que se trate de los supuestos del art. 256.1, 6.º, 7.º, 8.º y 9.º, en que la competencia se atribuye al tribunal ante el que haya de presentarse la demanda determinada.

La concurrencia de la competencia debe controlarse de oficio por el tribunal, y si éste entiende que no es competente se abstendrá de conocer, indicando al solicitante el Juzgado al que debe acudir. Si este segundo Juzgado se inhibiere, a su vez, decidirá el conflicto negativo el tribunal inmediato superior común, conforme a lo dispuesto en el art. 57. No puede plantearse la declinatoria.

c) Para la postulación los arts. 23 (procurador) y 31 (abogado) excluyen la necesidad de la misma cuando se trata de medidas urgentes con anterioridad al juicio, por lo que todo depende de que la diligencia concreta pueda considerarse urgente.

d) Los gastos que se ocasionen a las personas que hubieren de intervenir en las diligencias serán a cargo del solicitante de las mismas (art. 256.3).

> Para garantizar el pago de estos gastos, y de los daños y perjuicios que puedan irrogarse, el solicitante ofrecerá caución y la fijará el tribunal, pudiendo ser de cualquiera de las clases previstas en el art. 64.2, II. La caución puede tener un doble destino:
>
> 1.º) Practicada la diligencia, o denegada la misma por la estimación de la oposición, el tribunal resolverá, por medio de auto y en el plazo de cinco días, sobre la aplicación de la caución, a la vista de la petición de indemnización y de la justificación de gastos que se presente, oído el solicitante (art. 262).
>
> 2.º) El remanente se devolverá al solicitante, si presenta la demanda del proceso posterior en el plazo de un mes desde la terminación de la diligencia, pero si no lo hace así, dicho remanente se perderá a favor de la o las personas que hayan intervenido en la diligencia (art. 262.3).

B) Enumeración de las medidas

Sin perjuicio de la remisión a lo previsto en leyes especiales, el art. 256.1 LEC, enumera las diligencias que pueden acordarse:

a) Determinación de la capacidad, la representación y la legitimación: La diligencia puede consistir en que el futuro demandado declare, bajo juramento o promesa de decir verdad, sobre algún hecho relativo a su capacidad, representación o legitimación, cuyo conocimiento sea necesario para el pleito, o exhiba los documentos en los que conste dicha capacidad, representación o legitimación. La Ley no dice cómo ha de prestarse esa declaración, pero creemos que debe estarse a la forma prevista para el interrogatorio de la parte como medio de prueba.

> La diligencia puede concluir de tres maneras:
>
> 1.ª) Que el sujeto pasivo admita el hecho relativo a su capacidad, representación o legitimación: Ese sujeto, luego demandado, en el proceso no podrá negar el hecho antes admitido, pero ello no puede suponer que la capacidad, representación o legitimación existan, pues la capacidad se tiene o no se tiene y lo mismo ocurre con la legitimación. No acabamos de comprender la diligencia relativa a la representación, pues en el proceso posterior no se demandará al representante, sino al representado, aunque pudiera tratarse de si ha existido representación en un negocio jurídico sobre el que versará el proceso.
>
> 2.ª) Que dicho sujeto pasivo niegue el hecho: No se producirá efecto vinculante para el posterior proceso, en el que podrá ser demandado, resolviéndose entonces lo pertinente sobre la capacidad y representación.
>
> 3.ª) Que el sujeto pasivo no compareciera, no conteste o conteste de modo evasivo: Según el art. 261, 1.ª, el tribunal podrá tener por respondidas afirmativamente las preguntas que el solicitante pretendiera formular y los hechos correspondientes se considerarán admitidos a efectos del proceso posterior, pero esto no puede suponer que existan la capacidad, la representación o la legitimación, sino sólo que el demandado no podrá negar los hechos.

No queda claro qué tribunal es el que puede tener por respondidas afirmativamente las preguntas, si el que practica la diligencia preliminar o el que conoce
del proceso posterior, aunque debe entenderse que este segundo, pues el efecto
ha de producirse en ese proceso.

b) Exhibición de cosa mueble: Para que la persona a la que se pretende
demandar exhiba la cosa que tenga en su poder y a la que se haya de referir el juicio. No se dice en el art. 256.1, 2.º que la cosa haya de ser mueble,
pero así se desprende del art. 261, 3.ª, aparte de que sólo se exhiben las
cosas muebles, que son las únicas que se «presentan» y se «depositan».
Tampoco se dice que el futuro proceso ha de versar sobre la entrega de la
cosa, pero así debe ser.

Frente a la solicitud, y además de oponerse a la misma, el sujeto pasivo puede:

1.º) Exhibir la cosa: Si el solicitante manifiesta que es la que pretende demandar, aparte de quedar determinada la legitimación pasiva del poseedor de la misma, aquél podrá pedir el depósito de la misma (que es la medida cautelar del art.
727, 3.ª; LEC) o la medida de garantía más adecuada a la conservación de la cosa.

2.º) Negarse de modo expreso o tácito a exhibir: Si se conociese o presumiese
fundadamente el lugar en que se encuentra, se procederá a ordenar la entrada y
registro en dicho lugar, presentándose la cosa al solicitante, que podrá pedir el
depósito o la medida cautelar adecuada a la conservación (art. 261, 3.ª).

c) Exhibición de documentos sucesorios: El que se considere heredero,
coheredero o legatario puede pedir, de quien lo tenga en su poder, la exhibición del acto de última voluntad del causante de la herencia o legado.

Esta exhibición de documentos puede servir tanto para determinar la
legitimación activa como la pasiva y el único requisito exigible para acordar la exhibición tendrá que ser la acreditación de la muerte del supuesto
causante, pues sólo a partir de entonces una persona puede considerarse
heredero o legatario y sólo entonces pueden exhibirse las disposiciones
testamentarias. La complejidad nace aquí de que el acto de última voluntad puede estar en poder de notario, el cual podrá negarse a la exhibición
con justa causa si el que se cree heredero o legatario no lo es en realidad
(art. 226 del reglamento notarial de 1944).

Suponiendo que la petición de exhibición se haga a quien no sea notario,
puede ocurrir, aparte de que surja oposición, que requerido:

1.º) Exhiba: Debe distinguirse si el requerido es o no el futuro demandado en
el proceso posterior. Si lo es la exhibición requerirá que presente el documento
en el Juzgado. Si no lo es, la exhibición no puede comportar la necesidad de que
presente el documento en el Juzgado, pudiendo pedir que el letrado de la administración de justicia pase por su domicilio para que levante testimonio.

2.º) No exhiba: Si existen indicios suficientes que el o los documentos pueden
encontrarse en un lugar determinado, el tribunal ordenará la entrada y registro
en dicho lugar, procediéndose, si se encontrasen, a ocupar los documentos y a
ponerlos a disposición del solicitante, pero en la sede del tribunal (art. 261, 2.ª).

d) Exhibición de documentos entre socios y comuneros: Un socio o comunero puede pedir que se le exhiban los documentos y cuentas de la sociedad o comunidad, dirigiendo la petición al consocio o condueño que los tenga en su poder.

La petición puede atender a documentos sin más, con lo debe estarse a lo que antes dijimos, especialmente la entrada y registro, o a documentos contables, para estos segundos el art. 261, 4.ª prevé que si se desatiende el requerimiento se podrán tener por ciertos, a los efectos del juicio posterior, las cuentas y datos que presente el solicitante.

e) Exhibición de contrato de seguro: El que se considere perjudicado por un hecho que pudiera estar cubierto por seguro de responsabilidad civil, podrá pedir que se le exhiba el contrato de seguro por quien lo tenga en su poder.

Existiendo acción directa del perjudicado contra el asegurador, se tratará de determinar quién tiene la legitimación pasiva, por lo que la petición podrá dirigirse tanto frente al asegurado como frente al supuesto asegurador. A esta exhibición es también aplicable lo dispuesto en el art. 261, 2.ª, sobre la entrada y registro.

f) Historia clínica: La petición puede referirse a la historia clínica y frente al centro sanitario o profesional que la custodie, si bien se hará en las condiciones y con el contenido que establece la ley.

> La Ley 41/2002, de 14 de noviembre, básica reguladora de la autonomía del paciente y de derechos y obligaciones en materia de información y documentación clínica, regula la historia clínica y lo hace disponiendo en su artículo 16.3 que el acceso a la misma con fines judiciales se rige por lo dispuesto en la LO 15/1999, de Protección de Datos de Carácter Personal, y en la Ley 14/1986, General de Sanidad. Después el art. 18 se refiere al derecho de acceso del paciente y también a obtener copia.

g) Determinación de los integrantes del grupo: Tratándose de un proceso futuro para la defensa de los intereses colectivos de consumidores y usuarios, quien pretenda iniciarlo puede pretender concretar el grupo de afectados cuando, siendo fácilmente determinables, no estén determinados. A este efecto el tribunal puede acordar las medidas oportunas para la averiguación de los integrantes del grupo, de acuerdo con las circunstancias del caso y conforme a los datos suministrados por el solicitante, incluyendo el requerimiento al futuro demandado para que colabore en la determinación.

Ante la negativa del requerido, o de cualquier otra persona que pudiere colaborar en la determinación de los integrantes del grupo, el tribunal ordenará las medidas de intervención necesarias, incluida la de entrada y registro, para encontrar los documentos o datos precisos, sin perjuicio de la responsabilidad penal en que se pudiera incurrir por desobediencia a la autoridad judicial (art. 261, 5.ª).

h) Propiedad intelectual e industrial: Las leyes 19/2006, de 5 de junio, y 21/2014, de 4 de noviembre, han introducido toda una serie de diligencias preliminares en los núms. 7.º, 8.º, 10.º y 11.º del art. 256.1 que tienen naturaleza muy especial.

i) Diligencias y averiguaciones previstas en leyes especiales: El art. 256.1.9.º LEC es una norma de remisión a leyes especiales. Esa remisión adquiere sentido cuando se está a los arts. 123 a 126 de la Ley 24/2015, de 24 de julio, de Patentes, con las diligencias para la comprobación de hechos [aplicables en los procesos sobre marcas (Ley 17/2001, de 7 de diciembre) y sobre competencia desleal (art. 24 de la Ley 3/1991, de 10 de enero)].

C) Procedimiento

El procedimiento para acordar o denegar las medidas es único, aunque no podrá ser única la ejecución de la medida acordada, pues habrá de estarse al contenido de la misma. En lo que es único el procedimiento consta de los siguientes trámites:

1.º) Petición: El solicitante de la medida tendrá que presentar escrito expresando, primero, el objeto del juicio que se quiera preparar y el o los futuros demandados, y, después, los fundamentos (adecuación, justa causa e interés legítimo) de la medida que pretenda. Ofrecerá también la caución correspondiente (art. 256.2 y 3).

2.º) Decisión: Sin oír a la persona frente a la que pide la diligencia, el tribunal decidirá, dentro de los cinco días siguientes, acceder o denegar la petición, para lo que habrá de tener en cuenta la finalidad que el solicitante persigue y la concurrencia de justa causa e interés legítimo, de modo que si:

1") Accede a la petición: Fijará la caución que deba prestarse, y contra el auto no cabe recurso alguno. La caución habrá de prestarse en el plazo de tres días, y si no se hace así se acordará el archivo de las actuaciones.

2") Deniega la petición: Cabe recurso de apelación (art. 258).

3.º) Citación y requerimiento: En el mismo auto en que se acceda a la petición, se citará y requerirá al interesado para que, en la sede de la oficina judicial o en el lugar y en el modo que se considere oportunos, y dentro de los diez días siguientes, se lleve a cabo la diligencia acordada (art. 259.1 LEC).

4.º) Oposición: Dentro de los cinco días siguientes a aquél en que se reciba la citación, la persona requerida para la práctica de la diligencia podrá oponerse a ella, formulando el escrito correspondiente. En tal caso, se dará traslado de la oposición al requirente, quien podrá impugnarla por escrito en el plazo de cinco días. Las partes, en sus respectivos escritos de oposición y de impugnación de ésta, podrán solicitar la celebración de vista, siguiéndose los trámites previstos para los juicios verbales.

Se resolverá por medio de auto, en el que decidirá si la oposición es o no fundada. Si la oposición es desestimada no cabe recurso alguno, condenándose al requerido al pago de las costas de este incidente de oposición; si la oposición es estimada cabe recurso de apelación (art. 260 LEC).

El modo de realizarse la diligencia no está previsto legalmente, por lo que debe estarse a cada caso; lo único que dice el art. 259.2, y para el caso de la diligencia del art. 256.1 es que los documentos y títulos podrán ser presentados ante el juzgado para su exhibición por medios telemáticos o electrónicos, en cuyo caso su examen se realizará en la sede de la oficina judicial, pudiendo obtener la parte solicitante, con los medios que aporte, copia electrónica de los mismos. Además solicitante podrá auxiliarse de un experto en la materia, se entiende a su costa.

Legislación: Ley 30/1992 (arts. 120 a 124); LEC de 1881 (arts. 460 a 480); LEC de 2000 (arts. 256 a 263)
Lectura: BANACLOCHE PALAO, *Las diligencias preliminares*, Madrid, 2003.

CAPÍTULO V
DISPOSICIONES COMUNES A LOS PROCESOS DECLARATIVOS

Consideraciones generales

Lección Octava
Tipos de procesos, cuestiones incidentales y costas

I. LOS TIPOS DE PROCESO DE DECLARACIÓN
- A) Tutela ordinaria:
  - a) Juicio plenario ordinario
  - b) Juicios plenarios rápidos ordinarios
- B) Tutelas privilegiadas:
  - a) Juicios plenarios especiales
  - b) Juicios sumarios especiales

II. LA DETERMINACIÓN DEL PROCESO DECLARATIVO ADECUADO:
- A) La cuantía como criterio general
  Verbal y Ordinario: 6.000 euros
  - a) La determinación de la cuantía
  - b) El control de la cuantía:
    - 1) De oficio,
    - 2) Por el demandado
- B) La materia como criterio especial
  Lo especial antes de lo general.
  Arts. 249 (ordinario) 250 (verbal)

III. LAS CUESTIONES INCIDENTALES:
- A) Precisiones iniciales
  - a) Cuestiones previas
  - b) Cuestiones incidentales: 2 conceptos. Amplio=inútil
    Estricto:
    - 1) Conexión con objeto (del proceso+procedimiento)
    - 2) Nuevo procedimiento
    - 3) Competencia del juez
  - c) Cuestiones prejudiciales
- B) Cuestiones y procedimientos incidentales
  - a) Noción de incidente
  - b) Clases de incidentes:
    - 1) Especiales o común
    - 2) Suspensivos o no
  - c) Procedimiento

IV. LAS COSTAS
- A) Noción de costa
  Parte de los gastos. Art. 241: Enumeración
- B) Condena en costas
  - a) Primera Instancia (reglas especiales)
  - b) Recursos
- C) Tasación e impugnación
  - a) Partidas incluibles
  - b) Procedimiento

I. LOS DISTINTOS TIPOS DE PROCESO DE DECLARACIÓN

El proceso declarativo, esto es, aquél por medio del que los tribunales dicen el derecho en el caso concreto (por el que se conocen las pretensiones declarativas puras, las constitutivas y las declarativas de condena), se enfrenta en nuestro ordenamiento a un sistema algo complicado en su regulación que obliga a clasificar y explicar antes de entrar en el desarrollo específico de sus variados tipos. El punto de partida es aquí la distinción que hicimos (en la Lección Duodécima del Tomo I) entre tutela judicial ordinaria y tutelas judiciales privilegiadas.

A) Tutela ordinaria

La tutela judicial ordinaria a la que atendemos aquí es la declarativa, no a la ejecutiva ni a la cautelar.

a) *Juicio plenario ordinario*

Históricamente el inicio de la evolución se encuentra en el *solemnis ordo iudiciarius* que dio lugar (como dijimos en la Lección Primera) al proceso declarativo ordinario, que se asumió en Las Partidas y en torno al cual se construyó todo el ordenamiento procesal. Para la regulación del mismo se partió de considerar que las partes tenían que disponer de toda la amplitud posible en el uso de los medios de ataque y defensa, planteando sin limitaciones el litigio que las separaba; en ese contexto de falta de limitaciones se reguló un proceso lento, complicado, formalista y caro. Ese juicio era ordinario y plenario.

1) Ordinario con referencia a un proceso, supone que por medio de él los órganos jurisdiccionales pueden conocer objetos de toda clase sin limitación alguna, habiéndose establecido con carácter general. Lo contrario a ordinario es especial.

2) Plenario significa que no existe limitación de las alegaciones de las partes, que pueden someter al órgano jurisdiccional con toda amplitud el conflicto que las separa, por lo que no hay limitaciones del objeto de la prueba, que puede referirse a todas las alegaciones, ni de los medios de prueba que pueden usar las partes; todo ello conduce a que el órgano jurisdiccional no tenga su cognición limitada a un aspecto parcial del litigio, por lo que la sentencia que dicte desplegará todos los efectos propios de la cosa juzgada material, no siendo posible otro proceso posterior entre las mismas partes y sobre el mismo objeto. Lo contrario a plenario es sumario.

Este tipo de juicio fue el antecedente inmediato del llamado de mayor cuantía de la LEC de 1881. Toda ésta se centró en él y durante un siglo determinó la manera normal de proceder en los procesos civiles. En la LEC de 2000 puede considerarse desaparecido.

b) Juicios plenarios rápidos ordinarios

La ineficacia de un juicio como el anterior llevó a crear un nuevo tipo procesal que, sin dejar de ser ordinario y plenario, significará reducir el tiempo y el coste. Se trató entonces de suprimir formalidades superfluas, de aumentar las facultades del juez, de suavizar la preclusión en aras de la elasticidad, de limitar los recursos contra las resoluciones interlocutorias, de acortar los plazos y, sobre todo, de hacer predominar la oralidad en contra de la escritura. Aparecieron así los juicios ordinarios plenarios rápidos.

Estos juicios fueron asumidos de modo residual en la LEC de 1881 y en la legislación posterior, y eran el de menor cuantía, el verbal y el de cognición. En la LEC de 2000 se ha dado un paso trascendente; ha desaparecido el juicio de mayor cuantía, el heredero del viejo juicio ordinario plenario, y se ha emprendido el camino de los juicios plenarios rápidos, procediéndose a la regulación, por un lado, del llamado juicio ordinario, que es claramente un juicio plenario rápido, y, por otro, del juicio verbal, que es el continuador del antiguo juicio verbal.

De lo expuesto resulta que tenemos dos juicios declarativos ordinarios: el juicio ordinario y el juicio verbal. Su condición de ordinarios se deduce claramente del art. 248.1 LEC: «Toda contienda judicial entre partes que no tenga señalada por la Ley otra tramitación, será ventilada y decidida en el proceso declarativo que corresponda», y el párrafo siguiente se refiere al juicio ordinario y al juicio verbal, que son los ordinarios. Por estos juicios puede conocerse de cualquier materia que no tenga señalada legalmente tramitación especial.

Estos juicios posibilitan conocer de cualquier clase de pretensión declarativa, no ya sólo en lo relativo al objeto del proceso, sino también respecto de la clase de tutela pedida o, si se quiere, de pretensión: declarativa pura, constitutiva y declarativa de condena. No existe un proceso meramente declarativo, otro constitutivo y otro de condena, sino el proceso de declaración en general y dentro de él los tipos de juicio que estamos examinando. Por los juicios ordinarios pueden conocerse y resolverse todas las pretensiones imaginables, siempre que no tengan señalada por la ley tramitación especial.

B) Tutelas privilegiadas

Frente a juicio ordinario su par alternativo es juicio especial, pero dentro de esta clase se debe distinguir entre procesos plenarios y procesos sumarios.

a) *Juicios plenarios especiales*

El art. 248.1 LEC antes citado ya indica que existen contiendas judiciales que tienen tramitación especial y con ello hace referencia a este tipo de juicios, que son aquéllos que se establecen para conocer de pretensiones que tienen objetos específicos y determinados, quedando su uso limitado al concreto objeto que marca la ley. Si los juicios ordinarios sirven para conocer de cualquier objeto procesal, los especiales tienen cada uno de ellos objeto determinado. Aparecen así las tutelas privilegiadas.

En el sistema tradicional el privilegio consistía en regular procedimientos más simplificados aún que los propios de los plenarios rápidos y las razones de ello eran variadas. Algunas veces se trataba de que aspectos concretos de la tramitación procedimental venía condicionada por las normas materiales, que exigían normas procesales propias (por ejemplo, en el retracto la regulación material del CC impone la existencia de una demanda especial, más por los documentos que deben acompañarse a ella, así la consignación del precio, que por el contenido de la misma), pero en la mayoría de los casos se trataba de huir de los procesos ordinarios, que se consideraban ineficaces, posibilitando que algunos grupos sociales tuvieran una tutela judicial más sencilla y rápida y, por tanto, más acordes a sus necesidades.

Los procesos especiales han desaparecido en su mayor parte en la LEC de 2000, pero subsisten algunos y por dos razones; en algún caso se ha suprimido aparentemente el proceso especial, pero subsiste la norma procesal propia para los aspectos en que así lo impone el derecho material (en el ejemplo del retracto pueden verse el art. 266, 3.º LEC), y en otros la especialidad aparece de modo más sutil, pues ahora lo que se ha hecho es reconducir al juicio verbal materias que en principio debían tramitarse por el llamado juicio ordinario (por ejemplo, cuando se trata de recuperar la posesión en el arrendamiento, art. 250.1, 1.º o de la acción de rectificación de hechos inexactos y perjudiciales, art. 250.1, 9.º LEC). Por fin, téngase en cuenta que siguen existiendo juicios declarativos especiales en sentido estricto, que son los regulados en el Libro IV.

Los juicios especiales son así el par alternativo de juicios ordinarios, pero siguen siendo plenarios. Su denominación completa sería juicios declarativos plenarios rápidos especiales.

b) Juicios sumarios especiales

Lo contrario de juicio plenario es juicio sumario. Si plenario es juicio sin limitaciones, sumario es igual a juicio con limitaciones de las alegaciones de las partes, del objeto de la prueba, y en ocasiones incluso de los medios de prueba, y de la cognición judicial, por lo que al centrarse el juicio en un aspecto parcial del conflicto existente entre las partes, cabe la posibilidad de acudir a un juicio plenario posterior en el que se plantee con toda amplitud el conflicto. El privilegio alcanza aquí cotas aún mayores.

> En la práctica existe la tendencia a hacer sinónimas las palabras sumario y urgente o rápido, pero técnicamente ello es incorrecto. De esta tendencia se hace eco, por ejemplo, el art. 53.2 CE cuando habla de la tutela de las libertades y derechos fundamentales por medio de un procedimiento basado en los principios de preferencia y sumariedad. Es cierto que un juicio sumario para ser eficaz ha de tener una tramitación rápida o urgente, pero ello es una consecuencia de esencia, no la esencia misma; ésta se basa en las limitaciones dichas.

La razón de ser de los juicios sumarios se explica dando un paso más en la evolución que llevó a los juicios especiales. El legislador puede estimar que en determinadas materias ni siquiera el juicio especial es suficiente para hacer frente con eficacia a una necesidad social y, para simplificar la tramitación, limita el contenido de la contienda a un aspecto concreto del litigio existente entre las partes, acudiendo a lo que puede denominarse una tutela judicial provisional. Terminado el juicio sumario las partes pueden, si lo estiman conveniente, acudir a un proceso plenario para contender sobre la totalidad del conflicto que las enfrenta.

A estos juicios sumarios se refiere la LEC cuando habla de «tutela sumaria» (art. 250.1, 4.º LEC) o de que el tribunal resuelva «con carácter sumario» (art. 250.1, 5.º, 6.º, 10.º y 11.º LEC). Más en general, el art. 447 LEC dice que no surtirán efectos de cosa juzgada las sentencias que pongan fin a determinados juicios verbales.

La especialidad procesal ha consistido en que en todos estos casos la tramitación se ha remitido al juicio verbal sin atender a la cuantía, y en ocasiones en que esa tramitación tiene alguna especialidad procedimental (por ejemplo, art. 438.1, LEC, no admiten reconvención; 439.1 LEC, sobre inadmisión de la demanda; y 444 LEC, sobre el contenido de la vista y la limitación de las alegaciones del demandado.

De todo lo anterior se desprende que en la LEC de 2000 se ha realizado un esfuerzo para acabar con la proliferación de procesos especiales, propia de la vigencia de la LEC de 1881, pero que ese esfuerzo, en ocasiones, no ha podido impedir la subsistencia de normas procesales propias de determinados supuestos de derecho material, y, en otras, ha mantenido situaciones de privilegio respecto de algunos derechos (sobre todo el de propiedad) y de algunos grupos sociales (propietarios y grandes acreedores).

II. LA DETERMINACIÓN DEL PROCESO DECLARATIVO ADECUADO

Ante la existencia de varios tipos procesales se hace necesario, cuando un ciudadano desea acudir a los tribunales para impetrar su tutela, determinar en primer lugar por cuál de esos tipos debe conocerse su pretensión. Tiene que existir así unas reglas legales; en nuestro Derecho las mismas se basan en dos criterios.

A) La cuantía como criterio general

El sistema elegido en la LEC para determinar de modo general el proceso adecuado atiende al valor de la pretensión o, en la terminología legal, a la cuantía del asunto o de la demanda. En principio, toda contienda judicial entre partes, que no tenga señalada tramitación especial, será conocida y decidida por alguno de los dos juicios ordinarios, es decir:

1.°) Verbal: Cuando el valor económico de la contienda no exceda de 6.000 euros (art. 250.2 LEC).

> Debe recordarse que el art. 47 LEC al determinar la competencia de los Juzgados de Paz lo ha hecho con base únicamente en la cuantía (no superior a 90 euros), lo que supone que estos Juzgados conocen sólo de juicios verbales hasta esa cuantía.

2.°) Ordinario: Para los asuntos en que la cuantía de la demanda exceda de 6.000 euros y aquéllas cuyo interés económico resulte imposible de calcular, ni siquiera de modo relativo (art. 249.2 LEC).

La cuantía, además de para lo anterior, sirve para: 1) Determinar la necesidad de abogado y procurador, que se fija en 2.000 euros, 2) Fijar los límites de la condena en costas, 3) Determinar la tasa judicial, en los supuestos en que se impone ésta, y 4) La procedencia del recurso de casación, con relación a 600.000 euros.

a) La determinación de la cuantía

Si la cuantía es el criterio general es necesario que, a continuación, se diga cómo se determina la misma y quién debe hacerlo. El punto de partida es que el actor debe fijar en la demanda, y con precisión, la cuantía del pleito (art. 253 LEC). Esa fijación puede hacerse:

1.º) Cuando se ejercita una pretensión declarativa de condena y ésta se refiere a una cantidad de dinero, no hay problema alguno pues la cuantía de la demanda es dicha cantidad. En este caso ni el juez ni el demandado pueden poner en cuestión la cuantía, sin perjuicio de que el demandado alegue sobre el fondo y de que el juez resuelva dentro de la misma.

2.º) Para los demás casos el art. 251 LEC establece una larga lista de reglas, aplicando las cuales el actor debe fijar en la demanda el valor objeto del pleito; el art. 252 LEC establece otras reglas para los casos de acumulación de pretensiones; a unas y otras debe estarse por remisión.

3.º) Si ni aún con las reglas de esos artículos puede fijarse de modo concreto el valor de lo pedido se tratará de un asunto de cuantía inestimable, para los que los arts. 249.2 y 253.3 LEC disponen que se tramitarán por el juicio ordinario.

> En realidad la inestimabilidad puede ser relativa o absoluta. En ocasiones el actor no podrá fijar la cantidad exacta importe de su pretensión, pero sí podrá hacerlo dentro de ciertos límites (no sabe cuánto importan los daños, pero sí que no superan los 6.000 euros), y entonces debe estarse al juicio adecuado por esta determinación relativa. Otras veces la indeterminación de la cuantía será absoluta y entonces siempre deberá estarse al juicio ordinario, como hemos dicho.

La determinación de la cuantía recae, por tanto, sobre el actor, el cual debe indicarla en la demanda. Esa determinación comporta también dos reglas importantes:

1.ª) La referencia a la cuantía en la demanda es siempre necesaria, aunque sea de modo relativo; el actor no puede en su demanda dejar de aludir a ella y sustituirla por una alusión a la clase juicio a seguir, ni pretender hacer recaer sobre el demandado la carga de determinar la cuantía (art. 253.2 LEC).

2.ª) La alteración del valor de los bienes objeto del litigio que sobrevenga después de interpuesta la demanda, no implica modificación de la cuantía ni de la clase de juicio (art. 253.1, II, LEC), lo que es una consecuencia de la litispendencia incluida en la *perpetuatio iurisdictionis*.

b) El control de la cuantía

El control de la cuantía del asunto puede confiarlo la ley exclusivamente a la parte contraria o puede atribuirlo, además, al órgano jurisdiccional ante el que la demanda se presenta. En la LEC se han establecido los dos sistemas de control.

1.º) De oficio por el Juzgado

Aparte del supuesto de que la cuantía determine la competencia objetiva (lo que ocurrirá rara vez, dado que la de los Juzgados de Paz sólo alcanza a 90 euros, art. 47 LEC), y en el que el Juez debe apreciar de oficio su falta de competencia (art. 48 LEC), la cuantía debe ser controlada de oficio cuando afecte al procedimiento por el que debe tramitarse el asunto, no cuando el error en la cuantía no produzca consecuencia procesal alguna.

La regla general es, pues, que se dará al juicio la tramitación que haya indicado el actor en su demanda, salvo que de la misma demanda se advierta por el letrado de la administración de justicia que el juicio elegido por el actor no es el que corresponde al valor señalado (o con la materia), caso en el que acordará por diligencia de ordenación que se de al asunto la tramitación que corresponda; esta diligencia es recurrible en revisión, si bien sin efecto suspensivo. El Tribunal no estará vinculado por lo pedido en la demanda (art. 254.1 LEC).

> Junto a la regla general anterior deben indicarse otras reglas especiales:
> 1.ª) Si, en contra de lo señalado por el actor, el letrado de la administración de justicia considera que la demanda es de cuantía inestimable o no determinable, ni aun en forma relativa, y que no procede por ello el juicio verbal deberá, por medio de diligencia, dar al juicio la tramitación del ordinario, siempre que conste la designación de procurador y la firma de abogado.
> 2.ª) Se pueden corregir, bien los errores aritméticos del actor en la determinación de la cuantía, bien la selección defectuosa de la regla de cálculo, siempre que en la demanda existan elementos fácticos suficientes, dando al juicio la tramitación que corresponda.
> Lo que el tribunal no puede hacer es inadmitir la demanda porque entienda inadecuado el procedimiento por razón de la cuantía, pues en último caso concederá al actor un plazo de diez días para que subsane el defecto. No se dará curso a los autos hasta que el actor subsane el defecto de que se trate (art. 254.4 LEC).

2.º) Impugnación de la cuantía por el demandado

Independientemente del control de oficio de la cuantía, el demandado ha de poder impugnar la cuantía cuando entienda que se ha fijado de modo incorrecto, siempre que ello comporte consecuencias atinentes, bien a la clase de juicio, bien respecto del recurso de casación (art. 255 LEC), no cuando no comporte consecuencia procesal alguna, y para ello debe estarse al tipo de juicio, de modo que:

1.º) En el juicio ordinario, la impugnación se efectuará en la contestación a la demanda y se resolverá en la audiencia previa (art. 422 LEC).

2º) En el juicio verbal, el demandado impugnará la cuantía o la clase de juicio por razón de la cuantía en la contestación a la demanda, y el tribunal resolverá la cuestión en la vista, antes de entrar en el fondo del asunto y previo trámite de audiencia del actor.

B) La materia como criterio especial

Si el criterio general para la determinación del proceso adecuado es el de la cuantía, el criterio especial es el de la materia, y por medio del mismo se articulan las tutelas privilegiadas. La regla especial es siempre de aplicación preferente a la general de la cuantía. El criterio del valor sólo es aplicable cuando no existe norma expresa que disponga lo contrario. Lo dice así claramente el art. 248.3 LEC.

Las reglas especiales de determinación del procedimiento adecuado, en atención a la materia, deben examinarse en dos escalones. El primero de ellos se refiere a la existencia de un verdadero juicio especial en la LEC, que es el caso de los procesos incluidos en el Libro IV, y el segundo distingue entre juicio ordinario y juicio verbal.

a) El primer escalón es el menos complejo, pues exige sólo atender a si la demanda que quiere interponer el actor tiene como objeto una pretensión propia de los procesos sobre capacidad, filiación y matrimonio o sobre división judicial de patrimonios. Los procesos monitorio y cambiario se basan en la existencia de documentos determinados. A falta de juicio especial debe estar al ordinario o al verbal.

b) La determinación de qué asuntos se conocerán por el juicio ordinario o por el juicio verbal, se realiza en los arts. 249 y 250 LEC.

El art. 249.1 enumera las materias de las que se conocerá por el juicio ordinario y a él nos remitimos. El art. 250.1 hace la misma enumeración para el juicio verbal con la misma remisión.

> Caso nuevo y especial es el del art. 249.6°: Las demandas que versen sobre cualesquiera asuntos relativos a arrendamientos urbanos o rústicos de bienes inmuebles, salvo que se trate de reclamaciones de rentas o cantidades debidas por el arrendatario o del desahucio por falta de pago o por extinción del plazo de la relación arrendaticia, o salvo que sea posible hacer una valoración de la cuantía del objeto del procedimiento, en cuyo caso el proceso será el que corresponda a tenor de las reglas generales de esta Ley.

c) Naturalmente si el proceso adecuado se determina por la materia, el control del mismo ha de efectuarse de oficio por el letrado de la administración de justicia, el cual debe dar al proceso la tramitación que corresponda conforme a la ley, aun en contra de la petición del actor (art. 254.1, II, LEC). El demandado también podrá impugnar la tramitación que se está dando al proceso:

1.°) En el juicio ordinario, alegando en la contestación a la demanda la excepción procesal de inadecuación del procedimiento (art. 416.1, 4.ª, LEC), que se resolverá en la audiencia previa (art. 423 LEC).

2.°) En el juicio verbal, se alegará en la contestación a la demanda y se resolverá en el acto de la vista.

III. LAS CUESTIONES INCIDENTALES

En la doctrina, y durante siglos, se han manejado las expresiones «cuestiones previas», «cuestiones incidentales» y «cuestiones prejudiciales» sin demasiada precisión y con sentidos a veces muy diferentes según el autor que las emplea, por lo que parece conveniente realizar de entrada algunas precisiones conceptuales que atiendan, sobre todo, a marcar las diferencias entre unas y otras (recordando que las prejudiciales se estudiaron en la Lección Quinta).

A) Precisiones iniciales

a) Las cuestiones previas han sido definidas por el Tribunal Supremo como «aquellas que exijan un particular pronunciamiento que, por afectar a la litis debe ser emitido antes de entrar en materia, de las que dichas cuestiones resultan valladar», mientras que no lo son «aquellas otras que constituyen aspectos o facetas del fondo» (STS de 5 de diciembre de 1986).

> Resulta así que se ha producido una identificación entre cuestión previa y cuestión procesal, de modo que las cuestiones previas tienen naturaleza procesal, se refieren a los presupuestos y a los requisitos procesales (no al fondo del asunto) y han de ser resueltas de modo «previo», es decir, antes de entrar en ese fondo, condicionando incluso la posibilidad de poder resolver sobre el mismo.

b) Respecto de las cuestiones incidentales se han sostenido teóricamente dos conceptos: Uno amplio y otro estricto. Según el primero son aquellas que surgen en un proceso como mero antecedente lógico de su objeto para ser resueltas por el juzgador en una única sentencia, mientras el concepto estricto incluye solamente aquellas cuestiones que, estando en conexión con el objeto del proceso o con el proceso mismo, y siendo en todo caso competencia del juez que conoce de lo principal, dan lugar a un nuevo procedimiento y a una resolución propia.

Ante estos dos conceptos, que suelen encontrarse en la doctrina y en la jurisprudencia, parece necesario advertir que el primero de ellos, el amplio, conduce a un verdadero desbordamiento de la noción que la lleva a la inutilidad, al igualarla a antecedente lógico, pues es evidente que en todo juicio existen necesariamente concatenaciones de elementos lógicos, de modo que en toda sentencia existirían multitud de cuestiones incidentales, de las cuales ni las partes ni el mismo juez serían conscientes.

Limitándonos, por tanto, al concepto estricto, los elementos que identifican a las cuestiones incidentales son:

1.°) Han de estar en conexión, bien con el objeto del proceso, esto es, con la pretensión que ha sido deducida en el mismo (y así se hace referencia a la relación jurídica material), bien con el proceso mismo (con la relación jurídica procesal), y así se deduce claramente de la LEC, la cual en el art. 387 dice que han de tener «relación inmediata» con el objeto principal del pleito o con los presupuestos y requisitos procesales. Cuando la cuestión se refiere al objeto del pleito, la dificultad se referirá a su distinción de las cuestiones prejudiciales.

2.º) Han de dar lugar a un nuevo procedimiento y a una resolución propia, y con ello basta por ahora, aunque después habremos de referirnos a cómo ha de ser ese procedimiento, dadas las varias posibilidades contempladas en la ley. De momento adelantemos la distinción entre incidente, que es el procedimiento, y cuestión incidental, que es el objeto del mismo.

3.º) Han de pertenecer a la competencia del juez que conoce de lo principal, pues en otro caso estaremos ante cuestiones prejudiciales. En general debe partirse de la base de que el juez competente de un asunto lo es también para resolver sobre sus «incidencias» (art. 61 LEC), con lo que no se trata más que de aplicar una regla elemental de la llamada competencia funcional.

> Los problemas respecto del elemento de la competencia se refieren a la distinción de las cuestiones incidentales de las cuestiones prejudiciales cuando la cuestión tiene conexión con el objeto del proceso, esto es, cuando atiende a la relación jurídica material en él deducida, pues es entonces cuando puede plantearse si las cuestiones prejudiciales han de ser sólo heterogéneas o si pueden ser también homogéneas.

c) También de las cuestiones prejudiciales se han dado dos conceptos: uno amplio y otro estricto. Según el primero se trata de cuestiones conexas con la cuestión de fondo planteada en el proceso que por su naturaleza pueden estar atribuidas a la competencia de un juzgado o tribunal del mismo orden jurisdiccional (prejudicialidad homogénea) o a la competencia de juzgados y tribunales de distinto orden jurisdiccional (prejudicialidad heterogénea), si bien en cualquier caso podrían dar lugar a un procedimiento y resolución independiente. En sentido estricto, por el contrario, las cuestiones prejudiciales sólo son las segundas, las de la competencia de órganos judiciales de distinto orden jurisdiccional. Como puede comprobarse existe aquí un grave elemento de confusión entre las cuestiones incidentales y las cuestiones prejudiciales, por cuanto un sector de la doctrina las mezcla, por lo menos en parte, aunque ese sector sea el más antiguo.

La doctrina más reciente entiende que los elementos caracterizadores de las cuestiones prejudiciales son:

1.º) Han de estar en conexión con el objeto del proceso, con la *res in iudicio deducta*, no con el proceso mismo, esto es, no atienden a la relación jurídica procesal.

Estar en conexión no significa que la cuestión prejudicial, en sí misma considerada, sea algo accesorio, pues lo es sólo accidentalmente; la cuestión que en un proceso se presenta como prejudicial puede ser objeto principal de un proceso autónomo, y tanto es así que pudo haberlo haber ya sido o que podrá serlo en el futuro, si bien en el proceso en el que se presenta como prejudicial sí tiene carácter accesorio.

2.°) El que la cuestión prejudicial vaya o no a dar lugar a un procedimiento específico y a una resolución propia, no es algo que sirva para caracterizar a una cuestión como prejudicial, pues la soluciones legales son muy variadas, y en realidad este elemento es algo que se refiere a si la cuestión se considera o no por el legislador como devolutiva; es decir, la existencia o no de este procedimiento y resolución propia va unida a una decisión del legislador que se refiere a quién va a decidir la cuestión.

3.°) Han de pertenecer a la competencia de los juzgados y tribunales de orden jurisdiccional distinto del que está conociendo del proceso en el que surge la cuestión, y este sí es elemento caracterizador de lo que es una cuestión prejudicial, tanto que sirve para distinguirla nítidamente de las cuestiones incidentales.

Debe tenerse en cuenta que sí existe un supuesto de cuestión prejudicial civil en el proceso civil, que es la contemplada en el art. 43 LEC. Cuando la cuestión civil surge en un proceso civil se tratará normalmente de una cuestión incidental, que será resuelta por el tribunal que está conociendo del mismo; ahora bien, cuando la cuestión civil está siendo ya objeto de otro proceso civil pendiente, ante el mismo o distinto tribunal, son posibles dos soluciones: 1) Acumulación de procesos, para lo que debe estarse a las reglas propias de esta acumulación, o 2) Decretar la suspensión de las actuaciones hasta que finalice el proceso que tiene por objeto la cuestión prejudicial civil.

En síntesis, pues: 1) Las cuestiones previas tienen siempre naturaleza procesal y versan sobre los presupuestos y requisitos procesales, 2) Las cuestiones incidentales puede referirse tanto al objeto del proceso como al proceso mismo, dan lugar a procedimiento y resolución propia y se resuelven siempre por el juez que conoce del proceso principal, y 3) Las cuestiones prejudiciales son siempre conexas con el objeto del proceso y su competencia corresponde, en principio, a un orden jurisdiccional distinto del que conoce del proceso en el que surgen, sin perjuicio de la decisión del legislador de que se resuelven o no por el órgano judicial que conoce del proceso en el que surgen, pero entonces siempre *incidenter tantum*.

B) Cuestiones y procedimientos incidentales

a) *Noción de incidente*: Partiendo de que ya sabemos lo que es una cuestión incidental, el paso siguiente atiende a definir lo que es incidente, que no es más que el procedimiento por el que se conoce de la cuestión incidental o, si se prefiere, el conjunto de normas que regulan el modo de plantear, de tramitar y de resolver la cuestión incidental.

> Una primera precisión debe hacerse. Si toda cuestión incidental surge partiendo de la existencia de un proceso, todo procedimiento incidental lo es siempre con relación a un proceso, de modo que ese procedimiento no tiene sustantividad propia, esto es, no puede existir de modo independiente.

b) *Clases de incidentes*: Debe distinguirse entre incidentes, que pueden ser:

1.°) *Especiales o común*: Algunas cuestiones incidentales, de las que se refieren siempre al proceso mismo, esto es, que afectan a la relación jurídico procesal, tienen señalada en la ley tramitación procedimental específica, de modo que la ley identifica de modo autónomo tanto la cuestión incidental como el procedimiento por el que se tramita.

> Ocurre esto, por ejemplo, con la declinatoria (arts. 63 y ss. LEC), con la acumulación de procesos (arts. 74 y ss. LEC), con la recusación (arts. 107 y ss. LEC). Para el estudio de estas cuestiones incidentales e incidentes debe estarse a lo dispuesto en los lugares citados (y en las lecciones correspondientes).

Las cuestiones incidentales que no tengan señalado por la ley incidente especial se tramitarán y resolverán por el procedimiento común de los incidentes, regulado en los arts. 392 y 393 LEC. El art. 388 LEC dispone que las cuestiones incidentales que no tengan señalada en esta Ley otra tramitación, se ventilarán en la forma establecida en los artículos siguientes.

2.°) *Suspensivos y no suspensivos*: Dentro del incidente común, la LEC procede a distinguir dos tipos o clases de incidentes, que se diferencian por su efecto respecto del proceso principal. La diferencia no se refiere, pues, al objeto de la cuestión incidental, pudiendo ser ésta tanto relativa al objeto del proceso como al proceso mismo, sino que atiende a la influencia de la misma respecto de la continuación del juicio. Todos los incidentes requieren pronunciamiento específico, pero en su tramitación unos suspenden la tramitación del proceso principal y otros no.

1") De pronunciamiento previo y de tramitación suspensiva con relación al proceso principal: Cuando el pronunciamiento que deba dictarse en el incidente sobre la cuestión incidental suponga un obstáculo a la continuación del proceso por su trámites ordinarios, el incidente se sustanciará en la misma pieza de autos y dará lugar a la suspensión de aquel proceso (art. 390 LEC). El incidente por eso se llama de previo pronunciamiento y suspensivo.

> Las cuestiones incidentales que dan lugar a este incidente previo y suspensivo son, además de las previstas expresamente por la ley, las enumeradas en el art. 391 LEC, es decir:

1°. A la capacidad y representación de cualquiera de los litigantes, por hechos ocurridos después de la audiencia regulada en los artículos 414 y siguientes.

2°. Al defecto de algún otro presupuesto procesal o a la aparición de un óbice de la misma naturaleza, siempre que hayan sobrevenido después de la audiencia prevista en los artículos citados en el número anterior.

3°. A cualquier otra incidencia que ocurra durante el juicio y cuya resolución sea absolutamente necesaria, de hecho o de derecho, para decidir sobre la continuación del juicio por sus trámites ordinarios o su terminación.

2") De especial pronunciamiento y no suspensivo: Cuando la cuestión incidental exija que el tribunal decida sobre ella de modo específico en la sentencia y antes de entrar a resolver sobre lo que sea objeto principal del pleito, el incidente se sustanciará en pieza separada, sin suspensión del proceso principal (art. 389 LEC).

> La reserva del legislador frente a los incidentes se manifiesta en el art. 392.2 LEC: el tribunal repelerá de oficio, mediante auto, el planteamiento de toda cuestión que no se halle en ninguno de los casos anteriores, siendo aplicable la regla general sobre recursos.

c) *Procedimiento*: Todos los incidentes, sean suspensivos o no, tienen una misma tramitación, en la que lo único distinto puede ser la formación de pieza separada.

1.°) Demanda: El incidente se inicia con lo que la doctrina llama tradicionalmente «demanda incidental» y la LEC simplemente «escrito», al que se acompañarán los documentos pertinentes, con proposición de la prueba necesaria, e indicando si se ha de suspender o no el curso del proceso (art. 392.1 LEC).

2.°) Momento preclusivo: El incidente no puede suscitarse por las partes, en el juicio ordinario una vez iniciado el juicio, y en el juicio verbal una vez admitida la prueba propuesta (art. 393.1).

3.°) Admisión: El juez, sin oír a la parte contraria, decidirá sobre la admisión o no de la cuestión incidental y, consiguientemente, sobre la tramitación o no del incidente. Si la resolución da lugar al incidente, al mismo tiempo tendrá que decidir sobre la clase del mismo (art. 393.2).

Si el incidente se admite como no suspensivo tendrá que ordenarse la formación de pieza separada, aunque la LEC no se refiere a ella. Si se admite como suspensivo tendrá que ordenarse la suspensión del curso de las actuaciones.

4.°) Contestación: A continuación, bien en los autos principales bien en la pieza separada se dará traslado de la «demanda incidental» a la parte contraria, por cinco días, para que conteste concretamente sobre la cuestión incidental (art. 393.2 LEC).

5.°) Vista y prueba: Transcurrido el anterior plazo de cinco días, el letrado convocará a las partes a una comparecencia ante el tribunal, que se celebrará como la vista de los juicios verbales, y en la que deberá practicarse toda la prueba.

6.º) Resolución: Si el incidente fue suspensivo debe dictarse auto, en el plazo de diez días, resolviendo la cuestión y disponiendo lo procedente respecto de la continuación del proceso. Si el incidente fue no suspensivo, la cuestión se decidirá en la sentencia, si bien con la debida separación (art. 393.4 LEC).

7.º) Recursos: Si la cuestión se resuelve por auto y éste pusiere fin al proceso, cabrá recurso de apelación; si decidiere la continuación del proceso, no cabrá recurso alguno de modo independiente, sin perjuicio de impugnar la resolución cuando se apele de la sentencia.

IV. LAS COSTAS

Las costas procesales son los desembolsos económicos que han de realizar las partes y que tienen su causa directa e inmediata en la realización de un proceso determinado.

> Todo proceso supone la existencia de desembolsos económicos que pueden considerarse desde una doble perspectiva:
>
> 1.ª) General: El mantenimiento por el Estado (y por las comunidades autónomas con transferencias en materia de Justicia) de la organización judicial exige la aplicación de una parte del presupuesto, que ha de destinarse a los medios personales y materiales imprescindibles. Esas partidas son el coste general y no pueden imputarse a un proceso determinado, pero sí dependen de la realización de todos los procesos.
>
> 2.ª) Específica: La realización de un proceso concreto exige que las partes del mismo realicen unos gastos. Sólo algunos de ellos tienen su causa directa e inmediata en el proceso, y son las costas procesales, mientras que otros, aun teniendo como causa indirecta el proceso, no pueden integrarse en la noción de costas. A esta distinción entre gastos y costas se refiere el art. 241.1, aunque con cierta imprecisión.
>
> El gasto que supone el otorgamiento de poder notarial a procurador no puede imputarse de modo directo a un proceso, pues el poder puede utilizarse en varios procesos y también es posible que se otorgue el poder y que luego no se incoe el proceso. La búsqueda de las fuentes de prueba originará gastos, pero los mismos no pueden integrarse en las costas.

A) Noción de costa

Las costas procesales son, pues, una parte de los gastos que pueden realizar las partes con ocasión de un proceso, aquella parte que tiene su origen en la realización de actos procesales en sentido estricto.

> Se trata, según el art. 241, de:
>
> 1.º) Los honorarios del abogado y los derechos del procurador, cuando su intervención sea preceptiva,

2.º) Inserción de anuncios y edictos que deban publicarse de forma obligada en el proceso,

3.º) Depósitos necesarios para la presentación de recursos,

4.º) Derechos de peritos y demás abonos que tengan que realizarse a personas que hayan intervenido en el proceso,

5.º) Copias, certificaciones, testimonios y documentos análogos que hayan de solicitarse conforme a la ley salvo que se trate de registros o protocolos gratuitos,

6.º) Derechos arancelarios que deban abonarse como consecuencia de actuaciones procesales, y

7.º) La tasa por el ejercicio de la potestad jurisdiccional, cuando ésta sea preceptiva.

A medida que se van produciendo las costas cada parte ha de ir pagando las originadas a su instancia (art. 241.1, I, LEC), para lo que habrá de hacerse la oportuna provisión de fondos al procurador (art. 29 LEC), pudiendo el titular del derecho exigir su abono sin esperar a que el proceso termine (art. 241.2), pero finalizado el proceso de declaración tiene que existir un pronunciamiento judicial respecto de quién o de quiénes han de soportar las costas.

B) La condena en costas

Los sistemas posibles sobre el pago de las costas pueden ser muy variados, pero todos giran en torno a dos grandes opciones: 1.ª) Cada parte paga las costas causadas a su instancia y la mitad de las comunes, con lo que no hay condena en costas, y 2.ª) Una de las partes, siguiendo varios criterios (temeridad, vencimiento), ha de hacerse cargo de todas las costas, con lo que aparece la condena en costas en sentido estricto. Esta segunda posibilidad es la asumida en general por la LEC, en la que se sigue básicamente el llamado criterio del vencimiento.

a) Primera instancia

El art. 394 LEC establece dos reglas básicas sobre la condena en costas, algunas matizaciones a las mismas, varias reglas especiales y un tope cuantitativo a la condena en costas. Las reglas básicas son:

1.ª) Cuando las pretensiones de una parte hayan sido rechazadas en su totalidad las costas se impondrán a la misma.

> La matización atiende a que el tribunal puede apreciar y razonar que el caso presentaba serias dudas de hecho o de derecho, y en este segundo caso atendiendo a la jurisprudencia recaída en supuestos similares, con lo que no condenará en costas a la parte vencida, pagando entonces cada parte sus propias costas y la mitad de las comunes.

2.ª) Cuando la estimación o desestimación de las pretensiones de cada parte haya sido parcial, cada parte abonará las costas causadas a su instancia y la mitad de las comunes, es decir, no habrá condena en costas.

> La matización se refiere aquí a que puede haber condena en costas a una de las partes si el tribunal estima que la misma ha litigado con temeridad, lo que deberá motivarse en la sentencia.

Las reglas especiales no se refieren a procesos de esta naturaleza, pues las reglas generales se aplican en todos los procesos declarativos (salvo que exista norma expresa), sino a supuestos de terminación del proceso por actos de disposición de las partes, aparte de la norma de que al Ministerio Fiscal no se le impondrán las costas en los procesos en que intervenga (art. 394.4). Esas reglas especiales se refieren a los supuestos de: 1) Allanamiento (art. 395), 2) Desistimiento (art. 396), y 3) Asistencia jurídica gratuita (art. 394.3, III, LEC y art. 36.2, de la Ley de Asistencia Jurídica Gratuita).

La limitación cuantitativa atiende a los honorarios de los abogados y de otros profesionales que no estén sujetos a tarifa o arancel, pues existiendo condena en costas el importe de los mismos no puede exceder de la tercera parte de la cuantía del proceso por cada uno de los litigantes que hubiere obtenido tal pronunciamiento, salvo que hubiere declaración de temeridad. Si la cuantía es inestimable, a este efecto se fijará en 18.000 euros, salvo que por la complejidad del asunto el tribunal disponga otra cosa.

b) Recursos

En los recursos de apelación, extraordinario por infracción procesal y casación debe estarse también a la regla del vencimiento, de modo que el recurrente que viera desestimadas todas sus peticiones deberá ser condenado en las costas del recurso. Si el recurso se estima, total o parcialmente, no habrá condena en costas (art. 398).

C) Tasación e impugnación

La tasación de costas depende de que haya condena en costas. Si no existe esta condena, no tiene sentido la tasación; si la hay, la tasación consiste en la determinación del importe de las costas que debe abonar el condenado a la parte vencedora. Naturalmente si la parte condenada paga voluntariamente, tampoco tiene la tasación (art. 242.1 LEC). La tasación consiste, pues, en una operación contable que debe realizar el letrado de la administración de justicia del tribunal que haya conocido del pleito o recurso o, en su caso, el encargado de la ejecución, incluyendo todas las partidas que comprenda la condena (art. 243.1). En esa operación hay que distinguir entre partidas incluibles y procedimiento.

a) Partidas incluibles

Debe atenderse a los siguientes extremos:

1) Se regularán con sujeción a los aranceles los derechos que correspondan a los procuradores y profesionales sujetos a ellos, a cuyo efecto estos habrán de presentar cuenta detallada y justificada, incluyendo los gastos que hubieren suplido (art. 242.3 y 4 LEC).

2) Se estará a la minuta detallada de los honorarios de los abogados y demás personas no sujetas a arancel, conforme a las normas reguladoras de su estatuto profesional (art. 242.3 y 5), pero teniendo en cuenta la limitación a que antes nos hemos referido (art. 243.2, III, LEC).

3) Se incluirá la tasa por ejercicio de la potestad jurisdiccional en los procesos de declaración.

4) Sí se incluirá el impuesto de valor añadido, conforme a su ley reguladora. Ahora bien el IVA no se computará a los efectos del art. 394.3

5) No se incluirán los derechos u honorarios correspondientes a escritos o actuaciones que sean inútiles, superfluas o no autorizadas por la ley; y especialmente: 1") ni las partidas de las minutas que no se expresen detalladamente o que se refieran a honorarios no devengados en el pleito, y 2") ni los derechos de los procuradores devengados por la realización de los actos procesales de comunicación y otros de cooperación y auxilio a la Administración de Justicia y demás actuaciones meramente facultativas que hubieren podido ser practicadas por las oficinas judiciales (art. 243. 2 LEC), y

6) Tampoco se incluirán las costas de actuaciones o incidentes sobre los que exista condena específica a la parte favorecida por la condena general (art. 243.3).

b) Procedimiento

Exige instancia de la parte, presentando los justificantes de haber satisfecho las cantidades que reclama, uniéndose la minuta detallada de los honorarios de los abogados y profesionales que cobran sin arancel y la cuenta detallada y justificada de los procuradores y profesionales sujetos al mismo. La tasación la realiza el letrado, y de la misma se da traslado a las partes por plazo de diez días (art. 244). Si no existe impugnación el letrado la aprobará por decreto, contra el que cabe revisión

La impugnación de la tasación de costas puede provenir de la parte favorecida o de la condenada a ellas, la cual presentará el escrito correspondiente, mencionando el contenido de la discrepancia y las razones de ella:

1.º) La parte favorecida por la condena, puede impugnar la tasación porque no se han incluido en ella gastos debidamente justificados y reclamados o porque no se ha incluido la totalidad de la minuta de honorarios (de los personales no sujetos a arancel) o por haber sido incluidos incorrectamente los derechos de su procurador (art. 245.3).

2.º) La parte condenada puede impugnar la tasación por dos conceptos: 1») Por que se han incluido partidas, derechos o gastos indebidos, y 2») Respecto de los honorarios no sujetos a arancel porque su importe es excesivo.

1") La tramitación de la impugnación por no haberse incluido en la tasación gastos justificados y reclamados (parte favorecida) o por haberse incluido partidas, derechos o gastos indebidos (parte condenada), se reduce a que el letrado dará traslado a la otra parte por tres días para que se pronuncie y resolverá en otros tres días por decreto, contra el que cabe revisión (art. 446.4)

2") La tramitación de la impugnación cuando se trata de honorarios excesivos, aparte de oír al abogado (o perito de que se trate) que ha presentado la minuta por si aceptara la reducción de honorarios, exige informe del Colegio de Abogados o Colegio, asociación o corporación profesional respectiva; a la vista de lo actuado el letrado por decreto mantendrá la tasación o introducirá modificaciones, con costas. Contra ese decreto cabe revisión (art. 446.1, 2 y 3).

También cabe la impugnación por indebidos y por excesivos conjuntamente (art. 246.5).

Legislación: Ley de Enjuiciamiento Civil (arts. 248 a 255) (arts. 387 a 393) (arts. 394 a 398 + 241 a 246).
Lectura: SENÉS MOTILLA, *Las cuestiones prejudiciales en el sistema procesal español*, Madrid, 1996. ÁLVAREZ SÁNCHEZ DE MOVELLÁN, *La imposición de costas en la primera instancia*, Madrid, 2009.

La prueba

Lección Novena
La prueba. Nociones generales (I)

I. **CONCEPTO Y NATURALEZA**
   Importancia de la prueba
   1) Se produce en el proceso
   2) Sistema de valoración
   Concepto y naturaleza procesal

II. **LA PRETENDIDA BÚSQUEDA DE LA VERDAD**
   A) La adecuación a los principios y reglas del proceso
      Intento decidido pera la verdad, pero
      Hechos afirmados y admitidos.
      No es investigación, sino verificación
   B) Las clases de verdad
      Error de verdad material y formal
   C) Las funciones de la prueba
      a) Fijar hechos
      b) Convencer al juez
      c) La certeza

III. **OBJETO DE LA PRUEBA:**
   Objeto y Tema de prueba: diferencias
   A) Alegaciones de hechos
      a) Hechos admitidos (no controvertidos)
      b) Hechos notorios
      c) Hechos favorecidos por una presunción
   B) Alegaciones de derecho
      a) Derecho escrito, interno y general
         Costumbre, derecho extranjero, histórico, estatutario
      b) Diferencias entre prueba de hechos y de Derecho
   C) Máximas de la experiencia

IV. **CARGA DE LA PRUEBA:**
   A) Los principios de aportación de parte y adquisición procesal
      Prueban las partes. Adquisición procesal
   B) El deber del juez de resolver y las normas de carga de la prueba
      a) Normas dirigidas al juzgador
      b) La norma general
      c) Matizaciones de disponibilidad y facilidad
      d) Las reglas especiales

I. CONCEPTO Y NATURALEZA

Las normas materiales establecen consecuencias jurídicas partiendo de supuestos de hecho que contemplan de modo abstracto y general. Cuando, por ejemplo, el art. 1500 CC dice que el comprador está obligado a pagar el precio de la cosa comprada, está estableciendo un supuesto de hecho y una consecuencia jurídica; la aplicación de ésta por un tribunal y en un proceso concreto exige que en el mismo se haya probado un hecho que pueda integrarse en el supuesto de la norma.

De ahí proviene la importancia de la prueba. Se puede tener razón, pero, si no se demuestra, no se alcanzará procesalmente un resultado favorable. Las alegaciones que las partes realizan no suelen ser suficientes para convencer al juzgador, o para fijar los hechos, de la existencia del supuesto fáctico contemplado en la norma cuya aplicación se pide. Es precisa una actividad posterior para confirmar las afirmaciones de hecho realizadas por las partes en sus alegaciones. A esa actividad llamamos prueba.

> Con todo hay que tener en cuenta que la palabra prueba, o sus derivados, puede usarse básicamente con dos sentidos distintos. Puede referirse a una actividad, como hemos dicho, pero también puede referirse a un resultado. Con alusión a la actividad puede decirse por ejemplo, «se está efectuando la prueba», y respecto del resultado, siempre por ejemplo, «este hecho no se ha probado». De momento nos referimos al primer sentido.

Los elementos determinantes a la hora de dar un concepto de la prueba son dos:

1.°) La prueba se produce en el proceso: Es evidente que fuera del proceso puede hablarse de prueba, pero eso es algo que aquí no importa.

> En el ámbito de las relaciones jurídico materiales puede pretenderse justificar la existencia de hechos, y para ello puede acudirse a la llamada prueba material, pero esta prueba no se dirige a un tribunal y queda fuera del proceso y de nuestra consideración.

2.°) El sistema de valoración de la prueba o, si se prefiere, su función: En el proceso civil español la prueba puede definirse como la actividad procesal por la que se tiende, bien a alcanzar el convencimiento psicológico del juzgador sobre la existencia o inexistencia de los datos que han sido aportados al proceso, bien a fijarlos conforme a una norma legal.

> Cuando un derecho positivo concreto establece el sistema de libre valoración, la prueba puede definirse como la actividad procesal por la que se tiende a alcanzar el convencimiento psicológico del juzgador sobre la existencia o inexistencia de los datos que han sido aportados al proceso. También cuando estemos ante un ordenamiento jurídico en el que rija el sistema legal de valoración, la prueba será la actividad procesal que tiende a fijar como ciertos los datos aportados al proceso, independientemente de la convicción del juzgador. En un derecho positivo

como el español civil, en el que conviven los sistemas libre y legal de valoración, el concepto tiene que comprender los dos.

Las normas sobre prueba tienen siempre naturaleza procesal, independientemente de su ubicación en un cuerpo legal u otro, pues esa naturaleza viene determinada por el ámbito sobre el que incide la consecuencia jurídica de la norma misma.

> Los procedimentalistas y los civilistas franceses de principios del siglo XIX, los que realizaron el *Code Civile* de 1804 y el *Code de procédure civile* de 1806, partían de distinguir dentro de la prueba normas materiales y normas procedimentales. Esta orientación llevó también en España a dividir la materia probatoria entre la LEC/1881 (arts. 550 a 666) y el CC (arts. 1214 a 1253). La idea básica era que había que atribuir naturaleza material a las normas relativas a la admisibilidad de los medios probatorios y a su valoración, mientras que el procedimiento probatorio era «procesal». Y adviértase que no se trataba de una división teórica, pues afectaba nada menos que a la determinación de la norma aplicable cuando intervienen elementos extranjeros en el proceso o cuando hay problemas de derecho intemporal. Así lo relativo a la admisión y a la valoración de la prueba debía regirse por la ley personal de las partes, o lo relativo al valor de un acto jurídico debía regirse por la ley derogada, mientras que el procedimiento probatorio quedaba siempre bajo la ley del proceso, esto es, por la ley del foro, por la ley nacional y vigente del juez [arts. 8.2 (ahora derogado) y 10 CC].
>
> Hoy ya no se discute que las normas sobre prueba proyectan sus consecuencias jurídicas sobre el ejercicio de la potestad jurisdiccional, sobre las situaciones jurídicas de los sujetos procesales y sobre los actos que integran el proceso, incluidos los requisitos y los efectos de dichos actos, por lo que todas esas normas son procesales. Por ello se han ubicado en la LEC y se han derogados las que estaban en el CC.

Dada la naturaleza procesal de todas esas normas, la LEC ha derogado la mayor parte de los arts. 1214 a 1253 CC (los no derogados se refieren al valor de los documentos en el tráfico jurídico) y el art. 12.6, II, todos del CC, llevando sus disposiciones a la LEC.

Con corrección técnica la LEC coloca todas las normas relativas a la prueba entre las disposiciones comunes a los procesos declarativos, pues las mismas han de aplicarse en todos ellos.

II. LA PRETENDIDA BÚSQUEDA DE LA VERDAD

Tradicionalmente la función de la prueba ha venido refiriéndose al descubrimiento de la verdad, dándose así origen a un mito en materia de prueba. En este sentido de la búsqueda de la verdad se pronunció toda la doctrina del siglo XIX y también buena parte de la actual, para la que «las pruebas son los diversos medios por los cuales llega la inteligencia al descubrimiento de la verdad» (Bonnier). Sin pretender plantear cuestiones que no hacen al caso, lo cierto es que la humildad ha exigido acabar con este mito.

A) La adecuación a los principios y reglas del proceso

La prueba tiene que suponer un intento decidido de verificar, de la manera más próxima posible a la realidad, las afirmaciones de hecho que realizan las partes. Esto es algo obvio y no se discute. Ahora bien, ese intento tiene que efectuarse dentro del proceso y con sujeción a los principios del mismo, especialmente el de contradicción, bien entendido que este método es el más adecuado para verificar la realidad de las afirmaciones de hecho cuando se trata de derechos subjetivos disponibles. De este modo:

a) Los hechos no afirmados al menos por una de las partes no existen para el juez, que no puede salir a la búsqueda de los mismos.

b) Los hechos afirmados por las dos partes o afirmados por una y admitidos por la otra existen para el juez, que no puede desconocerlos en la sentencia.

c) Respecto de los hechos controvertidos debe recordarse que la actividad probatoria no es investigadora, sino simplemente verificadora.

La distinción entre investigación y verificación supone que:

1.º) En sentido estricto la investigación implica ir a la búsqueda o descubrimiento de unos hechos desconocidos y, evidentemente, éste no es el supuesto del proceso civil; en él las partes tienen la facultad exclusiva de realizar las afirmaciones de hechos y el juzgador se limita a verificar la exactitud de esas afirmaciones y, además, sólo en el caso de que hayan sido negadas o contradichas.

2.º) Los elementos con los que debe producirse la verificación no son los que decida discrecionalmente el juzgador, sino los que propongan las partes. En otros ordenamientos jurídicos, los basados en una concepción autoritaria del juez, éste podía decidir, sin petición de parte, la práctica de medios de prueba, pero en el Derecho español, de raigambre liberal y garantista, sólo se practicarán los medios que propongan las partes. El juez puede rechazar un medio de prueba propuesto por la parte, pero no puede practicar un medio de prueba no propuesto por ellas.

3.º) Además la actividad verificadora ha de realizarse conforme al procedimiento previsto en la ley, y no de cualquier otra forma. El principio de legalidad que informa todo el proceso civil, expresado en el art. 1 de la LEC, tiene aquí una especial incidencia, por cuanto el legislador sujeta a reglas precisas el cómo realizar la verificación.

4.º) En la verificación no todo vale, esto es, no pueden sacrificarse derechos que se consideran superiores a la misma verdad, como se manifiesta de modo muy claro en la ilicitud de la prueba, que determina que determinados conocimientos no sirven para determinar qué hechos se entienden probados, de modo que el legislador ordena al tribunal que en la sentencia desconozca hechos que, sin embargo, se conocen.

5.º) Cuando se pretende equiparar la actividad de investigación histórica con la actividad probatoria de verificación se incurre en un grave error. El historiador no parte de unas afirmaciones de hechos que delimitan el campo de los hechos, no está limitado por reglas y principios procesales, no tiene plazos; pero sobre todo el historiador investiga; el tribunal verifica.

Lo anterior debe entenderse en el sentido de que la búsqueda de la verdad *a cualquier precio* no es la finalidad última de la prueba civil. Si la prueba debe referirse sólo a los hechos afirmados por las partes que resulten controvertidos, si los medios de prueba a practicar son los propuestos por las partes, si esos medios de prueba han de practicarse según la norma reguladora de los mismos, si se trata de verificar y no de investigar y si en la verificación no todo vale, lo que al final se está diciendo es que la prueba tiene que coexistir con otros principios del proceso.

Algún ejemplo puede ser muy útil para entender lo que decimos. Los documentos se presentan en el proceso en momentos determinados por la ley y si no se hace así ya no pueden presentarse luego (como puede verse en la Lección Undécima) y ello es consecuencia evidente de que el proceso debe atender a principios y reglas conformadoras que afectan a la esencia del mismo. Si la verdad *a toda costa* se persiguiera en el proceso no existirían reglas conforme a las cuales el principio de contradicción y el derecho de defensa impedirían presentar los documentos fuera de esos momentos, pero la verdad debe conjugarse con los principios propios del proceso.

B) Las clases de verdad

Descartada la concepción de la búsqueda de la verdad *a toda costa*, la doctrina distinguió entre clases de verdad con referencia a las clases de procesos. Se pasó a sostener que si en el proceso penal la función de la prueba debía seguir siendo la búsqueda de la verdad, que se calificó de material, en el proceso civil bastaba con una verdad que se llamó formal. Si el juzgador estaba jurídicamente limitado en la búsqueda de los hechos, el resultado de la actividad probatoria se admitió que no podía ser la «verdad verdadera», sino simplemente una «verdad jurídica».

La distinción anterior era y es absurda, pero fue sostenida por la doctrina (sobre todo la alemana) durante décadas y, especialmente, permitió a los procesalistas penales diferenciar la prueba penal de la civil. El mito de la verdad formal fue destruido por Carnelutti, simplemente evidenciando que la verdad no puede ser más que una, de modo que, o la verdad formal coincide con la verdad material, y no es más que verdad, o discrepa de ella, y no es sino una no verdad.

El absurdo lógico que supone pretender que existen clases de verdades sólo se explica desde la persistencia de un mito que está más allá de la razón, pero ese absurdo no está impidiendo que aún en la actualidad se haga referencia en ocasiones, y hasta en sentencias de los más altos tribunales, a la verdad material, o a que al tribunal no puede conformarse con la verdad formal y a otras expresiones de este género.

C) Las funciones de la prueba

A partir de la destrucción del mito, la doctrina se ha dividido en corrientes no muy bien perfiladas, en cuanto las diferencias entre unas y otras son de matiz, si bien cabe distinguir entre:

a) Fijar hechos

Una cosa es la fijación de los hechos u ordenación del uso de determinados procedimientos que sirven para establecer los hechos conforme a lo dispuesto en la ley; esto se hace legalmente desde la consideración de que ese es el mejor método para lograr en el proceso civil la adecuación de la sentencia a la realidad fáctica. La ley regula una serie de mecanismos que el juzgador tiene que utilizar como sistemas para llegar a la fijación de los hechos y esa fijación es la función de las normas probatorias.

No se está haciendo exclusivamente referencia entre esas reglas a las legales de valoración de la prueba, ni a las que determinan cuándo un hecho es controvertido. Incluso la prueba de los hechos controvertidos, cuando se trata de la valoración libre, debe practicarse conforme al sistema de la ley, y ese sistema, no es que no tienda al descubrimiento a cualquier precio de la verdad, sino que se entiende que es el más adecuado para dejar establecidos formalmente los hechos de los que debe partirse en la sentencia.

Esas reglas son el resultado de pretender lograr la seguridad en la determinación de los hechos (utilizando las experiencias acumuladas en centenares de años para evitar errores) con economía en el esfuerzo (evitando la realización de actos superfluos). Naturalmente, no es que nada impida que con los medios jurídicos de fijación de los hechos se llegue realmente a descubrir la verdad, sino que eso debe ser lo normal. Se trata simplemente de que sujetar la actividad probatoria a métodos jurídicos es la mejor manera de lograr fijar los hechos en el proceso.

b) Convencer al juez

Cosa distinta es la convicción psicológica del juzgador, con lo que se sostiene que prueba es el conjunto de operaciones por medio de las que se trata de obtener el convencimiento del juez respecto a unos datos procesales determinados. Se trata hora de que se defiende por parte de la doctrina que el mejor sistema para lograr el descubrimiento de la verdad fáctica es dejarlo todo a la convicción del juzgador, a la conciencia del mismo, sin perjuicio de que ello tiene que suponer un gran aumento de las facultades materiales de ese juez. La verdad es así lo que un tribunal entiende que es. Y para ello se está a su libre convicción

Naturalmente esta concepción se ve obligada a negar o a quitar valor a elementos que vienen impuestos por la ley. Dada la existencia en nuestro Derecho positivo de medios de prueba con valor legal (como veremos después), afirmar que la función de la prueba es lograr la convicción del juez supone desconocer esas reglas legales, y para ello se dice que las mismas son «un residuo histórico de viejas concepciones en trance de continua superación» (Guasp).

c) La certeza

Hoy no puede mantenerse una concepción unilateral de la concepción de la prueba procesal por cuanto no cabe determinarla de modo absoluto, es decir, sin referencia a un determinado Derecho positivo. Es cierto que en los últimos años se tiende a hacer equivaler prueba con convicción judicial, pero ello debe matizarse como decimos a continuación.

Puede acabar así sosteniéndose que, consciente el legislador de la imposibilidad de obtener la verdad metafísica y la física, reconduce la prueba a la certeza respecto de las afirmaciones de hechos de las partes, si bien asume que esa certeza puede lograrse de varios modos:

1.º) Excluye de la prueba las afirmaciones de hecho de las partes sobre las que existe conformidad entre ellas, lo que se hace atendiendo a la naturaleza dispositiva del derecho material a aplicar.

2.º) Establece unas veces en la ley y de modo reglado el valor que el juzgador debe conceder a un determinado medio de prueba, en el sentido de que configura la certeza independientemente del criterio subjetivo del propio juez, y ello hasta el extremo de que cabría referirse a una «certeza objetiva». Cuando la ley establece una norma de valoración lo que está diciendo es que, por ejemplo, la afirmación de hecho realizada por una parte que se ha verificado por un documento público ha de ser tenida como cierta por el juez.

3.º) Otras veces dispone en la ley que el juzgador debe conceder a un medio de prueba el valor que estime oportuno conforme a las reglas de la sana crítica, con lo que la certeza se pone en relación con el convencimiento psicológico del mismo juez. En este caso cabría hablar de «certeza subjetiva», siempre que no se olvidara que no se trata de que el juez pueda decidir «en conciencia», pues la necesidad de motivar la sentencia ha de llevarle a exponer de modo razonado cómo ha llegado a formarse su convicción partiendo de los medios de prueba practicados.

Advertidas primeramente la limitaciones de la condición humana y aceptadas las reglas propias del proceso se acaba por asumir que la prueba en nuestro Derecho positivo es la actividad procesal que tiende a alcanzar certeza en el juzgador respecto de los datos aportados por las partes y que resulten controvertidos, certeza que en unos casos se deriva del convencimiento del mismo juez y en otros de las normas legales que fijarán los hechos.

III. OBJETO DE LA PRUEBA

Una vez determinado qué es la prueba el paso siguiente consiste en preguntarse sobre qué recae la prueba, y la respuesta a esta cuestión requiere distinguir entre:

a) Objeto de la prueba: Son las realidades que en general pueden ser probadas, con lo que se incluye todo lo que las normas jurídicas pueden establecer como supuesto fáctico del que se deriva una consecuencia también jurídica. En este sentido el planteamiento correcto de la pregunta es: ¿qué puede probarse? Y la respuesta tiene que ser siempre general y abstracta, sin poder referirla a un proceso concreto.

b) Tema de prueba: Con esta expresión se hace referencia a lo que debe probarse en un proceso concreto para que el tribunal declare la consecuencia jurídica pedida por la parte. La pregunta adecuada es: ¿qué debe probarse? Y la respuesta debe ser concreta, pues debe atenderse a un proceso determinado.

Es evidente que no podemos aquí referirnos al tema de prueba, pues ello implicaría examinar infinidad de supuestos (qué se debe probar en un proceso con pretensión reivindicatoria, qué en una pretensión de responsabilidad extracontractual, etc.). Hemos de referirnos necesariamente al objeto de la prueba.

Generalmente suele decirse que objeto de la prueba son los hechos y el art. 281.1 LEC parece entenderlo así: «La prueba tendrá como objeto los hechos que guarden relación con la tutela judicial que se pretenda obtener en el proceso», pero aun en esta línea posiblemente sea más correcto decir que lo que debe probarse son las afirmaciones efectuadas por las partes sobre los hechos, aunque puede admitirse, para simplificar, que normalmente el objeto de la prueba serán hechos.

Con todo, si matizamos con técnica rigurosa, hay que estar de acuerdo con Guasp en que el objeto de la prueba serán los datos que han sido alegados por las partes. Ello es así porque, aunque en la mayoría de los casos la prueba se referirá únicamente a hechos (o, mejor, a afirmaciones de hechos), no faltan ocasiones en que han de ser objeto de la prueba normas jurídicas (art. 281.2 LEC, costumbre y derecho extranjero).

En el proceso civil, donde la vigencia del principio de aportación de parte determina que sólo éstas pueden realizar alegaciones, el objeto de la prueba vendrá determinado precisamente por estas alegaciones, pero no todas deberán ser probadas, siendo preciso distinguir entre:

A) Alegaciones de hechos

Fundamentalmente la prueba recaerá sobre afirmaciones de hechos realizadas por las partes, sobre los hechos que constituyen el supuesto base de la norma cuya aplicación se pide. Ahora bien, no todos los hechos han de ser probados, pues existen algunos que están exentos de la necesidad de ser probados. Las excepciones se refieren a:

a) Hechos admitidos (o no controvertidos)

En el proceso regido por el principio dispositivo los hechos admitidos por todas las partes no precisan ser probados y, aún más, ni siquiera debe ser intentada la prueba sobre los mismos. O, desde otro punto de vista, la prueba ha de versar sólo sobre los hechos controvertidos. Por eso el art. 281.3 LEC dice que están exentos de prueba los hechos sobre los que exista plena conformidad de las partes, y esa conformidad puede provenir de que las dos partes han afirmado un mismo hecho o de que el hecho afirmado por una parte ha sido admitido por la contraria.

La ley exige que las partes en sus escritos de alegación se manifiesten expresamente sobre los hechos alegados por la contraria; el art. 405.2 LEC dice que en la contestación a la demanda habrán de negarse o admitirse los hechos aducidos por el actor, y lo mismo dispone el art. 407.2 LEC para la contestación de la reconvención.

Respecto de los hechos no controvertidos debe entenderse que no cabe realización de la actividad probatoria; la prueba referida a hechos no controvertidos es siempre inútil (art. 283.2 LEC). En la misma situación debe entenderse que se encuentran los hechos admitidos de modo tácito. Si a pesar de lo dispuesto en los arts. 405.2 y 407.2 LEC, la parte guarda silencio o da respuestas evasivas sobre los hechos que le sean perjudiciales, afirmados por la contraria, el mismo art. 405.2 LEC dispone que el tribunal puede estimar esas actitudes como admisión tácita.

b) Hechos notorios

Son aquellos hechos «cuyo conocimiento forma parte de la cultura normal propia de un determinado grupo social en el tiempo en que se produce la decisión» judicial, incluyendo naturalmente al juez. La notoriedad es esencialmente un concepto relativo, pues en términos absolutos no existen hechos notorios sin limitación de tiempo y espacio. La notoriedad de un hecho no supone que todos los pertenecientes al grupo tengan un efectivo conocimiento del mismo, sino que lo normal es que lo conozca el hombre dotado de una cultura de grado medio, entre los cuales tiene que estar necesariamente el juez (Calamandrei).

El principio general es que notoria non egent probatione y aún cabe discutir que hayan de ser alegados. En el Derecho alemán, por ejemplo, se entiende que no hay necesidad de alegarlos, pero en nuestro Derecho puede llegarse a solución contraria porque el art. 281.4 LEC excluye los hechos notorios de la prueba, pero no de la alegación.

> La referencia de esta norma a la notoriedad absoluta y general es «notoriamente» incorrecta, pues no existe hecho alguno que pueda ser notorio de modo absoluto y general. Todos los hechos notorios lo son con relación a un tiempo y a un espacio determinados, por lo que habrá de entenderse que lo que quiere decir el art. 281.4 es que la notoriedad no debe confundirse con: 1.º) Los hechos conocidos privadamente por el juez, y 2.º) La fama pública o el rumor.

El problema básico de la notoriedad es que el juzgador la venía apreciando únicamente en la sentencia, con lo que la parte que la alegaba no sabía hasta ese momento si sería o no estimada, perdiendo, en su caso, la posibilidad de probar, bien directamente el hecho notorio, bien indirectamente el hecho de la notoriedad. De ahí que en la práctica se vinieran formulando proposiciones de prueba con relación a hechos notorios que los tribunales admitían sin problemas, incurriéndose a veces en el ridículo de probar sobre algo que todos tenían por cierto e indudable.

En la actualidad lo dispuesto en los arts. 414.1 LEC, sobre la finalidad de la audiencia previa, y 429.1 LEC sobre la determinación al final de la misma respecto de la necesidad de proponer y admitir prueba, debe llevar a la conclusión de que en ese momento debe el juez decidir qué hechos tiene como notorios para, sobre ellos, excluir la necesidad de prueba y, en su caso, inadmitir por inútiles los medios de prueba que propongan para probarlos.

> En todo caso hay que dejar siempre abierta la posibilidad de que la parte contraria a la beneficiada por el hecho notorio impugne una de estas dos cosas: la notoriedad en sí misma o la realidad de lo tenido por notorio. En el primer caso no bastará la mera negación, pues la notoriedad existe o no, independientemente de que la contraparte la reconozca, sino que tendrá que probar algo negativo, el que el hecho no es notorio; en el segundo caso estaremos ante la contraprueba.

Hay algún caso en que la notoriedad no es una circunstancia accesoria de un hecho, sino el supuesto fáctico de una consecuencia jurídica. Por ejemplo, si el art. 767.3 LEC se refiere a «la posesión de estado», en los juicios de filiación, esa expresión equivale a notoriedad de que se le ha considerado hijo, y entonces la notoriedad es el hecho mismo que ha de ser probado.

c) Hechos favorecidos por una presunción

Parte de nuestra doctrina incluye dentro de las excepciones que estamos tratando a los hechos favorecidos por una presunción legal. Hay aquí un error de base, pues lo que en realidad ocurre es que se altera el tema a probar y surge la contraprueba.

En efecto, en las presunciones legales existen uno o varios indicios y un hecho presumido y lo que la ley dice es que, admitido o probado el indicio, se presume existente el hecho presumido, el cual no necesita ser probado directamente; todo esto no impide que exista prueba, pues siempre deberán probarse el o los indicios.

El art. 194, 2.º, CC dice que procede la declaración de fallecimiento de los tripulantes y pasajeros de una nave naufragada de quienes no se hubiere tenido noticias después de la comprobación del naufragio, y añade: se presume ocurrido el naufragio si el buque no llega a su destino. Aquí puede probarse el naufragio o que el buque no llegó a su destino; en el primer caso estamos ante una prueba directa y en el segundo ante una prueba indirecta o indiciaria. Puede hablarse de que ha cambiado el tema a probar, pero no de que haya exención de prueba.

Por otra parte todas las presunciones legales *iuris tantum* admiten prueba en contrario, de lo que se deduce asimismo que no existe exención de prueba, sino norma especial sobre la carga de la prueba, que es cosa muy distinta. El que se oponga a la presunción puede pretender probar, bien la inexistencia del hecho presunto, bien la falta de enlace entre el indicio y el hecho presumido.

B) Alegaciones de derecho

El conocimiento de la norma jurídica es una de las obligaciones del juzgador; el brocardo dice gráficamente *iura novit curia* y ello se corresponde perfectamente con la función jurisdiccional de aplicar el derecho objetivo. Correctamente dice el art. 218.1, II, LEC que el tribunal, sin apartarse de la causa de pedir, resolverá conforme a las normas aplicables al caso, aunque no hayan sido acertadamente citadas o alegadas por los litigantes.

a) Ahora bien, la no necesidad de prueba del Derecho se refiere a las normas jurídicas que forman el derecho escrito, interno y general, lo que significa que sí habrá de probarse:

1.º) Costumbre: El art. 1.3 CC, al reconocer la costumbre como fuente del derecho, precisa que se aplicará cuando «resulte probada». Es imposible exigir a los jueces el conocimiento de todas las costumbres de todos los lugares de España. El art. 281.2 LEC, añade, primero, que también puede ser objeto de la prueba la costumbre y, después, que la prueba de la misma no será necesaria si las partes están conformes en su existencia y contenido (siempre que las normas no afecten al orden público).

2.º) Derecho extranjero: En los casos en que debe aplicarse una norma material extranjera (recordemos que los tribunales españoles sólo aplicarán normas procesales españolas), las partes han de probar su contenido y vigencia; lo expresa correctamente el art. 281.2 LEC: «El derecho extranjero deberá ser probado en lo que respecta a su contenido y vigencia». Lo contrario significaría obligar a los jueces españoles a conocer el Derecho de todo el mundo.

> Para la «prueba» e información del derecho extranjero debe partirse de los arts. 33 a 36 de la Ley 29/2015, de 30 de julio, cooperación jurídica internacional en materia civil. Después se cuenta con el Convenio Europeo acerca de la información sobre el Derecho Extranjero de 7 de junio de 1968 (BOE de 7 de octubre de 1974) y su Protocolo Adicional de 15 de marzo de 1978 (BOE de 24 de junio de 1982), con la Convención interamericana sobre prueba e información acerca del derecho extranjero de 7 de mayo de 1979 (BOE de 13 de enero de 1988). También con el Reglamento 1206/2001 del Consejo, de 28 de mayo de 2001, de cooperación entre los órganos jurisdiccionales de los Estados miembros en el ámbito de la obtención de pruebas en materia civil o mercantil.

3.º) Derecho histórico o no vigente: El deber del juez de conocer el derecho de su país se limita al vigente, no al histórico, a riesgo de convertirlo en historiador.

4.º) Derecho estatutario: Del derecho vigente del país debe excluirse también el no general, las normas específicas de las entidades locales (ordenanzas municipales, por ejemplo), por lo que deben ser alegadas y probadas. La jurisprudencia ha establecido un criterio claro en este sentido: deben ser probadas las normas no publicadas en el Boletín Oficial del Estado, criterio que sirve para solucionar el problema de las normas dictadas por las comunidades autónomas.

> En realidad sobre las normas de las comunidades autónomas debe distinguirse: 1) Las publicadas en el B.O.E. deben ser conocidas por todos los jueces y en todo el territorio nacional, 2) Las publicadas en el boletín oficial de cada Comunidad deben ser conocidas por los jueces titulares de órganos judiciales radicados en el territorio de esa Comunidad, y 3) Las normas publicadas en boletín oficial de distinta Comunidad deben serle probadas al tribunal radicado en otro territorio.

b) Parece claro, con todo, que existen profundas diferencias entre los hechos y el Derecho cuando se les contempla desde la perspectiva del objeto de la prueba. Las diferencias pueden referirse a:

1.°) El distinto valor de la admisión por la otra parte de los hechos y del Derecho: Los hechos admitidos por todas las partes se imponen al tribunal, pero sería absurdo que, si una norma extranjera no existe, la admisión por la otra parte pudiera imponerse a un juez que es sabedor de esa inexistencia.

> Se hace así difícil de entender que la prueba de la costumbre no sea necesaria si las partes estuvieren conformes sobre su existencia y contenido, que es lo que dispone el art. 281.2 LEC, lo que debe entenderse en el sentido de la innecesariedad de la prueba, pero no en el de que esa pretendida costumbre se entienda existente si el juez sabe que la misma no existe o que su contenido es distinto.

2.°) El distinto juego de la ciencia privada del juez: Este no puede dar como existente un hecho, que él conoce como ciudadano particular, si no ha sido probado, pero el juez sí puede aplicar una norma no comprendida en el *iura novit curia* si tiene conocimiento de la misma por sus estudios privados.

3.°) El deber del tribunal, dentro de lo posible, de investigar de oficio el Derecho: El art. 281.2 LEC dice, con referencia al derecho extranjero, que el tribunal podrá valerse de cuantos medios de averiguación estime necesarios para su aplicación, precepto que puede hacerse extensivo a todos los supuestos a que nos venimos refiriendo.

> Este artículo, a pesar de la palabra «podrá», no puede entenderse ni como un consejo ni como una autorización que el legislador da a los jueces. No existen normas dispositivas que rijan la actividad del juez y las facultades que la ley concede a los jueces son, al mismo tiempo, deberes, por el que el «pudiendo» del artículo citado de la LEC debe entenderse como un mandato para dentro de lo razonable. El legislador no puede ordenar al juez de primera instancia de un modesto pueblo sin biblioteca, que investigue el derecho colombiano sobre el régimen económico del matrimonio, pero sí puede mandar eso mismo a la Sala Primera del Tribunal Supremo.

C) Máximas de la experiencia

Se trata de las «definiciones o juicios hipotéticos de contenido general, desligados de los hechos concretos que se juzgan en el proceso, procedentes de la experiencia, pero independientes de los casos particulares de cuya observación se han inducido y que, por encima de esos casos, pretenden tener validez para otros nuevos» (Stein).

Estas máximas pueden cumplir funciones muy variadas en el proceso; pueden servir para conocer la existencia de un hecho, para valorarlo, para determinar el vínculo entre el indicio y el hecho presumido, para determinar la imposibilidad de un hecho, etc. Conforme las leyes se van haciendo más técnicas la importancia de estas máximas es mayor y lo mismo, pero incluso aumentado, cabe decir de los contratos. Así en infinidad de ocasiones para conocer lo que las partes quisieron decir en un contrato es preciso partir de alguna de estas máximas (piénsese en un contrato de construcción naval o en las normas técnicas de edificación).

> Máximas de la experiencia hay detrás de palabras o expresiones como éstas: «usos mercantiles», «diligencia», «potabilidad», «construcción según la técnica adecuada», «intervención quirúrgica correcta», etc. En todos estos casos, y en otros muchos que se podrían aducir, estamos ante conceptos (no hechos) que entran en una norma como si fueran supuestos de hecho de los que se originan consecuencias jurídicas. En algunos casos estos conceptos pueden ser conocidos por el juez por ser comunes, y entonces no necesitarán ser probados, pero cuando las máximas de la experiencia sean especializadas, por referirse a ciencias o artes, el juez no tendrá conocimiento de las mismas y surgirá la necesidad de la prueba. Con todo puede repetirse aquí lo dicho antes para el Derecho y sus profundas diferencias probatorias con relación a los hechos, tanto respecto al valor de la admisión, como al juego de la ciencia privada del juez y a su deber de investigar de oficio.

IV. CARGA DE LA PRUEBA

Establecido lo que se ha de probar, el razonamiento lógico conduce ahora a preguntarse quién debe probar. Parea encontrar respuesta a esta pregunta debe estarse a los principios procesales esenciales.

A) Los principios de aportación de parte y adquisición procesal

En general el principio de aportación de parte, tal y como ha sido entendido en la LEC y en la mayoría de los códigos procesales, determina que son las partes las que deben probar. Sobre ellas recae la carga (que no la obligación) de alegar los hechos que son el supuesto base de la norma cuya aplicación piden, y sobre ellas recae también la carga (otra vez, no la obligación) de probar la existencia de estos hechos, de convencer al juez de su realidad o de fijarlos conforme a las normas legales de valoración.

El principio de aportación de parte según nuestro Derecho sirve, pues, para determinar que son éstas las que tienen la carga de la prueba, pero el principio no sirve para nada más y, en concreto, no nos dice cómo debe distribuirse la carga de la prueba entre las partes. Con sólo este principio para el tribunal es indiferente quién ha probado los hechos alegados. En la Lección Decimocuarta del Tomo I dijimos que la alegación por el demandante de los hechos que fundamentan la pretensión (hechos constitutivos) sí es manifestación del principio dispositivo, y que también lo es la alegación por el demandado de los hechos excluyentes, mientras que todos los demás hechos (impeditivos y extintivos), que no conforman la pretensión ni la excluyen, ha de ser, sí, alegados por las partes, pero para que el juez los tenga en cuenta no es preciso distinguir cuál de ellas los ha alegado. Pues bien, el principio de adquisición procesal supone que, estando los hechos bien alegados, cualesquiera hechos, y estando probados, el tribunal ha de partir de ellos en la sentencia, sin referencia a cuál de las partes los ha probado.

Hasta aquí la doctrina de la carga de la prueba no ha entrado en juego. Nos hemos limitado a recordar que los hechos (los datos, si se quiere) alegados han de ser probados por las partes. Esta doctrina nos debe responder a la pregunta, pero ¿cuál de las partes?

B) El deber del juez de resolver y las normas de carga de la prueba

El art. 1.7 CC impone al juez el deber inexcusable de resolver en todo caso los asuntos de que conozca (y de hacerlo conforme al sistema de fuentes establecido), lo que corrobora el art. 11.3 LOPJ, este último con referencia al principio de tutela efectiva del art. 24.1 CE. El deber de dictar sentencia, resolviendo la cuestión planteada, es el básico del juez en el ejercicio de la potestad jurisdiccional y, al mismo tiempo, integra correlativamente el derecho de acción. Por ello, el art. 448 CP tipifica el delito de denegación de justicia.

a) Normas dirigidas al juzgador

Desde esta perspectiva debe entenderse lo que significan las normas de carga de la prueba. Si llegado el momento de dictar sentencia el juez se encuentra con que alguno de los hechos afirmado por las partes no ha sido probado, y con ello se produce una situación de incertidumbre, de falta de certeza, la misma ley que obliga al juez a resolver le dice también lo que debe hacer ante la incertidumbre.

La doctrina de la carga de la prueba adquiere de este modo su verdadero sentido, pues se trata de atender a qué debe hacer el juez al final del proceso. No trata tanto y directamente de determinar a priori qué hechos deben ser probados por cada parte, cuando de establecer las consecuencias de la falta de prueba de los hechos. La jurisprudencia española lo ha entendido correctamente al estimar que la doctrina del *onus probandi* tiene el alcance principal de señalar las consecuencias de la falta de la prueba.

De este modo, pues, la pregunta que debe hacerse el tribunal, partiendo de que un hecho no ha sido probado, es a quién perjudicará esta circunstancia y, consiguientemente, quién debió probarlo. Sólo por este camino, indirecto para nosotros en este momento, la carga de la prueba se resuelve en quién debió probar.

Resulta así, por tanto, que la doctrina de la carga de la prueba produce efectos en dos momentos distintos y con referencia a diferentes sujetos:

1.°) Con relación al tribunal sirve para que, en el momento de dictar sentencia y ante un hecho no probado, decida cuál de las partes debe sufrir las consecuencias de esa falta de prueba. En principio la sentencia será desfavorable a aquella parte que pidió un efecto jurídico establecido en la norma cuyo supuesto de hecho no se probó. Por eso dice el art. 217.1 LEC que cuando, al tiempo de dictar sentencia o resolución semejante, el tribunal considerase dudosos unos hechos relevantes para la decisión, desestimará las pretensiones del actor o del reconviniente, o las del demandado o reconvenido, según corresponda a unos u otros la carga de probar los hechos que permanezcan inciertos y fundamenten las pretensiones.

2.°) Respecto de las partes la doctrina sirve, y en la fase probatoria del proceso, para que sepan quién debe probar un hecho determinado si no quieren que entre en juego el efecto anterior (aunque se produce después en el tiempo). Este efecto es el que nos importa ahora y respecto de él debemos examinar las reglas existentes en nuestro Derecho, reglas que son las mismas que, en su caso, aplicará el juez para el supuesto de falta de prueba.

> Es habitual distinguir entre carga de la prueba formal y carga de la prueba material, aunque no siempre se establezca luego una distinción neta y clara. Puede decirse que la carga de la prueba formal se refiere a quien está en la posición prevista por la ley para probar y por eso se entendería regulada en los apartados 2 y 3 del art. 217, refiriéndose a la regulación de una actividad de las partes; mientras que la carga de la prueba material, que estaría regulada en el apartado 1 del art. 217, serviría para determinar el contenido de la sentencia y por eso sería una norma dirigida al juez y para aplicar en el momento de dictar sentencia.

b) La norma general

La historia de la carga de la prueba es la de los pasos dados en la búsqueda de una regla general para determinar, en todos los procesos civiles, quién debe asumir las consecuencias de que una afirmación de hecho no se haya probado. En esta búsqueda se ha alcanzado una solución general, matizada en los casos concretos, y toda una serie de reglas especiales en contra de la general

La norma general sobre la carga de la prueba es el art. 217.2 y 3 de la LEC, que se refiere en su apartado 1 a la llamada carga material de la prueba, como hemos visto, y en sus apartados 2 y 3 establece las reglas de la carga formal, distinguiendo:

a) Al actor (y al reconviniente) corresponde la carga de probar la certeza de los hechos de los que ordinariamente se desprenda, según las normas jurídicas a ellos aplicables, el efecto jurídico correspondiente a las pretensiones de la demanda (y de la reconvención), con lo que está aludiendo a los hechos que se presentan en el caso concreto como constitutivos. Al actor le corresponde, por ejemplo, la prueba de que las mercancías que dice vendidas han sido entregadas al comprador.

b) Al demandado (y al reconvenido) incumbe la carga de probar los hechos que, conforme a las normas que les sean aplicables, impidan, extingan o enerven la eficacia jurídica de los hechos constitutivos, con lo que se imputa al demandado la carga de la prueba de los hechos que en el caso concreto se presenten como impeditivos, extintivos o excluyentes.

c) Las matizaciones de la disponibilidad y la facilidad

La anterior regla general, con todo, no se presenta sola, pues ha de ser complementada siempre en general con lo que dispone el apartado 7 del mismo art. 217. Por el hecho de tratarse de una regla general tiene que admitir la entrada en juego de toda una serie de supuestos de acomodación de la regla a los casos concretos, supuestos que pueden enunciarse como criterios de normalidad, flexibilidad y facilidad.

Por ejemplo:

1.º) Tratándose de hechos negativos, y sin perjuicio de que en algunos casos la ley exige la prueba directa de los mismos, puede estarse a la consideración de que normalmente la carga de la prueba corresponderá, no tanto a quien niega como a quien afirma o, por lo menos, a que será más fácil probar lo positivo que lo negativo. Pero esta regla no tiene carácter absoluto.

2.º) Puede tener que probar la parte que tiene mayor facilidad para ello, independientemente de la naturaleza del hecho afirmado.

3.º) También la parte que está más próxima a la fuente de prueba, la que dispone de la fuente.

4.º) En algún caso puede estimarse que la mera negativa que el demandado hace de los hechos afirmados por el actor, sin ofrecer una visión alternativa y sin ni siquiera desmentirlos de modo verosímil, pone de manifiesto un intento de aprovechar la regla general de modo torticero.

De este modo resulta que el apartado 7 del art. 217, con su referencia a los criterios de la disponibilidad y de la facilidad, no debe entenderse como una excepción a los apartados 2 y 3 del mismo artículo, sino como un complemento de los mismos.

d) Las reglas especiales

La acomodación de la regla general a la realidad se realiza a veces por el propio legislador, el cual, consciente de las dificultades concretas para probar en aplicación de los apartados 2 y 3 del art. 217 de la LEC, procede a establecer normas especiales de distribución de la carga de la prueba. La admisibilidad de estas reglas especiales se realiza ahora en el apartado 6: Las normas generales, las contenidas en los apartados anteriores, se aplicarán siempre que una disposición legal expresa no distribuya con criterios especiales la carga de probar los hechos relevantes.

> Los ejemplos son más numerosos de lo que podría pensarse y empiezan por el apartado 4 del propio art. 217. Pero véase uno entre muchos ejemplos posibles: Art. 38 de la Ley 50/1980, de 8 de octubre, de contrato de seguro: En el seguro de daños la prueba de la preexistencia de las cosas incumbe al asegurado.

La LO 3/2007 añadió un apartado 5 al art. 217 de la LEC conforme al cual «si la parte actora fundamenta su pretensión en actuaciones discriminatorias por razón de sexo, corresponderá al demandado «probar la ausencia de discriminación en las medidas adoptadas y su proporcionalidad».

> Esta nueva norma es claramente imperfecta desde una perspectiva técnica. La norma lo que quiere decir es que siempre que el actor haya afirmado y probado hechos desde los que pudiera entenderse, por lo menos indiciariamente, que ha existido trato discriminatorio, corresponde al demandado probar que en esos hechos no son discriminatorios, lo que es cosa muy diferente. La norma se enunciaba mucho más correctamente por ejemplo en el artículo 96 de la Ley de Procedimiento Laboral: «En aquellos procesos en que de las alegaciones de la parte actora se deduzca la existencia de indicios fundados de discriminación por razón de sexo (...) corresponderá al demandado la aportación de una justificación objetiva y razonable, suficientemente probada, de las medidas adoptadas y de su proporcionalidad».

Legislación: Ley de Enjuiciamiento Civil (arts. 281 y ss.)
Lectura: MONTERO, *La prueba en el proceso civil*, 7.ª edición, Madrid, 2012.

Lección Décima
La prueba. Nociones generales (II)

I. FUENTES Y MEDIOS DE PRUEBA:
   A) La distinción fuentes-medios
      Extrajurídico frente a jurídico
   B) Los medios de prueba
      Enumeración de art. 299. No presunciones
      Luego art. 299.2: reproducción y ordenador
      Numerus clausus los medios. No las fuentes
   C) Legalidad de los medios
      Sólo los legales. Legalidad. Todos en todos los procesos
   D) Licitud de las fuentes
      a) Derechos protegidos
          Derechos fundamentales absolutos
          Derechos fundamentales relativos
      b) Consecuencias procesales de la vulneración
          Derechos no fundamentales: admisión
          Derechos fundamentales: Inadmisión

II. VALORACIÓN DE LA PRUEBA:
   A) Las máximas de la experiencia y los sistemas de valoración
      Sistema mixto:
      1) Pruebas legales: enumeración
      2) Todas otras: sana crítica
   B) Apreciación conjunta de la prueba y motivación de las sentencias
      Casos de apreciación conjunta correcta
      Entre medios de diferente valoración: Incorrecta

III. PROCEDIMIENTO PROBATORIO
   A) Recibimiento a prueba
      Hoy casi no necesaria en oral
   B) Proposición de los medios concretos de prueba
      Acto de parte, pero 429.1, II y 282 (752)
   C) Admisión de los medios de prueba
      a) Inadmisión: Razones
      b) Admisión
   D) Práctica de la prueba
      a) Unidad de acto
      b) Inmediación
      c) Contradicción
      d) Publicidad
      e) Orden de la práctica
      f) Documentación

IV. ANTICIPACIÓN DE LA PRUEBA
   a) Antes de la iniciación del proceso
   b) Durante el curso del proceso

V. ASEGURAMIENTO DE LA PRUEBA
   a) Finalidad
   b) Medidas
   c) Procedimiento

I. FUENTES Y MEDIOS DE PRUEBA

Ya sabemos qué es la prueba, qué debe probarse y quién debe probar. Debemos estudiar ahora con qué se debe probar, lo que significa plantear el problema de las fuentes y medios de prueba, prescindiendo de cuestiones terminológicas que más confunden que aclaran.

A) La distinción fuentes-medios

Con la expresión fuente de prueba nos estamos refiriendo a un concepto extrajurídico, a una realidad anterior al proceso; los medios de prueba aluden a conceptos jurídicos, y sólo existen en el proceso, en cuanto en él nacen y se desarrollan. Las fuentes de prueba son los elementos que existen en la realidad, y los medios consisten en las actividades que es preciso desplegar para incorporar las fuentes al proceso. La fuente es anterior al proceso y existe independientemente de él; el medio se forma durante el proceso y pertenece a él. La fuente es lo sustancial y material; el medio, lo adjetivo y formal (Sentís Melendo).

> Veamos las diferencias en los supuestos concretos. En la prueba testifical el testigo y su conocimiento de los hechos (fuente) preexiste al proceso y existe aunque el proceso no llegara a realizarse nunca; iniciado el proceso, una de las partes se servirá de esa fuente para convencer al juzgador de la realidad de sus afirmaciones de hecho, y para ello la ley le ofrece un método de aportación consistente en la declaración del testigo, regulando esa actividad (medio). Lo mismo ocurre con el resto de las pruebas; en el interrogatorio de la parte la fuente es la persona que es parte y su conocimiento, medio de prueba su declaración; en la documental, la fuente es el documento y el medio la actividad que debe realizarse para su aportación al juicio. Recuérdese que la prueba es actividad, por lo que los medios de prueba tienen que ser también actividad, pero no en el vacío sino incorporando algo al proceso, ese algo es la fuente.

B) Los medios de prueba

Partiendo de la distinción anterior, en los procesos civiles no tiene reflejo la actividad que realizan las partes o sus abogados para descubrir las fuentes de prueba, tratándose de una actividad extraprocesal. Lo importante procesalmente son los medios de prueba, y por ello hay que preguntarse ¿cuáles son éstos? Nuestro Derecho positivo nos ofrece una enumeración en el art. 299 LEC y también una aparente norma genérica.

Esa enumeración se refiere a los siguientes medios de prueba: 1.º) Interrogatorio de las partes, 2.º) Documentos públicos, 3.º) Documentos privados, 4.º) Dictamen de peritos, 5.º) Reconocimiento judicial, y 6.º) Interrogatorio de testigos.

En la enumeración no se alude, correctamente, a las presunciones, a pesar de que la rúbrica del Capítulo de la LEC es «De los medios de prueba y las presunciones» y de que, luego, dedica a éstas una Sección más del mismo Capítulo. Veremos en la Lección Decimotercera como las presunciones no son un medio de prueba, sino un método para probar.

Después de la enumeración el art. 299 LEC añade, en el párrafo 2, que también se admitirán los medios de reproducción de la palabra, el sonido y la imagen, así como los instrumentos que permiten archivar y conocer o reproducir las palabras, datos, cifras y operaciones matemáticas llevadas a cabo con fines contables o de otra clase, relevantes para el proceso, y con ello está dando entrada a los que se han llamado nuevos medios de prueba.

> Debe tenerse en cuenta que con ello la LEC:
>
> 1.º) Reitera inútilmente, pues los medios de reproducción de la palabra y del sonido son los mismos (la palabra es un sonido).
>
> 2.º) Confunde al intérprete, al hablar de «medios de prueba» y de «medios de reproducción», pues los primeros son una actividad procesal y los segundos una cosa física.
>
> 3.º) Es manifiesto que no se ha comprendido la distinción entre fuentes de prueba y medios de prueba, pues lo importante no es que diga que se considerarán fuentes de prueba los soportes físicos de grabaciones de imágenes o sonidos y los llamados documentos informáticos, lo que es sin duda obvio, sino que configurara un verdadero medio de prueba, es decir, una actividad, a través del cual se aportaran esas fuentes al proceso.

En nuestra doctrina venía siendo tradicional la discusión en torno a si las enumeraciones legales de medios de prueba eran taxativas o enunciativas o, dicho de otra manera, si los medios de prueba podían considerarse *numerus clausus* o *apertus*, pero se trataba de un debate sin contenido porque si se parte de la distinción fuente y medio de prueba se advierte que:

1.º) Si la fuente es algo extrajurídico que existe independientemente del proceso, no es conveniente que las leyes pretendan realizar enumeraciones taxativas de ellas, porque el paso del tiempo las convertirá en obsoletas, al irse inventando o descubriendo nuevas fuentes. Estas, por tanto, deben quedar indeterminadas.

2.º) Lo que las leyes deben regular son los medios de prueba, entendidos como actividad que es preciso realizar para incorporar la fuente al proceso, y estos medios, después de la regulación legal, serán siempre numerus clausus porque las únicas actividades procesales posibles son las legales, sobre todo si se tiene en cuenta que la actividad jurisdiccional está sujeta al principio de legalidad (art. 1 LEC).

C) Legalidad de los medios

La distinción entre medios y fuentes sirve para explicar otras muchas cuestiones. La más importante de ellas es la relativa a que la legalidad es aspecto que debe referirse a los medios, mientras que la licitud es propia de las fuentes.

Si la actividad procesal está sujeta al principio de legalidad, no puede haber dudas sobre que una parte de esa actividad, la probatoria, tiene que obedecer al mismo principio. El cumplimiento de la legalidad tiene perspectivas muy diferentes, aunque todas ellas se complementen. Esas perspectivas se refieren a que:

1.º) Ya hemos dicho que los únicos medios de prueba son los enumerados taxativamente por la ley, de modo que las partes no pueden pedir ni el juez acordar actividad probatoria que no esté prevista en la ley.

2.º) Cada uno de los medios de prueba tiene que proponerse y practicarse precisamente en la forma establecida en la ley, y no de cualquier otra. Esto puede parecer elemental, pero el caso es que no siempre se respeta, pues muchas veces, con el argumento de que lo que importa es la justicia de la sentencia sobre el fondo, se vulnera la norma procesal relativa a cómo debe proponerse y practicarse el medio de prueba.

3.º) En principio todos los medios de prueba son admisibles en todos los procesos.

La legalidad de la actividad probatoria, en los términos en que venimos diciendo, significa que lo que importa en el proceso es, sí y desde luego, que se llegue a la verificación de las afirmaciones de hecho realizadas por las partes (la que podríamos llamar verdad para entendernos), pero también que se llegue a ello precisamente por el camino establecido en la ley. Esto es, importa el resultado, sin duda, pero también importa el camino como se llega al mismo, y ello porque, por decirlo con frase tópica, el fin no justifica los medios. Los medios en el proceso son la actividad y lo que se está diciendo es que el resultado que a la ley le importa no es cualquiera, sino aquél al que se llega necesariamente por el cumplimiento de la norma que regula la actividad.

D) Licitud de las fuentes

El tema genérico de lo que se ha llamado prohibiciones probatorias tiene su origen en Alemania (Beling) y se ha desarrollado especialmente respecto del proceso penal, aunque lo cierto es que no debería distinguirse entre las diversas clases de procesos a la hora de establecer las normas generales, aunque sí, inevitablemente, en las consecuencias prácticas. Nosotros nos ceñiremos al proceso civil y partiremos del art. 11.1 LOPJ según el cual «no surtirán efectos las pruebas obtenidas, directa o indirectamente, violentando los derechos o libertades fundamentales». Para su interpretación hay que referirse a las sentencias del Tribunal Constitucional 114/1984, de 29 de noviembre, 64/1986, 21 de mayo de 1986.

a) Derechos protegidos frente a la investigación de fuentes de prueba

Lo primero que aparece claro es que en la norma de la LOPJ no se ha querido proteger, frente a la investigación de fuentes de prueba, a todos los derechos subjetivos, sino sólo a aquellos que la Constitución considera fundamentales, con lo que quedan fuera todos los demás derechos que no alcanzan ese rango, el principal de los cuales por su trascendencia práctica es el de propiedad. No se ha pretendido, pues, declarar la ineficacia de las pruebas ilícitas en general, sino sólo de las obtenidas violentando derechos o libertades fundamentales.

Respecto de los derechos fundamentales habrá que distinguir atendiendo a la naturaleza de éstos:

1.°) Derechos fundamentales absolutos, los que no tienen limitación alguna: Cualquier vulneración de los mismos conduce a la no admisión de la prueba. Nos referimos a los derechos a la vida y a la integridad física y a sus violaciones consistentes en la violencia física o psíquica o en la amenaza de utilizarlas.

> Los problemas prácticos aquí son los de las intervenciones corporales (exámenes judicial o pericial del cuerpo humano, análisis sanguíneos, pruebas biológicas) que habrán de requerir el consentimiento de la persona afectada. En el sistema procesal civil no se admite una intervención corporal en contra de la voluntad de la persona interesada, ni aún con resolución judicial, y manifestación de ello es el art. 767.4 LEC para los procesos de filiación y con relación a las llamadas pruebas biológicas.

2.°) Derechos fundamentales relativos, que son limitados: En principio las fuentes de prueba obtenidas vulnerándolos no son admisibles, pero hay que tener en cuenta que la ley ha de compatibilizar estos derechos con otros, también fundamentales, e incluso con intereses prevalentes. Tomemos el caso de la inviolabilidad del domicilio, que no puede oponerse a la efectividad del proceso y que no impedirá la prueba de reconocimiento judicial; lo importante aquí será el respeto de las garantías constitucionales en la actividad probatoria, en cuanto éstas sirven de garantía.

> El carácter relativo supone también disponibilidad de todo o de parte del derecho por su titular, que puede renunciar al secreto de sus comunicaciones, permitiendo que una carta íntima sea presentada como prueba en el proceso entre otras personas, e incluso hay que tener en cuenta frente a quién se opone ese derecho, pues es evidente que frente a quien tomó parte en la comunicación

no existe secreto. Así la STC 114/1984 dice que la norma constitucional se dirige inequívocamente a garantizar la impenetrabilidad para terceros ajenos a la comunicación misma, pero que no hay secreto frente a aquél a quien la comunicación se dirige.

b) Consecuencias procesales de la vulneración

Sin perjuicio de las opiniones doctrinales el art. 11.1 LOPJ obliga a distinguir:

1.º) Cuando las fuentes de prueba se han obtenido ilícitamente, infringiendo derechos no fundamentales, deben ser admitidas en el proceso, sin perjuicio de la responsabilidad que pueda surgir de la ilicitud.

2.º) Cuando se trate de fuentes de prueba obtenidas vulnerando derechos fundamentales, la consecuencia obligada es que existe una prohibición positiva que las hace inadmisibles, bien de modo absoluto, bien de modo relativo, si se han incumplido las garantías constitucionales para su obtención.

3.º) La inadmisibilidad se refiere tanto a las fuentes de prueba obtenidas directamente con vulneración de un derecho fundamental, como a las obtenidas indirectamente, pues la ilicitud se extiende a todo lo que se deriva del acto que ha vulnerado el derecho.

El problema es cómo se hace efectiva la inadmisibilidad, pues la LOPJ no lo dice, al aludir sólo a que no surtirán efecto. Para la regulación de la inadmisibilidad del medio de prueba a través del que pretenda introducirse la fuente de prueba en el proceso debe estarse al art. 287 LEC, conforme al cual:

1.º) Cuando alguna parte entendiera que en la obtención (directa) u origen (indirecta) de alguna prueba admitida se han vulnerado los derechos fundamentales, habrá de alegarlo de inmediato, con traslado, en su caso, a las demás partes.

> Esta norma está partiendo de que el tribunal, en el momento de la admisión de los medios de prueba, carece de elementos de juicio para inadmitir uno de ellos por ilicitud en la obtención de la fuente; se trata, por tanto, de que el medio de prueba se ha propuesto y admitido (arts. 283 y 285 LEC) y de que después la parte contraria debe, no recurrir en reposición contra la admisión (art. 285.3 LEC), sino suscitar la cuestión de la ilicitud.

2.º) El momento adecuado para el debate entre las partes es el del acto del juicio (en el proceso ordinario) o el comienzo de la vista (en el juicio verbal), antes de que de comienzo la práctica de la prueba (arts. 433.1 y 446 LEC).

3.º) El debate consistirá en oír a las partes y, en su caso, en practicarse las pruebas pertinentes y útiles que se propongan en el acto sobre el extremo de la ilicitud.

4.º) La ilicitud puede cuestionarse también de oficio por el juez, en el mismo momento y con la misma tramitación.

5.º) La resolución a dictar será auto, pero en forma oral, que decidirá sobre la ilicitud, de modo que en caso de ilicitud el medio de prueba no se practicará, y sí cuando se declare lícito. Contra esta resolución, sea cual fuere su contenido, cabe reposición que se sustanciará y decidirá en el mismo acto, quedando a salvo el derecho de las partes para reproducir la impugnación de la prueba ilícita en la apelación contra la sentencia.

Extremo diferente y no resuelto en la LEC es el relativo a si el tribunal, de oficio y en el momento de dictar sentencia, puede cuestionarse la licitud de una fuente de prueba con relación a un medio determinado. Nuestra respuesta es afirmativa porque la cuestión de la licitud puede suscitarse de oficio (art. 287.1, II, LEC), aunque no se olvidan los problemas prácticos.

Esos problemas prácticos se refieren a: 1) La posible indefensión de la parte que ha propuesto y practicado la prueba y que, sin posibilidad de discusión sobre su licitud, se encuentra con una declaración judicial, en la sentencia, en la que se dice que un medio de prueba no surte efecto, y 2) Aunque el tribunal diga en la sentencia que no toma en consideración la prueba ilícita, lo cierto es que la ha conocido y que, aun inconscientemente, puede haber formado en ella su convicción.

El Real Decreto-Ley 9/2017, de 26 de mayo, por el que se transponen directivas de la Unión Europea en los ámbitos financiero, mercantil y sanitario, y sobre el desplazamiento de trabajadores ha introducido en la LEC una Sección 1ª bis, con los nuevos arts. 283 bis a) a 283 bis k). Ese Real Decreto-Ley ha sido convalidado en la sesión del Congreso de 22 de junio, pero al mismo tiempo se ha acordado tramitarlo como proyecto de ley.

II. VALORACIÓN DE LA PRUEBA

El destinatario de la prueba es, naturalmente, el juzgador; va ello implícito en el propio concepto de prueba, tanto en la parte de éste que se refiere a su convencimiento psicológico sobre la existencia o inexistencia de los datos aportados al proceso, como en aquella otra que atiende a la fijación de los datos conforme a unas normas legales. En los dos casos la prueba se valora por el o se fija por el tribunal y las operaciones se plasman en la sentencia.

A) Las máximas de la experiencia y los sistemas de valoración

Hemos seguido antes a Stein para definir lo que son las máximas de la experiencia y ahora hemos de oponer este concepto a la valoración de la prueba, para comprender mejor los dos sistemas legales o, en realidad, para comprender nuestro sistema mixto; ello nos permitirá reconocer cuándo estamos realmente ante una regla legal de valoración.

La valoración de la prueba viene siempre determinada por las máximas de la experiencia, por los juicios hipotéticos y generales en que éstas se resuelven. Las máximas en realidad sirven en todos los ámbitos y ayudan al desenvolvimiento normal de la vida individual y social. Cuando se dice, por ejemplo, que es más fácil que un incendio por cortocircuito se haya originado en cables viejos sin protección que en cables nuevos protegidos, o que una rueda nueva se «agarra» mejor en la carretera que otra desgastada, o que los niños cruzan la calle de improvisto, etc., se están haciendo juicios generales e hipotéticos, máximas de la experiencia, que pueden tener o no reflejo judicial.

Lo que ahora nos importa es que es el juego diferente de las máximas en la valoración de la prueba, lo que determina que estemos ante un sistema libre o legal. En el sistema libre la ley deja al juez que aplique las máximas que éste ha adquirido por su experiencia en la vida, y en el caso de que la máxima no sea común, sino especializada, le permite servirse de la prueba pericial (por esto cabe debatir si el perito es en realidad un auxiliar del juez o una fuente-medio de prueba). En el sistema de prueba legal lo que la ley hace es establecer la máxima de la experiencia en la propia norma (implícita o explícitamente), e imponerla al juez en el momento de la valoración de la prueba.

En el sistema mixto de nuestro proceso civil el tribunal se encuentra con que en unos casos debe aplicar «sus» máximas de la experiencia, con base en las cuales se convencerá o no de la realidad de una afirmación de hecho efectuada por la parte, pero en otros casos su labor se limitará a comprobar si el hecho ha quedado o no fijado conforme a lo que la ley dice, independientemente de su convencimiento. Con uno y otro sistema tendrá que establecer en la sentencia cuales son los hechos que han sido probados.

Podemos ya pretender reconocer cuáles son las reglas legales de valoración establecidas para nuestro proceso civil:

a) Sobre documentos públicos: arts. 319, 320, 321, 322 y 323 de la LEC, y 1218, I y II; 1.219; 1.220, I y II; 1.221, I, 1.°, 2.° y 3.°, y II, del CC.

b) Sobre documentos privados: arts. 326 de la LEC, y 1.225, 1.227, 1.228, 1.229 y 1.230 del CC.

c) Sobre interrogatorio de la parte: arts. 316.1 de la LEC (limitadamente).

d) Sobre testigos: el supuesto especial del art. 51 Cdc.

Respecto de los demás medios de prueba su valoración es libre o, con palabras más adecuadas conforme a las «reglas de la sana crítica», expresión que ha sido destacada como uno de los aciertos de la terminología jurídica hispana, pero que no constituye un tercer sistema de valoración. El acierto consiste en poner de manifiesto que prueba libre no equivale a prueba discrecional, sino razonada.

B) Apreciación conjunta de la prueba y motivación de las sentencias

Sea cual fuere el sistema de valoración de la prueba, lo inadmisible es la falta de motivación fáctica de las sentencias que viene propiciándose, sobre todo, a través de la denominada apreciación conjunta de la prueba. Y lo mismo cabe decir del desconocimiento consciente que la jurisprudencia ha venido haciendo de las reglas legales de valoración.

> Empecemos por puntualizar que la apreciación conjunta no es rechazable en todos los casos; en algunos es necesaria:
> 1.º) Cuando varios medios de prueba se complementan entre sí o, incluso, cuando el resultado de unos incide en el resultado de otros. Ello puede suceder cuando existen varios testigos que declaran sobre un mismo hecho o cuando existen declaraciones testificales y documentos privados no reconocidos.
> 2.º) Cuando existen pruebas cuyos resultados son contradictorios, pero teniendo siempre en cuenta que la contradicción ha de producirse entre pruebas que deban apreciarse por el mismo sistema:
> 1") Cabe así que ante medios de prueba que se aprecian libremente, por ejemplo, declaraciones testificales contradictorias (o entre declaraciones testificales y dictamen pericial contrapuestos), el juez tenga que apreciar en conjunto unas y otras para llegar al convencimiento que fuere.
> 2") De la misma manera es posible la apreciación conjunta cuando la contradicción se produce entre medios de prueba de apreciación legal, pues entonces la aplicación de las dos reglas al mismo tiempo es imposible (como sería el caso del interrogatorio de varios demandados que, aun admitiendo hechos que les son perjudiciales, dijeran cosas contrapuestas).

La apreciación conjunta es inadmisible cuando la contradicción se produce entre medios de prueba que se aprecian por los dos sistemas, pues entonces lo que podría hacerse es desconocer las reglas legales, las cuales deben prevalecer sobre la prueba de libre apreciación. Si el resultado de una prueba legal quedara involucrado en una apreciación conjunta con pruebas libres, podría significar simplemente desconocer la prueba legal.

Esto es justamente lo que viene haciéndose en la práctica por los tribunales. La apreciación conjunta se utiliza tanto para desconocer el valor de las pruebas legales, como para no motivar fácticamente las sentencias. En el primer caso se llega por el Tribunal Supremo a decirlo expresamente. En el segundo caso la motivación fáctica de las sentencias no existe si no se ponen en relación las fuentes-medios de prueba con los hechos probados, y no se explica en la sentencia cómo desde aquéllos se llega a éstos, bien con base en el convencimiento del juzgador, bien con relación a las reglas legales. El art. 120.3 CE viene siendo desconocido sistemáticamente en todos los casos en los que, mediante la fórmula «apreciadas en su conjunto las pruebas practicadas», se afirman como probados unos hechos sin más explicación o justificación, a pesar de que la STC 138/1991, de 20 de junio, ha admitido este sistema de la valoración conjunta.

III. PROCEDIMIENTO PROBATORIO

Examinaremos después el procedimiento de cada uno de los medios de prueba, pero existe una parte de ese procedimiento que es común a todos los medios.

Esa parte es la que expondremos aquí, haciendo dos advertencias previas:

1.ª) La prueba no siempre es necesaria: No es normal que se dé en la práctica un proceso sin prueba, pero la posibilidad existe y atiende a cuando las partes están conformes respecto de los hechos, no existiendo hechos controvertidos (arts. 443.4 447.1 LEC).

2.ª) La actividad probatoria es siempre actividad regulada legalmente: El art. 283.3 LEC dice que nunca se admitirá como prueba cualquier actividad prohibida por la ley, cuando lo que debió decir es que los medios de prueba, que son actividad procesal, han de realizarse siempre de la forma prevista en la ley. No hay actividad probatoria sin previsión legal.

A) Recibimiento a prueba

El primer paso en la actividad probatoria tiene que consistir, obviamente, en determinar la necesidad de que en el proceso exista prueba, lo que en la terminología tradicional se llamaba la necesidad de que el proceso sea recibido a prueba. En un proceso escrito esto supone la existencia de dos actos específicos por medio de los que las partes piden al tribunal que el proceso sea recibido a prueba y éste así lo decide. En un proceso oral estos actos pierden su apariencia externa, hasta el extremo de que la ley ni siquiera los prevé de modo expreso.

En el juicio ordinario la audiencia previa, no existiendo conformidad sobre los hechos, prosigue respecto de la prueba, dice el art. 429.1 LEC, y con ello está implícitamente privando de su sentido original a la petición de las partes para que el proceso sea recibido a prueba y a la decisión del tribunal recibiéndolo. Si no existe conformidad sobre los hechos en el proceso habrá de existir prueba.

> La LEC presupone que si existen hechos controvertidos se pasa inmediatamente a la proposición y admisión de los medios concretos de prueba, y que si existe conformidad sobre los hechos no hay prueba. Ahora bien, es obvio que no siempre se presentan las cosas de modo tan simple, pues puede ocurrir que existan discrepancias entre las partes sobre la necesidad de la prueba (por ejemplo, sobre si un hecho es o no notorio) y sobre esa discrepancia debe resolver el tribunal por medio de una resolución oral. Esta resolución habrá de recibir o no el proceso a prueba, y contra la misma, no existiendo recurso de apelación independiente, sí habrá de formularse protesta para poder luego recurrir contra la sentencia.
>
> También debe tenerse en cuenta que respecto de los documentos, cuando no se impugna su autenticidad por la parte contraria a la que los presenta, no existe verdadera actividad probatoria distinta de la presentación, por lo que puede haber proceso con prueba pero sin juicio (art. 429.8). A pesar de lo que dispone esta última norma, no parece tan clara la referencia al informe pericial sin ratificación y sin examen contradictorio del perito.

B) Proposición de los medios concretos de prueba

Acto de la parte (de cada una de ellas) por el que precisa que medios de prueba desea practicar en el proceso. Este acto se realiza de modo oral al final de la audiencia previa (art. 429.1 LEC). Ahora bien, esa proposición de modo oral se ha desvirtuado pues ello es sin perjuicio de la obligación de las partes de aportar en el acto escrito detallado de la misma, pudiendo completarlo durante la audiencia. La omisión de la presentación de dicho escrito no dará lugar a la inadmisión de la prueba, quedando condicionada ésta a que se presente en el plazo de los dos días siguientes.

En principio la ley atribuye a las partes la determinación de los medios de prueba que han de practicarse, con lo que establece que el principio de aportación de parte se refiere también a la prueba; es lo que el art. 282 llama iniciativa de la actividad probatoria.

Lo anterior no impide conceda al tribunal dos tipos de facultades:

1.ª) General: Según el art. 429.1, III, LEC cuando el tribunal considere que las pruebas propuestas por las partes pudieran resultar insuficientes para el esclarecimiento de los hechos controvertidos, lo pondrá de manifiesto a las partes, indicando el hecho o hechos que, a su juicio, podrían verse afectados por la insuficiencia probatoria, pudiendo indicar también las pruebas cuya práctica considere conveniente, pero ciñéndose a los elementos probatorios que resultan de los autos. Hecho lo anterior, las partes podrán modificar o completar sus proposiciones de prueba.

2.ª) Especial: Según el art. 282 LEC el tribunal podrá acordar de oficio que se practiquen determinadas pruebas cuando así lo establezca la ley, con lo que efectúa una remisión al art. 752.

C) Admisión de los medios de prueba

Acto del tribunal por el que, previo examen de los requisitos necesarios, determina los medios de prueba que, de entre los propuestos por las partes, deben practicarse en el proceso. Este acto se realiza de modo oral, en la audiencia previa, y se documenta en el acta. Respecto del mismo debe distinguirse:

a) La inadmisión de un medio de prueba ha de basarse en alguna de las siguientes razones generales, sin perjuicio de las razones especiales de cada medio:

1.ª) Porque se refiera a hechos no controvertidos: La necesidad de la prueba se refiere sólo a los hechos controvertidos, de modo que si un medio atiende a hecho sobre el que existe conformidad debe inadmitirse.

2.ª) Porque es impertinente: La impertinencia atiende a la pretensión de probar hechos que no guardan relación con el objeto del proceso (art. 283.1 LEC).

3.ª) Porque es inútil: La inutilidad se refiere a la inadecuación del medio respecto al fin que se persigue, es decir, respecto del hecho que se pretende probar (art. 283.2 LEC) (el reconocimiento judicial no servirá para probar los kilos por centímetro cuadrado que soportan las vigas de un edificio).

b) La decisión oral que el tribunal dicte en el acto de la audiencia previa, sea cual fuere su contenido, es recurrible, dice el art. 285.2, en reposición, que se sustanciará y resolverá en el acto, y si es desestimado el recurso podrá formularse protesta al efecto de hacer valer el derecho en la segunda instancia.

Aparte queda siempre lo relativo a la ilicitud de la prueba, a que antes nos hemos referido, atendido el art. 287 LEC.

D) Práctica de la prueba

Es aquí donde adquiere especial relevancia el procedimiento probatorio de cada uno de los medios de prueba, pero aún así puede hacerse mención de una serie de normas generales que se refieren a:

a) *Unidad de acto*: La ley pretende que todos los medios de prueba se practiquen en el juicio, con sujeción al principio de unidad de acto (art. 290 LEC), lo que es consecuencia de que haya introducido un fuerte componente de oralidad, a pesar de lo cual ha de admitir la existencia de algunas excepciones:

1.ª) Pruebas practicadas en momento distinto del juicio: Los arts. 290 y 429.4 admiten esta posibilidad, disponiendo que entonces la práctica se realice antes del juicio. Esto requiere, primero, un señalamiento específico, que ha de hacerse al menos con cinco días de antelación y, segundo, una citación expresa a las partes, con al menos cuarenta y ocho horas de antelación (art. 291 LEC).

2.ª) Pruebas practicadas en lugar distinto de la sede del tribunal: Pueden darse aquí dos opciones:

1") Que la prueba la practique el mismo juez fuera de la sede (en el sentido de local) pero dentro de su circunscripción: Requiere determinación del lugar, con día y hora y citación de las partes (art. 291).

2") Que la prueba haya de practicarse fuera de la circunscripción del tribunal, acudiendo al auxilio judicial: Aunque la ley pretende limitar la práctica de la prueba por auxilio judicial (y así se desprende del art. 169.4 LEC, respecto de interrogatorio de las partes, de la testifical y de la ratificación de los peritos) en algún caso puede ser necesaria, exigiéndose entonces conceder a las partes la posibilidad de su intervención en esa práctica. Por ello el art. 429.5, II, exige que las partes señalen, en el momento de la proposición en la audiencia previa, que declaraciones o interrogatorios han de realizarse a través de auxilio judicial.

> Para la práctica de pruebas en el extranjero debe estarse a los arts. 29 a 32 de la Ley 29/2015, de 30 de julio, de cooperación jurídica internacional en materia civil.

b) *Inmediación*: La anterior unidad de acto lleva a la vigencia del principio de inmediación, de modo que el juez que haya de dictar la sentencia ha de haber practicado las pruebas. No se trata ya sólo de la presencia judicial, sino de la verdadera inmediación, a pesar de la terminología empleada por la ley (por ejemplo en el art. 137). No se trata, pues, de que determinados actos exijan la presencia judicial, con ser ésta importante, sino de que los actos de prueba tienen que ser realizados precisamente por el mismo tribunal que ha de dictar la sentencia, por lo menos con carácter general.

> La inmediación no impide que el art. 289 LEC distinga dos supuestos:
> 1.º) Presencia judicial: El interrogatorio de las partes y de los testigos, el reconocimiento judicial, la reproducción de la palabra, el sonido o la imagen, la visión de los soportes informáticos y las explicaciones, impugnaciones, rectificaciones o ampliaciones de los dictámenes periciales han de practicarse en presencia judicial.
> 2.º) Letrado de la administración de justicia: La presentación de documentos, la aportación de otros medios o instrumentos probatorios, el reconocimiento de la autenticidad de un documento privado, la formación de cuerpos de escritura para el cotejo de letras y la mera ratificación de la autoría del dictamen pericial,

se llevan a cabo ante el letrado de la administración de justicia, sin perjuicio del examen posterior por el tribunal.

Además debe tenerse en cuenta que cuando un medio de prueba se practica mediante auxilio judicial, la inmediación necesariamente desaparece, y entonces la convicción judicial se formará con base en el reflejo documental de la prueba (art. 429.5, II).

La inmediación no se lleva, por tanto, a sus últimas consecuencias; con adecuación a la realidad, y partiendo de la unidad de acto en el juicio, se admiten supuestos excepcionales en los que la prueba puede incluso llegar a practicarse por medio de auxilio judicial, es decir, por juez distinto del que ha de dictar la sentencia.

c) *Contradicción*: Todas las pruebas se practican con la plena intervención de las partes, a cuyo efecto han de ser citadas. La LEC va a así distinguiendo cuando la prueba se practica en el juicio (caso en que el señalamiento para éste en la audiencia previa implica la citación, art. 429.2 y 6), cuando en momento distinto pero en la sede del tribunal (con señalamiento y citación específicos, arts. 290 y 291), cuando fuera de la sede del tribunal (también con citación propia, art. 292) y cuando por medio de exhorto, arts. 169 y 174).

La Ley admite que en alguna ocasión no esté presente la parte o su abogado en la práctica de un medio de prueba (por ejemplo, art. 311.2 para el interrogatorio de la parte), pero ello es excepcional. La falta de citación de la parte para la práctica de un medio de prueba debe suponer nulidad por indefensión, sin perjuicio de que luego asistan o no las partes y sus defensores y de la intervención real de unos y otros en la práctica, que depende de cada medio. Con carácter general el art. 291, II, dice que las partes o sus abogados tendrán en las actuaciones de prueba la intervención que autorice la ley según el medio de prueba de que se trate.

d) *Publicidad*: La regla general, atendido lo que dispone el art. 120.1 CE, es que todas las diligencias de prueba se practicarán en audiencia pública, esto es, con total publicidad (art. 138 LEC), aunque se admite excepcionalmente la posibilidad de la práctica a puerta cerrada, lo que exige audiencia de las partes y auto.

e) *Orden de la práctica*: El art. 300 establece un orden en el que se ha de proceder a la práctica de los medios de prueba, aunque permite su alteración, bien de oficio, bien a instancia de parte.

Ese orden es: Interrogatorio de las partes, testigos, peritos, reconocimiento judicial cuando haya de llevarse a cabo en la misma sede del tribunal y reproducción de la palabra, el sonido o la imagen. Si un medio de prueba no puede practicarse en la audiencia, se acabará ésta con los restantes medios y después se practicará el medio que exige práctica fuera de la audiencia.

f) *Documentación*: La práctica de la prueba en el acto único del juicio supone un intento de predominio de la oralidad, lo que lleva necesariamente a la documentación del acto. Esa documentación se realizará por medio de acta (arts. 280 LOPJ y 146 LEC), pero las actuaciones orales en vistas han de registrarse en soporte apto para la grabación y reproducción del sonido y de la imagen, bajo la fe del letrado (art. 147 LEC).

IV. ANTICIPACIÓN DE LA PRUEBA

El procedimiento probatorio que hemos visto en sus líneas generales sufre una importante excepción, referida al tiempo, en lo que se conoce como anticipación de la prueba, que se regula en los arts. 293 a 296 LEC. La anticipación consiste en la práctica de cualquier medio de prueba en momento anterior al del juicio (ordinario) o de la vista (verbal), ante el temor de que la fuente propia del mismo se pierda, haciendo imposible su aportación al proceso. Se trata, no de asegurar la fuente, sino de practicar el medio. Para ello se prevén dos supuestos:

a) *Antes de la iniciación del proceso*: Quien pretenda incoar un proceso declarativo puede pedir la práctica anticipada de algún acto de prueba, cuando exista el temor fundado de que, por causa de las personas o por el estado de las cosas, dichos actos no puedan realizarse en el momento procesal previsto de modo general. En este supuesto destaca.

1.º) Puede pedir la práctica anticipada sólo el futuro demandante (el que pretenda incoarlo), no el posible demandado (el que crea que puede ser demandado).

2.º) La petición se dirigirá al órgano judicial que se considere competente para conocer del futuro proceso, el cual vigilará de oficio su jurisdicción, competencia genérica, objetiva y territorial (esta última sólo cuando no quepa sumisión), sin que sea admisible la declinatoria.

3.º) El futuro actor deberá indicar la persona o personas a las que se proponga demandar para que sean citadas, al menos con cinco días de antelación, para la práctica de la prueba.

4.º) El proceso posterior ha de incoarse en el plazo de dos meses, desde la práctica anticipada de la prueba, y si no se hace así la actuación perderá su valor probatorio (salvo que se acredite que, por fuerza mayor u otra causa de análoga entidad, no pudo iniciarse el proceso dentro de ese plazo).

5.º) Si del proceso posterior hubiere de conocer, en definitiva, un tribunal distinto del que acordó o practicó la prueba anticipada, reclamará de éste, a instancia de parte, la remisión, por conducto oficial, de las actas, documentos y demás materiales de las actuaciones.

b) *Durante el curso del proceso*: Cualquiera de las partes puede solicitar del tribunal la práctica anticipada de un acto de prueba, cuando exista el temor fundado de que, por causa de las personas o por el estado de las cosas, dichos actos no puedan realizarse en el momento procesal generalmente previsto. En este otro supuesto: 1.º) La prueba anticipada puede pedirla cualquiera de las partes, 2.º) El órgano judicial competente es el mismo que ya está conociendo del proceso, y 3.º) La prueba ha de practicarse siempre antes de la celebración del juicio (ordinario) o vista (verbal).

c) *Normas comunes*: La especialidad probatoria se refiere al tiempo, no a cómo se realiza la práctica del medio de prueba correspondiente, destacando que las partes tendrán en ella la intervención propia de cada medio. Lo único específico se refiere a la petición y admisión:

1.º) La parte que pida la prueba anticipada expondrá las razones en que apoye su petición, es decir, los motivos de la necesidad de esa práctica anticipada.

2.º) Si el tribunal admite la petición lo hará por medio de providencia (contra la que no debe caber recurso alguno).

3.º) No dice la ley qué deberá hacerse si el tribunal deniega la petición, sobre todo respecto de los recursos. En principio la denegación debe hacerse por auto, contra el que cabrá reposición y apelación, aunque sea muy dudosa la utilidad de estos recursos.

4.º) La documentación del acto de prueba quedará bajo la custodia del letrado hasta que llegue el momento de unirla a las actuaciones.

El art. 295.4 LEC suscita un problema de no fácil solución. Se permite que, a instancia de parte y si fuera posible, la prueba practicada como anticipada se realice de nuevo en el proceso y en su momento adecuado, debiendo el tribunal valorar entonces tanto una como otra conforme a las reglas de la sana crítica. Es ciertamente posible que una prueba, que se practicó como anticipada, pueda ser reiterada en su momento en el proceso, pero si anticipadamente se practicó con plena contradicción no parece que sea necesaria su reiteración.

V. ASEGURAMIENTO DE LA PRUEBA

Si en el caso anterior se trataba de practicar un medio de prueba, ante el peligro de que se perdiera la fuente de prueba, haciendo imposible su aportación al proceso, ahora se trata de asegurar una fuente de prueba, pero sin llegar a practicar el medio. En la regulación de los arts. 297 y 298 LEC hay que distinguir:

a) *Finalidad*: Partiendo del riesgo de que, por conductas humanas o por acontecimientos naturales, puedan destruirse o alterarse objetos materiales o estados de cosas, haciendo imposible que en su momento procesal ordinario se practique un medio de prueba, el aseguramiento pretende que se mantenga el estado presente de un objeto o de una situación, esto es, que no se modifique una fuente de prueba.

> Se trata, pues, de mantener o de no innovar fuentes de prueba que no tengan naturaleza personal, con lo que se excluyen las fuentes de prueba que son las partes mismas y los testigos, refiriéndose únicamente, bien a las cosas, muebles o inmuebles, individualmente consideradas, bien a las situaciones en que se encuentran esas cosas.

b) *Medidas*: No se especifican en la ley las medidas de aseguramiento que pueden adoptarse, pues ésta se limita a facultar a las partes para pedir y al tribunal para acordar las medidas genéricas consistentes en: 1) La conservación de cosas o situaciones, 2) El mandato de hacer o de no hacer, con apercibimiento de proceder por desobediencia a la autoridad, y 3) Dejar constancia fehaciente de la realidad de la cosa o de la situación con sus características.

Las dos primeras medidas son claramente de aseguramiento, pues se trata de «congelar» una fuente de prueba para que, llegado el momento procesal de la práctica del medio, aquélla pueda introducirse en el proceso por medio de éste. La tercera, la de dejar constancia fehaciente, parece más una anticipación de la prueba que un aseguramiento de la misma.

> La Ley 19/2006, de 5 de junio, por la que se amplían los medios de tutela de los derechos de propiedad intelectual e industrial y se establecen normas procesales para facilitar la aplicación de diversos reglamentos comunitarios, ha introducido en el art. 297 de la LEC medidas de aseguramiento específicas consistentes en la descripción detallada, con o sin toma de muestras, o la incautación efectiva de las mercancías y objetos litigiosos, así como de los materiales e instrumentos utilizados en la producción o la distribución de estas mercancías y de los documentos relacionados con ellas.

La parte que inste el aseguramiento habrá de pedir medida determinada, pero el tribunal podrá adoptar otra distinta, siempre que cumpla la misma finalidad y cause menores perjuicios a las partes o a terceros.

> Si la medida persigue asegurar que una fuente de prueba podrá incorporarse al proceso por un medio de prueba, es decir, que se trata de preservar una prueba para que en el proceso cumpla su función probatoria, no acaba de comprenderse como es posible que la adopción de la medida puede ser sustituida por caución prestada por la persona que habría de soportar la medida. La caución, en dinero efectivo o por aval solidario, puede garantizar la efectividad de la sentencia que en su día se dicte (y por ello la medida cautelar puede ser sustituida por la caución), pero ésta no puede garantizar que la prueba llegue a practicarse. Si la cosa fuente de prueba que debe mantenerse en su estado es destruida o alterada, lo que ocurrirá es que desaparecerá la fuente de prueba, no pudiéndose practicar el medio de prueba, con lo que la parte habrá perdido la posibilidad de acreditar

una afirmación de hecho, no pudiendo obtener una sentencia estimatoria de su pretensión.

c) *Procedimiento*: En el art. 298 deben distinguirse dos previsiones:

1.ª) Lo relativo a los requisitos que deben concurrir para que pueda procederse a la adopción de las medidas de aseguramiento:

Esos requisitos son: 1) Que la prueba que se pretende asegurar sea posible, pertinente y útil al tiempo de proponer su aseguramiento, 2) Que haya razones o motivos para temer que, de no adoptarse las medidas de aseguramiento, puede resultar imposible en el futuro la práctica de dicha prueba, y 3) Que la medida de aseguramiento que se propone, u otra distinta que con la misma finalidad estime preferible el tribunal, pueda reputarse conducente y llevarse a cabo dentro de un tiempo breve y sin causar perjuicios graves y desproporcionados a las personas implicadas o a terceros.

2.ª) La determinación del procedimiento propiamente dicho, de modo que cabe distinguir entre dos posibilidades, con o sin audiencia de quien deba soportarla.

En principio las medidas de aseguramiento de la prueba se acuerdan previa audiencia de la persona que haya de soportarla, y si ya ha comenzado el proceso con audiencia de la parte contraria. Pero cabe que cuando sea probable que el retraso derivado de la audiencia previa ocasione daños irreparables al derecho del solicitante de la medida o cuando exista un riesgo demostrable de que se destruyan pruebas o se imposibilite de otro modo su práctica si así se solicita, el tribunal podrá acordar la medida sin más trámites, mediante providencia (sic). En este segundo supuesto aparece la posibilidad de que se formule oposición y de que, después de ser citadas todas las partes (y quien ha de soportar la medida) a una audiencia, se resuelva por auto esa oposición. Contra ese auto no cabe recurso alguno.

Legislación: Ley de Enjuiciamiento Civil (arts. 284 y ss.)
Lectura: MONTERO, *La prueba en el proceso civil*, 7.ª edición, Madrid, 2012.

La prueba: Los medios de prueba en concreto (III)

I. EL INTERROGATORIO DE LAS PARTES

A) Antecedentes: heredera de la confesión, que se mezcló con el juramento.

B) Concepto: Las partes declaran sobre los hechos y las circunstancias de las que tengan noticia que guarden relación con el objeto del litigio.

C) Clases: De personas físicas (declaración de parte contraria, de parte colitigante y de tercero), y de personas jurídicas o entes sin personalidad.

D) Las preguntas: Concretas, oralmente, en sentido afirmativo, claridad y precisión, sin valoraciones, sobre hechos controvertidos.

E) Procedimiento probatorio: Normas generales (proposición al final de la audiencia previa o vista). El juez puede preguntar igualmente, con limitaciones. El declarante está obligado a comparecer y declarar. Interrogatorio cruzado.

F) Valoración: Parte valoración legal; parte sana crítica. *Ficta confessio.*

II. LA PRUEBA DOCUMENTAL

A) Concepto: Objeto en el que consta por escrito una declaración de voluntad o la expresión de una idea, pensamiento, conocimiento o experiencia, de una o varias personas.

B) Clases:
  – Públicos son los autorizados por una autoridad conforme a la ley.
  – Privados son los que no son públicos, los generados por los ciudadanos usualmente.

C) Procedimiento probatorio: Distinción:
  1. Fundamentales: Las partes fundan su derecho
  2. Otros: Los demás
      1. Presentados con demanda o contestación.
      2. Después

D) Exhibición de documentos: Es obligada cuando la parte a quien interesa su presentación no puede disponer del documento, tanto para las partes, como para terceros y para entidades de Derecho público.

E) Valoración: Los documentos públicos se valoran legalmente en cuanto al hecho, acto o estado de cosas que documenten, la fecha y la identidad del fedatario y de los intervinientes.

Los documentos privados se valoran legalmente si no son impugnados por la parte a que perjudique.

En los demás casos, tanto para públicos como para privados rige la sana crítica.

I. EL INTERROGATORIO DE LAS PARTES

El interrogatorio de las partes es en cierto modo una prueba similar a la confesión, que ha estado vigente formalmente como tal hasta la entrada en vigor de la nueva LEC, pero no es su prueba heredera, sino su sustituta (EM XI, 7). Se regula en los arts. 301 a 316 LEC.

A) Antecedentes

La confesión era la declaración de parte sobre un hecho o conjunto de hechos relevantes. Sin embargo, en la regulación del CC y de la LEC de 1881 confluyeron dos instituciones completamente diferentes, la confesión y el juramento, que se mezclaron en el siglo XIX.

> Básicamente el juramento no tenía como finalidad convencer al juez de nada, sino que era un medio formal de fijación de hechos como ciertos, pues se había invocado al declarar a Dios como testigo. El problema surgió porque la confesión se podía practicar en una doble modalidad, bajo juramento decisorio y bajo juramento indecisorio, según lo pidiera la parte. Realizándose de la primera forma, que fue históricamente el verdadero juramento religioso, los hechos quedaban fijados sea cual fuere el sentido de la declaración. Mientras que confesándose bajo juramento indecisorio estábamos ante una mera declaración de la parte que había confesado, que hacía prueba legal sólo en lo que le perjudicaba, y no en lo que le beneficiaba.

Con esta mezcolanza acaba la LEC vigente (EM XI, 7), que ya no regula esa prueba de confesión, suprime el juramento y la sustituye por el interrogatorio de parte. Se derogan además los arts. 1231 a 1239 CC por la Disp. Derogatoria 2, 1.ª LEC, y se termina igualmente con la polémica sobre su naturaleza jurídica, pues durante la vigencia de las normas anteriores, la jurisprudencia y la doctrina discutieron sobre si la confesión era un medio de prueba o un acto de disposición. Hoy debe estar completamente claro que el interrogatorio de parte sólo es un medio de prueba.

B) Concepto

El interrogatorio es la declaración que efectúan las partes, o los terceros en los casos que veremos (lo que implica entre otras cosas que la denominación de la prueba no sea muy precisa), sobre hechos y circunstancias de los que se tengan noticia y que guarden relación con el objeto del juicio (art. 301.1).

Además de esa relación, y aunque no lo diga expresamente la LEC, los hechos tienen que ser relevantes. Ello, porque utilizando esta prueba, una de las partes quiere convencer al órgano jurisdiccional de la existencia o inexistencia de ese hecho.

El interrogatorio se materializa a través de la formulación de unas preguntas, que pueden ser sobre hechos personales o no personales del declarante. El primer caso es lo normal, pero la LEC admite que un declarante conteste sobre hechos no personales, en cuyo caso éste responderá según sus conocimientos, dando razón del origen de éstos, en los términos del art. 308, I.

C) Clases

El interrogatorio de las partes puede clasificarse atendiendo a varios criterios. Apartándonos de la sistemática de la LEC, que no ordena correctamente este importante punto, habría que distinguir entre el interrogatorio de personas físicas y el interrogatorio de personas jurídicas.

a) Interrogatorio de personas físicas, en el que la LEC distingue a su vez tres posibilidades:

1.ª) Declaración de parte contraria: Es el supuesto normal, implícito en numerosos preceptos, básicamente en el art. 301.1. Una parte solicita el interrogatorio de la otra o de las demás, es decir, de las contrarias. Ello, porque el sujeto del interrogatorio debe ser en primer término quien es parte en el proceso. Por consiguiente, tanto el demandante como el demandado pueden interrogar y ser interrogados.

2.ª) Declaración de parte colitigante: Aquí el interrogatorio se solicita respecto a otra parte que ocupa la misma posición procesal en litisconsorcio. Para que ello sea posible, entre quien pide la prueba y el colitigante debe existir oposición o conflicto de intereses entre ambos (art. 301.1, segunda frase).

3.ª) Declaración de tercero: Que un tercero sea interrogado en el proceso puede ser necesario para no prescindir de la eficacia de la declaración, cuando los hechos no sean personales de la parte, que acepta así la responsabilidad de la declaración de tercero. La LEC lo permite en dos casos:

1") Cuando la parte legitimada, actuante en el juicio, no sea el sujeto de la relación jurídica controvertida o el titular del derecho en cuya virtud se acciona, se podrá solicitar el interrogatorio de dicho sujeto o titular (art. 301.2). Por ejemplo, en los casos de cesión de derechos, o de sustitución procesal y, en general, en los de legitimación extraordinaria.

2") En segundo lugar, que es el supuesto tradicional, también cuando el interrogatorio no se refiera a hechos personales del que contesta, pudiendo entonces este declarante proponer que conteste a la pregunta un tercero que tenga conocimiento personal de los hechos, por sus relaciones con el asunto, aceptando las consecuencias de la declaración (art. 308, I). Para que se admita esta sustitución deberá ser aceptada por la parte que hubiese propuesto la prueba. De no producirse tal aceptación, el declarante podrá solicitar que la persona mencionada sea interrogada en calidad de testigo, decidiendo el tribunal lo que estime procedente (art. 308, II).

b) Interrogatorio de personas jurídicas, distinguiendo la LEC también dos supuestos, según la parte declarante sea un ente público u otra persona jurídica privada:

1.º) Declaración de una Administración: Cuando sea parte en un proceso cualquier Administración (central, autonómica, local, institucional o corporativa) u organismo público, y el tribunal admita su declaración, conserva el privilegio de no comparecer y de no contestar oralmente a las preguntas.

> A pesar de esta alteración tan sustancial, no estamos en este caso especial ni ante prueba de informes, ni ante otro medio de prueba distinto a los enumerados legalmente, sino ante interrogatorio de parte, porque la declaración versa sobre hechos controvertidos y su valoración sigue las normas generales del interrogatorio.

En efecto, las preguntas del interrogatorio se formulan y se contestan por escrito, con base en la lista de preguntas declaradas pertinentes, de acuerdo con el procedimiento fijado en el art. 315.1. Las respuestas se leen en la vista, y las demás partes pueden formular preguntas complementarias, que responderá en forma oral su representante jurídico, si es posible, y en caso contrario de nuevo por escrito (art. 315.2). Para evitar que la Administración no responda, infringiendo el principio de colaboración con la Justicia, se configura legalmente como novedad la amenaza de la *ficta confessio* (art. 315.3 por su remisión al art. 307).

2.º) Declaración de persona jurídica o ente sin personalidad: El art. 309.1 obliga a esta clase de interrogatorio cuando la parte declarante sea una persona jurídica o ente sin personalidad, y su representante en juicio no hubiera intervenido en los hechos controvertidos en el proceso. Esta circunstancia se tendrá que alegar en la audiencia previa al juicio, y el representante deberá facilitar la identidad de la persona que intervino en nombre de la persona jurídica o entidad interrogada, para que sea citada al juicio, si bien puede serlo como testigo en el caso del art. 309.1, II. La declaración es inevitable (art. 309.2), pues no identificando a la persona que intervino en los hechos, se puede aplicar la *ficta confessio* (art. 309.3).

D) Las preguntas

El interrogatorio se funda en preguntas concretas. Para que se cumpla con la finalidad que se espera de la declaración y pueda ser valorada correctamente por el juez, la LEC configura la formulación de las cuestiones que la parte quiere saber de la siguiente manera:

1.ª) Puesto que estamos en juicios presididos por el principio de oralidad, las preguntas se formulan verbalmente en el acto del juicio o de la vista, en sentido afirmativo, y con la debida claridad y precisión (art. 302.1, primera frase).

2.ª) Queda prohibido incluir valoraciones o calificaciones, y si éstas se formulan a pesar de todo, se tendrán por no realizadas (art. 302.1, segunda frase).

> En ambos casos se desean impedir las preguntas capciosas (las que engañan al declarante) o sugestivas (las que sugieren la respuesta), impidiendo la libertad del declarante, la necesidad de su comunicación veraz, y la espontaneidad y naturalidad con la que se debe producir la declaración. La forma más grave en que una pregunta es capciosa se produce cuando en una misma «pregunta» se hace mención de más de un hecho.

3.ª) Deben recaer sobre los hechos para los que ha sido admitido el interrogatorio (art. 302.2, primera frase), a saber, los hechos controvertidos en el proceso.

> Téngase en cuenta que, además de recaer el interrogatorio sobre hechos, las partes tienen que actuar muy diligentemente a la hora de formular las preguntas, porque no será posible un segundo interrogatorio de las partes o personas a que se refiere el apartado segundo del art. 301, sobre los mismos hechos que ya hayan sido objeto de declaración por esas partes o personas (art. 314).

4.ª) Las preguntas tienen que ser declaradas admisibles por el juez, lo que se produce en el mismo acto tras su formulación (art. 302.2, segunda frase).

> La admisibilidad queda condicionada a que la pregunta sea idónea, pertinente y útil para la averiguación o aclaración de la controversia que configura fácticamente el objeto del proceso (en cualquier caso, y no sólo respecto a las preguntas nuevas, como parece desprenderse del art. 306.1 in fine, en relación con el art. 283 LEC, y en consonancia con el art. 24.2 CE).

Siendo declarada pertinente la pregunta expresa o tácitamente, en el mismo acto oral y una vez se ha formulado, la parte que ha de contestarla o su abogado pueden impugnarla, de acuerdo con el art. 303 LEC. Este precepto no da razones, pero indiscutiblemente tiene que estar fundada la oposición en que no se cumplen los requisitos anteriormente indicados («sean improcedentes»), debiendo explicar el porqué («hacer notar las valoraciones y calificaciones»). En similares términos se expresa el art. 306.3 LEC respecto a nuevas preguntas.

> Aunque la LEC no lo diga expresamente, si triunfa la oposición, la pregunta debe tenerse por no realizada (art. 303 in fine), y si fracasa, la respuesta es inelu-

dible, sin perjuicio de que pueda luego debatirse en apelación sobre su declaración de tenerla por no hecha.

E) Procedimiento probatorio

a) Solicitud

El interrogatorio solamente puede ser pedido por quien sea parte en cuyo proceso pretende utilizarse la declaración, y así lo confirma el art. 301.1.

Salvo lo que decimos a continuación, no existen más particularidades procedimentales con relación a este medio de prueba, por lo que se aplicarán las normas generales vistas en la lección anterior: Proposición oral del medio de prueba al final de la audiencia previa en el juicio ordinario (art. 429.1), y en la vista del juicio verbal (art. 443.4), expresando con la debida separación este medio de prueba (art. 284, I), admisión oral (art. 285), y práctica en el acto del juicio o de la vista, conforme a las normas generales del art. 289.

b) Facultades del juez

Además de las partes y sus abogados que formulan las preguntas del interrogatorio, como es natural, también puede el juez interrogar a la parte o persona que declara, con la finalidad de obtener aclaraciones y adiciones (art. 306.1, II).

Este precepto plantea dos problemas de interés:

1.º) El primero consiste en que esta facultad se ubica exclusivamente en el supuesto de preguntas nuevas («una vez respondidas las preguntas», dice el art. 306.1 al principio, se podrán hacer «nuevas preguntas»), con lo que se plantea la duda de si el juez, directamente al comienzo de la vista, y sin perjuicio del derecho de las partes de interrogar, puede comenzar él el interrogatorio preguntando lo que desee acerca de los hechos controvertidos. Si atendemos al papel del juez en el proceso civil, la facultad judicial únicamente sería factible cuando las partes ya hubieran preguntado y se hubiera respondido a las preguntas. Lo contrario sería dar cauce a un juez inquisidor, totalmente contrario a nuestro sistema de enjuiciamiento civil.

2.º) El segundo tema hace referencia a quién puede preguntar primero cuando se han dado las respuestas iniciales, si el juez o las partes. Como no se indica el orden en ese párrafo, a diferencia de lo que ocurre con las partes, entendemos que el juez debe ser el que interrogue el último, pues se trata con sus preguntas sólo de «aclaraciones y adiciones», lo que supone que ha acabado ya el interrogatorio de las partes. Debe tenerse en cuenta que las preguntas nuevas (que no fueran aclaración o complemento de una respuesta anterior) hechas por el juez no pueden llegar a suponer la introducción de hechos en el proceso por el órgano jurisdiccional, porque ello es contrario a los principios informadores del proceso civil y del papel del juez en el mismo.

c) Lugar

La declaración de las partes y personas obligadas se realiza normalmente en la sede del órgano jurisdiccional, por la obvia razón de que es allí donde tiene lugar oralmente el acto del juicio o vista, y así se declara expresamente en el art. 169.4, I, pero a veces no es posible.

En concreto ello sucede en los siguientes casos:

1.º) Interrogatorio en el domicilio del declarante: En caso de que por enfermedad o dándose circunstancias especiales, la persona que haya de contestar a las preguntas no pudiera comparecer en la sede del tribunal, a instancia de parte o de oficio, la declaración se podrá prestar en el domicilio o residencia del declarante ante el juez o miembro del tribunal que corresponda que corresponda, en presencia del letrado. Si las circunstancias no lo hicieran imposible o sumamente inconveniente, al interrogatorio domiciliario podrán concurrir las demás partes y sus abogados. Pero si, a juicio del juez, la concurrencia de éstos y aquéllas no resultare procedente teniendo en cuenta las circunstancias de la persona y del lugar, se celebrará el interrogatorio a presencia del juez y del letrado, pudiendo presentar la parte proponente un pliego de preguntas para que, de ser consideradas pertinentes, sean formuladas por el juez (art. 311), debiendo constar en acta en los términos del art. 312.

2.º) Declaración por auxilio judicial: Se acude al auxilio judicial para su práctica, si se está en alguno de los casos del art. 169.4, II, y siempre teniendo en cuenta que se prefiere el interrogatorio con inmediación.

d) Cargas del declarante

Las cargas que tiene el interrogado son tres:

1.ª) Comparecer: Puesto que es un acto personal de parte (o de tercero), ésta debe comparecer personalmente para escuchar las preguntas y responderlas. Para ello deberá ser citada correctamente, una sola vez, pudiendo ser sancionada en caso contrario con multa y con tener por admitidos los hechos personales que le sean perjudiciales, de lo que será apercibida (arts. 292.4 y 304). Naturalmente, es posible que la incomparecencia esté justificada, en cuyo caso la vista ha de suspenderse, conforme al art. 188.1, 4.º;

2.ª) Declarar: El interrogado debe contestar a las preguntas, pudiendo ser considerados los hechos, frente a su negativa a hacerlo, o si da respuestas evasivas o inconcluyentes, como ciertos, si fueren personales y le resultaran perjudiciales, salvo que se ampare en una obligación legal de guardar secreto (art. 307); y

3.ª) Además de comparecer y declarar, el interrogado debe responder a las preguntas categóricamente de acuerdo con el modo previsto en el art. 305, al que nos referiremos enseguida.

e) Interrogatorio cruzado

Una de las novedades de la LEC, que venía exigida al ser un acto totalmente oral, es la prescripción de que el acto del interrogatorio de las partes se desarrolle al modo como se practica en Estados Unidos (*cross examination* o «cruzado»), y entre nosotros «libre» (EM LEC XI, 7), es decir, preguntando una parte después de la otra de manera recíproca sin sujeción a rigideces formales, de manera que la declaración surja espontánea y cómodamente (art. 306.1 y 2).

> Se ha procedido a la supresión del «pliego de posiciones» (escrito de parte en el que se contenían las preguntas que debían hacerse a la parte contraria), aunque el mismo sigue existiendo en el interrogatorio domiciliario (art. 311.2), en el realizado por auxilio judicial (art. 313) y en el privilegio de los organismos públicos (art. 315).

f) Modo de responder al interrogatorio

La LEC es muy clara al respecto estableciendo cómo se responde y de qué tenor han de ser las respuestas:

1.º) La parte interrogada responderá por sí misma, sin valerse de ningún borrador de respuestas.

> Ante las dificultades que ello puede suponer en ciertos casos, dado que a nadie se le puede exigir una memoria portentosa, el juez puede permitirle consultar en el acto documentos y notas o apuntes (art. 305.1).

2.º) Las respuestas serán afirmativas o negativas y, de no ser ello posible según el tenor de las preguntas, serán precisas y concretas. El declarante podrá agregar, en todo caso, las explicaciones que estime convenientes y que guarden relación con las cuestiones planteadas (art. 305.2).

g) Incomunicación de los declarantes

Norma previsora de gran importancia, el art. 310 dispone que cuando sobre unos mismos hechos controvertidos hayan de declarar dos o más partes o terceros, se adoptarán las medidas necesarias para evitar que puedan comunicarse y conocer previamente el contenido de las preguntas y de las respuestas, lo que también habrá que hacer cuando deban ser interrogados varios litisconsortes. No debe bastar con habilitar cualquier sala al respecto, v.gr., la de espera, sino que la incomunicación ha de ser real y efectiva.

F) Valoración

Explicados en la lección anterior los criterios generales de valoración, hay que decir ahora que la prueba de interrogatorio de parte no se somete a un sistema de valoración único, pues cabe tanto la legal como la libre.

a) Las *reglas legales* de valoración de la prueba de interrogatorio de la parte son tres, una en función de lo declarado, y las otras dos como consecuencia de ciertas conductas no debidas del obligado a declarar:

1.ª) Si no lo contradice el resultado de las demás pruebas, en la sentencia se considerarán ciertos los hechos que una parte haya reconocido como tales, si en ellos intervino personalmente y su fijación como ciertos le es enteramente perjudicial (art. 316.1). Por tanto, los hechos desfavorables reconocidos pasan a formar parte de la sentencia.

> La novedad, importante, reside en que la valoración deja de ser legal si los resultados probatorios quedan contradichos por otras pruebas, v.gr., la testifical o la documental, aun a pesar del reconocimiento de los hechos en los que intervino personalmente por la parte. Dándose esta contradicción, la valoración es libre. Esto es consecuencia en cierta manera de la práctica anterior a la LEC, que exigía alejarse del automatismo de la regla legal, si una apreciación conjunta de la prueba desmentía fundadamente el reconocimiento o admisión de hechos (EM LEC XI, 8).

2.ª) Si la parte citada para el interrogatorio no compareciere en la vista o juicio, el juez podrá considerar reconocidos como ciertos los hechos en que dicha parte hubiese intervenido personalmente y cuya fijación como ciertos le sea enteramente perjudicial, además de imponerle la multa prevista en el art. 304.

3.ª) Si la parte llamada a declarar se negare a hacerlo, el tribunal la apercibirá en el acto de que, salvo que concurra una obligación legal de guardar secreto, puede considerar reconocidos como ciertos los hechos a que se refieran las preguntas, siempre que el interrogado hubiese intervenido en ellos personalmente y su fijación como ciertos le resultare perjudicial en todo o en parte (art. 307.1).

b) En todo lo demás, el sistema que rige es el de *valoración libre* de esta prueba, o reglas de la sana crítica (art. 316).

II. LA PRUEBA DOCUMENTAL

El paso del tiempo ha ido resaltando que el proceso civil sigue siendo el reino del documento, aunque éste va acomodándose a las nuevas circunstancias.

A) Concepto

El documento adquiere una extraordinaria importancia cuando constituye el medio principal de fijar la contratación originada por el tráfico jurídico de nuestros tiempos. Las partes contratantes no piensan en los futuros procesos a la hora de estampar por escrito sus estipulaciones, y en este sentido se dice que la prueba documental tiene carácter preconstituido, pero lo cierto es que de tenerse que llegar al proceso, el documento es un magnífico instrumento para formar la convicción del juez.

Cualquier definición de documento es válida siempre que refleje a su autor, al material y su contenido. Así, podríamos decir que documento es un objeto, por tanto, algo material, de naturaleza real, en el que consta por escrito una declaración de voluntad de una persona o varias, o bien la expresión de una idea, pensamiento, conocimiento o experiencia.

> Esta definición doctrinal, basada en un concepto de escritura con relación al documento que influye claramente las normas del CC al respecto, tiene hoy más sentido, pues los otros medios, como por ejemplo las películas y otros avances tecnológicos de nuestra época, que en la etapa legislativa anterior no se contemplaban expresamente y que se equiparaban a los documentos para favorecer su aportación al proceso, tienen hoy su propio cauce (arts. 382 a 384 LEC).

La prueba documental tiene normas conformadoras en varios cuerpos legales, pues no sólo se regula en la LEC, su sede natural, sino también en el CC (por cierto, de los arts. 1216 a 1230, en los que se fijan las reglas a que se someten los documentos públicos y privados, sólo se ha derogado por la Disp. Derogatoria 2, 1.º LEC el art. 1226, a pesar de que hay otros muchos que no son sustantivos, sino procesales), en el CdC, en la Ley del Notariado de 1862, y en el Reglamento Notarial de 1944.

B) Clases

La doctrina establece siempre, a la hora de estudiar este medio de prueba, unas clasificaciones de los documentos más o menos completas.

> Se habla así, en general, por un lado, de *documentos notariales, judiciales y administrativos*, teniendo en cuenta el funcionario que autoriza el documento: El notario, el juez, o un funcionario administrativo; por otro, se habla también de *documentos auténticos, indubitados, legítimos y legalizados*, de acuerdo con la

relación entre determinada cualidad del sujeto que autoriza el documento, y un acto procesal particular; también se habla de *documentos constitutivos y testimoniales*, según se contenga un determinado acto o negocio jurídico, o se limiten a proporcionar un dato o extremo relativo a un negocio jurídico; de documentos extranjeros y autonómicos, en función del país de origen y lengua; y finalmente, de *documentos públicos y privados*.

Esta clasificación en públicos y privados es la tradicional, y así se reconoce expresamente como medio de prueba por la LEC en ambos casos, documentos públicos (art. 299.1, 2.°), y documentos privados (art. 299.1, 3.°), estando pensada en función de los sujetos que intervienen en el documento. La forma del documento y el sujeto que lo autoriza califican al documento público; por el contrario, el que no reúne solemnidades específicas ni está autorizado por funcionario competente, es el documento privado.

a) *Públicos*

Conforme al art. 1.216 CC «son documentos públicos los autorizados por un Notario o empleado público competente, con las solemnidades requeridas por la ley». La LEC realiza una enumeración de los documentos que considera públicos.

En efecto, de acuerdo con el art. 317: A efectos de prueba en el proceso, se consideran documentos públicos:

1.°. Las resoluciones y diligencias de actuaciones judiciales de toda especie y los testimonios que de las mismas expidan los Letrados Judiciales.

2.°. Los autorizados por Notario con arreglo a Derecho.

3.°. Los intervenidos por Corredores de Comercio Colegiados (hoy notarios) y las certificaciones de las operaciones en que hubiesen intervenido, expedidas por ellos con referencia al Libro Registro que deben llevar conforme a Derecho.

4.°. Las certificaciones que expidan los Registradores de la Propiedad y Mercantiles de los asientos registrales.

5.°. Los expedidos por funcionarios públicos legalmente facultados para dar fe en lo que se refiere al ejercicio de sus funciones.

6.°. Los que, con referencia a archivos y registros de órganos del Estado, de las Administraciones públicas o de otras entidades de Derecho público, sean expedidos por funcionarios facultados para dar fe de disposiciones y actuaciones de aquellos órganos, Administraciones o entidades.

b) *Públicos extranjeros*

La LEC hace una referencia específica de los documentos públicos extranjeros, que son aquéllos a los que, en virtud de tratados o convenios internacionales o de leyes especiales, haya de atribuírseles la fuerza probatoria prevista en el artículo 319 (art. 323.1).

Cuando no sea aplicable ningún tratado o convenio internacional ni ley especial, se considerarán documentos públicos los que reúnan los requisitos fijados en el art. 323.2: 1) Que en el otorgamiento o confección del documento se hayan observado los requisitos que se exijan en el país donde se hayan otorgado para que el documento haga prueba plena en juicio; y 2) Que el documento contenga la legalización o apostilla y los demás requisitos necesarios para su autenticidad en España.

Si los documentos extranjeros contienen declaraciones de voluntad, el art. 323.3 establece una regla probatoria legal, pues se tiene por probada la existencia de éstas, pero no su contenido, porque su eficacia será la que determinen las normas españolas y extranjeras aplicables en materia de capacidad, objeto y forma de los negocios jurídicos.

c) Privados

Explicado anteriormente el concepto de documento, determinar cuáles de ellos tienen naturaleza de privado es fácil si se opera por vía negativa, pues son documentos privados todos aquéllos que no son públicos (art. 324 LEC); por tanto, los que no interviene un funcionario público, teniendo en cuenta que también lo son los documentos públicos defectuosos (art. 1.223 CC).

Los documentos privados, por otra parte, son imposibles de clasificar, ya que no se exigen requisitos de forma, ni siquiera que estén firmados. La LEC tan sólo hace referencia, como variedad, a los libros de los comerciantes, remitiéndose a las leyes mercantiles (art. 327).

d) Documentos electrónicos

La Ley 59/2003, de 19 de diciembre, de firma electrónica, regula en su art. 3.6 el documento electrónico, que puede ser público o privado. Como tal tiene el mismo valor que éstos (art. 3.7), y el soporte en el que se hallen los datos firmados electrónicamente será admisible como prueba documental en juicio (art. 3.8), lo que tiene mucha trascendencia en el caso de contratos celebrados por vía electrónica (art. 24.2 de la Ley 34/2002, de 11 de julio, de servicios de la sociedad de la información y de comercio electrónico). Como es de suponer, estas previsiones son particularmente relevantes respecto a los documentos notariales (art. 17 bis de la Ley del Notariado de 1862, introducido por la Ley 24/2001, de 27 de diciembre) y procesales (arts. 27 y 28 de la Ley 18/2011, de 5 de julio, reguladora del uso de las tecnologías de la información y la comunicación en la Administración de Justicia).

C) Procedimiento probatorio

La prueba documental tiene un procedimiento probatorio muy simple, que puede reducirse prácticamente a la presentación del documento por la parte. Cuando la parte que desea utilizar un documento no dispone del mismo aparece la exhibición.

Debe estarse igualmente a las previsiones de la Ley 42/2015, de 5 de octubre, sobre la obligatoriedad de presentación de escritos y documentos por medios telemáticos, especialmente la reforma de los arts. 162 LEC y concordantes que implica (ver lecciones 17ª y 18ª del tomo I de esta obra).

a) Momento de la presentación

Cuando la parte dispone del documento que desea presentar debe acompañarlo a la demanda y a la contestación a la misma. Esos son los momentos ordinarios de la presentación, y la consecuencia de no hacerlo así es que no podrá ya presentarse en un momento posterior (arts. 265 y 269).

> Frente a la regla general anterior existen dos excepciones:
>
> 1.ª) Podrá el actor presentar en la audiencia previa del juicio ordinario o en la vista del juicio verbal los documentos cuya relevancia se haya puesto de manifiesto a consecuencia de las alegaciones efectuadas por el demandado al contestar a la demanda (arts. 265.3 y 272).
>
> 2.ª) Cualquiera de las partes podrá presentar fuera del momento preclusivo anterior, pero no después del juicio (ordinario) o vista (verbal) (art. 271.1, con las excepciones del párrafo 2), los documentos que se encuentren en alguno de los casos del art. 270: 1.º) Ser de fecha posterior a la demanda o a la contestación o, en su caso, a la audiencia previa al juicio, siempre que no se hubiesen podido confeccionar ni obtener con anterioridad a dichos momentos procesales; 2.º) Tratarse de documentos anteriores a la demanda o contestación o, en su caso, a la audiencia previa al juicio, cuando la parte que los presente justifique no haber tenido antes conocimiento de su existencia; y 3.º). No haber sido posible obtener con anterioridad los documentos, por causas que no sean imputables a la parte, siempre que haya hecho oportunamente la designación a que se refiere el apartado segundo del artículo 265, o en su caso, el anuncio al que se refiere el número 4.º del apartado primero del artículo 265 de la presente Ley.

b) Forma de la misma

Atendida las clases de documentos es distinto el modo de aportación al proceso:

1.º) Públicos: Estos documentos se aportan al proceso por medio de copia auténtica (notariales), certificación (administrativos) o testimonio (judiciales), quedando el original en el protocolo o archivo correspondiente. Sólo en algunos casos excepcionales se presenta en original (póliza de contratos mercantiles).

> Este tipo de documentos puede presentarse en copia simple, que surtirá pleno valor probatorio si no se impugna su autenticidad. Impugnada se llevará a la actuaciones el original, la copia, o la certificación (art. 267).

2.º) Privados: Se presentarán en original.

> Cabe también la presentación en copia autenticada por fedatario público (art. 268.1) e, incluso, en copia simple, con pleno valor probatorio si la parte contraria no impugna la conformidad de la copia con el original (art. 268.2).

En general debe tenerse en cuenta: 1°) Que es posible una presentación de los documentos públicos y de los privados, además de en formato papel, en soporte electrónico a través de imagen digitalizada incorporada como anexo, que habrán de ir firmados mediante firma electrónica reconocida (reforma de varios preceptos de la LEC operada por la Ley 41/2007, de 7 de diciembre); y 2°) Que si la parte no dispone de la copia, certificación o testimonio o del original privado, la presentación puede consistir en la designación del protocolo o archivo, expediente o registro en que se encuentra el original, si bien el art. 265.2 es restrictivo sobre esta posibilidad.

> Requisito especial es el relativo a la lengua. El art. 144 LEC se refiere a los documentos redactados en idioma que no sea el castellano o, en su caso, la lengua oficial propia de la Comunidad de que se trate, exigiendo que el documento se presente con la traducción del mismo. Para los documentos en lengua oficial propia de la Comunidad debe estarse al art. 142.4 LEC (el art. 231 LOPJ no ha sido derogado).

c) Impugnación de la autenticidad

En la prueba documental prácticamente no existe actividad probatoria distinta de la presentación. Por eso el art. 289.3 dice que se llevará a cabo ante el letrado de la administración de justicia la presentación de documentos, con lo que no son necesarias ni la inmediación ni la presencia judicial. Esa actividad aparece realmente sólo cuando se impugna por la parte el documento presentado por la contraria.

En general debe tenerse en cuenta que las partes han de pronunciarse sobre los documentos aportados de contrario en la audiencia previa, en la que han de manifestar si los admite, impugna o reconoce o si, en su caso, propone prueba acerca de su autenticidad (art. 427.1) y también que si no se realiza la impugnación tendrán pleno valor probatorio (art. 318 para los públicos y art. 326.1 para los privados).

1.°) Públicos: La impugnación puede referirse a aspectos muy distintos. Esos aspectos atienden al objeto de lo impugnado:

1") La correlación de la copia auténtica, de la certificación o del testimonio con el original: La autenticidad se establecerá por el cotejo que realizará el letrado de la administración de justicia de conformidad con lo establecido en al art. 320. Se trata de comparar la copia, certificación o testimonio con el original para ver si aquéllos coinciden con éste o si están completos. Y ello aunque se hayan presentado en soporte electrónico, informático o digital.

> Cuando lo que se presentó en juicio fue el original, caso de las pólizas de los contratos mercantiles intervenidas por notarios, no es posible el cotejo y entonces el art. 320 habla de comprobación, es decir, de que el original de la póliza coincida con los datos esenciales de la misma que el notario hubo de hacer constar en Libro registro.
>
> En algunos casos el cotejo o la comprobación es imposible, y entonces los documentos tienen que hacer prueba sin necesidad de uno u otra, aunque puede ser posible el cotejo de letras, que es cosa distinta (art. 322).

2") La falsedad del documento original, bien se haya presentado por la parte, bien se trate del que consta en protocolo o archivo. Con ello aparece la cuestión prejudicial penal regulada en el art. 40.4 (lección 2.ª).

> La impugnación del documento puede referirse a su falsedad ideológica, es decir, a que lo que se dice en el mismo no se corresponde con la realidad, pero en este caso, al no tratarse ni de la autenticidad ni de la falsedad formal, esa falsedad ha de demostrarse en el mismo proceso y por los demás medios de prueba.

2.°) Privados: Estos documentos se presentan normalmente en original y la impugnación (sin perjuicio de la posibilidad de alegar la falsedad del documento privado, lo que dará lugar a la cuestión prejudicial prevista en el art. 40.4 LEC), se referirá a su carencia de autenticidad. Formulada la impugnación debe acudirse, bien al cotejo de letras (que es una prueba pericial específica, arts. 349 a 351), bien a cualquier medio de prueba que se estime útil y pertinente al efecto (art. 320.2).

> Dado el deber de las partes de pronunciarse sobre la autenticidad de los documentos presentados por la contraria precisamente en la audiencia previa (o en la vista si se trata de juicio verbal), normalmente no habrá lugar al llamado reconocimiento del documento por la parte a quien perjudica. En esa audiencia la parte o admite el documento o lo impugna, no debiéndole admitirse respuestas evasivas. Al reconocimiento se sigue refiriendo el art. 289.3 para decir que es acto que se realiza ante el letrado de la administración de justicia (sin inmediación ni presencia judicial) y habrá que entender que ese reconocimiento es posible cuando el documento privado se ha presentado después de la audiencia previa.

Supuesto especial es el de las copias reprográficas (es decir, de la foto-copias) para el que el art. 334 prevé que si la parte a quien perjudiquen impugna la exactitud de la reproducción se procederá al cotejo con el original, aunque es posible que las partes propongan prueba pericial. Si no puede establecerse la correlación de la fotocopia con el original su valor probatorio se determinará por las reglas de la sana crítica.

Téngase en cuenta que la impugnación de un documento electrónico privado o de la autenticidad de su firma electrónica, se realiza de acuerdo con el art. 3.8 Ley 59/2003, de 19 de diciembre, de firma electrónica, cit., que ha añadido un nuevo ap. 3 al art. 326 LEC.

D) Exhibición de documentos

En todo lo anterior hemos partido del presupuesto de que la parte que quiere presentar un documento como medio de prueba dispone del mismo o, en último caso, que ese documento puede presentarse por el medio que es la designación del protocolo, archivo o registro en que se encuentra. La situación es distinta cuando la parte no puede disponer del documento, y para la misma los arts. 328 a 333 prevén la obligación de exhibir, que puede referirse a:

a) Las partes

Cada parte podrá solicitar de las demás la exhibición de documentos que no se hallen a disposición de la primera y que se refieran a los hechos objeto del proceso o a la eficacia de otros medios de prueba (art. 328.1).

> En los procesos seguidos por infracción de un derecho de propiedad indus-trial o de un derecho de propiedad intelectual, cometida a escala comercial, la solicitud de exhibición podrá extenderse, en particular, a los documentos banca-rios, financieros, comerciales o aduaneros producidos en un determinado perío-do de tiempo y que se presuman en poder del demandado. La solicitud deberá acompañarse de un principio de prueba que podrá consistir en la presentación de una muestra de los ejemplares, mercancías o productos en los que se hubiere materializado la infracción. A instancia de cualquier interesado, el tribunal podrá atribuir carácter reservado a las actuaciones, para garantizar la protección de los datos e información que tuvieran carácter confidencial (art. 328.3).

Procedimentalmente es necesaria una solicitud de exhibición, que podrá hacerse bien por escrito, bien oralmente en la audiencia previa. Dados los efectos de la negativa a exhibir, la parte solicitante presentará copia simple del documento, si dispone de ella, o, en caso contrario, indicará en los términos más exactos posibles el contenido del documento.

Ante ese requerimiento, que se realizará normalmente en la forma prevista en el art. 161, aunque nada impide que sea oral en la audiencia previa, la parte requerida puede:

1.°) Atenderlo y exhibir el documento: La exhibición supone, no la aportación del documento a las actuaciones, sino la realización de testimonio del mismo por el letrado, pudiendo la parte obligada exigir que ese testimonio se libre en su propio domicilio.

2.°) No exhibirlo con negación injustificada: El tribunal, tomando en consideración las restantes pruebas, podrá atribuir valor probatorio a la copia simple presentada por el solicitante de la exhibición o a la versión que del contenido del documento hubiese dado (art. 329.1).

> Siempre en el caso de negativa injustificada, el tribunal, en lugar de lo antes dispuesto, podrá formular requerimiento, mediante providencia, para que los documentos cuya exhibición se solicitó sean aportados al proceso, cuando así lo aconsejen las características de dichos documentos, las restantes pruebas aportadas, el contenido de las pretensiones formuladas por la parte solicitante y lo alegado para fundamentarlas (art. 329.2).

3.°) No exhibirlo justificadamente: Si la negativa puede ser injustificada es porque también podrá ser justificada, en cuyo caso no habrá lugar a las consecuencias negativas indicadas en el art. 329.

b) Terceros

Partiendo de que no son terceros a estos efectos los titulares de la relación jurídica controvertida, o de las que sean causa de ella, aunque no figuren como partes en el juicio, el art. 330 se muestra reacio a imponer a los terceros el deber de exhibir documentos que sean de su propiedad y por eso dice que sólo se les requerirá a hacerlo cuando, habiéndolo pedido una de las partes, el tribunal entienda que el conocimiento del documento resulta trascendente a los fines de dictar sentencia.

> Para determinar esa trascendencia el tribunal ordenará la comparecencia personal del tercero y, tras oírle, resolverá lo procedente. Si desestima la petición de la parte no cabe recurso alguno, pero la parte podrá reproducir la petición en la segunda instancia, al recurrir contra la sentencia. Si estima la petición, ordenará al tercero exhibir el documento, pero le impondrá presentarlo en el tribunal, por lo que el letrado procederá a testimoniarlo en el domicilio del tercero.

Lo que no se resuelve en el art. 330 es qué sucede si, a pesar de todo, el tercero incumple el mandado judicial de exhibición, siendo dudoso que quepa hablar de mandato de entrada y registro domiciliario o de delito de desobediencia.

c) *Entidades de Derecho público*

Deben entenderse incluidas en este apartado todas las entidades de Derecho público y todas las entidades y empresas que realicen servicios públicos o estén encargadas de actividades de cualquier administración. Todas ellas no podrán negarse a expedir las certificaciones o testimonios que les sean solicitados por los tribunales ni oponerse a exhibir los documentos que obren en sus dependencias y archivos, excepto cuando se trate de prueba documental legalmente declarada o clasificada como de carácter reservado o secreto (art. 332).

> En todos los casos anteriores de partes, terceros y entidades de Derecho público, tratándose de dibujos, fotografías, croquis, planos, mapas y otros documentos que no incorporen predominantemente textos escritos, dispone el art. 333 que si únicamente existiese el original, la parte podrá solicitar que en la exhibición se obtenga copia, a presencia del letrado, que dará fe de ser fiel y exacta reproducción del original; y si se aportan en forma electrónica, las copias realizadas por la Oficina Judicial tendrán la consideración de copias auténticas.

E) Valoración

Estamos ante otro caso, como vimos en la prueba de interrogatorio de las partes, en el que coexisten el sistema de libre valoración de la prueba con el sistema de prueba tasada:

a) *Documentos públicos*

El tema reviste cierta complejidad, porque el documento público es un medio de prueba cuyo valor viene determinado por la ley, es decir, estamos ante una prueba tasada, pero no siempre ni con extensión ilimitada. Al respecto hay que tener claras las siguientes reglas:

1.ª) Para que tengan los documentos públicos el valor probatorio legal que ahora explicaremos, se han de aportar al proceso en original, o por copia o certificación fehaciente, o copia simple no impugnada, o impugnada sin éxito (art. 318 LEC). En caso de que se haya expedido testimonio o certificación fehacientes de sólo una parte de un documento, no hará prueba plena mientras no se complete con las adiciones que solicite el litigante a quien pueda perjudicarle (art. 321 LEC).

> La legislación específica precisa estas cuestiones:
> 1) Dado que el notario, tratándose de escrituras públicas, tiene constancia personal de la fecha y del hecho que motiva su otorgamiento, estos datos hacen prueba incluso contra tercero (art. 1218, I CC), salvo la excepción prevista en el art. 1219 CC, conforme al cual: «Las escrituras hechas para desvirtuar otra escritura anterior entre los mismos interesados, sólo producirán efectos contra

terceros cuando el contenido de aquéllas hubiere sido anotado en el registro público competente o al margen de la escritura matriz y del traslado o copia en cuya virtud hubiera procedido el tercero».

2) Habiendo intervenido en la formación del documento alguna de las partes, hace prueba legal para ellas y sus causahabientes, respecto a las declaraciones efectuadas por ellos y consignadas en el documento (art. 1218, II CC).

3) Sin embargo, si se trata de una escritura de reconocimiento de un acto o contrato anterior, no hacen prueba legal contra el documento que lo contuviera si se apartan de él por exceso o por defecto, salvo que conste expresamente la novación (art. 1224 CC).

4) Finalmente, en cuanto al valor de las copias hay que estar a lo dispuesto en los arts. 1220 y 1221 CC. Este último precepto nos dice qué copias hacen prueba cuando haya desaparecido el documento original.

2.ª) Los documentos públicos que se encuentren en el caso anterior, comprendidos en el art. 317, todos sin excepción, harán prueba plena del hecho, acto o estado de cosas que documenten, de la fecha en que se produce esa documentación y de la identidad de los fedatarios y demás personas que, en su caso, intervengan en ella (art. 319.1 LEC, regla probatoria legal).

> Recordemos, por haberlos tratado en otro lugar en esta prueba al afectar a otras cuestiones de importancia, que también se recogen reglas valorativas legales en los arts. 320 (cotejo), 321 (testimonio o certificación incompleta), 322 (documentos no susceptibles de cotejo) y 323 (documentos extranjeros) LEC, en la parte en donde no se puede prescindir de la fijación conforme a ley del documento.

3.ª) La fuerza probatoria de los documentos administrativos no comprendidos en los números 5.º y 6.º del art. 317 a los que las leyes otorguen el carácter de públicos, será la que establezcan las leyes que les reconozcan tal carácter. En defecto de disposición expresa en tales leyes, los hechos, actos o estados de cosas que consten en los referidos documentos se tendrán por ciertos, a los efectos de la sentencia que se dicte, salvo que otros medios de prueba desvirtúen la certeza de lo documentado (art. 319.2 LEC, regla probatoria también adscrita al sistema de valoración tasado).

Para todos los demás casos, es decir, documentos que pudieran calificarse de públicos no comprendidos en el listado del art. 317, o las partes de los documentos públicos recogidos en ese precepto, pero no mencionadas en el art. 319.1, rige el sistema de libre valoración o de sana crítica. La LEC se ve obligada a precisar, por la excepción que significa a favor de la libertad probatoria, que en materia de usura, los tribunales resolverán en cada caso formando libremente su convicción sin vinculación a lo establecido en el apartado primero de el art. 319 (art. 319.3 LEC).

b) Documentos privados

La fuerza probatoria del documento privado está en función de su autenticidad, bien por reconocimiento de la parte a quien perjudica, bien por cotejo de letras y firma, antes vistas. Las reglas al respecto son igualmente complejas. La LEC parte del principio de que «los documentos privados harán prueba plena en el proceso, en los términos del artículo 319, cuando su autenticidad no sea impugnada por la parte a quien perjudiquen» (art. 326.1).

> El CC precisa determinadas reglas de valor legal:
> 1.ª) De acuerdo con el art. 1225 CC, el documento privado reconocido legalmente tiene el mismo valor que la escritura pública entre los firmantes y sus causahabientes;
> 2.ª) Las garantías respecto a la fecha del documento privado se recogen, afectando a terceros, en el art. 1227 CC: Para éstos la fecha se cuenta desde el día en que el documento hubiere sido incorporado o inscrito en un registro público, desde la muerte de algún firmante o desde aquél en que se entregó a un funcionario público por razón del cargo. O sea, que ni siquiera la fecha consignada en el documento, salvo que se esté en uno de esos casos, tiene valor probatorio legal frente a terceros;
> 3.ª) Los documentos privados hechos para alterar lo pactado en escritura pública, carecen de efectos frente a terceros (art. 1230 CC); y
> 4.ª) Los documentos surgidos unilateralmente, como asientos, registros, papeles privados, notas, etc., tienen valor probatorio legal en el caso previsto en los arts. 1228 y 1229 CC.

En todos los demás supuestos no reflejados anteriormente, los documentos privados son valorados libremente por el juzgador. La LEC dice expresamente que cuando no se pudiere deducir su autenticidad o no se hubiere propuesto prueba alguna, el juez lo valorará conforme a las reglas de la sana crítica (art. 326.2, II in fine).

Legislación: Ley de Enjuiciamiento Civil (arts. 301 a 334)
Lectura: MONTERO AROCA, *La prueba en el proceso civil* (7.ª ed.), Madrid 2012.

Lección Duodécima
La prueba: Los medios de prueba en concreto (IV)

I. LA PRUEBA PERICIAL

Es una prueba de naturaleza personal.

A) Concepto de prueba pericial, naturaleza y admisibilidad: Una persona con conocimientos especializados ayuda al juez a valorar determinados hechos que exigen conocimientos especializados.

El perito es la fuente de prueba, el informe pericial el medio de prueba.

Es admisible siempre que se requieran conocimientos especializados.

B) Concepto de perito: Tercero que posee conocimientos técnicos especializados, persona física o jurídica, que no ha presenciado los hechos (salvo testigo-perito).

Es nombrado por el juez y debe aceptar el cargo.

C) Recusación y tacha del perito: Debe ser imparcial, de ahí que pueda ser recusado si es propuesto por el juez, o sometido a tacha si es propuesto por las partes.

D) Deberes y derechos del perito: El derecho básico es percibir honorarios por su actividad (arancel), a cargo de la parte proponente salvo que goce del beneficio de justicia gratuita. Los deberes son elaborar el informe, comparecer en juicio, jurar o prometer y contestar a las preguntas de las partes.

E) Procedimiento probatorio: Se articula un doble sistema: Si lo traen las partes aportan el dictamen con la demanda o contestación, antes de la audiencia previa o del juicio de manera que se permita su comparecencia, en función del proceso; si lo debe designar por sorteo el juez lo piden las partes en sus escritos iniciales, en principio.

El perito oficial es nombrado por sorteo de entre cada lista de colegiados remitida.

F) El caso particular del cotejo de letras: Procede cuando se impugne la autenticidad de un documento privado generalmente, y consiste en comparar firmas y manuscritos de un documento indubitado sobre el impugnado por un perito.

G) Valoración: Se valora libremente, pero plantea problemas que el juez discrepe del perito, pues en este caso está obligado a una motivación más cuidadosa.

II. LA PRUEBA DE RECONOCIMIENTO JUDICIAL

Es el propio juez quien realiza el acto, sin ninguna interposición de tercero.

A) Concepto y admisibilidad: El juez percibe directamente los hechos que son objeto de prueba. Procede si el juez deba reconocer algún lugar, objeto o persona.

B) Procedimiento probatorio: A solicitud de parte, el juez determina la extensión de la prueba, pudiendo acompañarle personas prácticas en la materia (peritos o testigos).

Principios de contradicción e inmediación.

Puede practicarse como prueba única o conjuntamente con otras pruebas.

C) Documentación: Acta del letrado, pero consigna lo percibido por el juez. Puede grabarse imagen y sonido, de lo que quedará constancia en el acta.

D) Valoración: No tiene norma específica. Pero:
   1. Mismo juez
   2. Juez distinto: Datos objetivos y apreciaciones subjetivas.

I. LA PRUEBA PERICIAL

El dictamen de peritos o prueba pericial es un medio concreto de prueba (art. 299.1, 4.º, LEC), en virtud del cual una persona con conocimientos especializados (científicos, artísticos, técnicos o prácticos), que el juez no tiene, ajena al proceso, los aporta al mismo para que el órgano jurisdiccional pueda valorar mejor los hechos o circunstancias relevantes en el asunto, o adquirir certeza sobre ellos (art. 335.1, primera frase). Aparece regulada básicamente en los arts. 335 a 352 LEC).

A) Concepto de prueba pericial, naturaleza y admisibilidad

La prueba pericial es, como la testifical, una prueba de naturaleza personal, puesto que es una persona, el perito, quien dictamina e informa al juez. Es útil recordar ahora que, con relación a la distinción entre fuentes y medios de prueba, el perito y sus conocimientos especializados que van a servir para la valoración judicial de los hechos es la fuente de prueba, mientras que el informe que prestará en el proceso a través del procedimiento establecido para ello es el medio de prueba. Consecuentemente, habrá que distinguir aquí también entre prueba pericial y perito.

> Ocurre sin embargo que se discute en este punto si el perito es un auxiliar del órgano jurisdiccional o, por contra, sujeto de un medio de prueba:
> 1.ª) *El perito como auxiliar del órgano jurisdiccional*: Para un sector doctrinal el perito no es sujeto de un medio de prueba porque no suministra los hechos sobre los que ha de fundarse la resolución, sino que, sobre unos hechos ya dados, complementa la capacidad de juicio del juez proporcionándole unas máximas de experiencia que desconoce o no sabe aplicar. En nuestra opinión, esta catalogación parece la más correcta.
> 2.ª) *El perito como sujeto de medio de prueba*: Otro sector no menos importante lo considera sujeto de un medio de prueba. En la prueba pericial existe, efectivamente, fase de traslación (lleva los hechos a conocimiento judicial), si consideramos la «ley extrajurídica» (máxima de la experiencia) como un hecho que ha de llevarse a conocimiento del juez. La finalidad de convencer al juez de la existencia, alcance y aplicación de la máxima de experiencia especial, se persigue alcanzarla mediante la declaración del perito.

El legislador exige, para que la prueba pericial sea *admisible*, que sean necesarios conocimientos especializados, como acabamos de ver, para valorar hechos o circunstancias relevantes. En realidad existen requisitos subjetivos y objetivos a la hora de considerar este tema:

a) En cuanto a las personas que pueden ser peritos: Más adelante estudiaremos las causas de recusación del perito. Ahora hay que tener en cuenta:

1.º) Que la intervención como perito es incompatible con la condición de juez en el mismo proceso, pues es causa de recusación (arts. 219, 5.º LOPJ, y 99.2 LEC); y

2.º) Que la parte no puede ser admitida como perito en el proceso.

b) Por lo que se refiere al objeto: Del art. 335 LEC se deduce claramente que la prueba pericial es necesaria, en principio, cuando se requieran, para fijar unos hechos o averiguar su naturaleza, determinados conocimientos científicos, artísticos, técnicos o prácticos que el juez no posee.

Por lo mismo, es evidente que el objeto de la pericia puede ser cualquiera de las ciencias o de las artes, salvo el conocimiento del Derecho, pues del mismo se presume conocedor al juez. Por ello los informes elaborados por juristas que se presentan ante los tribunales acompañando a escritos de parte, v.gr., de catedráticos de Derecho, nunca pueden ser considerados dictámenes periciales, sino escritos de ampliación de la fundamentación jurídica de aquéllos de los que traen causa, como la demanda o su contestación, como el recurso o su oposición.

> Pero la prueba pericial puede tener un carácter instrumental, pues a veces es necesario acudir a ella cuando sea necesario o conveniente para conocer el contenido o sentido de una prueba o para proceder a su más acertada valoración. Esto ocurrirá cuando se desee saber técnicamente cómo se ha obtenido determinada palabra, imagen, o sonido, o cómo se han archivado determinadas palabras, datos, cifras y operaciones matemáticas, relevantes para el proceso, o se haya llegado a resultados probatorios de utilidad por cualquier otro medio (art. 299.2 y 3). Pues bien, en estos casos, las partes, no el juez de oficio, podrán aportar o proponer dictámenes periciales sobre esos otros medios de prueba admitidos por el juez (art. 352 LEC).

Finalmente, existen determinados supuestos, muy concretos y escasos, en los que la ley obliga al juez a practicar prueba pericial, como ocurre en caso de impugnación de patentes (art. 120.7 LPat de 2015).

B) Concepto de perito

Perito es un tercero, o sea, una persona ajena al proceso, que posee unos conocimientos técnicos especializados, tenga título profesional o no, y que los vierte en el mismo tras haberlos aplicado al estudio los hechos u otros elementos objeto de prueba.

De esta definición se deducen las siguientes *características*:

1.ª) Puede ser una persona física o jurídica. Este último caso está previsto expresamente en el art. 340.2 LEC, pues cuando el dictamen pericial exija operaciones o conocimientos científicos especiales, el juez podrá pedir el informe a una academia, institución cultural o científica que se ocupe del estudio de las materias correspondientes al objeto de la pericia, o persona jurídica que esté legalmente habilitada para ello. Ahora bien, la pericia en sentido estricto ha de ser realizada materialmente por una persona física y de ahí el apartado 3 del art. 340.

2.ª) El perito no ha presenciado los hechos, o no es traído al proceso por esta circunstancia, sino que es buscado precisamente por poseer esos conocimientos técnicos especializados a que hacíamos referencia. No tiene importancia la forma y método de adquisición de los mismos, ni siquiera que posea un título oficial que le faculte para ejercer la profesión, en cuyo caso deberá ser un entendido en la materia, aunque la ley prefiera lógicamente a los titulados (art. 340.1 LEC).

En cuanto a las *condiciones para ser perito*, y en relación con las características anteriormente apuntadas, van a depender de las especialidades existentes y normativa aprobada para acceder a la titulación correspondiente. En principio, hay tantos peritos cuantas profesiones existen, si bien aquí deben excluirse obviamente las jurídicas.

El art. 340.1 LEC establece como condición general que el perito posea el título oficial que corresponda a la materia objeto del dictamen y a la naturaleza de éste, y si se trata de materias que no estén comprendidas en títulos profesionales oficiales, habrán de ser nombrados entre personas entendidas en aquellas materias.

C) Recusación y tacha del perito

La ley quiere que el perito proceda a elaborar su dictamen de una forma objetiva. Esto es básico si tenemos en cuenta la labor de auxilio al juez que realiza el perito. Pues bien, para garantizar la imparcialidad se concede a las partes el derecho de recusar a los peritos y para poner de manifiesto alguna circunstancia que pone en duda su imparcialidad aparece la tacha.

Naturalmente el perito designado por el tribunal tiene el deber de abstenerse cuando en él concurre una causa de recusación (art. 105), lo que confirma su naturaleza de auxiliar del órgano judicial.

a) *Recusación*

Si el perito, tanto el titular como el suplente, ha sido designado por el juez mediante sorteo, sólo podrá ser recusado en los términos previstos en los arts. 125 a 128 LEC (arts. 124.1 y 343.1 LEC). Con la recusación lo que se persigue es que una persona no llegue a desempeñar el cargo de perito en un proceso concreto

Las causas son las previstas en el art. 219 LOPJ, más las añadidas por el art. 124.3 LEC: 1.ª) Haber dado anteriormente sobre el mismo asunto dictamen contrario a la parte recusante, ya sea dentro o fuera del proceso; 2.ª) Haber prestado servicios como tal perito al litigante contrario o ser dependiente o socio del mismo, y 3.ª) Tener participación en sociedad, establecimiento o empresa que sea parte del proceso.

Los peritos pueden ser recusados en dos momentos distintos:

1.º) Inmediatamente (el plazo es de 2 días) se notifica la designación del perito a la parte, si la causa de recusación fuera anterior (art. 125.2, I); y

2.º) Si la causa de recusación se constituye después de la designación, pero antes de la emisión del dictamen, el escrito de recusación podrá presentarse antes del día señalado para el juicio (ordinario) o vista (verbal) o al comienzo de los mismos (art. 125.2, II).

> Después de estos plazos no podrá recusarse al perito, aunque aquellas causas de recusación existentes al tiempo de emitir el dictamen, pero conocidas después, podrán hacerse saber al juez antes de que dicte sentencia, o en segunda instancia (art. 125.3 LEC).

Para la LEC la recusación del perito es un incidente (art. 127), que tiene una tramitación específica en los arts. 125 a 127 LEC.

> Se propone por la parte mediante escrito firmado por abogado y procurador, si intervinieran en el proceso, dirigido al juez o al magistrado ponente, según los casos, expresando la causa de recusación y los medios de probarla (art. 125.1).
>
> El escrito se traslada al perito recusado y a las demás partes, manifestando aquél si es cierta o no la causa. Si es cierta y el juez considera fundado el reconocimiento, se acepta la recusación y será reemplazado por el suplente. Si el recusado es el suplente y se acepta la recusación, se procederá como dispone el art. 342 (art. 126 LEC).
>
> Si el perito niega la causa o el juez no aceptare el reconocimiento, se cita a las partes a una comparecencia, que se desarrolla de acuerdo con los trámites del art. 127, practicándose la prueba y resolviéndose el incidente de manera irrecurrible, salvo el derecho de las partes a plantear la cuestión en la instancia superior, con imposición de costas (art. 128). A la comparecencia, aunque no lo dice la norma, parece lógico citar también al perito recusado.

b) Tacha

Los peritos de las partes no pueden ser recusados, pero sí se puede alegar alguna o algunas de las tachas previstas en el art. 343. Con la tacha no se pretende impedir que una persona emita el dictamen como perito (entre otras cosas porque ya lo ha emitido y ha sido presentado), sino advertir al tribunal de la concurrencia de una circunstancia que hace poner en duda su imparcialidad, para que sea tenida en cuenta a la hora de valorar el dictamen atribuyéndole valor probatorio.

> Las circunstancias que pueden alegarse como tacha son:
>
> 1.ª) Ser cónyuge o pariente por consanguinidad o afinidad, dentro del cuarto grado civil de una de las partes o de sus abogados o procuradores.

2.ª) Tener interés directo o indirecto en el asunto o en otro semejante.

3.ª) Estar o haber estado en situación de dependencia o de comunidad o contraposición de intereses con alguna de las partes o con sus abogados o procuradores.

4.ª) Amistad íntima o enemistad con cualquiera de las partes o sus procuradores o abogados.

5.ª) Cualquier otra circunstancia, debidamente acreditada, que les haga desmerecer en el concepto profesional.

Las tachas están sometidas a un plazo preclusivo: 1.º) En los juicios verbales, no pueden formularse después de la vista; y 2.º) En los ordinarios después del juicio. Ahora bien, en los juicios ordinarios, las tachas de los peritos autores de dictámenes aportados con la demanda o con la contestación se propondrán en la audiencia previa al juicio. Al formular tachas de peritos, se podrá proponer la prueba conducente a justificarlas, excepto la testifical (art. 343.2 LEC).

> El procedimiento específico de resolución de la tacha se establece en el art. 344: Cualquier parte interesada podrá dirigirse al tribunal a fin de negar o contradecir la tacha, aportando los documentos que consideren pertinentes a tal efecto. Si la tacha menoscabara la consideración profesional o personal del perito, podrá éste solicitar del órgano jurisdiccional que, al término del proceso, declare que la tacha carece de fundamento, teniendo en cuenta el juez la tacha y su eventual negación o contradicción en el momento de valorar la prueba. Si apreciase temeridad o deslealtad procesal en la tacha, a causa de su motivación o del tiempo en que se formulara, podrá imponer a la parte responsable, con previa audiencia, una multa de 60 a 600 euros.

D) Deberes y derechos del perito

a) En cuanto a los *derechos*, el perito tiene el derecho básico de cobrar honorarios por la elaboración del dictamen, o derechos conforme al arancel correspondiente, en su caso, pudiendo solicitar provisión de fondos antes de iniciar sus tareas, a cargo de la parte que lo hubiese propuesto, siempre que ésta no goce del beneficio de asistencia jurídica gratuita, previéndose como novedad incluso que ambas partes colaboren económicamente para su ejecución si hubiese sido designado de común acuerdo (arts. 241.1, 4.º y 342.3 LEC).

> Evidentemente, los honorarios (no los derechos que se rigen por arancel) pueden ser impugnados por excesivos, en cuyo caso hay que estar a las disposiciones sobre tasación de costas (arts. 245 y 246 LEC).

b) El *deber primordial* de los peritos es elaborar el dictamen correctamente, es decir, aplicar científicamente los conocimientos profesionales adquiridos que se requieren para el caso concreto, lo que se resume en la fórmula del juramento o promesa del art. 335.2: Actuar con la mayor objetividad posible, tomando en consideración tanto lo que pueda favorecer como lo que sea susceptible de causar perjuicio a cualquiera de las partes.

Para ello tienen la obligación previa de comparecer al juicio o vista para el que hayan sido citados (arts. 292.1 y 440.1, II), comunicación que debe hacerse de conformidad con lo previsto en los arts. 159 y 160, y de jurar o prometer decir verdad, indicando que ha actuado o que va a actuar con la mayor objetividad posible, tomando en consideración tanto lo que pueda favorecer como lo que pueda perjudicar a las partes, y manifestando que conoce las sanciones penales en caso de incumplimiento de sus obligaciones (art. 335.2).

> Las sanciones penales son las del art. 459 CP, que tipifica como delito de falso testimonio el faltar a la verdad maliciosamente en el dictamen pericial, y las del art. 460 CP, que hace lo propio si sin faltar sustancialmente a la verdad, se alteran con reticencias, inexactitudes o silenciando hechos o datos relevantes que fueran conocidos por el perito.

E) Procedimiento probatorio

La novedad fundamental de la LEC en la prueba pericial consiste en articular un doble sistema de introducción del dictamen pericial y de nombramiento del perito en el proceso civil. En primer lugar y con carácter fundamental, son las partes las que lo traen a los autos, porque sobre ellas recae la carga de alegar y probar la veracidad de los hechos relevantes en que se funda su pretensión o resistencia; en segundo lugar y subsidiariamente, el perito es nombrado por el juez si así lo solicitan las partes o resulta estrictamente necesario. A partir de esta distinción clave, que ya hemos visto su repercusión al diferenciar entre recusación y tacha, la LEC quiere que la práctica de la prueba se simplifique extraordinariamente (EM XI, 14 a 17).

> La llamada pericia extrajudicial, es decir, el dictamen de profesional técnico pedido por la parte antes de iniciar el proceso con el fin, primero, de saber si es conveniente o no acudir a la reclamación judicial y, después, de acompañarlo a la demanda, ha sido algo sobradamente conocido y utilizado en la práctica, si bien siempre ha estado claro que no se trataba de prueba pericial en sentido estricto y que tampoco podía considerarse prueba documental; ni aun en el caso de que el dictamen fuera ratificado en el proceso por la declaración del profesional técnico cabía hablar de prueba testifical.
>
> El Tribunal Supremo había concluido que ese dictamen no era un medio de prueba pero, al mismo tiempo, se refería a él diciendo que no carecía totalmente de valor probatorio, pudiendo ser elemento de juicio a tener en cuenta en la valoración conjunta de la prueba, con lo que incurría en una clara contradicción, pues si ese dictamen no era un medio de prueba mal podría tener valor probatorio.
>
> Esta contradicción se resolvía teniendo en cuenta que el dictamen extrajudicial no era, efectivamente, un medio de prueba, porque no había consistido en la

actividad procesal realizada conforme a la legalidad. Ese dictamen, acompañado a la demanda o a la contestación, formaba parte del acto de alegación, estaba integrado en el mismo, era alegación, y judicialmente así tenía que ser considerado. Eran argumentaciones que podían servir para fundamentar las afirmaciones de hechos y que tenían el valor que se deducía de su fuerza de persuasión y del prestigio científico que se otorgaba a la persona o a la institución que lo firmaba.

A la vista de lo explicado, en el procedimiento probatorio debemos tener en cuenta, consecuentemente, este doble origen de la aportación, llegando un momento a partir del cual las normas de procedimiento son comunes.

a) Dictamen de perito designado por la parte

Cuando las partes estimen que son necesarios conocimientos científicos, artísticos, técnicos o prácticos para valorar hechos o circunstancias relevantes en el asunto o adquirir certeza sobre ellos, pueden aportar al proceso dictamen de peritos, posibilidad que se concreta en tres momentos procesales:

1.º) Con la demanda o la contestación: Los dictámenes de que los litigantes dispongan, elaborados por peritos por ellos designados, se aportarán con la demanda o con la contestación (art. 336.1), y ese momento de presentarlos opera preclusivamente para las dos partes (art. 336. 3 y 4).

> Los dictámenes se formularán por escrito, acompañados, en su caso, de los demás documentos, instrumentos o materiales adecuados para exponer el parecer del perito sobre lo que haya sido objeto de la pericia. Si no fuese posible o conveniente aportar estos materiales e instrumentos, el escrito de dictamen contendrá sobre ellos las indicaciones suficientes. Podrán, asimismo, acompañarse al dictamen los documentos que se estimen adecuados para su más acertada valoración (art. 336.2).
>
> Lo importante, con todo, es cómo opera la preclusión: 1) El actor no podrá presentar posteriormente dictamen pericial a no ser que justifique cumplidamente que la defensa de su derecho no ha permitido demorar la presentación de la demanda hasta haber obtenido el dictamen, lo que implica imponerle una carga de acreditación; 2) El demandado deberá justificar en la contestación a la demanda la imposibilidad de pedir el dictamen y de obtenerlo dentro del plazo para contestar y 3) Ante seguras dificultades para que el demandado pueda cumplir con ese plazo, el art. 336.5 permite acudir al juez para que le facilite ciertos exámenes de cara al posterior dictamen en los casos taxativamente determinados en él.

2.º) Antes de la audiencia previa (juicio ordinario) o de la vista (juicio verbal): Cuando el actor o el demandado no han podido aportar el dictamen pericial con la demanda o con la contestación, en esos escritos habrán de manifestar los dictámenes que en su caso pretendan presentar posteriormente, lo que habrán de hacer 5 días antes de iniciarse la audiencia previa (juicio ordinario) o antes de la vista (juicio verbal), para su traslado a la parte contraria (art. 337.1).

> Concurriendo la excepción a la preclusión para demandante o para demandado del art. 336.3 y 4, el dictamen pericial tiene un segundo momento posible de presentación.

En los dos supuestos anteriores, presentados los dictámenes, las partes habrán de manifestar si desean que los peritos autores de los dictámenes comparezcan en el juicio regulado en los arts. 431 y siguientes de esta Ley o, en su caso, en la vista del juicio verbal, expresando si deberán exponer o explicar el dictamen o responder a preguntas, objeciones o propuestas de rectificación o intervenir de cualquier otra forma útil para entender y valorar el dictamen en relación con lo que sea objeto del pleito (art. 337.2 y por remisión a él, art. 336.1, in fine).

3.°) Antes del juicio: Por último cuando la necesidad del dictamen pericial se ha puesto de manifiesto a causa de las alegaciones del demandado en la contestación a la demanda o de las alegaciones o peticiones complementarias admitidas en la audiencia previa, a tenor del art. 426, cualquiera de las partes puede aportar dictámenes periciales siempre que lo haga con al menos cinco días de antelación a la celebración del juicio o vista en los procesos verbales con contestación a la demanda por escrito (art. 338).

> También aquí pueden las partes pedir que concurra el o los peritos al juicio, conforme a lo dispuesto en el art. 337.2, y además el tribunal puede acordar de oficio la presencia de los peritos en el juicio.

b) Dictamen de perito designado por el tribunal

Este dictamen cabe ante tres situaciones diferentes:

1.ª) Asistencia jurídica gratuita: Cuando cualquiera de las partes sea titular de este derecho no tendrá que acompañar a la demanda o a la contestación dictamen pericial, sino sólo anunciarlo a los efectos de que se proceda a la designación judicial de perito, conforme a lo dispuesto en la Ley de Asistencia Jurídica Gratuita.

2.ª) A propuesta de las partes: La designación judicial del perito y el dictamen pericial puede solicitarse por las partes en dos momentos distintos:

1") En la demanda y en la contestación: Pueden las partes pedir esta designación cuando lo consideren conveniente o necesario para sus intereses (art. 339.2).

> En este caso, si el tribunal estima pertinente y útil el dictamen pericial procederá a la designación de perito, a costa de quien lo haya pedido o de las dos por mitad si ambas lo han pedido (sin perjuicio de la posterior condena en costas).

Esta designación judicial deberá realizarse en el plazo de cinco días desde la presentación de la contestación a la demanda.

2") Por alegaciones o peticiones complementarias: Sólo por alegaciones o peticiones complementarias, es decir, no contenidas en la demanda, puede pedirse en un momento posterior la designación judicial de perito, acordándolo el juez siempre que considere pertinente y útil el dictamen, y si estamos en un juicio verbal y el dictamen se ha pedido en la vista, se interrumpirá ésta hasta que se realice el dictamen (art. 339.3).

En los dos casos anteriores se procederá, en principio, a la designación de un único perito por cada cuestión o conjunto de cuestiones, y se designará primero a la persona o entidad en que las partes se hubieran puesto de acuerdo.

3.ª) De oficio por el tribunal: La prueba pericial puede acordarse de oficio por el tribunal sólo en los procesos sobre declaración o impugnación de la filiación, paternidad y maternidad, capacidad de las personas y matrimoniales (art. 339.5).

c) Designación y nombramiento del perito

Hemos dicho que es posible que las partes se pongan de acuerdo en la persona o entidad que debe emitir el dictamen pericial, cuando se trata de dictamen de perito designado por el tribunal. En caso contrario, el art. 341 prevé el procedimiento para la designación judicial del perito.

El procedimiento es el siguiente: En el mes de enero de cada año se interesará de los distintos Colegios profesionales o, en su defecto, de entidades análogas, así como de las Academias e instituciones culturales y científicas a que se refiere el apartado segundo del artículo anterior el envío de una lista de colegiados o asociados dispuestos a actuar como peritos. La primera designación de cada lista se efectuará por sorteo realizado en presencia del letrado, y a partir de ella se efectuarán las siguientes designaciones por orden correlativo. Cuando haya de designarse perito a persona sin título oficial, práctica o entendida en la materia, previa citación de las partes, se realizará la designación por el procedimiento establecido en el apartado anterior, usándose para ello una lista de personas que cada año se solicitará de sindicatos, asociaciones y entidades apropiadas, y que deberá estar integrada por al menos cinco de aquellas personas. Si, por razón de la singularidad de la materia de dictamen, únicamente se dispusiera del nombre de una persona entendida o práctica, se recabará de las partes su consentimiento y sólo si todas lo otorgan se designará perito a esa persona (art. 341).

El perito designado judicialmente, antes de elaborar el dictamen, debe manifestar si acepta el cargo. En caso afirmativo, se efectuará el nombramiento y el perito hará, en la forma en que se disponga, la manifestación bajo juramento o promesa que ordena el apartado segundo del artículo 335 (art. 342.1). Pero si el perito designado adujere justa causa que le

impidiere la aceptación, y el tribunal la considerare suficiente, será sustituido por el siguiente de la lista, y así sucesivamente, hasta que se pudiere
efectuar el nombramiento (art. 342.2).

> Dado que en la lista de profesionales a designar se incluyen sólo los colegia-
> dos o asociados dispuestos a actuar como peritos, no cabe ya la aceptación libre
> de éstos. El perito designado sólo puede, bien abstenerse (art. 105), bien alegar
> justa causa que le impida la aceptación que debe ser considerada suficiente por
> el tribunal (art. 342.2). La designación judicial abre la posibilidad de recusación
> (arts. 343.1 y 124 a 128).

d) Elaboración del dictamen

Como es natural la LEC no regula cómo se procede a realización del
dictamen por el perito nombrado por la parte, pues ésa es una actividad
extrajudicial y previa o externa al proceso. La LEC atiende sólo a la actividad del perito de designación judicial y lo hace muy limitadamente pues
contempla únicamente el caso de que requiera algún reconocimiento de
lugares, objetos o personas o la realización de operaciones análogas, y a
este efecto prevé que alguna de las partes solicite estar presente en aquél o
presencie éstas, lo que puede acordar el tribunal (art. 345).

En cuanto a la emisión del dictamen, el perito lo formulará por escrito y lo hará llegar al tribunal por medios electrónicos en el plazo que se
le haya señalado. De dicho dictamen se dará traslado a las partes por si
consideran necesario que el perito concurra al juicio o a la vista, a efectos
de que aporte las aclaraciones o explicaciones que sean oportunas. El juez
podrá acordar siempre que lo considere necesario la presencia del perito
en el juicio o en la vista, según estemos en un juicio ordinario o en juicio
verbal, para comprender y valorar mejor el dictamen realizado (art. 346).

e) Intervención en el juicio

La LEC dedica una detallada atención a la intervención de los peritos
en el acto oral del juicio o vista, que está en función de lo que las partes
hayan pedido y el juez haya acordado, accediendo a todo lo que no sea
impertinente o inútil (art. 347, modificado por la LMed de 2012). Esta
intervención no se refiere sólo a los peritos de designación judicial, pues
ha de comprender también al perito designado por la parte y que presentó
su dictamen con la demanda o con la contestación o posteriormente.

El juez puede en todo caso formular preguntas a los peritos y requerir
de ellos explicaciones sobre lo que sea objeto del dictamen aportado, pero
sin poder acordar, de oficio, que se amplíe, salvo que se trate de peritos
designados de oficio (art. 347.2); y las partes y sus abogados pueden pedir
las actuaciones recogidas en el art. 347.1, III.

En concreto:

1.º) Exposición completa del dictamen, cuando esa exposición requiera la realización de otras operaciones, complementarias del escrito aportado, mediante el empleo de los documentos, materiales y otros elementos a que se refiere el apartado segundo del artículo 336.

2.º) Explicación del dictamen o de alguno o algunos de sus puntos, cuyo significado no se considerase suficientemente expresivo a los efectos de la prueba.

3.º) Respuestas a preguntas y objeciones, sobre método, premisas, conclusiones y otros aspectos del dictamen.

4.º) Respuestas a solicitudes de ampliación del dictamen a otros puntos conexos, por si pudiera llevarse a cabo en el mismo acto y a efectos, en cualquier caso, de conocer la opinión del perito sobre la posibilidad y utilidad de la ampliación, así como del plazo necesario para llevarla a cabo.

5.º) Crítica del dictamen de que se trate por el perito de la parte contraria.

6.º) Formulación de las tachas que pudieren afectar al perito.

F) El caso particular del cotejo de letras

Hemos visto con ocasión de la prueba documental que en caso de impugnación de la autenticidad de documentos privados (art. 326.2) (y excepcionalmente de documentos públicos, art. 322.1) debe acudirse al cotejo para comparar los documentos y poder decidir correctamente. Ahora hay que ver qué perito realiza ese cotejo y qué normas rigen esta prueba pericial especial.

En este sentido, el cotejo de letras es en efecto un caso particular de prueba pericial, únicamente apropiado cuando la autenticidad de un documento privado se niegue o se ponga en duda por la parte a quien perjudique, aunque también podrá practicarse cotejo de letras cuando se niegue o discuta la autenticidad de cualquier documento público que carezca de matriz y de copias fehacientes según lo dispuesto en el art. 1221 del Código Civil, siempre que dicho documento no pueda ser reconocido por el funcionario que lo hubiese expedido o por quien aparezca como fedatario interviniente (art. 349.1 y 2).

> Una de las particularidades de esta prueba pericial especial consiste en que las partes no tienen ninguna intervención en su designación, pues el cotejo de letras se practica por perito designado por el juez conforme a lo dispuesto en los arts. 341 y 342 (art. 349.3).

Cotejar es comparar. Para que la comparación se efectúe correctamente, la LEC tiene que determinar qué documentos fijan sin duda alguna el contraste (los indubitados), a los que se acoge la parte que ha solicitado el cotejo o, ante su falta, qué es un cuerpo cierto de escritura.

> Ello se establece, primero, mediante el mecanismo de documentos indubitados, que son los descritos en el art. 350:

1.°) Los documentos que reconozcan como tales todas las partes a las que pueda afectar esta prueba pericial.

2.°) Las escrituras públicas y los que consten en los archivos públicos relativos al Documento Nacional de Identidad.

3.°) Los documentos privados cuya letra o firma haya sido reconocida en juicio por aquél a quien se atribuya la dudosa.

4.°) El escrito impugnado, en la parte en que reconozca la letra como suya aquél a quien perjudique.

A falta de los documentos enumerados en el apartado anterior, la parte a la que se atribuya el documento impugnado o la firma que lo autorice podrá ser requerida, a instancia de la contraria, para que forme un cuerpo de escritura que le dictará el juez o el letrado. Si el requerido se negase, el documento impugnado se considerará reconocido.

Si no hubiese documentos indubitados y fuese imposible el cotejo con un cuerpo de escritura por fallecimiento o ausencia de quien debiera formarlo, el juez apreciará el valor del documento impugnado conforme a las reglas de la sana crítica.

El procedimiento probatorio específico del cotejo se fija en el art. 351 LEC. Básicamente se aplican las reglas generales antes vistas, con la salvedad de que el perito que lleve a cabo el cotejo de letras consignará por escrito las operaciones de comprobación y sus resultados.

G) Valoración

La prueba pericial es valorada libremente por el juez, pues el art. 348 LEC somete los dictámenes periciales a las reglas de la sana crítica. La misma valoración se produce en el caso particular del cotejo de letras (arts. 350.4 in fine y 351.2). Recordemos que es en el momento de valorar esta prueba también cuando el juez debe tener en cuenta los efectos de la tacha aducida (art. 344.2)

Inmediatamente surge el problema de la aparente discordancia entre el sistema de valoración de esta prueba y el hecho de que su necesidad derive de que el juez carece de conocimientos especializados. La doctrina lo resuelve con dos argumentos:

1.°) Si fuese prueba tasada, ¿qué habría que hacer con los dictámenes contradictorios?; y

2.°) Aunque el juez carezca de conocimientos para verificar por sí mismo las operaciones periciales, los tiene para enjuiciar la corrección de los mismas y sus resultados, utilizando sus conocimientos, los propios de la persona común, para revisar el *iter* lógico y las conclusiones del dictamen.

Por su parte, la jurisprudencia ha entendido que no hay contradicción alguna en este punto, por lo que la prueba pericial es de libre valoración, sometida a criterios de racionalidad ajustados a la lógica (en este sentido, por ejemplo, las SSTS de 17 de abril de 1978, RA 1357; o de 29 de abril de 2005, RA 3647). De aquí la trascendencia de la motivación.

II. LA PRUEBA DE RECONOCIMIENTO JUDICIAL

El art. 299.1, 5.º LEC se refiere al reconocimiento judicial como uno de los medios de prueba. Tanto el art. 1215 CC, como los arts. 1240 y 1241 del mismo texto legal, han sido derogados por la Disp. Derogatoria 2, 1.ª LEC, por lo que su única regulación se contiene ahora en los arts. 353 a 359 LEC.

A) Concepto y admisibilidad

El reconocimiento judicial es la percepción por parte del juez, de una forma directa, de los hechos que son objeto de prueba.

La diferencia con los demás medios de prueba es la siguiente: En los otros, el juez no percibe los hechos de manera directa, sino indirecta, esto es, a través del testigo o del documento. Aquí nada se interpone entre el juzgador y el hecho, pues aquél percibe éste con sus sentidos, con cualquiera de ellos, y no sólo con la vista, como erróneamente se desprende de alguna denominación (inspección ocular).

Procede el reconocimiento cuando para el esclarecimiento y apreciación de los hechos sea necesario o conveniente que el juez examine por sí mismo algún lugar, objeto o persona, no sólo en fase declarativa (art. 353.1), sino también con ocasión del procedimiento de adopción de alguna medida cautelar (art. 734.2, I).

> La práctica jurisprudencial anterior relativa a la consideración de que este medio de prueba sólo debía acordarse cuando con ella se obtuviera un resultado decisivo, si ese resultado no podía conseguirse por otros medios o cuando fuera absolutamente necesaria, ha perdido todo su soporte legal, pues el art. 353.1 emplea ahora las palabras «necesario o conveniente».

Concibiendo la prueba del modo más amplio posible, puede ser objeto del reconocimiento judicial:

1.º) Naturalmente los lugares y sitios.

2.º) Todo lo que no sea documento escrito, por tanto, todos los objetos, siempre que por su naturaleza (no incorporan signos de lenguaje), o por la finalidad de su examen (v.gr., cotejo de documentos), no constituyan fuentes de prueba documental.

3.º) La persona, tanto en su cuerpo como en su capacidad intelectiva.

4.º) Los bienes muebles e inmuebles en general, tanto considerados en un aspecto estático (dónde están, cómo son), como dinámico (cómo funciona un mecanismo, efectos del funcionamiento de una fábrica o, en general, de cualquier acción o hecho continuado).

B) Procedimiento probatorio

Las partes deben solicitar la práctica del reconocimiento judicial, así como los extremos principales a que desean que se contraiga, pero la amplitud del mismo no depende de su petición, sino que la fija el juez (art. 353.2, I). De acuerdo con esa misma norma, debe indicar si asistirá a su desarrollo con personas entendidas o prácticas del terreno («persona técnica o práctica en la materia"), que no son exclusivamente peritos, pues también pueden ser testigos, de ahí que la doctrina entienda que estamos ante una figura mixta, ante un perito-testigo, puesto que declara y hace observaciones al juez, bajo juramento o promesa de decir verdad (art. 354.3).

La contradicción queda garantizada *ab initio*, pues la otra parte puede proponer también los extremos que le interese, e indicar igualmente si estará asistida de personas entendidas (art. 353.2, II).

La práctica de la prueba exige naturalmente inmediación, por ser ello connatural a este medio de prueba, pero en la LEC se ha vuelto a incurrir en el contrasentido de admitir su práctica por medio de auxilio judicial. El art. 169.2 alude de modo directo a la posibilidad de practicar el reconocimiento judicial por auxilio judicial, cuando el tribunal no considere posible o conveniente hacer uso de la facultad que le concede este Ley para desplazarse fuera de su circunscripción para practicarla.

> A pesar de lo anterior habrá de concluirse que si es admisible el reconocimiento judicial de lugares o sitios por medio del auxilio judicial, no debe ser admisible respecto de objetos y personas, pues los primeros pueden ser llevados y las segundas pueden ir a la sede del tribunal que está conociendo del proceso. Si el medio de prueba se basa en el contacto directo del juez con los hechos, ese contacto requiere inmediación, es decir, que el mismo juez que presencia la prueba sea el que dicta la sentencia, para que pueda basar ésta en lo visto y en lo oído, no en su reflejo documental.

a) *Ejecución del reconocimiento judicial como prueba única*

La Ley permite la realización del reconocimiento como prueba que se practica de modo único, y respecto de él dispone:

1.º) Según el art. 354.1, la realización efectiva de la misma permite que el juez acuerde cualesquiera medidas que sean necesarias, incluida la de ordenar la entrada en el lugar que deba reconocerse o en que se halle el objeto o la persona que se deba reconocer.

Las partes, sus procuradores y abogados podrán concurrir al reconocimiento judicial y formular verbalmente al juez las observaciones que estimen oportunas (art. 354.2). Si, de oficio o a instancia de parte, el juez considerase conveniente oír las observaciones o declaraciones de las «personas entendidas», como dice el título oficial del artículo, les recibirá previamente juramento o promesa de decir verdad (art. 354.3).

2.°) En cuanto a las personas, el art. 355.1 ordena que su reconocimiento se practique a través de un interrogatorio realizado por el juez, que se adaptará a las necesidades de cada caso concreto. En dicho interrogatorio, que podrá practicarse, si las circunstancias lo aconsejaren, a puerta cerrada o fuera de la sede del órgano jurisdiccional, podrán intervenir las partes siempre que el juez no lo considere perturbador para el buen fin de la diligencia. En todo caso, en la práctica del reconocimiento judicial se garantizará el respeto a la dignidad e intimidad de la persona (art. 355.2).

> La norma parece aludir sólo al reconocimiento psíquico de personas, pero es evidente que el reconocimiento judicial puede ser físico, recayendo sobre el cuerpo, caso en el que puede no ser necesario el «interrogatorio».

b) Conjuntamente con otra prueba

Siguiendo una práctica tradicional la LEC regula la práctica del reconocimiento judicial combinado con la práctica de otras pruebas:

1.°) *Conjuntamente con la prueba pericial*: La LEC, en virtud del carácter instrumental de la prueba pericial, prevé el supuesto normal en la práctica de que el reconocimiento judicial se practique conjuntamente con una prueba pericial, sobre el mismo lugar, objeto o persona, lo que puede ocurrir de oficio o a instancia de parte (art. 356). No estamos aquí ante personas entendidas, sino ante verdaderos peritos.

2.°) *Conjuntamente con la prueba testifical*: Lo mismo ocurre con relación a la prueba testifical, sólo que aquí la práctica conjunta es a instancia de parte y a su costa, pudiéndose practicar el examen de los testigos tras la ejecución del reconocimiento judicial, cuando la vista del lugar o de las cosas o personas pueda contribuir a la claridad de su testimonio (art. 357.1).

3.°) Conjuntamente con la prueba de interrogatorio de parte: Novedad de la LEC, se permite que, a petición de parte, el reconocimiento judicial sea seguido del interrogatorio de la parte contraria cuando se den las mismas circunstancias señaladas en el art. 357.1 (art. 357.2).

C) Documentación

Esta prueba se documenta especialmente, pues de lo reconocido y actuado se levantará un acta por el letrado, que será detallada, consignándose en ella con claridad las percepciones y apreciaciones del juez, así como las observaciones hechas por las partes y por las personas a que se refiere el artículo 354. También se recogerá en el acta, en su caso, el resultado de las demás actuaciones de prueba que se hubieran practicado en el mismo acto del reconocimiento judicial, es decir, de la pericial y de la testifical (art. 358).

La norma vuelve a ser muy pobre en su referencia al contenido del acta. En ella falta toda alusión a lo que podemos llamar datos objetivos, sobre los que no se realiza percepción o apreciación, sino simple constatación de su existencia y circunstancias. Tampoco alude a los problemas derivados de la distinción entre autor del acto (el juez) y autor del acta (el letrado), respecto de esos datos objetivos.

A efectos de una mejor documentación, el art. 359 autoriza el empleo de medios técnicos de grabación de la imagen o del sonido en el acto del reconocimiento judicial, de lo que se dejará constancia en el acta.

D) Valoración

No existe en la LEC norma alguna que aluda al sistema de valoración de esta prueba, y es lógico que así sea. Cuando un mismo juez realiza el reconocimiento judicial y dicta la sentencia, la misma distinción entre prueba legal y prueba libre carece de sentido, pues el juez ineludiblemente estará a aquello que ha percibido por sus sentidos y no podrá sustraerse a lo que ha constatado; la inmediación juega aquí de modo absolutamente prevalente.

Si el reconocimiento es valorado en la sentencia por un juez distinto del que lo efectuó, la lógica lleva a distinguir entre los datos objetivos del acta, aquellos que son mera constatación de lo percibido, y los datos subjetivos, los que consisten en apreciaciones o percepciones. Respecto de los primeros es muy difícil que el juez pueda negarlos en la sentencia, y de ahí la jurisprudencia relativa a datos irrefutables que no pueden ser desconocidos en la sentencia, mientras que si se trata de apreciaciones adquiere sentido aquella otra jurisprudencia que se refiere a la inexistencia de obligación de respetar los juicios de valor expresados en el acta.

> Es libre, redundantemente pues no podía ser de otra manera, la valoración de los dictámenes periciales sobre Derecho extranjero, que nunca vinculan al juez español (art. 33.4 Ley 29/2015, de 30 de julio, de Cooperación Jurídica Internacional en materia civil).

Legislación: Ley de Enjuiciamiento Civil (arts. 335 a 359)
Lectura: MONTERO, *La prueba en el proceso civil*, 7.ª edición, Madrid, 2012; FLORES PRADA, *La prueba pericial de parte en el proceso civil*, Valencia 2005; LÓPEZ YAGÜES, *La prueba de reconocimiento judicial en el proceso civil*, Madrid 2005.

Lección Decimotercera
La prueba: Los medios de prueba en concreto (V)

I. LA PRUEBA TESTIFICAL:
Es también una prueba de naturaleza personal.

A) Concepto, naturaleza y admisibilidad: Persona ajena al proceso aporta declaración sobre hechos presenciados o de referencia, controvertidos y pertinentes.
El testigo= fuente de prueba; su declaración= medio de prueba.

B) Concepto de testigo y diferencia con figuras afines: Persona física, no parte, y aporta hechos de su percepción individual. Distinción entre testigo y perito; pero testigo-perito.

C) Idoneidad para ser testigo: Capaz (no estar privado de razón ni de un sentido excluyente en el hecho).

D) Tachas de los testigos: Frente a testigos idóneos pero parciales en proceso concreto.

E) Derechos y deberes del testigo: Derecho a indemnización económica.
Deberes: comparecer, jurar, declarar y decir verdad.

F) Las preguntas: Generales de la ley + interrogatorio cruzado. Claridad y precisión.

G) Procedimiento probatorio: Proposición en audiencia previa o antes según el juicio. Pueden ser llevados directamente por la parte o citados por la oficina judicial. La LEC regula con detalle su declaración.

H) Valoración: Libre por el juez.

II. MEDIOS DE REPRODUCCIÓN DEL SONIDO O LA IMAGEN E INSTRUMENTOS DE ARCHIVO

A) Concepto y admisibilidad: Instrumentos actuales para la reproducción del sonido y la imagen, así como para archivar o reproducir sonido, imagen, y datos.

B) Procedimiento probatorio: Se acompañan a la demanda o contestación y se reproducen ante el tribunal el día del juicio o vista, por regla general.

C) Valoración: Libre por el juez.

III. LAS PRESUNCIONES COMO MÉTODO DE PRUEBA

A) Concepto y naturaleza jurídica: Es un razonamiento para, partiendo de un hecho que está probado, llegar a la consecuencia de la existencia de otro hecho. No son un medio de prueba sino un método para probar.
Está compuesta de una afirmación base o indicio, una afirmación o hecho presumido y un nexo lógico o enlace entre ambos.

B) Clases: – Legales (*iuris et de iure* (sin) y *iuris tantum* (con prueba en contrario).
– Judiciales.

C) Requisitos y efectos: Las partes tienen que haber introducido los indicios, y la favorecida por la presunción no tiene que probar el hecho presunto.

IV. LAS DILIGENCIAS FINALES

A) Concepto y admisibilidad: Actos de instrucción por iniciativa de las partes o del juez. No caben en juicio verbal.
Presentan dificultades dogmáticas porque son consecuencia del poder de dirección material del proceso a cargo del juez. No es un acto discrecional, ni puede suplir deficiencias procesales de las partes.

B) Adopción, forma y efectos: Se acuerdan dentro del plazo para dictar sentencia, garantizándose el principio de contradicción y se practican en función de la prueba acordada.

I. LA PRUEBA TESTIFICAL

El interrogatorio de testigos o prueba testifical se regula en los arts. 360 a 381 LEC, básicamente. Tradicionalmente el legislador ha mostrado una gran desconfianza, no sin razón, hacia ella, de ahí que la LEC intente revalorizarla, reforzando la contradicción y la inmediación en su práctica (EM XI, 18).

A) Concepto, naturaleza y admisibilidad

La prueba testifical es un medio concreto de prueba (art. 299.1, 6.º LEC), en virtud del cual se aporta al proceso, por parte de una persona ajena al mismo, una declaración sobre hechos presenciados (vistos u oídos) por ella o que ha sabido de referencia, sobre los que viene interrogada, siempre que esos hechos sean controvertidos y se refieran al objeto del proceso (art. 360). Es una prueba de naturaleza personal, dado que es una persona, llamada testigo, quien declara sobre aquellos hechos.

> El testigo y su conocimiento de los hechos es la fuente de prueba, mientras que su declaración en el proceso a través del procedimiento establecido para ello es el medio de prueba. Esto tiene como consecuencia especial en este tema que haya que distinguir lo que es la prueba testifical de lo que es el testigo.

El legislador ha querido garantizar la efectividad de esta prueba exigiendo determinados requisitos de admisibilidad, ante la alta probabilidad de que sus resultados no sean fiables. Ello, por diversas razones: No todos los testigos poseen la misma inteligencia, no todos son capaces de percibir los hechos con la misma intensidad, ni tienen la misma memoria o capacidad de retención.

> Pues bien, los requisitos de admisibilidad hacen referencia a las personas que pueden ser admitidas a declarar en calidad de testigos, así como al objeto de la prueba testifical:
>
> a) En cuanto a las personas que pueden ser testigos: Las leyes regulan su idoneidad, a las que nos referiremos en el apartado siguiente. Ahora hay que considerar en general los siguientes:
>
> 1.º) La intervención como testigo es incompatible con la condición de juez en el mismo proceso, pues es causa de recusación (arts. 219, 5.º LOPJ; y 99.2 LEC).
>
> 2.º) Tampoco puede admitirse como testigos a las partes en el proceso, sino tan sólo considerarlas como sujetos de la prueba de interrogatorio, pues los testigos son siempre terceros.
>
> b) En cuanto al objeto: En principio no hay limitaciones por el objeto de la prueba testifical: Aunque nada diga ahora la LEC, debe ser admisible (respecto a cualquier objeto) siempre que no esté expresamente prohibida.

B) Concepto de testigo y diferencia con figuras afines

Testigo es un tercero, es decir, una persona ajena al proceso, que aporta al mismo, declarando sobre ello, unos hechos que ha presenciado (visto u oído), o que le han contado.

De esta definición se deducen perfectamente sus *características* principales:

1.ª) El testigo es siempre una persona física. No puede serlo una persona jurídica porque la utilidad del testigo reside en la aptitud para obtener percepciones sensoriales. De ahí que, como veremos, la ley le exija ciertos requisitos de capacidad.

> No hay matización sobre la naturaleza física de la persona cuando se trata de los que han elaborado informes escritos, que versan sobre hechos que no han sido reconocidos como ciertos por todas las partes a quienes pudieren perjudicar, pues entonces son interrogados como testigos los autores del informe, en la forma prevenida legalmente, teniendo en cuenta las tres reglas que fija el art. 380 LEC. Este es el supuesto de las agencias de investigación y de su informe y de la declaración como testigo del autor del informe.
>
> La situación es distinta, cuando, sobre hechos relevantes para el proceso, sea pertinente que informen personas jurídicas y entidades públicas en cuanto tales, por referirse esos hechos a su actividad, sin que quepa o sea necesario individualizar en personas físicas determinadas el conocimiento de lo que para el proceso interese, pues entonces la parte a quien convenga esta prueba podrá proponer que la persona jurídica o entidad, a requerimiento del tribunal, responda por escrito sobre los hechos, por el procedimiento fijado en el art. 381 LEC. Parece sin embargo que estemos ante una prueba de informes o ante una prueba documental y no ante una prueba testifical en este caso, porque no declara una persona física, lo que es esencial a la prueba testifical.

2.ª) Con relación al proceso, el testigo ha de tener la condición de tercero. Los que son parte sólo pueden someterse a la prueba de interrogatorio de parte.

3.ª) El testigo, que ha llegado a conocer generalmente los hechos en el momento en que ocurrieron, aporta al proceso su percepción individual de los mismos, explicando su razón de ciencia. Ha de transmitir, pues, no sólo su conocimiento personal, sino también su fuente de conocimiento («la razón de ciencia de lo que diga», art. 370.3).

> Es importante, al estudiar el concepto de testigo, diferenciarlo de figuras afines en el ámbito probatorio. A este respecto hay que considerar ahora tan sólo sus diferencias con el perito, que se manifiestan básicamente, como recoge Montero Aroca, en que:
>
> 1) El testigo declara sobre unos hechos; mientras que el perito analiza los hechos y aporta máximas de la experiencia para que los valore el juzgador;
>
> 2) El testigo no se elige, sino que viene determinado por su relación histórica con los hechos sobre los que declara; el perito es elegido por las partes entre las

personas que tienen los conocimientos técnicos adecuados. Suele decirse en este sentido que el perito es fungible y el testigo no;

3) El perito ha de poseer necesariamente conocimientos científicos, artísticos o prácticos; el testigo no;

4) El perito puede ser una persona jurídica o corporación; el testigo no;

5) El perito puede ser recusado; el testigo no;

6) La persona que ha tenido conocimiento de los hechos está obligada a actuar como testigo, pudiendo exigirse coactivamente el cumplimiento de la obligación; el perito puede aceptar o no el cargo; y

7) El perito cobra por su trabajo unos honorarios; el testigo no percibe retribución alguna, sino sólo la indemnización, por los gastos y perjuicios que el prestar declaración le ocasionen (art. 375).

La LEC reconoce expresamente la figura del testigo-perito, puesto que cuando el testigo posea conocimientos científicos, técnicos, artísticos o prácticos sobre la materia a que se refieran los hechos del interrogatorio, el juez admitirá las manifestaciones que en virtud de dichos conocimientos agregue el testigo a sus respuestas sobre los hechos, pudiendo ser tachado (art. 370.4, I y II).

C) Idoneidad para ser testigo

Una cuestión muy importante es la de la idoneidad o capacidad del testigo. Este tema está en relación con los requisitos de admisibilidad de carácter subjetivo de la prueba testifical, y se manifiesta en nuestra legislación a través de las inidoneidades para ser testigo.

En efecto, al ser el testigo una persona física que va a declarar sobre un hecho que conoce, es lógico que la ley le exija una cierta capacidad. La regla general es que podrán ser testigos todas las personas, salvo que se encuentren en alguna de estas dos circunstancias, de acuerdo con el art. 361:

1.ª) Que se hallen permanentemente privadas de razón.

2.ª) Que estén privadas del uso de sentidos respecto de hechos sobre los que únicamente quepa tener conocimiento por dichos sentidos.

Los menores de catorce años pueden declarar como testigos si, a juicio del tribunal, poseen el discernimiento necesario para conocer y para declarar verazmente, lo que supone que no están excluidos de serlo, si bien no se les exigirá juramento ni promesa de decir verdad (art. 365.2).

No dice la LEC cómo se puede poner de manifiesto esta falta de idoneidad, pero dado que esta prueba se practica oralmente, no cabe duda que las partes lo harán saber al comienzo de la misma, si no están ya advertidas al ser designados (art. 362). La inidoneidad excluye el declarar como testigo.

D) Tachas de los testigos

Si las causas de inidoneidad excluyen a una persona de declarar como testigo y de hacerlo en todos los procesos, las tachas se refieren a la imparcialidad y, por tanto, atienden a un proceso determinado, no excluyendo a una persona de declarar como testigo, sino evidenciando un hecho o circunstancias que la hace sospechosa de parcialidad, por lo que su concurrencia deberá ser tenida en cuenta por el juez en el momento de la valoración de la prueba.

> El testigo puede ser tachado si concurre alguna o algunas de las causas del art. 377.1:
>
> 1.ª) Ser o haber sido cónyuge o pariente por consanguinidad o afinidad dentro del cuarto grado civil de la parte que lo haya presentado o de su abogado o procurador o hallarse relacionado con ellos por vínculo de adopción, tutela o análogo.
>
> 2.ª) Ser el testigo, al prestar declaración, dependiente del que lo hubiere propuesto o de su procurador o abogado o estar a su servicio o hallarse ligado con alguno de ellos por cualquier relación de sociedad o intereses.
>
> 3.ª) Tener interés directo o indirecto en el asunto de que se trate.
>
> 4.ª) Ser amigo íntimo o enemigo de una de las partes o de su abogado o procurador.
>
> 5.ª) Haber sido el testigo condenado por falso testimonio.

En principio sólo puede tachar a un testigo la parte contraria a la que lo ha propuesto, pues si una parte sabe de la posible parcialidad de una persona lo lógico es que no la proponga como testigo. Sin embargo el art. 377.2 admite la tacha del testigo por la parte que lo ha propuesto si, con posterioridad a la proposición, llegare a su conocimiento la concurrencia de alguna de las causas de tacha.

> El procedimiento de tacha es el siguiente:
>
> 1.º) La tacha se propone por la parte a quien interese, antes de la declaración, y por eso el art. 378 dice que habrá de proponerse desde el momento en que se admita la prueba testifical y hasta que comience el juicio (proceso ordinario) o la vista (proceso verbal).
>
> Lo que está diciendo la Ley es que la tacha se propone sin perjuicio de que la circunstancia o hecho que causa la tacha se ponga de manifiesto por el propio testigo al contestar a las preguntas generales del art. 367. Hechas estas preguntas y evidenciada la concurrencia de la tacha, la parte puede limitarse a manifestar al tribunal la existencia de la circunstancia relativa a la imparcialidad (art. 367.2).
>
> 2.º) Con la alegación de las tachas, se podrá proponer la prueba conducente a justificarlas, excepto la testifical (art. 379.1).
>
> 3.º) Si formulada tacha de un testigo, las demás partes no se opusieren a ella dentro del tercer día siguiente a su formulación, se entenderá que reconocen el fundamento de la tacha. Si se opusieren, alegarán lo que les parezca conveniente, pudiendo aportar documentos (art. 379.2).

4.º) Para la apreciación sobre la tacha y la valoración de la declaración testifical, se estará a lo dispuesto en el apartado segundo del artículo 344 y en el
artículo 376 (art. 379.3).

La formulación de la tacha, incluso en el caso de que la parte contraria
se opusiera a ella, no supone que el tribunal dicte resolución alguna. Se
trata simplemente de que el órgano jurisdiccional, en el momento de dictar
sentencia, deberá tenerla en cuenta para conceder o no credibilidad a lo
dicho por el testigo.

E) Derechos y deberes del testigo

a) Comenzando por los *derechos*, hay que decir que el testigo tiene el
derecho, de carácter económico, de reclamar de la parte que le propuso
la indemnización por los gastos y perjuicios que la comparecencia le haya
originado, cuyo importe fijará el letrado de la administración de justicia,
gozando de la vía de apremio el testigo en caso de impago, en los términos
del art. 375 LEC, y del art. 16, II del Convenio de la Haya sobre procedimiento civil.

> Debe quedar incluida dentro del beneficio de asistencia jurídica gratuita la
> exención del pago de las indemnizaciones a testigos cuando la parte goce de él,
> a pesar del silencio legal, so pena de vulneración del principio de igualdad (art.
> 14 CE) y negación del derecho de acción del art. 24.1 CE, en relación con el art.
> 119 CE.

b) En cuanto a los *deberes*, el testigo, sea nacional o extranjero, debe
comparecer, jurar, declarar y decir verdad:
1.º) El testigo está obligado a comparecer donde se realice el juicio,
bajo sanción de multa y apercibimiento de proceder penalmente contra él
por desobediencia a la autoridad (art. 292.1 y 2). Si el testigo a pesar de
ello no comparece, la suspensión del juicio (ordinario) o de la vista (verbal) no es automática (art. 292.3).

> La obligación de comparecer comprende incluso el supuesto de que el pro-
> puesto como testigo tenga su domicilio fuera de la circunscripción territorial del
> tribunal que le cita a declarar (lo que tiene especial importancia con referencia
> al partido judicial). Según el art. 169.4 sólo se acudirá a tomarle declaración por
> auxilio judicial cuando por razón de la distancia, dificultad del desplazamiento,
> circunstancias personales del testigo o cualquier otra causa de análogas caracte-
> rísticas resulte imposible o muy gravosa la comparecencia de la persona citada.
> También es posible la declaración domiciliaria del testigo, por causa de en-
> fermedad u otro motivo del art. 169.4, II, conforme al procedimiento fijado en
> el art. 364.

2.º) El testimonio se presta siempre bajo juramento, o promesa de decir verdad, con conminación de incurrir en el delito de falso testimonio en causa civil (art. 458 CP), de lo que será instruido (art. 365.1). Cuando se trate de testigos menores de edad penal, no se les exigirá juramento ni promesa de decir verdad (art. 365.2).

3.º) El testigo tiene deber de declarar, consistente en responder a las preguntas que se le formulen.

> El modo de prestar esa declaración se fija en el art. 366. Los testigos declararán separada y sucesivamente, por el orden en que vinieran consignados en las propuestas, salvo que el juez encuentre motivo para alterarlo. No se comunicarán entre sí, ni podrán unos asistir a las declaraciones de otros, adoptándose con esta finalidad las medidas que sean necesarias.
>
> La LEC reconoce una excepción importante al deber de declarar en el art. 371, respecto a los testigos con deber de guardar secreto. La decisión es del juez.

4.º) Finalmente, el deber de veracidad se recoge en el art. 365.1. Se trata también de un deber sancionado penalmente, porque si no es veraz en su declaración el testigo puede incurrir en el delito de falso testimonio previsto en el art. 458 CP.

F) Las preguntas

Las primeras preguntas que se formulan al testigo son las generales de la ley, que se contienen en el art. 367.1. Se trata por medio de ellas de identificar al testigo y luego de dejar reflejadas en el acta sus circunstancias, especialmente aquéllas que pueden afectar a su imparcialidad. Debe advertir así la correlación existente entre los arts. 367.1 (preguntas generales) y 377.1 (tachas).

> Las preguntas a formular se refieren a:
> 1.º) Nombre, apellidos, edad, estado, profesión y domicilio.
> 2.º) Si ha sido o es cónyuge, pariente por consanguinidad o afinidad, y en qué grado, de alguno de los litigantes, sus Abogados o Procuradores o se halla ligado a éstos por vínculos de adopción, tutela o análogos.
> 3.º) Si es o ha sido dependiente o está o ha estado al servicio de la parte que lo haya propuesto o de su Procurador o Abogado o ha tenido o tiene con ellos alguna relación susceptible de provocar intereses comunes o contrapuestos.
> 4.º) Si tiene interés directo o indirecto en el asunto o en otro semejante.
> 5.º) Si es amigo íntimo o enemigo de alguno de los litigantes o de sus Procuradores o Abogados.
> 6.º) Si ha sido condenado alguna vez por falso testimonio.

Una vez formuladas las anteriores preguntas, se inicia el verdadero interrogatorio, en el que las preguntas de las partes se formularán oralmente y con la debida claridad y precisión. No habrán de incluir valoraciones ni calificaciones, y si éstas se incorporaran, se tendrán por no realizadas (art. 368.1).

La decisión sobre la admisión de las preguntas la toma el juez acto seguido a su formulación, admitiendo las que puedan resultar conducentes a la averiguación de hechos y circunstancias controvertidos, que guarden relación con el objeto del juicio. Se inadmitirán las preguntas que no se refieran a los conocimientos propios de un testigo según el artículo 360 (art. 368.2), y si pese a haber sido inadmitida, se respondiese una pregunta, la respuesta no constará en acta (art. 368.3).

Las partes tienen la posibilidad de impugnar las preguntas formuladas por las partes contrarias, instando su inadmisión, para lo que harán notar las valoraciones y calificaciones que estimen concurren en ellas. Ante la decisión judicial de inadmisión de una pregunta, la parte podrá manifestarlo así y pedir que conste en el acta su protesta (art. 369).

G) Procedimiento probatorio

a) *Proposición y admisión*

Las de la prueba testifical se realizan en el juicio ordinario, en la audiencia previa, especificándose los testigos con los datos de identificación necesarios (nombre, apellidos, profesión y domicilio o residencia o cargo que ostente o cualquier otra circunstancia, art. 362), e indicando qué testigos se compromete la parte a presentar en el juicio y cuáles han de ser citados por el tribunal (y, en su caso, los que han de examinarse por auxilio judicial); en la misma audiencia se acordará la citación, a realizar conforme a lo previsto en el art. 159 (art. 429.5 y 284).

En el juicio verbal, el art. 440.1, IV se refiere a que las partes deberán indicar, en el plazo de los cinco días siguientes a la recepción de la citación para la vista, las personas que por no poder presentarlas ellas mismas, han de ser citadas por el tribunal para la vista, facilitando todos los datos precisos para efectuar su citación.

> No hay límite en el número de testigos que pueden proponer las partes, aunque una limitación indirecta se produce por la vía de la imputación de los gastos. El tribunal sí puede limitar ese número a tres con relación a un hecho discutido, estimando que, respecto de ese hecho, ya ha quedado suficientemente ilustrado (art. 363).

b) *Práctica*

Después del juramento o promesa, la práctica de la prueba se inicia con las preguntas generales para pasar después a un verdadero interrogatorio cruzado y oral. Preguntará primero la parte que ha propuesto al testigo (y si lo han propuesto las dos, el demandante).

El testigo responderá por sí mismo, de palabra, sin valerse de ningún borrador de respuestas. Pero cuando la pregunta se refiera a cuentas, libros o documentos, se permitirá que los consulte antes de responder. En todo caso expresará la razón de ciencia de lo que diga (art. 370).

Una vez contestadas las preguntas formuladas por el abogado de la parte que propuso la prueba testifical, podrán los abogados de cualquiera de las demás partes plantear al testigo nuevas preguntas, que reputen conducentes para determinar los hechos. El tribunal deberá repeler las preguntas que sean impertinentes o inútiles. En caso de inadmisión de estas preguntas, será de aplicación lo dispuesto en el apartado segundo del artículo 369 sobre disconformidad con la inadmisión (art. 372.1).

Una muestra de las facultades del juez se explicita en el art. 372.2, pues con la finalidad de obtener aclaraciones y adiciones, también podrá el tribunal interrogar al testigo.

Las contradicciones entre testigos y entre éstos y las partes se resuelven mediante el careo, regulado en el art. 373, que puede ser acordado de oficio o a instancia de parte.

> Algunas advertencias es necesario efectuar:
>
> 1.ª) El testigo es examinado por las dos partes, primero por la que lo propuso, pudiendo realizar las dos todo tipo de preguntas, siempre que se refieran a los hechos controvertidos, obviamente. El viejo sentido de las repreguntas, limitado al hecho que fue objeto de las preguntas, ha desaparecido en la nueva LEC.
>
> 2.ª) Las facultades del tribunal no comprenden el realizar verdaderas preguntas, pues su objeto se limita a aclaraciones y adiciones, con lo que no puede preguntar sobre hechos que no han sido objeto del interrogatorio de los testigos por las partes.

c) Documentación

Las declaraciones testificales prestadas en vista o juicio se documentarán conforme a lo dispuesto en el apartado segundo del artículo 146 (art. 374).

H) Valoración

El juez es libre a la hora de apreciar y valorar los resultados producidos por las declaraciones de los testigos. Lo dice con toda claridad el art. 376: «Los tribunales valorarán la fuerza probatoria de las declaraciones de los testigos conforme a las reglas de la sana crítica, tomando en consideración la razón de ciencia que hubieren dado, las circunstancias que en ellos concurran y, en su caso, las tachas formuladas y los resultados de la prueba que sobre éstas se hubiere practicado».

Pero en algún supuesto la doctrina, más con relación a la situación derogada, ha entendido que podía existir una regla valorativa legal en la prueba testifical. De todos los posibles, en nuestra opinión la única manifestación de prueba testifical tasada es la que se contiene en el art. 51 CdC, pues prohíbe que en la sentencia se conceda valor alguno a la prueba testifical si ha sido la única practicada.

Fuera de este caso, la valoración es libre, conforme a las reglas de la sana crítica, frase genuina española que debe ser entendida como conforme a los criterios de la lógica humana.

> Esto no impide que la ley establezca una serie de instrumentos específicamente destinados a proporcionarle al juez elementos para la valoración crítica del testimonio, que es lo que pretende decir el art. 376:
> 1.º) Necesidad de que el testigo exprese la «razón de ciencia» de lo que dice (art. 370.3), lo cual supone una justificación de la declaración, es decir, la expresión del cómo, cuándo y dónde se percibió lo que se declara.
> 2.º) Las preguntas generales de la ley del art. 367.1, a través de las cuales pueden deducirse circunstancias subjetivas que pueden influir en la credibilidad de su declaración.
> 3.º) Las tachas a su imparcialidad (arts. 377 a 379).

II. MEDIOS DE REPRODUCCIÓN DEL SONIDO O LA IMAGEN E INSTRUMENTOS DE ARCHIVO

La LEC recoge como nuevos medios de prueba los instrumentos que sirven para la reproducción de la palabra, el sonido y la imagen, y los instrumentos que sirven para archivar, conocer o reproducir palabras, datos, cifras y operaciones matemáticas llevadas a cabo con fines contables o de otra clase, relevantes para el proceso (art. 299.2).

A) Concepto y admisibilidad

Con la primera prueba, el legislador quiere que tengan cabida en el proceso civil directamente las películas, cintas de vídeo, casetes de grabación; con la segunda, los disquetes flexibles y discos duros de ordenador, los *cd-roms* y *dvd*, el correo electrónico, ficheros informatizados, así como cualquier otro medio técnico de estas características que en el futuro se pueda inventar.

> Es fácil advertir que el legislador ha incurrido en un error ya tradicional. Los instrumentos de reproducción del sonido (la palabra es sonido) y de la imagen y

> los instrumentos que permiten archivar y conocer palabras escritas, datos y cifras son las fuentes de prueba, no el medio de prueba en sentido estricto.

B) Procedimiento probatorio

El procedimiento probatorio se distingue en la LEC en función de si estamos ante reproducción o ante archivo, cuidando de fijar las reglas mediante las que el juez visionará, oirá o comprobará los resultados que el proponente desee, sin perjuicio del derecho de contradicción de la otra parte:

> En los dos casos, medios de reproducción e instrumentos de archivo, habrán de acompañarse a la demanda o a la contestación, «si en ellos se fundaran las pretensiones de tutela formuladas por las partes» (art. 265.1, 2.º), si bien luego no hay alusión a la necesidad de presentar copia (art. 273, que se refiere a escrito y documento). Por otro lado, los arts. 382 y 384 no son lo suficientemente explícitos respecto del momento en que debe hacerse la presentación de los medios e instrumentos.

a) *Reproducción ante el tribunal de imágenes y de sonidos*

Las partes podrán proponer como medio de prueba la reproducción ante el tribunal de palabras, imágenes y sonidos captados mediante instrumentos de filmación, grabación y otros semejantes (art. 382.1, primera frase). A esta proposición, las partes

1.º) Deben acompañar la transcripción escrita de las palabras contenidas en el soporte de que se trate y que resulten relevantes para el caso (art. 382.1 segunda frase); y

2.º) Pueden acompañar los dictámenes y medios de prueba instrumentales que considere convenientes. También las otras partes podrán aportar dictámenes y medios de prueba cuando cuestionen la autenticidad y exactitud de lo reproducido (art. 382.2).

> La proposición del medio de prueba queda bastante indeterminado. Queda claro que la parte que propone la prueba no necesita acompañar copia para la otra parte («puede» acompañar transcripción escrita). No queda nada claro cómo ha de realizarse la proposición en concreto, aparte de que ha de hacerse en la audiencia previa al juicio, ni cómo adquiere la otra parte conocimiento exacto de la proposición.
>
> La documentación del acto de práctica de la prueba se recoge en el art. 383.1. La norma está presuponiendo, aunque no lo diga claramente que en el acto del juicio debe procederse a ver la reproducción de la imagen y a oír la reproducción del sonido.
>
> Se levanta acta, en la que se consignará cuanto sea necesario para la identificación de las filmaciones, grabaciones y reproducciones llevadas a cabo, así como, en su caso, las justificaciones y dictámenes aportados o las pruebas practicadas. El juez podrá acordar que se realice una transcripción literal de las pala-

bras y voces filmadas o grabadas, siempre que sea de relevancia para el caso, la cual se unirá al acta. Finalmente que contenga la palabra, la imagen o el sonido reproducidos habrá de conservarse por el órgano jurisdiccional, con referencia a los autos del juicio, de modo que no sufra alteraciones (art. 383.2).

b) Instrumentos de archivo, conocimiento o reproducción de palabras, datos, cifras y operaciones matemáticas

Las partes pueden aportar al proceso y pedir que sean admitidos como medios de prueba los instrumentos anteriormente citados (art. 384). Los requisitos que se establecen para ello son dos: Que sean relevantes para el proceso y que hayan sido llevados a cabo con fines contables o de otra clase. Son examinados por el juez con los medios que la parte proponente aporte o que el juzgado disponga utilizar y de modo que las demás partes del proceso puedan, con idéntico conocimiento que el tribunal, alegar y proponer lo que a su derecho convenga. Las partes pueden acompañar los dictámenes y medios de prueba instrumentales que consideren convenientes.

La práctica de la prueba exige que en el acto del juicio o vista se tome conocimiento directo del contenido del disquete, el disco duro del ordenador o del *cd-rom*. Finalmente, la documentación del acto se hará del modo más apropiado a la naturaleza del instrumento, bajo la fe del letrado, quien, en su caso, adoptará también las medidas de custodia que resulten necesarias.

C) Valoración

El juez valorará las reproducciones de la palabra, el sonido y la imagen obtenidas mediante filmación, grabación y otros, así como los instrumentos que permiten el archivo, conocimiento o reproducción de datos relevantes para el proceso, las reglas de la sana crítica (arts. 382.3 y 384.3).

III. LAS PRESUNCIONES COMO MÉTODO DE PRUEBA

Se regulan en los arts. 385 y 386 LEC, que siguen regulando insuficientemente esta cuestión. Con las presunciones dejamos el tratamiento de los medios de prueba, porque éstas no lo son. Las presunciones, son un método probatorio, no una actividad probatoria, pero a partir de ahí las cuestiones interpretativas que se plantean no son nada fáciles de resolver.

A) Concepto y naturaleza jurídica

La presunción, entiende Montero, consiste en un razonamiento en virtud del cual, partiendo de un hecho que está probado o admitido por las dos partes, se llega a la consecuencia de la existencia de otro hecho, que es el supuesto fáctico de una norma, atendido el nexo lógico existente entre los dos hechos.

No estamos, pues, ante un verdadero medio de prueba. Las leyes no prevén, porque sería absurdo que lo hicieran, un procedimiento probatorio para su práctica. Las presunciones tampoco son, en sentido estricto, una actividad probatoria, sino, por mejor decir, un método de prueba. No se discute la gran importancia probatoria de las presunciones en la práctica judicial, pero ello no puede llevar a calificarlas de medio de prueba, ni a creer que precisan de una actividad probatoria. Son un método para probar.

La presunción está compuesta estructuralmente de una afirmación, hecho base o indicio, de una afirmación o hecho presumido y de un enlace.

a) La afirmación base, o hecho base, o indicio

La afirmación base, o el hecho base, como también se le llama doctrinalmente, recibe esta denominación porque es el punto de apoyo de toda presunción. Se suele acudir a él incluso con un tercer nombre: Indicio. La base de la presunción puede estar constituida por uno o varios indicios. Pero lo decisivo del indicio es que esté fijado en el proceso, que resulte probado. De ahí que el art. 385.1, II, diga que «tales presunciones sólo serán admisibles cuando la certeza del hecho indicio del que parte la presunción haya quedado establecida mediante admisión o prueba».

Esto significa que la afirmación o el hecho base ha de ser afirmado por una parte en el proceso y que luego ha de probarlo, pudiendo utilizar todos los medios de prueba para ello.

b) La afirmación presumida, o hecho presumido

La afirmación presumida o el hecho presumido es una consecuencia que se deduce del hecho base o indicio, que ha de ser afirmado también por la parte y que es el supuesto de hecho de la norma cuya aplicación se está pretendiendo en el proceso civil. Ese hecho presumido queda fijado de esta forma en el proceso y, en consecuencia, va a tener relevancia en la decisión del mismo. Lo característico de esta afirmación es que aporta un elemento de prueba que no ha sido posible obtener de otra manera.

c) *El nexo lógico o enlace entre ambos hechos*

Lo que hace posible la formación de presunciones en el enlace o nexo lógico que existe entre el indicio y el hecho presumido. En realidad, el nexo lógico entre los dos hechos es la presunción.

En unos casos la presunción viene fijada por la ley; en otros se forma directamente por el juez. Pero en ambas posibilidades es la misma presunción la que permite la fijación del nexo. En este sentido, el art. 386.1 dice que «a partir de un hecho admitido o probado, el tribunal podrá presumir la certeza, a los efectos del proceso, de otro hecho, si entre el admitido o demostrado y el presunto existe un enlace preciso y directo según las reglas del criterio humano» (STC 45/1987, de 9 de abril).

> Veamos lo anterior referido a un supuesto concreto de presunción legal: el de declaración de fallecimiento.
>
> La declaración de fallecimiento de los que se encuentren a bordo de una nave naufragada procede pasado un mes desde la comprobación (prueba) del naufragio, pero dadas las dificultades que a veces concurren para probar el naufragio, el art. 194-4º CC (modificado en 2015 y a poner en relación con el acto de jurisdicción voluntaria regulado en los arts. 67 a 77 LJVol de 2015), dice que se presume ocurrido el naufragio si el buque no llega a su destino, o si careciendo de punto fijo de arribo, no retornase y haya evidencias racionales de ausencia de supervivientes, luego que en cualquiera de los casos haya transcurrido un mes contado desde las últimas noticias recibidas o, por falta de éstas, desde la fecha de salida de la nave del puerto inicial del viaje.
>
> En este supuesto, por tanto, la consecuencia jurídica es la declaración de fallecimiento, pero a la misma se puede llegar de dos maneras:
>
> 1.ª) Probando directamente el hecho del naufragio, que es el hecho previsto realmente por la norma como causa de la consecuencia jurídica.
>
> 2.ª) Probando los hechos de que la nave salió de viaje, de que nunca llegó a su destino y de que han pasado seis meses desde la partida del puerto inicial. Probados estos hechos la ley establece por presunción el hecho del naufragio.
>
> En toda presunción legal hay, por tanto, uno o más indicios (hecho indiciario o base), que en nuestro ejemplo es la salida de viaje y la no llegada a destino del buque, y un hecho presumido, en el ejemplo el naufragio, y lo que la ley dice es que, probados los primeros (indicios), se entenderá por existente el segundo, que es el verdadero supuesto fáctico de la consecuencia jurídica pedida. En estos casos no es que no exista prueba; lo que sucede es que cambia el hecho a probar, de modo que no es correcto decir que las presunciones legales dispensan de toda prueba.

B) Clases

La tradicional distinción entre presunciones legales y presunciones judiciales se recoge ahora expresamente por la LEC:

a) Presunciones legales

Del art. 385.3 se deduce que existen presunciones legales, que son las que admiten prueba en contrario (conocidas como presunciones *iuris tantum*), que constituyen la regla general o las presunciones normales, y las que no (denominadas presunciones *iuris et de iure*, si bien es una clasificación meramente teórica, pues de éstas no se puede poner ni un solo ejemplo).

La presunción legal *iuris tantum* es aquélla en la que el enlace o nexo lógico entre el indicio y la afirmación o hecho presumido está previsto y fijado en una norma (art. 385.2). Para que causen efecto, el hecho o indicio del que parte la presunción tiene que ser cierto, por tanto, tiene que haber quedado establecido mediante admisión o prueba (art. 385.1, II).

> Hay numerosos ejemplos que se podrían citar, sobre todo en los códigos materiales, aunque no todos parten de una lógica que hoy se pueda admitir sin discusión: art. 29 CC (*nasciturus*), art. 116 (hijos del marido), art. 195 CC (fallecimiento, que nos ha servido de ejemplo antes), art. 433 CC (posesión de buena fe), art. 1407 CC (bienes gananciales), etc.

Ahora bien, cuando la ley habla de presunciones no siempre estamos ante un método probatorio de tal naturaleza. Serra ha dicho que, para identificar una verdadera presunción en una norma, es necesario que se den las siguientes características:

1.ª) Que la presunción se halle contenida en una ley positiva, de carácter procesal y con repercusión probatoria;

2.ª) Es preciso asimismo el enlace entre dos afirmaciones y que éstas sean cualitativamente distintas entre sí; y

3.º) Pero, sobre todo, la afirmación base o indicio debe ser distinto de todas las restantes afirmaciones que concurren con la afirmación presumida para integrar el supuesto de hecho de la consecuencia jurídica pretendida.

Por otra parte, la presunción legal sólo dispensa, a la parte a la que favorezca la presunción, de la prueba del hecho presumido (art. 385.1), pero el hecho o afirmación base tiene que ser probado. Una vez el juez lo entienda probado, la norma legal de presunción da por cierto o existente el hecho presumido, si bien es posible una actividad probatoria de contrario, es decir, a iniciativa de la parte perjudicada, para demostrar que no es cierto o es inexistente dicho hecho presumido. Con ello obsérvese, el llamado principio de normalidad en la producción de los hechos, sobre el que gira la construcción de las presunciones como se puede ver, admite por sí mismo excepciones.

b) Presunciones judiciales

En las presunciones judiciales, al contrario que en las legales, el enlace o nexo lógico entre el hecho base o indicio y la afirmación o hecho presumido no lo efectúa la ley, sino directamente el juez (art. 386.1).

El enlace efectuado judicialmente a partir de un hecho o indicio admitido o probado, le permite presumir la certeza de otro hecho, si entre el admitido o demostrado y el presunto existe un enlace preciso y directo según las reglas del criterio humano (art. 386.1, I), es decir, de la reglas de la lógica o de la razón (STS de 30 de junio de 1988, RA 5199).

C) Requisitos y efectos

De la jurisprudencia y la doctrina surgida con ocasión de la legislación anterior, y teniendo en cuenta las disposiciones de la LEC, podemos deducir los siguientes requisitos:

a) Para que el juez pueda aplicar los efectos previstos en la norma, o los que él mismo considere apropiados si se trata de una presunción judicial, es preciso, naturalmente, que el hecho base o indicio conste en el proceso porque ha sido introducido en él por la parte. Esta debe alegar también la afirmación presumida, es decir, la consecuencia que ella cree que debe producirse partiendo de aquel indicio. Si la presunción es legal hay que alegar la norma que la recoge.

b) En las presunciones legales *iuris tantum*, la prueba en contrario puede dirigirse tanto a probar la inexistencia del hecho presunto como a demostrar que no existe, en el caso de que se trate, el enlace que ha de haber entre el hecho que se presume y el hecho probado o admitido que fundamenta la presunción (art. 385.2).

c) Frente a la posible formulación de una presunción judicial, la parte perjudicada por ella podrá solicitar la práctica de prueba en contrario también (art. 386.2).

Los efectos procesales en materia de presunciones legales vienen establecidos en el art. 385.1, según el cual, las presunciones que la ley establece dispensan de la prueba del hecho presunto a la parte a la que este hecho favorezca.

Afirmar que los hechos favorecidos por una presunción legal no necesitan prueba es un error. Lo que quiere decir la ley es que cambia el objeto de la prueba puesto que el indicio o afirmación base hay que probarla siempre.

IV. LAS DILIGENCIAS FINALES

Las diligencias finales son actos de instrucción debidos a la iniciativa de las partes, o del juez, con la finalidad de formar su convicción acerca del material del proceso. Se regulan en los arts. 434.2, 435 y 436 LEC, y sólo caben en el juicio ordinario, no en el verbal.

A) Concepto y admisibilidad

La función directora del juez en el proceso puede versar, bien sobre el desenvolvimiento de aquél (ordenación formal o procesal), bien sobre el objeto del mismo (ordenación material). En un proceso regido por el principio dispositivo, las facultades de dirección sobre el objeto han de ser necesariamente reducidas; nulas en cuanto a la proposición y delimitación del objeto procesal; admisibles, sin embargo, en cuanto a la formación de la convicción del juez acerca de los hechos alegados. Pues bien, las diligencias finales se encuadran entre las facultades de dirección material, y constituyen probablemente la máxima concesión de la LEC al principio de investigación oficial dentro de un proceso dispositivo, pero el cambio importante que se da con la nueva LEC es, confirmando esta naturaleza, permitir su práctica sólo si las partes lo piden (art. 435.1), como regla general, porque el art. 435.2 autoriza su adopción de oficio excepcionalmente.

Naturalmente, acordar diligencias finales es algo que no puede considerarse discrecional del juzgador, por cuanto el acordarlas o no depende de la concurrencia del supuesto de hecho previsto en la norma. Si la parte las pide y el juez no las decreta no cabe recurso devolutivo directo, esto es, no se da apelación directa, pero el defecto deberá ser subsanado en apelación al interponerse el recurso contra la sentencia y atendido la posibilidad de acordar prueba en apelación.

> Pero la mejor doctrina interpretadora de las diligencias para mejor proveer discutió, sin embargo, sobre si esas diligencias sólo deberían admitirse en cuanto vinieran aconsejadas por la conveniencia de una aportación probatoria de carácter complementario, lo que excluía su utilización cuando existiera una falta absoluta de prueba respecto al dato concreto (SSTS de 30 de junio de 1977, RA 3055; y de 23 de febrero de 1978, RA 442); o sobre si las diligencias sólo serían admisibles si los defectos de resultado de la actividad de la parte se debieran a errores involuntarios o a otras circunstancias ajenas a la voluntad.
>
> El art. 435.1 parece recoger ambas posiciones con relación a las diligencias finales, porque no las permite cuando la parte pudo haberlas propuesto como prueba en tiempo y forma (regla 1.ª), ni cuando actuó de manera poco diligente, porque no las propuso por su culpa (regla 2.ª). Sea como fuere, es claro a nuestro juicio que el juez no puede llegar a convertirse en colaborador de una de las partes.

Las diligencias finales pueden llevar a actividad probatoria en los cuatro casos siguientes:

1.º) Se pueden practicar los medios de prueba que por causas ajenas a la parte que lo hubiese propuesto, no se hubiese practicado (art. 435.1, 2.ª);

2.º) Se pueden practicar las pruebas pertinentes y útiles que se refieran a hechos nuevos o de nueva noticia, previstos en el art. 286 (art. 435.1, 3.ª);

3.º) Excepcionalmente, el juez podrá acordar de oficio, o a instancia de parte, que se practiquen de nuevo pruebas sobre hechos relevantes, oportunamente alegados, mediante auto detalladamente motivado, cuando de su práctica, a causa de circunstancias ya desaparecidas e independientes de la voluntad y diligencia de las partes, no se hubieran deducido resultados probatorios claros (art. 435.2);

> Por tanto, obsérvese, en este caso se rechaza que a través de las diligencias finales puedan complementarse las alegaciones de hecho de las partes, porque es precisamente la duda sobre la prueba respecto a ellos, la que permite que el juez acuerde la diligencia que considere pertinente.

4.º) En un supuesto la LEC impone la práctica de una diligencia final. Es el previsto en el art. 309.2, con ocasión del interrogatorio del representante de una persona jurídica que da razón de quién ha intervenido en los hechos en su nombre. Este último será interrogado como diligencia final.

B) Adopción, forma y efectos

En cuanto a las cuestiones procedimentales, hay que indicar que las diligencias finales *han de acordarse* dentro del plazo (impropio) para dictar sentencia (art. 434.2).

Las diligencias se han de practicar en el plazo de 20 días (art. 436.1), fijado por la Ley para intentar evitar maniobras dilatorias, quedando en suspenso entretanto el plazo para dictar sentencia (art. 434.2).

El principio de contradicción queda garantizado por el art. 436.1, pues después de su práctica, y sin perjuicio de su intervención durante su desarrollo, las partes pueden presentar escrito en el que resuman y valoren los resultados producidos, en plazo de 5 días, a partir del cual se volverá a contar el plazo para dictar sentencia (art. 436.2).

Por lo que toca a la *forma de practicar* estas diligencias, la LEC dice que cada una se ejecutará conforme a sus normas propias (art. 436.1), siendo los efectos de las diligencias acordadas respecto al objeto del proceso los propios de la prueba, que ya conocemos.

Legislación: Ley de Enjuiciamiento Civil (arts. 360 a 386)

Lectura: MONTERO, *La prueba en el proceso civil*, 7.ª edición, Madrid, 2012; RODRÍ-GUEZ TIRADO, *El interrogatorio de testigos*, Madrid 2003; ÁLVAREZ SÁNCHEZ DE MO-VELLÁN, *La prueba por presunciones*, Granada 2007; y NOYA FERREIRO, *Las diligencias finales en el proceso civil*, Valencia 2006.

CAPÍTULO VI
LA PRIMERA INSTANCIA

El juicio ordinario

Lección Decimocuarta

La demanda

I. CONCEPTO: acto de parte. Acción + pretensión

II. REQUISITOS DE LA DEMANDA
No de forma. Sí de contenido
A) Subjetivos:
  a) Determinación del órgano jurisdiccional
  b) Designación de las partes: 1. Actor y 2. Demandado
B) Fundamentación
  a) Hechos
  b) Fundamentos de derecho: 1. Procesales y 2. De fondo
C) Petición: Clase de tutela y bien concreto
D) Otros requisitos
  a) Tipo de proceso
  b) Peticiones y declaraciones accesorias
  c) Fecha y firma

III. DOCUMENTOS QUE DEBEN ACOMPAÑARLA:
A) Procesales: Admisibilidad de la demanda: 6
B) Materiales:
  a) Documentos: Los fundamentales
  b) Objetos relativos al fondo

IV. PRESENTACIÓN, ADMISIÓN E INADMISIÓN
Inadmisión en casos previstos en la ley. Letrado
A) Por razones de fondo
  Dr. a la jurisdicción. Art. 42 CC
B) Por falta de presupuestos procesales
  Defectos: 1. Subsanables, y 2. Insubsanables
C) Supuestos especiales
  Art. 403: Ciertos documentos y algún presupuesto

V. EFECTOS DE LA DEMANDA: LA LITISPENDENCIA
A) Concepto
  Ruptura de *litiscontestatio* a litispendencia. Chiovenda
B) El tiempo de la litispendencia
  Art. 410. Interposición demanda + admisión
C) Los efectos de la misma
  Juez. Partes. Excepción. Perpetuatio iurisdictionis y legitimationis

VI. LA PROHIBICIÓN DE TRANSFORMACIÓN DE LA DEMANDA
6 excepciones

VII. CONSECUENCIAS JURÍDICO-PRIVADAS DE LA DEMANDA
a) Mera existencia de la demanda: 3
b) Estimación con retroacción: 2

I. CONCEPTO

Atendidos los principios (oportunidad y dispositivo) que conforman la actuación de la jurisdicción en el orden civil, ésta se inicia necesariamente por un acto de parte; el juez no puede nunca incoar de oficio el proceso; el acto de parte iniciador del proceso se denomina demanda. Por ello el art. 399.1 LEC dice que «el juicio principiará por demanda», y lo dispuesto en él para el juicio ordinario puede extenderse a todos los procesos declarativos, sean ordinarios o especiales.

Tenemos así un primer concepto parcial de la demanda como acto iniciador del proceso, que está en íntima relación con el concepto de acción o derecho a la jurisdicción o, en terminología más actual, con el derecho fundamental a obtener tutela judicial efectiva. La acción supone, entre otras cosas, el derecho del particular a poner en marcha la actividad jurisdiccional del Estado y ese derecho se ejercita en el acto de la demanda. Desde esta perspectiva cabe ya llegar a dos conclusiones:

1.ª) El derecho de acción de la parte ejercitado en la demanda se dirige frente al tribunal (o al Estado actuando jurisdiccionalmente), y se corresponde con el deber de aquél de incoar el proceso.

> Este derecho puede ejercitarse en la demanda de modo expreso o implícito. La mera presentación de la demanda supone ya ejercicio del derecho de acción, pero en ella puede además hacerse mención expresa del mismo. De hecho en la práctica suele iniciarse el suplico pidiendo al tribunal que admita la demanda y que le dé el curso del juicio que fuere. El tribunal tiene el deber de abrir el proceso, aunque no se encuentra vinculado por la petición de la parte en lo que se refiere al juicio concreto (art. 254 LEC). En todo caso lo que importa aquí es que existe derecho de la parte a la actividad jurisdiccional, aunque la manera concreta de ésta será la legal.

2.ª) En sentido muy amplio demanda puede ser sinónimo de petición o solicitud, pero en sentido técnico demanda es acto iniciador del proceso.

Ahora bien, este concepto de demanda, como simple acto iniciador del proceso, es incompleto. Dado que no existen actos de iniciación procesal de carácter abstracto, sino que siempre aquéllos han de referirse, de una u otra manera, a la pretensión; en el juicio ordinario esa manera consiste en que la demanda ha de contener completamente la pretensión.

El art. 437.2 LEC, para el juicio verbal, denomina demanda sucinta a la se ha llamado tradicionalmente «papeleta» en el derecho español, en la que no se contiene de modo completo la pretensión, sino sólo «lo que se pida».

Ya dijimos en la Lección Sexta del Tomo I que la pretensión no es un acto, sino una declaración de voluntad que puede manifestarse al exterior en distintos momentos. Esto es lo que ocurre en el juicio verbal con demanda sucinta, en el que la pretensión se interpone en dos momentos complementarios: la demanda y la vista.

Añadimos así otro aspecto al concepto de demanda, el relativo a la pretensión, y aunando los dos puede definirse la demanda en el juicio ordinario como el acto procesal de parte por el que se ejercita el derecho de acción y se interpone completamente la pretensión.

La demanda, en todo caso, como acto es un continente; por medio de ella se ejercita el derecho de acción y por medio de ella se interpone la pretensión o las pretensiones. Ello da lugar, en ocasiones, a equívocos terminológicos; por ejemplo, admisión de la demanda, admisión de la pretensión, requisitos de una y otra, que deben ser solucionados atendiendo a la diferencia entre continente y contenido.

II. REQUISITOS DE LA DEMANDA

En contra de lo que pudiera parecer, con relación a la demanda no importan tanto los requisitos de forma como los de contenido. En ningún artículo se establece una forma determinada para la demanda, en la cual deben concurrir, sí, los requisitos normales de un acto procesal escrito de parte, pero sin especificaciones concretas respecto a la forma. Basta leer el art. 399 LEC. Otra cosa es que en la práctica la demanda se estructure según unas pautas tradicionales, pero esa estructura no es obligatoria ni condiciona la admisibilidad de la demanda.

Los que importan, pues, son los requisitos de contenido, y éstos pueden referirse tanto a la demanda, que es el continente, como a la pretensión, que es el contenido, jugando unas veces para la admisibilidad de aquélla y otras para la estimación de ésta.

A) Subjetivos

Estos requisitos se refieren, lógicamente, al tribunal y a las partes que son los elementos subjetivos del proceso.

a) Determinación del órgano jurisdiccional

La determinación es genérica, sin referirse a la persona concreta que tenga la potestad jurisdiccional. Hoy, cuando la competencia para la primera instancia corresponde siempre a Juzgados (salvo los casos de responsabilidad civil de personas aforadas), esa invocación puede consistir simplemente en la expresión: «Al Juzgado», determinándose el órgano concreto mediante la presentación de la demanda.

Cuando en la localidad donde haya de presentarse la demanda exista más de un Juzgado, al desconocerse en ese momento a cuál le corresponderá por reparto, sigue siendo bastante la misma invocación genérica (sin perjuicio de que en los escritos posteriores sea conveniente indicar el número del Juzgado).

La presentación de la demanda en un Juzgado concreto, determina qué órgano jurisdiccional estima el actor que es el sujeto pasivo de su derecho de acción, y también cuál cree competente para pronunciarse sobre la pretensión. Después puede que se declare la incompetencia de ese órgano, pero la presentación por sí sola supone, por ejemplo, sumisión tácita para el demandante (art. 56).

b) Designación de las partes

Los requisitos no son iguales según se trate del mismo demandante o del demandado:

1.°) Respecto del demandante debe identificarse, en primer lugar, al procurador que asume la representación técnica, diciendo cómo ha sido conferida ésta (por escritura de poder, apud acta o por turno de oficio) y, después, a la propia parte. También deberá quedar identificado el abogado con su nombre y apellidos.

En este caso no surgirá problema práctico alguno de identificación de la parte, por lo que hay que hacer referencia a todos los datos identificadores: nombre, apellidos, profesión y domicilio o residencia en que puede ser citado o emplazado, y, en su caso, los del representante legal o voluntario. Si se trata de persona jurídica los datos oportunos deben referirse a ésta, no al órgano persona física que por ella actúa, aunque al otorgarse la representación al procurador debieron quedar justificadas las facultades de ese órgano persona física.

2.°) Respecto del demandado lo importante es fijar los datos necesarios, primero, para que la demanda no se dirija contra persona indeterminada y, después, para que no existan confusiones con otras personas.

Algunas precisiones debemos hacer: 1) Se indicarán cuantos datos se conozcan del demandado que sirvan para su identificación, 2) Sobre su domicilio pueden indicarse uno o más lugares, señalando el orden para efectuar la notificación, y cualquier otra circunstancia como números de teléfono, fax o similares (art. 155 LEC), 3) Puede indicarse como domicilio el que aparezca en el padrón municipal, en registros oficiales o en publicaciones de colegios profesionales, e incluso el del trabajo no ocasional (art. 155 LEC), 4) Si se desconoce totalmente el dato del domicilio puede pedirse la notificación por edictos (art. 156 LEC), 5) La demanda no se dirige, ni siquiera formalmente, contra procurador alguno del demandado, sino contra la propia parte y ésta debe ser emplazada o citada (art. 155 LEC), y 6) No es necesario, ni se debe hacer constar, el nombre del representante legal de una persona física o el del órgano de una persona jurídica, pues como dijimos en la Lección Segunda el comparecer debidamente representado es carga del demandado.

La designación de las partes sirve para delimitar subjetivamente la pretensión, fijando entre quienes nace el proceso y, en su momento, quienes se verán afectados por la cosa juzgada; de ahí la importancia de una designación completa y correcta.

B) Fundamentación

El art. 399.1 LEC se refiere a que se expondrán numerados y separados los hechos y los fundamentos de derecho y con ello esta refiriéndose a las dos partes bien diferenciadas de la demanda.

a) Hechos

El art. 399.3 LEC determina cómo se hará la exposición de los hechos, aportación de los documentos y razonamientos, distinguiendo tres apartados con el fin de dar claridad a la fundamentación fáctica:

1.º) Se narrarán los hechos de forma ordenada y clara, con objeto de facilitar su admisión o negación por el demandado al contestar.

2.º) Con igual orden y claridad se expresarán los documentos, medios o instrumentos que se aporten en relación con los hechos que fundamenten las pretensiones, y

3.º) Se formularán las valoraciones o razonamientos sobre los hechos, si parecen convenientes para el derecho del litigante.

Es obvio que de estos requisitos de la demanda el que importa es el que se refiere a la narración de hechos. En la Lección Sexta estudiamos la causa de pedir, *causa petendi* o fundamento de la pretensión, pero allí lo hicimos desde el punto de vista de la determinación del objeto del proceso, y ahora debemos hacerlo con referencia a los requisitos de la demanda, tanto para la admisibilidad de ésta como para la estimación de la pretensión en ella interpuesta o preparada. La distinción entre objeto del proceso, por un lado y, por otro, admisión de la demanda y estimación de la pretensión es necesaria porque existe la posibilidad de que un hecho no sea elemento identificador del objeto del proceso, pero sí determinante de la estimación de la pretensión.

Hay que partir, por tanto, de lo dicho en torno al objeto del proceso y añadir que la demanda, como continente de la pretensión completa en un procedimiento escrito, tiene que referirse a los hechos que son el supuesto de la norma cuya alegación hace el demandante como base de la consecuencia jurídica que pide. A esos hechos se llama constitutivos, porque «constituyen» el derecho del actor, y se refieren a las condiciones específicas de la existencia de las relaciones jurídicas.

Si el demandante pide que se declare su dominio sobre un bien inmueble, tendrá que alegar el título adquisitivo como hecho constitutivo, pero si ese título fue una compraventa su alegación se referirá a las condiciones específicas de ese tipo de contrato, las del art. 1.445 CC, no siendo necesario que alegue las condiciones generales, que son propias de todos los contratos, las del art. 1.261 CC. Como puede verse la fundamentación de la pretensión en la demanda completa añade algo a la determinación del objeto del proceso.

Además, el art. 400.1 LEC dispone que cuando lo que se pida en la demanda pueda fundarse en diferentes hechos o en distintos fundamentos o títulos jurídicos, habrá de aducirse en ella cuantos resulten conocidos o puedan invocarse al tiempo de interponerla, sin que sea admisible reservar su alegación para un proceso posterior. Esta disposición adquiere especial virtualidad respecto de los límites objetivos de la cosa juzgada (Lección Veintitrés).

La comprensión de la misma requiere, con todo, poner dos ejemplos:

1.º) Si la demanda se pide que se declare el dominio sobre un bien inmueble tendrán que alegarse todos los posibles títulos adquisitivos de la propiedad (compraventa, herencia, donación), sin que pueda existir un proceso primero en el que se alegue la adquisición por compraventa y otro proceso posterior con la alegación de la adquisición por herencia.

2.º) Si en la demanda se pide la declaración de nulidad de un negocio jurídico, habrán de alegarse en la misma todas las causas de nulidad, es decir, todos los conjuntos fácticos que se regulan en la ley como determinantes de la nulidad, sin que pueda existir un proceso en el que se pida la nulidad, por ejemplo, del matrimonio con base en la causa 1.ª del art. 73 del CC y otro con base en la causa 4.ª del mismo artículo.

b) Fundamentos de derecho

El art. 399.4 LEC distingue entre los fundamentos de contenido procesal y los relativos a la cuestión de fondo, de modo que:

1.º) Procesales. Se aducirán primeramente los fundamentos relativos a la capacidad de las partes, legitimación, representación, jurisdicción, competencia, clase de juicio en que se deba sustanciar la demanda y a cualesquiera otros hechos de los que pueda depender la validez del juicio o el que en él pueda llegarse a dictar una sentencia sobre el fondo del asunto. Como puede comprobarse se trata de alegar en derecho en torno a la concurrencia de los presupuestos procesales.

2.º) De fondo: Los que se refieran a la cuestión de fondo o de derecho material planteado. Se trata de aquellos que influyen en la estimación de la pretensión, en que se dicte una sentencia conforme a lo pedido por el actor.

La necesidad de los fundamentos de derecho relativos al fondo no puede significar que las normas jurídicas operen como fundamentación de la pretensión contenida en la demanda. No se trata sólo de que las normas, por ser abstractas y referirse a una plural diversidad de hechos de la vida social, no sean aptas para identificar la causa de pedir de una determinada petición, es que además la función de los órganos jurisdiccionales consiste en la aplicación del derecho objetivo y el conocimiento de éste se presupone en aquéllos (*iura novit curia*).

> El actor debe, porque así lo disponen el artículo dicho, fundar en derecho la pretensión contenida en la demanda, pero las normas alegadas por él no condicionan en modo alguno la estimación o desestimación de la pretensión, pues el órgano jurisdiccional puede estimarla con base en normas no alegadas por el demandante. El problema aquí podría referirse a la posible indefensión que se originaría con el cambio de punto de vista jurídico por el juez (la llamada «tercera opinión»), pero esa es una cuestión que se refiere al principio de contradicción, no al contenido de la demanda y a la determinación del objeto de la pretensión.

Por último hay que precisar respecto de la fundamentación, entre admisión de la demanda y estimación de la pretensión. La fundamentación opera de dos modos distintos: por un lado la falta o los defectos en la misma pueden llevar a la inadmisión de la demanda, con base en el art. 416.1, 5.ª LEC (defecto legal en el modo de proponer la demanda), pero, por otro, la fundamentación, en cuanto falte por ejemplo un hecho determinante de la constitución del derecho subjetivo, puede suponer la desestimación de la pretensión en la sentencia.

C) Petición

El art. 399.1 LEC hace referencia a ella con la expresión «lo que se pida» y dice que debe fijarse «con claridad y precisión». La petición es, sin duda, el requisito más importante de la demanda y de la pretensión (continente y contenido), por las consecuencias que produce sobre todo con relación a la congruencia. Cuando sean varios los pronunciamientos judiciales que se pidan, se expresarán con la debida separación, haciendo constar por su orden y separadamente las peticiones formuladas subsidiariamente para el caso de que las principales sean desestimadas (art. 399.5 LEC)

Si de manera inmediata lo que se pide al órgano jurisdiccional es una cierta actuación de éste, y de ahí la relación entre esa actuación y la clase de tutela (condena, declaración pura, constitución), de manera mediata la petición se refiere siempre a un bien, en el sentido más amplio de la palabra, bien que tiene que estar perfectamente determinado. Por ello, para fijar con claridad y precisión lo que se pide, deben relacionarse la clase de pretensión y de tutela jurisdiccional con los bienes concretos.

Antes de formular la petición de una demanda el actor tiene que tener claro: 1) Qué tutela pide: declaración pura, condena, constitución, y 2) Con relación a qué bien. De conjugar estos dos elementos resultará, por ejemplo, que se ejercita una pretensión de condena con relación a un bien consistente en un hacer, y entonces será preciso determinar de qué bien se trata, quién tiene que realizarlo, en qué circunstancias de cantidad, tiempo, lugar, etc.; o, por ejemplo, si se trata de una pretensión de constitución habrá de fijarse el cambio de situación jurídica que se solicita.

D) Otros requisitos

Los anteriores son los requisitos básicos pero no los únicos; cabe aún referirse a algunos otros.

a) Determinación del tipo de proceso: En la demanda el actor debe fijar la clase de proceso por la que ha de tramitarse el asunto que inicia con la demanda misma, y ello puede hacerse de dos maneras: 1) Con referencia a la materia: Atendida ésta la ley puede haber dispuesto que la misma se conozca a través del juicio ordinario o del juicio verbal (arts. 249 y 250 LEC), y a él se referirá el actor en la demanda, y 2) Con referencia a la cuantía: La clase de proceso puede determinarse conforme a la cuantía y de ahí la exigencia, en el art. 253.1 LEC, de que en la demanda se fije la cuantía objeto del pleito (Lección Octava).

b) Peticiones y declaraciones accesorias: De modo contingente, esto es, no en todas las demandas, puede ser conveniente e incluso necesario atendidas las circunstancias del caso, realizar algunas peticiones accesorias o meras declaraciones. Se trata, por ejemplo, de pedir que se libre el exhorto correspondiente para emplazar o citar al demandado cuando ha de acudirse al auxilio judicial, y que se entregue a la propia parte para su gestión (en realidad a su procurador) (art. 172.2 LEC). Para ello se acude a la fórmula centenaria del «otrosí digo» a continuación del suplico.

c) Fecha y firmas: La demanda, naturalmente, ha de ir fechada, aunque la fecha determinante de todos los efectos será la de la presentación. Respecto de las firmas casi no hace falta decir que si la postulación de procurador y abogado es necesaria (arts. 23 y 31 LEC), la demanda debe ir firmada por ellos. Lógicamente si la parte puede comparecer por sí misma y lo hace, la demanda será firmada por el propio actor.

III. DOCUMENTOS QUE DEBEN ACOMPAÑARLA

La demanda no debe presentarse sola. A ella se han de acompañar algunos documentos que podemos clasificar en procesales y materiales.

A) Procesales

Llamamos procesales a aquellos documentos que condicionan la admisibilidad de la demanda, refiriéndose a algún presupuesto procesal. Estos documentos son básicamente los del art. 264 LEC, pero no únicamente.

1.º) El poder que acredita la representación procesal del procurador: Visto lo dispuesto en los arts. 264.1, 1.º y 24.1 de la LEC de ellos se desprende que ese poder notarial se acompañará precisamente al primer escrito, el cual no se admitirá sin el mismo. Obviamente el documento es necesario cuando la representación procesal también lo sea pues si la parte puede comparecer por sí misma no será necesario el poder (Lección Cuarta).

Este documento puede ser sustituido por otros dos: 1) Por el acta del letrado de la administración de justicia recogiendo la comparecencia de la parte en la que se otorga la llamada representación apud acta (arts. 453.3 LOPJ y 24.1 LEC), y 2) Por la comunicación del Colegio de Procuradores nombrando a uno de sus colegiados por el turno de oficio.

2.º) Acreditación de la representación: El art. 264, 2.º, LEC exige la presentación del documento que acredita la representación legal de una persona física o la consideración de órgano de una persona jurídica. Normalmente en la práctica esta acreditación se realiza en el mismo poder notarial a procuradores; para otorgar este poder es preciso justificar ante el notario la condición en que se actúa y de ahí que el poder bien hecho sirva para acreditar la representación legal y la llamada necesaria (y, en su caso, también la voluntaria).

El tenor literal del art. 264, 2.º, LEC parte del error de considerar que el «litigante» es el representante, cuando en realidad lo es el representado, y por ello el documento se refiere propiamente a que el representante debe acreditar la representación que se atribuye.

3.º) Los documentos o dictámenes que acrediten el valor de la cosa litigiosa, a efectos de competencia y procedimiento.

> Si en la demanda debe expresarse con claridad y precisión la cuantía de la misma (art. 253 LEC), sobre todo a efectos de competencia y de procedimiento adecuado, aparte de la existencia de recurso de casación, y si puede impugnarse la misma por el demandado (art. 255 LEC), éste de la demanda es el momento adecuado para presentar la documentación que acredita esa cuantía.

4.º) Hasta el 2 de octubre de 2016 (Ley 39/2015, de 1 de octubre), si ha debido preceder reclamación administrativa previa, ha de adjuntarse el documento por el que se notifica a la parte la resolución denegatoria o el recibo acreditativo de la presentación de la reclamación. A partir de esa fecha se suprime la reclamación administrativa previa.

5.º) Tantas copias de la demanda y de los documentos cuantas sean las partes demandadas (art. 273 LEC). La falta de copias origina, primero, el intento de subsanación del defecto, y, luego, el tener por no presentada la demanda o por no aportados los documentos (art. 275 LEC).

6º) En su caso, deberá acompañarse también el documento justificante de la autoliquidación de la tasa judicial, conforme a la Ley 10/2012, de 20 de noviembre, modificada por el RD-Ley 3/2013, de 22 de febrero, por el RD-Ley 1/2015, de 27 de febrero, y por la Ley 25/2015, de 28 de julio).

La Ley 10/2012 reintrodujo la tasa judicial por el ejercicio de la potestad jurisdiccional en los órdenes judiciales civil, contencioso-administrativo y social. En el orden civil el hecho imponible de la tasa es, en lo que ahora importa, es la interposición de la demanda en toda clase de procesos declarativos.

> En lo que importa ahora están exentos de la tasa: a) Objetivamente: 1) La interposición de demanda y la presentación de ulteriores recursos cuando se trate de los procedimientos especialmente establecidos para la protección de los derechos fundamentales y libertades públicas, así como contra la actuación de la Administración electoral y 2) La presentación de petición inicial del procedimiento monitorio y la demanda de juicio verbal en reclamación de cantidad cuando la cuantía de las mismas no supere dos mil euros. No se aplicara esta exención cuando en estos procedimientos la pretensión ejercitada se funde en un documento que tenga el carácter de título ejecutivo extrajudicial de conformidad con lo dispuesto en el artículo 517 LEC; y b) Subjetivamente: Las personas físicas.

Llama la atención, aparte de la dificultad puesta al derecho de acceso a los tribunales (del art. 24.1 CE), la imprevisión que supone dictar una ley y luego reformarla por dos Reales Decretos Leyes y por otra Ley.

> Según el art. 7 de la Ley 10/2012 la cuota tributaria en el orden jurisdiccional civil asciende: a) verbal y cambiario, 150 euros; b) ordinario, 300 euros; c) monitorio, 100 euros; d) ejecución extrajudicial y oposición a la ejecución cuando se trata de títulos judiciales, 200 euros; e) concurso necesario, 200 euros. Debe estarse a la STC 140/2016, de 21 de julio, que declara la inconstitucionalidad del art. 7.1 (en parte) y del art. 7.2 (todo).

B) Materiales

Estos son los documentos relativos a la cuestión de fondo, aquéllos que operan como prueba en el proceso, pero debe tenerse cuenta que en el art. 265 se ha producido una mezcla de verdaderos documentos, otros escritos y objetos, mezcla que obliga a ir detallando.

a) Documentos

La referencia general es la contenida en el número 1.º de ese art. 265 cuando dice: «los documentos en que las partes funden su derecho a la tutela judicial que pretenden». Una referencia especial se encuentra en el número 3.º al referirse a certificaciones y notas sobre asientos registrales, actuaciones o expedientes de cualquier clase. La norma general parte de la distinción, no entre dos clases de documentos, pero sí entre trascendencia probatoria de los mismos, de modo que:

1.º) Los documentos no fundamentales, que son aquellos en los que la parte no funde su derecho, podrán presentarse en el momento de la proposición de prueba. Nada impide que estos documentos se presenten con la demanda, pero no se exige esta presentación inicial

2.º) Los documentos en que la parte funde su derecho o, como dice ahora la norma: «funde su derecho a la tutela judicial que pretende», los cuales han de presentarse con la demanda.

> Hasta aquí lo que debe considerarse general. Supuestos especiales son los que se contienen en el art. 266, en el que ordena que habrán de acompañar a la demanda ciertos documentos en casos específicos. Luego el art. 269.2 ordena que no se admitan las demandas a las que no se acompañen esos documentos.

b) Objetos relativos al fondo del asunto

El art. 261.1 dispone en su número 2.º que, junto con la demanda, se presentarán también los medios de reproducción de la palabra, el sonido o la imagen, y los instrumentos que permiten archivar y conocer y reproducir palabras, datos, cifras y operaciones matemáticas, si en ellos se funda la pretensión de tutela. Se trata de los soportes físicos del sonido y de la imagen y de los informáticos.

Aunque no se trata de verdaderos documentos deben presentarse también con la demanda escritos que se refieren a:

1.º) Los dictámenes periciales en que la parte apoye su pretensión, aunque deberá tenerse en cuenta lo dispuesto en los arts. 337 y 339 sobre preclusión en la aportación. En este caso no se trata de prueba documental, sino de prueba pericial, aunque se trate de escritos; por ello debemos remitirnos a lo que diremos sobre este medio de prueba.

2.º) Los informes, elaborados por profesionales de la investigación privada (detectives privados) legalmente habilitados, sobre hechos relevantes en que el demandante apoye su pretensión. Se trata aquí de prueba testifical.

> En todo lo relativo a la presentación de escritos y documentos debe tenerse en cuenta lo dispuesto en el art. 273 LEC, en la redacción dada por la Ley 42/2015, de 5 de octubre, de reforma de la LEC. En la reforma se pretende que a partir del 1 de enero de 2016, todos los profesionales de la justicia y órganos judiciales y fiscalías estarán obligados a emplear los sistemas telemáticos existentes en la Administración de Justicia para la presentación de escritos y documentos y la realización de actos de comunicación procesal, debiendo la Administración com-

petente, las demás Administraciones, profesionales y organismos que agrupan a los colectivos establecer los medios necesarios para que ello sea una realidad.

IV. PRESENTACIÓN, ADMISIÓN E INADMISIÓN

En la LEC (con la reforma de la Ley 42/2015, de 5 de octubre) se parte de que en el juicio ordinario, al ser siempre necesario el procurador, la presentación de escritos a partir del 1 de enero de 2016 se hará por medios telemáticos o electrónicos, lo que podrá hacerse todos los días del año durante las veinticuatro horas, si bien si se trata de un día inhábil se entenderá hecho el primer día y hora hábil siguiente (arts. 135 y 273 LEC).

La primera actuación del juzgado, aparte de la meramente administrativa de registro, va a consistir en decidir sobre la admisibilidad de la demanda. Sobre la misma se cuenta con la regla general del art. 403.1 LEC: Las demandas sólo se inadmitirán en los casos y por las causas expresamente previstas en la LEC.

El tema de la admisibilidad de la demanda va unido a dos cuestiones, una importante, como es la de las facultades del juez en el proceso civil y otra artificial propia del Derecho español, que es la atribución al letrado de la administración de justicia de facultades exorbitantes. En todo caso para comprender los supuestos de inadmisibilidad es preciso distinguir entre razones de fondo y razones procesales (aún dentro de éstas por falta de presupuestos procesales o de requisitos de la demanda). Por último habrá que atender en cada caso a la posibilidad de subsanación del defecto.

Realizado el control de admisibilidad, y si no concurre defecto alguno, la demanda es admitida en general por el letrado de la administración de justicia y por decreto. Puede ser admitida por el juez, y por auto, cuando el letrado debe darle cuenta, como veremos seguidamente.

A) Por razones de fondo

No existe, desde luego, una norma general expresa que diga cuando una demanda es admisible y cuando no por razones relativas al fondo del asunto. Desde el art. 24.1 CE hay que llegar a la conclusión de que el derecho a la jurisdicción supone, en primer lugar, la admisión de la demanda, por ser su rechazo *in limine litis* la forma más clara de negación del derecho a la tutela judicial. Los riesgos evidentes de autorizar al tribunal a rechazar demandas por infundadas, llevan a la conclusión de que aquél debe admitirlas todas, aunque le parezca que se trata de demandas sin posibilidades de éxito.

Lo anterior, con todo, no puede ser absoluto y existen casos de inadmisibilidad de la demanda que se refieren a la no concesión de tutela jurídica por el ordenamiento y en general. Naturalmente estos casos han de ser muy limitados, pues se trata nada menos de que el ordenamiento niega el derecho de acción.

> Con norma expresa cabe así referirse al art. 42 CC, conforme al cual la demanda en que se pida el cumplimiento de la promesa de matrimonio no se admitirá a trámite, porque dicha promesa no produce obligación de contraerlo (ni de cumplir lo que se hubiese estipulado para el supuesto de su no celebración). En este caso el ordenamiento dice, de modo expreso y general, que el interés del actor no está protegido y, por tanto, que el proceso es inútil pues nunca se podrá llegar a una sentencia estimatoria de la pretensión.
>
> Conforme al art. 1.798 CC la ley no concede acción para reclamar lo que se gana en un juego de suerte, envite o azar, y de ahí podría deducirse que estamos ante un caso similar al anterior. Sin embargo, las cosas no son tan sencillas, de modo que hoy pudiera sostenerse que hay que distinguir entre juegos prohibidos y permitidos y referir la prohibición sólo a los primeros, o bien cabe seguir sosteniendo que la norma deniega la acción en todos los casos, porque la misma se basa en la intención de impedir el juego a crédito.

Sin norma expresa cabe también sostener que no debe admitirse la demanda cuando es evidente que el ordenamiento no protege el interés alegado por el demandante. Sería este el caso de ciertas demandas absurdas en que se pide que se condene al presidente del Gobierno a cumplir su programa electoral, o a que un particular o un concejal diga a quien ha votado en las elecciones municipales o en la de alcalde, etc.

> La inadmisión de la demanda por razones de fondo no puede ser, en modo alguno, competencia del letrado de la administración de justicia. En los casos dichos, aunque no exista previsión expresa, el letrado debe dar cuenta al juez para que éste decida. El letrado no puede limitarse a admitir todas las demandas en las que no concurra un defecto procesal.

B) Por falta de presupuestos procesales

Partiendo de la regla general antes dicha del art. 403.1 LEC deben examinarse los casos previstos expresamente en que la ley dice que no se admitirá la demanda. Esos casos se refieren al incumplimiento de requisitos y a la falta de presupuestos procesales.

Respecto de los requisitos de contenido de la demanda no existe norma alguna que permita al tribunal ese control de oficio, pero parece claro que si en la demanda falta algún requisito que hace imposible la incoación del proceso (por ejemplo no dice contra quien se presenta), el letrado de la administración de justicia habrá de conceder plazo al actor para subsanación, y en su caso, dará cuenta al juez para que éste resuelva. Curiosamente el único caso previsto es el de la falta de copias de la demanda (art. 275 LEC).

El control de oficio por el letrado de la administración de justicia o por el tribunal puede recaer sobre requisitos y presupuestos procesales, y hay que distinguir entre defectos insubsanables y defectos subsanables:

1.°) Insubsanables: Existen supuestos que han de llevar a la inadmisión de la demanda sin posibilidad de subsanación, como es el caso de la falta de capacidad de las partes (art. 9), de jurisdicción (arts. 404 y 36.2, 37.2 y 38 LEC), de competencia genérica (arts. 37.2 y 38 LEC), objetiva (arts. 404 y 48 LEC) y funcional (art. 62 LEC). En algún caso especial se refiere también a la competencia territorial (arts. 404 y 58 LEC), pero ésta es generalmente prorrogable y está sujeta a sumisión.

> En todos estos casos, también el primero, el letrado de la administración de justicia no inadmitirá la demanda, sino que dará cuenta al juez para que sea éste quien decida. El art. 404.2 se refiere sólo a la falta de jurisdicción o de competencia, pero tiene que incluir todos los supuestos en que un defecto no sea subsanable. El letrado de la administración de justicia no inadmite demanda alguna.

2.°) Subsanables: La falta de poder (art. 24 LEC) o, más en general, la falta de representación procesal y la falta de firma de abogado (art. 31.1 LEC), se refieren al presupuesto procesal de la postulación procesal en sus dos facetas de representación y defensa.

> Cuando el defecto sea subsanable el letrado de la administración de justicia concederá plazo al actor para que subsane el defecto y si éste no lo hace el letrado de la administración de justicia dará cuenta al juez para que sea éste quien decide. Se comprueba de este modo que el letrado de la administración de justicia puede admitir una demanda, pero nunca inadmitirla.

C) Supuestos especiales

Más complejos son los casos en que, con referencia a determinados documentos, la ley dice que no se admitirá la demanda que no vaya acompañada de uno de ellos (art. 269.2), o que a la demanda se acompañará necesariamente un documento (art. 266), expresiones con las que se está diciendo prácticamente lo mismo. También en general se dice en el art. 403.2 LEC que no se admitirán las demandas cuando no se acompañen a ellas los documentos que la ley expresamente exija para la admisión de aquéllas.

> Estos casos se refieren a supuestos muy distintos aunque, con todo, cabe decir que no se trata realmente de requisitos de la demanda en sentido estricto, sino de la necesidad de acreditar la legitimación, entendida ésta como presupuesto procesal, de modo que no basta con las afirmaciones de titularidad que realice el demandante. Los supuestos más claros son los del art. 266 LEC y también ver

art. 269.2 LEC, pero también pueden citarse los arts. 595.3 (principio de prueba por escrito en la tercería de dominio), 614 (principio de prueba por escrito en la tercería de mejor derecho) y 767.1 LEC (para los procesos de filiación).

Cuando se trata de los documentos materiales esenciales, los que deben presentarse con la demanda, la falta de esa presentación no puede suponer la inadmisión de ésta, sino sólo que precluye la posibilidad de la presentación misma, no pudiendo presentarse después. En todo caso se trata de un defecto no subsanable, pues estos documentos son fuentes de prueba, no sirviendo para acreditar la concurrencia de un presupuesto o de un requisito procesal.

> También en alguna ocasión la ley dispone que no se admitirá una demanda sin que se haya constituido legalmente un presupuesto. Así el art 403.2 LEC se refiere a la necesidad de que se hayan intentado conciliaciones o efectuado requerimientos, reclamaciones o consignaciones que se exijan en casos especiales.

En todos estos supuestos el incumplimiento del requisito no es algo meramente formal y, en buena parte de los casos, ni siquiera es cuestión de que el requisito sea subsanable o insubsanable, por lo que el letrado de la administración de justicia no podrá ni admitir la demanda y, desde luego, inadmitirla. Lo procedente será que de cuenta al juez para que éste decida.

V. EFECTOS DE LA DEMANDA: LA LITISPENDENCIA

La existencia de la demanda supone una ruptura; se pasa de una relación jurídico material privada en conflicto, mantenida sólo entre particulares, al planteamiento de un litigio ante un órgano jurisdiccional. Esa ruptura se define hoy con la palabra litispendencia.

> En la antigüedad ese paso no comportaba salir del derecho privado, pues el planteamiento del litigio se basaba en el contrato o cuasicontrato de *litiscontestatio*. Hoy el paso es más trascendente, porque se sale del derecho privado y se entra en el derecho público. Si antes la *litiscontestatio* marcaba la frontera entre dos territorios privados, y los efectos del planteamiento del proceso se derivaban de la voluntad de las dos partes (contrato) o de una de ellas (cuasi-contrato), hoy la litispendencia marca el muro divisorio entre el derecho privado y el público y los efectos se derivan de la ley.

A) Concepto

Con la palabra litispendencia se está haciendo referencia a la pendencia de un litigio, pero lo que importa son sus efectos. Por ello Chiovenda la definía como la «existencia de una litis en la plenitud de sus efectos».

Naturalmente esos efectos son procesales y se derivan de la constitución de un proceso. En la terminología hoy usual en los tribunales se habla de la constitución de la relación jurídico procesal.

La litispendencia, pues, marca el hito del inicio del proceso, y el derecho aspira a que la situación subjetiva y objetiva con que se inició el mismo se mantenga a lo largo de él. Los efectos se refieren, en parte, a un intento jurídico de que durante la pendencia del proceso no se altere la situación. El art. 412.1 LEC es una manifestación expresa del brocardo *lite pendente nihil innovetur*, referida a su aspecto objetivo, pero existen además toda una serie de normas que van a pretender aplicar ese principio a los casos particulares. Los efectos que vamos a examinar responden en buena medida a esa aspiración.

B) El tiempo de la litispendencia

La determinación del momento final, del *dies ad quem*, no es problemática en sí misma, pues está referido a la terminación del proceso, a los diferentes modos que se estudian en las Lecciones Decimoséptima y Decimoctava. Lo problemático ha sido el momento inicial, el *dies a quo*, aunque ahora debe estarse al art. 410 LEC: Se produce desde la interposición de la demanda, si después es admitida.

C) Los efectos de la misma

Como hemos anunciado los efectos a que hay que referirse son exclusivamente los procesales, y fundamentalmente éstos son:

a) Desde el momento de producción de la litispendencia surge para el órgano jurisdiccional el deber de continuar el proceso hasta el final y de dictar la sentencia de fondo (esto último condicionado a la concurrencia de los presupuestos procesales).

b) Respecto de las partes se produce la asunción de las expectativas, cargas y obligaciones que están legalmente vinculadas a la existencia del proceso.

c) La existencia de un proceso con la plenitud de sus efectos impide la existencia de otro en que se den las identidades propias de la cosa juzgada, esto es, subjetivas y objetivas. Para que este efecto se produzca se concede a las partes la excepción de litispendencia (art. 416.1, 2.ª LEC).

d) La litispendencia produce la denominada *perpetuatio iurisdictionis*, esto es, el juez competente en el momento de producirse la misma lo sigue siendo a pesar de los cambios que a lo largo del proceso puedan producirse (art. 411 LEC), y además conocerá del asunto por el tipo procedimental establecido en aquel momento.

Los cambios a que hacemos referencia pueden ser de dos tipos:

1.º) Cambios en los hechos: A lo largo del proceso puede modificarse el hecho determinante de la competencia territorial (el domicilio del demandado) o el hecho base de la competencia objetiva por la cuantía (las acciones reclamadas bajan en la bolsa y pierden la mayor parte de su valor), pero ello no va a alterar la competencia del órgano que conocía del proceso en el momento de la litispendencia.

2.º) Cambios en la norma: Puede producirse también un cambio en la norma determinante de la competencia y del procedimiento correspondiente, y ello tampoco debe suponer que lo que se inició como juicio ordinario pase a tramitarse como un juicio verbal. Con todo, en estos casos debe estarse a lo dispuesto en la nueva ley, en sus normas transitorias.

e) También se produce la *perpetuatio legitimationis*, en virtud de la cual quienes estaban legitimados en el momento de la litispendencia mantienen esa legitimación, sin perjuicio de los cambios que puedan producirse en el tiempo de duración del proceso.

Con todo ya vimos en la Lección Cuarta, al estudiar la sucesión procesal, que ello no puede llevarse a sus últimas consecuencias en contra de la misma realidad, y que no sólo se admiten cambios de parte derivados de hechos naturales (como la muerte de uno de los litigantes), sino también de actos jurídicos (la transmisión inter vivos de la cosa litigiosa), aunque en este segundo caso con requisitos distintos a los del primero.

Tratamiento propio tiene, como es natural, la litispendencia internacional, conforme a lo dispuesto en los arts. 37 a 39 de la Ley 29/2015, de 30 de julio, de cooperación jurídica internacional en materia civil.

VI. LA PROHIBICIÓN DE LA TRANSFORMACIÓN DE LA DEMANDA

Efecto también de la litispendencia, pero necesitado de tratamiento específico, es el relativo a la prohibición de la transformación de la demanda, también denominado prohibición de *mutatio libelli*, al que se refiere el art. 412.1 LEC al decir que, establecido lo que sea objeto del proceso en la demanda (o en la reconvención), no podrá alterarse posteriormente. Consecuencia de ello es lo dispuesto en el art. 413.1: En la sentencia no podrán tenerse en cuenta las innovaciones que, después de iniciado el juicio, introduzcan las partes o terceros en el estado de las cosas o de las personas que hubieran dado origen a la demanda (salvo que se trate de que la innovación prive de interés legítimo a la pretensión, con lo que el proceso mismo debe terminar, art. 22 LEC).

La prohibición está basada en razones de muy diversa índole que van desde las constitucionales a las técnicas; las primeras atienden a la prohibición de la indefensión que se contiene en el art. 24.1 CE, pues parece claro que si el actor pudiera cambiar el objeto del proceso, los hechos constitutivos determinantes de su petición o las personas demandadas, se estaría colocando a estas personas en situación de indefensión o, por lo menos, vulnerando el principio de igualdad; las segundas se refieren a un desarrollo ordenado del procedimiento, que se vería alterado si los cambios dichos fueran posibles. Por las mismas razones también se prohíbe la transformación de la contestación a la demanda del demandado, pero aquí nos ocupamos sólo de la primera.

A pesar de lo anterior, el propio art. 412 LEC dice que la regla general de la prohibición de transformar la demanda debe entenderse sin perjuicio de la facultad de alegaciones complementarias, en los términos previstos en la propia LEC, y el art. 400.1, II, LEC que la carga de la alegación de los hechos en la demanda debe entenderse sin perjuicio de las alegaciones complementarias o de hechos nuevos o de nueva noticia permitidas en la Ley en momentos posteriores a la demanda, por lo que debe procederse al examen de toda una serie de supuestos en los que la ley permite modificaciones, en muy diverso grado, que van desde una verdadera excepción a la prohibición de transformación de la demanda, a matizaciones y acomodaciones del principio general a la realidad. Estos supuestos se contienen en las disposiciones siguientes:

a) Ampliación de la demanda: El art. 401.2 LEC permite que, antes de la contestación a la demanda, el actor la amplíe acumulando nuevas pretensiones a las ya ejercitadas (acumulación objetiva) o que la ejercitada la dirija contra nuevos demandados, con el efecto de volver a reanudar el plazo para la contestación. Se trata de una verdadera excepción a la prohibición general, que se resuelve en una acumulación (Lección Sexta).

b) Ampliación de hechos: El art. 286 LEC se refiere a un llamado escrito de ampliación de hechos, que puede presentarse por cualquiera de las partes, precluidos los actos de alegación y antes de comenzar a transcurrir el plazo para dictar sentencia, salvo que la alegación pudiera hacerse en el acto de juicio (ordinario) o vista (verbal), y relativos tanto a hechos nuevos como de nuevo conocimiento o noticia, de relevancia para la decisión del pleito.

> Los hechos pueden ser: 1) Nuevos, es decir, ocurridos con posterioridad a los actos de alegación, caso en el que el tribunal rechazará la alegación si la novedad no se acredita cumplidamente al tiempo de formular la alegación, y 2) De nuevo conocimiento o noticia, esto es, ocurrido antes de los actos de alegación, supuesto en el que el tribunal podrá acordar la improcedencia de tomarlo en consideración si, a la vista de las circunstancias y de las alegaciones de las partes, no apareciese justificado que el hecho no se pudo alegar en los momentos procesales ordinariamente previstos, pudiendo incluso, si aprecia ánimo dilatorio o mala fe procesal, imponer al responsable una multa de 120 a 600 euros.
>
> Del escrito de ampliación de hechos se dará traslado a la parte contraria, para que, dentro de quinto día, manifieste, primero, lo que estime oportuno respecto

de la existencia misma de la nueva alegación y su admisibilidad y, después, si reconoce como cierto el hecho alegado o lo niega, pudiendo aducir cuanto aclare o desvirtúe el hecho alegado. Negado el hecho, bien se propondrá y practicará la prueba pertinente y útil, si fuere posible por el estado de las actuaciones, bien se estará a lo dispuesto para las diligencias finales.

c) El momento de la presentación de los documentos medio de prueba es el de la demanda, como hemos visto antes, pero el art. 270 LEC permite la presentación de esta clase de documentos (y de medios e instrumentos) relativos al fondo del asunto, incluso hasta el juicio (ordinario) o vista (verbal), cuando concurra alguna de las circunstancias que enumera (Lección Undécima).

d) Sentencias o resoluciones judiciales o de autoridad administrativa, dictadas o notificadas en fecha no anterior al momento de formular las conclusiones, siempre que pudieran resultar condicionantes o decisivas para resolver en primera instancia o en cualquier recurso, que según el art. 271.2 LEC pueden presentarse incluso dentro del plazo previsto para dictar sentencia.

e) Entre las finalidades de la audiencia previa en el juicio ordinario se cuenta, según el art. 426 LEC, la de delimitar los términos del debate, por medio de alegaciones complementarias, aclaración de las alegaciones, formulación de peticiones accesorias o complementarias, de alegación de hechos nuevos o de nueva noticia, todo ello con la posibilidad de aportar documentos o dictámenes, y hasta el tribunal puede requerir a las partes para que realicen las aclaraciones o precisiones necesarias.

> Para los hechos nuevos o de nueva noticia debe estarse a lo dispuesto en el art. 286 LEC, en los términos que antes hemos visto. Respecto de las alegaciones complementarias (aclaración, rectificación, precisión) y de las peticiones accesorias, nos remitimos a la Lección Decimosexta.

f) Todavía existe una doble posibilidad en el recurso de apelación, atendido el art. 460 LEC. En primer lugar pueden acompañarse al escrito de interposición del recurso los documentos que se encuentren en alguno de los casos del art. 270 LEC y que no hayan podido presentarse en primera instancia. También puede pedirse la práctica de pruebas, si bien en los casos excepcionales que se enumeran, alguno de los cuales se refiere, bien a hechos nuevos, bien a hechos de nuevo conocimiento.

> Existe, pues, una excepción a la prohibición de transformar la demanda y toda una serie de matizaciones que no llegan a ser excepción. Como regla general, con todo, cabe seguir afirmando que la litispendencia produce la aspiración de la «congelación» del objeto del proceso y la consiguiente prohibición de transformación de la demanda, aunque no cabe desconocer la adecuación del proceso a la realidad.

VII. CONSECUENCIAS JURÍDICO-PRIVADAS DE LA DEMANDA

Si la litispendencia se refiere a los efectos procesales de la demanda, existe también otra serie de efectos, que suelen denominarse materiales, y que se producen en el campo del derecho material privado. No son efectos que se deriven directamente de la litispendencia, sino que se trata, simplemente, de que el ordenamiento procede a establecer como supuesto de hecho de alguna consecuencia jurídica la existencia de la demanda. Esta es, pues, el hecho originador de consecuencias jurídicas privadas.

a) Efectos que se derivan de la mera existencia de la demanda:

1.º) La interrupción de la prescripción civil extintiva.

> Según el art. 1.973 CC la prescripción de las acciones se interrumpe por su ejercicio ante los tribunales, y ello no guarda relación con el éxito final. Es perfectamente posible que el juez dicte una sentencia meramente procesal, sin entrar en el fondo, con lo que no ha estimado la pretensión y sin embargo la prescripción se ha interrumpido. En los casos en que la pretensión es desestimada, lo que ocurre es que el juez determina que no existía el derecho base de la «acción» y, por tanto, esta no podía interrumpirse en su prescripción.

2.º) Los bienes se convierten en litigiosos.

> Se trata tanto de las cosas (art. 1.291, 4.º CC) como de los créditos (art. 1.535 CC). Este último artículo dice que el crédito se convierte en litigioso desde que se contesta a la demanda relativa al mismo, pero ahora no importa el error del CC, anclado todavía en la *litiscontestatio*, sino que el efecto no está vinculado a la estimación o no de la pretensión; depende de la mera existencia de la demanda.

3.º) La deuda solidaria sólo puede pagarse al acreedor demandante.

> Según el art. 1.142 CC el deudor puede pagar la deuda a cualquiera de los acreedores solidarios, pero si hubiese sido demandado por alguno a éste deberá hacer el pago.

b) Otros efectos se derivan no sólo de la demanda, sino de la estimación de la pretensión, aunque con retroacción a aquélla; dicho de otra manera, desde el punto de vista de la sentencia los efectos se producen *ex tunc*. Estos son: 1.º) La constitución en mora del deudor (arts. 1.100 y 1.101 CC), 2.º) La obligación del mismo de pagar intereses legales cuando no se hubiesen pactado otros (art. 1.109 CC), y 3.º) La restitución de frutos por el deudor de mala fe (arts. 451 y 1.945 CC).

c) Existen todavía otros efectos que podemos considerar intermedios, pues no puede afirmarse con rotundidad que se originen exclusivamente en la demanda o en la sentencia. Es el caso de:

1.º) La interrupción de la prescripción adquisitiva o usucapión.

La interrupción se produce por la «citación judicial hecha al poseedor, aunque sea por mandato de juez incompetente» (art. 1.945 CC), pero respecto de ella hay que tener en cuenta:

1) Que en la «citación» hay que entender incluida la citación en los procesos orales y el emplazamiento en los escritos.

2) Que la alusión a «juez incompetente» debe entenderse hecha a todos los criterios de atribución de la competencia, si bien la alusión a la postre es inútil, porque si no se suscita el problema de la competencia en el proceso, éste acaba con sentencia sobre el fondo, y a ésta deberá estarse para los efectos; y si se suscita la incompetencia, por la razón que fuere, y se estima la excepción, no hay sentencia sobre el fondo que estime la pretensión.

3) No puede afirmarse, sin más, que el efecto se derive de la estimación de la pretensión en la sentencia, con carácter retroactivo a la demanda (incorrectamente a la citación o emplazamiento). Es cierto que el art. 1.946 CC dice que la interrupción se considerará no hecha si la citación judicial fuere nula por falta de solemnidades legales, si el actor desistiere de la demanda o dejare caducar la instancia y si el poseedor fuera absuelto de la demanda, pero también es cierto que el mismo artículo dice que estas circunstancias harán que deje de producirse la interrupción, con lo que evidentemente ésta existió.

Resulta así que estamos ante una situación intermedia; desde el punto de vista del proceso la existencia de la demanda interrumpe la prescripción durante la duración de aquél, aunque a la postre puede resultar que, por diversas causas, incluida la absolución del demandado, la interrupción deje de existir.

2.º) La interrupción de la prescripción mercantil extintiva.

El art. 944 Cdc da a esta prescripción extintiva el mismo tratamiento que el CC a la prescripción adquisitiva, por lo menos en lo que nos importa ahora.

Legislación: Ley de Enjuiciamiento Civil (arts. 399 a 404 y 410 a 413)
Lectura: CHOZAS ALONSO, *La perpetuatio iurisdictionis: un efecto procesal de la litispendencia*, Granada, 1995; CASTILLEJO, *Hechos nuevos o de nueva noticia en el proceso civil de la LEC*, Valencia, 2006.

Las actitudes del demandado

I. ENUMERACIÓN

II. LA REBELDÍA:
- A) Concepto
  - Roma y *missio in bona*. Hoy contradicción
  - 1. Esencial y total
  - 2. Indiferencia voluntad del demandado
  - 3. El actor no puede ser rebelde
  - 4. Precisa declaración expresa
- B) Efectos
  - 1. Sólo preclusión (con excepciones)
  - 2. Notificación al demandado
- C) El proceso en rebeldía
  - Proceso normal +
  - a) Comunicarle la pendencia del proceso
  - b) Comparecencia del rebelde: *In terminis*
  - c) Notificación de la sentencia

III. LAS EXCEPCIONES:
- A) Excepciones procesales
  - a) Falta de presupuesto procesal
  - b) Falta de requisito de la demanda
    - Lista de excepciones
- B) Excepciones materiales: Hechos nuevos
  - a) Impeditivos
  - b) Extintivos
  - c) Excluyentes
- C) Compensación y nulidad

IV. CONTESTACIÓN A LA DEMANDA:
- A) Concepto: Por su contenido: Eventualidad, 405
- B) Contenido
  - a) Negativas: 1) Negarlos, 2) Admitirlos
  - b) Positivas: 1) Procesal, y 2) Material
- C) Documentos que deben acompañarla
  - a) Procesales
  - b) Materiales
- D) La prohibición de transformación

V. LA RECONVENCIÓN:
- A) Concepto
  - Otra pretensión con conexión
  - 1. Incompatibilidad de pretensiones
  - 2. Contestación-reconvención
- B) Requisitos
  - a) Momento
  - b) Forma
  - c) Competencia
  - d) Procedimientos homogéneos
  - e) Legitimación y
  - f) Efectos

I. ENUMERACIÓN

La admisión de la demanda lleva al trámite siguiente del emplazamiento del demandado, que debe realizar el letrado de la administración de justicia conforme a las normas generales de este tipo de notificación y para el caso concreto de que la parte no esté aún personada (arts. 155 y ss. LEC). Frente a la demanda el demandado puede allanarse o resistir.

> Si el demandado se allana el tribunal debe proceder a dictar sentencia de conformidad con el allanamiento (art. 21), pues no puede existir un proceso sin resistencia. Con todo, debe tenerse en cuenta que el allanamiento no es un acto específico de este momento procedimental, es decir, no es algo que sólo pueda hacerse ahora, sino que puede hacerse en cualquier momento de la instancia. Cuando se dice que el allanamiento es uno de los posibles contenidos de la contestación de la demanda, se está afirmando algo esencialmente incorrecto. Por lo mismo nos remitimos para su estudio a la Lección Decimoctava.

La resistencia que puede oponer el demandado, es decir, su petición de no ser condenado, está implícita en cualquier actividad que el mismo realice, e incluso lo está en su falta de actividad, pues en nuestro derecho positivo la rebeldía supone resistencia. Ahora bien, decir que la resistencia se resuelve en que el demandado pide su no condena es decir muy poco, siendo necesario aclarar las actitudes concretas dentro de la resistencia.

De modo escalonado esas actitudes concretas pueden ser:

a) No hacer nada o, dicho en términos más técnicos, no comparecer: La consecuencia será que en general el letrado de la administración de justicia le declarará en rebeldía (art. 496).

b) Comparecer pero no contestar a la demanda: Esta actitud puede responder a dos situaciones procedimentales:

1.ª) Personación y no contestación sin más: Principalmente para evitar ser declarado rebelde, el demandado puede limitarse a comparecer sin formular la contestación a la demanda (aunque esto ocurre raramente en la práctica).

2.ª) Personación y oposición de declinatoria: La ley permite al demandado plantear de modo previo, esto es, antes de la contestación a la demanda, la no concurrencia de los presupuestos procesales relativos a la jurisdicción y a la competencia de todo tipo, por medio de la declinatoria (art. 63 LEC y Lección Quinta).

c) Contestar a la demanda: Este es el acto en el que el demandado opone expresamente la verdadera resistencia; luego veremos sus posibles contenidos.

d) Reconvenir: En el escrito de contestación a la demanda, el demandado puede, además de formular la resistencia, interponer contra el demandante otra pretensión; con esta actitud se sale de la mera resistencia, por lo que se incoa un nuevo proceso que se resolverá en el mismo procedimiento.

II. LA REBELDÍA

Frente a la demanda la primera actitud que puede adoptar el demandado es la de no comparecer; a esta actitud, entendida como inactividad inicial y total, se denomina un tanto incorrectamente rebeldía.

> La palabra rebeldía respondió a un momento hoy superado de la concepción sobre el proceso. Rebelde es quien falta a la obediencia debida y en el caso del proceso debe tenerse en cuenta que el demandado no está sujeto a obediencia alguna. En el proceso civil no existen propiamente deberes sino cargas; el demandado tiene la carga de comparecer, en tanto que ello implica hacer lo que más le conviene (imperativo de su interés), pero no tiene ni obligación ni deber de hacerlo. Por ello tampoco debería hablarse de contumacia, que supone tenacidad en el mantenimiento del error. La palabra correcta sería incomparecencia, siempre que la misma se entienda de modo objetivo, como constatación de un hecho, y sin connotaciones propias de incumplimiento de deber alguno.

A) Concepto

Los derechos romano y germánico se basaban inicialmente en la idea del juicio como sometimiento voluntario de las partes a un juez y, por tanto, no podían concebir el proceso en ausencia del demandado. El lógico paso siguiente fue configurar la presencia de éste en el proceso como una obligación y de ahí el establecimiento de sanciones para impulsarlo coactivamente a personarse; surge así la *missio in bona* y la proscripción. Hoy la concepción es, naturalmente, distinta y descansa, por un lado, en el principio de contradicción y, por otro, en la noción de carga.

El principio de contradicción, entendido como derecho fundamental de audiencia o defensa, supone que nadie puede ser condenado sin ser oído y vencido en juicio, pero no puede jugar de la misma manera en todos los procesos. En el civil el principio se respeta cuando se ofrece al demandado la posibilidad real de ser oído, sin que sea necesario que éste haga uso de esa posibilidad. La demanda, pues, no impone al demandado la obligación de comparecer, sino simplemente la carga de hacerlo, es decir, un imperativo de su propio interés, que puede o no «levantar» según le parezca más conveniente.

La noción de rebeldía como inactividad precisa de algunas matizaciones para que sea rectamente entendida:

1.ª) La rebeldía es inicial y total, debiendo distinguirse de la inactividad parcial con relación a un acto determinado.

Si el demandado ha comparecido en el proceso, el no realizar después un acto procesal concreto en el plazo concedido para ello, incluida la propia contestación a la demanda, supone simplemente la pérdida de esa oportunidad, con la preclusión correspondiente, pero no es algo comparable a la rebeldía, pues ésta implica ausencia del proceso de modo total e inicial.

2.ª) Para llegar a la situación de rebeldía es indiferente la voluntad del demandado.

Este puede no haber comparecido por muy diferentes razones, las cuales se tendrán en cuenta a la hora de reconocerle el derecho de defensa o de concederle la denominada audiencia al rebelde, pero aquéllas no afectan a la situación de rebeldía que es algo objetivo.

3.º) El actor no puede incurrir en rebeldía.

Esta es una situación exclusiva del demandado. La presentación de la demanda supone que el demandante ha comparecido, por lo que ya no puede existir respecto de él inactividad inicial y total. La inactividad posterior del actor puede ser parcial o total. Si el actor no realiza un acto concreto, estaremos ante la pérdida del mismo por preclusión, que ya hemos dicho que es algo distinto de la rebeldía.

La inactividad total posterior a la presentación de la demanda teóricamente ha de recibir tratamientos procesales muy distintos, según se trate de procedimientos escritos u orales, y la distinción atiende a la interposición completa o no de la pretensión en la demanda.

1″) En un procedimiento predominantemente escrito la demanda contiene la pretensión completa, y con ella el juez dispone de todos los datos necesarios, tanto relativos a la identificación del objeto del proceso como a los hechos constitutivos, para conocer del asunto y dictar sentencia sobre el fondo de él; problema distinto será el de la carga de la prueba y las consecuencias de no haber probado. Por ello en estos procedimientos la inactividad del actor no impide la continuación del proceso. La aplicación de esta solución, que es la teóricamente correcta, se ha desvirtuado al pretenderse dar la mayor trascendencia a la audiencia previa al juicio, y por ello el art. 414.3 y 4 LEC dice que la incomparecencia del demandante o de su abogado a la misma lleva al sobreseimiento del proceso (salvo que el demandado alegare interés legítimo en la continuación).

2″) En un procedimiento oral la no asistencia del demandante al acto básico del juicio oral, vista, audiencia o comparecencia se hace equivaler a desistimiento tácito; esta es la solución del art. 442.1 LEC, para el juicio verbal (siempre salvo que el demandado alegue interés legítimo en la continuación del proceso).

4.ª) La rebeldía precisa de declaración expresa, que se hace de oficio, en general por el letrado de la administración de justicia, sin necesidad de que se acuse por el actor. A esa declaración se refiere el art. 496.1 LEC que la exige en todos los juicios.

En el juicio ordinario la declaración de rebeldía va unida al hecho de que el demandado no se persone en las actuaciones dentro del plazo para contestar a la demanda (art. 496.1 LEC). Normalmente ello irá unido al hecho de que no conteste a la demanda, pero es posible que el demandado se persone y que no conteste.

B) Efectos

La rebeldía del demandado no impide la continuación del proceso hasta su final. Cuando hablamos de efectos lo que tratamos es de precisar qué consecuencias produce esta situación sobre el proceso que continúa su curso regular.

1.ª) La preclusión, propia de la inactividad, lleva a que el demandado pierda la posibilidad de realizar los actos procesales correspondientes, y en especial la contestación a la demanda, pero ello no implica consecuencia positiva alguna.

En otros ordenamientos la rebeldía supone que el demandado admite los hechos alegados por el demandante y aun que se allana a la pretensión, pero esto no ocurre en el nuestro, en el que el art. 496.2 LEC dice claramente que la declaración de rebeldía no equivale ni a allanamiento ni a admisión de los hechos alegados en la demanda. La rebeldía se hace equivaler a que el demandado niega los hechos alegados por el actor y se opone a la petición de éste. El actor, para que sea estimada su pretensión, tendrá que realizar todo lo que tendría que hacer si el demandado hubiera contestado negando. La rebeldía supone así una resistencia implícita.

> La regla anterior es la general de nuestro Ordenamiento, pero en el propio art. 496.2 LEC se admite la posibilidad de que la ley disponga lo contrario, por lo que existen algunas excepciones. Las excepciones pueden referirse tanto a que la rebeldía equivalga a allanamiento como a reconocimiento de hechos:
> 1.ª) En el juicio verbal el art. 440.2 LEC hace equivaler la incomparecencia del demandado a la vista a allanamiento, cuando se trata de dar efectividad a derechos reales inscritos en el Registro de la Propiedad.
> 2.ª) También en este juicio verbal el art. 440.3, y para el juicio de desahucio, hace equivaler tanto el silencio ante el requerimiento de pago como la incomparecencia a la vista con allanamiento, pues entonces se declarará el desahucio sin más trámites, aunque esto lo hace extrañamente el letrado.
> 3.ª) En el art. 441.4, y ahora para los casos 10.º y 11.º del art. 250.1 la inasistencia del demandado a la vista lleva a dictar sentencia sin más trámites estimatoria de las pretensiones del actor.
> 4.ª) Según el art. 602 LEC la no contestación a la demanda en la tercería de dominio se entiende como admisión de los hechos alegados por el tercerista en la demanda, y, según el art. 618 LEC, lo mismo ocurre en la tercería de mejor derecho.
> Cuando el art. 440.1, II, dice que la inasistencia del demandado puede suponer admisión de los hechos en el interrogatorio de la parte, no está aludiendo a una consecuencia de la rebeldía, sino a una consecuencia de la inasistencia

personal del demandado para la práctica de un medio de prueba. Por ello la re-misión se hace al art. 304 que es el propio del interrogatorio de la parte.

2.ª) La resolución que declara la rebeldía se notificará al demandado por correo si su domicilio fuera conocido y, si no lo fuere, por medio de edictos. Hecho lo anterior ya no se le notificará resolución alguna, salvo la resolución que ponga fin al proceso (art. 497.1 LEC).

C) El proceso en rebeldía

En el desarrollo del proceso en rebeldía no existen trámites específicos. El actor tendrá que proceder a la realización normal del mismo, probando los hechos constitutivos que alegó en la demanda si quiere que su pretensión sea estimada. Tres aspectos, sin embargo, deben resaltarse:

a) Cuando por desconocerse el domicilio del demandado, o por hallarse en ignorado paradero, fue emplazado para personarse por medio de edictos, debe procederse a comunicarle la pendencia del proceso, de oficio o a instancia de parte, en cuanto se tenga noticia del lugar en que pueda llevarse a cabo la comunicación (art. 498 LEC).

b) La comparecencia del rebelde: Éste puede personarse en el momento que lo estime oportuno y sea cual fuere el estado del pleito; a partir de esa personación el demandado asume las expectativas y cargas, pero el procedimiento no retrocederá en su tramitación (art. 499 LEC). Esto supone que el demandado que deja de estar en rebeldía asume el proceso en el estado en que se encuentre, *in terminis*.

> El rebelde es, naturalmente, parte en el proceso, aunque permanezca inactivo y, por tanto, puede ser sujeto pasivo de determinadas actuaciones que frente a él pida el demandante; el caso más claro es el de la prueba de interrogatorio de la parte.

c) Frente a la no notificación al rebelde de las resoluciones de ordenación del proceso, la sentencia (sea de primera instancia o de cualquier recurso) o la resolución que ponga fin al mismo, se notificará al demandado personalmente, en la forma prevista en el art. 161 de la misma LEC, aunque si se encuentra en paradero desconocido la notificación se hará por medio de edicto (en extracto), que se publicará en el B. O. de la comunidad autónoma o del Estado (art. 497.2 LEC).

> Norma especial existe cuando se trata: 1) De la sentencia de desahucio por falta de pago o expiración del contrato, pues entonces la notificación de la sentencia se hará sólo por edictos. y 2) En los juicios sumarios (los que no producen cosa juzgada) también bastará la publicación de edictos.

Cuando la sentencia le haya sido notificada al demandado rebelde de modo personal, ésta sólo podrá utilizar contra ella el recurso de apelación o los recursos extraordinarios por infracción procesal o de casación, y dentro de los plazos legales. Si la notificación se ha hecho por medio de edicto, el demandado puede utilizar los mismos recursos, pero el plazo para ello se inicia desde el día siguiente al de la publicación del edicto de notificación de la sentencia en alguno de los boletines oficiales (art. 500 LEC).

Tema distinto es el de la posibilidad de que el demandado rebelde inste, bien la nulidad de actuaciones, con base en el art. 238, 3.º LOPJ, cuando se le haya colocado en situación de indefensión porque no se hizo correctamente el emplazamiento, bien la llamada audiencia al rebelde, en los supuestos del art. 501 LEC (Lección Vigesimocuarta).

III. LAS EXCEPCIONES

La palabra excepción fue adquiriendo en nuestro Derecho tantos sentidos que al final acabó por no significar nada, al haber pretendido significarlo todo. Más recientemente, y con ánimo de no romper con la tradición, pero dando sentido técnico a las palabras, se ha distinguido entre excepciones procesales y excepciones materiales, con el sentido que vemos seguidamente.

La importancia de esta distinción se basa, no en las palabras, sino en reconocer que el demandado puede articular dos líneas de oposición escalonadas; puede primero referirse al proceso, alegando en torno a la concurrencia de los presupuestos y requisitos procesales y, después o al mismo tiempo, según los distintos procedimientos, puede referirse al fondo del asunto, alegando en torno al derecho subjetivo alegado por el actor.

A) Excepciones procesales

La excepción procesal tiene como contenido la alegación de falta de presupuestos o el incumplimiento de requisitos procesales en la demanda del actor, lo que supone que el demandado puede referirse a:

a) En primer lugar esta excepción puede referirse a la falta de presupuestos procesales. Estos son las condiciones que determinan la válida constitución de un proceso, de modo que si no concurre un presupuesto en el proceso no podrá dictarse sentencia sobre el fondo del asunto. El tribunal sólo podrá resolver el fondo del litigio planteado en la pretensión cuando concurran los elementos que determinan la correcta constitución de la relación jurídico-procesal. Los presupuestos se refieren al proceso como conjunto, no a un acto concreto del mismo; la existencia válida de los actos especialmente considerados depende de que en ellos concurran los requisitos legales, que son algo muy distinto.

> Desde la posición en que ahora nos encontramos, desde las actitudes del demandado, lo que importa resaltar es que, sea o no estimable de oficio la falta de presupuestos, éstos pueden en todo caso ser alegados por el demandado, y que esa alegación se realizará por medio de las excepciones procesales. En ocasiones el tribunal apreciará de oficio su falta, en otras no, pero siempre cabe la alegación del demandado.

b) Desde esa misma posición el demandado también puede excepcionar la falta de requisitos de un acto procesal, el básico, el de la demanda; estos requisitos se refieren al contenido, no a la forma. Es preciso distinguir aquí entre admisibilidad de la demanda y estimación de la pretensión, y advertir que la falta de requisitos alegables por el demandado como excepción procesal se refieren al primer supuesto, no al segundo.

> El demandado puede alegar que en la demanda no se contiene una petición, o que ésta es oscura, o que se contienen peticiones contradictorias, pero no podrá excepcionar procesalmente que faltan hechos constitutivos, pues esto es tema de fondo que surgirá en las excepciones materiales A estos requisitos se refiere la LEC cuando habla de «defecto legal en el modo de proponer la demanda» (art. 416.1, 5.ª LEC).

De lo dicho debe desprenderse que a la hora de fijar el contenido de las excepciones procesales podemos ofrecer una lista y una serie de remisiones, pues a los distintos presupuestos nos hemos referido ya o hemos de referirnos in extenso, y lo mismo hay que decir de los requisitos de la demanda.

En consecuencia las excepciones procesales pueden referirse a:

a) *Subjetivas*: Atiende a los sujetos del proceso, es decir:

1.º) Al tribunal: Respecto del presupuesto procesal de la competencia la LEC ha preferido darle a ésta un tratamiento distinto del propio de las excepciones; la falta de competencia, en su sentido más amplio, pues comprende todo lo relativo a la jurisdicción, a la competencia e, incluso, el sometimiento de la cuestión a arbitraje y a mediación, se alega en la forma de declinatoria (arts. 39, 63, 64 y 416.2 LEC).

2.º) A las partes: Las alegaciones del demandado pueden referirse a una gran variedad de presupuestos: 1) Las partes han de existir y estar determinadas, 2) Capacidad para ser parte, 3) Capacidad procesal (incluyendo la representación de las personas físicas y el órgano de las jurídicas), 4) Legitimación, comprendiendo el litisconsorcio necesario, y 5) Postulación, tanto lo relativo al procurador como al abogado.

b) *Objetivas*: Se refieren al objeto del proceso y posibilitan al demandado alegar: 1) La existencia de litispendencia, 2) De cosa juzgada, y 3) Falta de reclamación administrativa previa.

c) *Procedimentales*: Se refieren a: 1) La determinación del proceso adecuado, tanto por la materia como por la cuantía (y en ésta también a la determinación de la misma si de ella depende la existencia de recurso de casación), 2) Falta de requisitos de la demanda, y 3) A la indebida acumulación de pretensiones en la demanda.

B) Excepciones materiales

Si las excepciones procesales se refieren al proceso en si mismo considerado, las materiales se refieren al fondo. En este aspecto material el demandado aspira a que la pretensión sea desestimada.

> El actor, al formular su pretensión de modo completo, ha expuesto una serie de hechos constitutivos, es decir, de hechos que son el supuesto fáctico de una norma jurídica de la que se desprende la existencia de su derecho subjetivo; esos hechos (recordemos la Lección anterior) se refieren a las condiciones específicas de la existencia de la relación jurídica. Acudiendo a un ejemplo similar al que antes pusimos, si el actor pide que se condene al demandado al pago del precio resultante de una compraventa, sus hechos constitutivos serán las condiciones específicas de este tipo de contrato, las del art. 1.445 CC.
>
> Frente a esos hechos el demandado puede oponerse a la pretensión sin llegar a alegar verdaderas excepciones materiales. La oposición entonces se basará, bien en la negación de la existencia de los hechos constitutivos, con lo que los convierte en controvertidos y, por tanto, en necesitados de prueba, bien en la admisión de la existencia de los hechos, pero alegando al mismo tiempo en torno al derecho aplicable, con lo que la discusión se transforma en jurídica. En todo caso no estamos aquí ante verdaderas excepciones materiales; el demandado pide la desestimación de la pretensión, pero lo hace negativamente, no en virtud de una actitud positiva de alegación de hechos distintos.

Las verdaderas excepciones materiales son hechos nuevos, distintos a los alegados por el actor y supuestos fácticos de normas también diferentes. Estamos ante excepciones materiales, sin más, cuando esos hechos no constituyen la *causa petendi* de otra pretensión; en caso contrario, el demandado no se limita a defenderse, sino que formula una nueva pretensión, con lo que surge la reconvención. Las excepciones materiales se mantienen dentro de la misma relación deducida por el demandante y además no suscitan un objeto procesal nuevo; con base en ellas el demandado se limita a pedir su absolución, no pidiendo nada positivo frente al actor.

Así como respecto a las excepciones procesales puede hacerse una enumeración, respecto de las materiales a lo más que puede llegarse es a establecer una clasificación de los hechos que puede alegar el demandado. De la misma forma que los hechos constitutivos dependen de la relación jurídica material, y éstas son innumerables, los hechos a alegar por el demandado dependen también de esa relación y si pretendiera ofrecerse una enumeración exhaustiva habría que hacer mención de todas y cada una de las relaciones jurídicas imaginables.

Los hechos a alegar por el demandado pueden ser:

a) *Impeditivos*: Son aquéllos que, recogidos por la norma correspondiente, impiden desde el principio que los hechos constitutivos desplieguen su eficacia normal y, por tanto, que se produzca el efecto jurídico pedido por el demandante.

> Siguiendo con el ejemplo de la compraventa, el demandado puede admitir que el contrato se realizó formalmente, pero que en él no concurrió alguna de las condiciones generales de los contratos, por lo que éste es nulo; con base en el art. 1.261 CC el demandado puede alegar falta de causa, siendo el contrato simulado.

b) *Extintivos*: En otros casos los hechos constitutivos han existido y han desplegado su eficacia normal, pero posteriormente se ha producido otro hecho que ha suprimido esos efectos.

> En el ejemplo de la compraventa el demandado reconoce que el contrato existió y que en un momento pasado debió el precio; el hecho nuevo que alega es alguno de los modos de extinción de las obligaciones del art. 1.156 CC, como que procedió ya a su pago.

Con los hechos impeditivos lo que el demandado dice es que el derecho subjetivo alegado por el demandante no llegó a nacer, aunque existieran los hechos constitutivos; con los extintivos la alegación se refiere al tiempo; el derecho subjetivo del actor existió en el pasado, pero no existe en el momento del proceso.

c) *Excluyentes*: También aquí se han producido los efectos de los hechos constitutivos, pero el demandado alega otros hechos, supuesto de la aplicación de una norma que le permite excluir dichos efectos. Frente al existente derecho del actor, existe otro contra derecho del demandado que puede excluir los efectos de aquél. El ejemplo típico es el de la prescripción, pero también cabe aludir al beneficio de excusión del fiador, al pacto de no pedir en plazo determinado, etc.

La diferencia fundamental de este caso, frente a los dos anteriores, radica en su sistema de aplicación; mientras los hechos impeditivos y extintivos pueden ser tenidos en cuenta por el tribunal, aunque no los alegara el demandado, siempre que hayan sido regularmente aportados al proceso y probados en él, los excluyentes sólo pueden ser tenidos en cuenta por el juzgador si existe alegación expresa del demandado y si han sido probados por éste.

El demandante ha de alegar los hechos constitutivos, y ello puede entenderse como manifestación concreta del principio dispositivo. Con base en la misma consideración el demandado ha de alegar los hechos excluyentes, que sólo pueden ser válidamente aportados al proceso a través de su alegación. Por el contrario, los hechos impeditivos y extintivos, en cuanto no conforman la pretensión ni la excluyen, han de ser, sí, alegados por las partes, pero para que el tribunal los tenga en cuenta no es preciso distinguir cuál de ellas los ha alegado.

De la misma demanda puede desprenderse que el contrato de compraventa, cuyo precio reclama el actor, carecía de causa, pues se simuló a efectos fiscales, por ejemplo, y también puede desprenderse que han transcurrido con exceso cinco años sin que el demandante ejercitara su derecho. La diferencia de tratamiento consiste en que el primer hecho puede ser tenido en cuenta por el juez, si resulta probado e independientemente de quien lo alegara y probara, aunque el demandado no lo alegue expresamente, pues el contrato nació nulo por falta de causa (arts. 1.261, 3.°, 1.275 y 1.276 CC), mientras que la prescripción del art. 1.964 CC requiere alegación expresa del demandado, y el juez no puede tenerla en cuenta sin esa alegación.

Todas las excepciones pueden articularse en una misma contestación a la demanda. Para expresarlo gráficamente se tratará de trincheras escalonadas en la oposición. La primera línea la constituyen las excepciones procesales, que tienden a que el tribunal no entre en el fondo del asunto; superada esa línea, las materiales tienden a la desestimación de la pretensión, una vez que se ha entrado en el fondo del asunto, lo que se hará necesariamente en la sentencia.

C) Compensación y nulidad

Existen dos excepciones materiales que tienen tratamiento específico en la LEC. Se trata de:

a) *Compensación*: La naturaleza jurídica de la alegación por el demandado de compensación ha sido tradicionalmente debatida por la doctrina, sin haber alcanzado un resultado claro (hecho extintivo como el pago, hecho excluyente, reconvención). Generalmente se ha distinguido: 1) Si el demandado opone la compensación y pide que el demandante sea condenado por el exceso entre la cantidad pedida por éste y el importe del crédito sobre el que se pide la compensación, suele considerarse que se trata de una reconvención o, por lo menos, que ha de tener el tratamiento de ésta, 2) Si el demandado lo único que pide es que no sea condenado, aduciendo la compensación, suele considerarse que se trata de una excepción.

El art. 408.1 LEC, si entrar a decidir sobre ese debate, ha igualado el tratamiento procesal de la compensación, de modo que, en todo caso, es decir, incluso cuando el demandado sólo pretende su absolución, y no la condena al saldo que a su favor pudiera resultar, el demandante podrá controvertir la excepción en la forma prevenida para la contestación a la reconvención. Más aún, la sentencia que se dicte sobre la compensación producirá cosa juzgada.

2.ª) *Nulidad absoluta del negocio jurídico*: Cuando el demandado aduere en su defensa hechos determinantes de la nulidad del negocio en que se funda la pretensión o pretensiones del actor y en la demanda se hubiere dado por supuesta la validez del negocio, el actor podrá pedir al letrado de la administración de justicia, que así lo acordará por decreto, contestar a la referida alegación de nulidad en el mismo plazo establecido para la contestación a la reconvención, y además la sentencia decidirá con efectos de cosa juzgada (art. 408.2 LEC).

IV. CONTESTACIÓN A LA DEMANDA

Si la demanda se define por su contenido (acción más pretensión), la contestación también debe definirse atendiendo al mismo criterio.

A) Concepto

Es el acto procesal de parte en el que se opone expresamente la resistencia por el demandado, esto es, por medio del cual el demandado pide que no se dicte contra él sentencia condenatoria. La contestación como acto es un continente; el contenido es la resistencia y ésta es una declaración petitoria de no condena.

Adviértase que estamos diciendo que la resistencia consiste en la petición de no ser condenado, que es más general, no en que se dicte sentencia absolutoria respecto del fondo, que es ya específica. Si el demandado puede alegar excepciones procesales es porque ha de pedir que no sea condenado, no que sea absuelto.

El art. 405 LEC dispone una contestación a la demanda en la que han alegarse todas las defensas que el demandado tenga contra la pretensión del actor, tanto las excepciones procesales como las materiales.

En la contestación, pues, el demandado pide que no se dicte contra él sentencia condenatoria, es decir, formula la resistencia y en ella no existe variedad. Esta aparece cuando se trata de justificar esa petición; entonces, sí, entonces el demandado puede: 1) Alegar en cuanto a la forma, pidiendo que la no condena se produzca porque el juzgador no puede entrar en el fondo del asunto, y/o 2) Alegar en cuanto al fondo negativa y/o positiva-mente, pidiendo que la no condena se produzca porque se desestime la pretensión del actor. En cualquier caso se trata de modos de lograr que no sea condenado, pero manteniéndose la misma resistencia.

> Es cierto también que cabe resistencia sin contestación a la demanda, pero ésta es el único acto en que la resistencia es expresa. Cuando no se comparece, y surge la rebeldía, y cuando se comparece y no se contesta, nuestro ordenamiento supone que existe una resistencia implícita, esto es, de petición de no condena, y por ello el demandante debe probar los hechos constitutivos. Con todo, la re-sistencia expresa se formula en la contestación y por ello estimamos conveniente definir ésta atendiendo a su contenido.

Esto no supone asimilar la naturaleza de la contestación a la de la demanda. Como acto iniciador del proceso la demanda es imprescindible para que exista la actividad jurisdiccional, mientras que la contestación no es un acto necesario. Su no necesidad proviene de que la resistencia puede ser también implícita. Lo necesario es la resistencia, no la contestación, pero si ésta es realizada por el demandado es para contener la resistencia.

B) Contenido

Prescindiendo del allanamiento y de la reconvención, lo esencial de la contestación a la demanda es la resistencia, la declaración de voluntad formulada por el demandado de que no sea condenado en la pretensión interpuesta por el actor. Esta petición puede ampararse en actitudes muy distintas.

a) Negativas

El demandado puede pedir que no sea condenado sin que por su parte alegue hechos nuevos sobre los alegados por el actor. Su oposición se cen-tra en los hechos ya aportados al proceso y respecto de ellos puede:

1.º) Negarlos: El efecto base de la negación es que convierte a los he-chos en controvertidos y, por tanto, en necesitados de prueba (art. 281.3 LEC).

> Cuando existe contestación a la demanda el demandado tiene la carga de pronunciarse sobre los hechos constitutivos, negándolos expresamente o admi-tiéndolos, con lo que añade algo a la negación implícita que el ordenamiento atribuye a la rebeldía y a la no contestación a la demanda. En estos casos el juez no puede dar como existentes los hechos de la demanda, que han de ser proba-dos por el actor, pero cuando el demandado contesta a la demanda la no nega-ción expresa de los hechos puede ser considerada por el juez como admisión

implícita y, aún más, las respuestas evasivas pueden ser estimadas por el tribunal en la sentencia como admisión (art. 405.2 LEC).

2.°) Admitirlos: El demandado puede admitir los hechos constitutivos de la demanda, bien de modo expreso o tácito, bien total o parcialmente.

1") La admisión expresa supone que el hecho queda fijado independientemente de la convicción judicial, imponiéndose al tribunal a la hora de la sentencia.

> Esta admisión puede ser incluso total y no supone allanamiento, pues el demandado continúa pidiendo que no sea condenado con base en los fundamentos de derecho. Cuando hay admisión expresa total de los hechos, la contienda se ha reducido a una pura cuestión jurídica, con lo que desaparece la necesidad de prueba (art. 429.1 LEC).

2") La admisión tácita se produce por no pronunciarse, y se entiende negándolos, sobre los hechos alegados por el actor, pero ésta admisión no se impone al juez, sino que es él quien debe decidir si da o no como existentes esos hechos.

> Sin alegar hechos nuevos y admitiendo los alegados por el actor, el demandado deja reducida la cuestión a una controversia jurídica. Ello no es común, pero sí posible. La negación de los hechos y la negación de los fundamentos de derecho implican consecuencias distintas; los hechos pueden fijarlos las partes, el Derecho lo aplica el juzgador independientemente de las alegaciones de las partes; la regla *iura novit curia* supone siempre la no vinculación y el conocimiento por el juez.

b) Positivas

La petición por el demandado de no ser condenado puede atender, no ya a las alegaciones del actor, que se niegan o admiten, sino a alegaciones propias del demandado. Entramos así en el terreno de lo positivo y en este campo (aparte de la reconvención que no es contestación) el demandado puede adoptar dos actitudes:

1.ª) Alegar excepciones procesales: Las hemos examinado ya y hemos concluido que mediante ellas se trata de poner de manifiesto la no concurrencia de algún presupuesto y/o requisito procesal, lo que conduciría, en su caso, a una resolución meramente procesal. Estas excepciones son también resistencia y petición de no ser condenado, pero dictándose sólo una resolución procesal de sobreseimiento y archivo.

2.ª) Alegar excepciones materiales: Se trata ahora, respecto del fondo del asunto, de pedir la absolución con base en hechos nuevos alegados por el demandado que tienden a desvirtuar los hechos alegados por el actor. Entran así en juego los hechos impeditivos, extintivos y excluyentes. Para que existan verdaderas excepciones sobre el fondo el demandado no debe limitarse a negar o admitir, sino que ha de afirmar hechos propios sobre los cuales asumirá la carga de la prueba.

Cuando estudiábamos la demanda nos referíamos a sus requisitos de contenido; ahora con relación a la contestación, al establecer su contenido, no hemos hablado de requisitos; hemos establecido su contenido posible, partiendo de la base de que contestar a la demanda supone necesariamente pedir no ser condenado.

Ese contenido posible implica que en la contestación pueden mezclarse las actitudes negativas y positivas o que pueden articularse sólo algunas de ellas. En la contestación el demandado puede simplemente negar todos los hechos constitutivos, citar los fundamentos de derecho oportunos y pedir la absolución; puede también negar unos hechos, admitir otros, alegar hechos nuevos, citar las normas jurídicas correspondientes y pedir la absolución; de la misma manera puede alegar excepciones procesales y después entrar en los hechos de fondo para acabar pidiendo una resolución procesal y subsidiariamente una resolución de fondo absolutoria. El principio de eventualidad puede hacer que las alegaciones sean incluso contradictorias pero que, sin embargo, deban oponerse al mismo tiempo.

C) Documentos que deben acompañarla

Sobre la distinción entre documentos procesales y materiales y sobre la necesidad de acompañarlos a la contestación, puede reproducirse lo dicho respecto a la demanda, puesto que los arts. 264 y ss. LEC se refieren siempre a la demanda y a la contestación, en su caso, aunque es necesario hacer alguna matización.

a) Procesales

1.º) El poder que acredita la representación procesal del procurador, si la representación no se ha otorgado apud acta ante el letrado del mismo Juzgado o por el turno de oficio (arts. 264.1, 1.º y 24.1 LEC):

> Su no presentación, cuando sea necesario y no sea sustituido por las otras dos posibilidades, significará que el letrado no dará curso a la contestación, si bien cabrá subsanación, y sólo a falta de ésta el letrado dará cuenta al juez y éste tendrá por no presentada la contestación y por no comparecido al demandado.

2.º) Acreditación de la representación legal de la persona física y la consideración de órgano de la jurídica (art. 264.1, 2.º, LEC).

> También aquí la falta del documento impedirá que el letrado dé curso a la contestación, aunque siempre cabrá subsanación.

3.°) Tantas copias de la contestación y de los documentos como demandantes haya (arts. 273 y 275 LEC).

> La falta de estas copias no origina, en principio, la inadmisión de la contestación, sino simplemente que se conceda plazo de cinco días para que se presenten, pero, en último caso, si no se subsana el defecto, se tendrán por no presentados el escrito y los documentos.

b) Materiales

Lo dicho para la demanda es exactamente aplicable aquí, teniendo en cuenta que se refieren, no a la estimación de la pretensión, sino a su desestimación, a la absolución del demandado. Estos documentos, dictámenes periciales e informes (art. 265 LEC) podrán ser necesarios cuando el demandado alegue hechos nuevos, pero no cuando se limite a negar los hechos alegados por el actor.

D) La prohibición de transformación

Las prohibiciones de transformación de la demanda que se contienen en las leyes son trasladables *mutatis mutandis* a la contestación. Los arts. 412 y 413 LEC se refieren también a la contestación, y respecto de ésta son también aplicables las posibilidades de alegaciones complementarias previstas en la Ley.

La prohibición de transformación se ha referido siempre a la demanda, tanto doctrinal como jurisprudencialmente, pero las mismas razones constitucionales y técnicas que existen respecto de aquélla pueden referirse a la contestación, y aquí también puede colocarse al demandante en situación de indefensión y es preciso mantener un orden en las alegaciones del demandado.

Respecto de las alegaciones complementarias debe tenerse en cuenta que si una es específica del demandante (la ampliación de la demanda del art. 401 LEC), las demás son posibles a las partes, esto es, también al demandado, como se desprende de los arts. 286, 270, 271.2, 426 y 460 LEC.

V. LA RECONVENCIÓN

Además de todo lo dicho anteriormente sobre las actitudes negativas y positivas del demandado frente a la demanda, cabe la formulación de reconvención.

A) Concepto

Se trata entonces de la interposición por el demandado de una pretensión contra la persona que le hizo comparecer en juicio, entablada ante el mismo juez y en el mismo procedimiento en que la pretensión del actor se tramita, para que sea resuelta en la misma sentencia, la cual habrá de contener dos pronunciamientos.

> A la reconvención nos referimos ya en la acumulación de pretensiones (Lección Sexta). Entonces dijimos que se trata de una acumulación exclusivamente objetiva, sucesiva y por inserción realizada por el demandado, y hay que completar ahora el estudio de la misma.

La reconvención supone salir del objeto del proceso fijado en la demanda, y de las actitudes del demandado frente a la misma, para fijar un nuevo objeto procesal, esto es, una nueva pretensión y, consiguientemente, un nuevo proceso. Frente a la demanda puede el demandado adoptar una serie muy variada de actitudes que van desde la incomparecencia a la oposición de excepciones materiales. Si prescindimos de la primera, de la incomparecencia, todas las demás actitudes son compatibles con la formulación de reconvención, y lo son porque ésta no es en realidad una actitud del demandado frente a la demanda, sino el aprovechamiento de la existencia de un procedimiento iniciado por el actor para interponer frente al mismo otra pretensión.

El art. 406.1 dice que sólo se admitirá la reconvención si existiere conexión entre su pretensión y la que sea objeto de la demanda principal. Establecida la necesidad de la conexión objetiva pueden surgir dos problemas:

1.º) Incompatibilidad de pretensiones: El art. 71.3 LEC prohíbe la acumulación de pretensiones cuando sean incompatibles entre sí.

> Esto es, cuando se excluyan mutuamente o sean contrarias entre sí, de suerte que la elección de una impida o haga ineficaz el ejercicio de la otra, pero esta prohibición no puede aplicarse a la acumulación por reconvención, pues ello iría contra la naturaleza misma de ésta. Si el actor pidió el precio convenido en un contrato de construcción de obra, el demandado puede reconvenir por la indemnización de daños y perjuicios acordada para el caso de incumplimiento del constructor.

2.º) Distinción entre contestación y reconvención: La reconvención se efectúa en el escrito de contestación a la demanda pero no es actuación de respuesta ni de oposición a la demanda. Con la reconvención se sale del objeto del proceso fijado por el actor y se entra en otro objeto, en otra pretensión. Con todo, las diferencias entre contestación y reconvención no siempre están claras.

Los elementos básicos para la distinción son: 1) La súplica de la contestación a la demanda: si el demandado pide algo más que la mera absolución, y siempre que ese algo más no esté implícito en la absolución, estaremos ante una reconvención, y 2) La extensión de la cosa juzgada: si lo que el demandado alega y pide en la contestación quedaría cubierto por la cosa juzgada, aunque no hiciera petición expresa, no existe reconvención y en caso contrario sí.

La distinción tiene especial importancia cuando se trata de peticiones positivas y negativas. Si el demandante pide una declaración positiva y el demandado pide su absolución y la declaración negativa contraria, normalmente no existirá reconvención porque la segunda petición con la absolución quedaba cubierta por la cosa juzgada. Al revés la solución no es tan clara. Si el actor interpone una pretensión negatoria de servidumbre de paso, no existirá reconvención si el demandado pide que se declare, además de su absolución, la existencia de la servidumbre, pero sí existirá reconvención si lo que pide es la constitución de la servidumbre.

3º) La reconvención también está sujeta a la tasa judicial. Como inicia otro proceso, aunque se acumule al ya empezado por la demanda, se estima que el ejercicio de la misma es el hecho imponible de la tasa (Ley 10/2012, de 20 de noviembre, art. 2) y STC 140/2016, de 21 de julio.

B) Requisitos

a) *Momento*: La reconvención se interpone en el juicio ordinario siempre y exclusivamente en el escrito de contestación a la demanda (art. 406 LEC). Después de ese momento no podrá reconvenirse, quedando a salvo el derecho del demandado para interponer su pretensión en el juicio correspondiente.

b) *Forma*: Si la reconvención tiene que proponerse en el escrito de contestación a la demanda, la ley pretende que se distinga claramente entre uno y otro contenido del escrito. Por eso dice el art. 406.3 LEC que se propondrá a continuación de la contestación, acomodándose al contenido de la demanda según el art. 399 LEC.

El problema era el de la reconvención llamada implícita, esto es, aquélla cuya existencia ha de deducirse del escrito de contestación a la demanda, con base en que el demandado pide algo más que su absolución y ese algo más supone la interposición de una pretensión. Frente a reconvención implícita el art. 406.3 LEC reacciona disponiendo: 1) Habrá de expresarse con claridad la concreta tutela judicial que se pretende obtener, respecto del actor y, en su caso, de otros sujetos, y 2) En ningún caso se considerara formulada reconvención si el escrito de contestación a la demanda del demandando finaliza con petición de simple absolución respecto de la pretensión formulada en la demanda.

De la demanda reconvencional debe darse traslado a los reconvenidos, para que contesten a la reconvención en el plazo de veinte días, contestación que se ajustará a lo dispuesto para la contestación a la demanda (art. 407.2 LEC).

c) *Competencia*: Para que la reconvención sea admisible el tribunal que está conociendo de la pretensión inicial debe ser también competente para conocer de la pretensión acumulada. Este es el principio general a matizar:

1.º) La competencia objetiva del tribunal por la materia no puede ser alterada por la reconvención (art. 406.2 LEC)

2.º) La competencia objetiva por la cuantía puede ser alterada, pero sólo a favor del tribunal más competente (art. 406.2, II, LEC).

> Suele decirse que, atendiendo a la cuantía, el tribunal que puede lo más puede lo menos, pero no al revés. Si la pretensión inicial ha dado lugar a un juicio ordinario, atendida la cuantía, puede formularse reconvención por cuantía de juicio verbal, pero no a la inversa.

3.º) La competencia territorial sí puede ser alterada: Para conocer de la reconvención es competente el tribunal que está conociendo de la pretensión inicial.

d) *Procedimientos homogéneos*: La reconvención no será admisible cuando la pretensión que se ejercite deba ventilarse en juicio de diferente tipo o naturaleza. Así cabe reconvención entre pretensiones que puedan ventilarse por los juicios ordinarios (con la limitación antes dicha de la competencia), pero no cabe cuando una pretensión se tramita por un juicio ordinario y la otra tiene señalado cauce procedimental especial.

e) *Legitimación pasiva*: Según el art. 407.1 LEC la reconvención puede formularse contra el demandante y contra otros sujetos no demandantes, siempre que puedan considerarse litisconsortes voluntarios o necesarios del actor reconvenido por su relación con el objeto de la demanda reconvencional.

Mientras está claro el supuesto del litisconsorcio necesario (en el que existe un único proceso con pluralidad de partes, por lo que es obvia la posibilidad de demandar al actor y a otra u otras personas), no ocurre lo mismo con el llamado litisconsorcio voluntario que, como dijimos en la Lección Sexta, no es un supuesto de litisconsorcio, sino de acumulación de pretensiones. Admitido ahora que la reconvención se dirija contra el demandante y otra persona en el caso de este pretendido litisconsorcio voluntario, lo que se está admitiendo en realidad es que el demandado reconvenga formulados dos pretensiones: Una contra el actor y otra contra persona distinta, si bien esas dos pretensiones tienen que ser conexas entre sí y respecto de la pretensión formulada en la demanda inicial.

f) *Efectos*: La reconvención produce los efectos típicos de la acumulación de pretensiones que ya vimos en su momento: 1) Las dos pretensiones, la inicial y la reconvenida, se discutirán en un mismo procedimiento, y 2) Las dos se resolverán en una sola sentencia, la cual contendrá dos pronunciamientos, que no pueden ser contradictorios.

Legislación: Ley de Enjuiciamiento Civil (arts. 405 a 409 y 496 y ss.)
Lectura: RICHARD GONZÁLEZ, *Reconvención y excepciones reconvencionales en la LEC 1/2000*, Madrid, 2002.

Lección Decimosexta
La audiencia previa

I. ORIGEN Y SENTIDO DE LA AUDIENCIA PREVIA: ART. 414
   A) El sistema del proceso común y las excepciones dilatorias
   Escritura, preclusión y eventualidad
   Actos inútiles e innecesarios. Excepciones dilatorias
   B) El sistema de la audiencia preliminar
   Klein:
   1. Cuestiones procesales
   2. Ámbito del proceso

II. EL SISTEMA DE LA LEC:
   A) Caracteres generales
   1. Después de la contestación a la demanda
   2. Es necesario
   3. Acto público, oral con inmediación
   4. No presencia de las partes
   B) Incomparecencia de las partes
   a) No comparece el actor: 2 opciones
   b) No comparece el demandado
   c) No comparece ninguna de las partes

III. FUNCIÓN DE EVITACIÓN DEL PROCESO
   a) Acuerdo previo
   b) Conciliación
   c) Suspensión para mediación

IV. FUNCIÓN SANEADORA DEL PROCESO
   a) Jurisdicción y competencia
   b) Capacidad y representación
   c) Acumulación inicial de pretensiones
   d) Litisconsorcio necesario
   e) litispendencia o cosa juzgada
   f) Inadecuación del procedimiento
   g) Demanda defectuosa
   h) Circunstancias procesales análogas

V. FUNCIÓN DELIMITADORA DE LOS TÉRMINOS DEL DEBATE
   a) Aclaración y complementación
   b) Hechos nuevos o de nueva noticia
   c) Aportación de documentos y dictámenes
   d) Posición sobre documentos, dictámenes e informes

VI. FUNCIÓN DELIMITADORA DE LA PRUEBA
   Hechos controvertidos y Proposición de medios de prueba
   Caso del art. 429.1, II

VII. EL JUICIO
   a) Señalamiento y citación
   b) Incomparecencia de las partes
   c) Desarrollo del juicio

I. ORIGEN Y SENTIDO DE LA AUDIENCIA PREVIA

Dice el art. 414.1 LEC que, una vez contestada la demanda y, en su caso, la reconvención (o transcurridos los plazos correspondientes), el letrado de la administración de justicia, dentro del tercer día, convocará a las partes a una audiencia, que habrá de celebrarse en el plazo de veinte días desde la convocatoria. Se establece de este modo la llamada legalmente audiencia previa al juicio.

> Con ella pretenden cumplirse varias finalidades:
> 1.ª) Intentar un acuerdo o transacción entre las partes que ponga fin al proceso.
> 2.ª) Examinar las cuestiones procesales que pudieran obstar a la prosecución de éste y a su terminación mediante sentencia sobre su objeto (función saneadora).
> 3.ª) Fijar con precisión dicho objeto y los extremos, de hecho o de derecho, sobre los que exista controversia entre las partes (función delimitadora de los términos del debate), y
> 4.ª) Proponer y admitir la prueba (función delimitadora del tema de prueba).
> La audiencia previa supone un cambio de orientación tan importante que requiere explicar una evolución histórica.

A) El sistema del proceso común y las excepciones dilatorias

El proceso común, el que se asumió en Las Partidas y que ha permanecido hasta la LEC de 1881, se basaba principalmente en:

1.º) La escritura: El procedimiento era casi exclusivamente escrito; en él la sentencia tenía que basarse únicamente en lo que constara por escrito en las actuaciones (*quod non est in actis non est in mundo*).

2.º) La preclusión: El procedimiento se dividía en fases rígidas (los tiempos de los pleitos), en cada una de las cuales tenía que realizarse una actividad determinada, bajo la amenaza de que la parte perdiera la posibilidad de realizar esa actividad.

3.º) La eventualidad: Dividido el procedimiento en fases rígidas y habida cuenta de la preclusión, aparecía necesario que las partes «acumularan» todos los medios de defensa de que dispusieran en la fase correspondiente, pues si no lo hacían así ya no podrían alegar posteriormente.

La escritura, la preclusión y la eventualidad llevaron a un procedimiento complejo, en el que, además y al final, podía resultar que todos los actos habían resultado inútiles, por cuanto el juez no podía pronunciarse sobre el fondo del asunto, o que algunos de los actos habían sido innecesarios, pues sin ellos se habría dictado igual sentencia sobre el objeto del proceso.

Todos los actos habían sido inútiles cuando al final del proceso se descubría que razones procesales impedían entrar a resolverse sobre el fondo del asunto, debiendo el juez dictar una sentencia meramente procesal o de absolución de la instancia. Algunos actos habían sido innecesarios cuando, dictándose sentencia sobre el fondo del asunto, se constataba que se habían debatido cuestiones o se habían probado hechos no determinantes de la condena o de la absolución del demandado.

Para evitar la realización de actos inútiles o innecesarios se acudió al sistema de las excepciones dilatorias, que eran aquéllas que podían alegarse por el demandado antes de contestar a la demanda, que tenían tramitación propia y que debían ser resueltas por el juez de manera previa. Sólo cuando y si se desestimaban esas excepciones, proseguía el proceso con la contestación a la demanda; si se estimaban, el proceso finalizaba.

El sistema de las excepciones dilatorias no sirvió para evitar la realización de actos procesales inútiles, ni en lo atinente a la inutilidad total, ni respecto de la inutilidad parcial. Constatado el fracaso se buscó un camino diferente.

B) El sistema de la audiencia preliminar

La búsqueda de ese camino distinto se inició con la Ordenanza Procesal Civil austríaca de 1895, obra de Franz Klein. El juez, después de admitir la demanda, citaba a las partes a una audiencia que, por realizarse antes de la contestación a la demanda, se llamó preliminar. La influencia de la obra de Klein, en otros aspectos nefasta, en éste llevó a la proliferación de audiencias preliminares o de instituciones semejantes en muy distintos ordenamientos procesales. El sistema para evitar procesos inútiles y actos innecesarios consistió (dejando a un lado el intento de conciliación, que pretendía poner fin al proceso) en:

1.º) Plantear y resolver inicialmente todas las cuestiones procesales, con lo que la audiencia sirve, bien para terminar el proceso, si los defectos procesales son insubsanables, bien para que el proceso continúe habiendo quedado «sanados» los defectos subsanables.

2.º) Delimitar el ámbito del proceso, es decir, en dejar determinado cuál es el objeto del proceso fijado por el actor, cuál es el objeto del debate suscitado por el demandado y sobre qué debe versar la prueba, y con ello se evitan actos procesales innecesarios.

II. EL SISTEMA DE LA LEC

La necesidad de evitar la realización de procesos inútiles o de actos innecesarios es el objetivo perseguido por la regulación de la audiencia previa en la LEC.

A) Caracteres generales

Las posibilidades concretas de regulación de la audiencia previa, con el objetivo indicado, son muy variadas. De entre todas ellas se ha elegido un sistema que se caracteriza por:

1.º) La audiencia se realiza después de la contestación a la demanda.

2.º) Es necesaria, debiendo el tribunal convocarla en todo caso.

3.º) Es un acto público, oral y con inmediación.

> En la LEC, no sólo de la regulación de los arts. 414 y siguientes, sino también del art. 137, se desprende la vigencia de la oralidad y de la inmediación, de modo que la infracción de estos principios supone la nulidad absoluta.

4.º) No es necesaria la presencia personal de las partes.

> La necesidad de la presencia de la parte misma, es decir, no de su procurador, no ha sido impuesta en la LEC. A la audiencia puede comparecer la parte personalmente, pero también puede comparecer su procurador, si bien en este caso el mismo tiene que tener poder para renunciar, allanarse o transigir (art. 414.2), esto es, para realizar los actos de disposición del objeto del proceso, pues en caso contrario se tiene a la parte por incomparecida, con las graves consecuencias que ello acarrea. El poder no precisa ser especialísimo.

B) Incomparecencia de las partes

Con esos caracteres generales se ha regulado una audiencia para la que se «convocará a las partes» (art. 414.1), con lo que en realidad lo que se está diciendo es que se citará a los procuradores de las partes. La citación debe hacerse a los procuradores de las partes cuando éstas estén personadas (art. 152.1, 1.ª). Si el demandado no se ha personado, habiendo sido declarado rebelde (art. 496), no será preciso notificarle la resolución por la que se acuerda convocar a las partes (art. 497.1).

> En esta convocatoria, si no se hubiera realizado antes, se informará a las partes de la posibilidad de recurrir a una negociación para intentar solucionar el conflicto, incluido el recurso a una mediación, en cuyo caso éstas indicarán en la audiencia su decisión al respecto y las razones de la misma. Más: En atención al objeto del proceso, el tribunal podrá invitar a las partes a que intenten un acuerdo que ponga fin al proceso, en su caso a través de un procedimiento de mediación, instándolas a que asistan a una sesión informativa.

La convocatoria de la audiencia no se hace depender de que al menos un demandado se haya personado. Lo más importante de la regulación general se refiere a los efectos de la incomparecencia de las partes o de su abogado a la audiencia, debiendo distinguirse:

a) No comparece el demandante, o el abogado del mismo, puesto que la inasistencia del abogado se equipara a la inasistencia de la parte (o, mejor, de su procurador): Las soluciones posibles son dos, dependiendo de la voluntad del demandado:

1.ª) Si el demandado no pide la continuación del procedimiento, el tribunal dictará auto de sobreseimiento del proceso, ordenando el archivo de las actuaciones.

> Este auto de sobreseimiento es una resolución meramente procesal que, una vez firme será irrevocable, pero que, desde luego, no produce efectos de cosa juzgada material, por lo que el actor podrá instar un proceso posterior con el mismo objeto. El auto de sobreseimiento debe notificarse al procurador del actor, y por tratarse de una resolución definitiva, por cuanto pone fin a la instancia (art. 207.1 LEC), procede contra él recurso de apelación, sin reposición previa (arts. 451 y 455.1 LEC).

2.ª) Si el demandado pide que continúe el procedimiento, alegando interés legítimo en que llegue a dictarse sentencia sobre el fondo del asunto, el proceso continuará y lo hará con la celebración de la audiencia misma, aunque sólo con la presencia del demandado, lo que implica limitación de sus finalidades.

> Dado que el auto de sobreseimiento no impide que el actor inste un proceso posterior con el mismo objeto, el demandado puede tener interés legítimo en que el proceso continúe hasta su final, dictándose sentencia sobre el fondo del asunto. Si el demandado afirma ese interés, el tribunal tendrá que ordenar la continuación del proceso.

b) No comparece el demandado (mejor, su procurador) o el abogado del mismo, pues legalmente se equiparan estas dos inasistencias: El proceso continua, celebrándose la audiencia sólo con el actor en lo que resulte procedente.

> La falta de asistencia del demandado (mejor, de su procurador) o de su abogado supone sólo preclusión de su posibilidad de realizar la audiencia, pero no implica ni allanamiento, ni admisión de los hechos. La consecuencia principal será que no podrá proponer prueba, con los perjuicios que ello puede ocasionarle, pero la incomparecencia no produce otros efectos.

c) No comparece ninguna de las partes: El tribunal sin más trámites dictará auto de sobreseimiento del proceso.

> La LEC parece partir de que en el proceso existe un único actor y un solo demandado, y no atiende a la posibilidad de que existan más de una persona en cada una de las posiciones procesales. Debe tenerse en cuenta que la pluralidad de personas puede atender a dos supuestos muy diferentes:
> 1) Acumulación de pretensiones o de procesos, caso en el que cada proceso debe considerarse de modo autónomo (si el actor ha formulado una acumulación objetivo-subjetiva, demandando a dos personas, la inasistencia de uno de los demandados no impedirá la audiencia respecto del otro, pero sólo atendiendo al proceso en que éste es parte, no al otro), y

2) Proceso único con pluralidad de partes, que debe regirse por sus normas propias, de modo que si son varios los demandados unidos en litisconsorcio necesario la inasistencia de uno no impedirá la realización de la audiencia previa, aunque algunas de las finalidades de la misma no podrán cumplirse (no podrá llegarse a una transacción, pues el acto de disposición material del derecho exige la voluntad de todos los litisconsortes).

Comparecidas las partes, dice el art. 415.1 LEC, declarará abierto el acto se iniciará el desarrollo del mismo, precisamente en el orden que prevé la LEC. Cabe hablar aquí de las finalidades de la audiencia o de las funciones que en ella pueden a cumplirse.

III. FUNCIÓN DE EVITACIÓN DEL PROCESO

Abierto, pues, el acto, debe atenderse a la primera finalidad de la audiencia previa, que es la de evitar la continuación del proceso por medio del acuerdo entre las partes que lo deje sin objeto. Esa finalidad puede lograrse de dos maneras:

A) Acuerdo previo

Comprobando si el litigio subsiste en el inicio de la audiencia, pues es posible que las partes hayan llegado a un acuerdo extrajudicial, con lo que el proceso carece de sentido al haber perdido su objeto. Constatándose que existe el acuerdo extrajudicial, el proceso puede terminar de dos formas:

1.ª) Por el desistimiento del actor que es admitido por el demandado, con lo que el proceso termina por medio de la disposición del proceso mismo; se trata del desistimiento del art. 20 LEC, aunque tanto la voluntad del actor como la del demandado se manifiestan de modo oral, debiendo el tribunal dictar también resolución oral, que se documentará en el acta; esta resolución oral equivaldrá al auto de sobreseimiento a la que se refiere el art. 20.3, II.

2.ª) Por la homologación judicial del acuerdo, tratándose de una transacción, inicialmente extrajudicial que, a pesar de no haberse realizado a presencia judicial, puede ser homologada. En el acta habrá de constar que las partes han llegado a una transacción, con los términos de la misma, antes de la audiencia previa y la resolución oral poniendo fin a ésta, y el tribunal deberá dictar a continuación auto homologando la transacción.

Debe recordarse que la transacción, según el art. 1809 CC es un contrato por el cual las partes, dando, prometiendo o reteniendo cada una alguna cosa, evitan la provocación de un pleito (extraprocesal) o ponen término al que había comenzado (procesal); cuando la transacción incide sobre un proceso pendiente poniéndole fin puede ser extrajudicial (la que las partes realizan fuera de la presencia judicial) o judicial (la que se realiza en presencia judicial). En el caso del art. 415 LEC estamos ante una transacción extrajudicial que, sin embargo, acaba siendo homologada judicialmente, con lo que surte los efectos de la transacción judicial.

B) Conciliación

Intentando que las partes lleguen a un acuerdo en la audiencia misma, tratándose de una conciliación intraprocesal que puede acabar o no en avenencia, es decir, en transacción judicial que será homologada por el tribunal.

En la Lección Séptima definimos la conciliación en general como la actividad que puede realizarse para lograr solucionar el conflicto existente entre las partes, distinguiendo entre preventiva o pre-procesal (la de los arts. 139 a 148 de la Ley 15/2015, de 2 de julio) e intra-procesal (ésta del art. 415 de la LEC/2000). Los conceptos generales que allí expusimos son aplicables ahora.

Lo específico de esta conciliación intraprocesal es que:

1.º) Antes de intentar la conciliación el tribunal debe examinar la concurrencia de los requisitos de capacidad jurídica y de poder de disposición de las partes o de sus representantes.

> Como la conciliación puede terminar con avenencia, que es realmente un contrato de transacción, el tribunal debe comprobar antes de intentarla que: 1) El objeto del proceso es disponible, pues si no lo es no puede intentar la conciliación, y 2) Las partes o sus representantes tienen capacidad y poder de disposición, debiendo recordarse que si el procurador de una parte (que no ha comparecido personalmente) no tiene poder para transigir se entenderá que se ha producido la incomparecencia.

2.º) La ley no regula la forma en que debe realizarse el intento de conciliación, y realmente no precisaba hacerlo, pues se trata de una parte de un acto oral que no requiere desarrollo formal.

3.º) Si las partes llegan a un acuerdo, el tribunal procederá a la homologación del mismo. La homologación debe realizarse por una resolución judicial que debe ser auto dictado al terminar la audiencia. Esta acabará por resolución oral, que se documentará en el acta, pero la homologación requiere auto, el cual es título ejecutivo.

> El art. 415.2 dice que lo que se llevará a efecto por los trámites previstos para la ejecución de sentencias o convenios judicialmente aprobados es el acuerdo homologado judicialmente, pero el art. 517.1, 3.ª, otorga fuerza ejecutiva a las resoluciones judiciales que aprueban u homologan transacciones judiciales y acuerdos logrados en el proceso, con lo que es dudoso qué tipo de resolución

debe dictar el tribunal para efectuar la homologación, pues podría ser una resolución oral, documentada en el acta, o un auto.

Lo más correcto es distinguir entre: 1) Acuerdo: Los términos del mismo se
documentan en el acta de la audiencia previa, y ésta acaba por medio de una
resolución oral que se limita a hacer constar la existencia del acuerdo, y 2) Auto:
El tribunal, a continuación, dicta un auto de homologación del acuerdo. El título
ejecutivo es así el auto de homologación.

4.°) El acuerdo homologado es una transacción judicial, que surtirá los
efectos de ésta, y por ello ha de admitirse la impugnación de la misma
por las causas y en la forma previstas para la transacción judicial, lo que
supone una remisión a los arts. 1816 a 1819 CC.

A pesar del tenor literal del art. 1816 CC la transacción judicial no surte los
efectos propios de la cosa juzgada, se entiende material, porque en ella no se
decide por el tribunal el conflicto existente entre las partes. Una cosa es que el
auto que aprueba la transacción sea título ejecutivo y otra que produzca cosa
juzgada. La mejor demostración de ello es que la impugnación de la transacción
no se hace por medio del «juicio» de revisión, sino por el proceso ordinario y por
las causas que invalidan los contratos.

Si las partes no se mostraron dispuestas para el intento de conciliación
o si intentado ésta no se llegó a un acuerdo, la audiencia previa continuará con la siguiente finalidad. Nada impide que se logre una avenencia
parcial, continuando la audiencia y el proceso para aquello en lo que no
hay acuerdo.

Debe advertirse que el legislador no ha pretendido realmente que el juez
intente la conciliación entre las partes, esto es, que realice una actividad
positiva, sino que, en este momento inicial de la audiencia, se trata sólo de
que compruebe si las partes persisten en su designio de pleitear o si, por el
contrario, se muestran dispuestas a concluir un acuerdo inmediatamente.

C) Suspensión para mediación

Las partes de común acuerdo podrán también solicitar la suspensión
del proceso, según el art. 19.4, para someterse a mediación. En este caso,
el tribunal examinará previamente la concurrencia de los requisitos de
capacidad jurídica y poder de disposición de las partes o de sus representantes debidamente acreditados, que asistan al acto.

Esto es absurdo. En efecto: 1) Iniciado el proceso, con demanda y contestación, no tiene sentido suspenderlo para que las partes intenten mediación, y 2)
Más absurdo es que la suspensión, atendida la remisión al art. 19.4, la decrete el
letrado de la administración de justicia ya iniciada la audiencia previa. Adviértase
que por un lado el juez controla la posibilidad de que las partes pueden acordar
la suspensión y, por otro, que conforme al art. 19.4 la suspensión la acuerda el
letrado.

IV. FUNCIÓN SANEADORA DEL PROCESO

No habiéndose logrado el acuerdo, el tribunal pasará a cumplir con la función saneadora del proceso. Por medio de ella se pretende evitar que se realice todo el proceso para que al final del mismo se descubra que el esfuerzo y el tiempo empleados han sido inútiles pues, por razones procesales, no puede el tribunal entrar a decidir el tema de fondo suscitado por las partes, debiendo limitarse a dictar una sentencia meramente procesal. Como dice el art. 416.1 el tribunal habrá de resolver sobre cualquier circunstancia que pueda impedir la válida prosecución y término del proceso mediante sentencia sobre el fondo.

«Sanear» el proceso puede entenderse en un doble sentido: 1) Unas veces se tratará de terminar el proceso, impidiendo su entera tramitación, cuando se sabe que no puede conducir a una sentencia de fondo, y 2) Otras veces se tratará de resolver las cuestiones procesales para que, tramitado después el proceso, no exista ya la posibilidad de una sentencia meramente procesal o de absolución en la instancia. Estamos, pues, ante los presupuestos y requisitos procesales, y el control de la concurrencia de los mismos ha de efectuarse precisamente por el orden previsto en la ley (art. 417.1).

> El propósito de la ley es el de que todas las cuestiones procesales queden resueltas en la misma audiencia previa, dictándose al efecto las resoluciones orales procedentes, pero el art. 417.2 admite la posibilidad de que, debatiéndose más de una cuestión procesal, el tribunal las decida por auto, que debe dictarse en el plazo de cinco días desde la terminación de la audiencia. Asimismo, con carácter especial alguna norma posterior (art. 420.2) permite decidir una cuestión procesal por auto y después de terminada la audiencia.

A) Jurisdicción y competencia

Todas las cuestiones relativas a la jurisdicción y a la competencia han de ser planteadas por el demandado por medio de la declinatoria (arts. 39, 49, 59 y 63 a 65), no pudiendo hacerlo como excepción procesal en la contestación a la demanda. Por ello en la audiencia previa no puede el demandado pretender que se cuestione ni la jurisdicción ni la competencia.

En el momento de la audiencia previa el tribunal debe de oficio examinar su jurisdicción (art. 38) y su competencia objetiva (art. 48), pero ya no su competencia territorial (art. 58) pudiendo, tras oír a las partes, declarar su falta de jurisdicción o de competencia objetiva (art. 416.2).

> Debe recordarse que el control de oficio por el tribunal puede realizarse en dos momentos diferentes: 1) En el de decidir sobre la admisión o inadmisión de la demanda, y así el art. 38 se refiere a la jurisdicción, el art. 48 a la competencia objetiva y el art. 58 a la competencia territorial, y 2) Cuando posteriormente se

advierta la falta de jurisdicción (art. 38) o de competencia objetiva (art. 48) (ya no de la competencia territorial), pero realmente de lo que se trata es de que el tribunal debe examinar en la audiencia previa la jurisdicción y la competencia objetiva.

B) Capacidad y representación

En la Lección Segunda vimos el tratamiento procesal de la capacidad de las partes y de la representación, con el control a instancia de parte y de oficio, por lo que bastará aquí con decir que debe distinguirse, según el art. 418, entre:

1.º) Defectos subsanables: Si el tribunal estima la concurrencia del defecto y que el mismo es subsanable, permitirá la subsanación del mismo en el acto y, si ello no fuera posible, concederá a la parte un plazo no superior a diez días para que subsane, con suspensión de la audiencia. Subsanado el defecto, la audiencia continuará. Si no se subsana debe distinguirse: 1») Los defectos relativos al actor supondrán la necesidad de dictar auto poniendo fin al proceso, y 2») Los atinentes al demandado implicarán la declaración de su rebeldía, sin que de sus actuaciones quede constancia en los autos, continuando el proceso.

2.º) Defectos insubsanables: Estimada la concurrencia del defecto y su naturaleza de insubsanable, el tribunal dará por concluida la audiencia y dictará auto poniendo fin al proceso.

C) Acumulación inicial de pretensiones

Cuando en la demanda se hubiera realizado una acumulación inicial de pretensiones (arts. 71 a 73) y el demandado opuesto a la misma en la contestación a la demanda (art. 402), el tribunal, oyendo a las partes, resolverá oralmente sobre la procedencia y admisibilidad de la acumulación, continuando la audiencia y el proceso respecto de la pretensión o pretensiones que puedan constituir el o los objetos procesales (art. 419). El control de la acumulación puede realizarse de oficio, bien en el momento de la admisión de la demanda (art. 73.4), bien en el de la audiencia previa.

D) Litisconsorcio necesario

Visto en la Lección Tercera lo que sea el litisconsorcio necesario, el momento para debatir sobre la concurrencia del mismo es el de la audiencia previa (art. 420), lo que puede hacerse ante dos situaciones:

1.ª) Si el demandado opuso en la contestación a la demanda la excepción procesal de falta de litisconsorcio necesario y el actor admite la existencia del mismo, puede presentar escrito dirigiendo la demanda contra los sujetos que el demandado consideró en la contestación que eran litisconsortes: El tribunal, si estima procedente el litisconsorcio, lo declarará así en resolución oral y ordenará emplazar a los nuevos demandados para que contesten a la demanda, con suspensión de la audiencia.

> El dirigir la demanda contra otras personas no puede suponer modificar el objeto del proceso, ni en la petición, ni en la causa de pedir, aunque sí será posible añadir las alegaciones que sean imprescindibles para justificar que la pretensión se dirige también contra los nuevos demandados. Dado traslado de la demanda a éstos y contestada por ellos o transcurrido el plazo, se volverá a citar para la audiencia previa, debiéndose entender, no que se inicia de nuevo, sino que se continua.

2.ª) Alegada la excepción por el demandado en la contestación a la demanda, o suscitada la cuestión de oficio por el tribunal, si el actor se opone a la existencia del litisconsorcio necesario: El tribunal oirá a las partes y decidirá, bien en el acto y en resolución oral, bien por auto y en el plazo de cinco días, sobre la concurrencia del mismo, sin perjuicio de que la audiencia previa continua para las demás finalidades. Si la decisión es contraria a la concurrencia del litisconsorcio necesario el proceso seguirá por sus trámites normales. Si se decide que existe el litisconsorcio necesario, el tribunal concederá al actor un plazo no inferior a diez días para que dirija también la demanda contra los litisconsortes inicialmente no demandados.

> En este segundo caso puede suceder que:
> 1") El actor presente, dentro del plazo, escrito dirigiendo la demanda contra los litisconsortes: Se dará traslado de la misma a los nuevos demandados para que la contesten, conforme a lo dispuesto en el art. 405, quedando entre tanto en suspenso, para el actor y los demandados iniciales, el curso de las actuaciones. Presentada la contestación a la demanda o transcurrido el plazo para ello, el proceso continuará convocándose otra vez la audiencia previa.
> 2") El actor deje transcurrir el plazo sin presentar el escrito dirigiendo la demanda contra los litisconsortes (con sus copias y documentos): El tribunal dictará auto poniendo fin al proceso, con archivo definitivo de las actuaciones.

E) Litispendencia o cosa juzgada

La litispendencia o la cosa juzgada pueden haber sido opuestas como excepción procesal por el demandado al contestar la demanda o pueden ser suscitadas de oficio por el tribunal (art. 421), y sobre ellas debe resolverse, bien por resolución oral en la audiencia misma, bien por auto dictado dentro de los cinco días siguientes a la audiencia, y en este segundo caso: 1) La audiencia seguirá para las restantes finalidades, y 2) Si fuere necesario resolver sobre alguna cuestión de hecho, las actuaciones oportunas se practicarán en ese plazo. La decisión puede consistir en que:

1.º) Estimar que existe litispendencia o cosa juzgada: Se dará por finalizada la audiencia, dictándose auto de sobreseimiento, en el plazo de los cinco días siguientes. Si se resuelve por auto, en el mismo se realizará la declaración de sobreseimiento.

> La cosa juzgada opera en este supuesto en su efecto negativo o excluyente, puesto que si se tratara de su efecto positivo o prejudicial, no cabría sobreseer sino ordenar la continuación de la audiencia o del proceso (art. 421.1, II, y Lección Vigesimotercera).

2.º) Desestimar la concurrencia de litispendencia o de cosa juzgada: Si se resuelve en la audiencia, se ordenará la continuación de la misma para las restantes finalidades; y si se declara en el auto posterior, se ordenará la continuación del proceso por sus trámites ordinarios.

F) Inadecuación del procedimiento

La cuantía y la materia sirven para determinar el procedimiento adecuado y, sobre todo, para distinguir entre juicio ordinario y juicio verbal (arts. 249 y 250) (Lección Octava). El control de la adecuación del procedimiento puede realizarse de oficio (art. 254) y puede efectuarse a instancia del demandado (art. 255), el cual opondrá la excepción oportuna en la contestación a la demanda (art. 416.1, 4.ª) y en este caso se debatirá en la audiencia previa, lo que se hará oyendo a las partes (arts. 422 y 423).

1.º) *Por la cuantía*: La decisión judicial sobre el procedimiento adecuado por razón de la cuantía se efectúa siempre de modo oral en la audiencia y para ello se atenderá: 1) Al posible acuerdo de las partes sobre el valor de la cosa litigiosa, y 2) A falta de ese acuerdo, a los documentos, informes y cualesquiera otros elementos útiles para calcular el valor que las partes hayan aportado. La decisión puede consistir en: 1) Estimar adecuado el juicio ordinario: Continuará la audiencia y el proceso, y 2) Ordenar que se sigan los trámites del juicio verbal: Se pondrá fin a la audiencia y se citará a las partes para la vista del juicio verbal, salvo que la demanda aparezca interpuesta fuera del plazo de caducidad que, por razón de la materia, establezca la ley, caso en el que se declarará el sobreseimiento el proceso.

2.º) *Por la materia*: La decisión judicial puede producirse, bien en la audiencia misma y por resolución oral, bien dentro de los cinco días siguientes a la audiencia y por auto (aunque entonces la audiencia debió proseguir para las restantes finalidades). La decisión puede consistir en que: 1) Estimar adecuado el juicio ordinario: Continuará, bien la audiencia, bien el proceso, y 2) Ordenar que se siga el juicio verbal: Se pondrá fin, bien a la audiencia, bien al juicio ordinario, y se procederá a citar a las partes para la vista del juicio verbal, salvo que deba decretarse el sobreseimiento porque la demanda aparezca interpuesta fuera del plazo de caducidad que establezca la ley.

> Puede ocurrir también que, iniciada la vista del juicio verbal, no aparezcan cumplidos los requisitos especiales que la ley exige, por razón de la materia, para la admisión de la demanda, caso en el que se decretará entonces el sobreseimiento. Sobre estos requisitos puede verse el art. 439.2, 3 y 4, teniendo en cuenta que:
>
> 1) En la tramitación normal del juicio verbal la falta de requisitos especiales de la demanda lleva a la inadmisión de la misma, sin que se dé traslado para contestarla (art. 439), pero en este caso la inadmisión con el sobreseimiento se produce ya en la vista.
>
> 2) En el tiempo que transcurre entre que se cita para la vista y se inicia ésta, el actor ha de poder presentar escrito por medio del que se cumplan los requisitos especiales, supuesto en el que puede que tenga que realizarse nueva citación, pues debe respetarse en todo caso el plazo mínimo de diez días (art. 184.2) entre el traslado de ese escrito al demandado, con los documentos, y el día de la celebración de la vista.

G) Demanda defectuosa

La demanda y la reconvención, esto es, los escritos en los que se interpone una pretensión, tienen unos requisitos de contenido, de los que algunos se refieren a la admisibilidad de la misma y otros atienden a su estimación. En la audiencia previa sólo puede atenderse a los requisitos que pueden condicionar la admisibilidad: determinación de las partes y de la petición.

En la audiencia, bien porque el demandado ha opuesto esta excepción en la contestación a la demanda (art. 407), bien porque el actor la ha opuesto respecto de la reconvención al contestar a ella (art. 409), bien porque el tribunal suscita de oficio el posible defecto respecto de la demanda o de la reconvención, puede procederse a debatir sobre: 1) Falta de claridad o precisión en la determinación de las partes, y 2) Lo mismo sobre la petición deducida, y ello con la finalidad de que el actor o el reconviniente formulen las aclaraciones o precisiones oportunas.

Con esas aclaraciones o precisiones, que nunca podrán llegar a suponer que la demanda o la reconvención se dirijan contra personas distintas de las citadas a la audiencia, ni que se altere la petición de modo sustancial, deberá quedar subsanado el defecto. Los problemas aparecen si el actor o el reconviniente no formulan esas aclaraciones o precisiones, pues en este caso el tribunal decretará, en el acto y por resolución oral, el sobreseimiento del proceso inicial o del proceso acumulado por el reconviniente, si bien sólo en el caso de que fuera imposible determinar en qué consiste la petición del actor o del reconviniente, o frente a qué sujetos jurídicos se entiende formulada la pretensión, ordenando la continuación de la audiencia y del proceso en caso contrario.

> El art. 424 parece aludir a la falta de claridad o precisión en la contestación a la demanda y en la contestación a la reconvención, pero esta falta debe aclararse por la vía del art. 426.

H) Circunstancias procesales análogas

El art. 425 dispone, en general, que cualquier otra cuestión procesal, alegada por las partes o puesta de manifiesto de oficio por el tribunal, debe quedar resuelta en la audiencia previa, acomodándola a las reglas establecidas para la análoga. Se persigue así la función saneadora respecto de todas las circunstancias que puedan obstar a que se dicte una sentencia sobre el fondo del asunto. En la audiencia previa debe resolverse todo lo procesal, todo lo que pudiera hacer que el proceso se tramite inútilmente, pues a su final debería dictarse una sentencia meramente procesal.

El art. 405 dice que en la contestación a la demanda el demandado aducirá las excepciones procesales y demás alegaciones que pongan de relieve cualquier obstáculo a la válida prosecución y término del proceso mediante sentencia de fondo del asunto y el art. 416 no hace una lista tasada de las circunstancias procesales, sino una lista abierta («en especial»), por lo que queda abierta la posibilidad de cuestionar y de resolver otras cuestiones además de las previstas expresamente.

Una de esas cuestiones puede ser la legitimación de las partes (Lección Tercera). En algunos casos la posibilidad de debatir y de resolver sobre la legitimación de modo previo, es decir, en la audiencia, es evidente, como sucede con los supuestos de legitimación extraordinaria, de legitimación ordinaria respecto de situaciones jurídicas y de legitimación ordinaria de la que se exige legalmente su acreditamiento inicial. Siendo esto así, no existe obstáculo alguno para que sobre la legitimación, en general, se debata y se resuelva en la audiencia previa, pudiendo llegar a dictarse auto de sobreseimiento.

En todos los casos examinados relativos a la función saneadora del proceso el auto de sobreseimiento es siempre un auto definitivo, que pone fin al proceso, por lo que contra el mismo cabe recurso de apelación, no de reposición (arts. 207, 451 y 455). Contra las resoluciones orales que decidan las cuestiones procesales ordenando la continuación de la audiencia no cabe recurso alguno, aunque puede hacerse constar en el acta la protesta, a los efectos de que sea admisible después el recurso de apelación contra la sentencia (art. 459). Contra el auto que decide la continuación del proceso, cabe recurso de reposición (art. 451), y contra el que decida éste no cabe apelación directa, sin perjuicio de poder reproducir la cuestión el recurrir contra la sentencia (art. 455).

V. LA FUNCIÓN DELIMITADORA DE LOS TÉRMINOS DEL DEBATE

Resueltas las cuestiones procesales ordenándose la continuación de la audiencia, en ésta se pasa a la función delimitadora de los términos del debate. Su concentración en la audiencia, con sujeción a los principios de oralidad e inmediación, es la solución lógica y por la que ha optado la LEC.

A) Aclaración y complementación

El punto de partida es la regla general de la prohibición de la transformación de la demanda y de la contestación a la demanda, de modo que en la audiencia previa no cabe alterar lo que el actor fijó como objeto del proceso, ni lo que el demandado determinó como objeto del debate. Sí son posibles modificaciones no sustanciales, que pueden referirse a:

1.º) *Aclaración de alegaciones*: A instancia de las propias partes, éstas podrán aclarar, rectificar o hacer alegaciones complementarias respecto de los hechos aducidos en sus escritos iniciales y de los fundamentos de derecho. A requerimiento del tribunal deberán las partes pronunciarse, admitiéndolos o negándolos, sobre los hechos afirmados por la parte contraria.

Se trata realmente de dos cosas diferentes:

1″) Por su propia iniciativa las partes podrán aclarar, rectificar o hacer alegaciones complementarias, con lo que se está diciendo que:

+) Respecto de los hechos cabe la aclaración de los ya alegados en los escritos, la rectificación sobre extremos secundarios y la complementación atendidas las alegaciones que haya efectuado la parte contraria. Esta posibilidad adquiere especial sentido cuando se trata de contestar por el actor a los hechos afirmados por el demandado en la contestación a la demanda, y cuando se trata de que el reconviniente conteste a los hechos afirmados por el actor al contestar a la reconvención, pues este momento de la audiencia es el único de que disponen para ello.

+) Sobre los fundamentos de derecho no existen problemas de transformación, dada la regla *iura novit curia*, pero no cabrá aducir argumentos nuevos que supongan en realidad la alegación de una nueva causa de pedir o de contradecir.

2″) Por requerimiento del tribunal se tratará de imponer a las partes que se pronuncien sobre los hechos afirmados por la contraria, negándolos o admitiéndolos de modo expreso. A esa carga se refieren ya el art. 407 para la contestación a la demanda y el art. 405 para la contestación a la reconvención. El no levantar la carga debe llevar a que el tribunal advierta a la parte que puede tener por existentes los hechos afirmados por la parte contraria y sobre los que no exista pronunciamiento claro y expreso (art. 426.6).

2.°) *Peticiones complementarias*: La petición que determina el objeto del proceso no puede ser modificada después de la contestación a la demanda y lo mismo ocurre con la petición de la reconvención, pero sí cabe que en la audiencia previa el actor o el reconviniente formulen peticiones accesorias o complementarias, dependientes de la primera o principal. Si la parte contraria está conforme se admitirá tal petición, y sobre ella habrá de resolverse en la sentencia. Si la parte contraria se opone, el tribunal decidirá sobre su admisibilidad, debiendo admitirla sólo cuando entienda que su planteamiento en la audiencia no impide a la parte contraria ejercitar su derecho de defensa en condiciones de igualdad (art. 246.3).

B) Hechos nuevos o de nueva noticia

El art. 286 regula el escrito de ampliación de hechos (Lección Catorce) que puede presentar cualquiera de las partes antes de comenzar a transcurrir el plazo para dictar sentencia, pero si los hechos nuevos ocurren antes de la audiencia previa o si de los hechos se tiene noticia antes de la misma, no deberá presentarse el dicho escrito de ampliación de hechos, sino que unos y otros se alegarán en la audiencia. Por lo demás es aplicable lo dispuesto en el citado art. 286, salvo en lo relativo al procedimiento. Así la parte contraria en la audiencia deberá pronunciarse sobre si admite el hecho o lo niega, pudiendo aducir cuanto lo aclare o desvirtúe.

C) Aportación de documentos y dictámenes

En todos los casos en que se produzcan aclaraciones, rectificaciones, alegaciones complementarias, hechos nuevos o de nueva noticia y peticiones accesorias o complementarias, siendo admitidas por el tribunal, las partes podrán aportar documentos (siendo aplicables los arts. 267, públicos, y 268, privados) o dictámenes que las justifiquen (art. 426.5).

> Norma especial se contiene en el art. 427.3 y 4, que está de modo claro mal ubicada. En efecto, con referencia a las aclaraciones, a las rectificaciones de extremos secundarios, a las alegaciones complementarias y a las peticiones accesorias o complementarias, esto es, a los tres primeros números del art. 426, se permite que las partes expresen su necesidad de aportar al proceso algún dictamen pericial, lo que harán dentro del plazo establecido en el art. 338.2, es decir, con cinco días al menos de antelación al juicio.
>
> También en los mismos casos anteriores, las partes podrán manifestar, en la audiencia, que, en vez de aportar dictamen realizado por perito de su libre

designación, piden la designación por el tribunal de un perito que dictamine, resolviéndose sobre esta petición conforme a lo establecido en los arts. 338 y siguientes.

D) Posición sobre documentos, dictámenes e informes

En la audiencia, cada parte se pronunciará sobre los documentos aportados de contrario hasta ese momento, manifestando si los admite o reconoce o impugna, proponiendo prueba, en su caso, sobre su autenticidad. De la misma manera expresará lo que convenga a su derecho sobre los dictámenes periciales y los informes presentados hasta ese momento; respecto de los dictámenes los admitirá, los contradirá o propondrá que sean ampliados en los extremos que determine (art. 427.1 y 2).

VI. FUNCIÓN DELIMITADORA DE LA PRUEBA

Fijados los términos del debate, debe abordarse en la audiencia la delimitación del tema de prueba (Lección Novena). Se trata, fundamentalmente, de que las partes o sus defensores, con el tribunal, fijen los hechos sobre los que existe conformidad, que no precisan ser probados, y los hechos controvertidos, los necesitados de prueba (art. 428.1).

La delimitación de los hechos que necesitan ser probados parte de la consideración de que los hechos admitidos por las dos partes (los no controvertidos) y los hechos notorios, no sólo no precisan ser probados, sino que los mismos están excluidos de la prueba. La evitación de actos procesales inútiles exige que en la audiencia queden delimitados los hechos necesitados de prueba, de modo que la actividad probatoria se limite a ellos, lo que ha tener especial incidencia en los hechos notorios.

La delimitación de los hechos controvertidos cumple, además, otros dos objetivos. Puede suceder, en primer lugar, que no existan estos hechos, por lo que la discrepancia entre las partes ha quedado reducida a una cuestión exclusivamente jurídica, no siendo necesaria la actividad probatoria. En este caso, finalizada la audiencia previa, el tribunal dictará sentencia dentro de los veinte días siguientes (art. 428.3).

De la misma manera cuando la única prueba admitida sea la de documentos, no impugnados, o la de dictámenes periciales ya presentados, sobre la que no se solicite la presencia de los peritos en el juicio, el tribunal podrá proceder a dictar sentencia, sin celebración de juicio, dentro de los veinte días siguientes (art. 429.8).

> Determinado que sí existen hechos controvertidos y cuáles son, puede el tribunal exhortar a las partes o a sus representantes y abogados para que lleguen

a un acuerdo que ponga fin al litigio. Se trata de un segundo intento de conciliación, que puede llevar a una transacción, con los efectos propios de ésta (art.
428.2 y su remisión al art. 415).

En el caso del art. 415 hemos dicho que no se trata de un intento de conciliación que deba realizar el juez, sino de advertir si las partes están dispuestas
a conciliarse, mientras que en el art. 428.2 se trata efectivamente de un intento
de conciliación que debe realizar el juez; en ese momento se sabe ya cuál es el
verdadero objeto de la controversia, lo que separa a las partes, y puede llegarse
a un acuerdo más fácilmente.

Fijados los hechos controvertidos, la audiencia proseguirá con la proposición y admisión de los medios de prueba. Este es el momento en el
que las partes implícitamente piden que el proceso se reciba a prueba y
en que el tribunal también implícitamente lo recibe a prueba, para que,
a continuación, expresamente cada parte proponga los medios concretos
de prueba de que intenta valerse y el tribunal expresamente se pronuncie
admitiendo o denegando cada uno de ellos (art. 429.1). Estamos ya ante
el procedimiento probatorio que debe examinarse en general en la Lección
Décima, y en especial con cada medio de prueba.

La proposición de los medios de prueba se hace de modo oral, pero
aquí se ha introducido (por la Ley 42/2015, de 5 de octubre) un elemento
que perturba lo que es un acto oral. En este momento de la audiencia
previa las partes, se entiende por su orden —primero el actor y luego el
demandado— aportarán un escrito en el que se detallarán los medios de
prueba propuestos, sin perjuicio de que el escrito puede ser completado
en el acto oral. Y peor aún para la oralidad del acto, la omisión de la
presentación del escrito no dará lugar inmediatamente a la inadmisión de
la prueba, pero esa admisión queda condicionada a que la parte presente
ese escrito en el plazo de dos días. Es decir, se ha convertido en escrito la
proposición de prueba.

Lo específico de la determinación de la prueba en la audiencia se refiere a las facultades del tribunal, no para acordar de oficio la práctica de
medios concretos de prueba, pero sí para: 1) Poner de manifiesto a las
partes que las pruebas por ellas propuestas pueden ser insuficientes para el
esclarecimiento de los hechos controvertidos, 2) Indicar el hecho o hechos
que podrían verse afectados por la insuficiencia probatoria, y 3) Señalar (si
bien ciñéndose a las fuentes de prueba cuya existencia resulte de los autos)
el o los medios de prueba cuya práctica considere conveniente. Ejercida
esta facultad, las partes podrán completar o modificar sus proposiciones
de prueba (art. 430.1, II y III).

Admitidas las prueba, se procederá a señalar la fecha y hora del juicio.

VII. EL JUICIO

En la regulación del llamado juicio ordinario se han distinguido, aparte de los actos iniciales escritos de demanda y de contestación, dos actos orales y concentrados, que son la audiencia previa y el juicio. El segundo de ellos, el juicio, tiene como finalidades, según el art. 431: 1) Practicar las pruebas (las que exigen inmediación, no la documental), y 2) Realizar las conclusiones. Este juicio es una vista sujeta en general a los arts. 182 y siguientes.

A) Señalamiento y citación

Como hemos visto la última actividad de la audiencia previa consiste en señalar la fecha y hora del juicio. Esa fecha puede ser: 1) En general, dentro del plazo de un mes a contar desde la conclusión de la audiencia (art. 429.2), y 2) En especial, dentro del plazo de dos meses, cuando toda la prueba o gran parte de ella tenga que practicarse fuera del lugar de la sede del Juzgado que está conociendo del proceso, existiendo petición de parte (art. 429.3).

> La audiencia previa termina, pues, con señalamiento para el juicio, pero cabe que el mismo se deje sin efecto y se efectúe un segundo señalamiento. Se trata de que cualquiera de los que han asistir al juicio no pudiese asistir a éste por causa de fuerza mayor u otro motivo de análoga entidad, caso en el que pedirá nuevo señalamiento, petición a la que se dará el trámite del art. 183 (art. 430).

El señalamiento lo será para una sesión, pero si, en atención a las pruebas admitidas, fuera de prever que el juicio no podrá finalizar en una sola sesión dentro del día señalado, la citación lo expresará así, indicando si la sesión o las sesiones ulteriores se llevarán a cabo en el día o días sucesivos o en otros, que habrán de señalarse, con expresión de la hora (art. 429.7).

Hecho el señalamiento o, en otras palabras, determinada la fecha y hora del juicio, deberá citarse a las partes. Las que hayan comparecido a la audiencia quedan citadas sin más (art. 4291.6); las otras (y los testigos y peritos que la parte indique que no se compromete a presentar) serán citados en las formas ordinarias.

B) Incomparecencia de las partes

Las partes comparecerán en el juicio representadas por su procurador y defendidas por su abogado. La intervención personal de las partes sólo es necesaria, para la práctica de la prueba de interrogatorio de la parte, si se ha admitido este medio de prueba y a este único efecto (art. 432.1). Cuando se habla de incomparecencia de las partes al juicio se está aludiendo, pues, a la de su abogado y procurador, y se trate del actor o del demandado los efectos son los mismos. Si faltan las dos partes, sin más trámites el tribunal declarará visto el pleito para sentencia. Si falta una de ellas, se procede a la celebración del juicio con la comparecida (art. 432.2).

C) Desarrollo del juicio

El juicio comenzará con la práctica de los medios de prueba admitidos, para lo que debe estarse a la regulación de cada uno de ellos; la práctica se efectuará precisamente en el orden fijado en el art. 300.

> Son posibles dos actividades previas a la práctica de la prueba:
>
> 1.ª) Ilicitud: En el caso de que hubiera suscitado o de que se suscite la vulneración de derechos fundamentales en la obtención de una fuente de prueba, se resolverá primero sobre esta cuestión (art. 433.1) (lección 13.ª).
>
> 2.ª) Hechos nuevos o de nueva noticia: También de modo previo pueden alegarse hechos acaecidos o conocidos después de la audiencia previa, decidiéndose sobre su admisión y prueba conforme a lo dispuesto en el art. 286 (Lección Decimocuarta).

Practicadas las pruebas se pasará a las conclusiones, que son actos de parte con doble finalidad: 1) Exposición del resultado probatorio con relación a los hechos controvertidos, y 2) Informe sobre la fundamentación jurídica. Las conclusiones no son actos de alegación, pues en ellos no se aportan hechos al proceso, y, desde luego, no pueden ser modificadas ni la pretensión del actor ni la resistencia del demandado. Terminadas las conclusiones, el tribunal declarará visto el juicio para sentencia.

Respecto de los hechos se trata básicamente de que cada parte: 1) Exponga cuáles son los hechos fundamentales del proceso, distinguiendo entre controvertidos y no controvertidos y entre los afirmados por ella y la contraria, 2) Critique el resultado de cada medio de prueba respecto de los hechos controvertidos, afirmativamente si se trata de la prueba propia y negativamente respecto de la contraria, 3) Señale la aplicación de la presunción que lleva a tener un hecho como cierto, y 4) Indique el resultado de la aplicación de las reglas sobre carga de la prueba. No se trata, pues, de alegar hechos, sino estar al resultado de la prueba sobre los hechos alegados oportunamente.

Sobre la fundamentación jurídica, y atendida la regla iura novit curia, cabe mantenerla, ampliarla y modificarla, pues con ello no se cambia ni el objeto del proceso fijado por el actor, ni el contenido de la resistencia opuesta por el demandado.

Si el tribunal no se considera suficientemente ilustrado, podrá conceder a las partes la palabra cuantas veces estime necesario para que informen sobre las cuestiones que indique (art. 433.4).

Legislación: Ley de Enjuiciamiento Civil (arts. 414 a 433)
Lectura: BANACLOCHE PALAO, GASCÓN INCHAUSTI, GUTIÉRREZ BERLINCHS y VALLINES GARCÍA, *El tratamiento de las cuestiones procesales y la audiencia previa al juicio en la Ley de Enjuiciamiento Civil*, Madrid, 2005

Lección Decimoséptima
La sentencia

I. NOCIONES GENERALES
El proceso acaba por sentencia
A) Concepto: Acto procesal: intelectual+voluntad
B) Liquidez:
    a) Obligaciones dinerarias: actor, tribunal
    b) Regla especial: existencia de obligación y juicio posterior
C) Condena de futuro
    a) Condena intereses + prestaciones periódicas
    b) Especial: En desahucio

II. FORMACIÓN INTERNA
a) Abstracto
b) En concreto de la consecuencia jurídica
c) De los hechos afirmados y
d) Subsunción en la norma jurídica
e) Determinación de la consecuencia jurídica

III. MOTIVACIÓN: ANTES NO SE MOTIVABA
A) Significado: a) Art. 120.3 CE: Imperio de la ley; b) Art. 24.1 CE: Garantía
B) Alcance:
    a) Motivación escueta
    b) Expresa manifestación de hechos y de interpretación de norma
    c) Razón de decidir
    Cuestión de los hechos probados

IV. REQUISITOS INTERNOS. ENUMERACIÓN
a) Claridad +
b) Precisión
c) Exhaustividad + Incongruencia por exceso: Ultra y Extra

V. EXHAUSTIVIDAD
A) Concepto: Falta de pronunciamiento
B) Contenido:
    a) No existencia de resolución sobre petición de fondo de actor
        1. No es incongruencia
        2. Varias peticiones
        3. Peticiones formuladas oportunamente
    b) Demás supuestos de exhaustividad
C) Subsanación: art. 215 LEC

VI. CONGRUENCIA: CORRELACIÓN
A) Fundamento: Principio dispositivo y de aportación de parte
B) Elementos de la correlación:
    a) Actor: Pretensión+
    b) Demandado: excepciones materiales
    c) las dos partes: actos de disposición
    d) Sentencia
C) Contenido de la correlación

I. NOCIONES GENERALES

El juicio ordinario terminará normalmente con la sentencia (art. 434) y lo mismo el juicio verbal (art. 447.1). Existen otras formas no normales de terminación de la instancia y de los recursos (que se estudian en la Lección siguiente), pero el de la sentencia es el modo que puede considerarse normal. En este orden de cosas dice el art. 206.1, 3.ª que se dictará sentencia para poner fin al proceso, en primera o segunda instancia, una vez haya concluido la tramitación ordinaria prevista en la ley, y también en los recursos extraordinarios (Lección Vigesimosegunda) e incluso en los procedimientos para la revisión de las sentencias firmes (Lección Vigesimocuarta).

A) Concepto

La sentencia es el acto procesal del juez (unipersonal) o del tribunal (colegiado) en el que se decide sobre la estimación o desestimación (total o parcial) de la pretensión ejercitada por el actor, con base en su conformidad o disconformidad con el ordenamiento jurídico. Se trata, pues, de la clase de resolución judicial que se prevé para decidir sobre el fondo del asunto. Si las resoluciones interlocutorias (diligencias, decretos, providencias y autos) sirven para la ordenación formal y material del proceso, la sentencia atiende al fondo del asunto, es decir, por medio de ella se decide sobre la estimación o desestimación de la pretensión.

> Tanto las verdaderas definiciones legales como la doctrinal están obviando la posibilidad de que el final del proceso se dicte una sentencia meramente procesal o de absolución en la instancia, lo que habrá de hacerse si en ese momento se constata la falta de un presupuesto procesal o el incumplimiento de un requisito procesal. Las leyes tienden a evitar que esto llegue a suceder, y en este sentido el art. 11.3 LOPJ dice que los juzgados y tribunales deberán resolver siempre sobre las pretensiones que se formulen y que sólo podrán desestimarlas por motivos formales cuando el defecto fuese insubsanable o no se subsanare por el procedimiento establecido en las leyes. De la misma manera la LEC al regular la audiencia previa en el juicio ordinario, con la finalidad de examinar las cuestiones procesales que pudieran obstar a la prosecución del proceso y a su terminación mediante sentencia sobre su objeto (art. 414.1), pretende evitar la existencia de sentencias meramente procesales. Ahora bien, su posibilidad es algo que no puede desconocerse, y a ella se refiere expresamente la LEC, por ejemplo en el art. 745.

Del art. 206 no puede deducirse que la forma de la sentencia se reserve en exclusiva para el pronunciamiento de fondo, ni siquiera en primera instancia. Antes al contrario, puede estimarse que del apartado 1, párrafo 3.º, se deduce que la sentencia es la forma de la resolución que pone fin al proceso una vez concluida su tramitación ordinaria y en primera instancia y en los recursos, pudiendo ser su contenido meramente procesal, aunque en la primera instancia ello se conciba como excepcional.

Si la anterior parece la conclusión lógica no debe olvidarse que en la LEC hay un intento claro de que no se dicten sentencias meramente procesales, lo que podría llevar a concluir incluso que si al final del proceso se descubre que no puede decirse sobre el fondo se dicte, no sentencia, sino auto declarando la nulidad de lo actuado con las consecuencias de la resolución que hubiera debido dictarse en la audiencia previa.

La sentencia es el resultado de, por un lado, una operación intelectual y, por otro, un acto de voluntad, y ello hasta el extremo de que sin una y otro carecería de sentido. Si la potestad jurisdiccional emana de la soberanía popular y se confía a los jueces y magistrados, dicho está que sus decisiones comportan siempre el ejercicio de un poder constituido, desde el que se explican tanto el efecto de cosa juzgada de las sentencias como el que se conviertan en título ejecutivo. Ese poder sólo puede ejercerse dentro del ámbito delimitado por las partes y de ahí el llamado principio de justicia rogada, al que se refiere el art. 216 LEC: los tribunales civiles decidirán los asuntos en virtud de las aportaciones de hechos, pruebas y pretensiones de las partes, pero se trata de un verdadero ejercicio de poder en el Estado.

Al mismo tiempo, y atendido que todos los poderes, en general, están sometidos a la Constitución y al resto del Ordenamiento jurídico, y la potestad jurisdiccional, en especial, se ejerce siempre con sometimiento pleno al imperio de la ley, el acto de voluntad no puede ser arbitrario, sino que ha de estar basado en una operación intelectual vinculada a lo que la misma Constitución entiende por ejercicio de la función. Se trata así, por un lado, de que el ejercicio del poder queda sometido a las fuentes del Derecho previstas en la Constitución y, por otro, de que en la sentencia deben expresarse las razones de la decisión; vinculación a la ley y motivación sirven para conformar lo que es la sentencia.

> En el Tomo I se examinó la sentencia desde el punto de vista de los requisitos de forma y de los actos necesarios para llegar a ella (sobre todo cuando se trata de órganos colegiados), y en ésta se atiende a los requisitos de contenido. Debe partirse de que son conocidas las distinciones entre: a) Sentencias definitivas y sentencias firmes, b) Sentencias de fondo (materiales) y sentencias de absolución en la instancia (procesales), y c) Sentencias estimatorias y sentencias desestimatorias.

B) Liquidez

Las sentencias condenatorias cuando se refieran a obligaciones dinerarias han de ser líquidas, sin que quepa la tradicional condena con reserva de liquidación para su determinación en la ejecución de la sentencia. Lo dispuesto en el art. 219 LEC supone:

a) La regla general relativa a las obligaciones dinerarias tiene un doble contenido:

1.º) Con relación al actor: En la demanda, y cuando se reclame el pago de una cantidad de dinero determinada (y aquí es obvio) o de frutos, rentas, utilidades o productos de cualquier clase, no podrá limitarse la pretensión a la petición de una sentencia meramente declarativa del derecho a percibirlos, sino que deberá solicitarse también la condena a su pago, lo que podrá hacerse.

1") Bien cuantificando exactamente su importe, sin que pueda solicitarse su determinación en ejecución de sentencia,

2") Bien fijando claramente las bases con arreglo a las cuales se deberá efectuar la liquidación, de forma que ésta consista en una pura operación matemática.

2.º) Con relación al tribunal: La sentencia estimatoria de la pretensión no podrá ser meramente declarativa, de modo que condenando al demandado, habrá de contener:

1") Bien el importe exacto de las cantidades respectivas.

2") Bien las bases para la liquidación, con claridad y precisión, por lo que esa liquidación consiste en una simple operación matemática que puede efectuarse en la ejecución.

> Dentro del proceso de ejecución la LEC regula, en los arts. 712 y siguientes el modo de proceder a la liquidación de daños y perjuicios, frutos, rentas, utilidades y productos de cualquier clase, pero estos procedimientos no son aplicables al supuesto que aquí examinamos, pues las sentencias de condena dineraria no pueden ser ilíquidas y quedar a reserva de liquidación en la ejecución de sentencia. Lo único que en la ejecución podrá hacerse es una simple operación matemática, para lo que no será necesario incidente declarativo alguno. La LEC ha querido terminar con la práctica anterior de procesos declarativos que acababan con una sentencia en la que simplemente se condenaba a los daños y perjuicios y el verdadero problema quedaba para la ejecución, dándose lugar en ésta a un incidente declarativo más complejo que el proceso de declaración.

b) La regla especial atiende a que el demandante puede pedir y el tribunal puede declarar la existencia de la obligación del demandado al pago de una cantidad de dinero, de frutos, rentas, utilidades o productos cuando ésta sea la única petición formulada y siempre que se dejen para un pleito posterior (no para la ejecución de la sentencia) los problemas de liquidación concreta de las cantidades.

Aunque esta norma parezca extraña, su contenido es razonable. En los supuestos normales y atendida la existencia de una relación jurídica, por ejemplo de préstamo, el banco pedirá en juicio que se declare la existencia del préstamo, con sus condiciones contractuales, y que se condene al demandado al pago de una cantidad determinada, que será fijada en atención a los plazos impagados y a los intereses; en estos supuestos la LEC exige que se trate de pretensión y de condena líquidas y sin reserva alguna de liquidación. Puede ocurrir, con todo, que la misma existencia del negocio jurídico de préstamo o alguna de sus condiciones sea lo debatido y entonces puede el banco formular una demanda meramente declarativa relativa a la existencia, contenido o interpretación del negocio, sin pretender condena alguna. Esto segundo es lo que admite la LEC en el art. 219, pues entonces está claro que todo lo relativo a la determinación de las cantidades que se adeuden con base en ese negocio jurídico habrá de efectuarse en un proceso posterior, en el que la sentencia del primero surtirá efectos de cosa juzgada en su sentido positivo o prejudicial.

C) Condenas de futuro

La necesidad de liquidez de la sentencia de condena dineraria no impide la posibilidad de condenas de futuro, esto es, relativas a obligaciones dinerarias atinentes, bien a intereses aún no vencidos, bien a prestaciones periódicas aún no devengadas, y en los dos casos atendiendo al momento en que la sentencia se dicta.

> El art. 220 de la LEC tenía esta rúbrica: «Condenas de futuro», pero por obra del legislador que ha redactado la Ley 19/2009, de 23 de noviembre, de medidas de fomento y agilización procesal del alquiler y de la eficiencia energética de los edificios, esa rúbrica ha pasado a ser: «Condenas a futuro», aunque no sabemos quién será ese llamado futuro al que se puede condenar.

Normalmente cuando se trata de obligaciones dinerarias lo pedido por el actor debe referirse a lo afectivamente adeudado en el momento de la presentación de la demanda.

1.º) Tratándose de los intereses no se había realmente suscitado cuestión en torno a que la condena relativa a los mismos podía incluir también los que se produjeran tanto con posterioridad a la demanda como con posterioridad a la sentencia y hasta que se produjera efectivamente el pago; por ello en la ejecución de la sentencia la condena de intereses recibe el tratamiento de condena a cantidad líquida, aunque realmente no lo es (Lección Vigesimonovena).

2.º) Las cosas son muy diferentes cuando se trata de la condena a prestaciones periódicas. Con rigor formal podría sostenerse que, tratándose de obligaciones dinerarias de pago periódico, la sentencia sólo podrá pronunciarse respecto de los plazos vencidos, bien en el momento de presentación de la demanda, bien en el de dictarse la sentencia, y aun esto segundo con reparos; pero si este rigor se lleva a sus consecuencias lógicas podría suceder que tuvieran que reiterarse los procesos conforme fueran venciendo los plazos de las prestaciones periódicas. Lo que el art. 220.1 permite es que en estos supuestos la condena se extienda, por un lado, a los plazos ya vencidos, con lo que se tratará de una condena que mira hacia el pasado, y, por otro, a los plazos que venzan con posterioridad a la sentencia misma, por lo que se habla de condena de futuro. La norma anterior debe ponerse en relación con el art. 578.

3.º) Supuesto especial, dentro de las reclamaciones de rentas periódicas, se da cuando la acción de reclamación se acumule a la acción de desahucio por falta de pago o por expiración legal o contractual del plazo, y el demandante lo hubiere interesado expresamente en su escrito de demanda, la sentencia, el auto o el decreto incluirá la condena a satisfacer también las rentas debidas que se devenguen con posterioridad a la presentación de la demanda hasta la entrega de la posesión efectiva de la finca, tomándose como base de la liquidación de las rentas futuras, el importe de la última mensualidad reclamada al presentar la demanda.

Aparte queda el caso de las sentencias dictadas a consecuencia de demandas interpuestas por asociaciones de consumidores y usuarios con la legitimación extraordinaria del art. 11, caso en el que el art. 221.1 establece las siguientes reglas:

1.ª) Si se hubiere pretendido una condena dineraria, de hacer, no hacer o dar cosa específica o genérica, la sentencia estimatoria determinará individualmente los consumidores y usuarios que, conforme a las leyes sobre su protección, han de entenderse beneficiados por la condena.

Cuando la determinación individual no sea posible, la sentencia establecerá los datos, características y requisitos necesarios para poder exigir el pago y, en su caso, instar la ejecución o intervenir en ella, si la instara la asociación demandante.

2.ª) Si, como presupuesto de la condena o como pronunciamiento principal o único, se declarara ilícita o no conforme a la ley una determinada actividad o conducta, la sentencia determinará si, conforme a la legislación de protección a los consumidores y usuarios, la declaración ha surtir efectos procesales no limitados a quienes hayan sido partes en el proceso correspondiente.

3.ª) Si se hubieren personado consumidores o usuarios determinados, la sentencia habrá de pronunciarse expresamente sobre sus pretensiones.

II. FORMACIÓN INTERNA

Cuando se habla de la formación interna de la sentencia se trata de explicar el iter del razonamiento que ha de conducir a un juez a tomar una decisión determinada relativa al fondo del asunto en un proceso. La cuestión es obviamente compleja pues requiere nada menos que exponer, en palabras de Calamandrei, «el esqueleto lógico del razonamiento que el juez realiza».

A) Existencia en abstracto de la consecuencia jurídica pedida

Lo primero que debe preguntarse el juez es si el Ordenamiento jurídico contiene en general la consecuencia jurídica que el actor ha pedido en su pretensión; esto es, sin referencia a los hechos afirmados por el actor e independientemente de que éstos sea o no ciertos, se trata ante todo de saber si existe una norma (haya sido ésta o no alegada oportunamente por las partes) que da lugar a lo que el actor pide, pues si llegara a constatarse que esa norma no existe, no sería necesario continuar con el razonamiento pudiendo, sin más, resolverse desestimando la pretensión.

> Esta situación no será común que se presente en la práctica, pero debe aquí recordarse que el art. 42 del CC dice que la promesa de matrimonio no produce obligación de contraerlo, por lo que si la petición de la demanda era ésta no será preciso seguir (sin perjuicio de que esta petición posiblemente debería de haber conducido a la no admisión *in limine litis* de la demanda).

B) Existencia en concreto de la consecuencia jurídica pedida

Una vez que se ha contestado afirmativamente a la primera cuestión, el paso siguiente ha de consistir en preguntarse si, concedido que sean ciertos los hechos afirmados por el actor, la consecuencia jurídica que él pide la reconoce el Ordenamiento jurídico, pero precisamente con relación a esos hechos y precisamente cuando sea él quien la pida. Es así perfectamente posible que el Ordenamiento jurídico sí reconozca la consecuencia jurídica en general, pero que lo haga no en atención a los hechos afirmados en la demanda o no respecto de la posición jurídica adoptada por el demandante.

> Por poner unos ejemplos. Según el art. 1302 del CC la acción de nulidad de los contratos pueden ejercitarla los obligados por ellos, pero los que causaron la intimidación o la violencia, o emplearon el dolo o produjeron el error, no podrán fundar su acción en esos vicios del contrato. Y según el art. 76 del mismo CC la acción de nulidad del matrimonio en los casos de error, coacción o miedo grave sólo podrá ejercitarla el cónyuge que hubiera sufrido el vicio.

C) Existencia de los hechos afirmados

Establecida la existencia de la consecuencia jurídica en general y con relación a los hechos afirmados por el actor, el paso siguiente ha de consistir en determinar la existencia de los hechos mismos, para lo cual puede estarse a dos operaciones distintas:

1.ª) Se tratará, ante todo, de constatar qué hechos no precisan de prueba para que queden fijados para el juez en el proceso, con lo que habrá de estarse a la existencia de hechos no controvertidos (los hechos que han sido afirmados por una parte y admitidos expresamente por la otra o que han sido afirmados por las dos partes) y de hechos notorios.

2.ª) Deberá atenderse después a los hechos controvertidos, es decir, a los que necesitan de prueba, lo que presupone que debe examinarse la prueba practicada y respecto de la misma distinguir tres operaciones:

1") La interpretación de cada uno de los medios de prueba, operación que consiste en determinar el resultado que se desprende de cada uno de ellos. Se trata, pues, sin atender al valor probatorio, de establecer qué es lo que el testigo ha dicho, cuál es la conclusión a la que llega el dictamen pericial, qué es lo que realmente se dice en el documento, etc.

2") La valoración de los medios de prueba, que ha de consistir en determinar el valor concreto que ha de atribuirse a cada uno de los medios de prueba, para lo que debe estarse al sistema de valoración establecido en la ley, bien entendido que existiendo medios de valoración legal éstos son preferentes a los medios de valoración libre o, dicho de otro modo, si un medio de valoración libre se impusiera respecto de un medio de valoración legal se estaría desconociendo la norma que atribuye a éste un determinado valor sin atender a la convicción del juez.

3") La aplicación de las normas procesales que facultan al juez para estimar bien existente un hecho por no haber sido negado de modo expreso por la parte sobre la recae la carga de pronunciamiento (art. 405.2), bien la *ficta confessio* en sentido estricto (arts. 304 y 307).

D) Subsunción de los hechos en la norma jurídica

Establecidos cuáles son los hechos que el juez estima existentes, debe procederse a determinar si esos hechos son el supuesto jurídico de la norma aplicable, lo que debe realizarse, primero, sobre los hechos existentes de los afirmados por el actor y, después, con atención a los hechos existentes de los afirmados por el demandado.

La subsunción no es siempre una operación fácil porque no siempre las normas jurídicas son completas, pues puede suceder que en la aplicable el supuesto fáctico quede de alguna manera indeterminado. Ocurre así en todos los casos en los que la norma se refiere a la naturaleza del negocio, a las buenas costumbres, a la buena fe, al orden debido y expresiones similares, que no son sino conceptos jurídicos indeterminados que el juez debe integrar caso por caso.

E) Determinación de la consecuencia jurídica

La determinación de la consecuencia jurídica, dentro lógicamente de la congruencia, puede en ocasiones no suscitar problemas por tratarse de una especificación para el caso concreto de la norma general, y así puede consistir en condenar al demandado a pagar el precio de la cosa comprada que no pagó en su momento, fijando la cantidad exacta, o en condenarle a entregar la posesión de la cosa reivindicada.

> Ahora bien, no siempre la consecuencia jurídica está completamente determinada en la ley, sino que ésta en alguna medida debe ser especificada por el juez en atención a las circunstancias del caso. El supuesto más claro es el del art. 1154 del CC cuando deja a la discrecionalidad equitativa del juez la determinación concreta de la «pena» en las obligaciones con cláusula penal, pero puede hacerse mención de otros muchos casos como los de los arts. 146 (la cuantía de los alimentos), 398 (lo que corresponda en la administración de la comunidad de bienes), 565 (el punto menos perjudicial para el predio sirviente), siempre del CC, etc.

III. MOTIVACIÓN

Si durante siglos los tribunales no tuvieron necesidad de motivar sus sentencias, y hasta en algún caso se prohibió expresamente la motivación (Real Cédula de 23 de junio de 1778), hoy debe estarse al art. 120.3 de la CE y luego a los arts. 209 y 218 la LEC, que ponen en relación ese deber de motivar con la forma de la sentencia. Prescindiendo de la forma, la motivación exige expresar los razonamientos fácticos y jurídicos que conducen a la apreciación (mejor, interpretación) y valoración de las pruebas, así como a la aplicación e interpretación del Derecho.

A) Significado

La finalidad del deber constitucional de fundamentar las sentencias se ha referido por el Tribunal Constitucional a aspectos muy diferentes, por cuanto ha mencionado: 1) La relación de vinculación del juez a la ley y al sistema de fuentes del Derecho dimanante de la Constitución, 2) El derecho constitucional del justiciable a exigirla, que se entiende incluido en el derecho a la tutela judicial efectiva del art. 24.1 de la CE y que, además, se relaciona con el derecho a ejercitar los recursos que procedan y, sobre todo, con el derecho a oponerse a decisiones arbitrarias, y 3) El interés general de la comunidad en el conocimiento de las razones que determinan la decisión. Se trata, pues, de una acumulación de razones que podrían ordenarse si se tuviera en cuenta que:

a) La exigencia de motivar del art. 120.3 de la CE debe relacionarse más con la función jurisdiccional y el sometimiento en el ejercicio de la misma al imperio de la ley o, en otros términos, al sistema de fuentes establecido constitucionalmente, aparte de que es medio para que la sociedad conozca cómo se ejerce por sus jueces el poder que se les ha conferido.

b) La garantía procesal de la parte tiene mejor acomodo en el art. 24.1 de la CE, en cuanto que el derecho a la tutela judicial efectiva presupone, no una resolución cualquiera, sino una resolución motivada. La motivación, por un lado, permite a la parte tomar conocimiento de las razones por las que su pretensión o resistencia ha sido estimada o desestimada y, al mismo tiempo, le posibilita el control por la vía de los recursos.

B) Alcance

El Tribunal Constitucional ha tenido ocasión de pronunciarse con reiteración sobre el contenido de la motivación y su jurisprudencia puede resumirse así:

a) La motivación escueta o sucinta, si es suficientemente indicativa, no equivale a ausencia de la misma, pues no se trata de identificar motivación con extensión de los antecedentes de hecho y de los fundamentos de derecho, y ni siquiera es preciso que se haga exhaustiva descripción del proceso intelectual que conduce al juez a decidir en un determinado sentido.

b) Lo determinante es que la resolución haga expresa manifestación de que la decisión adoptada responde a una concreta manera de entender qué hechos han quedado probados y cómo se interpreta la norma que se dice aplicable, con lo que se está dando base suficiente para que la parte gravada conozca el porqué de la decisión y pueda, en su caso, recurrirla, y al tribunal superior controlar la viabilidad fáctica y jurídica de lo decidido.

c) Por tanto, será motivación suficiente aquella que permite conocer la razón de decidir, independientemente de la parquedad o de la extensión del razonamiento expresado, pues lo importante es que quede excluido el mero voluntarismo o la arbitrariedad del juzgador.

En la motivación se pone muy claramente de manifiesto que la sentencia no es sólo un acto de voluntad del titular de la potestad jurisdiccional, sino que es también una operación intelectual que está sujeta a toda una serie de condicionamientos legales. La motivación ha de exteriorizar cómo se han cumplido esos condicionamientos y por ello ha de expresar, por ejemplo, qué hechos son los que estima que se han probado y cuál es la interpretación de la norma que aplica.

Aspecto de especial trascendencia es el que se refiere a la declaración de hechos probados. Tradicionalmente se ha distinguido entre sentencias para las que esa declaración se exigía como requisito formal (penal y laboral) y sentencias en las que no existía el requisito de forma (civil y administrativo). Dice el art. 248 de la LOPJ que las sentencias expresarán «los hechos probados, en su caso», y esta expresión se vino interpretando en el sentido de que sólo hay que hacer mención de los hechos probados cuando exista otra norma que así lo disponga expresamente, lo que no sucedía en las sentencias civiles, para las que el art. 372 de la LEC/1881 no exigía el requisito.

Ahora dice el art. 209, 2.ª LEC que en las sentencias se consignarán «los hechos probados, en su caso», y desde ahí se ha añadido por la jurisprudencia que en lo civil no hay norma especial relativa a la necesidad de hechos probados, por lo que concurre el supuesto de «en su caso. Ahora bien, esta interpretación, sí correcta formalmente olvida la necesidad de distinguir entre:

1.º) La declaración de hechos probados como requisito formal de las sentencias, que puede entenderse que sólo es exigible en aquellos supuestos en los que una norma lo dispone expresamente (caso de los arts. 142, 2.ª de la LECRIM y 97.2 de la Ley Reguladora de la Jurisdicción Social), y

2.º) La declaración de hechos probados en cuanto requisito de contenido de las sentencias, que ha de cumplirse en todas ellas y en todos los órdenes jurisdiccionales, se diga más o menos expresivamente en la norma correspondiente. Una sentencia en la que no se diga de modo claro cuáles son los hechos afirmados por las partes y cuáles son los que han quedado probados, carece de motivación fáctica.

IV. REQUISITOS INTERNOS: ENUMERACIÓN

El art. 218.1 LEC se refiere a los requisitos internos de las sentencias y dice que las mismas «deben ser claras, precisas y congruentes», añadiendo después que han de decidir «todos los puntos litigiosos que hayan sido objeto de debate». Tradicionalmente el acento de entre estos requisitos se ha puesto en el de la congruencia, que es sin duda muy importante, pero conviene no olvidarse de que no es el único.

Cuando se habla de los requisitos internos de la sentencia siempre se incide sobre la congruencia, pero hay que distinguir entre:

a) *Claridad*: En su virtud la resolución no debe precisar ser objeto de una compleja labor de interpretación, por cuanto sus pronunciamientos deben ser, por sí mismos, evidentes. La claridad falta totalmente cuando el fallo contiene disposiciones contradictorias, de modo que entonces se estaría constituyendo el supuesto más claro de infracción de norma procesal reguladora de la sentencia.

b) *Precisión*: Puede concebirse como un aspecto del anterior requisito, pero por sí mismo significa la posibilidad, tratándose de sentencias de condena, de que se pueda pasar directamente a la ejecución sin necesidad de operaciones intermedias. Esto adquiere especial sentido cuando se trata de las sentencias de contenido dinerario y en la prohibición de la iliquidez de las mismas.

c) *Exhaustividad u omisión de pronunciamiento*: Atiende al requisito interno de la sentencia que suele denominarse de incongruencia por omisión de pronunciamiento o como incongruencia por defecto, pero que más correctamente puede enunciarse como exhaustividad, por cuanto se refiere a la necesidad de resolver todos los puntos litigiosos que hayan sido objeto de debate, por emplear las palabras el art. 218.1 LEC. El Tribunal Constitucional ha aludido a ella repetidamente como incongruencia por defecto u omisiva y luego aludiremos a ella más detenidamente.

d) *Incongruencia por exceso*: En general se refiere a sobrepasar los límites que vienen marcados por las peticiones y las alegaciones de las partes. Es dentro de esta verdadera incongruencia donde se procede a distinguir tipos de la misma, y principalmente:

1.º) Incongruencia por *ultra petitum*: Con lo que suele hacerse referencia a los casos en que el fallo de la sentencia otorgue más de lo pedido, y con ello se está partiendo del presupuesto de que la sentencia puede otorgar como máximo todo lo pedido, pero no puede ir más allá.

2.º) Incongruencia por *extra petitum*: Palabras con las que suele aludirse tanto a que la sentencia conceda lo no pedido como a que lo conceda o lo deniegue por causas distintas de las alegadas, con lo que, en realidad, se está haciendo referencia, bien a las peticiones (*petita*) de las partes, bien a las causas de pedir (*causa petendi*).

> No estamos, por el contrario, ante un supuesto de incongruencia en la llamada por *infra petitum*, pues la decisión judicial puede siempre conceder menos de lo pedido. El único supuesto dudoso sería el relativo a la sentencia que concediera menos de lo admitido por el demandado, el cual habría realizado un allanamiento parcial o incluso total, pero también este supuesto podría incluirse en la incongruencia por *extra petitum*.

A pesar de la tradición que arrastra esta clasificación de la incongruencia, la doctrina está últimamente resaltando que la incongruencia por exceso es reconducible a una categoría única, que debe entenderse incluida en la infracción de las normas procesales reguladoras de la sentencia, del art. 469.1, 2.º.

V. EXHAUSTIVIDAD

La exhaustividad se refiere a la falta de pronunciamiento sobre alguno de los puntos que ha sido objeto de debate en el proceso y entre las partes, con lo que se vulnera un requisito de contenido de la sentencia, y no debe confundirse con la falta de tutela judicial efectiva, que implica la vulneración de un derecho de rango fundamental.

A) Concepto

Si se quiere obtener un mínimo de claridad sobre lo que sea la exhaustividad (llamada incorrectamente incongruencia por omisión de pronunciamiento) debe tenerse en cuenta que debería distinguirse entre:

a) Falta de pronunciamiento sobre una petición de fondo realizada por el demandante, que sería el verdadero supuesto de falta de tutela judicial efectiva a que se refiere el Tribunal Constitucional.

b) Falta de pronunciamiento sobre una excepción de fondo o material opuesta por el demandado, que difícilmente podría encuadrarse en la falta de tutela judicial efectiva, al existir una sentencia de fondo, pero que podría llevar a la estimación de un recurso ordinario o extraordinario al haberse incumplido un requisito de la sentencia, aunque éste requisito no estuviera cubierto por una garantía constitucional de las que pueden dar lugar al recurso de amparo.

c) Falta de pronunciamiento sobre una excepción procesal opuesta por el demandado, a la que habría que asimilar el no pronunciamiento sobre una causa de inadmisión del recurso alegada por el recurrido, que también podrían llevar a la estimación de un recurso ordinario, pero que tampoco deberían dar lugar al recurso de amparo, al no haber vulnerado el derecho a la tutela judicial efectiva del art. 24.1 de la CE, pues es evidente la existencia de una resolución que se pronuncia sobre el fondo.

> En la actualidad, tanto para el juicio ordinario como para el juicio verbal, debe tenerse en cuenta que todos los óbices procesales no se deciden en la sentencia, sino en un momento anterior y por auto, llamado de sobreseimiento. Ya no existen sentencias meramente procesales y las sentencias no son la resolución adecuada para contener pronunciamientos meramente procesales. Por ello no debería ya cuestionarse la falta de exhaustividad al no pronunciarse en la sentencia sobre una cuestión procesal.

d) Falta de motivación que, desde luego, no guarda relación con la falta de pronunciamiento, pues la falta de motivación supone que existe pronunciamiento, mientras que la falta de pronunciamiento, siendo por sí misma suficiente para que exista vulneración constitucional, implica además la no existencia de motivación.

De todos estos supuestos la vulneración de un derecho fundamental se refiere sólo a uno de ellos, el primero, mientras que en los demás se trata de la vulneración de una norma ordinaria que determina el contenido de la sentencia. La exhaustividad no puede reducirse, pues, a la falta de pronunciamiento sobre una petición de fondo del actor, sino que comprende todos los casos en que la sentencia no se pronuncia sobre todo lo que ha sido objeto de debate en el proceso, tanto se trate de la pretensión del actor como de la resistencia del demandado.

B) Contenido

Hecha la distinción anterior entre omisión de pronunciamiento sobre una petición de fondo del actor y exhaustividad, el fundamento de una y otra tiene que ser distinto y también las consecuencias procesales.

a) Respecto de la no existencia de resolución sobre una petición del fondo del actor convendría aclarar que:

1.º) A pesar de que tradicionalmente esta falta de pronunciamiento se viene considerando como una supuesto de incongruencia, parece ya claro que el fundamento de aquélla y de ésta son diferentes. Tendremos ocasión después de aludir a que el fundamento de la incongruencia es el principio dispositivo y el principio de aportación de parte, mientras que el fundamento del requisito de pronunciarse sobre todas las peticiones de fondo del actor se encuentra en el derecho a la jurisdicción o derecho a la tutela judicial, pues una sentencia en la que falta un pronunciamiento es una sentencia incompleta, en la que se deja de juzgar sobre alguna de las peticiones que se hicieron oportunamente, y ello hasta el extremo de que, si no se corrige por la vía de los recursos esa falta de pronunciamiento, podría sostenerse que la cosa juzgada no comprende la petición dejada de resolver.

2.º) Para que exista falta de pronunciamiento respecto de las peticiones de fondo del actor parece lógico partir del presupuesto de que éste ha tenido que formular varias, por lo que debe distinguirse entre denegación de justicia, que existiría en el caso hipotético de que el juez o tribunal dejara de pronunciarse sobre la única petición formulada o sobre todas las formuladas (sin entrar aquí en la calificación penal del supuesto atendido el tipo del art. 448 del CP), y falta de pronunciamiento por omisión o por error respecto de alguna de las peticiones formuladas.

3.º) La falta de pronunciamiento sólo puede existir respecto de las peticiones formuladas oportunamente en el proceso, esto es, en el acto de alegación procesalmente hábil para ello, lo que supone que debe estarse a cada uno de los procedimientos y examinar respeto de ellos cuál es el momento preclusivo. Naturalmente esto implica traer a referencia la prohibición de transformación de las peticiones realizadas por el demandante y los límites de esa prohibición.

4.º) La desestimación tácita debería desaparecer como argumento para justificar faltas de pronunciamiento, pues todas las peticiones del actor han de recibir respuesta expresa.

> Con todo, la desestimación tácita pudiera quedar reducida a supuestos excepcionales perfectamente delimitados que no podrían ser más de estos tres: 1) Acumulación alternativa: Si el actor ha efectuado este tipo de acumulación es obvio que la estimación de una pretensión lleva implícita la desestimación de las demás, 2) Acumulación accesoria: Cuando el actor ha efectuado esta acumulación la desestimación de la pretensión principal supone, sin otro argumento, la desestimación de las acumuladas accesoriamente, y 3) Acumulación de pretensiones incompatibles: Si esta acumulación es posible, como sucede por ejemplo en la reconvención, también es obvio que la estimación de una de ellas lleva a la desestimación de la contraria.

En todos estos supuestos de falta de pronunciamiento sobre una petición de fondo del actor se está ante un defecto de contenido de la sentencia, que debe corregirse por medio de los recursos (pues se tratará del motivo de infracción de la norma reguladora de la sentencia), pero además ha de ser posible el amparo ante el Tribunal Constitucional pues también se ha vulnerado un derecho fundamental, al no haberse producido la tutela judicial.

b) Respecto de todos los demás supuestos de exhaustividad, su fundamento no puede encontrarse en el derecho a la jurisdicción, sino en algo que tiene que estar más próximo a la congruencia en sentido estricto, es decir, a los principios dispositivo y de aportación de parte, si bien vistos desde el punto de vista del demandado. Este no determina el objeto del proceso, pero por medio de su resistencia sí determina el objeto del debate, oponiendo excepciones de fondo y excepciones procesales, las cuales deben ser contestada de modo expreso por el tribunal en la sentencia, bien para estimarlas, bien para desestimarlas, y la falta de pronunciamiento respecto de ellas no puede entenderse que significa desestimación tácita.

Por otro lado, en estos supuestos la necesidad de pronunciamiento entronca también con la necesidad de motivación, pues no bastará con que la excepción material o procesal sea desestimada, sino que será preciso explicar el porqué de la misma. No cabe hacer una interpretación tan restrictiva como la propia de la desestimación tácita de las peticiones del actor, pero también aquí habrá de estimarse que, en principio, no deben ser admitidas las desestimaciones tácitas.

C) Subsanación

La omisión de pronunciamiento tenía que dar lugar, bien al recurso ordinario (apelación) o extraordinario (infracción procesal), bien al amparo ante el Tribunal Constitucional, pero la LEC está poniendo de manifiesto la diferencia entre incongruencia y exhaustividad con base en lo dispuesto en el art. 215. Las omisiones de que pudieran adolecer las sentencias y que fuere necesario remediar para llevar plenamente a efecto las resoluciones podrán ser subsanadas, mediante auto, en los plazos y por el procedimiento de la aclaración y corrección.

> Tratándose de sentencias que hubieren omitido manifiestamente pronunciamientos relativos a pretensiones oportunamente deducidas y sustanciadas en el proceso, el tribunal, a solicitud escrita de parte, en el plazo de cinco días a contar desde la notificación de la resolución, previo traslado de dicha solicitud a las demás partes, para alegaciones escritas por otros cinco días, dictará auto por el que resolverá completar la resolución con el pronunciamiento omitido o no haber lugar a completarla.
>
> Si el tribunal advirtiese en sentencias que dictara las omisiones a que se refiere el apartado anterior, podrá, en el plazo de cinco días a contar desde la fecha en que se dicta, proceder de oficio, mediante auto, a completar su resolución, pero sin modificar ni rectificar lo que hubiere acordado.
>
> No cabrá recurso alguno contra los autos en que se completen o se deniegue completar las resoluciones a que se refieren los anteriores apartados de este artículo, sin perjuicio de los recursos que procedan, en su caso, contra la sentencia o auto a que se refiriera la solicitud o la actuación de oficio del tribunal. Los plazos para estos recursos, si fueren procedentes, comenzarán a computarse desde el día siguiente a la notificación del auto que reconociera o negara la omisión de pronunciamiento y acordara o denegara remediarla.

VI. CONGRUENCIA

El requisito de la congruencia suele definirse poniendo de manifiesto que el mismo se resuelve en una correlación o comparación entre dos elementos. Si esta idea está comúnmente admitida, no existe la misma unanimidad a la hora de precisar cuáles son exactamente los dos términos a comparar, encontrándose concepciones que aluden simplemente a las pretensiones de las partes y a la parte dispositiva de la sentencia, en general, junto a otras más modernas que precisan mucho más esos dos elementos, tanto el referido a la actividad procesal de las partes como el de la sentencia.

> El Tribunal Supremo habla en ocasiones de incongruencia interna cuando se trata, mas sencillamente de incoherencia. Si en la sentencia se dicen dos cosas contradictorias entre sí no hay incongruencia; se trata de incoherencia.

A) Fundamento

Hemos dicho antes que la verdadera incongruencia, aquella que lo es por exceso, es reconducible a una categoría única, en la que quedan incluidos todos los casos, y hay que decir inmediatamente que su fundamento se encuentra en los principios dispositivo y de aportación de parte, desde los cuales se delimita tanto el objeto del proceso en sentido estricto como el objeto del debate.

> Aunque en ocasiones se ha referido la incongruencia al derecho defensa o al principio de contradicción, debe tenerse en cuenta que aquélla no asegura que el juez se pronuncie sólo sobre lo que las partes han tenido la oportunidad de debatir contradictoriamente, dada la existencia de cuestiones sobre las que el juez ha de decidir de oficio, tanto procesales (presupuestos procesales) como de fondo (fundamentos de derecho). La congruencia forma parte del principio dispositivo, es una de las consecuencias esenciales del mismo, y deriva de la naturaleza privada de los derechos subjetivos puestos en juego; si el juez pudiera pronunciarse sobre lo no pedido, hasta la naturaleza privada de los derechos se vería en juego.

El fundamento, pues, de la incongruencia se encuentra en que son las partes las que determinan lo que someten a la decisión judicial. Desde el punto de vista de actor porque él fija el objeto del proceso por medio de la pretensión, y desde la perspectiva del demandado porque él puede contribuir a delimitar (no el objeto del proceso) pero sí el objeto del debate por medio de la alegación de excepciones materiales.

B) Elementos de la correlación

Aunque tradicionalmente se haya sostenido que la correlación tiene que producirse entre las pretensiones de las partes y la parte dispositiva de la sentencia, esta afirmación se considera hoy por la doctrina insuficiente por cuanto no atiende a todos los supuestos posibles. Por eso se está diciendo actualmente que la correlación debe establecerse entre, por un lado, la actividad de las partes y, por otro, la actividad del juez desplegada en la sentencia. Más en concreto:

a) Cuando se habla de la actividad de las partes se está haciendo referencia a:

1.º) Actor: La pretensión procesal, incluyendo tanto la petición como su causa de pedir y los hechos constitutivos de la demanda, además de todos aquellos actos en los que se haya realizado una modificación (tanto limitación como ampliación admitida) de la pretensión misma, por lo que debe estarse a la Lección Decimocuarta y a las posibilidades de transformación de la demanda, teniendo en cuenta la norma general y las excepciones del art. 412.

2.°) Demandado: Las excepciones materiales opuestas por éste (y su limitación o ampliación admisible, también según lo dispuesto en el art. 412), y

3.°) Las dos partes: Los actos de disposición del objeto del proceso (renuncia, allanamiento y transacción) y del proceso (sólo en cuanto condicionen el contenido de la sentencia, caso del desistimiento del recurso que convierte en firme a la sentencia recurrida).

b) Al referirse a la actividad del juez se está aludiendo a la sentencia, no sólo a la parte dispositiva de la misma, por cuanto en ocasiones habrá de atenderse a las razones por las que esa parte dispositiva contiene un pronunciamiento determinado. Si la congruencia ha de referirse a la causa de pedir, también ha de incluir la causa de estimar o desestimar la petición de la parte y esto se contiene en la fundamentación.

C) Contenido de la correlación

Establecidos los elementos de la correlación, aquellos entre los que debe producirse la comparación, resta por indicar en qué puede consistir la incongruencia por exceso. Partiendo de la sentencia ha de atenderse pues:

a) A las partes

La sentencia no puede contener pronunciamiento alguno respecto de quien no ha sido parte en el proceso, ni para condenarlo ni para absolverlo; si la sentencia deja de contener pronunciamiento sobre una parte estaremos ante el supuesto anterior de falta de exhaustividad.

b) A la pretensión

La pretensión determina el objeto del proceso y la sentencia ha de referirse a él en su doble componente:

1.°) Petición: Recordemos que esta petición puede ser la inmediata (la referida a la clase de tutela solicitada; de condena, declarativa pura o constitutiva) o la mediata (el bien), y la incongruencia de la sentencia puede referirse a esas dos peticiones, tanto porque se pronuncia sobre una clase de tutela no pedida por el actor, como porque se pronuncia alterando los límites cualitativos o cuantitativos determinados por el actor, esto es, porque el juez otorga algo que no se ha pedido o porque deniega algo que tampoco se había pedido.

2.°) Causa de pedir: Esta también sirve para delimitar la pretensión y con ella el objeto del proceso y, por tanto existirá incongruencia si el juez otorga lo pedido por el actor pero por causa distinta de la alegada. Debe tenerse en cuanto también ahora que una cosa son los hechos identificadores de la causa de pedir y otra, añadida a ella y por lo mismo diferente, los hechos constitutivos, y que la incongruencia también puede referirse a que el juez conceda lo pedido por el actor pero con base en hechos constitutivos no alegados por éste.

c) A la resistencia

La incongruencia de la sentencia con relación a la resistencia sólo puede producirse si el demandado ha opuesto excepciones materiales, y aquélla existirá si el juez aprecia una excepción no alegada. No podrá hablarse de incongruencia en el caso de que se estime por el juez una excepción material que deba tenerse en cuenta de oficio (por ejemplo, caducidad).

No está siempre claro si existe incongruencia porque el juez dicte una sentencia de absolución de la instancia, esto es, meramente procesal, a pesar de que el demandado no haya alegado excepciones procesales. Con esto lo que se está suscitando es si los presupuestos procesales son o no controlables de oficio por el juez, y para dar una respuesta debe estarse a cada uno de los procesos regulados en la LEC y dentro de cada uno de ellos a la distinción entre verdaderos presupuestos procesales (los controlables de oficio) e impedimentos procesales (controlables sólo a instancia del demandado).

La incongruencia no puede referirse a los fundamentos de derecho alegados por las partes, pues la regla *iura novit curia* despliega aquí sus plenos efectos, siempre que su aplicación no suponga modificar el objeto del proceso o las excepciones materiales. Por ello el art. 218.1, II, dice que el tribunal, sin apartarse de la causa de pedir acudiendo a fundamentos de hecho o de Derecho distintos de los que las partes hayan querido hacer valer, resolverá conforme a las normas aplicables al caso, aunque no hayan sido acertadamente citadas o alegadas por los litigantes.

Legislación: Ley de Enjuiciamiento Civil (arts. 216 a 222)
Lectura: COLOMER HERNÁNDEZ, *La motivación de las sentencias: Sus exigencias constitucionales y legales*, Valencia, 2003.

Desarrollo y terminación anormal del proceso

I. SUPUESTOS
Desaparece la contradicción y se concluye con sentencia contradictoria, dando lugar a una situación de crisis anormal

II. PARALIZACIÓN
No avanza ni retrocede el proceso
A) Paralización del proceso principal
Por petición de todas las partes litigantes o por ley
B) Paralización de actos procesales concretos
Puede provocar suspensión del inicio del acto o suspensión de la realización del acto mismo

III. TERMINACIÓN ANORMAL DEL PROCESO
A) Terminación por motivos procesales
a) Desistimiento
Acto del demandante de abono del proceso. Queda imprejuzgada la pretensión
b) Sobreseimiento
Concurrencia de óbices —en su mayoría procesales— que provocan la terminación del proceso
c) Caducidad
Terminación por transcurso del tiempo sin actividad
B) Terminación por motivos materiales
a) Renuncia
Acto del actor con abandono de su acción. No queda imprejuzgada
b) Allanamiento
Acto del demandado sin oponerse a la pretensión
c) Acuerdo de las partes: mediación y transacción
Implica a ambas partes, pudiendo existir acuerdo extraprocesal a través de la mediación o procesal
d) Satisfacción extraprocesal o carencia sobrevenida del objeto. Supuesto especial de enervación del desahucio
Termina el proceso por desaparición del interés legítimo en obtener la tutela pretendida, por haberse satisfecho fuera del proceso las pretensiones del actor y, en su caso, del demandado reconviniente

I. SUPUESTOS

El proceso puede desarrollarse y terminar de forma normal —que es la vía vista hasta el momento y terminando con sentencia que decide la controversia— o puede hacerlo anormalmente. Así, puede paralizar el curso del proceso por fenómenos diversos, y puede terminarse por modos anormales que obedecen a actos de disposición de las partes, bien del proceso mismo, bien del objeto del proceso, o por causas objetivas a las que la ley atribuye esa consecuencia de terminación (caducidad o sobreseimiento).

II. PARALIZACIÓN

La detención total o parcial del proceso, no avanzando ni retrocediendo, por la concurrencia de una causa que la provoca da lugar a la paralización del mismo. Esta consecuencia paralizadora puede predicarse de todo el proceso o de actos procesales concretos.

A) Paralización del proceso principal

La paralización de todo el proceso, sin actividad, se produce por situaciones que afectan a su desarrollo normal del proceso, no alterando la litispendencia. Supuestos de esta paralización total son:

a) Por petición de todas las partes litigantes (arts. 19.4 y 179.2 LEC); como sucede, por ejemplo, con la suspensión de la audiencia previa para someterse a mediación (arts. 415.1 y 443.1ª LEC). Los elementos de su régimen jurídico son:

1) Se acordará la suspensión por decreto del letrado de la administración de justicia; 2) Queda condicionada a que no perjudique el interés general o a tercero; 3) Podrá reanudarse la actividad por petición de cualquiera de las partes; y 4) El plazo máximo de suspensión es de sesenta días, transcurridos los cuales, si ninguna de las partes solicitare la reanudación, se archivarán provisionalmente los autos, permaneciendo en tal situación mientras no se solicite la continuación del proceso o se produzca la caducidad de instancia garantizando los principios de certeza y seguridad jurídica.

b) Por ley. 1) En ocasiones es paralización de toda la actividad procesal pendiente, como el planteamiento de las cuestiones prejudiciales devolutivas, que exigen previo pronunciamiento a la decisión del proceso (prejudicialidad penal (art. 40), prejudicialidad civil (art. 43), cuestión prejudicial constitucional (arts. 5.2 y 3 LOPJ, 163 CE y 35 a 37 LOTC), o cuestión prejudicial comunitaria, art. 267 TFUE); 2) En otros casos, surgen óbices que suspenden el curso del proceso principal pero comportan la continuación de actividad procesal no principal, como en la declinatoria (art. 64), la acumulación de procesos (arts. 84.2, 88.1, 92.2 y 95), o por abstención de jueces y magistrados (art. 102.2), entre otros.

B) Paralización de actos procesales concretos

Puede producirse la paralización de determinados actos procesales, bien provocando la suspensión del inicio del acto, bien la suspensión del acto mismo, una vez se ha iniciado. En estos casos unas veces la suspensión del acto comporta sin más que, desaparecida la causa, continúa el proceso desde la actividad última que se realizó, y, en otras, por tratarse de unidad de acto, se hace necesario repetir el mismo.

El caso más destacado es el de la paralización de la vista, produciéndose bien la suspensión o bien la interrupción.

a) Las causas de suspensión de la vista se refieren a que ésta no llegue ni a iniciarse, y están previstas en el art. 188.

> Se trata de: 1°) Por continuación de otra pendiente del día anterior; 2°) Por faltar el número de magistrados necesario o por indisposición sobrevenida del juez o del letrado de la administración de justicia, si no pudiere ser sustituido; 3°) Por acuerdo de las partes, alegando justa causa; 4°) Por imposibilidad absoluta de las partes citadas para ser interrogadas, siempre que no fuere posible nuevo señalamiento; 5°) Por muerte, enfermedad o imposibilidad absoluta del abogado de la parte que pidiere la suspensión, justificadas suficientemente y no pudiendo haberse solicitado nuevo señalamiento; 6°) Por tener el abogado defensor dos señalamientos para el mismo día en distintos tribunales, cuando acredita el intento de nuevo señalamiento; 7°) Por suspensión del curso de las actuaciones o resultar procedente tal suspensión de acuerdo con lo dispuesto por esta Ley.
>
> Las consecuencias de la suspensión son: 1°) Comunicación inmediata de la misma por el letrado de la administración de justicia a las partes personadas, y a los testigos, peritos; 2°) Debe hacerse nuevo señalamiento por el letrado de la administración de justicia, para el día más inmediato posible, sin alterar el orden de los ya hechos (art. 189); 3°) Los cambios en la persona del juzgador se harán saber a las partes, sin perjuicio de proceder a su celebración, salvo recusación de alguno de los magistrados, suspendiéndose la vista, y haciéndose nuevo señalamiento una vez resuelta la recusación (art. 190), que será igualmente aplicable a los letrados de la administración de justicia cuando se produzca cambio del mismo después del señalamiento cuando se trate de actuaciones que deban celebrarse ante ellos únicamente (art. 192 bis).

b) La interrupción puede producirse por las causas del art. 193.

> Es decir: 1°) Por resolución de cuestión incidental que no pueda decidirse en el acto; 2°) Por diligencia probatoria fuera de la sede del tribunal; 3°) Por incomparecencia de los testigos o peritos; 4°) Cuando, iniciada la vista, se produzca alguna de las circunstancias que habrían determinado la suspensión de la celebración.

La eficacia de las actuaciones realizadas en la vista se mantiene en los supuestos de interrupción, salvo que exceda de veinte días o en caso de sustitución de un juez antes de celebrarse la vista interrumpida, produciéndose la celebración de nueva vista, haciéndose el oportuno señalamiento para la fecha más inmediata posible (art. 193.3).

III. TERMINACIÓN ANORMAL DEL PROCESO

En ciertos casos el proceso finaliza no a través de la sentencia contradictoria (vía normal), sino de forma anormal, bien por razones procesales (sin que exista pronunciamiento sobre el fondo del proceso), bien por razones materiales (existiendo pronunciamiento sobre el fondo del proceso).

A) Terminación por motivos procesales

En estos casos no existe pronunciamiento sobre el objeto del proceso o fondo del asunto, y, al quedar imprejuzgado, cabe que se inicie un ulterior proceso sobre la misma pretensión. Los actos que ponen fin al proceso son: desistimiento, sobreseimiento y caducidad (y algún otro de menor trascendencia).

a) Desistimiento

Es un acto procesal del demandante consistente en una declaración de voluntad por la que anuncia su deseo de abandonar el proceso pendiente iniciado por él, y por ello también la situación procesal creada por la presentación de la demanda, quedando la pretensión imprejuzgada, al no dictarse pronunciamiento alguno sobre ella. Esto permite la incoación de un proceso posterior entre las mismas partes y con el mismo objeto. La LEC regula dos tipos de desistimiento:

1.º) *Unilateral*, producido por la voluntad única del demandante, siendo posible en dos supuestos: 1») Si la declaración de voluntad se produce antes de que el demandado sea emplazado para contestar a la demanda (juicio ordinario) o citado para la vista (juicio verbal), y 2») En cualquier momento cuando el demandado se encontrare en rebeldía (art. 20.2).

2.º) *Bilateral*, procedente en todos los demás casos, exigiéndose entonces oír al demandado. En este caso, del escrito desistiendo se dará traslado al demandado, por diez días, el cual puede: 1») No oponerse, dictándose decreto acordando el sobreseimiento por el letrado de la administración de justicia, y 2») Oponerse, resolviendo el Juez lo que estime oportuno (art. 20.3).

> La justificación de su bilateralidad se halla en los efectos que produce, en cuanto, quedando imprejuzgada la pretensión y pudiéndose plantear posteriormente otro proceso entre las mismas partes y con el mismo objeto, debe oírse al demandado, que puede conformarse, no oponerse u oponerse, sin que en este último supuesto el desistimiento quede irremediablemente vinculado a la voluntad del demandado, sino que es el juez el que decide, a la vista de la petición de ambos.

En todo caso, los efectos del desistimiento son: 1) Terminación del proceso; 2) Sin pronunciamiento de fondo sobre la pretensión, quedando imprejuzgada 3) Cabe incoar un nuevo proceso posterior entre las mismas partes y con el mismo objeto; y 4) El desistimiento no consentido por el demandado supone la condena al actor de las costas; si existe consentimiento por el demandado, no se condena en costas a ninguno de los litigantes (art. 396).

Los requisitos que se exigen en el desistimiento son:

1.º) *Subjetivos*: La parte necesita simplemente tener plena capacidad de actuación procesal e integrar debidamente su capacidad de postulación, debiéndose, según el art. 25.2, 1.º LEC, otorgar poder especial al procurador para desistir.

2.º) *Objetivos*: Es posible en todo tipo de procesos. El carácter disponible o indisponible no condiciona la viabilidad del desistimiento, y ello por cuanto si queda imprejuzgada la pretensión, no se está determinando el contenido de la sentencia de forma dispositiva, sino abandonando el proceso que voluntariamente se inició.

> Es por ello que el art. 751 LEC niega eficacia a la renuncia, al allanamiento y a la transacción, pero no al desistimiento, estableciéndose la exigencia, para desistir, de la conformidad del Ministerio Fiscal en los procesos sobre capacidad, filiación y matrimonio, exigencia que no rige en: 1) Los procesos de prodigalidad, filiación, paternidad y maternidad, siempre que no existan menores, incapacitados o ausentes interesados en el procedimiento; 2) Los de nulidad matrimonial por minoría de edad, cuando el cónyuge que contrajo matrimonio siendo menor, alcanza la mayoría de edad; 3) Los procesos de nulidad matrimonial por error, coacción o miedo grave; y 4) Los procesos de separación y divorcio. La razón de la exigencia de conformidad del Ministerio Fiscal es por cuanto en aquellos procesos en que el Ministerio Fiscal está legitimado activo, el desistimiento no impediría que volviera el Fiscal a ejercitar la misma pretensión; para evitarlo se exige su conformidad.

El desistimiento puede ser total, produciendo la conclusión del proceso sin sentencia, o parcial, continuando el proceso sólo respecto de la parte de su objeto a la que no afectó el desistimiento.

3.º) *De actividad*: Los requisitos de actividad se centran en el tiempo y la forma en que debe llevarse a cabo el mismo:

1") Tiempo: El demandante puede realizar el desistimiento en cualquier momento de la primera instancia o de los recursos o de la ejecución de la sentencia (art. 19.3 LEC), si bien en fase de recursos o en ejecución de sentencia su alcance y significado, y sobre todo sus efectos, difieren del desistimiento en la primera instancia, que puede efectuarse desde la admisión de la demanda hasta que exista pronunciamiento de fondo en el proceso. El momento preclusivo es la firma de la sentencia, dado que el desistimiento no pretende determinar el contenido de la misma.

2") Forma: El desistimiento puede ser expreso, bien oral (como el del trámite de la audiencia previa, art. 415.1, II), bien escrito, en atención al principio esencial del procedimiento, y consiste en la declaración inequívoca de voluntad del demandante. También el desistimiento puede ser tácito, debido a determinadas conductas del actor, a las que la LEC les atribuye este efecto de dejación del proceso, como sucede con el art. 414, al referirse a la incomparecencia del actor a la audiencia previa, o en el art. 442.1, por inasistencia del demandante a la vista en el juicio verbal sin que el demandado alegue interés legítimo en la continuación del proceso.

b) Sobreseimiento

El sobreseimiento es el contenido de una resolución por la que se da por terminado el proceso, normalmente sin pronunciamiento sobre el fondo, consecuencia de la concurrencia de óbices que impiden su continuación, dejando imprejuzgada la pretensión. Puede dictarse por causa imputable a las partes (como el supuesto de incomparecencia, art. 414, o por desistimiento bilateral, art. 415) o por causa ajena a su voluntad (litispendencia o cosa juzgada, art. 421).

Estos óbices hacen referencia a cualesquiera circunstancias que puedan impedir la válida prosecución y término del proceso mediante sentencia sobre el fondo, y que pueden ir referidos a: 1) Falta de presupuestos procesales no subsanables, como en los supuestos de litispendencia o cosa juzgada (art. 421); 2) Falta de presupuestos procesales que, siendo subsanables, no se subsanan (falta del debido litisconsorcio, art. 420); 3) Ausencia de requisitos procesales, como demanda que no reúne los requisitos especiales exigidos, por razón de la materia, para la admisión de la misma (art. 423.3, II) o por demanda defectuosa por falta de claridad o precisión en la determinación de las partes o de la petición que se deduzca (art. 424.2); y 4) Incomparecencia de las partes a la audiencia previa (arts. 414 y ss.). En estos supuestos la defectuosa configuración de la relación jurídico procesal se exterioriza en la audiencia previa, evitándose una sentencia procesal.

Junto a todas las causas expuestas, todas ellas óbices procesales que impiden la continuación del proceso, la LEC, de forma un tanto ambigua, establece un supuesto de sobreseimiento del proceso provocado al desaparecer el interés legítimo en obtener la tutela judicial pretendida, al satisfacerse fuera del proceso las pretensiones del actor o porque se ha provocado una carencia sobrevenida del objeto procesal (art. 22 en relación con el art. 25.2, 1.º, donde se exige poder especial del procurador para realizar manifestaciones que puedan comportar sobreseimiento del proceso por satisfacción extraprocesal o carencia sobrevenida del objeto).

Se quiebra la configuración del sobreseimiento como terminación anormal del proceso por razones procesales, pues al desaparecer el objeto del proceso, la LEC atribuye al sobreseimiento los mismos efectos que una sentencia absolutoria firme, impidiéndose volver a plantear la cuestión entre las mismas partes y con el mismo objeto. En este supuesto es el letrado de la administración de justicia el que, mediante decreto, decide la terminación del proceso sin imposición de costas (art. 22.1).

E igualmente es posible poner fin al proceso mediante decreto de sobreseimiento del letrado de la administración de justicia cuando el demandado presta su conformidad al desistimiento o no se opone a él (art. 20.3).

Los efectos que produce el sobreseimiento son: 1) Terminación del proceso mediante auto judicial o decreto del letrado de la administración de justicia; 2) No existe un pronunciamiento de fondo sobre la pretensión interpuesta, quedando imprejuzgada la misma; y 3) El hecho de que quede la pretensión imprejuzgada no significa, sin embargo, que, al no producir efecto de cosa juzgada, quede abierta la posibilidad de incoar un nuevo proceso posterior entre las mismas partes y con el mismo objeto. Este efecto será sólo posible en los casos de óbice procesal subsanable, dado que habrá determinadas causas de sobreseimiento que impedirán, supuesto de litispendencia o de cosa juzgada, el ejercicio de nuevo del derecho a accionar entre las mismas partes y con el mismo objeto.

c) Caducidad

La caducidad supone la terminación del proceso por inactividad de las partes durante el lapso de tiempo previsto por la ley. Su fundamento se halla en la idea de que la litispendencia no puede prolongarse indefinidamente.

La terminación del proceso por inactividad de las partes tenía razón de ser en un proceso en el que regía el principio de impulso de parte, si bien hoy no tiene sentido con el principio de impulso oficial (art. 179.1 LEC). No obstante, el legislador ha previsto los escasos supuestos en que, pese al impulso de oficio de las actuaciones, la inactividad puede conducir a la caducidad, evitándose con ello la litispendencia indefinida (art. 237). Podría pensarse en los supuestos de suspensión del proceso a petición de todas las partes litigantes por más de sesenta días desde la solicitud de la suspensión sin que nadie solicite la reanudación, produciéndose primero el archivo provisional de los autos y, transcurridos los plazos previstos en el art. 237, la caducidad de instancia.

El régimen jurídico de la caducidad puede desarrollarse teniendo en cuenta:

1.º) La caducidad puede producirse en cualquier momento de tramitación del proceso de declaración, distinguiéndose, atendido el art. 237: 1») Si se mantiene la inactividad procesal en la primera instancia durante dos años, se produce la terminación del proceso por caducidad; 2») Si se produce en la segunda instancia o pendiente recurso extraordinario por infracción procesal o recurso de casación, se requiere el transcurso de un año sin actividad procesal, para que se ponga fin por caducidad. Estos plazos se contarán desde la última notificación que se hubiere realizado a las partes (art. 237.1, II).

2.º) Quedan excluidos de la caducidad, pese al transcurso del tiempo, la fuerza mayor u otra causa contraria o no imputable a la voluntad de las partes o interesados (art. 238), así como en ejecución forzosa. Llegado ese supuesto, deberá proseguirse hasta obtener el cumplimiento de lo juzgado, aunque hayan quedado sin curso durante los plazos legalmente señalados (art. 239).

3.º) La caducidad debe declararse por decreto del letrado de la administración de justicia, y de oficio, siendo ésta una resolución meramente declarativa del efecto que supone el transcurso del tiempo. Contra este decreto cabe sólo recurso de revisión (art. 237.2).

4.º) Los efectos que produce la caducidad, delimitados en el art. 240, son:

1") Si la caducidad se produce en la primera instancia, se entiende como desistimiento, por lo que, imprejuzgada la pretensión, es posible volver a incoar nuevo proceso entre las mismas partes y con el mismo objeto, salvo caducidad de la acción (art. 240.2).

2") Si la caducidad se produce en la segunda instancia o en fase de recursos extraordinarios, se tendrá por desistida la apelación o dichos recursos y por firme la resolución recurrida, devolviéndose las actuaciones al tribunal del que procedieren (art. 240.1).

3") La declaración de caducidad no contendrá imposición de costas. Cada parte pagará las causadas a su instancia y las comunes por mitad (art. 240.3).

> En ciertos supuestos acontecen hechos inesperados en el proceso que van a provocar la terminación anormal del mismo. Hay supuestos como la muerte de una de las partes que no necesariamente comporta como regla general la terminación del proceso, sino que se prevé para estos supuestos el fenómeno de la sucesión procesal (art. 16); sin embargo, podría provocar la finalización del proceso si aquella supone la desaparición de la dualidad de posiciones y con ellas del objeto del proceso, al ser la otra parte el único heredero y aceptase la citada herencia, dando lugar a lo que ha venido denominándose por la doctrina como confusión entre las partes. Asimismo la muerte de una de las partes podría

comportar la terminación del proceso en aquellos supuestos en que el objeto del proceso no puede transmitirse, como podría suceder en determinados ámbitos de los procesos matrimoniales.

B) Terminación por razones materiales

Si motivos procesales pueden provocar la terminación anormal del proceso, sin resolución de fondo, dejando imprejuzgada la pretensión, existen razones materiales que pueden dar lugar a la terminación anormal del proceso, con una decisión de fondo, si bien sin mantenerse hasta el final la contradicción. Son: la renuncia, el allanamiento, la transacción, la satisfacción extraprocesal y la enervación del desahucio. Se produce un acto de disposición de las partes sobre el objeto del proceso, impidiéndose nuevo conocimiento sobre la materia.

a) Renuncia del actor

Es un acto del demandante por el que manifiesta su dejación de la acción ejercitada o del derecho en que funde su pretensión (art. 20.1).

Frente al desistimiento, que puede ser unilateral o bilateral, la renuncia es siempre un acto unilateral del demandante, que no requiere de conformidad por el demandado, y que produce los siguientes efectos: 1) Terminación del proceso, si bien no por mero abandono del proceso (desistimiento), sino por dejación de la acción (entendida en sentido concreto) o del derecho en que funda su pretensión; 2) Determinación del contenido de la resolución que pone fin al proceso: sentencia desestimatoria de la pretensión con absolución del demandado; 3) La sentencia supone entrar en el fondo, con sentencia no contradictoria, con efectos de cosa juzgada.

Los requisitos de la renuncia son:

1.°) *Subjetivos*: Para renunciar la parte debe tener plena capacidad procesal e integrar debidamente su capacidad de postulación, necesitándose, según el art. 25.2, 1.°, LEC, poder especial al procurador para renunciar.

> La declaración de voluntad que comporta la renuncia exige de la concurrencia de una serie de requisitos: 1) Se necesita autorización judicial para que el representante legal renuncie (art. 166 CC para los padres y 271.3 CC para los tutores); 2) El representante voluntario necesita de mandato expreso del representado (art. 1713, II); 3) La renuncia de la persona jurídica necesita manifestación de la voluntad de su renuncia, no bastando la voluntad de la persona física que actúa por ella; 4) En los supuestos de litisconsorcio activo se necesita la renuncia de todos los litisconsortes.

2.°) *Objetivos*: La renuncia solo es admisible si lo renunciado es disponible, no surtiendo efectos la renuncia cuando la ley la prohíba, por contraria a normas imperativas o prohibitivas (art. 6.3 CC), o por contraria al orden público (art. 6.2 CC) o cuando la ley establezca limitaciones por razón de interés general o en beneficio de terceros (art. 6.2 CC). En la misma dirección se manifiesta el art. 19.1 LEC.

> La LEC recoge algún supuesto de ineficacia de la renuncia cuando ésta se lleva a cabo en supuestos de indisponibilidad del objeto del proceso (por ejemplo, en los procesos sobre capacidad, filiación y matrimonio, art. 751 LEC), si bien lo que sucede aquí es que no puede renunciarse lo que no se tiene, dado que no existe un verdadero derecho material a obtener una sentencia de contenido favorable en los mismos.

Atendida a la expansión del ámbito de objeto de renuncia, puede ser con carácter general total, dado que si se ha ejercitado una sola pretensión, la renuncia sólo es posible respecto de toda ella. Excepcionalmente puede ser parcial, si se da un supuesto de acumulación de pretensiones.

3.º) *De actividad*: Los requisitos atienden a: 1») Tiempo: El actor puede renunciar en cualquier momento de la primera instancia o de los recursos o de la ejecución de la sentencia (art. 19.3 LEC). En la primera instancia puede efectuarse la renuncia desde la litispendencia (desde la interposición de la demanda si después es admitida, art. 410) hasta el momento del pronunciamiento de fondo en el proceso; y 2») Forma: La renuncia tiene que ser expresa, no cabe la renuncia tácita o presunta, si bien puede efectuarse por escrito o verbalmente, en atención al principio que rige fundamentalmente el desarrollo procedimental.

b) *Allanamiento del demandado*

Es un acto procesal del demandado por el que manifiesta su voluntad de no oponerse a la pretensión del actor o de abandonar la oposición ya interpuesta, conformándose con ella, provocando la terminación del proceso con sentencia no contradictoria de fondo en la que se le condenará.

> Debe distinguirse el allanamiento (que se refiere a la pretensión, siendo acto solo de la parte demandada, y que condiciona el contenido de la sentencia) de otras figuras diferentes, como la admisión de hechos (sobre hechos, no sobre la pretensión, pudiendo ser acto de demandante y de demandado, y no condicionan el contenido de la resolución sino que determina en sentido negativo qué hechos dejan de ser controvertidos) y el interrogatorio de parte (que también se refiere a los hechos controvertidos, que puede ser del actor y del demandado, y que tiene solo efecto como medio de prueba que es, que atiende a los hechos controvertidos).

El allanamiento, produce los siguientes efectos: 1.º) Terminación del proceso por conformidad con las pretensiones del actor, con la salvedad de que se trate de un allanamiento parcial, produciéndose lo prevenido en el art. 21.2 LEC; 2.º) Allanamiento, si es total, determina el contenido de la resolución que pone fin al proceso: sentencia condenatoria, de acuerdo con lo solicitado por el demandante (art. 21.1); 3.º) La sentencia que se dicta en caso de allanamiento entra en el fondo, con sentencia no contradictoria, produciendo los normales efectos de cosa juzgada; 4.º) Si el demandado se allana a la demanda antes de contestarla, no procederá la imposición de costas, salvo que el tribunal, razonándolo debidamente, aprecie mala fe en el demandado; a estos efectos se entiende que existe mala fe, si antes de presentada la demanda se hubiese formulado al demandado requerimiento fehaciente y justificado de pago, o si se hubiera iniciado procedimiento de mediación o dirigido contra el solicitud de conciliación (art. 395 LEC).

> Si el allanamiento hubiere sido parcial, el tribunal podrá, a instancia del demandante, de acuerdo con el art. 21.2, dictar auto acogiendo las pretensiones que hayan sido objeto de allanamiento, siempre que por la naturaleza de las mismas, sea posible un pronunciamiento separado que no suponga prejuzgar las demás cuestiones que no han sido objeto de allanamiento, respecto de las cuales el proceso continuará. El auto dictado en este supuesto de allanamiento parcial será ejecutable conforme a la regulación de ejecución legalmente establecida (arts. 517 y ss.).

Los requisitos que se desprenden del régimen jurídico del allanamiento del demandado son:

1.º) *Subjetivos*: El demandado debe tener plena capacidad procesal, integrándose su capacidad de postulación, necesitándose, según el art. 25.2, 1.º, LEC, poder especial por el procurador para allanarse.

La declaración de voluntad del allanamiento requiere los siguientes requisitos: 1) El representante legal del menor o del incapaz necesita autorización judicial para allanarse (puede entenderse aplicable lo dispuesto en el CC respecto de la renuncia: art. 166 para los padres y 271.3 para los tutores); 2) El representante voluntario necesita de mandato expreso del representado (art. 1713, II); 3) La persona jurídica necesita manifestación de la voluntad del órgano de la misma que tiene competencia conforme la ley o conforme sus propios estatutos; y 4) En los supuestos de litisconsorcio pasivo se necesita el allanamiento de todos los litisconsortes, porque de otro modo el proceso debe continuar.

2.º) *Objetivos*: El allanamiento solo es admisible desde la disponibilidad de los derechos. Según el art. 21.1 LEC si el allanamiento se hiciera en fraude de ley o en contra del interés general o perjuicio de tercero, se dictará auto rechazándolo y se seguirá el proceso adelante, lo que comporta una reiteración respecto de lo que prescribía el art. 6 CC.

> La LEC, en el art. 751, referido a los procesos sobre capacidad, filiación y matrimonio, determina que el allanamiento en los mismos no surtirá efecto, por cuanto no concurre un derecho material disponible en ellos.

El art. 21 delimita los dos tipos de allanamiento, según sea total o parcial. Cuando el demandado se allana a todas las pretensiones del actor se produce el allanamiento total, terminando el proceso y produciéndose los efectos generales del mismo, salvo que concurriera fraude de ley o supusiera renuncia contra el interés general o perjuicio de tercero, en cuyo caso se dictaría auto rechazándose y siguiendo el proceso adelante. Cuando, ejercitadas una pluralidad de pretensiones, se allanare el demandado a alguna o algunas de ellas, o cuando el demandado se halle conforme con parte de la única pretensión aducida (art. 405.1), se produciría el allanamiento parcial, en aquellos supuestos de pluralidad de pretensiones que pueden disgregarse por su naturaleza, de modo que respecto de las allanadas termina el proceso, y respecto de lo no allanado, continuará el desarrollo normal del proceso.

3.º) *De actividad*: Los requisitos atienden a:

1") Tiempo: El actor demandado puede allanarse en cualquier momento de la primera instancia o de los recursos o de la ejecución de la sentencia (art. 19.3 LEC).

> Tradicionalmente se venía sosteniendo que el allanamiento era uno de los posibles contenidos de la contestación a la demanda, y así se mantiene en el art. 405 LEC, si bien ello no significa que se trate necesariamente del momento en que debe efectuarse el allanamiento, sino que es uno de los posibles, como una de las conductas que puede efectuar el demandado en el trámite de contestación a la demanda, sin que ello suponga que el allanamiento es contestación. Es más, aun siendo éste un momento para efectuar el allanamiento, este acto de disposición puede efectuarse en cualquier momento del proceso.
>
> También es posible el allanamiento tras la sentencia de primera instancia, partiendo de que fue desestimatoria de la pretensión y ha sido recurrida, entendiendo que en tal caso el allanamiento comportaría que el tribunal que conoce del recurso debería dejar sin efecto la sentencia impugnada por razones producidas con posterioridad a la misma, máxime si se tiene en cuenta que hasta la sentencia firme el proceso no ha finalizado. Diferente sería si el recurrente fuere el demandado, dado que en tal caso se trataría más bien de algo semejante a un desistimiento del recurso.

2") Forma: El allanamiento tiene que ser expreso. Puede efectuarse por escrito o verbalmente, en atención al principio que rige fundamentalmente el desarrollo del trámite procedimental en el que se produce.

c) Acuerdo de las partes: Mediación y Transacción

En el ejercicio del poder de disposición de las partes cabe también que sean ambas partes las que lleguen a un acuerdo sobre lo que sea objeto del conflicto y por extensión del proceso. Obviamente esta situación no es posible cuando la ley lo prohíba o establezca limitaciones por razones de interés general o en beneficio de tercero (art. 19.1).

Puede distinguirse, a este respecto, dos tipos de acuerdos. Por un lado, aquellos que se alcanzan tras un procedimiento de mediación, al que se acude por derivación judicial, pero extraprocesalmente, y por tanto si hay acuerdo se incorporará éste en el proceso, o, por otro, bien a través de una transacción procesal. En ambos casos, el acuerdo convierte la continuación del proceso en innecesario.

1.- En el caso de la mediación, es el mediador, tercero neutral no judicial, el que trabaja con las partes para aproximarlas, si bien igualmente podría darse una mediación dirigida por letrado de la administración de justicia (Ley 15/2015, de Jurisdicción Voluntaria). El acuerdo puede tener valor contractual simplemente, si no se incorpora a un proceso pendiente —mediación sin vinculación procesal alguna—. Puede también convertirse en título ejecutivo a través de dos vías: la notarial, como título ejecutivo extrajurisdiccional, o incorporándolo al proceso pendiente, convirtiéndose, en su caso, en título ejecutivo judicial (que puede ser incluso contenido de la sentencia), tal como se regula en la Ley 5/2012, de 6 de julio, sobre mediación en asuntos civiles y mercantiles y en el art. 517 LEC.

2.- En el caso de la transacción, ésta puede desarrollarse bien con presencia judicial —transacción judicial—, siendo el supuesto más típico el de la audiencia previa, arts. 414 y ss. LEC, o bien sin presencia judicial, pero siendo con posterioridad presentado al tribunal para su homologación. Los elementos que configuran la transacción procesal son: 1) Participación de las partes, mediante concesiones recíprocas, con o sin presencia judicial, con el fin de no continuar con el proceso; 2) Se plasma en un auto que pone fin al proceso, homologándose los términos del acuerdo (art. 19.2); 3) Se convierte en título ejecutivo (art. 517 LEC).

Requisitos del régimen jurídico de la transacción son:

1.º) Subjetivos: Los exigidos respecto de la renuncia o el allanamiento se predican también respecto de la transacción, incluida la exigencia de otorgar poder especial al procurador para transigir, con la salvedad de que la exigencia de autorización judicial para transigir en los supuestos de representantes legales del menor o incapacitado sólo se exige cuando la transacción afecta a determinados bienes (arts. 166 y 1810 CC).

2.º) Objetivos: Si bien pueden reiterarse los límites objetivos que impiden la terminación de un proceso por transacción (no prohibida por la ley ni limitada por razones de interés general o en beneficio de tercero, art. 19.1 LEC y 6 CC), existen supuestos específicos legalmente determinados en los que se delimita la posibilidad o la prohibición de transacción procesal judicial.

> Así, el art. 1813 CC establece que se puede transigir sobre la acción civil derivada del hecho delictivo, y el art. 751 LEC establece la imposibilidad de transigir en los procesos no dispositivos sobre capacidad, filiación y matrimonio, como ya

lo hiciera anteriormente el art. 1814 CC, si bien pueden darse determinadas materias en estos procesos no dispositivos sobre las que las partes puedan disponer libremente según la legislación civil aplicable, pudiendo ser objeto de transacción (así sucede con el art. 151 CC, al permitirse la misma sobre las pensiones alimenticias ya vencidas).

3.°) De actividad: Los requisitos atienden a: 1) Tiempo: El art. 19.3 LEC permite la transacción en cualquier momento de la primera instancia, en fase de recursos, o en ejecución de sentencia; y 2) Forma: Puede ser escrita u oral, en atención al momento en que se lleva a cabo la transacción. Cabría pensar que cuando se realiza extrajudicialmente debe llevarse documentalmente por escrito ante la autoridad judicial, y ser ratificado. Si la transacción se realiza en presencia judicial, atendido el momento en que se lleva a cabo, puede ser oral o escrito; si es oral, se hará constar por acta o por cualquiera de los medios de reproducción los términos del acuerdo, con el fin de obtener la homologación del mismo a que se refiere el art. 19.2 LEC.

d) Satisfacción extraprocesal o carencia sobrevenida de objeto. Supuesto especial de enervación del desahucio

El art. 22 LEC establece la posible terminación del proceso por satisfacción extraprocesal o carencia sobrevenida del objeto. Supone la terminación del proceso por desaparición del interés legítimo en obtener la tutela judicial pretendida, por haberse satisfecho fuera del proceso las pretensiones del actor y, en su caso las del demandado reconviniente.

Puede producirse por tres tipos de situaciones:

1.- Por transacción extrajudicial: se lleva al tribunal el convenio o pacto suscrito por las partes para solicitarle su homologación;

2.- Por carencia de objeto del proceso como consecuencia de una confusión de las partes, que haga innecesario y absurdo el proceso, como sucede en caso de una fusión bancaria entre dos entidades que eran las partes en conflicto, o cuando muere una parte siendo la contraria su único heredero, siendo que éste acepta la herencia. El proceso termina con auto de sobreseimiento, poniendo fin a la actividad procesal innecesaria; y

3.- Por último, por satisfacción de la parte fuera del proceso dejando de existir interés legítimo en obtener la tutela judicial pretendida (no es acuerdo transaccional, sino cumplimiento por el demandado de lo pedido por el actor en la demanda), en cuyo caso nos hallaríamos ante la regulación del art. 22. Ejemplos de este último supuesto se dan cuando el deudor paga al acreedor, o cuando se efectúa una compensación, o cuando el demandante reconoce haberse equivocado al interponer la demanda; en todos estos casos se está vaciando el proceso de objeto, resultando absurdo que continúe.

Los efectos que comporta esta modalidad son: 1) Terminación anormal del proceso al desaparecer el interés por la tutela judicial solicitada; 2) Satisfacción de las pretensiones objeto del proceso fuera del mismo —satisfacción extraprocesal ante el conflicto suscitado—; 3) Terminación mediante decreto del letrado de la administración de justicia; 4) Este decreto implica la terminación del proceso por motivos materiales, esto es, se le atribuye, en suma, un valor semejante a la resolución de fondo que pone fin al pleito, y por ello tiene efectos de cosa juzgada; 5) No procede condena en costas (art. 22.1).

En relación con el momento en que puede producirse la terminación del proceso, en principio, según el art. 19.3 LEC, podría alcanzarse esta satisfacción extraprocesal en cualquier momento de la primera instancia (después de la demanda o en su caso la formulación de la reconvención) o en fase de recursos, y ello por cuanto, producida la misma por causas sobrevenidas con posterioridad al proceso, provocan la innecesariedad del mismo.

En cuanto a la forma, se exigen las dos voluntades —bilateralidad en la conformación de esta forma de terminación del proceso—. Si una parte sostuviera la subsistencia de interés legítimo en obtener la tutela judicial pretendida, negando la satisfacción extraprocesal de sus pretensiones, el letrado de la administración de justicia convocará a las partes, en el plazo de 10 días, a una comparecencia ante el Tribunal que versará sobre ese único objeto (art. 22.2). Contra el auto que ordena la continuación del juicio no cabe recurso; contra el que acuerda la terminación del proceso, cabe apelación (art. 22.3).

Un supuesto especial de terminación del proceso por satisfacción extraprocesal es el que se regula en el art. 22.4, que permite la terminación del proceso de desahucio de finca urbana por falta de pago por medio de la enervación del mismo. Los elementos que lo configuran son:

1.º) Es una vía extraprocesal de finalización del proceso de desahucio de finca urbana por falta de pago de rentas o cantidades debidas por el arrendatario, consistente en el pago, dejando sin objeto el proceso. Se produce la satisfacción extraprocesal mediante el pago.

2.º) El pago puede realizarse en cualquier momento de la primera instancia antes de la celebración de la vista del juicio verbal.

3.º) Las formas de realizar el pago pueden ser: 1) Entrega directa de lo adeudado al actor; 2) Puesta a disposición de la cantidad en el tribunal; 3) Puesta a disposición de la cantidad efectuada por conducto notarial.

4.º) La resolución que pone fin al proceso reviste la forma de decreto, dictada por el letrado de la administración de justicia, que tendrá los mismos efectos que una sentencia absolutoria firme (título judicial no ejecutable y cosa juzgada), sin que proceda condena en costas (art. 22.1).

5.º) Se excluye esta posibilidad si el arrendatario hubiera ya enervado el desahucio en una ocasión anterior, reincidiéndose posteriormente en no pagar, pretendiendo una segunda enervación del desahucio. Y, asimismo, queda excluida esta posible terminación cuando, requerido el arrendatario de pago fehacientemente, con la oportuna antelación a la presentación de la demanda, no se hubiere efectuado el pago al tiempo de dicha presentación (art. 22.4, II).

Legislación: Ley de Enjuiciamiento Civil (arts. 182 y ss. y 19 a 22)

Lectura: GASCÓN INCHAUSTI, F., *La terminación anticipada del proceso por desaparición sobrevenida de interés,* Madrid, Civitas, 2003; DOIG DÍAZ, Y., *La terminación del proceso por satisfacción extraprocesal,* Madrid, 2008; CARBONELL TABENI, J., *Tratamiento procesal del allanamiento en el proceso civil,* Barcelona, 2009; BARONA VILAR, S., *Mediación civil y mercantil. Tras la aprobación de la Ley 5/2012, de 6 de julio,* Valencia, 2013.

SECCIÓN SEGUNDA
El juicio verbal

Lección Decimonovena
El juicio verbal

I. ORIGEN Y NATURALEZA

Origen medieval. 1534. Hoy hasta 6.000 euros
a) Por la cuantía: Ordinario
b) Por la materia: Especial
c) Tutela sumaria

II. LA DEMANDA

A) Demanda ordinaria
B) Demanda sucinta: sin abogado. requisitos subjetivos + hechos + petición
C) Demanda en impreso normalizado
D) Acumulación inicial de pretensiones: 1. Exclusivamente objetiva
                                      2. Objetivo-subjetiva
E) Demandas especiales
    a) Desahucio de finca urbana: 1. Enervación 2. Condonar, y 3. Ejecución
    b) Retener o recobrar la posesión: 1 año
    c) Derecho inscrito
    d) Art. 250.1, 10 y 11
    e) 439.5, cláusula general

III. ADMISIÓN DE LA DEMANDA, CONTESTACIÓN Y RECONVENCIÓN

a) Admisión normal
b) Contestación escrita
c) Compensación
d) Reconvención

IV. CITACIÓN PARA LA VISTA

No siempre es necesaria
A) En general: a) A las dos partes; b) Al demandante; c) Al demandado
B) Citaciones especiales: a) Derecho real inscrito, b) Desahucio por falta de pago

V. ACTUACIONES PREVIAS A LA VISTA

a) Adquisición de la posesión (art. 441-1)
b) Obra nueva (art. 441.2)
c) Derecho real inscrito (art. 441.3)
d) Ejecución exclusiva contra bien mueble adquirido a plazos
e) Entrega del bien mueble al arrendador financiero...

VI. VISTA

A) Inasistencia de las partes: 1) Actor; 2) Demandado; 3) Los dos
B) Desarrollo general:
    a) Suspensión del proceso
    b) Cuestiones procesales
    c) Delimitar los términos del debate
    d) Prueba
    e) Conclusiones
    f) No diligencias finales
C) Reglas especiales

VII. EL CASO DE LOS OCUPAS

I. ORIGEN Y NATURALEZA

En el derecho histórico español existía un único juicio tipo, el *solemnis ordo iudiciarius*, que era, por un lado, ordinario y, por otro, plenario. En torno a él se construyó todo el ordenamiento procesal y acabó siendo asumido en la LEC de 1881 como juicio de mayor cuantía (Lección Octava).

La insuficiencia de ese juicio para hacer frente a las necesidades diarias obligó, ya en la Edad Media, a crear un nuevo tipo procesal que, sin dejar de ser plenario y ordinario, significó reducir el tiempo y el dinero invertidos en él, y en el que lo más importante fue el predominio de la oralidad frente a la escritura. Aparecieron así los juicios ordinarios plenarios rápidos que, si tuvieron mayor importancia en el proceso mercantil, no dejaron de manifestarse en el proceso civil. La primera manifestación en este segundo campo se produjo con el juicio verbal.

> Su origen se encuentra en 1534 (recogiéndose después en la Nueva Recopilación III, IX, 19.ª), cuando se dispuso que los pleitos civiles de cuantía no superior a 400 maravedís se tramitaran con toda brevedad, sin solemnidad alguna y de modo oral, siendo escrita únicamente la sentencia. Con sucesivas elevaciones de cuantía el juicio verbal pasó a la Novísima Recopilación (I, III, 8.ª) y después a varias normas de la primera mitad del siglo XIX, hasta ser codificado, primero, en la LEC de 1855 y, luego, en la LEC de 1881, en la que acabó siendo el previsto para los asuntos de ínfima cuantía, distinguiéndose cuando era competencia de los Juzgados de Paz (hasta 8.000 pesetas) y cuando lo era de los Juzgados de Primera Instancia (hasta 80.000 pesetas).

La LEC de 2000 ha continuado regulando el juicio verbal, distinguiendo también cuando es competencia de los Juzgados de Paz (hasta 90 euros) y cuando lo es de los Juzgados de Primera Instancia (hasta 6.000 euros), pero atribuyéndole una triple naturaleza jurídica:

a) Cuando la procedencia del juicio verbal se determina en atención a la cuantía, estamos ante un proceso declarativo ordinario y plenario (arts. 248 y 250.2).

> Se trata de un proceso declarativo porque por medio de él se conocen las pretensiones declarativas (declarativas puras, constitutivas y de condena) (Lección Sexta). Es plenario porque no existen limitaciones en las alegaciones de las partes, en el objeto de la prueba y en la cognición judicial, produciendo la sentencia que se dicte efectos de cosa juzgada (material). Y es ordinario porque por medio de él puede conocerse de todo tipo de objetos, estando establecido con carácter general. Esta naturaleza se expresa en el art. 248 cuando dice que toda contienda jurídica entre partes que no tenga señalada por la ley otra tramitación, será ventilada y decidida en el proceso declarativo (y ordinario) que corresponda, y el que corresponde puede ser el juicio verbal según la cuantía.

b) Cuando la procedencia del juicio verbal se determina por razón de la materia, estamos ante un juicio especial (arts. 250.1, 2.º, 8.º, 9.º, 12.º y 13.º).

El art. 250.1 dice que se decidirán en juicio verbal, cualquiera que sea su cuantía, las demandas relativas a una serie de objetos, que se especifican. Cuando en un apartado de esa relación no se dice que la tutela será sumaria o que el tribunal resolverá con carácter sumario, se trata de que una materia no se reconduce al proceso ordinario que le correspondería por razón de la cuantía, sino que se lleva al juicio verbal, independientemente de aquélla. Estamos entonces ante la utilización del juicio verbal como proceso especial (tutela privilegiada) y como alterativa a proceso ordinario.

c) Cuando la procedencia del juicio verbal se determina por razón de la materia y, además, se dice que la tutela será sumaria o que la sentencia tendrá carácter sumario, estamos ante un juicio que es, además de especial, sumario (art. 250.1, 1.º, 3.º, 4.º, 5.º, 6.º, 7.º, 10.º y 11.º).

Juicio sumario es lo contrario de juicio plenario y supone juicio con limitaciones; se limitan las alegaciones de las partes, el tema de la prueba y a veces los medios de prueba, y la cognición judicial, por lo que al centrarse el juicio en un aspecto del conflicto existente entre las partes la sentencia que se dicte no producirá efectos de cosa juzgada (material), pudiendo las partes acudir a un juicio plenario posterior, en el que podrá plantearse con toda amplitud el conflicto.

Manteniéndose estas tres naturalezas jurídicas la Ley 42/2015, de 5 de octubre, ha introducido grandes modificaciones en el juicio verbal; la más importante es que ha hecho escrita la contestación a la demanda, con todas las consecuencias que ello comporta, como veremos seguidamente.

II. LA DEMANDA

También el juicio verbal, siempre determinado por el principio dispositivo, principiara mediante demanda (art. 437). Esta es siempre el acto iniciador del proceso, aunque existen varios tipos.

A) Demanda ordinaria

La demanda puede ser la misma que en el juicio ordinario, siendo también de aplicación lo dispuesto para el dicho juicio en materia de preclusión de alegaciones y litispendencia (art. 437.1)

La demanda expresará también la clase de proceso por el que ha de tramitarse el asunto, bien con referencia a la materia, bien en atención a la cuantía, que deberá especificarse (art. 253). Además, todo lo que dijimos en la Lección Decimocuarta sobre los documentos que deben presentarse con la demanda del juicio ordinario es aplicable a esta demanda, pues el Capítulo III del Título I del Libro II de la LEC contiene disposiciones comunes que son aplicables en todos los procesos declarativos.

Debe recordarse, por tanto, la distinción entre documentos procesales y documentos materiales. También es aplicable lo que dijimos sobre la tasa judicial, atendida la STC 140/2016, de 21 de julio.

B) Demanda sucinta

Según el art. 437.2 en los juicios verbales en que no se actúe con abogado ni procurador, esto es en los juicios por la cuantía de cantidad no superior a 2.000 euros, se podrá formular demanda sucinta, donde se consignarán los datos y circunstancias de identificación del actor y del demandado y el domicilio o los domicilios en que pueden ser citados, y se fijará con claridad y precisión lo que se pida, concretando los hechos fundamentales en que se basa la petición.

La demanda sucinta es una posibilidad que se le ofrece al actor, y que podrá o no utilizar según lo estime oportuno, pues nada impide que presente una demanda completa u ordinaria. Este tipo de demanda debe ponerse en relación con la no necesidad de procurador (art. 23.1, 1.°) ni de abogado (art. 31.2, 1.°) en los juicios verbales cuya cuantía no exceda de 2.000 euros, recordando que el art. 32.1 dispone que, no siendo preceptiva la intervención de abogado y de procurador, si el actor pretende comparecer en juicio con asistencia y representación, lo hará constar en la demanda.

Esta demanda no es posible cuando el juicio verbal sea procedente por la materia, pero la duda interpretativa es si esta demanda sucinta cabe en todos los juicios verbales en los que su procedencia se determine por la cuantía (la procedencia por la cuantía puede referirse a bienes de muy distinta naturaleza, así basta ver las reglas de determinación de la cuantía del art. 251 para comprobarlo), o si es posible sólo en los juicios verbales en los que la pretensión sea dineraria. Ahora atendidas las palabras textuales de los arts. 23.2, 31.2, 1° y 437.2 debe estarse a todos los juicios verbales por la cuantía.

C) Demanda en impreso normalizado

En los casos en que sea posible la demanda sucinta cabe también cumplimentar unos impresos normalizados que se hallarán a disposición del futuro demandante en el órgano judicial correspondiente.

Para esta demanda en impreso normalizado y para la demanda sucinta debe tenerse en cuenta:

1°) En ella se consignarán 1) los datos subjetivos: circunstancias de identificación del actor y del demandado y el domicilio o los domicilios en que pueden ser citados, 2) los hechos fundamentales en que se basa la petición y 3) se fijará con claridad y precisión lo que se pida. Se advierte que faltan los fundamentos de derecho.

2°) Esta importante diferencia lleva a entender que estas dos demandas suponen el ejercicio del derecho de acción, pero en ella no se interpone completamente la pretensión; ésta sólo se prepara o se interpone parcialmente, siendo completada después en el inicio de la vista, en la que el actor expondrá la fundamentación de lo que pide.

> La pretensión no es un acto procesal; es una declaración de voluntad que consiste en una petición fundada, pudiendo manifestarse al exterior en uno o en varios actos. En el juicio ordinario la demanda es completa, porque incorpora plenamente la pretensión, pero en el juicio verbal si se formula demanda sucinta es porque la pretensión se interpone en dos actos.

D) Acumulación de pretensiones

Existe norma especial relativa a la acumulación de pretensiones, es decir, a la acumulación inicial (Lección Sexta), distinguiendo entre:

1.°) Acumulación exclusivamente objetiva: Este tipo de acumulación, que en general es posible sin que exista conexión por los objetos, de modo que el actor puede acumular en su demanda todas las «acciones» que le competan contra un mismo demandado (art. 71.2), sufre una fuerte limitación en el juicio verbal, en el que sólo es posible cuando existan conexiones objetivas específicas.

> Según el art. 437.4 sólo cabe la acumulación entre: 1) Pretensiones basadas en unos mismos hechos, y siempre que proceda en todo caso el juicio verbal, 2) Pretensión de resarcimiento de daños y perjuicios y otra pretensión que sea prejudicial respecto de ella, y 3) Pretensiones en reclamación de rentas o cantidades análogas vencidas y no pagadas cuando se trate de juicios de desahucio de finca por falta de pago o expiración del plazo contractual o legal, con independencia de la cantidad que se reclame, También podrán acumularse las pretensiones contra el fiador o avalista solidario previo requerimiento de pago no satisfecho.

2.°) Acumulación objetivo-subjetiva: Por el contrario, pueden acumularse las pretensiones que uno tenga contra varios o varios contra uno, siempre que entre ellas exista un nexo por razón del objeto y del título o causa de pedir, pero el tribunal ha de ser competente por razón de la materia y por razón de la cuantía para conocer de todas las pretensiones (art. 437.5). A una pretensión que se conoce en juicio verbal no puede acumularse otra que, por razón de la cuantía, deba conocer en juicio ordinario; el que puede lo más puede lo menos, pero no al revés.

E) Demandas especiales

Dado que el juicio verbal se utiliza en ocasiones como proceso especial por razón de la materia, existen reglas específicas para algunas demandas, cuyo incumplimiento supondrá la inadmisión. Esas reglas se refieren, bien al contenido, bien a los documentos a acompañar. Se trata de:

a) En las demandas de desahucio de finca urbana el arrendador: 1.º) Cuando se trata de desahucio de finca urbana por falta de pago de las rentas o cantidades debidas por el arrendatario la demanda debe indicar las circunstancias concurrentes que pueden permitir o no, en el caso concreto, la enervación del desahucio (art. 439.3).

> La enervación del desahucio se regula en el art. 22.4, como un medio de terminación del proceso por satisfacción extraprocesal, sólo respecto de los arrendamientos de finca urbana, cuando se trate de la falta de pago de las rentas o cantidades debidas por el arrendatario, pero, dado que la enervación no siempre es posible, en la demanda deberán contenerse las circunstancias relativas a su posibilidad, y su falta determinará inadmisión.

2.º) En las demandas por desahucio de finca urbana por falta de pago de las rentas o cantidades debidas al arrendador, o por expiración legal o contractual del plazo, el demandante puede anunciar que asume el compromiso de condonar al arrendatario toda o parte de la deuda y de las costas, con expresión de la cantidad concreta, condicionándolo al desalojo voluntario de la finca dentro del plazo que indique, que no podrá ser inferior a quince días desde que se notifique la demanda (art. 437.3).

3.º) En este mismo caso el arrendador en la demanda podrá pedir que se tenga por solicitada la ejecución del lanzamiento en la fecha y hora que se fije por el Juzgado (a los efectos señalados en el art. 549.3).

b) La demanda en la que se pretenda retener o recobrar la posesión no se admitirá si se interpone transcurrido el plazo de un año desde el acto de perturbación o despojo (art. 439.1).

> Se trata de un plazo de caducidad, derivado del art. 460, 4.º del CC, que debe ser controlado de oficio. Lo que la norma procesal está diciendo realmente es que el actor en la demanda debe indicar cuándo se produjo la perturbación o despojo, y que el tribunal no la admitirá si ese momento es anterior en un año al de la presentación de la demanda.

c) La demanda presentada por el titular de derecho inscrito en el Registro de la Propiedad pretendiendo la efectividad de ese derecho frente a quien se oponga o perturbe su ejercicio, sin disponer de título inscrito que legitime la oposición o la perturbación, tiene requisitos especiales de contenido y atinentes a los documentos a presentar con ella (art. 439.2).

> En uno y otro caso el incumplimiento de los requisitos determina la inadmisión de la demanda. Los de contenido son: 1) Expresión de las medidas que se consideren necesarias para asegurar la efectividad de la sentencia que recayere, y 2) Indicación de la caución que ha de prestar el demandado, en caso de comparecer y contestar, para responder de los frutos que haya percibido indebidamente, de los daños y perjuicios que hubiere irrogado y de las costas del juicio, salvo que

el actor renunciare expresamente en la demanda a esta caución. El documento a presentar es la certificación literal del Registro de la Propiedad que acredite la vigencia, sin contradicción alguna, del asiento que legitima al demandante.

d) Las demandas sobre incumplimiento de contratos de venta a plazos de bienes muebles y de arrendamiento financiero que deban tramitarse por el juicio verbal (según el art. 250.1, 10.° y 11.°), deben acompañarse de documentos específicos, sin los cuales no se admitirán (art. 439.4).

Se trata de dos supuestos parecidos pero distintos:

1.°) Las demandas en las que se pretenda que el tribunal resuelva, de modo sumario, sobre el incumplimiento por el comprador de las obligaciones derivadas de los contratos inscritos en el Registro de Ventas a Plazos de Bienes Muebles y formalizados en el modelo oficial: 1) Para obtener una sentencia que permita dirigir la ejecución exclusivamente sobre el bien o bienes adquiridos o financiados a plazos, y 2) Para obtener una sentencia en la que se conde al comprador a la entrega inmediata del bien o bienes vendidos o financiados, en el lugar indicado en el contrato, previa declaración de resolución de éste, en su caso, al haberse pactado la reserva de dominio, deberán presentarse acompañadas de dos documentos: 1) Acreditación del requerimiento de pago, con diligencia expresiva del impago y de la no entrega del bien, en los términos previstos en el art. 16 de la Ley 28/1998, de 13 de julio, de Venta a Plazos de Bienes Muebles, y 2) Certificación de la inscripción del o de los bienes en el Registro de Venta a Plazos de Bienes Muebles, si se tratase de bienes susceptibles de inscripción en el mismo (art. 439.4 con remisión al art. 250.1, 10.° y 11.°).

2.°) La demanda en la que se pretenda que el tribunal resuelva, con carácter sumario, sobre el incumplimiento de un contrato de arrendamiento financiero, siempre que el mismo esté inscrito en el Registro de Venta a Plazos de Bienes Muebles y formalizado en el modelo oficial, para obtener una sentencia en la que se condene al demandado a la inmediata entrega del bien al arrendador financiero, en el lugar indicado en el contrato, previa resolución de éste, en su caso, deberá acompañarse de la acreditación del requerimiento de pago al deudor, con diligencia expresiva del impago y de la no entrega del bien, en los términos previstos en la Disp. Adicional 1.ª de la Ley 28/1998, de 13 de julio.

e) Por último, el art. 439.5 abre una cláusula general para la inadmisión de las demandas en las que no se cumplan los requisitos especiales de admisibilidad que prevean las leyes.

La LO 19/2003, de 23 de diciembre, introdujo una Disp. Adic. 5.ª en la LEC (modificada por la Ley 13/2009, de 3 de noviembre) para la agilización de determinados procesos entre los que se incluyen, aparte de otros, las reclamaciones de cantidad hasta 6.000 euros y el desahucio de finca urbana por expiración legal o contractual del plazo o por falta de pago de rentas o cantidades debidas y, en su caso, reclamaciones de esas rentas o cantidades cuando la pretensión de reclamación se acumule a la de desahucio.

III. ADMISIÓN DE LA DEMANDA, CONTESTACIÓN Y RECONVENCIÓN

La demanda adquiere sentido procesal cuando se presenta, pudiendo hacerse dónde y cuándo dijimos en la Lección Decimocuarta (aunque cuando la competencia sea de un Juzgado de Paz no existirá registro general de entrada de documentos judiciales).

a) *Admisión*: Debe estarse también a lo que entonces dijimos, pues también se aplica aquí el absurdo de que la demanda se examina en su admisibilidad por el letrado de la administración de justicia, el cual puede admitirla o dar cuenta al juez para que decida éste (art. 438.1 y su remisión al art. 404).

b) *Contestación*: Admitida la demanda, dará traslado de ella al demandado para que la conteste por escrito en el plazo de diez días conforme a lo dispuesto para el juicio ordinario. Si el demandado no compareciere en el plazo otorgado será declarado en rebeldía conforme al artículo 496.

En los casos en que sea posible actuar sin abogado ni procurador, se indicará así en el decreto de admisión y se comunicará al demandado que están a su disposición en el juzgado unos impresos normalizados que puede emplear para la contestación a la demanda.

c) *Compensación*: El demandado podrá oponer en la contestación a la demanda un crédito compensable, siendo de aplicación lo dispuesto en el artículo 408. Si la cuantía de dicho crédito fuese superior a la que determine que se siga el juicio verbal, el tribunal tendrá por no hecha tal alegación en la vista, advirtiéndolo así al demandado, para que use de su derecho ante el tribunal y por los trámites que correspondan (art. 438.3)

d) *Reconvención*: El art. 438.2 LEC regula ese medio procesal, de modo que:

1.º) En los juicios verbales de naturaleza sumaria, los que deben finalizar con sentencia que no produzca cosa juzgada, no cabe reconvención.

2.º) En los demás juicios verbales sólo se admitirá reconvención cuando: 1) No determine la pretensión de la reconvención la improcedencia del juicio verbal, y 3) Exista conexión entre la pretensión de la reconvención y la que sea objeto de la demanda inicial.

Una vez que se admite la reconvención se estará a las normas ordinarias, es decir, al art. 406, si bien el plazo para contestarla es de 10 días.

IV. CITACIÓN PARA LA VISTA

La vista de este juicio verbal no es siempre necesaria, por ello se empieza diciendo en el art. 438.4 que el demandado, en su escrito de contestación, deberá pronunciarse, necesariamente, sobre la pertinencia de la celebración de la vista. Igualmente, el demandante deberá pronunciarse sobre ello, en el plazo de tres días desde el traslado del escrito de contestación. Si ninguna de las partes la solicitase y el tribunal no considerase procedente su celebración, dictará sentencia sin más trámites.

En todo caso, bastará con que una de las partes lo solicite para que el letrado de la administración de justicia señale día y hora para su celebración, dentro de los cinco días siguientes. No obstante, en cualquier momento posterior, previo a la celebración de la vista, cualquiera de las partes podrá apartarse de su solicitud por considerar que la discrepancia afecta a cuestión o cuestiones meramente jurídicas. En este caso se dará traslado a la otra parte por el plazo de tres días y, transcurridos los cuales, si no se hubieren formulado alegaciones o manifestado oposición, quedarán los autos conclusos para dictar sentencia si el tribunal así lo considera.

En el caso de que deba celebrarse vista debe partirse de que contestada la demanda y, en su caso, la reconvención o el crédito compensable, o transcurridos los plazos correspondientes, el letrado de la administración de justicia, cuando haya de celebrarse vista de acuerdo con lo expresado en el artículo 438, citará a las partes a tal fin dentro de los cinco días siguientes. La vista habrá de tener lugar dentro del plazo máximo de un mes (art. 440).

A) En general

En la citación se fijará el día y hora en el que haya de celebrarse la vista, y se informará:

a) A las dos partes

1) De la posibilidad de recurrir a una negociación para intentar solucionar el conflicto, incluido el recurso a una mediación, en cuyo caso éstas indicarán en la vista su decisión al respecto y las razones de la misma,

2) Que han de concurrir con los medios de prueba de que intenten valerse, con la prevención de que si no asistieren y se propusiere y admitiere su declaración, podrán considerarse admitidos los hechos del interrogatorio conforme a lo dispuesto en el artículo 304

3º) Que, en el plazo de los cinco días siguientes a la recepción de la citación, deben indicar las personas que, por no poderlas presentar ellas mismas, han de ser citadas por el letrado de la administración de justicia a la vista para que declaren en calidad de parte, testigos o peritos. A tal fin, facilitarán todos los datos y circunstancias precisos para llevar a cabo la citación.

4º) En el mismo plazo de cinco días podrán las partes pedir respuestas escritas a cargo de personas jurídicas o entidades públicas, por los trámites establecidos en el artículo 381.

b) Al demandante

Que si no asistiese a la vista, y el demandado no alegare interés legítimo en la continuación del proceso para que se dicte sentencia sobre el fondo, se tendrá en el acto por desistido a aquél de la demanda, se le impondrán las costas causadas y se le condenará a indemnizar al demandado comparecido, si éste lo solicitare y acreditare los daños y perjuicios sufridos (art. 442.1).

c) Al demandado

La advertencia general a éste consiste en que su incomparecencia a la vista no determinará su suspensión, continuándose las actuaciones en su ausencia (art. 442.2).

> Debe recordarse que, no siendo preceptiva la intervención de abogado y de procurador, y habiendo manifestado el actor en la demanda que comparecerá con su asistencia y representación, la citación, con el traslado de la demanda, supone la notificación al demandado de esta circunstancia. Además según el art. 32.4 LEC debe informársele del derecho que le reconoce el art. 6.3 de la Ley 1/1996, de 10 de enero (Lección Cuarta).

B) Citaciones especiales

Existen dos advertencias especiales referidas a juicios verbales por razón de la materia:

a) Derechos reales inscritos

Tratándose de demanda presentada por titular de derecho real inscrito en el Registro de la Propiedad para la efectividad de tal derecho, se apercibirá al demandado de que se dictará sentencia acordando las actuaciones que, para la efectividad del derecho inscrito, hubiere solicitado el actor si: 1) No compareciere a la vista, y 2) No presta la caución en la cuantía que, tras oírle, el tribunal determine, dentro de la solicitada por el actor.

b) Desahucio

En los casos de demandas en las que se ejercite la pretensión de desahucio por falta de pago de rentas o cantidades debidas, acumulando o no la pretensión de condena al pago de las mismas, el Letrado de la Administración de Justicia, tras la admisión, y previamente a la vista que se señale, requerirá al demandado para que, en el plazo de diez días, desaloje el inmueble, pague al actor o, en caso de pretender la enervación, pague la totalidad de lo que deba o ponga a disposición de aquel en el tribunal o notarialmente el importe de las cantidades reclamadas en la demanda y el de las que adeude en el momento de dicho pago enervador del desahucio; o en otro caso comparezca ante éste y alegue sucintamente, formulando oposición, las razones por las que, a su entender, no debe, en todo o en parte, la cantidad reclamada o las circunstancias relativas a la procedencia de la enervación.

Si el demandante ha expresado en su demanda que asume el compromiso a que se refiere el apartado 3 del artículo 437, se le pondrá de manifiesto en el requerimiento, y la aceptación de este compromiso equivaldrá a un allanamiento con los efectos del artículo 21.

> Además, el requerimiento expresará el día y la hora que se hubieran señalado para que tengan lugar la eventual vista en caso de oposición del demandando, para la que servirá de citación, y el día y la hora exactos para la práctica del lanzamiento en caso de que no hubiera oposición. Asimismo, se expresará que en caso de solicitar asistencia jurídica gratuita el demandado, deberá hacerlo en los tres días siguientes a la práctica del requerimiento, así como que la falta de oposición al requerimiento supondrá la prestación de su consentimiento a la resolución del contrato de arrendamiento que le vincula con el arrendador.
>
> El requerimiento se practicará en la forma prevista en el artículo 161 de esta Ley, teniendo en cuenta las previsiones contenidas en apartado 3 del artículo 155 y en el último párrafo del artículo 164, apercibiendo al demandado de que, de no realizar ninguna de las actuaciones citadas, se procederá a su inmediato lanzamiento, sin necesidad de notificación posterior, así como de los demás extremos comprendidos en el apartado siguiente de este mismo artículo.

Si el demandado no atendiere el requerimiento de pago o no compareciere para oponerse o allanarse, el Letrado de la Administración de Justicia dictará decreto dando por terminado el juicio de desahucio y se procederá el lanzamiento en el día y la hora fijadas.

Si el demandado atendiere el requerimiento en cuanto al desalojo del inmueble sin formular oposición ni pagar la cantidad que se reclamase, el Letrado de la Administración de Justicia lo hará constar, y dictará decreto dando por terminado el procedimiento, y dejando sin efecto la diligencia de lanzamiento, a no ser que el demandante interese su mantenimiento para que se levante acta sobre el estado en que se encuentre la finca, dando traslado al demandante para que inste el despacho de ejecución en cuanto a la cantidad reclamada, bastando para ello con la mera solicitud.

En los dos supuestos anteriores, el decreto dando por terminado el juicio de desahucio, impondrá las costas al demandado e incluirá las rentas debidas que se devenguen con posterioridad a la presentación de la demanda hasta la entrega de la posesión efectiva de la finca, tomándose como base de la liquidación de las rentas futuras, el importe de la última mensualidad reclamada al presentar la demanda. Si el demandado formulara oposición, se celebrará la vista en la fecha señalada.

> En todos los casos de desahucio, también se apercibirá al demandado en el requerimiento que se le realice que, de no comparecer a la vista, se declarará el desahucio sin más trámites y que queda citado para recibir la notificación de la sentencia que se dicte el sexto día siguiente al señalado para la vista. Igualmente, en la resolución que se dicte teniendo por opuesto al demandado se fijará día y hora exactas para que tenga lugar, en su caso, el lanzamiento, que deberá verificarse antes de treinta días desde la fecha señalada para la vista, advirtiendo al demandado que, si la sentencia fuese condenatoria y no se recurriera, se procederá al lanzamiento en el día y la hora fijadas, sin necesidad de notificación posterior.»

V. ACTUACIONES PREVIAS A LA VISTA

Nos hemos referido ya a algunas actuaciones generales previas a la vista como son las atinentes a la preparación de prueba (art. 440.1, IV) y al caso de que el abogado y el procurador no fueren necesarios (del art. 32.4), pero ahora importan casos especiales de tramitación inicial del juicio verbal.

A) Adquisición de la posesión (art. 441.1)

Cuando el actor pretende que se le ponga en posesión de los bienes adquiridos por herencia, no estando poseídos por nadie a título de dueño o usufructuario (art. 250.1, 3.º), la actividad judicial se divide en dos fases, una de jurisdicción voluntaria y otra propiamente jurisdiccional, que es la que se tramita como juicio verbal.

> Las dos fases son las siguientes:
> 1.ª) No jurisdiccional: Se inicia con la presentación de un escrito (que no es una verdadera demanda, a pesar del tenor literal de la ley, entre otras cosas porque no se dirige contra persona determinada), al que habrá de acompañar el testamento o declaración de herederos y en el que se ofrecerá información testifical sobre el extremo de que el bien o bienes no están poseídos por nadie a título de heredero o usufructuario. El letrado de la administración de justicia llamará a los testigos y, según su declaración, el juez dictará auto en el que denegará u otorgará, sin perjuicio de mejor derecho, la posesión solicitada, llevando a cabo las actuaciones conducentes a tal efecto (como la entrega efectiva de la posesión o el requerimiento a los inquilinos, depositarios o administradores para que reconozcan la posesión otorgada).

El anterior auto será publicado por edictos: 1) En el tablón de anuncios del tribunal, 2) En el Boletín Oficial de la provincia, y 3) En uno de los periódicos de mayor circulación de la misma, a costa del solicitante, y se instará a los interesados a comparecer y reclamar, mediante contestación a la demanda, en el plazo de cuarenta días, si consideran tener mejor derecho que el solicitante de la posesión. Si no comparece nadie, se confirmará al solicitante en la posesión otorgada.

2.ª) Jurisdiccional: Si alguien presenta reclamación lo hará por medio de contestación a la demanda, de que se dará traslado al demandante, sustanciándose las actuaciones siguientes por la tramitación de un juicio verbal.

B) Obra nueva (art. 441.2)

Cuando se pretenda que el tribunal resuelva, con carácter sumario, la suspensión de una obra nueva, la actividad previa consiste en la suspensión provisional, dejando para la vista la decisión de la suspensión definitiva. Antes incluso de la citación para la vista el tribunal: 1) Dirigirá inmediata orden de suspensión al dueño o encargado de la obra, 2) Podrá permitir la realización de las obras indispensables para conservar lo ya edificado, 3) Podrá permitir que se continúe la obra si el dueño de la misma ofrece caución (que se prestará en la forma del art. 64.2), se entiende para asegurar la demolición y la indemnización de los daños y perjuicios si se decretare la suspensión definitiva, y 4) Podrá acordar que se lleve inmediatamente a cabo, bien reconocimiento judicial, bien reconocimiento pericial, bien reconocimientos conjuntos.

C) Derecho real inscrito (art. 441.3)

Cuando el titular de un derecho real inscrito en el Registro de la Propiedad pretenda la efectividad de ese derecho frente a quien se oponga a él o perturbe su ejercicio, sin disponer de título inscrito que legitime su oposición o perturbación, la demanda tiene requisitos especiales (art. 439.2) y lo mismo la citación para la vista (art. 440.2) y, además de todo ello, el tribunal adoptará las medidas solicitadas que, según las circunstancias, fuesen necesarias para asegurar en todo caso el cumplimiento de la sentencia que recayere.

D) Ejecución exclusiva contra bien mueble adquirido a plazos (art. 441.4)

Cuando se pretenda que el tribunal resuelva, con carácter sumario, sobre el incumplimiento por el comprador de las obligaciones derivadas de los contratos inscritos en el Registro de Venta a Plazos de Bienes Muebles y formalizados en el modelo oficial establecido al efecto, al objeto de obtener una sentencia condenatoria que permita dirigir la ejecución exclusivamente sobre el bien o bienes adquiridos o financiados a plazos (art. 250.1, 10.º), la demanda tiene requisitos especiales (art. 439.4) y, además, admitida la demanda, el juez ordenará la exhibición de los bienes a su poseedor, bajo apercibimiento de incurrir en desobediencia a la autoridad judicial, y su inmediato embargo preventivo, que se asegurará mediante depósito, con arreglo a lo previsto en la LEC.

E) Entrega del bien mueble al arrendador financiero o al vendedor o financiador (art. 441.4)

Cuando se pretenda que el tribunal resuelva, con carácter sumario, sobre el incumplimiento de un contrato de arrendamiento financiero o contrato de venta a plazos con reserva de dominio, siempre que en ambos casos estén inscritos en el Registro de Venta a Plazos de Bienes Muebles y formalizados en el modelo oficial establecido al efecto, mediante el ejercicio de una acción exclusivamente encaminada a obtener la inmediata entrega del bien al arrendador financiero o al vendedor o financiador en el lugar indicado en el contrato, previa declaración de resolución de éste, en su caso (art. 250.1, 11.º), también la demanda tiene requisitos especiales (art. 439.4) y, además, admitida la demanda, el tribunal ordenará el depósito del bien cuya entrega se reclame.

En los dos casos anteriores: 1) No se exigirá caución al demandante para la adopción de las medidas cautelares, 2) No se admitirá oposición del demandado a las mismas, y 3) Tampoco se admitirá al demandado solicitud de modificación o de sustitución de las medidas por caución, lo que constituye sendas excepciones a lo previsto en los arts. 728.3, 739 y ss., y 743 y ss.).

Lo más destacado, con todo, en los dos últimos casos es que:

1.º) Se emplazará al demandado, por cinco días, para que se persone en las actuaciones, por medio de procurador, al objeto de anunciar su oposición a la demanda por alguna de las causas prevista en el art. 444.3.

2.º) Si el demandado deja transcurrir el plazo anterior sin anunciar su oposición, o si pretendiera fundar ésta en causa no comprendida en el art. 444.3, se dictará, sin más trámites, sentencia estimatoria de la pretensión del actor.

3.º) Si el demandado anuncia su oposición a la reclamación, con arreglo a lo dicho antes, se citará a las partes para la vista y si el demandado no asistiera a la misma, sin concurrir causa justa, o si asistiera pero no formulara oposición o pretendiera fundar ésta en causa no comprendida en el art. 444.3, se dictará, sin más trámites, sentencia estimatoria de la pretensión del actor, imponiéndole una multa de hasta la quinta parte del valor de la reclamación, con un mínimo de 180 euros.

4.º) Contra la sentencia que se dicte en los casos de ausencia de oposición no se dará recurso alguno.

VI. VISTA

La realización de contestación a la demanda por escrito ha simplificado extraordinariamente el desarrollo de la vista. Ahora bien, en el desarrollo de la misma deben tenerse en cuenta las normas comunes de los arts. 182 a 193 y en la propia del juicio verbal debe distinguirse entre normas generales y normas especiales de algunos juicios verbales que son procesos especiales por razón de la materia.

A) Inasistencia de las partes

Llegado el día y hora señalados para la vista, el primer aspecto a considerar atiende a la asistencia o inasistencia de las partes (art. 442). Los efectos son muy distintos según la parte que no asista:

1.º) Si no asiste el demandante, se le tendrá por desistido de la demanda. Se trata de un desistimiento tácito, que supone, además, la imposición de las costas causadas y la condena a indemnizar al demandado comparecido, si éste lo solicitare y acreditare los daños y perjuicios sufridos. El proceso puede continuar, con la celebración de la vista, si el demandado lo pidiere, alegando interés legítimo en la continuación del proceso para que se dicte sentencia sobre el fondo del asunto.

2.º) Si no comparece el demandado, se continuará el juicio. Esta incomparecencia no supone ni allanamiento ni admisión de hechos.

> Supuesto especial es el del juicio verbal de los arts. 250.1, 7.º y 440.2. Cuando se trate de la efectividad de derechos reales inscritos en el Registro de la Propiedad la no comparecencia del demandado supondrá que se dicte sentencia acordando las actuaciones que, para la efectividad del derecho inscrito, hubiere solicitado el actor.

3.º) Si no asiste ni el actor ni el demandado, el proceso no puede seguir, debiendo tenerse por desistido al primero y ordenándose el archivo de las actuaciones.

B) Desarrollo general

Comparecidas las partes el tribunal declarará abierto el acto y comprobará si subsiste el litigio entre ellas. Es evidente que si las partes manifestasen haber llegado a un acuerdo o se mostrasen dispuestas a concluirlo de inmediato, podrán desistir del proceso o solicitar del tribunal que homologue lo acordado. El acuerdo homologado judicialmente surtirá los efectos atribuidos por la ley a la transacción judicial y podrá llevarse a efecto por los trámites previstos para la ejecución de sentencias y convenios judicialmente aprobados. Dicho acuerdo podrá impugnarse por las causas y en la forma que se prevén para la transacción judicial.

Comprobado que el acuerdo previo no se ha producido en la vista deben destacarse las siguientes actuaciones:

a) Cabe que las partes de acuerdo insten la suspensión del proceso de conformidad con lo previsto en el art. 19.4 para someterse a mediación. En este caso, el tribunal examinará previamente la concurrencia de los requisitos de capacidad jurídica y poder de disposición de las partes o de sus representantes debidamente acreditados, que asistan al acto.

Si ha sucedido lo anterior y la mediación finaliza sin acuerdo cualquiera de las partes podrá solicitar que se alce la suspensión y se señale fecha para la continuación de la vista. En el caso de haberse alcanzado en la mediación acuerdo entre las partes, éstas deberán comunicarlo al tribunal para que decrete el archivo del procedimiento, sin perjuicio de solicitar previamente su homologación judicial.

b) Ya entrando en el asunto lo primero que el tribunal debe hacer es decidir las cuestiones procesales que puedan impedir la válida prosecución y término del proceso mediante sentencia sobre el fondo de acuerdo con los arts. 416 y ss. Se trata de estar a todas cuestiones que en el juicio ordinario se contemplan en esas normas. Sobre las mismas caben dos decisiones que se harán en forma oral, sin perjuicio:

1ª) Desestimar las excepciones procesales y ordenar seguir las actuaciones, caso en el que no cabe recurso alguno, sin perjuicio de hacer constar en el acta la protesta oportuna para la admisión del recurso de apelación.

2ª) Estimar alguna excepción procesal que impida la continuación de la actuación de la vista, lo que parecer oportuno hacer por auto definitivo de sobreseimiento contra el que cabe apelación.

c) Si debe seguir el acto, bien porque no se hubieran suscitado cuestiones procesales, bien porque fueren desestimadas ordenándose la continuación de la vista, se tratará de entrar en las cuestiones de fondo, a cuyo efecto se dará la palabra a las partes para realizar aclaraciones y fijar hechos sobre los que exista contradicción. Se trata ahora de delimitar los términos del debate, a cuyo efecto lo más importante es determinar los hechos en los que están conformes las partes (excluidos de la prueba) y los hechos controvertidos (los necesitados de prueba).

> Aunque no hay mención expresa en el art. 443.3 es evidente que se tratará de: 1) Aclaración de alegaciones, 2) Peticiones complementarias, 3) hechos nuevos o de nueva noticia, 4) Aportación de documentos y dictámenes y 5) Posición de las partes sobre los documentos aportados de contrario y lo mismo sobre dictámenes periciales e informes.

d) Existiendo hechos controvertidos procederá la proposición de medios de prueba, para lo que se tendrá en cuenta que ya se requirió a las partes para que concurrieran a la vista con los medios de prueba de que intentaran valerse. Además es también aplicable lo dispuesto en el art. 429.1 sobre la manifestación del tribunal sobre la insuficiencia de la pruebas propuestas.

Contra las resoluciones del tribunal sobre admisión o inadmisión de pruebas sólo cabrá recurso de reposición, que se sustanciará y resolverá en el acto, y si se desestimare, la parte podrá formular protesta al efecto de hacer valer sus derechos, en su caso, en la segunda instancia (art. 446).

e) Seguidamente se procederá a la práctica de los medios de prueba que resulten admitidas, para lo que debe estarse a las normas generales. Recuérdese que las pruebas se regulan en las disposiciones comunes a los procesos declarativos.

f) Conclusiones: Practicadas las pruebas, el tribunal podrá conceder a las partes un turno de palabra para formular oralmente conclusiones. A continuación, se dará por terminada la vista (art. 447.1).

g) El tribunal dictará sentencia dentro de los diez días siguientes.

> Se exceptúan los juicios verbales en que se pida el desahucio de finca urbana, en que la sentencia se dictará en los cinco días siguientes, convocándose en el acto de la vista a las partes a la sede del tribunal para recibir la notificación, si no estuvieran representados por procurador o no debiera realizarse por medios telemáticos, que tendrá lugar el día más próximo posible dentro de los cinco siguientes al de la sentencia.

C) Reglas especiales

La utilización del juicio verbal como proceso especial y sumario, ha supuesto la existencia de unas reglas especiales relativas a la limitación de las alegaciones que puede hacer el demandado, con lo que se determina de modo diferente, no el desarrollo formal de la vista, sino el contenido de la contestación a la demanda y el objeto de la prueba (art. 444).

a) Cuando se pretenda la recuperación de finca, rústica o urbana, dada en arrendamiento, por impago de la renta o cantidad asimilada, sólo se permitirá al demanda alegar y probar el pago o las circunstancias relativas a la procedencia de la enervación.

Se produce, pues, la limitación de lo alegable y, por tanto, del objeto de la prueba, pero no hay limitación de los medios de prueba a utilizar. En contra de la tradición que permitía sólo la prueba documental y la de confesión de la parte, ahora se admite, erróneamente, cualquier medio de prueba, incluso la testifical.

b) Cuando se pretenda la tutela de derechos reales inscritos en el Registro de la Propiedad frente a quien se oponga a ellos o perturbe su ejercicio, la oposición del demandado se limita en un doble sentido:

1.°) La oposición sólo es admisible si el demandado presta la caución determinada por el tribunal.

2.°) La oposición sólo puede fundarse en alguna de las causas enumeradas en el art. 444.2.

> Esas causas son: 1) Falsedad de la certificación del Registro u omisión en ella de derechos o condiciones inscritas, que desvirtúen la acción ejercitada, 2) Poseer el demandado la finca o disfrutar el derecho discutido por contrato u otra cualquier relación jurídica directa con el último titular o con titulares anteriores o en virtud de prescripción, siempre que ésta deba perjudicar al titular inscrito, 3) Que la finca o el derecho se encuentren inscritos a favor del demandado y así lo justifique presentando certificación del Registro de la Propiedad acreditativa de la vigencia de la inscripción, y 4) No ser la finca inscrita la que efectivamente posea el demandado.

c) Cuando se trate de los juicios verbales especiales y sumarios del art. 250.1, 10.° y 11.° la oposición del demandado sólo podrá basarse en alguna de las causas del art. 444.3.

> Esas causas son: 1) Falta de jurisdicción o de competencia del Tribunal, 2) Pago acreditado documentalmente, 3) Inexistencia o falta de validez de su consentimiento, incluida la falsedad de la firma, y 4) Falsedad del documento en que aparezca formalizado el contrato.
>
> La causa relativa a la falta de jurisdicción o de competencia es un claro error del legislador. Si la falta de jurisdicción o de competencia ha de oponerse siempre por la vía de la declinatoria, no siendo posible alegarla como excepción procesal en la vista (sin perjuicio de apreciarse de oficio por el juez, art. 443.2), carece de sentido que ahora el art. 444.3 y respecto de un caso concreto permita la alegación en la vista de la falta de jurisdicción y competencia. El error proviene de haber asumido lo dispuesto en el art. 16. 2, d) de la Ley 28/1998, de 13 de julio, de Venta a Plazos de Bienes Muebles, al derogar esta norma en la Disp. Final 8.ª de la LEC, y de hacerlo sin sentido crítico. Con todo, visto que se trata de un error del legislador que introduce una incoherencia en el sistema, la duda surge en si debe estarse a lo dispuesto literalmente en la norma o si debe estarse al sistema. Por nuestra parte nos inclinamos por el sistema, aunque sea a costa de contrariar lo dispuesto literalmente en el art. 444.3.

La limitación de las alegaciones del demandado y la consiguiente limitación del tema de la prueba llevan a la consecuencia de que la sentencia que se dicte no producirá los efectos de cosa juzgada (material). Los procesos sumarios no son sólo aquéllos a que se refiere el art. 444, sino todos a los que la ley les niega los efectos de cosa juzgada y que enumeramos en el inicio de esta lección.

En algún caso especial el plazo para dictar sentencia es menor, y así sucede en el juicio verbal en que se pida el desahucio de la finca urbana, en que se plazo es de cinco días. Con especialidades, además sobre la notificación de la sentencia. Y con otras especialidades sobre fijación del día del lanzamiento.

VII. EL CASO DE LOS OCUPAS

La Ley 5/2018, de 15 de junio, por la que se modifica la Ley 1/2000, de 7 de enero, de Enjuiciamiento Civil, en relación a la ocupación ilegal de viviendas, ha previsto el supuesto, cada vez más numeroso, de ocupación sencillamente ilegal de una vivienda sin título alguno, y le ha dado un tratamiento que no se corresponde con la ilegalidad manifiesta de la ocupación misma.

De entrada se ha añadido un párrafo II al numeral 4.º del apartado 1 del artículo 250, conforme al cual: "Podrán pedir la inmediata recuperación de la plena posesión de una vivienda o parte de ella, siempre que se hayan visto privados de ella sin su consentimiento, la persona física que sea propietaria o poseedora legítima por otro título, las entidades sin ánimo de lucro con derecho a poseerla y las entidades públicas propietarias o poseedoras legítimas de vivienda social" Y desde ahí se establecen especialidades en el juicio verbal:

1ª) Demanda: Cuando se solicitase en la demanda la recuperación de la posesión de una vivienda o parte de ella ocupada ilegalmente la demanda podrá dirigirse genéricamente contra los desconocidos ocupantes de la misma, sin perjuicio de la notificación que de ella se realice a quien en concreto se encontrare en el inmueble al tiempo de llevar a cabo dicha notificación. A la demanda se deberá acompañar el título en que el actor funde su derecho a poseer (art. 437, 3 bis).

2ª) Notificación: A quien ocupe de hecho la vivienda.

Cuando se trate de una demanda de recuperación de la posesión de una vivienda o parte de ella a que se refiere el párrafo segundo del numeral 4.º del apartado 1 del artículo 250, la notificación se hará a quien se encuentre habitando aquélla. Se podrá hacer además a los ignorados ocupantes de la vivienda.

> A efectos de proceder a la identificación del receptor y demás ocupantes, quien realice el acto de comunicación podrá ir acompañado de los agentes de la autoridad. Si ha sido posible la identificación del receptor o demás ocupantes, se dará traslado a los servicios públicos competentes en materia de política social por si procediera su actuación, siempre que se hubiera otorgado el consentimiento por los interesados.
> Si el demandante hubiera solicitado la inmediata entrega de la posesión de la vivienda, en el decreto de admisión de la demanda se requerirá a sus ocupantes para que aporten, en el plazo de cinco días desde la notificación de aquella, títu-

lo que justifique su situación posesoria. Si no se aportara justificación suficiente, el tribunal ordenará mediante auto la inmediata entrega de la posesión de la vivienda al demandante, siempre que el título que se hubiere acompañado a la demanda fuere bastante para la acreditación de su derecho a poseer. Contra el auto que decida sobre el incidente no cabrá recurso alguno y se llevará a efecto contra cualquiera de los ocupantes que se encontraren en ese momento en la vivienda.

En todo caso, en la misma resolución en que se acuerde la entrega de la posesión de la vivienda al demandante y el desalojo de los ocupantes, se ordenará comunicar tal circunstancia, siempre que se hubiera otorgado el consentimiento por los interesados, a los servicios públicos competentes en materia de política social, para que, en el plazo de siete días, puedan adoptar las medidas de protección que en su caso procedan.

3ª) Admisión: Si el demandante hubiera solicitado la inmediata entrega de la posesión de la vivienda, en el decreto de admisión de la demanda se requerirá a sus ocupantes para que aporten, en el plazo de cinco días desde la notificación de aquella, título que justifique su situación posesoria.

Si no se aportara justificación suficiente, el tribunal ordenará mediante auto la inmediata entrega de la posesión de la vivienda al demandante, siempre que el título que se hubiere acompañado a la demanda fuere bastante para la acreditación de su derecho a poseer. Contra el auto que decida sobre el incidente no cabrá recurso alguno y se llevará a efecto contra cualquiera de los ocupantes que se encontraren en ese momento en la vivienda (art. 441. 1 bis).

4ª) Falta de contestación: Si el demandado o demandados no contestaran a la demanda en el plazo legalmente previsto, se procederá de inmediato a dictar sentencia.

La oposición del demandado podrá fundarse exclusivamente en la existencia de título suficiente frente al actor para poseer la vivienda o en la falta de título por parte del actor. La sentencia estimatoria de la pretensión permitirá su ejecución, previa solicitud del demandante, sin necesidad de que transcurra el plazo de veinte días previsto en el artículo 548.

Legislación: Ley de Enjuiciamiento Civil (arts. 437 a 447)
Lectura: MONTERO y FLORS, *Tratado de juicio verbal*, 2ª ed., Pamplona, 2004.

CAPÍTULO VII
LOS RECURSOS

Lección Vigésima
Conceptos generales

I. LOS MEDIOS DE IMPUGNACIÓN
Error humano. 1. Sentido amplio y 2. Sentido estricto

II. LOS RECURSOS
A) El derecho al recurso
No está en el art. 24.1 CE. Ni en norma internacional
B) Clases
a) Órgano competente: Devolutivo y no devolutivo
b) Ámbito del recurso: Ordinario y extraordinario
c) Procesales y materiales

III. PROCEDENCIA Y ADMISIBILIDAD:
A) Presupuestos de la procedencia:
a) Subjetivos: Competencia y legitimación
b) Objetivos: Recurribilidad y gravamen
B) Requisitos de la admisibilidad
1. Plazo, 2. Depósito, 3. Tasa y 4. Forma y fundamentación

IV. EFECTOS DE LOS RECURSOS
a) No firmeza + b) Continuación del proceso: No *reformatio in peius*

V. DESISTIMIENTO DE LOS RECURSOS
a) Concepto
b) Requisitos
c) Efectos

VI. REPOSICIÓN: NO DEVOLUTIVO
A) Caracteres
a) Resoluciones recurribles
b) No suspensión de su efectividad
c) Irrecurribilidad del auto
B) Procedimiento
a) Interposición
b) Audiencia
c) Decisión
C) Las resoluciones orales

VII. RECURSOS CONTRA LAS RESOLUCIONES DEL LETRADO DE LA ADMINISTRACIÓN DE JUSTICIA
a) Reposición
b) Revisión

VIII. QUEJA
No autónomo; por inadmisión. Ante tribunal superior

I. LOS MEDIOS DE IMPUGNACIÓN

Cuando se habla o escribe sobre los medios de impugnación suele partirse implícitamente de la consideración de que se está procurado evitar el riesgo de que se dicten sentencias injustas, bien porque no se acomodan a la realidad de los hechos tal y como ocurrieron, bien porque se incurre en error en la aplicación del derecho material, aquél con el que se decide sobre la estimación o desestimación de la pretensión. Sin embargo, el estudio de los medios de impugnación es algo más complejo, pues la anterior no es la única posibilidad a tener en cuenta.

Es cierto que, en general, los medios de impugnación son instrumentos legales puestos a disposición de las partes —y en supuestos excepcionales del Ministerio fiscal o de otras instituciones que han de perseguir con los mismos un interés público— para intentar la modificación o la anulación de las resoluciones judiciales y que todos esos medios tienen su origen en la posibilidad del error humano, pero ello no es suficiente para definir con precisión ni los medios de impugnación ni los recursos.

> Simplemente con lo dicho hasta aquí puede ya concluirse que existe toda una serie de instrumentos que, aun cuando con relación a ellos se utilicen la palabra impugnación e, incluso, la de recurso, no pueden ser considerados ni siquiera como medios de impugnación:
>
> 1.º) No lo son los actos de los órganos jurisdiccionales por los que se declara de oficio la nulidad de actuaciones procesales (art. 240.1 LOPJ), por la fundamental razón que no son actos de parte.
>
> 2.º) Tampoco aquellos actos de parte que tienden a contradecir actos de la parte contraria, aunque la ley emplee a veces la palabra impugnación, como es el caso de la impugnación de la cuantía por el demandado (art. 255 LEC), el de la impugnación de un documento (art. 270.3, II, LEC).
>
> 3.º) Asimismo hay que excluir el que se ha denominado tradicionalmente recurso de aclaración de sentencias, aunque ahora se está evitando esa terminología (art. 214 LEC y art. 267 LOPJ).

El paso siguiente radica en distinguir entre medios de impugnación en sentido amplio y medios de impugnación en sentido estricto o verdaderos recursos.

a) Cuando se utiliza la expresión medios de impugnación pueden quedar comprendidos aquellos instrumentos jurídicos por medio de los cuales se pide la rescisión de las sentencias que han alcanzado firmeza, refiriéndose, pues, a procesos que han terminado ya, por lo que la impugnación abre un nuevo proceso, por medio de una pretensión distinta de la que fue resuelta en el proceso cuya resolución final se impugna.

> Estas impugnaciones, que son las que estudiamos en la Lección Vigesimocuarta, se producen frente a sentencias firmes, mediante las que se puso fin a un proceso produciendo cosa juzgada material, y por medio de ellas se pretende la apertura de un nuevo proceso, en el que se ejercita una nueva pretensión, pidién-

dose que se declare la rescisión de la sentencia firme impugnada. Este es al caso, de modo más evidente, de la llamada revisión, en la que su pretensión ya no es la misma que la interpuesta en el anterior proceso, sino otra distinta, pues aunque las partes son las mismas no lo son los hechos, que en la revisión han de ser precisamente los descritos en el art. 510 LEC y la petición ha de consistir en que se rescinda en todo o en parte la sentencia que se impugna, sin que se produzca un nuevo pronunciamiento sobre la pretensión que fue estimada o desestimada en la sentencia impugnada.

b) En sentido estricto los medios de impugnación se refieren a resoluciones que no han alcanzado firmeza, incidiendo así sobre un proceso todavía pendiente y prolongando su pendencia, por lo que impiden que llegue a producirse la llamada cosa juzgada formal. Se trata de los verdaderos recursos, en los que la impugnación se produce en un proceso aún pendiente, pidiendo el recurrente que se produzca un nuevo examen de lo que fue resuelto en la resolución que se recurre y en cuanto la misma le sea desfavorable, para que se dicte otra resolución modificando la anterior o anulándola.

La pretensión y la resistencia interpuestas en la demanda y en la contestación son las mismas que se continúan en el recurso; el actor que pidió la condena del demandado, la estimación de la pretensión, si es el que impugna la sentencia de instancia sigue pidiendo en la apelación y en la casación lo mismo; el demandado, que pidió su absolución, sigue por medio del recurso pidiendo lo mismo. Los tres elementos de la pretensión (partes, hechos y petición) no cambian cuando se trata de los medios de impugnación en sentido estricto, es decir, de los recursos.

Incluso con referencia exclusiva a los recursos cuando se piensa en ellos se está en la mayoría de las ocasiones atendiendo sólo a evitar los posibles errores en que puede incurrirse por la jurisdicción en la aplicación del Derecho material, que es aquél con el que se decide sobre la estimación o desestimación de la pretensión interpuesta por el demandante; esto es, se está procurando la corrección legal (material) de la decisión sobre el fondo. Pero los recursos pueden atender también a evitar el error en la aplicación del Derecho procesal, es decir, en la realización del proceso mismo, en la adecuación a la norma del «camino» que es necesario recorrer para que la jurisdicción llegue a pronunciarse sobre el fondo.

La atención sobre los recursos suele centrarse en evitar que se dicten sentencias injustas (en el sentido de no acomodadas a la realidad de los hechos o de no ajustadas al Derecho material), pero los recursos atienden también a evitar resoluciones judiciales no ajustadas al Derecho procesal. Esta distinción suele corresponderse con la existencia de resoluciones materiales (normalmente las sentencias) y de resoluciones procesales (normalmente diligencias de ordenación, decretos, providencias y autos, pero también sentencias). Respecto de las primeras por el recurso se pide su modificación; con relación a las segundas se pide su declaración de nulidad.

II. LOS RECURSOS

Los medios de impugnación que son recursos en sentido estricto, y que son los estudiados ahora, han de ser interpuestos por alguna de las partes, se producen en un proceso pendiente y persiguen, por medio de un nuevo examen de lo decidido, la modificación o anulación de la resolución que se impugna.

A) El derecho al recurso

En el proceso civil el derecho al recurso no forma parte del derecho a la tutela judicial efectiva del art. 24.1 de la CE, de modo que ésta no impone al legislador ordinario una regulación de ese proceso estableciendo recurso. La conveniencia de que el perjudicado por una resolución pueda pedir un segundo examen de lo decidido, no se ha elevado a elemento integrante de la tutela judicial efectiva, por lo que queda a la discrecionalidad política del legislador el prever o no recursos en el proceso.

Al legislador se le ofrecen así dos opciones. Puede regular el proceso con previsión de uno o más recursos, lo que hará atendida la posibilidad del error judicial y para lograr una solución más adecuada a los hechos y a la aplicación del derecho, o puede hacerlo sin prever recurso alguno, atendida la posibilidad de que los recursos se utilicen por las partes con la finalidad de retardar la solución judicial del conflicto o, incluso, sin referencia a la posibilidad de utilización torticera de los recursos, porque los mismos, en todo, caso, suponen una dilación en poner fin al conflicto existente entre las partes y en que la parte vencedora obtenga la satisfacción de su derecho. La elección entre las dos opciones responderá a una decisión política.

En la actualidad, y después de la Ley 37/2011, de 10 de octubre, el legislador ha optado de la siguiente manera (dejando a un lado los recursos no devolutivos que siguen subsistiendo como hasta entonces y veremos seguidamente): 1) En principio cabe recurso de apelación contra los autos definitivos y las sentencias, y 2) Ese recurso se niega contra las sentencias dictadas en los juicios verbales por razón de la cuantía cuando esta no supere los 3.000 euros.

Si en la redacción originaria de la LEC en 2000 se reconoció por el legislador el derecho al recurso de apelación en todo caso, el mismo ha sido excluido en

2011 para los asuntos de cuantía no superior a 3.000 euros, con esta motivación: «Se excluye el recurso de apelación en los juicios verbales por razón de la cuantía, cuando ésta no supere los 3.000 euros, tratando con ello de limitar el uso, a veces abusivo, y muchas veces innecesario, de instancias judiciales». Se trata de meros tópicos que suelen servir para negar derechos procesales.

Para los casos en que el legislador ha decidido que en el proceso existirá algún recurso:

1.º) El legislador podrá condicionar la procedencia y la admisibilidad del recurso a la concurrencia de los presupuestos y al cumplimiento de los requisitos que estime razonables, pero no podrá regular el recurso en contra de los principios constitucionales (por ejemplo, no podrá disponer que el recurso quede abierto sólo para alguna de las partes, pues ello iría en contra del principio de igualdad de las partes en el proceso, ni podrá poner tales obstáculos a la admisión del recurso que lo hagan imposible o difícil para una o las dos partes), y

2.º) Los órganos competentes no podrán interpretar los presupuestos de admisibilidad del recurso establecidos por el legislador de modo que lleguen a impedir o dificultar de hecho la interposición de los recursos por las partes, con lo que en algún caso esa interpretación puede llegar a constituirse en vulneración del derecho a la tutela judicial efectiva.

Estamos ya muy lejos de aquellas interpretaciones que igualaban el principio *pro actione* en el inicio del proceso y en el recurso, habiéndose acabado por estimar que el acceso a los recursos es de caracterización legal y que la interpretación de la norma debe atender a la finalidad del recurso mismo.

El que el proceso esté regido por el principio de impulso de oficio no significa nada con relación a los recursos. Este tipo de impulso se refiere a la dirección formal del proceso en cada una de las instancias, pero no a los recursos. Estos siempre han de iniciarse existiendo una declaración de voluntad expresa de la parte.

B) Clases

Tradicionalmente los recursos se han clasificado atendiendo a dos criterios:

a) Órgano competente para conocer del recurso: El segundo examen que implica la impugnación puede confiarse, bien al mismo órgano jurisdiccional que dictó la resolución que se impugna, bien a un órgano jurisdiccional distinto y superior. En el primer caso se habla de recursos no devolutivos y en el segundo de recursos devolutivos, existiendo entonces un órgano inferior (*iudex a quo*) y otro superior (*iudex ad quem*).

En el actual sistema del proceso civil es recurso no devolutivo únicamente la reposición; y son recursos devolutivos todos los demás, es decir, revisión, apelación, por infracción procesal, casación y queja (también el directo de revisión contra las resoluciones del letrado de la administración de justicia) (el llamado recurso en interés de la ley es algo distinto, Lección Vigesimosegunda).

> La palabra «devolutivo» respondió, en sus orígenes, a una determinada manera de entender el ejercicio de la jurisdicción. Cuando ésta, primero, se entiende detentada por el Rey, que la delega en los tribunales y, posteriormente, cuando se establece que sólo las Chancillerías y las Audiencias ejercen jurisdicción propia, siendo la jurisdicción de los jueces de primera instancia meramente delegada, el que el recurrente pidiera que el asunto pasara al tribunal del recurso suponía «devolver» la jurisdicción a quien la había delegado.
>
> Es evidente que la palabra «devolutivo» no puede entenderse hoy con ese significado, pues todos los órganos jurisdiccionales ejercen la misma jurisdicción (en cuanto potestad), siendo distinto sólo el ámbito competencial en el que esa potestad es ejercitada. Naturalmente cuando hoy se habla de efecto devolutivo lo que se está diciendo es que el órgano judicial competente para conocer del medio de impugnación no puede ser el mismo que dictó la resolución que se impugna, sino que ha de ser un órgano distinto.
>
> Este efecto se presenta normalmente unido a un aumento de las garantías de los titulares de la jurisdicción que integran el órgano que conoce del recurso, garantías que atienden a que suele ser un órgano colegiado y a que está integrado por magistrados con mayor experiencia.

b) Ámbito del recurso: En atención a lo que se «devuelve» al tribunal superior y, por tanto, con referencia únicamente a los recursos devolutivos, cabe distinguir entre recursos:

1.º) Ordinarios: La ley no establece un *numerus clausus* de motivos que condicionan su admisión y, consiguientemente, tampoco la limitación de los poderes del tribunal *ad quem*; en el recurso de apelación, que es el ordinario tipo, no existen motivos determinados por la ley y los órganos *a quo* y *ad quem* tienen los mismos poderes frente a la controversia, aunque siempre es posible que la parte recurrente delimite el marco de aquello de lo que recurre.

2.º) Extraordinarios: La Ley fija unos motivos cuya alegación por la parte recurrente es requisito de admisión, sirviendo al mismo tiempo para delimitar el marco de los poderes del tribunal *ad quem*; en la casación, que es el recurso extraordinario modelo, existe lista cerrada de motivos y los poderes del órgano competente para conocer del mismo se limitan a la resolución de esos motivos, sin perjuicio de que la parte al interponer el recurso lo reduzca a alguno o algunos de los motivos.

El recurso de apelación no limita en sí mismo el ámbito de la cognición por el órgano competente, mientras que en el recurso de casación el ámbito de la competencia del tribunal competente queda reducido al examen de los motivos previstos expresamente en la ley. Así, y aunque parezca paradójico, puede decirse que el Tribunal Supremo es el órgano jurisdiccional con menor ámbito de competencia, pues no puede conocer del conjunto de una causa.

c) Existe un tercer criterio de clasificación, que no suele utilizarse pero que clarifica tanto como los anteriores. Se trata de distinguir entre recursos procesales y recursos materiales; esta distinción supone la existencia de resoluciones procesales y de resoluciones materiales.

1.º) Recurso procesal: En todos los supuestos en que una resolución no se pronuncia sobre la pretensión, esto es, sobre el objeto del proceso en sentido estricto, estamos ante una resolución meramente procesal, y el recurso que se admita contra la misma perseguirá únicamente la adecuación de lo decidido a la norma procesal, lo que se resolverá normalmente en la nulidad de la resolución más que en una modificación de la misma, por lo que puede hablarse de recurso procesal.

> El ejemplo más claro de recurso procesal es la reposición, del que existen dos manifestaciones: 1) La que se da contra diligencias de ordenación y decretos no definitivos del letrado de la administración de justicia, y 2) La que se da contra providencias y los autos no definitivos del tribunal (art. 451 LEC), es decir, contra resoluciones interlocutorias, que siempre tienen contenido procesal. También es recurso procesal la revisión contra decretos del letrado (art. 445 bis) y puede ser recurso procesal la apelación, cuando se basa en infracción de normas o garantías procesales (art. 459 LEC) y, desde luego, lo es el recurso extraordinario por infracción procesal (art. 469 LEC).

2.º) Recurso material: Cuando la resolución judicial procede a aplicar las normas materiales, que sirven para decidir sobre el objeto del proceso, es decir, sobre la estimación o desestimación de la pretensión interpuesta por el actor, estamos ante una resolución material y los recursos contra ella se dirigirán a obtener otra resolución en la que se modifique la impugnada.

> Este es el caso de la apelación, cuando no se interpone por infracción de normas o garantías procesales, y de la casación, al quedar ésta reducida a las cuestiones objeto del proceso.

La distinción produce importantes consecuencias jurídicas, que se advierten sobre todo cuando se tiene en cuenta que los recursos procesales no son nunca una nueva fase del proceso, no pueden ser una segunda instancia y no cabe exigir en todo caso la existencia de gravamen directo.

III. PROCEDENCIA Y ADMISIBILIDAD

Prevista en la Ley la existencia de un recurso, su procedencia está supeditada a que concurran determinadas condiciones que son necesarias no sólo para que aquéllos se admitan a trámite y se sustancien, sino para que el órgano competente pueda llegar a resolver la cuestión suscitada en los mismos. Ello obliga a distinguir entre procedencia, admisibilidad y prosperabilidad. La procedencia del recurso se hace depender de la concurrencia de presupuestos procesales; la admisibilidad del recurso hace referencia a la concurrencia de los requisitos exigidos por la Ley para que pueda sustanciarse un recurso procedente, de modo que la falta de éstos hace que el órgano competente no pueda llegar a entrar a examinar la cuestión de fondo suscitada por el recurrente; y la prosperabilidad se refiere precisamente al fondo del recurso y determina la estimación o desestimación del mismo. Así, un recurso puede ser inadmisible, por no cumplir los requisitos establecidos en la Ley; improcedente, por falta de algún presupuesto procesal; o admisible y procedente pero inestimable, por carecer de fundamento.

A) Presupuestos de la procedencia

Los presupuestos generales para el ejercicio del derecho a recurrir se pueden clasificar del siguiente modo:

a) Subjetivos

Se refieren a los sujetos del proceso, que son el órgano jurisdiccional por un lado y por otro las partes.

1.º) Competencia: La determinación del órgano jurisdiccional competente para conocer del recurso forma parte de la llamada competencia funcional (Lección Quinta), y la misma se fija atendiendo, bien al tipo de recurso (devolutivo o no), bien al órgano que conoció de la anterior instancia, bien a los motivos del recurso. Al tratarse de una norma de competencia funcional, la misma es siempre controlable de oficio (art. 62 LEC).

2.º) Legitimación: Todo lo relativo a la capacidad y a la postulación se rige por las normas comunes (Lecciones Segunda y Cuarta), pero la legitimación tiene alguna especialidad. En principio la legitimación para recurrir se reconoce a las partes del proceso (art. 448.1 LEC) (con alguna excepción, art. 491 LEC, en que se reconoce a algunas instituciones públicas). Unida la legitimación a la condición de parte, la ley se la reconoce también a todos los intervinientes (art. 13.3, III, LEC).

> La concesión de legitimación a más de una persona de las que ocupan en el proceso la misma posición procesal de demandante o de demandado puede hacer que la estimación del recurso produzca un efecto extensivo, pues cabe que el recurso estimado a una parte favorezca a la parte que no recurrió pero que se encuentra en la misma situación material. Esto se ve muy claro en los supuestos

de litisconsorcio necesario, pero también sucede en las intervenciones. Por el contrario, cuando se trata de la acumulación de pretensiones, la estimación del recurso de una parte no beneficia a las partes del o de los procesos acumulados.

b) Objetivos

Los presupuestos objetivos del recurso atienden, por un lado, a la recurribilidad de la resolución, esto es, a que la ley conceda recurso contra la misma y, por otro, a que se haya causado gravamen en esa resolución a alguna de las partes.

1.º) Recurribilidad de la resolución: La admisión del recurso sólo es posible si la resolución recurrida por la parte es susceptible de impugnación y precisamente por el recurso que la parte interpone.

> La regulación de recursos en la ley no significa que todas las resoluciones sean recurribles. Algunas de ellas son irrecurribles por disposición expresa (por ejemplo, no cabe apelación contra las sentencias dictadas en los juicios verbales por cuantía que no supere los 3.000 euros; y no cabe recurso alguno contra las sentencias dictadas por el Tribunal Supremo). Existiendo recurso la parte debe interponer precisamente el previsto por la ley.

2.º) Gravamen: Es menester, además, que la resolución haya producido un perjuicio a la parte que la impugna, es decir, que le sea total o parcialmente desfavorable o, lo que es igual, que le suponga un gravamen. Por gravamen suele entenderse cualquier diferencia en menos entre lo pretendido, o reconocido por la parte, y lo concedido en la resolución, aunque afecte a cuestiones accesorias, como las costas. No hay gravamen, ni recurso posible, si la resolución es del todo favorable, y tampoco lo hay cuando la divergencia se produce entre la argumentación de la parte y la motivación de la resolución, ya que lo impugnable es la parte dispositiva de la misma, no su fundamentación. Este presupuesto, exigido desde siempre por la doctrina jurisprudencial, se concreta en el art. 448 LEC en el hecho de que la resolución «afecte desfavorablemente» a las partes.

Entendido el gravamen como perjuicio, la interpretación del mismo depende del tipo de resolución y de la clase de recurso:

1") En las resoluciones materiales: En las resoluciones que se han pronunciando sobre la pretensión o fondo del asunto, el gravamen sí implicará normalmente una diferencia entre lo pedido y lo concedido, pero puede suponer en algún caso un perjuicio derivado de las razones por las que se concede.

> Por ejemplo, si el demandado pide que se le absuelva alegando, primero, el pago y, subsidiariamente, la compensación, la desestimación de la excepción de pago y la estimación de la de compensación puede entenderse que le causa un perjuicio.

En general pudiera decirse que tratándose del demandante el gravamen supone una diferencia entre lo pedido y lo concedido, por lo que se determina comparando la petición de la demanda y el fallo de la sentencia, pero cuando se trata del demandado puede existir gravamen referido, no a su petición de absolución, sino a la razón de porqué es absuelto; es decir, para el demandado el gravamen puede consistir en un perjuicio de su posición jurídica material, por lo que la comparación cabe que se refiera a la fundamentación de la demanda y de la sentencia. Siempre se ha entendido que el pronunciamiento sobre costas es constitutivo de gravamen.

2") En las resoluciones procesales: Es muy dudoso que el gravamen sea presupuesto directo de la procedencia del recurso, debiendo bastar el que la resolución, de cualquier modo, incluso indirectamente, pueda afectar desfavorablemente a la parte, lo que tiene especial incidencia en el caso de las resoluciones nulas de pleno derecho. Si una resolución puede declararse nula en cualquier momento por defecto procesal, incluso el aparentemente favorecido por ella ha de tener la posibilidad de recurrirla, para evitar que en un momento posterior del proceso se declare esa nulidad, con la retroacción de las actuaciones que supone.

> En el Derecho español no se exige cuantía mínima del gravamen para la admisibilidad del recurso. Cabe que se exija que el objeto del proceso tenga una cuantía mínima (así la para la casación), pero ello es distinto de valor mínimo del agravio.

B) Requisitos de la admisibilidad

Ya se dijo anteriormente que así como la procedencia del recurso hace referencia a la concurrencia de los presupuestos procesales, la admisibilidad atiende a la concurrencia de los requisitos exigidos por la ley para que pueda sustanciarse un recurso procedente.

1.º) *Plazo*: Para que el recurso pueda admitirse a trámite debe interponerse dentro del plazo establecido por la ley. Si así no se hace, la resolución deviene firme ipso iure, produciendo los efectos propios de la cosa juzgada formal sin necesidad de declaración expresa sobre ello (art. 207.4 LEC). El plazo para recurrir (entendiendo por ello interponer el de reposición y preparar los de apelación, extraordinario por infracción procesal y de casación, así como el de queja) se unifica y fija en cinco días para todos los recursos.

El *dies a quo* para el cómputo de dicho plazo será el siguiente al de la notificación de la resolución de que se trate o, en su caso, al de la notificación de su aclaración o de la denegación de ésta (art. 448.2), pero debe tenerse en cuenta lo dispuesto en el art. 135.

2.°) *Depósito*: La interposición de los recursos precisa la constitución de un depósito, que se detalla en la Disp. Adicional 15.ª de la LOPJ.

> Según esa norma: Todo el que pretenda interponer recurso contra sentencias o autos que pongan fin al proceso o impidan su continuación, consignará como depósito: a) 30 euros, si se trata de recurso de queja. b) 50 euros, si se trata de recurso de apelación o de rescisión de sentencia firme a instancia del rebelde. c) 50 euros, si se trata de recurso extraordinario por infracción procesal. d) 50 euros, si el recurso fuera el de casación, incluido el de casación para la unificación de doctrina. e) 50 euros, si fuera revisión (se entiende contra sentencias).
>
> Asimismo, para la interposición de recursos contra resoluciones dictadas por el Juez o Tribunal que no pongan fin al proceso ni impidan su continuación en cualquier instancia será precisa la consignación como depósito de 25 euros. El mismo importe deberá consignar quien recurra en revisión las resoluciones dictadas por el letrado de la administración de justicia.
>
> Al notificarse la resolución a las partes, se indicará la necesidad de constitución de depósito para recurrir, así como la forma de efectuarlo. La admisión del recurso precisará que, al interponerse el mismo si se trata de resoluciones interlocutorias, a la presentación del recurso de queja, al presentar la demanda de rescisión de sentencia firme en la rebeldía y revisión, o al anunciarse o prepararse el mismo en los demás casos, se haya consignado en la oportuna entidad de crédito y en la «Cuenta de Depósitos y Consignaciones» abierta a nombre del Juzgado o del Tribunal, la cantidad objeto de depósito, lo que deberá ser acreditado. El letrado verificará la constitución del depósito y dejará constancia de ello en los autos.
>
> No se admitirá a trámite ningún recurso cuyo depósito no esté constituido. Si el recurrente hubiera incurrido en defecto, omisión o error en la constitución del depósito, se concederá a la parte el plazo de dos días para la subsanación del defecto, con aportación en su caso de documentación acreditativa. De no efectuarlo, se dictará auto que ponga fin al trámite del recurso, o que inadmita la demanda, quedando firme la resolución impugnada.
>
> Si se estimare total o parcialmente el recurso, o la revisión o rescisión de sentencia, en la misma resolución se dispondrá la devolución de la totalidad del depósito. Cuando el órgano jurisdiccional inadmita el recurso o la demanda, o confirme la resolución recurrida, el recurrente o demandante perderá el depósito.

3.°) *Tasa judicial*: La Ley 10/2012, de 20 de noviembre (modificada por los RRDD-Leyes 3/2013, de 22 de febrero y 1/2015, de 27 de febrero, y por las Leyes 25/2015, de 28 de julio, y 42/2015, de 5 de octubre) regularon la tasa judicial, existiendo la obligación de consignar, pero la STC 140/2016, de 21 de julio, ha declarado la inconstitucionalidad del art. 7.2 de la Ley 10/2012.

4.°) *Forma y fundamentación*: Los requisitos de forma deben referirse, en primer lugar, al escrito de interposición del recurso de reposición y, luego, al escrito de preparación de cualquiera de los recursos devolutivos. En todos los casos, uno u otro escrito debe estar firmado por abogado y procurador cuando su intervención sea preceptiva. Luego las menciones necesarias en cada caso pueden ser diferentes y ha de estarse al tipo de recurso.

Todos los presupuestos y requisitos de los recursos deberían ser controlables de oficio y en el momento previo de la admisión del recurso. Así se establece expresamente en la LEC respecto de la competencia, de la recurribilidad y del plazo, pero la legitimación y el gravamen parece que se sometan a un régimen distinto.

Adviértase que en lo anterior nos hemos referido a los presupuestos y requisitos normales o generales, pues pueden existir supuestos especiales, como los previstos en el art. 449 para materias determinadas.

IV. EFECTOS DE LOS RECURSOS

La declaración de voluntad de la parte de que interpone un recurso, revestido de la forma prevista en la ley, sea cual fuere el recurso, produce siempre los siguientes efectos:

a) El mero hecho de la presentación del escrito por el que la parte interpone el recurso significa que la resolución recurrida no se convierte en firme.

> Este efecto produce consecuencias distintas según se trate de una resolución procesal o de otra material. Si la resolución fue únicamente procesal o interlocutoria, por no pronunciarse sobre el fondo del asunto (objeto del proceso), el recurso contra ella implica sólo que no se convierte en firme, con lo que el recurso produce sólo consecuencias procesales; pero si la resolución tenía contenido material, al pronunciarse sobre el objeto del proceso, aparte de la exclusión de la firmeza, la consecuencia del recurso es que no se ha producido la cosa juzgada material, pues el proceso sigue pendiente, con lo que el recurso evita que la resolución produzca consecuencias materiales.

b) Dado que la resolución recurrida no se convierte en firme, el recurso supone la continuación del proceso y esa continuación permite que la resolución recurrida sea revocada o anulada por el tribunal que conoce del mismo, aunque ello tendrá que producirse dentro del ámbito de lo recurrido por la parte que impugna (prohibición de la *reformatio in peius*).

Todos los recursos en sentido estricto suponen que el proceso sigue pendiente, continuando el desarrollo del mismo, por lo que es posible que el tribunal que conoce del recurso revoque o anule la resolución recurrida, si bien el principio dispositivo impone que la modificación o la anulación sólo pueda producirse en el ámbito de lo que ha sido solicitado por el recurrente. El principio dispositivo lleva a que el tribunal tenga que ser congruente con lo pedido por la parte que recurre. Estamos aquí ante la llamada prohibición de la *reformatio in peius*, esto es, ante la imposibilidad de que la resolución que decida el recurso agrave la situación de la parte recurrente (se prohíbe la «reforma en peor»).

Independientemente de que se trate de un recurso ordinario o extraordinario la competencia del tribunal que conoce del mismo queda limitada a decidir sobre lo que el recurrente ha determinado como objeto del mismo, sin que se pueda entrar a conocer de lo no recurrido. El art. 227.2 LEC dispone que en ningún caso podrá el tribunal, con ocasión de un recurso, decretar de oficio una nulidad de actuaciones que no haya sido solicitada en dicho recurso, salvo que aprecie falta de jurisdicción o de competencia objetiva o funcional.

Suele decirse que la prohibición de la *reformatio in peius* sufre una excepción cuando recurren las dos partes contra la misma resolución, siendo entonces posible que, al decidirse el recurso, se agrave o empeore la situación de la parte recurrente, pero esta es una manera incorrecta de decir que, si las dos partes han recurrido, el ámbito del conocimiento del tribunal competente para decidir comprende en realidad dos recursos, uno de cada parte, por lo que ambos se contrarrestan de modo que la estimación de uno de ellos tiene necesariamente que suponer la reforma en perjuicio de la otra parte recurrente.

Estos son los efectos comunes a todos los recursos contra resoluciones judiciales. Otros efectos son específicos de algunos recursos. El efecto devolutivo no se da en la reposición y sí en la apelación y en la casación. El llamado efecto suspensivo, con referencia a la ejecución de lo resuelto y a la competencia del tribunal que dictó la resolución recurrida, no concurre en la reposición, y suele darse en la apelación y en la casación, sin perjuicio de que la regulación de la ejecución provisional de las sentencias de condena puede hacer que se proceda a su ejecución, aunque esté pendiente un recurso de apelación o de casación.

V. DESISTIMIENTO DE LOS RECURSOS

En la Lección Vigesimoctava estudiamos el desistimiento con relación a la primera instancia y dijimos que era una forma anormal de terminación de la misma consistente en un acto procesal del demandante por el que declara su voluntad de abandonar el proceso pendiente iniciado por él, sin que llegue a dictarse un pronunciamiento sobre la pretensión interpuesta, de modo que, al quedar ésta imprejuzgada, es posible la incoación de un proceso posterior entre las mismas partes y con el mismo objeto, y ahora hay que decir que el llamado desistimiento de los recursos es un institución muy distinta, tanto que hubiera sido conveniente no utilizar la misma palabra para designar los dos fenómenos procesales.

a) *Concepto*: El desistimiento de un recurso es un acto procesal del recurrente (sea éste el demandante o no) por el que pide que se ponga fin a un recurso por él interpuesto, con lo que se produce el efecto de que queda firme la resolución impugnada, y, por tanto, si se desiste de un recurso contra sentencia, no podrá iniciarse un proceso posterior entre las mismas partes y con el mismo objeto.

b) *Requisitos*: Los subjetivos se refieren sólo a la exigencia de poder especial en el procurador (art. 25.2, 1.°, LEC), sin que quepa exigir a la parte una capacidad distinta de la de actuación procesal. En el caso de que haya recurrido más de una parte y sólo alguna o algunas de ellas desistan, la resolución recurrida no se convierte en firme en virtud del desistimiento, aunque se tendrá por abandonada la impugnación que se exclusiva de quienes hayan desistido (art. 450.2 LEC).

> Los objetivos atienden a que cabe desistir también en los procesos no dispositivos, es decir, en aquellos en los que el objeto del proceso es propio de materias no sujetas a la autonomía de la voluntad de las partes. Nada puede oponerse a que la parte pueda desistir del recurso interpuesto, cuando se advierte que la interposición del mismo fue algo que dependió exclusivamente de su voluntad. Por otro, lado nada impide distinguir entre desistimiento total y parcial, pues es posible que, recurriendo de varios pronunciamientos de la resolución, después se desista del recurso respecto de alguno de esos pronunciamientos.

Los requisitos de actividad han de referirse a: 1) El desistimiento puede realizarse en cualquier momento antes de que recaiga resolución sobre el recurso (art. 450.1 LEC), 2) Tiene que ser expreso, lo que supone una declaración de voluntad inequívoca, y 3) Siendo la tramitación de los recursos básicamente escrita, el desistimiento debe presentarse por escrito, acompañado del poder especial, aunque puede desistir el procurador sin poder especial con ratificación posterior por la propia parte. En los recursos en que existe vista, nada impide que el desistimiento se realice en la misma, siempre con la presentación del poder especial.

> El problema más complejo es el relativo a si debe o no oírse a la otra parte para que el tribunal tenga por desistido el recurrente. Si el desistimiento convierte a la resolución recurrida en firme, no parece que pueda existir en el recurrido interés alguno para que el recurso continúe, por lo que la audiencia de la otra parte ha de referirse sólo a la concurrencia de los requisitos formales en el desistimiento mismo. Además, hay que tener en cuenta que, si existió adhesión al recurso, el desistimiento del recurrente inicial no impide que continúe la tramitación del recurso, con referencia sólo al del recurrido adherido, por lo que éste no tiene interés en oponerse al desistimiento de aquél.

c) Efectos: El desistimiento del recurrente llevará al tribunal a dictar simplemente un auto teniéndolo por desistido, declarando que la resolución recurrida se ha convertido en firme. Ello supondrá la terminación del proceso, si el recurso se refirió a sentencia o a auto definitivo, pero no cuando se trate de un recurso contra resolución interlocutoria. En cualquier caso las costas producidas en el recurso serán a cargo del recurrente que desiste.

VI. REPOSICIÓN

Es un recurso no devolutivo, es decir, que se atribuye su conocimiento al mismo tribunal que dictó la resolución que se impugna, y procesal, esto es, que procede sólo contra resoluciones interlocutorias, que son aquéllas por medio de las que, aplicando normas procesales, el tribunal ejerce sus facultades de dirección del proceso.

A) Caracteres

La noción que hemos dado de este recurso implica ya que:

1.°) *Resoluciones recurribles*: Por medio de este recurso sólo pueden impugnarse las providencias y los autos no definitivos (art. 451).

> Atendido el contenido de estas resoluciones (según el art. 206) y la diferencia entre autos definitivos y autos no definitivos (art. 207), se trata siempre de resoluciones procesales, por medio de las cuales:
>
> 1″) Se deciden únicamente cuestiones procesales, en las que se aplican sólo normas de derecho procesal, no de derecho material. Estas resoluciones no son aquéllas por medio de las que se aplica el derecho material o sustantivo para decidir sobre la estimación o desestimación de la pretensión, sino aquéllas que deciden sobre el desarrollo del proceso mismo. Por medio del recurso la parte pretende que el tribunal advierta que se ha aplicado incorrectamente una norma procesal, es decir, que se ha realizado un acto procesal de modo contrario a la previsión legal, lo que debe llevar, si se estima el recurso, a que el mismo tribunal decrete la nulidad del acto reponiendo las actuaciones; reponer significa retrotraer a un momento anterior.
>
> 2″) No se ha puesto fin al proceso (no pueden ser autos definitivos), lo que supone que el proceso continua, después de la resolución, por sus trámites normales, y por eso es por lo, con el recurso, se pretende por la parte recurrente que se anule la resolución y los actos realizados después que tenga en ella su causa, reponiendo las actuaciones.

2.°) *No suspensión de la efectividad de lo resuelto*: La interposición del recurso no impide que el tribunal lleve a efecto lo acordado (art. 451).

> Cuando se dice que la reposición no suspende la efectividad de lo resuelto o que sin perjuicio de ella el tribunal llevará a efecto lo acordado en la resolución impugnada, se está diciendo realmente que el proceso sigue su curso, que no se suspende su desarrollo ordinario hasta que sea resuelto el recurso, y por ello es por lo que necesariamente la estimación de la reposición tiene que llevar a la nulidad de la resolución y de lo actuado después de ella que encuentre en la resolución misma su causa.

3.°) *Irrecurribilidad del auto que resuelve la reposición*: Contra el auto por el que el tribunal resuelve la reposición no cabe recurso alguno (art. 454, que salva el caso de la queja, como veremos a continuación).

Al tratarse de una resolución y de un recurso procesales, contra el auto que decide la reposición no puede darse otro recurso, esto es:

1″) No cabe nueva reposición: La razón de ello es evidente, pues no tiene sentido «reponer» lo que ya fue repuesto o lo que decidió que no debía reponerse. Dictada una resolución procesal la parte puede pedir que se reconsidere la decisión, pero no puede admitirse que se reconsidere lo ya reconsiderado.

2″) Tampoco cabe recurso devolutivo: Contra la resolución que decide sobre la reposición no debe admitirse recurso devolutivo, esto es, apelación o por infracción procesal, pues si se admitiera se estaría propiciando el retardo en el proceso. Contra el auto que decide la reposición no cabe recurso devolutivo directo; lo que cabe es, bien acumular el recurso contra el auto al recurso contra la resolución definitiva que en su día se dicte, de modo que entonces se habrán interpuesto realmente dos recursos, bien reproducir la cuestión objeto de la reposición en la tramitación del recurso devolutivo, con lo que en esa tramitación podrá subsanarse el defecto procesal. El legislador ha optado porque no existan recursos devolutivos independientes contra las resoluciones interlocutorias.

B) Procedimiento

La tramitación del recurso es escrita y se compone de los siguientes actos:

1.º) *Interposición*: La parte habrá de interponer el recurso en el plazo de cinco días, desde que se le notificó la resolución que pretende impugnar, y habrá de hacerlo por escrito en el que exprese la infracción en que la resolución hubiera incurrido. Estos dos requisitos lo son de admisibilidad, pues si no se observan el recurso se inadmitirá por providencia, contra la que ya no cabe recurso alguno (art. 452).

La infracción en que la resolución impugnada ha incurrido sólo puede ser procesal, por lo que el recurrente debe citar en el escrito, bien el artículo concreto de la norma procesal que se ha vulnerado, bien el principio o regla procesal que se ha desconocido. La petición teóricamente debería consistir en que se reponga la actuación al momento de dictarse la resolución y en que se dicte entonces la procedente, pero simplificando debe pedirse que ello se haga con unidad de resolución, es decir, que el auto que decida la reposición, por un lado, dicte la resolución adecuada y, por otro, ello suponga la nulidad de lo actuado con base en la resolución repuesta.

2.º) *Audiencia*: Admitido a trámite el recurso de reposición, se concederá a las demás partes personadas un plazo común de cinco días para impugnarlo, si lo estiman conveniente (art. 453.1).

La tramitación del recurso exige la contradicción y por ello del escrito presentado por la parte recurrente debe darse traslado a las demás partes personadas, las cuales podrán, a su vez, presentar escrito de oposición al recurso. Esta oposición puede referirse a la inadmisibilidad del recurso (por incumplimiento de los requisitos) o a su desestimación (por adecuación de la resolución a la norma procesal que determina su contenido).

3.º) *Decisión*: Transcurrido el plazo de impugnación del recurso, háyanse o no presentado escritos, el tribunal resolverá sin más trámites, por medio de auto y en el plazo de cinco días (art. 453.2).

> En la tramitación del recurso no existe prueba porque la misma es inútil; referida la reposición a la vulneración de una norma o principio procesal su existencia ha de desprenderse de las mismas actuaciones, sin que pueda acudirse a probar, por los medios ordinarios de prueba, hechos que no consten en las actuaciones. La decisión puede consistir en estimar o no la reposición; en el primer caso, manteniéndose dentro del objeto del recurso delimitado por la parte recurrente, el tribunal «repondrá» la resolución y las actuaciones posteriores; en el segundo la desestimación puede producirse, bien porque existe una causa de inadmisibilidad (que en este momento se convierten en motivos de desestimación), bien porque la resolución no ha infringido norma o principio procesal.

C) Las resoluciones orales

Lo anterior se refiere a las resoluciones judiciales que se dictan de forma escrita, pero las cosas cambian cuando se trata de resoluciones orales. Estas resoluciones, que son las que deben dictarse en vistas, audiencias y comparecencias, haciéndose constar en el acta su fallo y motivación, pueden ser recurridas en reposición conforme a lo previsto en el art. 210, en el cual el legislador demuestra desconocer el sentido de la oralidad y de las resoluciones que se dictan en el acto oral y concentrado.

> En un acto oral y concentrado el tribunal tiene que dictar muchas resoluciones orales que deberían simplemente hacerse constar en el acta, sin que contra las mismas fuera posible recurrir en reposición. Contra cada una de esas resoluciones la parte interesada podría pedir en el acto y oralmente su reconsideración, se oiría a la parte contraria y el tribunal debería resolver también en el acto y oralmente, haciéndose constar en el acta todo lo sucedido y la protesta de la parte al efecto de poder recurrir, en su caso, contra la resolución definitiva de la instancia. Esta es la solución lógica que la LEC no ha comprendido, y en ella se ha procedido a distinguir:
>
> 1) En general se dice en el art. 210.2 que dictada una resolución oral, si todas las personas que fueren parte en el juicio estuviere presentes en el acto y expresaren su decisión de no recurrir, el tribunal declarará, en el mismo acto, la firmeza de la resolución, pero que fuera de ese caso el tribunal deberá redactar debidamente la resolución, notificarla a las partes, que podrán recurrirla en reposición. Se está negando la esencia de lo que es un acto oral y concentrado.
>
> La única manera de dar sentido a esta norma consiste en entender que en la misma se hace referencia a las sentencias y a los autos definitivos (los que ponen fin al proceso), que pueden ser dictados en toda clase de procesos. Si la LEC es de aplicación supletoria a los procesos penales, contencioso-administrativos, laborales y militares y en algunos de ellos pueden dictarse sentencias (no en el civil) y autos definitivos orales, el art. 210.2 es general, aplicable a esos procesos, en su caso. De este modo hay que entender que la norma no se refiere a las resoluciones orales de ordenación del proceso, las cuales se documentan en el acta.

2) En especial dice el art. 285 que contra la resolución oral que admite o in-admite un medio de prueba sólo cabrá recurso de reposición que se sustanciará y resolverá en el acto y, si se desestimare, la parte podrá formular protesta, con lo que está, dado que la proposición y admisión de la prueba se realiza siempre de modo oral (audiencia previa, art. 429, y vista, art. 443), regulando una reposición con tramitación distinta de la normal, tanto que se realiza oralmente.

VII. RECURSOS CONTRA LAS RESOLUCIONES DEL LETRADO DE LA ADMINISTRACIÓN DE JUSTICIA

Admitido que el letrado de la administración de justicia dicta resoluciones en el proceso, resoluciones que deben tener únicamente contenido procesal, se ha hecho preciso prever los recursos contra las mismas.

Según el art. 206 las resoluciones de los letrados de la administración de justicia se denominarán diligencias y decretos: 1.ª) Se dictará diligencia de ordenación cuando la resolución tenga por objeto dar a los autos el curso que la ley establezca, 2.ª) Se dictará decreto cuando se admita a trámite la demanda, cuando se ponga término al procedimiento del que el letrado tuviera atribuida competencia exclusiva y, en cualquier clase de procedimiento, cuando fuere preciso o conveniente razonar lo resuelto, y 3.ª) Se dictarán diligencias de constancia, comunicación o ejecución a los efectos de reflejar en autos hechos o actos con trascendencia procesal.

> Debe advertirse que el letrado en los verdaderos procesos no puede poner fin a los mismos por lo que no cabe hablar de decretos definitivos (sí en procedimientos no jurisdiccionales), por lo menos si se entiende por resoluciones definitivas «las que ponen fin a la primera instancia y las que decidan los recursos interpuestos contra ellas» (art. 207.1 LEC).

a) *Reposición*: Contra las diligencias de ordenación y decretos no definitivos del letrado cabe reposición ante él mismo, salvo que se prevea de modo expreso recurso directo de revisión (art. 451.1). Este recurso tiene el mismo procedimiento que el de la reposición contra resoluciones judiciales (arts. 452 y 453) y no tiene efecto suspensivo.

> Contra el decreto que decida esta reposición no se da recurso alguno, dice el art. 454 bis.1, pero añade: «sin perjuicio de reproducir la cuestión, necesariamente, en la primera audiencia ante el tribunal tras la toma de la decisión y, si no fiera posible por el estado de los autos, se podrá solicitar mediante escrito antes de que se dicte la resolución definitiva para que se solvente en ella».

Lo mismo que dispone el art. 454 bis.1 de la LEC se disponía en la Ley Reguladora de la Jurisdicción Social, en el art. 181.1, que fue declarado inconstitucional en la STC 72/2018, de 21 de junio de 2018. Asimismo, lo disponía el art. 102 bis.2 de la Ley de la Jurisdicción Contencioso-Administrativa y fue declarado por la STC 58/2016, de 17 de marzo.

b) *Revisión*: Este es un recurso nuevo en el Ordenamiento español y carece de semejanzas en los ordenamientos de los países culturalmente próximos al español. Este recurso se da para ante el tribunal que conoce del proceso y procede de modo directo ante tres situaciones:

1.ª) Diligencias de ordenación y decretos no definitivos en los que se prevea de modo directo y expreso la revisión (art. 451.1).

2.ª) Decretos del letrado por los que se ponga fin al procedimiento o impidan su continuación.

> El problema es saber cuándo se está ante un decreto definitivo y otro no definitivo, pues ya hemos dicho que el letrado no puede dictar una resolución de naturaleza definitiva (no se refiere a ellas el art. 207 LEC), pero con todo lo prevén los arts. 20.3, 22.1, 22.4, 237, 258 (aunque las diligencias preliminares no son proceso).

3.ª) Decretos sobre los que se prevea de modo expreso el recurso de revisión directo (por ejemplo, arts. 41.3, 254.1).

El recurso de revisión deberá interponerse en el plazo de cinco días mediante escrito en el que deberá citarse la infracción en que la resolución hubiera incurrido. El recurso lo admite el letrado, por diligencia de ordenación, pero lo inadmite el tribunal por providencia. Si se admite, el letrado concederá a las demás partes personadas un plazo común de cinco días para impugnarlo, si lo estiman conveniente. Transcurrido el plazo para impugnación, háyanse presentado o no escritos, el tribunal resolverá sin más trámites, mediante auto, en un plazo de cinco días. Contra las resoluciones sobre admisión o inadmisión no cabrá recurso alguno. Contra el auto dictado resolviendo el recurso de revisión sólo cabrá recurso de apelación cuando ponga fin al procedimiento o impida su continuación

VIII. QUEJA

El recurso de queja es siempre en lo civil un medio de impugnación accesorio, que depende en su existencia de los recursos devolutivos. Estos recursos (apelación, infracción procesal y casación) se interponen siempre ante el órgano que dictó la resolución que se impugna, el cual tiene el control de su admisibilidad, y la queja supone que ese control de la admisibilidad puede, a su vez, ser controlado por el tribunal que, en definitiva, debería conocer del recurso principal.

> El esquema es el siguiente: Sentencia y contra ella cabe apelación, infracción procesal o casación, pero estos recursos se interponen ante el mismo tribunal que dictó la sentencia, por lo que éste debe decidir sobre su admisión o inadmisión.

Contra el auto por el que ese tribunal *a quo* decide no admitir el recurso, la parte pedirá siempre reposición del auto de inadmisión y, en el caso de no estimarla, cabrá queja.

La queja es, por tanto, un verdadero recurso devolutivo, de naturaleza ordinaria, que no existe por sí solo, pues siempre está al servicio de la admisión de otro recurso (apelación, infracción procesal y casación), que es el principal. Con eso se está diciendo ya contra qué resoluciones cabe queja, es decir, contra el auto que inadmite la apelación (art. 457.4), la infracción procesal (art. 470.3) y la casación (art. 480.1), y quien conoce de la misma, esto es, el tribunal competente para conocer de cada uno de esos recursos devolutivos. También es obvio que la queja debe tramitarse y resolverse con carácter preferente (art. 494).

Dictado el auto por el que se inadmite el recurso devolutivo, la parte puede interponer queja, lo que hará en el plazo de diez días, a contar desde el día de la notificación de la resolución que deniega la tramitación de un recurso de apelación, por infracción procesal y de casación y por medio de escrito a presentar ante el tribunal competente para conocer cada uno de estos recursos. Con el escrito de interposición presentará copia de la resolución recurrida.

Presentado el escrito, con la copia dicha, el tribunal resolverá en el plazo de cinco días mediante auto contra el que no cabrá recurso alguno, de modo que:

1.º) Denegará la queja confirmando el auto de inadmisión del recurso principal, lo que se pondrá en conocimiento del tribunal correspondiente, para que conste en los autos.

2.º) Estimará la queja, revocando el auto de inadmisión del recurso principal, lo que también se pondrá en conocimiento del tribunal correspondiente, para que éste dé al recurso inicialmente inadmitido la tramitación que corresponda.

> Esta regulación es tan simple que deja muchas cuestiones sin resolver. Sólo por ejemplo: Lo que debe presentarse es testimonio de la resolución recurrida o mera copia simple y, en su caso, dentro de que plazo se le habrá de entregar el testimonio; y si no se le entrega dentro de plazo alguno; ¿no se oye nunca a la otra parte?

Legislación: Ley de Enjuiciamiento Civil (arts. 448 a 454 y 494 y 495)
Lectura: MONTERO y FLORS, *Tratado de los recursos en el proceso civil*, Valencia, 2005.

La apelación

I. DELIMITACIÓN DEL RECURSO
A) Apelación y segunda instancia: Concepto de doble grado
   a) Apelación plena o b) Apelación limitada
   c) Diferencias entre ellas:
      1) Sistema apelación plena
      2) Sistema apelación limitada
   d) Acomodación a la realidad
B) Apelación y nulidad: Mezcla de: Apelación + *querella nullitatis*
   1. Medios de Gravamen + 2. Impugnaciones

II. LA REGULACIÓN DEL RECURSO
A) Tribunal competente: 1) Juzgados NO, 2) Audiencias Provinciales
B) Resoluciones recurribles: art. 455
   1. Sentencias (+ de 3.000 por cantidad)
   2. Autos definitivos
   3. Autos no definitivos
C) Efectos: Los comunes, y
   1. Contra sentencia desestimatoria
   2. Sentencia estimatoria de la demanda
D) Tramitación
   a) Ante tribunal *a quo*
      1. Interposición, +
      2. Admisión
      3. Oposición e impugnación
      4. Oposición por adhesión
      5. Remisión y emplazamiento
   b) Ante el tribunal *ad quem*: Personación: Con o sin vista

III. ÁMBITO DEL RECURSO
A) Apelación limitada
   No peticiones nuevas, ni nueva causa de pedir
   Sí razones jurídicas nuevas
B) Prueba en el recurso
   a) Subsanación de defectos: Inadmisión y no práctica de prueba
   b) Continuación del proceso: Hechos nuevos, rebelde y documentos
   c) Tramitación
C) Infracción de norma o garantía procesal
   a) En tramitación: 1. Subsanación del defecto; 2. Nulidad
   b) En sentencia: Dicta Audiencia
D) La apelación adherida
   Posibilidades de recurrir, como principal y luego se adhiere

IV. LA CONGRUENCIA DE LA RESOLUCIÓN
a) Puntos recurridos: 1. Objeto del recurso. Objeto del debate
b) *Reformatio in peius*

I. DELIMITACIÓN DEL RECURSO

En la Lección anterior, al referirnos a la clasificación de los recursos, distinguimos, primero, entre no devolutivos y devolutivos y, luego, entre ordinarios y extraordinarios, y adelantamos que el recurso de apelación es devolutivo y el ordinario tipo. Es devolutivo porque la competencia (funcional) para conocer del mismo se atribuye siempre a un tribunal distinto y superior al que dictó la resolución recurrida, y es ordinario porque todo lo conocido y decidido por el tribunal de primera instancia puede llevarse, por medio del recurso, al conocimiento y decisión del tribunal de la apelación, sin que existan motivos taxativamente determinados en la ley.

> En el lenguaje habitual suele hablarse de apelación y de segunda instancia como si fueran términos o expresiones sinónimas, y con ello se incurre en una clara imprecisión técnica, por lo que conviene empezar por aclarar esas expresiones, lo que supone, además, determinar la verdadera naturaleza de la apelación.

A) Apelación y segunda instancia

En sentido jurídico estricto cuando se habla de doble grado o de doble instancia se hace referencia a un sistema de organizar el proceso en virtud del cual se establecen dos sucesivos exámenes y decisiones sobre el tema de fondo planteado, por obra de dos órganos jurisdiccionales distintos, de modo que el segundo debe prevalecer sobre el primero. El doble grado o instancia permite dos pronunciamientos sobre el objeto del proceso y sobre el objeto del debate.

Resulta así que el doble grado o instancia exige:

1.º) Los segundos examen y decisión tienen que ser realizados por un órgano distinto del que efectuó los primeros, lo que supone que el efecto devolutivo es consustancial con el doble grado o instancia.

2.º) La existencia real de los segundos examen y decisión sólo se producirá si alguna de las partes los solicita expresamente, de modo que la regla del doble grado o instancia no supone la necesidad de que conozca el tribunal superior, sino simplemente la posibilidad de ese conocimiento, posibilidad que depende de la iniciativa de las partes.

3.º) La legitimación para pedir los segundos examen y decisión se confiere a todas las partes, pero para que uno y otra se realicen la parte que los pida ha de haberse visto perjudicada por el contenido de la primera decisión, con lo que surge la necesidad de lo que se denomina gravamen para recurrir.

4.º) Los segundos examen y decisión sobre el tema de fondo cuestionado en el proceso han de poder tener el mismo objeto que los primeros, de modo que el tribunal *ad quem* ha de poder asumir todas las facultades que tuvo el órgano *a quo*, sin perjuicio de que la parte recurrente puede delimitar el ámbito de los segundos examen y decisión, en el sentido de que pueden pedirse estos segundos sólo respecto de algún o algunos de los elementos de los primeros (regla de *tantum appellatum quantum devolutum*).

Correctamente entendido el doble grado o instancia, hay que decir que el recurso de apelación, tal y como ha sido tradicionalmente regulado en el proceso civil español no daba ni da lugar a una verdadera segunda instancia. En nuestra tradición jurídica no ha existido nunca una doble instancia en sentido estricto y tampoco existe en la actualidad, y ello a pesar de que la doctrina y la jurisprudencia se refieren con reiteración a segunda instancia. Lo que hemos tenido y tenemos es una apelación limitada, no una apelación plena.

a) Apelación plena

La apelación plena supone que el tribunal superior, al realizar el examen del tema de fondo y al decidir sobre el mismo, cuenta con todos los materiales de hecho y probatorios con que contó el tribunal de la primera instancia, más aquellos otros materiales que las partes han aportado en el procedimiento de la segunda. Esto es, manteniéndose el objeto del proceso, la apelación plena implica permitir a las partes adicionar alegaciones de hechos (siempre que no se modifique la causa de pedir que sirve para identificar el objeto del proceso) y proponer y practicar nuevos medios de prueba, con lo que el tribunal superior puede contar, para tomar su decisión, con elementos de los que no conoció el órgano de la primera instancia.

> Especialmente hay que advertir que la primera instancia no opera de modo preclusivo respecto de las excepciones y prueba del demandado, el cual puede oponer en el recurso excepciones no aducidas en la primera instancia y proponer medios de prueba en aquélla no propuestos. La preclusión acaba siendo así algo que casi no entra en juego en los sistemas jurídicos de verdadera segunda instancia; naturalmente la eventualidad es desconocida en los mismos.

b) Apelación limitada

Por el contrario, estamos ante una apelación limitada cuando el tribunal superior ha de basar su examen y decisión en los mismos materiales de que dispuso el órgano inferior, sin que las partes puedan adicionar nuevos hechos o nuevas pruebas (salvo supuestos excepcionales que no desvirtúan lo dicho). A pesar de esta limitación, la función del tribunal superior no consiste únicamente en revisar lo hecho por el inferior, sino que ha de realizar un nuevo examen. Gómez Orbaneja lo explicaba muy gráficamente diciendo que el tribunal de la apelación no comprueba un resultado como se comprueba una operación matemática, sino que la hace otra vez con los mismos datos.

La apelación española no es un segundo juicio, una segunda instancia, ni aun teniendo en cuenta las posibilidades de prueba (art. 460 LEC) en el recurso. Otra cosa es que en España sigamos hablado de segunda instancia, dada la tradición de esta terminología, pero ello ha de hacerse siendo conscientes de su sentido limitado.

c) Diferencias entre ellas

Es cierto que las diferencias teóricas entre la apelación plena y la apelación limitada no suelen darse de modo puro en los diversos Ordenamientos, pero ello no puede impedir la comprensión conceptual de los dos sistemas. En efecto, las diferencias teóricas radican en que:

1.ª) En el sistema de la apelación plena

1) La apelación da lugar a un nuevo proceso, en el que el tribunal del recurso realiza un verdadero segundo y nuevo juicio.

2) El material de que puede servirse el tribunal de la apelación puede ser distinto del que ha estado en la base de la decisión de primera instancia.

3) La sentencia efectúa un nuevo pronunciamiento sobre el fondo del asunto, no limitándose a declarar la conformidad o disconformidad de la sentencia recurrida con la legalidad.

> Lo importante para comprender este sistema es darse cuenta de que el tribunal de la apelación realiza un verdadero segundo proceso o juicio sobre el tema de fondo planteado en la pretensión, y por ello es por lo que puede disponer de los materiales de la primera instancia y de materiales (hechos y prueba) nuevos aportados en la segunda.

2.ª) En el de la apelación limitada

1) El recurso da lugar a una simple *revisio prioris instantiae*, por lo que su fin es controlar la legalidad de la sentencia de primera instancia, atendidos los materiales con los que contó ese juez.

2) Dado el fin anterior no cabe admitir nuevos materiales en el recurso, debiendo el tribunal de éste contar con los mismos con que contó el juez de la primera instancia.

3) La sentencia del tribunal del recurso debe limitarse a declarar que la sentencia recurrida es conforme o es contraria a derecho, y en este segundo caso a devolver las actuaciones al juez que la dictó para que efectúe un nuevo pronunciamiento.

> De nuevo el elemento más importante para comprender este otro sistema radica en apreciar que la apelación no es un segundo y nuevo proceso o juicio, sino la continuación del primero y único, y por ello no se admiten materiales (hechos y prueba) nuevos (salvo excepciones muy contadas, como veremos).

d) Acomodación a la realidad

Hemos explicado el sentido conceptual y puro de los sistemas de apelación plena y de apelación limitada, y ahora hay que constatar que los mismos no se dan en las diversas legislaciones de modo completo, pues siempre se efectúa una adecuación a la realidad. En el Derecho español esa adecuación implica que:

1.º) A pesar de decirse de él que es un sistema de *revisio prioris instantiae*, el tribunal del recurso no se limita a «revisar» la decisión del juez de primera instancia, sino que dicta una segunda decisión.

2.º) En el caso de que la sentencia recurrida sea revocada, el tribunal de la apelación decide sobre el fondo del asunto, sin devolver las actuaciones al juez de la primera instancia.

> Estamos, pues, ante una cierta mezcla de los sistemas; éstos no se dan de modo puro, pero en ellos sí es manifiesta la preponderancia de uno u otro. Desde esa preponderancia debe admitirse que el sistema español es de apelación limitada.

B) Apelación y nulidad

Por si faltara algo en la complicación de este recurso, hay que advertir ahora que normalmente cuando se habla de apelación se está pensando en el recurso interpuesto contra la sentencia que se ha pronunciado sobre el fondo del asunto, es decir, la sentencia en la que se ha estimado o desestimado la pretensión del actor, condenando o absolviendo al demandado, de modo que lo que el apelante pide al tribunal competente para la apelación es que dicte una nueva sentencia en la que modifique el pronunciamiento de la primera (y así el art. 456).

Suele olvidarse con este planteamiento que la apelación puede atender también a solicitar del tribunal de apelación la declaración de nulidad total o parcial del procedimiento tramitado en la primera instancia, con lo que el recurso de apelación se está utilizando como medio de impugnación para algo que no guarda verdadera relación con el doble grado o instancia, pues atiende a la vulneración de normas procesales. Esto es manifiesto en nuestro Derecho, en el que el art. 459 LEC se refiere a la apelación por infracción de normas o garantías procesales

Se produce así una mezcla cuya comprensión requiere atender a otro aspecto, ahora histórico, en el que se destaca la diferencia entre la verdadera apelación (la referida al fondo del asunto, o material) y la nulidad (que atendía a la infracción de normas procesales).

Históricamente se distinguía entre: 1) Recurso de apelación, que se daba contra la sentencia que se había pronunciado sobre el fondo del asunto y se trataba, por tanto, de una apelación plena o de un verdadero segundo grado de jurisdicción, y 2) Nulidad de pleno derecho: Si en el desarrollo del proceso se había incurrido en defectos procesales, se estimaba que la sentencia era nula, y la nulidad debía operar *ipso iure*. Después se distinguió entre apelación y *querella nullitatis*, por medio de la cual se pretendía la declaración de nulidad del proceso.

Como no se trata de rehacer ahora toda la evolución histórica bastará recordar que la unificación de la verdadera apelación (material) y de la nulidad (procesal) se produjo en el siglo XIX, en el que se admitió que el recurso de apelación podía servir para los dos fines, es decir, por un lado, para que el tribunal superior controlara la legalidad de fondo de la sentencia y, por otro, para que controlara la legalidad en la tramitación del proceso.

> El que la apelación en sentido estricto se refiera históricamente sólo a las sentencias, y en cuanto en ellas se había efectuado un pronunciamiento sobre el fondo del asunto, es lo que llevaba a la distinción, sostenida todavía en alguna ocasión por la doctrina, entre:
>
> 1) Medios de gravamen: El recurrente afirma que existe un error de juicio, cometido en el razonamiento que el juez debe realizar para declarar el derecho material en el caso concreto, y pide al tribunal superior que realice un segundo juicio sobre el fondo del asunto.
>
> 2) Impugnaciones: Atienden a los vicios en la actividad procesal, a la ilegalidad de los actos procesales y el recurrente pide al tribunal superior que declare la nulidad de lo actuado desde que se incurrió en ese vicio.
>
> Esta distinción entre verdadera apelación (errores en el tema de fondo) y nulidad (vicios en el proceso) debe tenerse en cuenta para comprender el actual recurso de apelación tal y como se regula en la LEC y, especialmente, los posibles pronunciamientos de la sentencia dictada en el recurso.

La apelación es así un recurso por el que se lleva a un tribunal superior, bien la impugnación de una resolución de contenido procesal (para que corrija el defecto de esta naturaleza), bien la impugnación de una resolución de contenido material (para que se dicte otra resolución conforme al derecho material), y sólo en el segundo caso puede decirse que la apelación abre la segunda instancia, aunque en sentido limitado.

II. LA REGULACIÓN DEL RECURSO

Explicada la naturaleza del recurso, debe atenderse ya a la regulación del mismo, que viene lógicamente determinada por aquélla.

A) Tribunal competente

Tratándose de un recurso devolutivo, la apelación es competencia (funcional) de un tribunal distinto y superior al que dictó la resolución recurrida:

1.º) Juzgados de Primera Instancia: A pesar de su nombre conocen de las apelaciones contra las resoluciones dictadas por los Juzgados de Paz de su partido (arts. 85.3 LOPJ y 455.2, 1.º, LEC), se entiende en los juicios verbales de cuantía no superior a 90 euros (art. 47 LEC). Pero ya no es así.

> La Ley de Agilización Procesal (de 10 de octubre de 2011) ha dispuesto que no exista recurso de apelación contra las sentencias dictadas en los juicios verbales por razón de la cuantía cuando ésta no supere los 3.000 euros y de este modo en la actualidad contra las sentencias dictadas por los jueces de paz no hay apelación. Debe recordarse que los Juzgados de Paz conocen sólo de asuntos que por la cuantía no superen los 90 euros. Un absurdo más de lo que llaman agilizar. Y un olvido a la hora de que el art. 455.2, 1º LEC siga diciéndolo que dice.

2.º) Audiencias Provinciales: Conocen de los recursos de apelación contra resoluciones dictadas por los Juzgados de Primera Instancia de su circunscripción (arts. 82.4 LOPJ y 455.2, 2.º LEC). Cuando la resolución recurrida se hubiese dictado en un juicio verbal conocerá del recurso un solo magistrado, mediante un turno de reparto (art. 84.2, 1º, A LOPJ).

B) Resoluciones recurribles

El art. 455.1 LEC enumera las resoluciones recurribles en apelación y respecto de todas ellas ha de tenerse en cuenta que han de haber sido dictadas, no por un juez de paz, sino por un juez de primera instancia:

1.º) Las sentencias dictadas en toda clase de juicios, que son las llamadas sentencias definitivas en el art. 207.1. El contenido de la sentencia no determina la recurribilidad de la misma, pero no hay recurso contra las sentencias dictadas en los juicios verbales por razón de la cuantía cuando ésta no exceda de 3.000 euros.

2.º) Autos definitivos, que son aquellos que ponen fin a la primera instancia, según el arts. 206.1, 2.ª, y 207.1 LEC. Autos de esta naturaleza son, por ejemplo, los de los arts. 22.3, 66.1, 237.2, 393.5, 403, 418.2, 420.4, 421.1, 422.2, II, 423.3, etc. Dentro de estos autos, la apelación contra aquéllos que inadmitan demandas por falta de requisitos que la ley exija para casos especiales tendrá tramitación preferente.

3.º) Autos no definitivos que la ley expresamente diga que son apelables: La LEC parte de la regla general de que contra las resoluciones interlocutorias (las que van dictándose a lo largo de la primera instancia) procede recurso de reposición y de que contra el auto que decide la reposición no cabe recurso de apelación de modo autónomo o independiente. Esto no impide que en algún caso la LEC disponga que cabe apelación contra autos no definitivos, como es el caso de los arts. 41.2 (prejudicialidad penal), 43, II (prejudicialidad civil), 561.3 (oposición a la ejecución), etc.

> Como se dice en la Exposición de Motivos de la LEC la tutela judicial exige que contra las resoluciones que no pongan fin al proceso, no quepa interponer apelación, debiendo insistirse en la eventual disconformidad al recurrir contra la sentencia de primera instancia, con lo que desaparecen prácticamente las apelaciones contra resoluciones interlocutorias.
>
> El «insistir en la eventual disconformidad al recurrir la sentencia de primera instancia» puede llevar a dos soluciones distintas: 1) Unas veces se tratara de pedir la subsanación del defecto procesal producido en la primera instancia en la tramitación del recurso de apelación (caso, por ejemplo, de la inadmisión de un medio de prueba que debió ser admitido, y así arts. 285.2 y 460.2, 1.º, LEC), 2) Otras se tratará de pedir en el recurso de apelación la declaración de la nulidad producida en la primera instancia, con retroacción de las actuaciones, con lo que se produce una suerte de acumulación de recursos, uno contra la resolución interlocutoria (nulidad) y otro contra la sentencia (tema de fondo).

C) Efectos

La iniciación del recurso de apelación produce los efectos comunes a todos los recursos (que vimos en la Lección anterior) y además durante la sustanciación del mismo la competencia (que no la jurisdicción) del tribunal que ha dictado la resolución recurrida se limita a la actividades relativas a la ejecución provisional de la sentencia de condena (art. 426, que efectúa una remisión implícita a los arts. 526 y ss.).

La apelación «suspende» la competencia del tribunal a quo, que no puede ya realizar actividad alguna relativa al concreto proceso. Realmente esto supone que:

1.º) Cuando se trata de apelación contra sentencia desestimatoria de la demanda y de auto que pone fin al proceso, no cabe que el tribunal a quo proceda a actuar en sentido contrario a lo resuelto, y añade el art. 456.2 que la apelación «carecerá de efectos suspensivos».

> Cuando se trata de resoluciones que ponen fin a la instancia sin que las mismas contengan pronunciamiento alguno ejecutable (sentencia desestimatoria de la demanda o auto de sobreseimiento por incomparecencia de las partes a la audiencia previa), carece de contenido técnico hablar del efecto suspensivo, tanto para decir que concurre como que no se produce. En estos casos, si el tribunal de primera instancia no va a realizar ya actividad alguna, no tiene utilidad decir que el mismo no puede proceder a actuar en sentido contrario a la resuelto, pues lo cierto es que no va a proceder en ningún sentido.

2.º) Cuando la resolución recurrida es una sentencia estimatoria de la demanda sus pronunciamientos tendrán la eficacia que regula la LEC para la ejecución provisional, según la naturaleza y contenido de esos pronunciamientos (art. 456).

> Admitida la ejecución provisional con carácter general (con excepciones, arts. 524 y 525), el recurso de apelación no produce el efecto de suspender la ejecución de la sentencia de condena. Esta sentencia no es firme, pero es ejecutable, si bien provisionalmente.

D) Tramitación

En la tramitación procedimental del recurso deben distinguirse dos partes; la primera de ellas se realiza ante el tribunal que dictó la resolución recurrida y la segunda ante el competente para decidir el recurso:

a) Ante el tribunal a quo

Ante este tribunal se realizaban antes dos fases; una de preparación y otra de interposición, pero la Ley de Agilización Procesal de 2011 ha suprimido la primera de modo que ahora el procedimiento es el siguiente:

1.º) *Interposición*: Dentro del plazo de veinte días, contados desde el siguiente a la notificación de la resolución, el recurrente presentará el escrito en el que interpondrá el recurso; en ese escrito se deberá: 1) Citar la resolución apelada, 2) Fijar los extremos que impugna y 3) Exponer las alegaciones en que basa la impugnación (art. 458.1 y 2). Si no se presenta este escrito se declarará desierto el recurso y quedará firme la resolución recurrida.

Esas alegaciones son la fundamentación del recurso y pueden ser básicamente de dos tipos:

1") Procesales: Referidas a la infracción de normas o garantías procesales en la primera instancia, con la cita correspondiente. La infracción puede haberse producido: 1) En la tramitación de la instancia, y entonces deberá acreditarse que se denunció oportunamente la infracción, con lo que se pedirá, normalmente, la nulidad de todo o de parte de lo actuado, con retroacción de las actuaciones, o 2) En la sentencia, caso en el que no hubo oportunidad de denunciar la infracción, pidiéndose que la sentencia sea revocada dictándose otra que resuelva las cuestiones objeto del proceso y del debate (art. 459).

2") Materiales o de fondo: Atinentes bien a cuestiones de hecho, bien a razones de derecho, pidiéndose que se revoque la resolución impugnada y se dicte otra favorable al recurrente, mediante nuevo examen de las actuaciones llevadas a cabo en la primera instancia (y, en su caso, más la prueba practicada ante el tribunal de la apelación) (art. 456.1).

En este segundo caso, que es en el que estamos ante una apelación limitada, el recurrente no puede alegar hechos distintos de los que se alegaron oportunamente en la primera instancia, aunque sí cabe la petición de que se practiquen medios de prueba que no se practicaron antes. Luego veremos la limitada entrada del *ius novorum* en el recurso (art. 460).

2.°) *Admisión*: El art. 458.3 distingue entre el letrado de la administración de justicia y el juez y lo hace con referencia al plazo y a la resolución recurrible. De este modo:

1") Letrado de la administración de justicia: Si éste estima que la resolución es apelable y que se ha interpuesto el recurso dentro de plazo, lo tendrá por interpuesto, pasándose al trámite del art. 461.1.

2") Juez: Cuando el letrado de la administración de justicia cuestione la admisión, con referencia a que se trate de una resolución apelable y al plazo, lo pondrá en conocimiento del tribunal y éste podrá: 1) Admitirlo: Lo hará por providencia, y la misma es irrecurrible, sin perjuicio de que la parte recurrida podrá alegar la inadmisibilidad del recurso en el trámite de oposición del art. 461 y 2) Inadmitirlo: Lo hará por auto, contra el que cabe recurso de queja.

> A pesar de esta complicación inútil de distinguir entre el letrado de la administración de justicia y el juez, todavía se olvida que si el plazo y la recurribilidad de la resolución impugnada son requisitos insubsanables, pues existen o ya no podrán existir, puede no observarse un presupuesto subsanable, como la falta del presupuesto general de la representación procesal por medio de procurador y de la defensa por abogado, que sí ha de poder ser subsanada, concediendo el oportuno plazo para ello.

3.°) *Oposición al recurso e impugnación de la sentencia*: Del escrito de interposición del recurso se dará traslado a las demás partes, emplazándolas para que en el plazo de diez días presenten, siempre ante el tribunal *a quo*, escrito de oposición al recurso y, en su caso, escrito de impugnación de la resolución apelada en lo que le resulte desfavorable. Estos escritos se formularan con arreglo a lo establecido para el escrito de interposición del recurso (art. 461.1 y 2).

> También aquí se comprueba que se trata de una apelación limitada, pues el recurrido no puede aducir excepciones no alegadas oportunamente en la primera instancia, aunque sí podrá instar nuevos medios de prueba, aunque con las limitaciones que luego veremos.

4.°) *Oposición a la impugnación por adhesión*: Si la parte recurrida presentó únicamente escrito de oposición al recurso acaba aquí la tramitación ante el tribunal a quo, pero si el apelado presentó, además, escrito de impugnación de la resolución apelada en lo que le resulte desfavorable, de este escrito debe darse traslado al apelante principal para que, en el plazo de diez días, manifieste lo que tenga por conveniente (art. 461.4).

5.º) *Remisión de los autos y emplazamiento*: El art. 463 dispone que interpuesto el recurso y presentados, en su caso, los escritos de oposición e impugnación, el letrado de la administración de justicia del tribunal *a quo* ordenará la remisión de los autos al tribunal *ad quem*, con emplazamiento de las partes por diez días.

b) Ante el tribunal ad quem

Dispone el art. 463.1, II, que si el apelante no comparece en el plazo señalado el letrado de la administración de justicia declarará desierto el recurso y quedará firme la sentencia recurrida. Naturalmente la no personación del recurrido supone que la tramitación seguirá sin más. Recibidos, pues, los autos en el tribunal *ad quem* y personado por lo menos el apelante, la tramitación puede ser distinta, dependiendo de la celebración o no de vista:

1.º) Sin vista: Si no se ha propuesto prueba o si toda la propuesta ha sido inadmitida, el tribunal puede acordar la no celebración de vista, con lo que pasará a dictar sentencia, lo que habrá de hacer en el plazo de un mes, a contar desde el día siguiente a aquél en que se hubieran recibido los autos en el tribunal (arts. 464.2 y 465.1).

> La LEC simplifica aquí la tramitación, pues existen actos necesarios, aunque sean generales. En efecto, además los propios del registro del recurso y de la designación de magistrado ponente (art. 180 LEC), es necesario el señalamiento para la deliberación, votación y fallo (art. 196 LEC), que habrá de hacerse con el tiempo suficiente para que la sentencia se dicte dentro del plazo de un mes dicho.

2.º) Con vista: Esta es necesaria si se ha propuesto y admitido prueba y, en caso contrario, cuando así lo haya solicitado alguna de las partes o la Sala lo considere necesario. Si se ha presentado algún documento o propuesto prueba el tribunal, en el plazo de diez días, acordará lo que proceda sobre su admisión, y si ha de practicarse prueba se señalará día para la vista, que se celebrará dentro del mes siguiente. En cualquier caso la decisión sobre la celebración de vista habrá de adoptarse dentro de los diez días siguientes a la recepción de los autos, y la vista siempre se celebrará dentro del mes siguiente. La vista se realiza conforme a lo previsto para el juicio verbal (art. 464). El auto o la sentencia habrá de dictarse en otro plazo de diez días.

III. ÁMBITO DEL RECURSO

Hemos visto la tramitación del recurso de apelación y ahora es necesario atender a algunos aspectos esenciales del mismo, los que determinan su ámbito.

A) Apelación limitada

Cuando la resolución impugnada se ha pronunciado sobre el fondo del asunto, estimando o desestimando la pretensión, el recurso da lugar a una apelación limitada (si se quiere segunda instancia en sentido impropio), en la que lo perseguido por el recurrente es que, con arreglo a los mismos fundamentos de hecho y derecho alegados ante el tribunal de la primera instancia, el tribunal de la apelación revoque la resolución recurrida y dicte otra favorable al recurrente mediante un nuevo examen de las actuaciones llevadas a cabo ante el tribunal *a quo*.

En el escrito de interposición del recurso el apelante debe indicar qué pronunciamientos de la resolución son los que impugna, con lo que determinará lo recurrido, y en el escrito de interposición expondrá las alegaciones que fundamentan la impugnación. En cualquier caso habrá de tenerse en cuenta que:

1.º) El recurrente no puede formular petición o peticiones distintas de las que hizo en la primera instancia.

> Si el recurrente es el demandante la petición o peticiones, elemento integrante de su pretensión, tiene que seguir siendo la o las mismas, sin que pueda formular nueva o nuevas peticiones, pues ello supondría alterar la pretensión, es decir, el objeto del proceso. Si el que recurre es el apelado su petición tiene que seguir siendo la de que no sea condenado.

2.º) Tampoco podrá el recurrente alterar la causa de pedir de la pretensión, ni las excepciones opuestas como fundamento de su petición de no condena.

> La causa de pedir de la pretensión del demandante, elemento determinante del objeto del proceso, tendrá que seguir siendo la misma en la apelación, si él es el recurrente, lo que supone que no podrá alegar hechos que no alegara en la primera instancia y en momento procesal oportuno de ésta. Si el que recurre es el demandado no podrá aducir en el recurso excepciones no opuestas en la primera instancia, y siempre en momento procesal oportuno. La causa de pedir de la pretensión (objeto del proceso) y la causa de pedir de la resistencia (objeto del debate) no pueden ser modificadas en el recurso.

3.º) La no variación de la pretensión y de la resistencia no impide alegar en el recurso razones jurídicas distintas, siempre que ello no comporte alteración en el objeto del proceso o en el objeto del debate.

Aunque la causa de pedir no puede consistir en normas ni en calificaciones jurídicas, de modo que la fundamentación jurídica no afecta al objeto del proceso ni al objeto del debate, y de ahí la máxima *iura novit curia* y sus consecuencias (art. 218.1, II, LEC), cuando la calificación jurídica dada por la parte a los hechos que afirma, en cuanto condiciona la petición concreta, sí puede servir para delimitar el objeto del proceso, tampoco podrá modificarse en el recurso de apelación.

Todo lo debatido en la primera instancia puede ser debatido en la segunda, y por eso la apelación es un recurso ordinario, sin existir motivos tasados por la ley, pero sólo lo debatido en la primera puede continuar siendo debatido en la segunda instancia, y por eso es una apelación limitada.

B) Prueba en apelación

La naturaleza limitada del recurso no impide la existencia de prueba en el mismo, si bien de modo excepcional, y atendiendo a dos supuestos:

a) *Subsanación de defectos*

Existen casos en los que la realización de prueba viene referida a la subsanación de defectos en que se incurrió en la primera instancia, aprovechando el recurso, bien para corregir el error en que incurrió la resolución interlocutoria de dirección del proceso, bien para hacer lo que no se hizo en la primera instancia. Estos son los casos 1.º y 2.º del art. 460.1:

1.º) Cuando el juez de la primera instancia hubiere inadmitido incorrectamente un medio de prueba, siempre que se hubiere intentado la reposición de la resolución denegatoria o se hubiere formulado protesta en la vista.

El art. 285.2 dispone que contra la inadmisión o acto de prueba sólo cabe recurso de reposición, que se sustanciará y resolverá en el acto, y si se desestimase, la parte podrá formular protesta al efecto de hacer valer su derecho en la segunda instancia. Ese hacer valer su derecho consiste en volver a proponer el medio de prueba en el recurso de apelación.

2.º) Cuando por cualquier causa no imputable al que lo hubiere propuesto, un medio de prueba propuesto y admitido en la primera instancia, no se ha practicado en ella, ni siquiera como diligencia final.

El problema práctico se refiere siempre a qué debe entenderse por causa no imputable al que propone el medio de prueba, y en general debe decirse que todo se resuelve en si la parte asumió las cargas que la ley le impone en la práctica de la prueba. Por un lado admitir un medio de prueba y luego no practicarlo puede producir indefensión, pero por otro hay que tener en cuenta que la inactividad de la parte no puede luego servir para alegar indefensión.

b) Continuación del proceso

En otros casos de lo que se trata es de aprovechar la continuación del proceso para realizar lo que puede realizarse en cualquier momento del mismo. Esto es lo que sucede con:

1.º) La prueba propuesta respecto de hechos de relevancia para la decisión del pleito ocurridos después del comienzo del plazo para dictar sentencia en la primera instancia o antes de dicho término, siempre que, en este último caso, la parte justifique que ha tenido conocimiento de ellos con posterioridad (art. 460.2, 3.º).

> Esta norma debe ponerse en relación con la del art. 286 LEC, sobre la existencia de hechos nuevos o de nueva noticia y el escrito de ampliación de hechos, de modo que lo que puede hacerse en la primera instancia, antes del inicio del plazo para dictar sentencia, puede hacerse también en la continuación del proceso por medio de la apelación. El art. 460.2, 3.º, alude sólo a la prueba en el recurso, pero si los hechos son nuevos o de nueva noticia es obvio que primero tiene que admitirse su alegación y luego proponer prueba sobre los mismos.

2.º) La prueba propuesta por el demandado declarado en rebeldía que, por cualquier causa que no le sea imputable, se hubiere personado en los autos después del momento establecido para proponer la prueba en la primera instancia, caso en el que ese demandado (sea recurrente o recurrido) puede pedir que se practique en el recurso toda la prueba que convenga a su derecho (art. 460.3).

3.º) Junto con el escrito de interposición del recurso (el recurrente) o con el escrito de oposición al mismo o con el de impugnación de la sentencia por adhesión (el recurrido), pueden presentarse los documentos que se encuentren en alguno de los casos previstos en el art. 270 y que no hayan podido presentarse en la primera instancia.

> Los documentos materiales, los que son medio de prueba, han de presentarse con la demanda o con la contestación (art. 265), pero se admite de modo excepcional la presentación posterior en la primera instancia (arts. 270 y 271). La misma presentación excepcional se admite en el recurso de apelación, con el límite de que los documentos no hayan podido presentarse en la primera instancia.

Dada la excepcionalidad de la prueba en el recurso y los supuestos en que se produce, la existencia de la misma no supone que se esté ante una apelación plena o segunda instancia en sentido estricto.

c) Tramitación

La parte recurrente puede presentar los documentos o pedir que se practique prueba en el recurso precisamente en el escrito de interposición del mismo (art. 460). En el escrito de oposición al recurso, el recurrido se pronunciará sobre la admisibilidad de los documentos aportados y de las pruebas propuestas por el apelante (art. 461.3).

El recurrido podrá acompañar los documentos o pedir que se practique prueba en el recurso, bien en el escrito de oposición, bien en el escrito de impugnación de la resolución apelada en lo que le resulte desfavorable (art. 461.3). En este segundo caso el recurrente principal manifestará lo que tenga por conveniente (art. 461.4).

En los dos casos el tribunal *ad quem* se pronunciará sobre la admisión de los documentos y sobre la admisión de la prueba propuesta dentro de los diez días siguientes a recibir los autos. Si hubiera de practicarse prueba será necesaria la celebración de vista (art. 464).

C) Infracción de norma o garantía procesal

Desaparecidas prácticamente en la LEC las apelaciones contra resoluciones interlocutorias, quiere ello decir que el recurso procede, bien contra la sentencia definitiva, bien contra el auto definitivo (el que pone fin al proceso), y en los dos casos denunciando la infracción de una norma o garantía procesal. Esa infracción puede haberse producido:

a) En la tramitación del proceso en la primera instancia, y entonces contra la oportuna resolución interlocutoria cabrá normalmente reposición y/o protesta, para que se pueda hacer valer el derecho en la apelación contra la resolución definitiva, lo que podrá hacerse:

1.º) Bien pidiendo la subsanación del defecto, esto es, realizando o realizando bien en el recurso la actividad que no se realizó o que se realizó incorrectamente en la primera instancia (el caso más claro es el de la no admisión o de la no práctica de un medio de prueba, arts. 285 y 460), y entonces no se pide ni se declara la nulidad de lo actuado.

2.º) Bien pidiendo la declaración de nulidad de lo actuado incorrectamente, con devolución de las actuaciones al tribunal de la primera instancia para que realice de nuevo y correctamente la actividad procesal. En este caso sí se pide y se declara la nulidad.

> El art. 465.4 dice que el tribunal de apelación declarará la nulidad mediante providencia, lo que es un claro error, consecuencia de una enmienda general al Proyecto de LEC por medio de la cual se introdujo la palabra «providencia» en muchos artículos de la misma, para indicar el tipo de resolución a dictar. Lo discutible es si la nulidad se declara en la sentencia o si puede dictarse un auto al final de la tramitación del recurso, y parece más aceptable la forma de sentencia porque por medio de esta resolución debe acabar la tramitación del recurso de apelación, salvo que lo recurrido sea un auto.

En la LEC es manifiesto el intento de evitar declaraciones de nulidad por el tribunal *ad quem* de lo realizado en la primera instancia, y por ello el art. 465.4, II, dispone que no se declarará la nulidad de actuaciones si el vicio o defecto procesal pudiere ser subsanado en la segunda instancia, para lo que el tribunal concederá un plazo no superior a diez días, salvo que el vicio se pusiere de manifiesto en la vista y fuere subsanable en el acto. Producida la subsanación y, en su caso, oídas las partes y practicada la prueba admisible, el tribunal de apelación dictará sentencia sobre la cuestión o cuestiones objeto del pleito.

b) En la sentencia de primera instancia, supuesto en el que, al ser la apelación la continuación del proceso, se permite no declarar la nulidad de la misma, para que el tribunal a quo dicte otra, sino que el tribunal *ad quem* dicte sentencia en la que, primero, revoque la sentencia apelada, después, subsane el vicio o defecto procesal y, por último, resuelva sobre el fondo del proceso (art. 465.3).

> Esta posibilidad de que el tribunal de apelación dicte sentencia sobre el fondo del asunto puede llevar a que no existan dos resoluciones sobre el mismo, sino una sola, con lo que de hecho se niega la existencia de dos decisiones sobre la pretensión. En efecto, si, por ejemplo, el defecto procesal en que ha incurrido la sentencia recurrida es el de falta de exhaustividad, por no pronunciarse todo lo debatido, la estimación del recurso no llevará a declarar la nulidad de la misma, con retroacción de las actuaciones para que el tribunal *a quo* dicte otra sentencia y exhaustiva, sino que el tribunal *ad quem* dictará sentencia cumpliendo con el requisito, de modo que sobre algún extremo de lo debatido sólo existirá una decisión.

La existencia de infracción de norma o garantía procesal en la tramitación del proceso o en la sentencia de primera instancia, debería teóricamente llevar a que el tribunal de la apelación declarara la nulidad de lo actuado (o de parte de lo actuado) con retroacción de las actuaciones, pero esta solución teórica no es siempre la legal. La LEC pretende que la declaración de nulidad se produzca sólo cuando sea imprescindible para evitar la indefensión, y por ello permite que el tribunal del recurso resuelva sobre el fondo del asunto, después de haber subsanado los posibles defectos. El precio que se paga es el de que el tribunal de apelación decide en ocasiones en primer lugar, sin que haya existido una anterior decisión del tribunal de la primera instancia.

D) La apelación adherida

La existencia de un recurso de apelación interpuesto por una de las partes, a la que llamaremos apelante principal, puede ser aprovechado por la parte inicialmente apelada para interponer un segundo recurso de apelación contra la misma resolución. Este supuesto, que tradicionalmente se ha conocido como de adhesión a la apelación, se mantiene en la LEC, aunque en ella se evita la palabra «adhesión».

Cuando una resolución judicial es en parte favorable y desfavorable a las dos partes puede ocurrir que:

1.º) Las dos partes, en el plazo concedido por la Ley, formulen recurso de apelación, con lo que ya existen dos apelaciones «principales» que han de tramitarse conjuntamente y que darán lugar a una única sentencia de apelación.

2.º) Sólo una de ellas formule recurso de apelación, en el plazo legal, y que, ya en la tramitación del mismo, cuando se da traslado del escrito de interposición del recurso a la otra, ésta:

1") Se limite a presentar escrito de oposición al recurso, y

2") Además presente escrito de impugnación de la resolución apelada en lo que de la misma le resulte desfavorable (art. 461.1), con lo que se convierte, por un lado en apelado y, por otro, en apelante.

Por esta segunda vía se produce, lo mismo que por la primera, la existencia de dos recursos que se tramitarán conjuntamente y que darán lugar a una única sentencia. Se trata aquí también de dos recursos que tienen sustantividad propia, de modo que el segundo no «depende» del primero, no es una «adhesión» a éste, lo que supone que la extinción de uno, por ejemplo por desistimiento, no implica la extinción del otro, que debe seguir su curso.

La presentación del escrito de impugnación de la resolución da lugar a simple complicación procedimental en la tramitación, pues del mismo debe darse traslado al apelante principal para que, en el plazo de diez días, manifieste lo que tenga por conveniente (art. 461.4). Lo más importante es lo referido a la congruencia de la sentencia.

IV. LA CONGRUENCIA DE LA RESOLUCIÓN

Hemos ido viendo, en la tramitación, el plazo para dictar auto o sentencia, y en el ámbito del recurso los distintos pronunciamientos que debe contener el auto o la sentencia de apelación según que el recurso atienda a la infracción de norma o garantía procesal o al contenido de fondo de la resolución impugnada. Ahora, después de advertir que la forma del auto o de la sentencia de apelación es la común de cada tipo de resoluciones (arts. 208 y 209), debemos atender a la especial congruencia de la resolución.

La resolución de apelación también tiene que ser exhaustiva y congruente (art. 218), pues en la apelación sigue rigiendo el principio dispositivo. Lo específico es que:

a) La resolución debe pronunciarse únicamente sobre los puntos y cuestiones planteados en el recurso (art. 465.4), en el sentido de que:

1.º) Se tratará del objeto del o de los recursos, tal y como fue o fueron planteados por el o por los apelantes principales, o por el apelante adherido.

> La correlación que supone la congruencia no puede referirse al objeto del proceso determinado en la demanda, sino que ha de atender a los pronunciamientos de la resolución de primera instancia que fueron recurridos. Si alguno de esos pronunciamientos no fue recurrido, el tribunal de la apelación no puede pronunciarse sobre él, pues ese pronunciamiento se convirtió en firme (cosa juzgada formal). Tampoco cabe referir la congruencia al objeto del debate fijado en la contestación a la demanda, sino también respecto de los pronunciamientos de la sentencia de primera instancia que fueron recurridos.
>
> Es posible que todo lo debatido y resuelto en la primera instancia se lleve, por el o por los recursos, al conocimiento del tribunal de la apelación, porque se han recurridos todos los pronunciamientos de aquélla, con lo que el objeto del proceso y el objeto del debate de la primera instancia coincida con el objeto del recurso, pero entonces la congruencia debe producirse también con este segundo objeto, aunque sea el mismo que aquéllos. Por ello si no se recurren todos los pronunciamientos de la resolución de primera instancia, sino sólo algunos, la congruencia sigue atendiendo al objeto del recurso.

2.º) También podrá tratarse del objeto del debate propio del recurso de apelación, planteado por el apelado en el escrito de oposición. El recurso tiene necesariamente un objeto del debate propio (por ejemplo el apelado pide la desestimación del recurso por causa de inadmisibilidad del mismo), y la congruencia ha de referirse también al mismo.

La congruencia de la resolución de apelación no puede impedir que: 1) El tribunal de oficio controle los presupuestos procesales (declare la falta de competencia genérica), 2) Se pronuncie sobre aquello que es necesario conforme a la ley (por ejemplo, costas en el recurso), y 3) Declare que la resolución estimatoria del recurso beneficia al litisconsorte necesario que no recurrió.

b) La resolución de apelación no podrá perjudicar al apelante (art. 465.4), en aplicación de la regla de la prohibición de la *reformatio in peius*.

Si existen dos apelaciones principales contra la misma resolución, cada una respecto de los pronunciamiento de ésta que le son desfavorables, es obvio que la regla de la prohibición de la reforma en peor, no es que no se aplique, sino que se aplica dos veces de modo que se contrarrestan, pues la resolución necesariamente, al estimar un recurso y desestimar el otro, tiene que perjudicar a uno de los apelantes. Lo mismo ocurre cuando existe una apelación principal y otra adherida, pues ésta es también una apelación autónoma.

Legislación: Ley de Enjuiciamiento Civil (arts. 455 a 467)
Lectura: MONTERO y FLORS, *Tratado de los recursos en el proceso civil*, Valencia, 2005.

I. LOS RECURSOS EXTRAORDINARIOS

Cuando el legislador limita las facultades de impugnación de las partes de un proceso y, consiguientemente, acota el ámbito de conocimiento del órgano jurisdiccional a quien atribuye la competencia funcional para su enjuiciamiento nos hallamos ante un recurso extraordinario. Este tipo de recursos comparten con los ordinarios el dirigirse frente a resoluciones que no han adquirido firmeza, pero se diferencian de ellos en que no permiten la reconsideración del objeto litigioso en su totalidad. De esta caracterización se deduce que nunca serán instrumentos que autoricen la apertura de una instancia ulterior en el proceso. Máxime si se tiene en cuenta que su admisión y procedencia se hace depender de la existencia de alguno de los motivos legalmente establecidos, que lo son tasados y restrictivos y que suelen excluir las cuestiones fácticas para centrarse en las jurídicas bien sean de índole procesal, bien material.

Configurado el proceso civil bajo el criterio de primera instancia y apelación la decisión siguiente del legislador consiste en determinar si la sentencia dictada en último lugar es o no recurrible. En la respuesta a esta pregunta nuevamente vuelve a entrar en juego la falibilidad humana, fundamento de todo recurso, pero también pueden incorporarse otras consideraciones más próximas al interés público en sí mismo considerado. Aparecen así la seguridad jurídica y la igualdad de trato como elementos a valorar y ello tanto para evitar que la controversia sometida a juicio permanezca en indefinición mayor tiempo de lo razonable como para lograr una recta y uniforme aplicación e interpretación de la ley por parte de los tribunales.

> Históricamente, los recursos extraordinarios —y la casación tras su transformación en remedio jurisdiccional fue su primer y principal referente— tuvieron como finalidad la defensa de la legalidad vigente —*ius constitutionis*— y, en menor medida, la tutela de los derechos de las partes —*ius litigatoris*—. Estamos en plena Revolución Francesa con la ley como expresión máxima de la voluntad general y con una determinación política clara de establecer un instrumento que, al margen de los intereses individuales, atendiera a los públicos de protección del derecho objetivo y de garantía de una aplicación igualitaria del mismo. Desde esta perspectiva y su premisa, la división de poderes, se entendió preciso procurar un sistema de control sobre los jueces encaminado, de un lado, a impedir que sus sentencias contravinieran el tenor de la norma tal y como fue proclamada por el legislador —función nomofiláctica— y, de otro y al mismo tiempo, a conseguir que se aplicara de manera uniforme por los distintos titulares de la potestad jurisdiccional —función uniformadora y creadora de jurisprudencia—.

Sin duda, tales razones fueron tenidas en cuenta por el legislador español cuando en el Ley de Enjuiciamiento Civil de 2000 determinó que las sentencias de apelación eran impugnables y que lo eran además a través de un recurso devolutivo de naturaleza extraordinaria. Mejor dos pues reguló, para su opción por el litigante que resultare gravado y sin posibilidad de acumulación ni eventual ni sucesiva, un primer recurso por infracción procesal (arts. 468-476) y uno segundo de casación (arts. 477-489).

En la concepción originaria de la ley uno y otro medio de impugnación gozaban de total autonomía: el de infracción procesal, limitado a fiscalizar el cumplimiento por los órganos jurisdiccionales de instancia y apelación de las normas relativas al proceso, se atribuía a los Tribunales Superiores de Justicia y con una cierta amplitud en cuanto a las resoluciones recurribles; el de casación, dirigido a revisar las labores de aplicación e interpretación de las normas materiales, se acordaba competencia del Tribunal Supremo o, tratándose de derecho civil, foral o especial, de la Comunidad Autónoma y bajo ciertas condiciones, de los Tribunales Superiores de Justicia y únicamente frente a sentencias dictadas por las Audiencias Provinciales en segunda instancia. Además, en esa estructura inicial los dos recursos se articularon desde parámetros de exclusión: se partía de su incompatibilidad y del otorgamiento a la parte de la facultad para elegir tan solo una de las vías de impugnación extraordinaria establecidas. Un uso racional y sobre todo fundado de los recursos, especialmente del relativo a la infracción procesal, se encontraba en la base de esta decisión legislativa que impedía cualquier tipo de utilización conjunta (y a salvo la posibilidad de que cada litigante pudiera inclinarse por un distinto recurso) y que otorgaba a las sentencias dictadas la condición de firmes y los efectos de cosa juzgada.

Sin embargo, el régimen descrito no está actualmente en vigor. Según parecer mayoritario necesitaba para su aplicación de una modificación de la LOPJ en cuanto a la competencia atribuida a los Tribunales Superiores de Justicia para conocer de la impugnación extraordinaria por infracción procesal. Y como esta reforma no llegó a producirse, al no haberse alcanzado en último momento la mayoría parlamentaria suficiente para ello, se arbitró una solución interina que consistió en introducir, ya durante la tramitación de la ley en el Senado, una Disposición Final 16ª que ordenaba y ordena los dos recursos bajo parámetros diferentes y a la espera de aquella transformación legal.

El resultado, teóricamente provisional, nos lleva a un cambio importante en las que fueron premisas iniciales. De la autonomía se ha pasado a una vinculación entre los dos recursos y de la exclusión a una convivencia, en la práctica no exenta de problemas, entre ambas impugnaciones. A grandes rasgos: 1º) el órgano competente para conocer infracción procesal y casación ya no es diferente, será el Tribunal Supremo como regla general y excepcionalmente los Tribunales Superiores de Justicia; 2º) las resoluciones impugnables a través de uno y otro instrumento extraordinario se equiparan, remitiéndose a las que sean susceptibles de casación; 3º) ambos recursos dejan de ser incompatibles y la parte puede —y en ocasiones debe— interponerlos de forma conjunta; 4º) esa formalización unitaria supone la sustanciación y decisión de las dos impugnaciones en un mismo procedimiento y una misma sentencia, lógicamente con pronunciamientos distintos, primero, en cuanto a la infracción procesal y, después y siempre en función de lo allí resuelto, con relación a las infracciones materiales alegadas en casación. Lo que no cambia es la irrecurribilidad de la resolución que se dicte: se mantiene su condición de firme y los efectos de cosa juzgada que se asocian a la firmeza. Naturalmente a este régimen, en cuanto vigente a día de hoy, nos debemos referir a continuación.

II. EL RECURSO EXTRAORDINARIO POR INFRACCIÓN PROCESAL

Con el objetivo de salvaguardar el *ius litigatoris*, y en menor medida el *ius constitutionis* referido aquí a la defensa del ordenamiento jurídico procesal, el legislador establece un mecanismo de impugnación que excluye la firmeza de la sentencia dictada en apelación y que permite a la parte gravada por una inobservancia de las normas que rigen el proceso acudir a un tribunal superior para que depure las infracciones cometidas.

> Se trata de una de las principales novedades de la LEC en materia de recursos. Hay que recordar que durante más de un siglo el quebrantamiento de forma permaneció en el ámbito de la casación, configurándose incluso como una de sus modalidades. Su separación actual le convierte en un recurso nuevo lo que no impide que conserve muchos de los rasgos de la técnica casacional.

A) Concepto, características y órgano competente

Regulado en los arts. 468 a 476 LEC, el recurso por infracción procesal es un medio de impugnación en sentido estricto, de naturaleza devolutiva y extraordinaria que se dirige frente a resoluciones dictadas por las Audiencias Provinciales en grado de apelación y que tiene por finalidad revisar la aplicación e interpretación de la norma procesal posibilitando, en su caso, la tutela ordinaria de los derechos fundamentales de dicha condición.

Con esta definición queda claro que nos hallamos en un proceso pendiente y ante una nueva fase procesal del mismo. También que dicha etapa, precisamente por la índole extraordinaria del recurso, no puede caracterizarse como tercera instancia. La existencia de motivos legales tasados a los que ha de sujetarse la propia pretensión impugnatoria lo impide. Piénsese, de un lado, que la enumeración que se realiza confina el ámbito del recurso al enjuiciamiento de la regularidad del proceso y del cumplimiento de las normas y garantías procesales; y de otro y consecuencia de lo anterior, que priva al órgano funcionalmente competente, que lo ha de ser distinto y superior, del examen *ex novo* de los hechos y derecho que configuran la cuestión litigiosa.

El error que se pretende corregir tiene carácter procesal. Ello significa que permanecen fuera de este medio de impugnación las equivocaciones fácticas y las jurídicas cometidas en la aplicación e interpretación de las normas de derecho material e, inversamente, que quedan comprendidos los quebrantamientos de forma, resultando indiferente que se anuden a preceptos orgánicos, procedimentales, procesales *stricto sensu* o procesales-materiales.

> De este modo, la inobservancia de normas atinentes a los presupuestos de la acción que se ejercita, como legitimación e interés, o al juicio fáctico que se emite, como las relativas a la carga de la prueba o a los efectos positivos de la cosa juzgada, se harán valer a través del recurso extraordinario por infracción procesal. Y será así aunque su aplicación surja en el momento de dictar sentencia, aunque no se refieran estrictamente ni la validez del proceso en su conjunto ni a la de alguno de sus actos en particular.

Además, siendo aquella la naturaleza de las normas cuya vulneración se alega, era lógico que la consecuencia prevista para su estimación fuera la nulidad. La jurisdicción de los Tribunales Superiores de Justicia se fijaba así como negativa, limitándose a casar la resolución impugnada y devolviendo las actuaciones al órgano inferior para, en su caso, reponerlas al momento en que se cometió la falta. El régimen actual de la Disposición Final 16ª, sin embargo, ha matizado esta conclusión prescribiendo junto a ella la necesaria entrada en el fondo del asunto.

> Quizá esta solución híbrida tenga sentido al haberse suprimido la incompatibilidad del recurso por infracción procesal con el de casación y permitirse la interposición conjunta de ambos instrumentos. No obstante, en más de una ocasión resultará inadecuado que la respuesta favorable del juzgador *ad quem* tenga por contenido la reforma y no la anulación.

Ha sido este mismo régimen el que ha alterado la competencia para conocer del recurso por infracción procesal. Originariamente, se atribuía a los Tribunales Superiores de Justicia del territorio donde se hubiere dictado la resolución impugnada, lo que alejaba de dicha impugnación la función uniformadora y creadora de jurisprudencia que pasaba a corresponder al Tribunal Supremo a través del llamado recurso en interés de ley. A día de hoy, la norma transitoria determina que competente es el Tribunal Supremo, Sala de lo Civil, con una excepción en favor de los Tribunales Superiores de Justicia cuando se formule conjuntamente con la denominada casación autonómica, es decir, aquella que, entre otros condicionantes, se basa en la infracción de una norma de derecho civil foral o especial de la Comunidad Autónoma (art. 478 y DF 16ª.1ª LEC).

B) Resoluciones recurribles

Señala la regla segunda de la DF 16ª que sólo son recurribles por infracción procesal las resoluciones que sean susceptibles de casación. Se produce entonces una asimilación que se concreta en las sentencias dictadas en grado de apelación por las Audiencias Provinciales y siempre que se encuentren en alguna de las situaciones siguientes: cuando se pronuncien en el ámbito de la tutela judicial civil de derechos fundamentales, cuando el proceso se hubiera seguido por la cuantía y ésta fuera superior a 600.000 euros y cuando, no superando tal cantidad o tramitándose por razón de la materia, presente un interés casacional (art. 477.2 LEC). A sensu contrario, por tanto, no son susceptibles de recurso ni los autos (como indica el art. 468, hoy en suspenso), ni las sentencias que provengan de tribunales diferentes ni aquellas otras, sea cual sea el órgano de origen, que se pronuncien en primera y única instancia.

Nos remitimos entonces al epígrafe correspondiente de la casación. Ahora solo procede indicar que el recurso por infracción procesal puede interponerse de forma autónoma en los dos primeros casos, pero en el tercero, referido al interés casacional, necesariamente ha de formularse de manera conjunta. Esta previsión tiene sentido dado que se está sosteniendo que existe una contradicción o indefinición jurisprudencial respecto de la norma material aplicable, supeditándose la recurribilidad de la sentencia a su comprobación.

C) Los motivos del recurso y las consecuencias de su estimación

Como recurso extraordinario que es únicamente puede fundarse en los motivos establecidos de manera tasada por el legislador (art. 469 LEC). Son cuatro, todos ellos de naturaleza procesal y estrechamente relacionados hasta el punto que no será difícil que un mismo defecto tenga cabida en más de un motivo. De su alegación, que no puede ser genérica y que deberá tener en cuenta las consecuencias que se anudan a cada uno de ellos, dependerá la admisión del recurso. De su existencia podrá derivarse la estimación del mismo, estimación que, como se ha señalado, no siempre conllevará un pronunciamiento anulatorio.

En cualquier caso, la admisibilidad del recurso viene condicionada por un requisito adicional que se conecta con la justificación aducida. Se exige así que la infracción procesal haya sido denunciada en la instancia donde tuvo lugar y, de haberse producido en la primera, que se haya reiterado en la posterior. Sin denuncia, no procederá el recurso, como tampoco procederá cuando, siendo posible, no hubiera mediado la oportuna solicitud de subsanación

a) Infracción de las normas sobre jurisdicción y competencia objetiva o funcional

El motivo primero, que lo es además en su examen por el juzgador si fuesen varios los alegados, recoge las vulneraciones que se hayan podido cometer en preceptos que o bien delimitan el ejercicio de la potestad administrativa y la jurisdiccional, o bien rigen la sumisión de la controver sia a arbitraje, o bien disciplinan la extensión y límites de la jurisdicción española, la competencia genérica —de los tribunales civiles y respecto de los especiales constitucionales o de los pertenecientes a otro orden jurisdiccional— y la atribución de competencia objetiva y funcional en sus diversas manifestaciones.

> Se han excluido, pues, las normas de competencia territorial. Las de índole dispositiva, en todo caso, y, en estos momentos y según doctrina del Tribunal Supremo vinculada a la DF 16ª y opuesta al art. 67.2 LEC, parece que también las imperativas.

Verificándose la infracción, la consecuencia que se anuda al pronunciamiento favorable dependerá de su propio tenor: si se actuó con defecto de jurisdicción o competencia, se anulará la resolución dictada y con ella las actuaciones indebidamente realizadas, quedando a salvo el derecho de las partes a ejercitar las acciones ante quien corresponda; si se apreció erróneamente esa falta de jurisdicción o competencia —y presupuesto indispensable es que ese error se cometiera en sentencia—, igualmente procederá la anulación, ordenando al tribunal de que se trate que inicie o prosiga el conocimiento del asunto.

b) Infracción de las normas procesales reguladoras de la sentencia

El segundo motivo incide en las normas procesales, no sustantivas, que rigen las sentencias y que básicamente se contienen en la CE, en la LOPJ y, sobre todo, en la LEC. Entre ellas pueden destacarse las relativas a determinados requisitos externos o de formación y a los internos sin excepción —forma y contenido, votación y fallo, número de magistrados e invariabilidad, exhaustividad, congruencia y motivación—, las referidas a ciertas modalidades de tutela —meramente declarativa, condenas de futuro, con reserva de liquidación — o, tal y como viene sosteniendo el Tribunal Supremo, las atinentes a la cosa juzgada o a la carga de la prueba.

La corrección del vicio procesal alegado y que se estime concurrente se realiza aquí sin necesidad de devolver las actuaciones. Se efectúa, según prevé la DF 16ª.7ª, resolviendo nuevamente el objeto del proceso y teniendo en cuenta, en su caso, lo afirmado como fundamento de la casación.

> Debe advertirse, sin embargo, que se está incurriendo en un exceso de generalización al disponerse la anterior solución sin excepciones. Hay ciertas infracciones que, por naturaleza y puesto que no se permite rehacer el juicio de hecho, requieren de anulación y no de reforma. Por ello, su alegación podría terminar desviándose al número siguiente que, como ahora se verá, sí mantiene la jurisdicción negativa del tribunal.

c) Infracción de las normas legales que rigen los actos y garantías del proceso

La amplia formulación de este motivo obliga a concluir que nos hallamos ante una cláusula de cierre del sistema. Si bien se mira, podría incluso haberse convertido en la única justificación del recurso pues comprende la práctica totalidad de las infracciones posibles y entre ellas las referidas en el apartado anterior. No obstante, a diferencia de lo allí ordenado, aquí la estimación del recurso conduce a la nulidad de la sentencia y a la reposición de lo actuado al momento de comisión de la falta.

> Ocurrirá de este modo, y son simples ejemplos, ante defectos en la notificación que impidan la correcta realización de un acto de defensa, ante contravenciones de la garantía de inmediación o ante intervenciones sin letrado siendo preceptiva su asistencia.

Con todo, el efecto arbitrado exige para su nacimiento que concurra un presupuesto adicional. No es suficiente con la violación de una norma que rija actos y garantía del proceso, se requiere además que el quebranto invocado sea determinante de una nulidad de actuaciones o genere indefensión. Por esta razón han de eliminarse las simples irregularidades formales, que no están comprendidas, y aquellas otras que no tengan trascendencia para el fallo. Por la misma consideración y por configurarse como norma de cierre, procederá el recurso ante la ausencia de ciertos presupuestos procesales de imposible encaje en el motivo anterior. Entre otros, capacidad para ser parte, capacidad procesal, litisconsorcio o, en ciertas hipótesis, procedimiento adecuado.

d) Vulneración, en el proceso civil, de los derechos fundamentales ex art. 24 CE

Con este último motivo el legislador desarrolla la tutela ordinaria de los derechos fundamentales de naturaleza procesal civil. De ahí que la interposición del recurso se disponga como requisito previo para acudir en amparo ante el Tribunal Constitucional al entender infringido uno de los derechos recogidos en el art. 24 CE para ese tipo de enjuiciamiento.

> Por supuesto, los derechos constitucionales no fundamentales, los que siéndolo tengan condición material y los procesales propios de un proceso penal (como sería el caso de la presunción de inocencia, del derecho a no declararse culpable o a conocer la acusación) han de entenderse excluidos. Incluidos estarán —y con independencia de su posible alegación a través de otras causas—, el derecho a la tutela judicial efectiva, la prohibición de indefensión, los derechos al Juez ordinario predeterminado por la Ley, a la defensa y a la asistencia de letrado, también el referido a la utilización de los medios de prueba pertinentes para su defensa o los relativos a un proceso público, sin dilaciones indebidas y con todas las garantías.

En cuanto a las consecuencias previstas en caso de estimación, éstas se determinan en función del derecho fundamental que se entienda vulnerado. En ocasiones, cuando se refiera a la sentencia, el tribunal deberá resolver sobre el fondo casando y dictando nueva resolución; en otras, cuando se haya producido una limitación relevante en garantías procesales de distinta incidencia, anulará y ordenará que se repongan las actuaciones al estado y momento en que se hubiere incurrido en la infracción o vulneración (art. 476.2 y DF 16ª.1.7º LEC).

III. EL RECURSO DE CASACIÓN

La casación es también un recurso extraordinario cuya interposición y admisión impide la firmeza de la resolución impugnada. Pero, aunque complementario del de infracción procesal, no es un recurso nuevo. Viene acompañando a todas nuestras leyes de enjuiciamiento y, pese a contar con numerosas reformas en su haber, nunca ha perdido los que son sus rasgos esenciales: además del carácter público, un acceso restringido, un ámbito objetivo confinado y legalmente limitado y una competencia a favor de tribunal situado en la cima de la organización judicial.

> En sus orígenes, situados en la Revolución Francesa, la casación no fue un recurso. Se concibió como un instrumento político de defensa de la legalidad ante las infracciones expresas que del tenor de la norma cometieran los jueces. Según el esquema de división de poderes establecido, éstos se limitaban a pronunciar las palabras de la ley, sin margen alguno para la interpretación, quedando su

fiscalización en manos de un órgano, también político, denominado tribunal de casación por su facultad de «casar» la resolución dictada. Fue en 1837 cuando este tribunal adquiere naturaleza jurisdiccional y la casación condición procesal. A partir de ese momento se convirtió en un auténtico recurso de naturaleza extraordinaria que: 1) Protegía el *ius constitutionis,* con desplazamiento de la clásica función nomofiláctica en favor de un objetivo uniformador y creador de jurisprudencia, y asimismo el *ius litigatoris* y no solo por infracciones expresas sino incluso por aplicaciones indebidas e interpretaciones erróneas de la ley. 2) Residía en quien ocupara el vértice de la pirámide judicial. 3) Ofrecía un ámbito de enjuiciamiento reducido como consecuencia de la limitación de las resoluciones impugnables y de una previsión de motivos legales tasados que restringían notablemente las posibilidades impugnatorias de las partes al ceñirse a errores jurídicos.

En lo que respecta a la casación española surge en 1838. En ese año el Supremo Tribunal de Justicia, creado por la Constitución de Cádiz y con una existencia intermitente fruto de los avatares políticos de aquel periodo histórico, se convirtió en órgano casacional. Hasta entonces su principal competencia, que lo era jurisdiccional, se centró en un recurso de nulidad al servicio única y exclusivamente del interés particular de los litigantes. Apoyada en aquellos pilares, la casación establecida: 1) Tendía a proteger tanto derechos de las partes como intereses públicos, personificados principalmente en la función uniformadora. 2) Mantenía la atribución competencial en el órgano judicialmente superior. 3) Conservaba una reducida recurribilidad. 4) Y se dotaba, sin embargo, de perfiles propios al acoger clásicos y nuevos motivos de recurso: quebrantamiento de forma, infracción de ley y de doctrina legal y algunas concretas y graves equivocaciones cometidas en el juicio de hecho.

Sin olvidarse de aquellos atributos, la actual regulación de la casación presenta tres notas adicionales que interesa destacar con carácter previo: la primera, su objetivo último y principal que se centra en la unificación y creación de jurisprudencia para, partiendo de él, satisfacer los derechos de las partes; la segunda, la motivación para recurrir que se contrae a la infracción de las normas materiales aplicables en la resolución del objeto del proceso; y la tercera, la posibilidad de distinguir, atendida la naturaleza de la ley sustantiva y a efectos prácticos primordialmente, entre una casación común y otra autonómica referida al derecho civil foral o especial de una Comunidad Autónoma.

A) Concepto, características y órgano competente

Regulado en los arts. 477 a 489 LEC, el recurso de casación es también un medio de impugnación en sentido estricto, de naturaleza devolutiva y extraordinaria que se dirige frente a sentencias dictadas por las Audiencias Provinciales en grado de apelación y que tiene por propósito, en contraste con el de infracción procesal, revisar la aplicación de la norma material realizada por el juzgador de la segunda instancia. Así definido, su presentación por el recurrente nos vuelve a situar en un proceso pendiente y en una fase que no autoriza la apertura de una tercera instancia. Con un único motivo de recurso, y en tanto que incide en el juicio jurídico y no en el fáctico, las facultades de las partes y el ámbito de conocimiento del juzgador *ad quem* se reducen a esos términos.

La competencia se atribuye al Tribunal Supremo, a la Sala de lo Civil. No obstante, cuando la norma infringida sea de derecho civil, foral o especial, de una Comunidad y no se trate de sentencia dictada en proceso para la tutela de los derechos fundamentales (art. 5.4 LOPJ), órgano funcionalmente competente será el Tribunal Superior de Justicia, la Sala de lo Civil y Penal y como Sala Civil. Esta determinación competencial depende además de dos circunstancias: que la resolución impugnada provenga de órgano radicado en su misma demarcación territorial y que así lo haya previsto el Estatuto de Autonomía (art. 478 LEC).

> Deben tenerse en cuenta: 1) Ley de Galicia 5/2005, de 25 de abril, 2) Ley de Aragón 4/2005, de 14 de junio, y 3) Ley Cataluña 4/2012, de 5 de marzo.

B) Resoluciones recurribles

Un doble elemento sirve para concretar este presupuesto que lo es tanto del derecho a recurrir en casación como en infracción procesal (art. 477.2 LEC).

Por un lado, las únicas resoluciones recurribles son las sentencias dictadas en apelación por las Audiencias Provinciales y con una excepción a favor de los autos dictados en apelación en el ámbito de solicitudes de exequátur de decisiones judiciales procedentes de la Unión Europea. Fuera de esta salvedad y advirtiendo que no cabe casación *per saltum*, deben entenderse irrecurribles tanto las resoluciones que no revistan la forma de sentencia (autos que decidan cuestiones procesales o de fondo y siempre que esa tipología no sea producto de una equivocación), como aquellas otras que conformadas como tales no procedan de dicho órgano provincial o/y se dicten en primer y único grado (sentencias recaídas en juicios verbales de mínima cuantía, tratándose de responsabilidad civil de aforados o de anulación de laudos arbitrales, en audiencia al rebelde o en cuestiones incidentales).

Por otra parte y acumuladamente a la disposición anterior, se exige que la sentencia dictada por la Audiencia Provincial en segunda instancia lo haya sido en uno de los supuestos siguientes —y se trata de un elenco cerrado y excluyente—:

1º) En procesos para la tutela judicial civil de derechos fundamentales, excepto los que reconoce el art. 24 CE, y que fueran tramitados por el cauce del art. 249.1.2º LEC. Una vez más se trataría de tutelar por la vía ordinaria derechos fundamentales, aquí de naturaleza material y básicamente referidos al honor, la intimidad y la imagen, y una vez más el previo acceso a la casación condicionaría la admisión del amparo constitucional.

2º) En procesos determinados en función de la cuantía cuando ésta excediera de 600.000 euros. Juicios ordinarios, por tanto, ex art. 249.2 LEC y teniendo en cuenta que esa cantidad ha de permanecer litigiosa en apelación pues su reducción a importe inferior en la apelación impedirá la casación.

3º) En procesos tramitados por razón de la materia o de la cuantía cuando no sobrepasara de aquella cantidad y siempre que, en ambos casos, la resolución del recurso presente interés casacional. Para la individualización de este requisito de recurribilidad claramente relacionado con la función uniformadora y creadora de jurisprudencia el legislador acude a tres reglas: la primera, cuando la sentencia recurrida se oponga a doctrina jurisprudencial del Tribunal Supremo; la segunda, cuando resuelva puntos y cuestiones sobre los que concurra jurisprudencia contradictoria de las Audiencias Provinciales; y la tercera, cuando aplique normas que no lleven más de cinco años en vigor y que no sean de igual o similar contenido que otras anteriores sobre las que existiese doctrina jurisprudencial del Tribunal Supremo. Tratándose de la casación autonómica, se entenderá que también existe interés casacional «cuando la sentencia recurrida se oponga a doctrina jurisprudencial o no exista dicha doctrina del Tribunal Superior sobre normas de Derecho especial de la Comunidad Autónoma correspondiente» (art. 477.3 LEC).

C) El motivo del recurso y las consecuencias de su estimación

La casación actual se basa en un único motivo referido a la infracción de las normas aplicables para resolver el objeto del proceso (art. 477.1 LEC). Tras esta determinación legal solo cabe confirmar que nos hallamos ante un recurso extraordinario que, restringido a la *quaestio iuris*, nunca podrá convertirse en una tercera instancia. En realidad, ni los errores de hecho ni los de derecho de naturaleza procesal son denunciables mediante esta tipología de impugnación que queda circunscrita a las equivocaciones que pudieran haber sido cometidas al realizar el juicio jurídico sobre el fondo del asunto.

> Se centra, pues, en la contravención de una o más normas de carácter sustantivo y en tanto en cuanto fueran aplicables para dar respuesta a la concreta tutela pretendida. La infracción de jurisprudencia, tal vez por no considerarse fuente de derecho, ha dejado de ser motivo de recurso, bien es verdad que está presente en la casación y de forma intensa al incluirse, recordemos, como presupuesto de recurribilidad cuando la sentencia impugnada se hubiera dictado en procesos seguidos por razón de la materia o de la cuantía si ésta no excediera de 600.000 euros.

Como ha quedado dicho, el motivo se refiere a la infracción de normas jurídicas, que lo han de ser concretas y no referidas a preceptos de carácter general. En lo que respecta a la infracción ésta ha de entenderse en sentido amplio, luego más allá del originario quebranto expreso del texto de la ley. Comprenderá así el desconocimiento o la equivocación, tanto en la aplicación como en la interpretación, siempre que tuviera una cierta entidad y trascendiera al fallo. En cuanto a la norma aplicable, y pueden denunciarse varias, se tratará de preceptos constitucionales o legales y asimilados, de reglas consuetudinarias existentes e incluso de principios generales de derecho (con cita de la ley o la jurisprudencia donde se recojan). En cualquier caso, han de tener naturaleza sustantiva, pertenecer al derecho privado —civil o mercantil con carácter general— y ser aplicables a la hora de resolver el objeto del proceso.

Si se estima la existencia de la infracción alegada, la Sala casará la resolución recurrida, en todo o en parte, entrando a decidir sobre la cuestión litigiosa sometida a impugnación y, en su caso, fijando el criterio jurisprudencial sobre la discrepancia, contradicción o ausencia producida. Jurisdicción positiva, en consecuencia, que sin embargo no afectará a las situaciones jurídicas creadas por las sentencias, distintas de la impugnada, que se hubieren invocado (art. 487).

IV. PROCEDIMIENTO EN LOS RECURSOS EXTRAORDINARIOS

Pese a la existencia de una regulación procedimental individualizada para cada uno de los recursos extraordinarios, la DF 16ª de la LEC nos remite, suspendiendo la vigencia de alguna de sus normas, a una tramitación en gran medida unitaria. A ella se estará teniendo en cuenta que: 1º) el recurso por infracción procesal puede presentarse en solitario cuando se trate de impugnar una sentencia incluida en los apartados 1º y 2º del art. 477.2 LEC (derechos fundamentales y cuantía superior a 600.000 euros); 2º) el recurso por infracción procesal ha de interponerse conjuntamente con la casación cuando la resolución impugnable se determine en función del interés casacional; 3º) el recurso de casación siempre podrá utilizarse de forma aislada; 4º) la interposición conjunta de ambos recursos obliga, una vez admitidos, a examinar primero el de infracción procesal y solo en caso de desestimación o estimación sin nulidad se entrará a resolver la casación.

A) Ante el órgano *a quo*

Como en la mayoría de los recursos devolutivos el procedimiento se divide en dos fases correspondiendo la inicial al tribunal que dictó la sentencia impugnada, es decir, a la Audiencia Provincial. Ante ella, la parte recurrente formulará su pretensión impugnatoria y, siendo admitida, continuará la tramitación con la remisión de las actuaciones al órgano *ad quem*.

a) *Interposición por el recurrente*

Suprimida la preparación del recurso, el acto inicial del procedimiento es la interposición, por escrito, en el plazo de 20 días desde el siguiente a la notificación y con firma de abogado y procurador.

Contenido de este escrito será: 1º) Una referencia a la procedencia y admisibilidad del recurso con mención especial para la recurribilidad de la resolución y, si fuera el criterio, para el interés casacional (acompañando el texto de aquellas sentencias en las que se produzca la contradicción afirmada). 2º) La exposición de las razones en que la parte recurrente fundamente su impugnación. De manera ordenada y separada se alegarán los motivos del recurso argumentando al respecto con cita de la norma infringida y, en su caso, con justificación de la denuncia previa, la petición de subsanación o su influencia en el proceso (infracción procesal). Tratándose de una interposición conjunta, se comenzará con los motivos referentes a la vulneración de norma procesal, con referencia a la causal concreta, para luego introducir las infracciones de la norma material (aunque el motivo es único, las contravenciones pueden no serlo). 3º) El suplico, que se adaptará al motivo alegado. 4º) Y peticiones adicionales y opcionales son la celebración de vista y, solo en el recurso por infracción procesal, la práctica de prueba para acreditar el quebrantamiento alegado.

> Además de las copias y en casación de acompañar la certificación de la sentencia impugnada, es necesario la constitución de un depósito en cuantía de 50 euros por recurso (DA 15ª LOPJ) y la consignación —pago o depósito— de rentas, indemnizaciones o gastos comunes en los procesos a que se refiere el art. 449 LEC.

b) *Examen de admisibilidad*

Presentado el escrito de interposición, se ha de controlar su formulación en plazo y ante órgano competente. Igualmente si la resolución es recurrible y si el escrito reúne los requisitos formales, de contenido y de postulación exigidos con carácter general o especial por la ley.

El incumplimiento de alguno de ellos —y la imposibilidad de subsanación— conduce a la inadmisión del recurso y a la advertencia sobre la facultad de recurrir en queja. Verificada su concurrencia, se le tendrá por interpuesto debiendo remitirse las actuaciones al órgano superior funcionalmente competente con emplazamiento de las partes por plazo de 30 días.

B) Ante el tribunal *ad quem*

Recibidos los autos y personado el recurrente, si no lo hiciera se declarará desierto el recurso, Tribunal Supremo o Tribunales Superiores de Justicia decidirán sobre la admisión de la impugnación y, en función de su sentido, continuarán o pondrán fin al procedimiento.

a) Trámite de admisión

Aunque se haya tenido por interpuesto el recurso, el juzgador *ad quem* ha de controlar de oficio: primero, su propia competencia (con trámite distinto en infracción procesal y en casación, arts. 62 y 484 LEC); después, la recurribilidad de la resolución y la concurrencia del resto de requisitos de admisibilidad (comenzando, si se tratara de una interposición conjunta, por los que se refieren a la infracción procesal). Entendiéndose competente y considerando que puedan existir razones de inadmisibilidad, el tribunal dará audiencia a las partes para que formulen alegaciones al respecto y luego disponer en consecuencia. La decisión inadmitiendo el recurso conllevará la firmeza de la resolución impugnada, la admisión, sea o no en su totalidad, comporta la continuación de la tramitación.

> El examen se efectúa de conformidad con los arts. 473 (infracción procesal) y 483 (casación) y, al menos si fuera el Tribunal Supremo el competente, siguiendo los criterios que, sobre recurribilidad, admisión y régimen transitorio, fija el Acuerdo de la Junta General de Magistrados de su Sala Civil, de 27 de enero de 2017.

b) Oposición por las demás partes y vista eventual

La posibilidad de contradicción surge una vez admitido el recurso y con el traslado a las demás partes a efectos de su contestación, en el plazo de 20 días y por escrito, también firmado por abogado y procurador. No siendo posible la denominada adhesión al recurso, el contenido de este acto será la oposición a la pretensión impugnatoria, a realizar de modo ordenado y separado si fueren varios motivos y recursos, y con petición de desestimación. Previamente se habrá podido plantear la presencia de causa de inadmisión y se podrá terminar con solicitud de vista y, en infracción procesal, de práctica de prueba.

Concluido el plazo y se hayan o no presentado alegaciones, se señalará día para votación y fallo o, eventual y excepcionalmente dado el escenario previsto, para la vista. Ésta se celebrará si se propuso prueba y fue admitida (infracción procesal); si lo pidieron todas las partes (casación); o si, a juicio del tribunal, fuera conveniente para la mejor impartición de justicia (en ambos recursos).

> El desarrollo del acto se ajustará a las reglas generales, comenzando con la prueba, si la hubiere, y a continuación con los informes orales de las partes recurrente y recurrida (si fueran varios impugnantes se seguirá el orden de interposición, el de comparecencias si lo fueran los recurridos).

C) Decisión

En el plazo establecido la Sala dictará sentencia, que será irrecurrible, estimando o desestimando la impugnación. En este último caso y además de la condena en costas, declarará no haber lugar al recurso. Lo hará mediante resolución de fondo, que se basará en el rechazo de los motivos alegados, y excepcionalmente procesal, al apreciar una causa de inadmisión y convertirse en este momento en causa de desestimación.

La estimación comporta que el tribunal «case» la sentencia impugnada. A partir de ahí, los pronunciamientos se diversifican en función del recurso y la justificación utilizada. En infracción procesal y si el defecto apreciado incidiera en la decisión recurrida, la sentencia que se dicte resolverá sobre el objeto del proceso, en otro caso, y salvo que se trate de falta de jurisdicción o competencia, ordenará la reposición de las actuaciones. En casación, sin embargo, siempre habrá de fallarse la cuestión litigiosa declarando, si concurre interés casacional, lo que corresponda respecto a la doctrina jurisprudencial. Y cuando se trate de una interposición conjunta solo la desestimación del de infracción procesal o su estimación por motivo que obligue a resolver el fondo del asunto permitirá el conocimiento de la casación (arts. 476, 487 y DF 16ª.7ª LEC).

V. EL DENOMINADO RECURSO EN INTERÉS DE LEY

Volvemos al sistema originario de la LEC y a la previsión de un recurso extraordinario por infracción procesal cuya decisión, competencia de los Tribunales Superiores de Justicia, pone fin al litigio planteado. Siendo diecisiete los órganos jurisdiccionales a los que se atribuye el conocimiento de este medio de impugnación, parece evidente que su función uniformadora se manifieste como eminentemente relativa pues no evita que una misma norma jurídica, que aquí lo sería de naturaleza procesal, sea objeto de diversas y discrepantes interpretaciones y que unas y otras convivan en el territorio nacional. Ante esta situación y con el fin de conseguir la correspondiente unidad de doctrina jurisprudencial, el legislador prevé un llamado recurso en interés de ley a conocer por un único órgano: la Sala de lo Civil del Tribunal Supremo. Ocurre, sin embargo, que a día de hoy este instrumento no está en vigor. La actual regulación de los recursos extraordinarios así lo ha dispuesto al privarle, por razones obvias, de función (DF 16ª.2ª en relación a los arts. 490 a 493 LEC).

A) Concepto, características y órgano competente

El llamado recurso en interés de ley es un expediente procesal dirigido a la unificación de jurisprudencia en lo que se refiere a normas de aquella naturaleza. Su establecimiento responde a las diferencias de criterio que pueden surgir en la aplicación e interpretación de tales disposiciones por los Tribunales Superiores de Justicia y al decidir del recurso extraordinario por infracción procesal.

Se denomina recurso por resultar este término «más expresivo y comunicativo». No obstante y como se desprende de la propia Exposición de Motivos de la LEC, técnicamente no estamos ante un medio de impugnación en sentido estricto. En primer lugar, no existe proceso pendiente alguno, al contrario, se ha dictado sentencia con ocasión de la resolución del recurso por infracción procesal y dicha resolución es firme produciendo efectos de cosa juzgada. En segundo lugar, no se trata de un instrumento puesto a disposición de la parte gravada por la resolución que se «impugna», al contrario, la legitimación se concede únicamente al Ministerio Fiscal, al Defensor del Pueblo y a las personas jurídicas de Derecho público que, por su actividad o función, acrediten interés legítimo en la unidad jurisprudencial sobre la norma o el derecho procesal de que se trate (Colegios de Abogados). Finalmente y consecuencia de lo anterior, la sentencia dictada respetará las situaciones jurídicas particulares decididas con anterioridad en las resoluciones discrepantes que fundamentaron el «recurso». No se protege, por tanto, el *ius litigatoris* sino única y exclusivamente el *ius constitutionis* o, mejor, el interés público asociado a medidas tales como la unidad de doctrina y la creación de jurisprudencia.

No extrañará entonces que la competencia se atribuya al Tribunal Supremo, a la Sala Civil, manteniéndose así esa condición de órgano superior dentro de la jurisdicción ordinaria que le concede nuestra Constitución (art. 123).

B) Sobre las resoluciones recurribles, el procedimiento y la decisión

El recurso en interés de ley procede únicamente frente a sentencias firmes dictadas por los Tribunales Superiores de Justicia en el ámbito de un recurso extraordinario por infracción procesal (art. 490 LEC).

> Positivamente, las resoluciones impugnadas han de ser varias precisándose la presencia de divergencias interpretativas entre ellas y respecto a una norma de naturaleza procesal. Su admisibilidad va a depender también de una estipulación adicional: que la sentencia más moderna que se alegue haya sido dictada en el año inmediatamente anterior a la interposición del recurso.
>
> Negativamente se exige además que frente a dichas resoluciones no se haya acudido en amparo ante el Tribunal Constitucional. La razón es sencilla: impedir posibles contradicciones con el órgano que en nuestro ordenamiento jurídico resulta ser máximo intérprete de los derechos fundamentales, de todos ellos incluidos los de naturaleza procesal (art. 24 CE).

La tramitación del «recurso» se desarrolla en su totalidad en el Tribunal Supremo. No hay, por tanto, dos fases diferenciadas por el órgano al que correspondería su conocimiento sino que las partes formularán sus alegaciones directamente ante la Sala Civil y a continuación ésta procederá a dictar sentencia.

> La interposición, a realizar por sujeto legitimado, ha de efectuarse en el plazo de un año desde que se dictó la sentencia más moderna. En este escrito se podrá en conocimiento del Tribunal Supremo la existencia de los pareceres discrepantes no siendo preciso efectuar un análisis jurídico detallado al respecto. Obligado, sin embargo, será acompañar tanto la copia certificada o el testimonio de las resoluciones disconformes como la certificación expedida por el Tribunal Constitucional que acredite que, transcurrido el plazo para accionar en amparo, no se ha presentado demanda alguna contra dichas sentencias. Uno y otro extremo, junto con los restantes presupuestos y requisitos para el ejercicio válido de este expediente procesal, deberán ser comprobados inadmitiéndose el «recurso» en ausencia de los mismos y, en su caso, previa opción fallida de subsanación.
>
> Admitido el escrito de interposición, el Letrado de la administración de justicia dará traslado a las partes que fueron de los procesos donde recayeron las sentencias contradictorias de los Tribunales Superiores de Justicia para que, en el plazo de 20 días, puedan efectuar alegaciones, aquí sí expresando los criterios jurídicos que consideren más fundados. Y se presenten o no, la Sala resolverá sin celebración de vista.

Obviamente la resolución final se pronunciará sobre la discrepancia interpretativa surgida, en opinión del «recurrente», en el seno de los Tribunales Superiores de Justicia. Si no aprecia divergencia alguna, desestimará la «impugnación». Por el contrario, si la considera existente, fijará en el fallo la doctrina jurisprudencial que entienda acertada sobre la norma o el derecho en cuestión y ordenará su publicación en el BOE.

> A partir de ese momento la sentencia completará el ordenamiento jurídico vinculando, con efectos que van más allá de lo dispuesto en el art. 1.6 CC, a

todos los jueces del orden civil diferentes al Tribunal Supremo. Y, sea cual sea su sentido, el fallo emitido respetará las situaciones jurídicas particulares de las sentencias examinadas de modo tal que no producirá consecuencia alguna sobre quienes fueron parte en los procesos donde se resolvieron los recursos por infracción procesal.

Legislación: Constitución, Ley de Enjuiciamiento Civil.
Lectura: MONTERO y FLORS: *El recurso de casación civil*, 3ª ed., Valencia, 2018.

CAPÍTULO VIII
LOS EFECTOS DEL PROCESO

Lección Vigesimotercera
La cosa juzgada

I. FIRMEZA E INVARIABILIDAD DE LAS RESOLUCIONES
a) Firmeza: Para las partes: art. 207
b) Invariavilidad: Para el tribunal: art. 214

II. LA COSA JUZGADA FORMAL: SEGURIDAD JURÍDICA
Efecto interno: art. 207; Tribunal vinculado
Todas las resoluciones, menos la última

III. LA COSA JUZGADA MATERIAL:
La cosa juzgada como fenómeno único
A) Concepto
Sobre otro proceso. Externo
Esencia de la jurisdicción
B) Naturaleza jurídica
No presunción de verdad
No teoría material
Teoría procesal. Vínculo de naturaleza pública y seguridad jurídica
C) Resoluciones susceptibles de esta cosa juzgada
Las sentencias. Pero:
1. Sentencias constitutivas
2. Resoluciones cautelares
3. En juicios sumario

IV. FUNCIONES DE LA COSA JUZGADA:
A) Negativa o excluyente
Impide inicio o, mejor, decisión en otro juicio
B) Positiva o prejudicial
Determina parte de otra sentencia

V. LÍMITES DE LA COSA JUZGADA:
Identidades de pretensión
A) Subjetivos
a) Identidad subjetiva
b) Extensión a determinados terceros
c) Extensión *erga omnes*
B) Objetivos
a) Pretensión: hechos, relaciones jurídicas, petición,
b) Resistencia
C) Temporales
Dies a quo y *dies ad quem*

VI. TRATAMIENTO PROCESAL DE LA COSA JUZGADA
a) De la función negativa
b) De la función positiva

I. FIRMEZA E INVARIABILIDAD DE LAS RESOLUCIONES

El efecto más importante del proceso es la cosa juzgada, tanto que la existencia de la misma es elemento determinante de la jurisdicción, lo que justifica su estudio detenido. Antes de afrontarlo es necesario, con todo, aclarar dos conceptos previos.

A) Firmeza

Es un efecto propio de todas las resoluciones judiciales, referido a las partes, por el que la resolución no puede ya ser recurrida por éstas. Es, por consiguiente un efecto interno del proceso en el que la resolución se dicta, por virtud del cual contra una resolución no cabe recurso. Por ello dice el art. 207.2 que son resoluciones firmes aquéllas contra las que no cabe recurso alguno, lo que puede producirse atendiendo a dos órdenes de razones:

1.ª) Cuando por la naturaleza de la resolución no quepa contra ella recurso, por no estar éste previsto en la ley.

> Naturalmente no podemos realizar aquí una enumeración exhaustiva de las resoluciones que se encuentran en este caso, debiendo estarse a cada uno de los supuestos en concreto, pero algunas son evidentes: las sentencias del Tribunal Supremo.

2.ª) Cuando la ley conceda algún recurso y a pesar de ello la resolución se convierte en firme porque: 1) Las partes dejan transcurrir el plazo para preparar o interponer el recurso sin haberlo utilizado, 2) Se produce el desistimiento del recurso interpuesto por medio de la declaración de voluntad expresa del recurrente (art. 450), ó 3) El recurrente incumple algún requisito y el recurso se declara inadmisible (arts. 452, II, 457.4, 470.3 y 480.1 LEC) o desierto (arts. 458.2, 471, III, y 481.4 LEC).

> Cuando la firmeza se refiere a la sentencia sobre el fondo hay que destacar dos aspectos concretos:
> 1) Normalmente la sentencia firme abre el camino para la ejecución, pero no deben confundirse firmeza y ejecutabilidad. Existen sentencias no firmes (es decir, que han sido recurridas, estando pendiente el recurso) que son ejecutables provisionalmente, lo que ahora tiene especial incidencia, dada la amplitud concedida a la ejecución provisional en el Título II del Libro III de la LEC (Lección Vigesimoséptima).
> 2) La firmeza es paso previo y condición para que la sentencia sobre el fondo produzca cosa juzgada material. Mientras no se haya alcanzado sentencia firme, si se inicia un proceso posterior entre las mismas partes y con el mismo objeto, en éste no podrá alegarse la excepción de cosa juzgada, sino la de litispendencia (de donde resulta, una vez más, que entre litispendencia y cosa juzgada, como excepciones, existe únicamente una diferencia temporal).

B) Invariabilidad

Este otro efecto se refiere al tribunal que dicta la resolución, cualquier resolución, y se concreta en que no podrá ya variarla de oficio. Como dicen los arts. 267.1 LOPJ y 214.1 LEC los tribunales no podrán variar las resoluciones que pronuncien después de firmadas.

> Nuestro proceso civil, en general, parte del principio de que todas las resoluciones interlocutorias pueden y deben adquirir firmeza e invariabilidad, único medio para que el proceso avance. La decisión del legislador ha sido la de que todas las resoluciones (y no sólo las sentencias) tienen que convertirse en firmes, en que todas están llamadas a adquirir firmeza (art. 207 LEC), y en que todas se convierten en invariables para el tribunal (art. 214), aunque a veces pudiera parecer más acorde con la economía procesal que el tribunal tuviera la facultad de modificar las resoluciones interlocutorias de oficio en cualquier instante o bien que las partes pudieran impugnarlas en cualquier momento. En principio es más conveniente para el proceso, para su normal desarrollo, la producción de firmeza y la invariabilidad de estas resoluciones.

Cosa distinta de la invariabilidad y no contraria a ella es la aclaración, la corrección, la subsanación y el complemento de sentencias y autos incompletos o defectuosos (arts. 214 y 215 LEC y en general art. 267 LOPJ), pues no se trata entonces de modificar el contenido de la resolución. Naturalmente la declaración de oficio de la nulidad de actuaciones (arts. 225 y ss. LEC) tampoco guarda relación con la invariabilidad de las resoluciones judiciales.

II. LA COSA JUZGADA FORMAL

La expresión «cosa juzgada» se utiliza por la doctrina y por la LEC (arts. 207 y 222) con dos sentidos diferentes, aunque los dos responden a una misma idea base. Se habla así de cosa juzgada formal y de cosa juzgada material.

La cosa juzgada formal es un efecto interno de las resoluciones judiciales, en cuanto que se refiere al proceso mismo en el que la resolución se dicta, en virtud del cual las partes y el tribunal, en el desarrollo posterior del proceso, no podrán desconocer lo decidido en la resolución que la ha producido, es decir, en la resolución que ha pasado en cosa juzgada formal. A este efecto se refiere el art. 207 LEC cuando dice que las resoluciones firmes pasan en autoridad de cosa juzgada «y el tribunal del proceso en que hayan recaído deberá estar en todo caso a lo dispuesto en ellas».

Ese «estar en todo caso a lo dispuesto en la resolución que ha pasado en cosa juzgada» significa:

a) El tribunal queda vinculado por su propia decisión y en la continuación del proceso: 1) No podrá dictar resolución en la que decida de modo contrario a lo decidido en una resolución anterior pasada en cosa juzgada, y 2) Todas las resoluciones posteriores han de partir del presupuesto lógico de lo decidido en las resoluciones anteriores con fuerza de cosa juzgada. En el mismo sentido las partes no podrán pedir, en el desarrollo posterior del proceso, decisión judicial alguna que niegue estos efectos.

> La cosa juzgada formal añade, pues, algo a la firmeza y a la invariabilidad de las resoluciones. La firmeza impide a las partes recurrir una resolución y la invariabilidad impide al tribunal volver atrás y variar el contenido de una resolución. La cosa juzgada formal supone que en la continuación del proceso las partes no pueden pedir y el tribunal no puede decidir en contra de lo ya decidido (efecto negativo) y que todas las peticiones de las partes y todas las resoluciones judiciales posteriores han de partir de la existencia de lo ya decidido (efecto positivo).

b) Esta cosa juzgada formal la producen todas las resoluciones que se dictan a lo largo del proceso, pero no aquéllas que ponen fin al mismo sea la sentencia sea un auto.

Si esta cosa juzgada se produce en el proceso mismo en que la resolución se dicta y si afecta al desarrollo posterior del proceso, parece obvio que la misma no puede ser producida por las resoluciones que ponen fin al proceso. Estas resoluciones que acaban con el proceso pueden convertirse en firmes y son siempre invariables y, en su caso, podrán producir cosa juzgada material, pero no podrán producir cosa juzgada formal por la razón de que ya no va a producirse actividad procesal al haber finalizado el proceso. Si no hay más actividad procesal, no cabe que la misma esté vinculada por la cosa juzgada formal, a riesgo de incurrir en una grosera contradicción lógica.

La razón de ser de esta cosa juzgada formal debe buscarse en la seguridad jurídica y en que el proceso se desarrolle de un modo ordenado. Al valor justicia puede convenirle que en cualquier momento del proceso pudiera volverse a decidir sobre lo ya decidido en las resoluciones que van dictándose durante su curso, con la esperanza de lograr un mayor nivel de adecuación a la legalidad procesal, pero esa posibilidad significaría un desarrollo del proceso en el que nunca podría estarse seguro de la estabilidad de las resoluciones. La seguridad jurídica y el orden adecuado del proceso imponen que todas las resoluciones (menos la última) produzcan la cosa juzgada formal.

III. LA COSA JUZGADA MATERIAL

El fenómeno jurídico de la cosa juzgada es único, pero sus consecuencias son distintas en atención al ámbito en que una y otra se producen. La formal atiende al mismo proceso en el que la resolución se dicta, mientras que la material se refiere a otro proceso distinto. Por ello las resoluciones que producen una y otra han de ser diferentes; la formal la producen todas las resoluciones que se dictan, menos la última; la material la produce sólo la sentencia que se pronuncia sobre el fondo del asunto.

A) Concepto

Si el ámbito de la cosa juzgada formal es el proceso mismo en el que la resolución se dicta, el de la cosa juzgada material es otro proceso distinto y posterior, y supone la vinculación, en ese otro proceso, al contenido de lo decidido en la sentencia sobre el fondo del asunto del primer proceso, es decir, a la estimación o desestimación de la pretensión. Los efectos de esta cosa juzgada material, pues, no tienen carácter interno, sino externo; no se reflejan en el proceso en el que se dicta la sentencia que produce la cosa juzgada material, sino en otro proceso posterior.

Cuando se habla de la cosa juzgada material generalmente se está haciendo referencia sólo al efecto de la vinculación en otro proceso posterior, pero no puede desconocerse que la expresión puede utilizarse con dos sentidos:

a) El primer sentido hace referencia al especial estado jurídico en que se encuentran algunos asuntos o cuestiones por haber sido objeto de enjuiciamiento definitivo en un proceso, y así se habla de «esto es ya cosa juzgada» aludiendo a que una determinada relación jurídica ha quedado definida después de un proceso, razón por la que puede decirse que la cosa juzgada no la produce tanto la sentencia que al final de él se dicta como el proceso mismo en su conjunto.

> Este efecto de la cosa juzgada no es procesal, en el sentido de que no opera en un proceso posterior, sino en el campo de las relaciones jurídicas materiales y entre los sujetos de las mismas. Estos sujetos, más o menos voluntariamente, adecuarán sus actuaciones a la solución final de la cuestión entre ellos existente y ya resuelta.

b) El segundo sentido atiende a ciertos efectos de determinadas resoluciones judiciales y, más específicamente, al efecto de la principal resolución, que es la sentencia en el fondo, con lo que cuando se dice «hay cosa juzgada» es para dar a entender que en un proceso posterior se ha de excluir otro enjuiciamiento sobre lo ya juzgado o se tiene que partir necesariamente de lo ya juzgado.

> Este efecto de la cosa juzgada es el propiamente procesal y es al que aquí se atiende de modo principal, por cuanto el mismo no queda entre las partes sino que alcanza a los órganos jurisdiccionales. Mientras que el primero se aplica por los particulares, titulares de la relación jurídica material, este segundo no puede

quedar a la discrecionalidad de esos particulares, como veremos después en el tratamiento procesal de la cosa juzgada.

En la cosa juzgada material lo que está en juego es la esencia de la jurisdicción. El desconocimiento de aquélla en un proceso posterior no significaría sólo una vulneración del art. 24.1 de la CE, sino el privar de contenido a la jurisdicción misma. El Tribunal Constitucional se ha visto obligado a encauzar el desconocimiento de la cosa juzgada material en un segundo proceso por la vía de la vulneración del art. 24.1 de la CE, pero ello es consecuencia de que los recursos de amparo se han de basar en la vulneración de un derecho fundamental, aunque lo importante conceptualmente es que la cosa juzgada hace a la esencia de la jurisdicción tal y como se entiende ésta en el art. 117 de la misma.

B) Naturaleza jurídica

La cosa juzgada material supone una vinculación a la decisión jurisdiccional en cualquier otro proceso posterior en el que concurran determinadas identidades, pero es preciso explicar el porqué de esa vinculación. Fundamentalmente se habían ofrecido dos explicaciones hoy superadas.

> 1.ª) Presunción de verdad: Se trataba de sostener que la coda juzgada era una presunción *iuris et de iure*, algo insostenible pues las decisiones judiciales no son declaraciones de verdad, sino de voluntad; la sentencia no vincula por sus razonamientos, sino porque contiene la voluntad del Estado y sin perjuicio, naturalmente, de que no puede ser arbitraria y de la necesidad de motivación.
>
> 2.ª) Teoría material: Los civilistas del siglo XIX estimaron que la cosa juzgada material justifica su fuerza vinculante porque la sentencia establece en cada caso cuál es el derecho entre las partes. Esta teoría no era conciliable con el propio derecho material, pues las relaciones jurídico materiales no se crean en las sentencias, dado que estas sólo declaran. ¿En qué lugar se dice que la sentencia crea relaciones jurídicas privadas? (salvo los supuestos de sentencias constitutivas).

Hoy se está a la llamada teoría procesal. En ella se parte de la distinción entre lo material y lo procesal y de razones de conveniencia política. La cosa juzgada material es un vínculo de naturaleza jurídico pública que obliga a los tribunales a no juzgar de nuevo lo ya decidido. La seguridad jurídica exige que los litigios tengan un final; cuando se han agotado los medios que el ordenamiento pone a disposición de las partes para que éstas hagan valer en juicio sus derechos, la decisión final debe ser irrevocable. La cosa juzgada tiene naturaleza procesal, independientemente del cuerpo legal que la regule.

Resulta así que la cosa juzgada formal y la material tienen la misma razón de ser o fundamento: la seguridad jurídica. Al aplicar ésta en el ámbito de un proceso distinto y posterior debe tenerse en cuenta que:

1.°) Cuando una persona acude a un órgano jurisdiccional impetrando su tutela efectiva, lo hace normalmente porque ha surgido una situación de incertidumbre respecto de la existencia y/o contenido exacto de una relación jurídico material, esto es, porque se ha planteado un conflicto de intereses que debe resolverse de modo que la incertidumbre sea sustituida por la seguridad. Después de realizar toda la actividad jurisdiccional tiene que llegar un momento en el que se declare con certeza si la relación existe y cuál es su contenido. Se ha de pasar de la incertidumbre a la seguridad.

2.°) Estamos aquí, una vez más, ante la pugna del valor justicia con el valor seguridad jurídica. Al primero podría convenirle que en cualquier momento pudiera someterse de nuevo al conocimiento judicial el tema ya resuelto en un proceso anterior, con la esperanza de alcanzar un mayor nivel de adecuación a la legalidad material, pero esa posibilidad significaría que las relaciones jurídico materiales estarían siempre sujetas a discusión, sin alcanzar nunca estabilidad. La seguridad jurídica impone que la discusión tenga un momento final, alcanzado el cual el resultado obtenido se convierta en irrevocable.

En la actualidad se está pretendiendo que la cosa juzgada material no puede ser algo mágico que se imponga en contra de la justicia, tal y como la entienda un juez posterior. Es decir, se trataría, nada menos, de que ese juez posterior si entendiera que la cosa juzgada anterior es, según su criterio, injusta pudiera no estar vinculado por ella y entrar a decidir según su apreciación de lo que es justo.

Con esta concepción se estaría desconociendo algo tan elemental como es la seguridad jurídica. Después de todo un proceso, quien hubiera obtenido una sentencia a su favor no podría estar tranquilo pues siempre podría existir un juez que considerara injusta la decisión anterior y resolviera en sentido contrario.

De esta naturaleza procesal de la cosa juzgada hay que partir para resolver los problemas relativos a su tratamiento procesal y al ámbito de vigencia territorial y temporal de las normas que la regulan. Esta teoría justifica, además, la existencia de varias clases de pretensiones (especialmente las constitutivas) y, sobre todo, el que la cosa juzgada se limite subjetivamente a las partes, pues la declaración de voluntad de la sentencia se refiere a ellas.

C) Resoluciones susceptibles de esta cosa juzgada

Mientras la cosa juzgada formal la producen todas las resoluciones que se van dictando en el proceso (menos la última, la que le pone fin), la cosa juzgada material es exclusiva de las sentencias que se pronuncian sobre el fondo del asunto. En efecto, la cosa juzgada sólo puede referirse a aquellas resoluciones en las que el tribunal responde directamente a la tutela pedida en la pretensión y en la resistencia, a aquéllas en que se contiene la declaración de voluntad del Estado. Así se desprende del art. 222 LEC.

Existen así, en este orden de cosas, tres tipos de resoluciones:

1.ª) Las que se van dictando a lo largo del proceso, que producen cosa juzgada formal.

2.ª) La sentencia que se pronuncia sobre el fondo del asunto y que es la última resolución del proceso, la cual no produce cosa juzgada formal pero sí cosa juzgada material.

3ª) Las resoluciones que ponen fin al proceso pero que no deciden sobre el fondo del mismo (los autos definitivos), que no producen ni cosa juzgada formal ni cosa juzgada material.

> Es evidente que el auto de sobreseimiento de los arts. 418.2, 421.1, 423.3, 424.2 LEC, por ejemplo, una vez firme pone fin al proceso y, sin embargo no produce cosa juzgada formal, pues después del mismo no existe otra actividad, ni tampoco produce cosa juzgada material, pues no impide la existencia de un proceso posterior con las identidades a que nos referimos a continuación.

Los problemas se refieren a algunas sentencias que, aun pronunciándose sobre el fondo del asunto, se ha cuestionado su producción o no de cosa juzgada material. Se trata de:

1.º) Sentencias constitutivas: Se ha negado que estas sentencias produzcan cosa juzgada, estimando que no la necesitan, porque la propia sentencia crea o constituye una nueva situación jurídica que no puede ser desconocida. Esta afirmación tiene tan graves inconvenientes que debe estarse a la conclusión contraria.

> Se trata sobre todo de que si las sentencias constitutivas no tuvieran valor de cosa juzgada no podría excluirse un proceso posterior con el mismo objeto, con lo que la situación creada podría ser modificada en otro proceso; es decir, el aspecto positivo o prejudicial de la cosa juzgada puede no ser necesario en virtud del cambio producido por la propia sentencia, pero el aspecto negativo o excluyente no existiría sin cosa juzgada.

2.º) Resoluciones cautelares (art. 735 LEC): El proceso cautelar es instrumental con relación a otro proceso, del que tiende a garantizar sus resultados, y por tanto las medidas que en aquél se adoptan deben acomodarse a las circunstancias (con arreglo al principio *rebus sic stantibus*) (art. 726.2 LEC). Ahora bien, si las circunstancias existentes en el momento de adoptar la medida permanecen, la resolución es inalterable. Si los hechos permanecen, a la pretensión de modificación, supresión o adopción de medidas cautelares ejercitada, puede oponerse la excepción de cosa juzgada; si los hechos no son los mismos, por haber cambiado el *periculum in mora* base del proceso cautelar, no podrá alegarse o, mejor, no podrá estimarse la excepción porque la pretensión no es la misma al haber cambiado su *causa petendi*.

3.º) Sentencias de los juicios sumarios: Se refiere la LEC en algunos artículos (arts. 250.1, 1.º, 3.º, 4.º, 5.º, 6.º, 7.º, 10.º y 11.º, y 447), bien a la tutela sumaria, bien al carácter sumario de algunos juicios, bien a que la sentencia no tiene efectos de cosa juzgada, expresiones que tienen el mismo valor y que denotan que estamos ante procesos sumarios.

Esta clase de procesos se caracterizan por sus limitaciones; se limitan las alegaciones de las partes, el objeto de la prueba y con ello naturalmente la cognición judicial. Resulta así la posibilidad de un proceso plenario posterior en el que las partes podrán, sin limitaciones, plantear el conflicto que las separa y, por ello, las sentencias de los procesos sumarios se caracterizan, precisamente, porque no producen cosa juzgada material.

IV. FUNCIONES DE LA COSA JUZGADA MATERIAL

Como hemos dicho la cosa juzgada material, en su efecto procesal, se resuelve en la vinculación en otro proceso al contenido de lo decidido en la sentencia, pero esta vinculación puede actuar de dos maneras distintas, que se corresponden con las llamadas funciones de la cosa juzgada.

A) Negativa o excluyente

La primera de ellas, llamada negativa o excluyente, supone la exclusión de toda decisión jurisdiccional futura entre las mismas partes y con el mismo objeto, es decir, sobre la misma pretensión. Es el tradicional principio del *non bis in idem*. A ella se refiere el art. 222.1 cuando dice que la cosa juzgada de las sentencias firmes, sean estimatorias o desestimatorias, excluirá, conforme a la ley, un ulterior proceso.

Teóricamente esta función debería impedir la iniciación de un nuevo proceso sobre la misma pretensión, pero dadas las dificultades prácticas de esto la función atiende principalmente a impedir que se dicte una nueva decisión sobre el fondo del asunto. La cosa juzgada no puede impedir la iniciación de un nuevo pleito, pues la fuerza de la misma no puede determinarse a priori, pero sí se opone a que se dicte un nuevo fallo sobre el fondo.

> Presentada la demanda en el segundo proceso, la fuerza de la cosa juzgada no puede hacer que el tribunal la inadmita, y ello por la simple razón de que ese tribunal no puede tener conocimiento en ese momento de la existencia de la cosa juzgada formada en un primer proceso. La admisión de la demanda se impone. Una vez el proceso en tramitación, la constatación procesal por el tribunal de

la existencia de la cosa juzgada debería conducir a que se concluyera inmediatamente el proceso, pues en el mismo será ya evidente que no podrá llegar a
dictarse una sentencia sobre el fondo del asunto. Ahora bien, esta terminación
inmediata del proceso depende de la regulación procedimental del mismo, de
modo que el proceso deberá concluirse sin desarrollarlo completamente cuando
exista cauce para ello (que es lo que ocurre en el juicio ordinario atendido lo
dispuesto en el art. 421 LEC). En otro caso la fuerza de la cosa juzgada supondrá
sólo que, llegado el momento de la sentencia, en ella el juez no podrá decir sino
que no puede entrar a decidir de nuevo.

Esta función negativa, pues, no obliga a que en el segundo proceso se
resuelva con el mismo contenido con que se resolvió el primero, sino que
impone al tribunal no resolver.

B) Positiva o prejudicial

La función positiva o prejudicial es consecuencia de la anterior e implica el deber de ajustarse a lo juzgado cuando haya de decidirse sobre una
relación jurídica de la que la sentencia anterior es condicionante o prejudicial. La cosa juzgada no opera aquí como excluyente de la resolución
de fondo posterior, sino que condiciona esta segunda decisión, y por eso
se habla también de función prejudicial. A esta función se refiere el art.
222.4 al decir que lo resuelto con fuerza de cosa juzgada en la sentencia
firme que haya puesto fin a un proceso vinculará al tribunal de un proceso
posterior cuando en éste aparezca como antecedente lógico de lo que sea
su objeto.

La función positiva trata de evitar que dos relaciones jurídicas sean
resueltas de modo contradictorio, cuando una de ellas entra en el supuesto fáctico de la otra, cuando para decidir sobre la segunda se tendría que
decidir sobre la primera y, sin embargo, ésta ha sido ya resuelta en un
proceso anterior.

> Si un proceso se ha declarado que no existe una servidumbre de paso, en
> otro posterior en el que el dueño del predio no sirviente demande al dueño del
> predio no dominante por los daños y perjuicios derivados del paso, se ha de partir
> necesariamente de la no existencia de la servidumbre; podrá discutirse ahora si
> existen o no los daños, pero el hecho de la no existencia de la servidumbre es
> indudable y operará como prejudicial respecto de la falta de derecho a seguir
> utilizando el camino, senda o cañada.

Sin perjuicio de lo que diremos después, importa precisar aquí que la
función positiva de la cosa juzgada no puede exigir la concurrencia en los
dos procesos de las identidades objetivas a las que se refiere el art. 222.1
(aunque sí las subjetivas). Si concurren estas identidades estaremos ante la
función negativa. Para la función positiva los dos objetos de los dos procesos han de ser «parcialmente idénticos» o «conexos». Concurriendo la

identidad subjetiva, la función positiva no puede exigir identidad objetiva entre los dos procesos, sino sólo que la relación jurídica definida en la sentencia entra en el supuesto fáctico del segundo proceso.

> Si la función positiva de la cosa juzgada no busca excluir la posibilidad de una segunda decisión sobre lo ya resuelto en un primer proceso, es evidente que no podrá exigirse la identidad objetiva entre los dos procesos. Firme la identidad subjetiva —que siempre deberá concurrir— la función positiva operará cuando lo resuelto en el primer proceso sea prejudicial respecto de lo planteado en el segundo, cuando la relación jurídica de que se trata en el segundo proceso sea dependiente de la definida en el primero.

V. LÍMITES DE LA COSA JUZGADA

La vinculación en que se resuelve la cosa juzgada material formada en un proceso con relación a otro proceso posterior es obvio que ha de requerir una serie de identidades entre los dos. La cosa juzgada sólo podrá oponerse en el segundo proceso cuando la pretensión ejercitada en éste sea la misma que se resolvió en el primero. Estamos así diciendo que los límites de la cosa juzgada han de referirse a la pretensión y a sus elementos identificadores.

> Cabría así efectuar una remisión a los elementos identificadores de la pretensión, esto es, a sus elementos subjetivos (las partes) y a sus elementos objetivos (causa de pedir y petición), y con ellos a las Lecciones Segunda, Tercera y Sexta, de modo que restaría únicamente referirse aquí a los límites temporales. Con todo vamos a incidir ahora en algunos problemas específicos.

A) Subjetivos

La regla general de la que debe partirse es que la cosa juzgada se limita a las partes del proceso, con lo que la misma no beneficia ni perjudica a quien no fue parte, entendida ésta en el concepto procesal que en su momento dimos (Lección Segunda). La regla es una mera consecuencia del derecho de defensa o del principio de contradicción, si bien es preciso atender a alguna matización.

a) Identidad subjetiva

El art. 222.3 se refiere a esta identidad diciendo: «La cosa juzgada afectará a las partes del proceso en que se dicte», bien entendido que por parte se entiende el que haya demandado o sido demandado como titular de la relación jurídica u objeto litigioso, esto es, parte es, en su caso, el representado, no el representante. Se ha hablado así de la «calidad» con que se ha sido parte, y esa «calidad» no se refiere a la posición ocupada en el proceso, es decir, no atiende a la condición de demandante o de demandado, sino a lo que podemos considerar identidad jurídica.

Lo que realmente importa no es tanto la identidad física como la jurídica. Por ello aun tratándose de distintas personas físicas, la cosa juzgada despliega sus efectos: 1) Cuando en el primer juicio comparece el representante legal o voluntario de la parte y en el segundo lo hace la propia parte; por ejemplo, si en el primer juicio comparece el padre del menor y en el segundo actúa éste, después de adquirir la mayoría de edad, y 2) Cuando en el primer juicio actúa el sustituto procesal y en el segundo el sustituido.

> En otros casos, aun tratándose de las mismas personas físicas no existe cosa juzgada: 1) Cuando en el primer caso se actuó como representante y en el segundo en nombre propio; este es, por ejemplo, el caso de la persona que una vez actúa como representante de un menor o como órgano de una sociedad anónima, y luego por sí misma, y 2) Cuando en el primer proceso se litigó como sustituto procesal y en el segundo en nombre y por un derecho propio.

b) Extensión a determinados terceros

La regla general que hemos enunciado antes sufre algunas matizaciones que se refieren a terceros determinados que sí se ven afectados por la cosa juzgada, aunque no hayan sido formalmente parte en el primer proceso. Hay que distinguir:

1.º) Herederos y causahabientes de las partes.

> El sucesor a título universal o singular de alguna de las partes, queda afectado por la cosa juzgada formada respecto de su causante, siempre que el título de adquisición sea posterior a la constitución de la litispendencia; si la transmisión se ha producido antes de la litispendencia y el causante litigó sobre el derecho transmitido, por carecer de legitimación, la sentencia será ineficaz para el causahabiente.

2.º) Sujetos, no litigantes, titulares de los derechos que fundamenten la legitimación de las partes conforme a lo previsto en el art. 11 LEC.

> De este modo resulta que:
> 1.º) Quedan comprendidos en la cosa juzgada los titulares del derecho que no han litigado (que es el caso del sustituido en la legitimación extraordinaria por sustitución procesal, art. 10, II.
> 2.º) Quedan comprendidos en la cosa juzgada, y tanto sea la sentencia estimatoria como desestimatoria de la pretensión, los consumidores y usuarios que no hubieran sido parte, pero teniendo en cuenta:
> 1) Si la sentencia es estimatoria de la pretensión, podrá aplicárseles el art. 519, en su aspecto positivo.
> 2) Si es desestimatoria de la pretensión, los consumidores y usuarios no partes en el proceso no podrán iniciar un segundo proceso con la misma pretensión porque ello sería contrario a la seguridad jurídica.

3.°) Todos los socios en la impugnación de acuerdos societarios.

> Atendida la legitimación para impugnar dichos acuerdos (según el art. 206 de la Ley de Sociedades de Capital, RDLegis. 1/2010, de 2 de julio) y la norma especial de acumulación de acciones (art. 73.2 LEC), se dispone ahora que la sentencia que se dicte afectará a todos los socios, hayan impugnado o no, pues un acuerdo sólo puede ser o válido o nulo y lo ha de ser para todos los socios.

c) Extensión «erga omnes»

Según el párrafo II del art. 222.3 «en las sentencias sobre estado civil, matrimonio, filiación, paternidad, maternidad e incapacitación y reintegración de la capacidad la cosa juzgada tendrá efectos frente a todos a partir de su inscripción o anotación en el Registro Civil», con lo que se está disponiendo la eficacia *erga omnes* de estas sentencias.

> Debe tenerse en cuenta que en estos supuestos no se trata simplemente de los efectos constitutivos de la sentencia, sino de una verdadera extensión general de la cosa juzgada. Este efecto constitutivo llevará a que una persona sea capaz o incapaz frente a todos, incluidos los no legitimados para interponer la pretensión de incapacitación, pero la cosa juzgada supone, además, que si una persona es declarada capaz el efecto vinculante de la sentencia comprende a todos los legitimados para pedir la declaración de incapacidad, a los cuales podrá oponerse la excepción aunque no hayan sido parte en el proceso anterior. Una cosa es, pues, el efecto propio de las sentencias constitutivas y otra la extensión de la cosa juzgada.

B) Objetivos

Legalmente estos límites vienen referidos, en el art. 222.1 LEC, a que el «objeto del proceso» en que la cosa juzgada se produjo sea el mismo que el del segundo proceso, con lo que parece que todo puede resolverse mediante una remisión a lo que dijimos en la Lección Sexta sobre el objeto del proceso. Las cosas, con todo, no son tan simples y conviene distinguir entre:

a) Pretensión

Dentro de la pretensión, lo relativo a la petición o *petitum* no suele suscitar problemas, por cuanto que el bien jurídico al que se refirió la tutela judicial en el primer proceso tuvo que haber quedado plenamente identificado cualitativa y cuantitativamente y no ofrecerá dificultad compararlo con la petición de la pretensión del segundo proceso. Otra cosa sucede con la causa de pedir.

La tesis común en la jurisprudencia y en la doctrina era que la cosa juzgada no se extiende a toda la sentencia, sino solamente a la parte dispositiva de la misma, es decir, al fallo, con lo que se estaba diciendo que la cosa juzgada no comprendía las fundamentaciones fáctica y jurídica de la sentencia. Esta tesis, si común como decimos, no se ajusta plenamente a la realidad. La sentencia, sea absolutoria o condenatoria, se basa en una causa de pedir, y ésta tiene que quedar incluida en la cosa juzgada; ésta debe comprender lo juzgado, aquello sobre lo que existe decisión jurisdiccional.

Lo anterior tiene que llevar a concluir que:

1.°) En lo que se refiere al tiempo, la cosa juzgada tiene que comprender, como causa de pedir, todos los hechos que pudieron alegarse como constitutivos de la pretensión hasta el último momento de preclusión de las alegaciones. Para este momento preclusivo deben tenerse en cuenta, en general, los arts. 400.1, II, 286 respecto del escrito de ampliación, y 426 LEC y, en especial, el art. 752.1 LEC.

2.°) Las declaraciones contenidas en la sentencia relativas a la existencia o inexistencia de relaciones jurídicas o de situaciones jurídicas, que son la base de la condena o de la absolución, no pueden quedar fuera de la cosa juzgada. Esas declaraciones son un conjunto fáctico y jurídico que no sólo sirven para motivar el fallo, sino que determinar sobre lo que se ha juzgado.

3.°) Cuando la petición ha podido fundamentarse en diversos conjuntos fácticos y el demandante se ha referido únicamente a alguno o algunos de ellos, lo lógico sería que la cosa juzgada se extendiera sólo a la causa de pedir expresamente aducida y no a otros conjuntos fácticos, pero el art. 400 LEC llega a disponer lo contrario.

> Si en una sentencia se desestima la pretensión de nulidad de un matrimonio, no cabe referir la cosa juzgada únicamente al fallo porque entonces estarían quedando incluidas en la cosa juzgada todas las causas de nulidad, cuando el demandante podría haber alegado sólo la causa 1.ª del art. 73 CC. La fundamentación de la sentencia serviría aquí para establecer que la cosa juzgada comprende sólo esa causa, por lo que sería posible un proceso posterior en el que el demandante alegara cualquier otra causa del art. 73. No se trata pues, de que la fundamentación de la sentencia sirva para interpretar o integrar el fallo, sino de que forma parte de la cosa juzgada.
>
> Esto es precisamente lo que se niega en el art. 400 LEC. En efecto, si cuando lo que se pida en la demanda (nulidad del matrimonio) puede fundarse en diferentes hechos o en distintos fundamentos o títulos jurídicos (las varias causas del art. 73 CC) y el actor aduce sólo una de las causas (falta de consentimiento), la cosa juzgada debería de comprender sólo esa causa (y dentro de ella todos los posibles hechos), pero lo que el art. 400 está disponiendo es que la cosa juzgada comprende todos los hechos y fundamentos jurídicos que pudieron alegarse, aunque no se alegaran, con lo que ya no podrá instarse la nulidad del matrimonio por hechos anteriores a la completa preclusión de los actos de alegación.

4.°) Las afirmaciones de existencia o inexistencia de hechos, en sentido estricto, que se contengan en la sentencia, en cuanto no integren un conjunto fáctico y jurídico, no pueden quedar cubiertas por la cosa juzgada. Estas afirmaciones de hecho son resultado de las admisiones expresas o presuntas que realicen las partes, de la prueba legal, de los concretos medios probatorios utilizados y aun de la valoración realizada por el tribunal, es decir, son el resultado de una determinada actividad procesal y, por ello, no podrá concluirse que la misma fija de modo irrevocable los hechos para un proceso posterior en el que la actividad procesal podría ser distinta.

> Problemas de gran complejidad presentan las pretensiones relativas al pago de intereses o a prestaciones periódicas y aquéllas en que se reclama sólo parte de la deuda sin renunciar al exceso. Es evidente que si la pretensión se refiere a que se declare la existencia del título obligacional general y que se condene a pagar el importe de las prestaciones periódicas vencidas, la cosa juzgada se extiende a la existencia de toda la obligación, pero ¿sería posible una sentencia que condene a pagar la prestación de un año, para lo que, aun sin declaración expresa, tiene que partir de la existencia de la obligación general, y otra sentencia posterior en que se absuelva de la prestación correspondiente al año siguiente, partiendo de que la obligación general no existe? Teóricamente la respuesta es afirmativa, aunque se vea dificultada por la posible condena de futuro que permite el art. 220 LEC.

b) Resistencia

La resistencia no sirve para determinar el objeto del proceso, pero sí para fijar el objeto del debate, y la cosa juzgada tiene que comprender también a éste. Por ello las excepciones materiales alegadas por el demandado, y aún las que pudo alegar y no alegó, también quedan cubiertas por la cosa juzgada. Esta conclusión es indudable respecto de las excepciones alegadas, porque sobre ellas existió contradicción y decisión judicial, pero también debe serlo sobre las que pudieron alegarse y no se alegaron, a riesgo de que quede a la voluntad del demandado la determinación de los límites de la cosa juzgada y con ella la posibilidad de perpetuar el conflicto de modo indefinido. Afirmada en la sentencia la existencia de una relación jurídica no podrán alegarse en un proceso posterior, como hechos constitutivos de la pretensión, los hechos que en el proceso anterior pudieron alegarse como hechos extintivos, impeditivos o excluyentes. En este sentido se expresa el art. 408.3 LEC respecto de la compensación y de la nulidad absoluta del negocio jurídico.

C) Temporales

Estos límites deben relacionarse con la causa de pedir y con el momento en que precluye la posibilidad de realizar alegaciones en el proceso. La sentencia se dicta en consideración al estado de hechos existente en el momento en que precluyen las posibilidades de alegación. Todos los hechos que ocurrieron hasta ese momento, se alegaran o no por las partes, quedan cubiertos por la cosa juzgada. Por ello el art. 222.2, II, LEC dice que se considerarán hechos nuevos y distintos los posteriores a la completa preclusión de los actos de alegación en el proceso. Con ello hemos determinado lo que podríamos llamar el *dies a quo*.

Respecto del *dies ad quem* puede afirmarse que la cosa juzgada se prolonga indefinidamente en el tiempo. Ello tiene valor en la práctica, no con relación a los derechos de crédito de prestación única que se agotan con su ejecución o están sujetos a la prescripción extintiva, pero sí respecto de los derechos absolutos. Hemos visto así casos en los que se alegó en la actualidad la cosa juzgada formada en un proceso realizado en el siglo XIX con relación a la propiedad de una abadía (evidentemente no con las mismas personas, sino con los causahabientes).

La cosa juzgada, pues, no desaparece, sino que se mantiene siempre. Con todo hay que tener en cuenta que la relación jurídica sobre la que aquélla opera no se mantiene estática, sino que está sujeta a los nuevos acontecimientos que puedan producirse, los cuales significarán la aparición de una *causa petendi* nueva y con ella la posibilidad de un nuevo proceso entre las mismas partes y con la misma petición. No se trata con ello de que desaparezca la cosa juzgada, sino de que en el nuevo proceso no se darán las identidades necesarias.

VI. TRATAMIENTO PROCESAL DE LA COSA JUZGADA

Cuando se cuestiona lo que suele denominarse tratamiento procesal se está hablando de cómo se suscita y se resuelve en el proceso el tema correspondiente. En nuestro caso de ¿cómo se puede debatir en un proceso la existencia o no de cosa juzgada material formada en otro anterior? La respuesta exige distinguir entre las funciones de la cosa juzgada.

Naturalmente cuando se trata de la cosa juzgada formal es obvio que el tribunal debe tenerla en cuenta de oficio en el desarrollo del proceso. Si el tribunal llega a dictar una resolución desconociendo su existencia, contra la misma podrán las partes oponer los recursos que permita la ley.

A) De la función negativa

En la LEC parece partirse de que la cosa juzgada se concibe como una excepción que debe ser opuesta por el demandado para que pueda ser tomada en cuenta por el tribunal (así arts. 405.3, 416.1, 2.ª y 421 LEC), aunque en esas mismas normas existe base suficiente para estimar que la cosa juzgada, en su función negativa, puede ser tenida en cuenta de oficio por el tribunal.

Si la cosa juzgada es uno de los elementos esenciales de la jurisdicción y si la vinculación que nace de ella se refiere fundamentalmente a los órganos jurisdiccionales, pues es a éstos a los que afecta el principio de *non bis in idem*, la conclusión lógica es que este efecto de la cosa juzgada debe ser tenido en cuenta de oficio por el juzgador, por cuanto tiene que ser tratada como un verdadero presupuesto procesal.

> Si la cosa juzgada hubiera de ser necesariamente alegada por las partes, la consecuencia inevitable de ello sería que uno de los elementos fundamentales de la jurisdicción quedaría sujeto a la disposición de las partes. La decisión judicial sería irrevocable sólo cuando las partes así lo decidieran, pues si no opusieran la excepción en el segundo proceso, el tribunal entraría en el fondo del asunto, resolvería y podría hacerlo en contradicción con la cosa juzgada.

Si la audiencia previa al juicio ordinario sirve, entre otras cosas, para «examinar las cuestiones procesales que pudieran obstar a la prosecución de éste (el proceso) y a su terminación mediante sentencia sobre su objeto» (art. 414.1, II, LEC) y si el auto de sobreseimiento debe dictarse «cuando el tribunal aprecie la existencia de resolución firme sobre objeto idéntico» (art. 421.1 LEC), la conclusión debe ser la posibilidad de apreciar de oficio la concurrencia de la cosa juzgada.

B) De la función positiva

La función positiva de la cosa juzgada no puede operar en el segundo proceso por la vía de excepción, por cuanto: 1.º) Puede ser alegada tanto por el actor (hecho constitutivo de su pretensión) como por el demandado (defensa material), y 2.º) No sirve para excluir un pronunciamiento sobre el fondo del asunto, sino para determinar el contenido de ese pronunciamiento. A partir de ahí se ha estimado que puede ser apreciada de oficio, aunque es conveniente distinguir entre:

1.º) Afirmación por la parte de la existencia de una sentencia firme anterior como elemento del supuesto fáctico de la consecuencia jurídica que pide, afirmación que debe considerarse necesario que la efectúe la parte, por cuanto no es razonable esperar que el tribunal tenga conocimiento de su misma existencia, y

2.°) Alegación expresa por la parte de la fuerza vinculante de la cosa juzgada producida en esa sentencia, afirmación que no es necesaria para que el tribunal aprecie de oficio la función positiva de la cosa juzgada.

Se trata, pues, de distinguir entre el hecho de la existencia de la sentencia (que debe ser afirmado por la parte, como todos los hechos) y la consecuencia jurídica que se deriva de esa existencia (que puede ser establecida por el juez de oficio).

Legislación: Ley de Enjuiciamiento Civil (arts. 214 y 215; 207 y 222)
Lectura: NIEVA FENOLL, J., *La cosa juzgada*, Barcelona, 2006.

Impugnación de la cosa juzgada

I. MEDIOS EXCEPCIONALES
Contra la sentencia firme. Excepción

II. EL JUICIO DE REVISIÓN DE SENTENCIAS FIRMES:
A) Fundamento
Justicia y seguridad jurídica
B) Naturaleza jurídica
No recurso. Verdadero proceso
C) Causas de revisión
1. Recobrar documento decisivo
2. Documento falso
3. Testigo o perito falso
4. Cohecho, violencia, maquinación fraudulenta
D) Competencia
TS o TSJ (hoy no)
E) Procedimiento
a) Dos plazos
b) Tramitación
F) Efectos
a) De la interposición de la demanda de revisión
b) De la sentencia:
 – Desestimar
 – Estimar

III. LA AUDIENCIA AL DEMANDADO REBELDE:
Formas de notificación de la sentencia
A) Concepto y naturaleza
No recurso. No nuevo proceso. Reabre por contradicción
B) Primera fase: De concesión de la audiencia
Constantemente en rebeldía. Luego juicio ordinario
a) Requisitos para la concesión
b) Competencia y procedimiento
c) Resolución
C) Segunda fase: De sustanciación de la audiencia
Competencia del mismo.
10 días+10 días y juicio que corresponda

IV. LA NULIDAD DE ACTUACIONES
a) No incidente
b) Motivo: art. 53.2 CE
c) Presupuestos
d) Procedimiento
e) Decisión

V. LA OPOSICIÓN DE TERCERO
España no, pero Francia e Italia
a) Oposición genérica de tercero
b) Oposición de acreedores y herederos

I. MEDIOS EXCEPCIONALES

Los medios de impugnación en sentido estricto, es decir, los recursos, se dirigen a producir una nueva cognición de las cuestiones ya resueltas mediante resoluciones, si bien lo que caracteriza a éstas en que no han alcanzado todavía firmeza, por lo que el recurso incide en un proceso aún pendiente abriendo una nueva etapa del mismo (Lección Vigésima). Existen, con todo, medios de impugnación que se refieren a resoluciones firmes, dando lugar a actuaciones procesales cuya naturaleza no está tan clara como en el caso anterior. A estos últimos medios de impugnación nos referimos aquí.

Es obvio que la impugnación de la cosa juzgada sólo puede permitirla un ordenamiento jurídico de modo excepcional, por cuanto implica nada menos que desconocer la inimpugnabilidad y la irrevocabilidad de las resoluciones judiciales, pero se trata de la última exigencia de la justicia frente a la seguridad jurídica.

II. EL JUICIO DE REVISIÓN DE SENTENCIAS FIRMES

En el Título VI del Libro II de la LEC, después de los recursos se regula la que se llama revisión de sentencias firmes.

A) Fundamento

La legalmente no calificada revisión es una concesión del ordenamiento a la justicia en detrimento de la seguridad jurídica, que se da contra las sentencias firmes, y ello hasta el extremo de que la revisión no se funda en el convencimiento de que la sentencia firme dictada fue ilegal y ni siquiera atiende a que la sentencia fue errónea. El fundamento de la revisión hay que buscarlo en la mera posibilidad de que la sentencia firme sea ilegal o errónea. Cuando la actividad de las partes o del tribunal en un proceso, ha estado condicionada por una serie de circunstancias que pudieron hacer que se dictara una sentencia con contenido posiblemente distinto del que hubiera tenido de no concurrir aquellas influencias anómalas, la ley concede a las partes la posibilidad de incoar otro proceso para lograr la rescisión de aquella sentencia. La revisión no se funda en la seguridad posterior de que la sentencia es injusta o errónea, sino en la existencia de circunstancias que hacen pensar que es posible que la sentencia sea injusta o errónea.

Ante la aparición de esas nuevas circunstancias (que son las causas de revisión) el ordenamiento jurídico podría optar por cerrarse en la consideración de la seguridad jurídica de la cosa juzgada (para lo que existe incluso terminología adecuada: la «santidad» de la cosa juzgada), pero ha optado por el valor justicia. Con todo, esta opción está temporalmente limitada a cinco años, pasados los cuales la seguridad jurídica se impone sin concesiones.

Este fundamento de la revisión explica que la legitimación activa se atribuya únicamente a la parte perjudicada por la sentencia firme impugnada (art. 511 LEC), y la pasiva a las demás partes del anterior proceso, o sus causahabientes (art. 514.1 LEC).

> En el caso especial del apartado 2 del art. 510 (Tribunal Europeo de Derechos Humanos) la revisión sólo podrá ser solicitada por quien hubiera sido demandante ante el Tribunal Europeo de Derechos Humanos.

B) Naturaleza jurídica

La revisión no es un recurso pues no se continúa el mismo proceso en otra fase o etapa, sino que se trata de un nuevo proceso. Por ello la LEC elude referirse al «recurso de revisión».

> Para negar la naturaleza de recurso basta tener en cuenta que:
> 1.º) La revisión sólo procede contra sentencias firmes que resuelvan sobre el fondo del asunto (art. 509 LEC), pero precisamente las sentencias son firmes cuando contra ellas no cabe recurso alguno (art. 207.2 LEC).
> 2.º) Si fuese un recurso procedería únicamente contra las sentencias del Tribunal Supremo, es decir, guardando el orden debido y evitando la revisión *per saltum*; pero no es así, pues mediante la revisión pueden impugnarse todas las sentencias firmes, sea cual fuere el órgano jurisdiccional que las dictara.
> 3.º) La pretensión que se ejercita en la revisión no es la misma que se ejercitó en el proceso anterior, diferenciándose en la fundamentación y en la petición (los elementos objetivos que identifican el objeto del proceso); los recursos continúan el proceso en una fase distinta; la revisión tiene como fundamentos los hechos calificados de motivos de revisión y como objeto la petición de que se rescinda la sentencia firme.

Se trata de un nuevo proceso en el que se ejercita una pretensión autónoma. En ocasiones la propia LEC habla de «demanda de revisión» (arts. 513.1 y 514).

C) Causas de revisión

Las razones o motivos de revisión (que son la causa de pedir en ésta) vienen establecidos en el art. 510 LEC, que hace una enumeración taxativa. Lo más importante a tener en cuenta es que esos motivos han de basarse en hechos no alegados ni discutidos en el proceso anterior y en hechos que han de haber ocurrido fuera del mismo.

a) Si después de pronunciada (la sentencia), se recobraren u obtuvieren documentos decisivos, de los que no se hubiere podido disponer por fuerza mayor o por obra de la parte en cuyo favor se hubiere dictado (núm. 1.°).

> Para que pueda estimarse esta causa es necesario que: 1) Los documentos se «recobren» o se «obtengan», lo que supone que han de preexistir y ser recobrados u obtenidos después del momento procesal en que precluyó la posibilidad de aportarlos al proceso, 2) Es dudoso que se incluyan los documentos desconocidos por la parte, aunque el «obtener» no dice nada respecto del conocimiento anterior, por lo que debe concluirse que es indiferente que los documentos fueran o no conocidos por la parte, 3) Quedan excluidos los casos de culpa o negligencia de la propia parte, pues la no disposición se condiciona a la existencia de fuerza mayor o de actuación de la parte contraria, y 4) No se distingue entre clases de documentos, públicos o privados, pero sí han de ser decisivos, en el sentido de que pueden hacer cambiar el contenido de la sentencia.

b) Si hubiese recaído (la sentencia) en virtud de documentos que al tiempo de dictarse ignoraba una de las partes haber sido declarados falsos en un proceso penal, o cuya falsedad se declarare después penalmente (núm. 2.°).

> La falsedad ha de declararse por un tribunal penal, lo que supone la condena al autor de la falsificación. Si la declaración de falsedad se realizó antes de la sentencia que se impugna en la revisión, la parte debe probar que no tenía conocimiento de ese hecho en el momento del juicio. No se admite como motivo el simple reconocimiento de la falsedad por el autor de la misma, siendo siempre precisa la condena penal.

c) Si hubiese recaído (la sentencia) en virtud de prueba testifical o pericial, y los testigos o los peritos hubieren sido condenados por falso testimonio, dado en las declaraciones que sirvieron de fundamento a la sentencia (núm. 3.°).

> Es la causa más clara y al mismo tiempo la menos alegada. Requisito básico es la sentencia penal firme condenatoria de los testigos o de los peritos (arts. 329, 331 y 332 CP), pero además que su declaración no pueda considerarse irrelevante para determinar el contenido del fallo; naturalmente no obsta que se trate de un solo testigo o perito, a pesar del uso del plural.

d) Si se hubiere ganado injustamente (la sentencia firme) en virtud de cohecho, violencia o maquinación fraudulenta (núm. 4.°).

Se contienen aquí tres conductas ilícitas que pueden provenir del juez, de las partes o incluso de un tercero: 1) Cohecho: La existencia del delito (arts. 419 y ss. CP) necesita ser declarada en un proceso penal, condenando al juez o, al menos, a uno de los magistrados que integraran la Sala; 2) Violencia: Puede ser sufrida tanto por el juez como por las partes (y su procurador o abogado) (con lo que se aplicará el art. 226 LEC); y 3) Maquinación fraudulenta: El Tribunal Supremo ha admitido por esta vía multitud de supuestos, en todos los cuales la parte vencedora, por sí sola o con el apoyo de un tercero, ha realizado una conducta dolosa que coloca a la otra parte en situación de indefensión o provoca el error del juzgador. Las maquinaciones más utilizadas consisten en la ocultación del domicilio del demandado, o de su nombre, a pesar de no ignorarlos el actor, o en el empleo de cualquier ardid que impida a los demandados el conocimiento de la existencia del pleito que contra ellos se tramita.

e) Asimismo se podrá interponer recurso de revisión contra una resolución judicial firme cuando el Tribunal Europeo de Derechos Humanos haya declarado que dicha resolución ha sido dictada en violación de alguno de los derechos reconocidos en el Convenio Europeo para la Protección de los Derechos Humanos y Libertades Fundamentales y sus Protocolos, siempre que la violación, por su naturaleza y gravedad, entrañe efectos que persistan y no puedan cesar de ningún otro modo que no sea mediante esta revisión, sin que la misma pueda perjudicar los derechos adquiridos de buena fe por terceras personas.

D) Competencia

El art. 509 establece que la revisión sólo podrá tener lugar cuando hubiere recaído sentencia firme, bien entendido que la sentencia puede haber sido dictada por cualquier órgano jurisdiccional, desde un Juzgado de Paz hasta la Sala de lo Civil del Tribunal Supremo.

Para la determinación del órgano competente para conocer de la revisión el art. 509 se limita a establecer una norma de remisión: Se solicitará de la Sala de lo Civil del Tribunal Supremo o de la Sala de lo Civil y Penal de los Tribunales Superiores de Justicia, conforme a lo dispuesto en la Ley Orgánica del Poder Judicial. Esta remisión supone que:

1.º) En general, de la revisión es competente la Sala de lo Civil del Tribunal Supremo (art. 56, 1.º, LOPJ).

2.º) En especial, la competencia corresponde a la Sala de lo Civil y Penal de los Tribunales Superiores de Justicia, contra las sentencias firmes dictadas por órganos judiciales radicados en la correspondiente Comunidad Autónoma cuando: 1) Se haya tratado de la aplicación de derecho civil, especial o foral, propio de la Comunidad, y 2) Así lo prevea el correspondiente Estatuto de Autonomía [art. 73.1, b), LOPJ].

> Dice el art. 95.4 de la LO 6/2006, de 19 de julio, del nuevo Estatuto de Cataluña: «Corresponde al Tribunal Superior de Justicia de Cataluña la resolución de los recursos extraordinarios de revisión que autorice la ley contra las resoluciones firmes dictadas por los órganos judiciales de Cataluña»; y el art. 140.3 de la LO 2/2007, de 19 de marzo, del Estatuto de Andalucía: «Corresponde al Tribunal Superior de Justicia de Andalucía la resolución de los recursos extraordinarios de re-

visión que autorice la ley contra las resoluciones firmes dictadas por los órganos judiciales de Andalucía». Como puede verse todo queda referido a la modificación de la LOPJ, por lo que estos dos estatutos carecen de contenido propio. Y en ese mismo camino el art. 63 de la LO 5/2007, de 20 de abril, Estatuto de Aragón.

E) Procedimiento

a) Plazos

En la revisión, para su incoación, existen dos plazos concurrentes. En ningún caso puede iniciarse la revisión transcurridos cinco años desde la fecha de la publicación de la sentencia que se pretende impugnar (art. 512.1 LEC), pero además la demanda debe interponerse dentro del plazo de tres meses a contar desde el día en que se descubrieren los documentos nuevos, el cohecho, la violencia o el fraude, o en que se hubiere reconocido o declarado la falsedad.

> El plazo de los cinco años no será aplicable cuando la revisión esté motivada en una sentencia del Tribunal Europeo de Derechos Humanos. En este caso la solicitud deberá formularse en el plazo de un año desde que adquiera firmeza la sentencia del referido Tribunal.

Los dos plazos son de caducidad, pero entre ellos hay una diferencia fundamental. Si el plazo de cinco años ha sido incumplido, la demanda debe ser rechazada de plano (art. 512.1 LEC) y la vigilancia de su cumplimiento es muy simple, dado que se cuenta desde la fecha de publicación de la sentencia que se pretende rescindir, desde un *dies a quo* objetivo y no sujeto a discusión. Por el contrario, el *dies a quo* del plazo de tres meses es algo que ha de justificar el demandante, por lo que no debe decidirse sobre su cumplimiento hasta después de tramitado el juicio de revisión y oído el Ministerio fiscal.

b) Tramitación

El procedimiento se inicia por medio de demanda sujeta a los requisitos del art. 399 LEC.

> Junto a ella debe presentar el demandante el documento justificativo de haber depositado 300 euros en la «Cuenta de Depósitos y Consignaciones» de la entidad de crédito que designe el Ministerio de Justicia; la cantidad será devuelta si la demanda es estimada y en caso contrario se perderá (art. 513 LEC y RD 467/2006, de 21 de abril, por el que se regulan los depósitos y consignaciones judiciales en metálico, de efectos o valores). La falta de este depósito, o su insuficiencia, previa posibilidad de subsanación, conduce a la inadmisión de plano de la demanda. Cuando varias partes interponen la misma demanda, actuando bajo

una misma dirección letrada y con idéntica representación, con un solo depósito se cumple la exigencia legal.

Admitida la demanda, el letrado de la administración de justicia solicitará que se le remitan todas las actuaciones del pleito cuya sentencia se impugna, y emplazará a cuantos en él hubieren litigado, o a sus causahabientes, para que en el plazo de veinte días contesten a la demanda, sosteniendo lo que a su derecho convenga (art. 514.1 LEC). Se trata de dos actividades sucesivas, primero se reclaman los antecedentes y, a su vista, se emplazará. Contestada la demanda, o transcurrido el plazo sin haberse contestado, el letrado de la administración de justicia convocará a las partes a una vista que se sustanciará conforma a lo dispuesto en los arts. 440 y siguientes, si bien oyéndose siempre al Ministerio fiscal antes de dictar sentencia (art. 514.3). La remisión es a los arts. 440.1, 442, 443, 445, 446 y 447.1 LEC.

> El art. 514.4 LEC contiene una simple remisión para las cuestiones prejudiciales penales. Estas originan la suspensión del procedimiento y la del plazo de cinco años hasta su resolución. En realidad el artículo carece de sentido, pues iniciada la revisión el plazo de cinco años ha cumplido ya su función y no puede suspenderse.

F) Efectos

Debemos distinguir entre:

a) *Efectos de la interposición de la demanda de revisión*

La demanda de revisión no suspenderá la ejecución de la sentencia firme que la motiva (art. 515 LEC). Ahora bien, en el trámite de esa ejecución de sentencia, la parte ejecutada, a la que se le ha admitido la demanda de revisión puede pedir la suspensión de la misma, y el tribunal acordarla, oído el Ministerio fiscal, si las circunstancias del caso lo aconsejaren y previa prestación de caución (art. 566 LEC).

b) *Efectos de la sentencia de revisión*

La sentencia puede:

1.º) Desestimar la revisión: La sentencia firme impugnada permanece invariada, condenándose al demandante a las costas y a la pérdida del depósito (art. 516.2 LEC).

2.º) Estimar la revisión: Cuando la sentencia estime alguna de las causas del art. 510 LEC, rescindirá la sentencia impugnada, limitándose a este efecto rescindente o negativo, dejando la situación entre las partes como si entre ellas no se hubiesen realizado un proceso anterior y no hubiese existido nunca una sentencia firme con cosa juzgada.

En el juicio de revisión no se entra en la cuestión de fondo que fue objeto del proceso anterior; simplemente se rescinde la sentencia, devolviéndose los autos al tribunal de que procedan «para que las partes usen de su derecho, según les convenga, en el juicio correspondiente» (art. 516.1 LEC); es decir, rescindida la sentencia, la situación jurídica entre las partes queda como si no hubiese existido el proceso anterior, del que ninguna actuación queda como válida, por lo que si una de las partes lo estima conveniente puede incoar otro proceso planteando la misma pretensión, contra la que no podrá oponerse la excepción de cosa juzgada. En este posible proceso posterior las declaraciones hechas en la sentencia de revisión no podrán ser ya discutidas, debiendo ser tomadas como base (art. 516.1, II, LEC).

> La única limitación a la *restitutio in integrum* proviene de la salvaguarda de los derechos adquiridos conforme al art. 34 de la Ley Hipotecaria, que se refiere al tercero de buena fe que hubiera adquirido a título oneroso de alguien que pudiera transmitir con arreglo al Registro.

III. LA AUDIENCIA AL REBELDE

Al estudiar la rebeldía en la Lección Decimoquinta concluíamos diciendo que la sentencia dictada en el juicio en rebeldía podía notificarse: 1) Personalmente al demandado rebelde, en la forma prevista en el art. 161 LEC, si tiene domicilio conocido, con lo que se cerraba la posibilidad de acudir a la llamada audiencia al rebelde, y 2) Si se encuentra en paradero desconocido, por medio de edicto (extracto de la sentencia) publicado en el Boletín Oficial de la Comunidad Autónoma o del Estado, con lo que el demandado podía acudir a los recursos de apelación, de infracción procesal y de casación y, si no los utilizaba, le quedaba la posibilidad de la audiencia al rebelde (arts. 497 y 500).

A) Concepto y naturaleza

A esta audiencia nos referimos ahora como medio de impugnar la cosa juzgada. En el examen de la audiencia es preciso partir de que:

1.º) La sentencia dictada en rebeldía no es menos firme que otras sentencias.

2.º) La declaración de rebeldía no toma en consideración ni el conocimiento de la existencia de un juicio contra él, ni la voluntad del demandado a la hora de comparecer o no; se parte sólo del dato objetivo de la incomparecencia.

3.º) Principio medular del proceso (de todo proceso) es el de contradicción o audiencia, y éste, en el proceso civil, supone conceder al demandado la posibilidad real de ser oído; cuando esa posibilidad no existió en la realidad, esto es, cuando no se efectuó el emplazamiento o cuando se efectuó ilegalmente, lo procedente no es la audiencia al rebelde sino la nulidad de actuaciones y, en último caso, el recurso de amparo por indefensión.

Si la declaración de rebeldía depende del hecho objetivo de la no personación del demandado, la audiencia al rebelde sólo se concede a quien se colocó en esa situación, bien por no tener conocimiento de la existencia del proceso, bien porque, aún teniéndolo, no pudo comparecer por fuerza mayor.

> La audiencia al rebelde no es ni un recurso ni un nuevo proceso. Se trata de un medio para reabrir el mismo proceso, permitiendo al demandado oponer de modo expreso la resistencia que no pudo oponer en su momento, que no es asimilable a ninguna de las dos soluciones propuestas.
> La complejidad de su naturaleza jurídica ha aumentado en la nueva LEC en la que se dice que es un medio para rescindir la sentencia firme, y lo es ahora en su primera fase; la segunda fase parte de esa rescisión y en ella se trata de dar cumplimiento al principio de contradicción. Las dos fases no pueden tener la misma naturaleza y de ahí la dificultad en determinar la naturaleza del conjunto.

Si la finalidad de la audiencia es oír a quien no fue oído por causas a él no imputables, la misma ha de ser posible en todos los procesos, menos en los sumarios (art. 503 LEC), al ser en estos más conveniente acudir al proceso plenario posterior. La audiencia es así posible respecto de todos los procesos declarativos plenarios en los que se dicta sentencia con cosa juzgada.

B) Primera fase: De concesión de la audiencia

La concesión de la audiencia parte del presupuesto de que el demandado haya permanecido constantemente en rebeldía (art. 501 LEC), esto supone que:

1.º) No se haya personado en el proceso en el inicio del mismo, cuando se le citó o emplazó.

2.º) No se haya personado en cualquier estado del proceso, pues entonces éste continuará por sus trámite sin que haya lugar a que retrocedan las actuaciones (art. 499 LEC).

3.º) No haya interpuesto contra la sentencia recurso de apelación, de infracción procesal o de casación, tanto se le hubiere notificado personalmente la sentencia, como la notificación se hubiere efectuado por edictos (art. 500).

a) Requisitos para la concesión

En el sistema general el requisito básico es que la rebeldía no se produjera de modo voluntario, y a partir de ahí se distingue con relación a la causa por la que el demandado no compareció en el proceso:

1.º) Fuerza mayor: Independientemente de que el demandado haya tenido o no conocimiento de la existencia del pleito, por haber sido citado o emplazado en forma, acreditando la concurrencia de fuerza mayor ininterrumpida que le impidió comparecer en todo momento.

2.º) Desconocimiento de la demanda y del pleito: Este desconocimiento puede ser debido:

1") Si la citación o el emplazamiento se hizo por cédula, y según lo previsto en el art. 161 LEC, deberá acreditar que la cédula no llegó a su poder por causa que no le sea imputable.

2") Si la citación o el emplazamiento se hizo por edictos, habrá de acreditar que ha estado ausente del lugar donde se haya seguido el pleito y de cualquier otro lugar del Estado o de la Comunidad Autónoma, en cuyos boletines oficiales se hubieran publicado los edictos (art. 501 LEC).

Fijadas las causas por las que el demandado fue declarado rebelde, la concesión de la audiencia se hace depender también de que la petición de la misma se formule dentro de unos plazos determinados (art. 502 LEC), debiendo distinguirse:

1.º) Un plazo general, que es de dieciséis meses, de modo que la audiencia no se concederá en ningún caso si se pide transcurrido ese plazo desde la notificación de la sentencia (sea cual fuere la forma de ésta).

2.º) Unos plazos especiales, que se hacen depender de la forma en que se realizó la notificación de la sentencia:

1") Veinte días: Si la sentencia respecto de la que se pide la audiencia fue notificada personalmente al demandado rebelde.

2") Cuatro meses: Si la sentencia fue notificada por edictos, y a partir de la publicación del mismo en el boletín oficial correspondiente.

> En los dos casos debe tenerse en cuenta que, si la falta de la comparecencia se debió a fuerza mayor, los dos plazos pueden prolongarse mientras subsista la fuerza mayor, reanudándose su cómputo en el momento en que cese la misma, si bien en ningún caso podrá pedirse la audiencia transcurridos dieciséis meses desde la notificación de la sentencia (art. 502.2 LEC).

Todos estos plazos son de caducidad, lo que supone que deben ser tenidos en cuenta de oficio por el tribunal competente. El plazo general de dieciséis meses será de muy sencilla comprobación, y determinará la no admisión de la demanda de la rescisión. Los especiales tienen claramente fijado el *dies a quo* con lo que también se computaran fácilmente.

b) Competencia y procedimiento

La determinación de órgano competente para conocer de la primera fase de la audiencia al rebelde es muy sencilla: lo es el tribunal que hubiere dictado la sentencia respecto de la que se pide la rescisión (art. 501 LEC).

Para el procedimiento debe estarse al del juicio ordinario (art. 504.2 LEC). Esto supone que la petición de rescisión debe hacerse por medio de una verdadera demanda (sujeta a los requisitos generales), en la que se ejercitará una pretensión procesal, de contenido, por tanto, distinta de la dio lugar al proceso en el que se dictó la sentencia cuya rescisión se pide.

La presentación y admisión de la demanda de rescisión no da lugar a la suspensión de la ejecución de la sentencia firme (art. 504.1 LEC). Con todo, no en el proceso de rescisión, sino en el proceso de ejecución, el ejecutado, que ha formulado demanda de rescisión, puede pedir la suspensión de aquél, lo que acordará el juez que conoce de la ejecución si las circunstancias del caso lo aconsejaran y previa caución (art. 566 LEC).

c) Resolución

La sentencia a dictar por el órgano competente se basará en la concurrencia o no de los requisitos antes señalados. Sin que contra ella quepa recurso alguno, podrá:

1.º) Declarar que no ha lugar ni a la rescisión de la sentencia ni a la audiencia al rebelde: Según el art. 506.1 LEC se impondrán las costas al solicitante y la norma no dice más, aunque debe entenderse que la sentencia impugnada sigue manteniendo su condición de firme. Si el juez de la ejecución había suspendido ésta, se procederá a alzar la suspensión (art. 566.2 LEC)

2.º) Declarar que ha lugar a la rescisión de la sentencia y a la audiencia al rebelde: El art. 506.2 LEC dice que no se impondrán las costas a ninguno de los litigantes, salvo que el tribunal aprecie temeridad en alguno de ellos, y el art. 507.1 LEC que se remitirá certificación de esta sentencia al tribunal que hubiere conocido del proceso en primera instancia, para que ante él se proceda a la segunda fase, y el párrafo 2 añade que no será preciso remitir esa certificación si la rescisión la declara el mismo órgano judicial que ha de conocer de la segunda fase.

Lo que importa realmente de esta sentencia es que en la misma se rescinde la sentencia firme impugnada, y esto es algo que LEC dice por vez primera en nuestro Ordenamiento jurídico, pues en las leyes anteriores no se decía que se produjera esta rescisión.

La LEC, con todo, ha dejado cuestiones sin resolver:

1.º) No hay duda de que la rescisión se refiere a la sentencia firme impugnada, la cual queda sin efecto, y por ello luego el art. 508 LEC tiene que concluir que si el demandado permanece inactivo en la segunda fase se dictará nueva sentencia en los mismos términos que la rescindida. Si hay que dictar nueva sentencia es porque la primera se entendió suprimida de la vida jurídica.

2.º) Sí es dudoso si la rescisión se extiende a todo el proceso en el que la misma se dictó, puesto que:

1″) La rescisión no se extiende a la demanda inicial de ese proceso anterior (como demuestra el art. 507.1 LEC).

2″) No se sabe con seguridad si la rescisión comprende todos los actos del anterior proceso, y especialmente los actos de prueba, pues el art. 507 LEC no resuelve de modo claro la cuestión, aunque la respuesta debe ser negativa, pues esos actos se realizaron en su momento según lo dispuesto en la ley.

C) Segunda fase: De sustanciación de la audiencia

Esta fase es imprescindible para que el solicitante demandado consiga su objetivo último de alterar la sentencia firme; la concesión de la audiencia ha supuesto únicamente la apertura de la contradicción, y por ello si durante la segunda fase el demandado permanece inactivo el juez dictará nueva sentencia pero en los mismos términos de la rescindida, y contra ella no cabe recurso alguno (art. 508 LEC).

La competencia para esta segunda fase corresponde siempre al órgano competente para conocer de la primera instancia del juicio de que se trate, el que ya conoció en su momento, y la fase en sí consiste en la reproducción del juicio desde el punto de vista del demandado.

El único artículo relativo al procedimiento es el 507 LEC, y conforme a él:

1.º) Se entregarán los autos por diez días al litigante a quien se haya concedido la audiencia para que exponga y pida lo que a su derecho conduzca, en la forma prevenida para la contestación a la demanda.

2.º) De lo que expusiere y pidiere se conferirá traslado por otros diez días a la parte contraria, al demandante, entregándole las copias del escrito y documentos.

3.º) En adelante se acomodará la sustanciación a las reglas establecidas para el juicio declarativo que corresponda, hasta dictar la sentencia que proceda, contra la que podrán interponerse los recursos previstos en la ley.

La parquedad de la ley deja sin resolver una cuestión muy importante relativa a la validez de los actos de prueba realizados por el demandante en el proceso.

En el sistema anterior estaba claro que esos medios de prueba seguían siendo válidos, no teniendo que reiterarse y sin perjuicio de la prueba que pudiera proponer el demandado; en el nuevo sistema esto es precisamente lo que no se ha resuelto. Con todo, hay que considerar que si la rescisión no supone declaración de nulidad en sentido estricto y que si la rebeldía del demandado no se debió a la actuación del demandante, la concesión a aquél de una suerte de retroacción de las actuaciones para que pueda ejercitar su derecho de defensa no debe llevar a estimar nulos los actos de prueba ya realizados, pues los mismos se hicieron válidamente en su momento.

IV. LA NULIDAD DE ACTUACIONES

Los defectos de forma en la tramitación de un proceso deben quedar resueltos en el mismo, sin que quepa acudir a un proceso posterior y distinto para que se declare la nulidad producida en un proceso anterior. Para declarar la nulidad en el mismo proceso la ley articula dos remedios: 1) Las partes pueden hacer valer la nulidad por medio de los recursos admitidos contra la resolución de que se trate, y 2) El tribunal, bien de oficio, bien a instancia de parte, deberá declarar dicha nulidad.

En uno y otro supuesto la posibilidad de declarar la nulidad está condicionada a que el proceso esté todavía pendiente, esto es, a que en él no se haya dictado la resolución que le pone fin de modo irrecurrible. Si el proceso ha terminado no son posibles ya esos dos remedios. Esto hacía que en la práctica, y en muchos casos, las partes hubieran de acudir al recurso de amparo ante el Tribunal Constitucional, pretendiendo que éste tutelara el derecho fundamental a que no se produjera indefensión (art. 24.1 CE).

A) No un incidente

Para permitir que los tribunales ordinarios pudieran declarar la nulidad cuando el proceso hubiera ya finalizado, siempre que en él se hubiera producido indefensión, evitando así la proliferación de recursos de amparo, se ha procedido de manera errática desde la LO 5/1997, de 4 de diciembre, hasta la actual redacción, por un lado del 241 de la LOPJ y, por otro, del art. 228 de la LEC. El que nos importa ahora es el segundo, puesto que es el rige en el proceso civil.

El art. 228 LEC contiene en realidad dos normas. La primera declara inadmisibles, con carácter general, los incidentes de nulidad de actuaciones, con lo que dispone que no puede existir ni una cuestión incidental ni un incidente relativo a la nulidad, de modo que los arts. 387 a 397 LEC no se aplican en la nulidad de actuaciones, mientras esté pendiente el proceso. La segunda regula con carácter excepcional un llamado incidente de nulidad de actuaciones, que es el que aquí examinamos.

A pesar de la terminología legal («incidente») la naturaleza jurídica de lo regulado no puede ser la incidental, estando más próxima a la impugnación de la cosa juzgada. De verdadero incidente no puede hablarse dado que el proceso principal ha concluido, y no puede existir un incidente si no existe un proceso en marcha. Si el efecto principal consiste en la rescisión de la resolución que ha puesto fin al proceso y en la nulidad de lo actuado, reponiendo el procedimiento al trámite en que se produjo la indefensión, estamos de modo muy claro ante «algo» que guarda muchas similitudes con la impugnación de la cosa juzgada.

B) Motivo

La petición de nulidad debe basarse «en cualquier vulneración de un derecho fundamental de los referidos en el artículo 53.2 de la Constitución, siempre que no haya podido denunciarse antes de recaer resolución que ponga fin al proceso y siempre que dicha resolución no sea susceptible de recurso ordinario ni extraordinario». En síntesis esto supone que: 1) Tiene que existir una resolución firme que ponga fin al proceso, esto es, una resolución ya no recurrible (si existe posibilidad de recurrir la denuncia de la vulneración se hará por medio de los recursos adecuados), 2) Debe afirmarse que se ha producido la vulneración de un derecho fundamental de los referidos en el artículo 53.2 CE (es decir, de los reconocidos en los arts. 14 a 30 CE, y ello en la medida en que hayan podido ser objeto de un proceso civil), y 3) La denuncia de la vulneración del derecho fundamental no puede haberse hecho antes de que se dicte la resolución que ponga fin al proceso.

En el ámbito objetivo de este mal llamado incidente cabe denunciar la vulneración, en principio, de cualquiera de los derechos fundamentales referidos en el artículo 53.2 CE. Pero las cosas no son tan simples porque:

1) Si el proceso civil se ha puesto en marcha porque se trata de uno de los casos previstos en el artículo 249.1, 2.º de la LEC (referido a la tutela judicial civil de cualquier derecho fundamental, excepto el derecho de rectificación) y en el mismo se ha dictado la sentencia que fuere, es obvio que antes de ir al amparo carecería de sentido pedir por medio de la nulidad de actuaciones lo mismo que se ha pedido en la demanda o que se ha opuesto en la resistencia.

2) La nulidad de actuaciones sólo tiene sentido si la vulneración del derecho fundamental se ha producido precisamente en el curso del proceso, y lo nuevo es que esa vulneración puede referirse a cualquier derecho

fundamental; esto es, se trate tanto de un derecho de naturaleza material, como de índole procesal.

3) Es difícil imaginar cómo un juez y a lo largo de un proceso puede vulnerar un derecho fundamental material (a la intimidad o al honor, por ejemplo), pero la nueva norma está admitiendo esa posibilidad y disponiendo que antes de ir al amparo debe instarse la nulidad de actuaciones.

4) La posibilidad de que el juez a lo largo del proceso vulnere un derecho fundamental de naturaleza procesal (los del art. 24 CE) es real y entonces lo nuevo es que ya no hay alusión a la indefensión.

La limitación del motivo conduce a que el tribunal, por providencia sucintamente motivada, no admita a trámite el «incidente» en el que se pretenda suscitar otras cuestiones. Además, contra esa resolución no cabe recurso.

C) Presupuestos

La competencia se atribuye al mismo órgano judicial que dictó la resolución que hubiera adquirido firmeza, y la legitimación a los que hubieran sido parte o hubieran debido serlo en el proceso en que se dictó la misma. Especial dificultad tiene la interpretación de lo relativo a los plazos, de los que se establecen dos:

1) Uno de veinte días, a contar «desde la notificación de la resolución o, en todo caso, desde que se tuvo conocimiento del defecto causante de la indefensión» (es evidente que la referencia a la indefensión es aquí un error, pues el motivo no atiende a la indefensión sino a la vulneración de cualquier derecho fundamental).

2) Otro de cinco años «desde la notificación de la resolución».

> Los dos plazos juegan conjuntamente, a semejanza de los plazos del juicio de revisión; pasados cinco años desde la notificación de la resolución no cabe ya pedir la nulidad de actuaciones, que siempre debe instarse dentro de los veinte días siguientes a aquel en que se tuvo constancia «del defecto causante de indefensión» (es decir, desde que se conoció la vulneración del derecho fundamental).

D) Procedimiento

La norma dice simplemente que la nulidad se instará por medio de escrito, al que se acompañarán los documentos que se estimen procedentes por la parte, del que se dará traslado a las demás partes, para que éstas, en el plazo de cinco días, puedan formular sus alegaciones, pudiendo también acompañar los documentos que estimen pertinentes. Con esta casi nula regulación debe ser necesario advertir.

1.º) Si la vulneración del derecho fundamental puede constatarse en las mismas actuaciones, sin necesidad de documento ajeno a las mismas ni de otros medios de prueba: El «incidente» no precisará ser recibido a prueba, por lo que las partes no lo pedirán, lo que implicará que el tribunal, después del intercambio de escritos, dictara auto declarando o no la nulidad.

3.º) Si esa vulneración no queda establecida sólo con las actuaciones, siendo necesaria actividad probatoria: La norma no dice cómo continuar entonces la tramitación del «incidente», pero puede estimarse que entonces habrá de estarse a lo dispuesto en la LEC para los incidentes en el art. 393.3 y 4, es decir, se citará a las partes a una comparecencia, que se celebrará conforme a lo previsto para la vista del juicio verbal, dictándose auto en el plazo de diez días.

E) Decisión

El «incidente» se resuelve por medio de auto, en el que el tribunal podrá, sin que quepa recurso alguno:

1.º) Desestimar la solicitud de nulidad: El proceso en el que se hubiera instado acaba aquí; es posible que se impongan al solicitante tanto las costas del incidente como una multa por temeridad (de 90 a 600 euros).

2.º) Estimar la nulidad: Si se declara que efectivamente se vulneró un derecho fundamental en una resolución lo procedente es declarar la nulidad de lo actuado con reposición de las actuaciones a al momento correspondiente, para a partir de ahí seguir el procedimiento. Si la vulneración se produjo en la sentencia se tratará de volver a dictar otra.

En cualquier caso debe advertirse que la presentación del escrito instando la nulidad de actuaciones no produce el efecto de suspender la ejecución y efectividad de la sentencia o de la resolución, salvo que así lo pida la parte y se acuerde de modo expreso por el juzgador, «para evitar que el incidente pudiera perder su finalidad».

> Debe consultarse la STEDH de 23 de octubre de 2018 en el llamado caso Arrózpide Sarasola y otros contra España sobre la eficacia de la nulidad de actuaciones antes del recurso de amparo.

V. LA OPOSICIÓN DE TERCERO

Aunque la LEC no regula esta oposición de tercero a la cosa juzgada, estimamos conveniente hacer referencia a la misma porque es, sin duda, un medio de impugnación de la cosa juzgada que puede tener alguna utilidad en nuestra práctica judicial, si bien sólo en uno de los aspectos de la misma.

El Derecho francés conoce desde antiguo una institución llamada *tierce opposition*, que fue recogida en el Derecho italiano con la denominación de *oppositione di terzo*, en la que deben distinguirse dos aspectos:

A) Oposición genérica de tercero

Existe, primero, un aspecto general de la institución en virtud del cual los terceros pueden formular oposición a la cosa juzgada formada en un proceso entre otras personas, cuando ésta lesione sus derechos (art. 404, I, del *Codice di procedura civile* italiano) e, incluso, cuando tengan interés en ella (art. 583, I, del *Nouveau Code de procédure civile* francés).

Si en el Derecho español el tercero que se crea perjudicado por una sentencia dictada entre otros, tiene que esperar a alegar por vía de excepción que dicha sentencia y su cosa juzgada no es oponible frente a él, con lo que se ve reducido a una actitud pasiva de espera, en los derechos francés e italiano el tercero puede adoptar una actitud positiva, de enfrentamiento directo, formulando la oposición. Si el poseedor que se estima propietario de un bien conoce la existencia de una sentencia dictada entre otras personas, en la que se resuelve sobre la propiedad del mismo bien, debe esperar a que el vencedor del proceso realice algún acto de ejecución para oponerle que él no fue parte y que no puede verse afectado ni por la cosa juzgada ni por la ejecución. En los derechos francés e italiano puede formular oposición.

> Aunque en alguna ocasión nuestro Tribunal Supremo (sentencias de 9 de noviembre de 1932 y de 12 de diciembre de 1950) se ha acercado a esta institución en su sentido genérico, lo cierto es que parece de muy difícil introducción jurisprudencial, y por lo tanto aquí no creemos que sea de utilidad ni un alarde de derechos extranjeros ni una elaboración doctrinal sin apoyos legales o jurisprudenciales.

B) Oposición de acreedores y herederos

Pero, aparte de lo anterior, existe un aspecto concreto de la institución que sí puede tener práctica en España. A él se refiere el art. 404, II, del *Codice* italiano: «Los causahabientes y los acreedores de una de las partes pueden formular oposición a la sentencia, cuando se haya obtenido con dolo o colusión en su perjuicio», y el art. 583, II, del *Nouveau Code* francés: «Los acreedores y los causahabientes de una parte también pueden interponer oposición de tercero contra la resolución dictada en fraude de sus derechos, o si alegan medios de defensa propios».

Estamos aquí ya ante el proceso fraudulento y ante un medio para combatirlo que puede referirse a multitud de supuestos; hacemos referencia a algunos evidentes: art. 1.111 CC y la acción revocatoria por actos realizados en fraude de acreedores; arts. 806, 813 y 815 CC respecto de actos realizados para disminuir fraudulentamente la legítima de un heredero forzoso, y arts. 1.347 y 1.391 CC y los actos para convertir un bien ganancial en bien privativo o en fraude de los derechos del consorte, etc.

Lógicamente el CC al referirse a estos actos fraudulentos, parte de la consideración de que se realizan en el mundo de las relaciones jurídico privadas, pero nada impide que ese acto fraudulento haya consistido en un proceso, en el que, puestas las partes de acuerdo, hayan llegado al resultado pretendido mediante la utilización de las normas procesales. El proceso civil está basado en el principio de contradicción, en la existencia de dos partes enfrentadas respecto de un derecho disponible, y de ahí que al tribunal puedan imponérsele sistemas de fijación de hechos (los admitidos y los confesados) distintos de la prueba, y aún que ésta tenga en ocasiones un valor legal. Todo ello puede ser utilizado por las partes en fraude de un tercero, tanto que se habla incluso de «estafa procesal», esto es, de la utilización del proceso como medio para cometer el delito de estafa. La sentencia se convierte así en el medio para lograr el fraude frente a los terceros.

Si el proceso es «acto fraudulento», frente a él podrá utilizarse la acción revocatoria o pauliana y en este supuesto concreto tenemos legislación y jurisprudencia (ésta por lo menos desde la Sentencia de 9 de julio de 1913), pero también cabe pedir la rescisión de las sentencias dictadas en perjuicio de herederos y cónyuge, en su caso. Para ello habrá de acudirse al juicio ordinario declarativo correspondiente a la cuantía, sin especialidades procesales pero atendiendo a los requisitos propios de la pretensión que se ejercite.

Legislación: Ley de Enjuiciamiento Civil (arts. 509 a 516; 496 a 508; 228 LEC)
Lectura: MONTERO y FLORS, *Tratado de los recursos en el proceso civil*, Valencia, 2005.

LIBRO III
EL PROCESO DE EJECUCIÓN

CAPÍTULO I
CONCEPTOS GENERALES

Concepto de ejecución forzosa

I. NOCIÓN Y NATURALEZA DE LA EJECUCIÓN
Art. 117.3 CE: Juzgar y ejecutar lo juzgado
A) Ejecución precedida de declaración
Proceso declarativo-sentencia=Ejecución
No en sentencias declarativas puras y constitutivas
De condena: Cumplimiento o ejecución
B) Ejecución sin declaración
Títulos no jurisdiccionales y títulos contractuales
C) Naturaleza jurisdiccional de la ejecución
Art. 117.3 CE. ¿Letrado?

II. SUS PRINCIPIOS CONFIGURADORES:
A) Carácter sustitutivo
Sustituye conducta condenado. Consecuencias: 5
B) Relativos a las partes
Contradicción e igualdad:
1) Relación material
2) Relación procesal
C) Relativos al proceso: Oportunidad y dispositivo. Impulso variado
D) Relativos al procedimiento: Escritura

III. LOS ELEMENTOS PERSONALES DE LA EJECUCIÓN:
A) El órgano judicial
a) Competencia:
1) Resoluciones españolas
2) Laudo y mediación
3) Otros: - Objetiva y - territorial
b) Reparto de funciones: Juez y letrado
c) Tipos de resoluciones: Juez y letrado
B) Las partes del proceso
a) Legitimación ordinaria:
1. En general
2. Activa
3. Pasiva
Gananciales, Entidades temporales, Sin personalidad
4. Acumulación de procesos
5. Proceso con pluralidad de partes
b) Legitimación extraordinaria
C) Los terceros en la ejecución
a) Defensa de posición activa
b) Posición pasiva; 1. Lícito o ilícito

IV. EL OBJETO DE LA EJECUCIÓN:
A) La petición: Objeto mediato e inmediato
B) El fundamento o causa de pedir: El título

I. NOCIÓN Y NATURALEZA DE LA EJECUCIÓN

La jurisdicción no se limita a declarar el derecho. La función jurisdiccional comprende también la ejecución del mismo. En la fórmula constitucional ello se expresa con las palabras «juzgando y haciendo ejecutar lo juzgado» (art. 117.3 CE), las cuales hacen referencia al esquema conceptual que podemos considerar más sencillo y lógico: primero se declara el derecho (proceso de declaración) y luego se procede a su ejecución (proceso de ejecución). Ahora bien este esquema conceptual no se produce en todos los casos:

A) Ejecución precedida de declaración

En el esquema normal se parte de la existencia de un proceso de declaración que ha finalizado con una sentencia en la que se ha estimado la pretensión y se ha condenado al demandado. Partiendo de esa sentencia se hace necesaria una actuación posterior que acomode la realidad fáctica al deber ser establecido en la misma.

De lo anterior se deduce ya que existen tres supuestos en los que, existiendo una sentencia, no es precisa la actividad posterior: 1) Las sentencias que desestiman la pretensión absolviendo al demandado, 2) Las sentencias estimatorias de pretensiones declarativas puras, y 3) Las sentencias constitutivas (art. 521).

En las pretensiones declarativas puras la parte queda satisfecha con la declaración de la existencia de la relación jurídica. En las constitutivas la sentencia produce por sí misma el cambio jurídico y no precisa de actividad posterior o, en todo caso, ésta es muy simple. En los dos casos la sentencia agota su fuerza con la declaración, sin que llegue a crearse un título ejecutivo.

> En estos casos suele hablarse por la doctrina de «ejecución impropia», pero sería conveniente evitar esta terminología perturbadora. Si la ejecución consiste, como veremos, en la realización de una conducta física productora de un cambio en el mundo exterior, ésta denominada impropia no es ejecución, pues la inscripción en un registro público de la sentencia —que es el supuesto más normal de actividad posterior a las sentencias declarativas puras y constitutivas— no añade nada a la sentencia, en cuanto ésta por sí sola ha satisfecho la pretensión otorgando la tutela pedida. La inscripción posterior en un registro no pasa de ser una actividad complementaria o de publicidad de los efectos de la sentencia (art. 521.2).
>
> Si la sentencia contiene un pronunciamiento constitutivo y otro de condena (al haberse producido una acumulación de pretensiones), este segundo se ejecutará conforme a lo previsto en la propia LEC (art. 521.3).

La actividad posterior de adecuación de la realidad fáctica al deber ser establecido en la sentencia, es necesaria sólo cuando ésta es estimatoria de una pretensión de condena. Es entonces cuando la tutela judicial efectiva no se logra con la mera declaración del derecho. El que la sentencia declare que el demandado adeuda una cantidad de dinero al demandante y le condene a pagarla, no supone sin más tutela efectiva. Para que ésta se logre es necesaria una actividad posterior que puede realizarse de dos maneras:

1.ª) Cumplimiento: El condenado cumple voluntariamente la prestación que le impone la sentencia. La actividad no tiene entonces carácter procesal.

2.ª) Ejecución forzosa: Si el demandado no cumple voluntariamente es necesario dotar a los órganos jurisdiccionales de los poderes necesarios para hacer efectiva la sentencia y, al mismo tiempo, ofrecer cauce procesal para su realización. Ese cauce o instrumento es el proceso de ejecución.

> Este esquema conceptual es el que ha llevado al Tribunal Constitucional ha declarar con reiteración, que el derecho de acción o, en sus palabras, el derecho fundamental a la tutela efectiva (art. 24.1 CE) comporta un contenido complejo que comprende: 1) El deber del órgano del poder judicial de poner en marcha la actividad jurisdiccional; 2) La realización del proceso de declaración con todas las garantías propias del mismo; 3) Que se dicte una sentencia sobre el fondo del asunto planteado por las partes, y 4) Que, en su caso, se proceda a la ejecución de la misma, mediante el proceso de ejecución. Sin la ejecución el derecho a la tutela judicial efectiva se vería privado de algo tan importante como es la realización práctica del derecho; sería cualquier cosa menos efectiva.

B) Ejecución sin declaración

Si lo normal es que la ejecución siga a la declaración del derecho efectuada por un órgano judicial en el ejercicio de la potestad jurisdiccional, existen casos en los que cabe acudir a la ejecución sin esa declaración previa. Estos casos son muy variados, pues unas veces se refieren a la formación de títulos ejecutivos de modo judicial pero no jurisdiccionalmente (las resoluciones judiciales que aprueben u homologuen transacciones judiciales, art. 517.1, 3.º LEC), otras atienden a declaraciones del derecho realizadas no judicialmente (el laudo dictado por los árbitros, art. 44 de la Ley 60/2003, de 23 de diciembre, de Arbitraje, y art. 517.1, 2.º LEC) y, por fin, en otras se trata de ejecutar títulos formados contractualmente por las partes (art. 517.1, 4.º a 7.º LEC).

> Especialmente en el último caso estamos ante tutelas judiciales privilegiadas en su máxima expresión. Frente a la tutela ordinaria, las tutelas privilegiadas pueden consistir en regular procesos de declaración especiales, pero en el privilegio se da un paso todavía mayor cuando la ley convierte a determinados

documentos, revestidos de determinadas garantías y realizados por las partes, en títulos ejecutivos, pues entonces se trata de que quien dispone de uno de esos documentos puede acudir al proceso de ejecución sin necesidad de una declaración previa del derecho. Veremos en la lección siguiente cuáles son esos títulos.

C) Naturaleza jurisdiccional de la ejecución

Precedido o no de la declaración jurisdiccional del derecho, el proceso de ejecución es aquél en el que, partiendo de la pretensión del ejecutante, se realiza por el órgano jurisdiccional una conducta física productora de un cambio real en el mundo exterior para acomodarlo a lo establecido en el título que sirve de fundamento a la pretensión de la parte y a la actuación jurisdiccional.

En el Derecho español queda así claro que la ejecución tiene naturaleza siempre jurisdiccional y que se debe confiar siempre a un tribunal que actúa por medio de un proceso. En otros países la situación puede ser distinta, pero en el nuestro del art. 177.3 de la Constitución de 1978 se desprende la ejecución tiene que realizarse siempre por medio de un proceso jurisdiccional. Esta naturaleza, además, no proviene simplemente de que así lo disponga una u otra ley, sino que la ejecución es consustancial a la jurisdicción o, si se prefiere, que la ejecución es actividad materialmente jurisdiccional.

> La actividad ejecutiva es la que comporta una verdadera injerencia en la esfera jurídica de las personas y, por tanto, es la que más precisa de que en ella se respeten los principios base de la jurisdicción (por ejemplo, juez predeterminado), del personal jurisdiccional (por ejemplo, independencia del juez) y del proceso (por ejemplo, contradicción). Por ello no puede dejar de causar sorpresa que la Ley 13/2009, de 3 de noviembre, haya confiado al letrado de la administración de justicia, oficio desempeñado por personas no independientes, la realización de actos que afectan a derechos de las personas.

II. SUS PRINCIPIOS CONFIGURADORES

A) Carácter sustitutivo

La actividad jurisdiccional ejecutiva es sustitutiva de la conducta que debiera haber realizado el ejecutado si voluntariamente hubiera procedido a cumplir la prestación contenida en el título ejecutivo. Si el condenado a pagar una cantidad de dinero no lo hace, el tribunal procederá a enajenar bienes de aquél y con su producto pagará al acreedor ejecutante. Ello es posible porque en nuestro ordenamiento se considera jurídicamente fungible la actividad del ejecutado sobre su patrimonio, esto es, porque algunas conductas personales privadas pueden ser sustituidas de derecho por medio del ejercicio de la potestad pública atribuida al tribunal (Carreras).

Consecuencia de lo anterior es que:

1.º) El tribunal está investido de potestad para hacer lo que puede hacer el ejecutado, pero no puede extender más allá su actividad. Consiguientemente, y por ejemplo, si el ejecutado sólo puede realizar actos de disposición sobre su patrimonio, no sobre patrimonios ajenos, tampoco podrá hacerlo el tribunal, siendo en caso contrario esos actos nulos o anulables.

2.º) El ejecutado tiene el derecho de poner fin a la ejecución en cualquier momento, realizando él mismo la conducta que el tribunal está realizando. Así el ejecutado podrá pagar y entonces habrán de levantarse los embargos, finalizando la ejecución (art. 583 LEC).

3.º) Aunque no es admisible, lógicamente, un proceso de ejecución convencional, esto es, en el que el procedimiento sea pactado por las partes, sí son posibles y válidos pactos sobre actos procesales concretos. Así cabe alterar convencionalmente el orden de bienes a embargar (art. 592.2 LEC), o fijar el tipo de la subasta (art. 637 LEC).

4.º) La actividad ejecutiva se entiende cumplida aunque no se haya podido dar efectividad completa al título, dependiendo ello de causas ajenas al juzgador, como sería la falta de bienes en el patrimonio del deudor. Pero es posible que, si en el patrimonio del deudor ingresan otros bienes, pueda reiniciarse la actividad ejecutiva hasta llegar a la completa satisfacción (art. 570 LEC).

5.º) Si se trata de sustituir la actividad del ejecutado, las costas ocasionadas lo serán a su cargo y sin necesidad de previa imposición, salvo que se trate de actuaciones específicas para las que la ley prevea expresa condena en costas (art. 539 LEC).

B) Relativos a las partes

Los principios que atendiendo a las partes determinan la misma existencia del proceso, y que son dualidad, contradicción e igualdad, se dan también en la ejecución. De entrada estamos ante una actividad con dos partes que, en contra de lo que tradicionalmente viene sosteniéndose, están en contradicción e igualdad.

Suele decirse que en el proceso de ejecución la contradicción y la igualdad están disminuidas, por cuanto el punto de partida es la existencia del derecho, por lo que las posibilidades de discusión son limitadas, pero esta concepción se basa en una confusión. Es cierto que: 1) Si el título es jurisdiccional es porque ha precedido un proceso de declaración, y 2) Si el título no es jurisdiccional es porque reúne garantías de tal naturaleza que permite acudir directamente a la ejecución, pero con ello no debe concluirse que la contradicción y la igualdad desaparecen en la actividad ejecutiva y ni siquiera que son menores. Se trata de que hay que distinguir entre:

1.º) Relación jurídico material: La existencia de un título ejecutivo no impide al ejecutado alegar sobre la existencia de aquella, si bien ello tendrá las limitaciones establecidas en la ley, distinguiendo entre títulos jurisdiccionales y asimilados y títulos no jurisdiccionales (Oposición por motivos de fondo; Lección Vigesimoctava).

2.º) Relación jurídico procesal: Aun teniendo en cuenta lo anterior el ejecutado no puede ver limitados los poderes procesales inherentes a la condición de parte, por lo que podrá formular todas las alegaciones que se refieran al desarrollo del proceso (Oposición por defectos procesales y por infracciones legales en la ejecución; Lección Vigesimoctava).

C) Relativos al proceso

Lo mismo que el de declaración, el proceso de ejecución se rige plenamente por los principios de oportunidad y dispositivo. La actividad en sí misma puede ser distinta, pero no lo es la necesidad de que alguien incoe su iniciación. Así se desprende claramente del art. 549 LEC (demanda ejecutiva).

> Naturalmente pedirá la incoación del proceso el que aparece legitimado activamente en el título, en cuanto titular del derecho, y lo hará frente al legitimado pasivamente, que será el titular de la obligación según el mismo título. Ello será así porque el obligado carecerá de interés para pedir la iniciación de la ejecución, en cuanto puede proceder al cumplimiento voluntario. Pero no siempre será así de manera tan clara, y nada obsta para que sea el condenado el que inste la ejecución, sobre todo en los casos de obligaciones recíprocas. El Tribunal Supremo en la sentencia de 10 de julio de 1945 (RA 879) admitió con carácter general que la ejecución de las resoluciones judiciales puede ser pedida por cualquiera de los litigantes, atendido el interés que en la ejecución puedan tener; y en la sentencia de 4 de diciembre de 1985 (RA 6.519) da por sentada tal posibilidad tanto que no la discute.

Lo que más resalta en los principios derivados de la oportunidad es la combinación de los principios de impulso de parte y de impulso oficial en la ejecución. Si el proceso de declaración está claramente sujeto al impulso de oficio, en el de ejecución subsisten manifestaciones del de parte, lo que además va unido a la no preclusión en contra del ejecutante, aunque sí normalmente en lo que perjudica al ejecutado.

> Se encuentran así en la LEC, y en la regulación de la ejecución, muchas ocasiones en que se dice a «instancia del ejecutante» (por ejemplo, arts. 590, investigación del patrimonio del ejecutado; 612, mejora del embargo; 629, anotación preventiva de embargo de inmuebles, etc.). Sin embargo, existen otros tantos supuestos en que, al no decirse que la realización de una actividad ejecutiva requiere instancia de parte, debe entenderse que el tribunal actuará de oficio (por ejemplo, arts. 589, manifestación de bienes; 621 y ss., garantías de la traba de bienes muebles y derechos; 644, convocatoria de la subasta, etc.).

D) Relativos al procedimiento

La actividad ejecutiva no puede responder al principio de oralidad, siendo inevitable el de escritura y con él sus consecuencias de dispersión y mediación. La ejecución supone la realización de toda una serie de actos que necesariamente han de realizarse en momentos distintos, no siendo posible la concentración de todos ellos en una audiencia o acto único. Incluso en el juicio verbal la ejecución tiene que ser escrita.

> La escritura en este procedimiento no conduce a la preclusión, a su división en fases rigurosas. En la ejecución es posible reiterar actos e incluso retroceder; por ejemplo, si en un primer intento de embargo no se encuentran bienes que trabar, puede reiterarse cuantas veces sea preciso el intento, y de la misma forma el embargo anterior puede ser reducido o ampliado. La preclusión sí tiene que referirse a los posibles actos del ejecutado, sobre todo en lo que se refiere a la oposición a la ejecución.

III. LOS ELEMENTOS PERSONALES DE LA EJECUCIÓN

La determinación de los sujetos que intervienen en la ejecución exige atender primero a los integrantes de órgano judicial, después a las partes y, por fin, a los terceros.

A) Órgano judicial

Con referencia al órgano en sí debe determinarse la competencia, para la que debe estarse a lo dispuesto en el art. 545.1 a 3.

a) Competencia

Debe estudiarse distinguiendo tres supuestos generales:

1.º) Cuando se procede a la ejecución de resoluciones españolas, bien se trate de resoluciones judiciales o del letrado de la administración de justicia a las que se otorgue fuerza ejecutiva, el único criterio determinante de la competencia es el funcional, de modo que será órgano competente para la ejecución el tribunal que hubiere conocido del proceso de declaración en la primera instancia —aunque la resolución firme que se ejecute haya sido dictada por un órgano superior al conocer de un recurso (art. 61)— o aquel en el que se que homologó o aprobó la transacción o acuerdo (art. 545.1).

> Estamos ante el absurdo. La modificación operada en el art. 545.1 por la Ley 13/2009, de 3 de noviembre, de la nueva oficina judicial, ha mezclado de modo incomprensible los supuestos. En esa norma se trataba de determinar el órgano

judicial competente, no precisar el reparto de funciones dentro del órgano. No es que este órgano judicial competente lo sea sólo para dictar el auto que contenga la orden general de ejecución y despacho de la misma, es que al mismo se atribuye la competencia frente a todos los demás órganos judiciales. Dentro del órgano judicial no se reparte la competencia entre juez y letrado de la administración de justicia, sino que simplemente algunas funciones se atribuyen al letrado.

2.°) Cuando el título sea un laudo arbitral o un acuerdo de mediación, la competencia se atribuye al Juzgado de Primera Instancia (objetiva) del lugar en que se ha dictado o firmado el acuerdo (territorial) (art. 545.2 LEC y art. 8.4 LA).

> Hasta aquí debe tenerse en cuenta, además, que la atribución de la competencia alcanza a todas las incidencias que se deriven de la ejecución. Incluso en el caso de las tercerías, tanto la de dominio (art. 599 LEC) como la de mejor derecho (art. 617 LEC), parece que su conocimiento se atribuye al tribunal que está realizando la ejecución en que surgen, de modo que, por este camino, puede estimarse que el Juez de Paz acabará conociendo de asuntos de cuantía superior a 90 euros.

3.°) Si el título a ejecutar es uno distinto de los anteriores entran en juego los criterios:

1") Objetivo: La competencia se atribuye siempre a los Juzgados de Primera Instancia (arts. 45 y 545.3 LEC).

2") Territorial: En general debe estarse al domicilio o residencia del ejecutado (arts. 545.3 y 50 y 51 LEC), y si fueran varios los ejecutados el ejecutante podrá optar entre el domicilio (o residencia) de cualquiera de ellos (art. 545.3, II), pero la ley atribuye al ejecutante la facultad de optar, además, por el Juzgado del lugar de cumplimiento de la obligación según el título o el de cualquier lugar donde se encuentren bienes del ejecutado que puedan embargarse. Naturalmente, también habrá de entrar en juego el reparto de asuntos.

> Debe tenerse en cuenta la existencia de varias normas especiales sobre la competencia. Pueden citarse así las contenidas en leyes especiales o tratados, cuando se trata de la ejecución de sentencias (art. 39 del Reglamento del CE Bruselas I, 44/2001, de 22 de diciembre de 2000, por ejemplo, o en Disp. Final 21.ª de la LEC para el título ejecutivo europeo). La propia LEC contiene norma especial cuando se trata de la ejecución sobre bienes especialmente hipotecados o pignorados, en los arts. 545.3, III, y 684 LEC.

Las normas de competencia objetiva y funcional son, naturalmente, imperativas, en todo caso, pero también lo son las de competencia territorial, pues el art. 545.3 dispone que no es aplicable, en ningún caso, la sumisión, ni la expresa ni la tácita. Por ello el art. 546 obliga al tribunal a examinar de oficio su competencia territorial antes de despachar la ejecución.

En cualquiera de los casos de inaplicación de norma de competencia, el art. 547 LEC permite que el ejecutado suscite la declinatoria, dentro de los cinco siguientes a aquél en que reciba la primera notificación en el proceso de ejecución, declinatoria que se tramitará conforme a las normas generales del art. 65 LEC.

b) Reparto de funciones

La Ley 13/2009, de 3 de noviembre, ha querido repartir las funciones dentro de la ejecución entre el juez y el letrado de la administración de justicia y lo hecho de este modo:

1.º) Juez: Dado el tenor del art. 545.4 corresponde al juez todo lo que no esté previsto de modo expreso que se atribuye al letrado.

2.º) Letrado de la administración de justicia: Corresponderá al letrado de la administración de justicia la concreción de los bienes del ejecutado a los que ha de extenderse el despacho de la ejecución, la adopción de todas las medidas necesarias para la efectividad del despacho, ordenando los medios de averiguación patrimonial que fueran necesarios conforme a lo establecido en los arts. 589 y 590 de esta ley, así como las medidas ejecutivas concretas que procedan.

c) Tipos de resoluciones

1.º) Adoptarán la forma de auto las resoluciones del Tribunal que: 1) Contengan la orden general de ejecución por la que se autoriza y despacha la misma, 2) Decidan sobre oposición a la ejecución definitiva basada en motivos procesales o de fondo, 3) Resuelvan las tercerías de dominio, 4) Aquellas otras que se señalen en esta ley. En todos los demás casos el juez decidirá por medio de providencia.

2.º) Decreto: Adoptarán esta la forma las resoluciones del letrado de la administración de justicia que determinen los bienes del ejecutado a los que ha de extenderse el despacho de la ejecución y aquellas otras que se señalen en esta ley. En los demás casos, las resoluciones que procedan se dictarán por el letrado de la administración de justicia a través de diligencias de ordenación, salvo cuando proceda resolver por decreto.

En la ejecución adquiere especial importancia el funcionario del Cuerpo de Auxilio Judicial (antes agente judicial) por cuanto, según el art. 478 LOPJ es el ejecutor de embargos, lanzamientos y demás actos que requieren actividad física o material. La «comisión del juzgado» o «comisión judicial» se integra ahora por funcionario del Cuerpo de Gestión Procesal y Administrativa que «documenta» la realización de estos actos (art. 476, c), y por el dicho funcionario del Cuerpo de Auxilio Judicial, que realiza los actos.

Existen también algunos colaboradores fuera del mismo órgano jurisdiccional, que pueden ser institucionales o personales. Entre los primeros se cuentan la policía judicial, entidades de crédito, registradores, notarios, y corredores colegiados de comercio, y entre los segundos los depositarios y los administradores judiciales.

B) Las partes del proceso

Tradicionalmente a las partes en el proceso de ejecución se les viene denominando ejecutante o acreedor y ejecutado o deudor. Ejecutante es la persona que interpone la pretensión ejecutiva y ejecutado es frente a quien se interpone, o, como dice el art. 538.1 LEC, quien pide y obtiene el despacho de la ejecución y aquél frente a quien éste se despacha, con lo que estamos diciendo que el concepto procesal de parte que dimos en la Lección Segunda es aquí también aplicable.

Naturalmente no existen problemas de capacidad distintos de los que ya vimos con relación al proceso declarativo, y respecto de la postulación el art. 539.1 LEC se limita a disponer que la intervención de abogado y procurador es preceptiva, salvo que se trate de procesos de ejecución de sentencias dictadas en procesos declarativos en los que no se exige esa intervención (y también en la ejecución derivada de procesos monitorios en los que no haya habido oposición, siempre que la cantidad por la que se despache la ejecución sea superior a 2.000 euros). Los problemas se refieren a la legitimación.

> De la misma manera para la ejecución derivada de un acuerdo de mediación o un laudo arbitral se requerirá la intervención de abogado y procurador siempre que la cantidad por la que se despache ejecución sea superior a 2.000 euros.

a) Legitimación ordinaria

Suele afirmarse que la legitimación viene determinada por el título ejecutivo, hasta el extremo de que el concepto de parte se refiere a la condición de aparecer en el título ejecutivo como titular del derecho o de la obligación, y si ello es así con carácter general no lo es menos que no sucede en todos los casos, pues en algunos la ejecución puede realizarse por y frente a quien no aparece en el título.

1.º) En general

En principio es cierto que el título determina la legitimación activa y la pasiva, y el aparecer en él como acreedor o como deudor es suficiente para que el juez despache la ejecución a petición de o en contra de uno y otro. Existen, con todo, casos en los que quien no aparece en el título puede estar legitimado. El supuesto más claro es el de la legitimación derivada, a la que se refiere el art. 540 LEC disponiendo que la ejecución podrá despacharse a favor de quien acredite ser sucesor del que figure como ejecutante en el título ejecutivo y frente al que se acredite que es el sucesor de quien en dicho título aparezca como ejecutado.

El proceso declarativo puede haberlo iniciado y concluido una persona y después haberse producido la sucesión universal (arts. 661, 995, 1003 y 1023 CC) o inter vivos (arts. 1112, 1205, 1526 y ss. CC), con lo que la afirmación de la titularidad podrá hacerla el heredero o el cesionario y podrá hacerse frente al heredero o deudor. Cuando se trata de personas jurídicas puede decirse lo mismo en caso de fusión u absorción.

Para estos casos de legitimación derivada el mismo art. 540 LEC prevé dos posibles hipótesis:

1.ª) Que la sucesión conste en documentos fehacientes. Si el tribunal los considera suficientes, procederá, sin más trámites, a despachar la ejecución a favor o frente quien resulte ser sucesor en razón de los documentos presentados.

En el caso de que se hubiera despachado ya ejecución, se notificará la sucesión al ejecutado o ejecutante, según proceda, continuándose la ejecución a favor o frente a quien resulte ser sucesor.

2.ª) Si la sucesión no constara en documentos fehacientes o el tribunal no los considerare suficientes, mandará que el letrado de la administración de justicia de traslado de la petición que deduzca el ejecutante o ejecutado cuya sucesión se haya producido, a quien conste como ejecutado o ejecutante en el título y a quien se pretenda que es su sucesor, dándoles audiencia por el plazo de 15 días. Presentadas las alegaciones o transcurrido el plazo sin que las hayan efectuado, el tribunal decidirá lo que proceda sobre la sucesión a los solos efectos del despacho o de la prosecución de la ejecución.

Estos supuestos también deben aplicarse para el caso de que se trate de títulos extrajudiciales, es decir, no precedidos de un proceso de declaración. Y aun cabe que se inste la ejecución por persona no designada en el título, o que no afirme su legitimación por sucesión, o frente a persona no designada en el título ni de la que se afirme su legitimación por sucesión, y en este caso el juez no deberá despachar la ejecución por falta de legitimación. Ahora bien, si por error se despacha la ejecución una y otra persona tendrán la consideración de parte a los efectos de utilizar los medios de defensa, aunque el ejecutado podrá alegar la falta de legitimación activa o pasiva.

Nada impide, por otra parte, que los fenómenos de sucesión procesal, que vimos en la Lección Cuarta, se produzcan pendiente ya la ejecución, con lo que se puede asistir a un cambio de legitimación, que se regula por las normas ya dichas (arts. 16 y 17 LEC), aunque en ocasiones ello suponga cambios más importantes. Así la muerte de la parte ejecutada significa dirigir la ejecución contra sus herederos, y éstos responden de la obligación con los bienes heredados y con los propios (art. 1.003 CC), salvo que la aceptación de la herencia se haga a beneficio de inventario (artículo 1.023 CC).

2.°) Activa

Aparte de lo anterior la legitimación activa no ofrece problemas generales; la tiene quien aparezca como acreedor en el título ejecutivo.

> Caso particular es el de la legitimación de los consumidores y usuarios innominados que resulten beneficiados por la sentencia recaída en un proceso declarativo promovido por una asociación de las que defienden sus intereses. Según dispone el artículo 519 LEC, cuando las sentencias de condena a que se refiere la regla primera del artículo 221 no hubiesen determinado los consumidores o usuarios individuales beneficiados por aquélla, el tribunal competente para la ejecución, a solicitud de uno o varios interesados y con audiencia del condenado, dictará auto en el que resolverá si, según los datos, características y requisitos establecidos en la sentencia, reconoce a los solicitantes como beneficiarios de la condena. Con testimonio de este auto, los sujetos reconocidos podrán instar la ejecución. El Ministerio Fiscal podrá instar la ejecución de la sentencia en beneficio de los consumidores y usuarios afectados.
>
> En este caso, el título ejecutivo, constituido por la sentencia condenatoria, no contiene la determinación individual del titular del derecho, y ha de integrarse con otra resolución judicial posterior en la que aparecerán nominalmente designadas las personas legitimadas para promover la pretensión ejecutiva, siendo esta última resolución la que atribuye la legitimación.

3.°) Pasiva

La ejecución puede despacharse (art. 538.2 LEC) pidiéndola quien aparece como acreedor en el título, y pidiéndola contra:

1) Quien aparezca como deudor en el mismo título.

2) Quien, no figurando como deudor en el título, responda personalmente de la deuda por disposición legal o en virtud de afianzamiento acreditado mediante documento público.

3) Quien, en el mismo caso, resulte ser propietario de los bienes especialmente afectos al pago de la deuda en cuya virtud se procede, siempre que tal afección derive de la ley o se acredite mediante documento fehaciente, caso en el que la ejecución se concretará sólo en esos bienes (el caso más claro es el del bien hipotecado y transmitido a un tercero adquirente).

Supuestos especiales se contemplan en los arts. 541, 543 y 544 LEC, conforme a los cuales:

1.º) Ejecución de bienes gananciales: La ejecución no puede despacharse frente a la comunidad de gananciales.

Esto lleva a distinguir:

1") Si la ejecución se sigue por deudas contraídas por uno sólo de los cónyuges, pero debiendo responder la sociedad de gananciales, la demanda ejecutiva podrá dirigirse sólo contra el cónyuge deudor, debiendo notificarse el embargo del bien ganancial al otro cónyuge, dándole traslado de la demanda ejecutiva y del auto que despache la ejecución a fin de que, dentro del plazo ordinario, pueda oponerse a la ejecución.

Su oposición a la ejecución podrá fundarse en las mismas causas que correspondan al ejecutado y, además, en que los bienes gananciales no deban responder de la deuda por la que se haya despachado la ejecución. Cuando la oposición se funde en esta última causa, corresponderá al acreedor probar la responsabilidad de los bienes gananciales. Si no se acreditara esta responsabilidad, el cónyuge del ejecutado podrá pedir la disolución de la sociedad conyugal conforme a lo dispuesto para el supuesto siguiente.

2") Si la ejecución se sigue por deudas propias de uno de los cónyuges y se persiguen bienes comunes a falta o insuficiencia de los privativos, el embargo habrá de notificarse al cónyuge no deudor; si entonces éste pidiere la disolución de la sociedad conyugal, el tribunal, oídos los cónyuges, resolverá lo procedente sobre la división del patrimonio y, en su caso, acordará que se lleve a cabo conforme a lo dispuesto en la propia LEC, suspendiéndose entre tanto la ejecución en lo relativo a los bienes comunes.

En estos dos supuestos el cónyuge al que se haya notificado el embargo podrá interponer los recursos y usar de los medios de impugnación de que dispone el ejecutado para la defensa de los intereses de la comunidad de gananciales (art. 541 LEC).

2.º) Asociaciones o entidades temporales: En el título ejecutivo pueden aparecer como deudores uniones o agrupaciones de diferentes empresas o entidades,

Entonces puede ocurrir que: 1») Si por acuerdo de los socios, miembros o integrantes o por disposición legal, aquellos respondieran solidariamente de los actos de la unión o agrupación, la ejecución se despachará directamente contra ellos, y 2») Si su responsabilidad fuera subsidiaria, para despachar la ejecución contra ellos será preciso acreditar la insolvencia de la asociación o entidad temporal (art. 543 LEC).

3.º) Entidades sin personalidad jurídica: En el caso de títulos ejecutivos frente a entidades sin personalidad jurídica, podrá despacharse la ejecución frente a los socios, miembros o gestores que hayan actuado en el tráfico jurídico en nombre de la entidad, siempre que se acredite cumplidamente, a juicio del tribunal, la condición de socio, miembro o gestor y la actuación ante terceros en nombre de la entidad (esto no es aplicable a las comunidades de copropietarios de inmuebles en régimen de propiedad horizontal) (art. 544 LEC).

4.º) *Acumulación de procesos*

La acumulación de procesos es un fenómeno previsto para el proceso de declaración (art. 77 LEC), que tiene en el proceso de ejecución una única previsión legal (art. 555 LEC), aunque la misma se refiere a dos supuestos: 1) Varios procesos de ejecución pendientes entre el mismo acreedor ejecutante y el mismo deudor ejecutado: Cualquiera de las partes puede pedir la acumulación, y 2) Varios procesos contra un mismo ejecutado y con varios ejecutantes: Cualquiera de los ejecutantes puede pedir la acumulación y el letrado de la administración de justicia del proceso más antiguo acordarla si lo considera conveniente para la satisfacción de todos los ejecutantes. En los dos casos la acumulación se sustanciará en la forma prevista en los arts. 74 y ss. LEC.

Cuando la acumulación proviene de un procedimiento anterior en el que se ha dictado una única sentencia, con tantos pronunciamientos como procesos, puede procederse a la ejecución también de forma acumulada, pero entonces la acumulación no se produce formalmente en la ejecución, sino que en ésta se continua la acumulación ya producida.

5.º) *Proceso único con pluralidad de partes*

Básicamente los supuestos a considerar son dos cuando se trata, lógicamente, de pretensión-sentencia de condena:

1) Litisconsorcio necesario: Si había un demandante y varios demandados sigue siendo necesario el litisconsorcio en la ejecución (piénsese en la entrega de una casa), pero si la condena es al pago de una cantidad de dinero puede bastar iniciar la ejecución contra uno de los deudores, sin perjuicio de las relaciones internas entre éstos.

2) Litisconsorcio cuasi-necesario: También aquí las pretensiones suelen ser declarativas puras o constitutivas, pero existe un caso de especial trascendencia práctica, el de las obligaciones solidarias (art. 542 LEC), para las que se distingue según el título. Si éste es judicial o un laudo arbitral la ejecución sólo podrá dirigirse contra los deudores solidarios que hubieren sido parte en el proceso o arbitraje; si es extrajudicial, la ejecución sólo podrá despacharse contra el o los deudores que figuren en el título o en otro documento que acredite la solidaridad y que sea también ejecutivo.

b) *Legitimación extraordinaria*

Como en el proceso de declaración también aquí es posible estar legitimado sin afirmar la titularidad activa de la relación jurídica. Es así posible utilizar la acción subrogatoria del art. 1.111 CC respecto de la «acción» ejecutiva. El artículo dicho se refiere a las «acciones» del deudor y nada impide que sean ejecutivas. Si el deudor, que ha obtenido a su favor una sentencia contra un deudor suyo, no insta la ejecución, el acreedor, después de haber perseguido los bienes de que esté en posesión el deudor para realizar cuando se le debe, puede ejercitar todas las «acciones» de éste y, por tanto, también las ejecutivas.

> Problema distinto será el relativo a cómo se podrá alegar la falta de los requisitos necesarios y especialmente el que se han perseguido infructuosamente los bienes del deudor. Para que el juez despache la ejecución será bastante que se acredite la existencia de una ejecución inútil contra el deudor, y será ya el ejecutado el que se oponga, si lo estima conveniente, dando lugar a un incidente.
>
> Respecto de otras legitimaciones habrá de estarse al caso concreto para comprobar si el Ministerio fiscal, las asociaciones, corporaciones y grupos pueden o no instar la ejecución, aunque no hubiesen sido parte en el proceso de declaración y no figuren, por tanto, en el título, pero en principio la legitimación del art. 7.3 LOPJ tiene que poder comprender también la ejecución. Así si la fábrica ha sido condenada a colocar una depuradora de aguas residuales y el demandante no insta la ejecución ¿podrá hacerlo la asociación, corporación o grupo que actúa en defensa de derechos o intereses colectivos? Afirmamos que sí.

C) Los terceros en la ejecución

También aquí, como en el proceso de declaración, tercero es quien no es parte. Las diferencias empiezan cuando se constata que en la ejecución los terceros pueden verse afectados en una variedad más grande de situaciones y de modo más directo que en la declaración.

La tutela de los terceros en el proceso declarativo se realiza mediante dos técnicas complementarias: por un lado mediante el principio de que lo hecho entre las partes produce efectos sólo para ellas (el brocardo *res inter alios iudicata nec nocest nec prodest*) y, por otro, permitiendo la intervención procesal. Lo normal es que el tercero quede protegido en la medida en que frente a él la cosa juzgada no operará, ni la sentencia será contra él título ejecutivo. Su tutela puede ser simplemente negativa.

En el proceso de ejecución, dada la variedad de actos que lo componen, la injerencia directa que se produce en el señorío jurídico de las personas y lo irreversible en muchos casos de los efectos, la actitud negativa no siempre es suficiente, siendo necesaria una actitud positiva del tercero para evitar los perjuicios consiguientes, perjuicios que pueden referirse a lo que podemos considerar posición activa y pasiva.

a) Los casos en que se produce una defensa por el tercero de su posición activa atienden principalmente al supuesto de que la ejecución puede afectar al derecho de crédito del tercero frente al ejecutado. Cuando ese crédito goza de preferencia con relación a un bien determinado, el principio de subsistencia de las cargas preferentes y anteriores significa que no se verá afectado, pero cuando la preferencia es genérica forzará al tercero a acudir a la tercería de mejor derecho (lección 31.ª) Si el crédito no es preferente puede surgir la necesidad de notificar la ejecución al tercero para que éste intervenga en el avalúo y subasta del bien (cuando éste está gravado con otras cargas que constan en asientos posteriores) (art. 659 LEC). No faltan casos en los que se tutela un derecho distinto, como el de tanteo (en el art. 33 LAU).

b) La ejecución puede colocar al tercero en una posición pasiva y ello fundamentalmente porque se dirige la misma frente a bienes que son de su propiedad, en su totalidad o en parte; esto puede hacerse de modo lícito o ilícito.

1.º) El juez puede dirigir la ejecución de modo lícito frente a un bien del tercero por entender que está afecto al cumplimiento de la obligación por la que se procede a la ejecución, caso en el que ese tercero podrá utilizar los medios de defensa que la ley concede al ejecutado (art. 538.3 LEC)

> Este es el caso básico del tercero poseedor. Cuando la ejecución persigue bienes hipotecados y éstos han pasado a poder de un tercero, aparece todo un sistema de intervención del mismo en el proceso (arts. 126 y 127 LH y arts. 222 a 224 RH); todavía cabría distinguir cuando la inscripción en el Registro de la Propiedad se hizo antes de las certificaciones de cargas del art. 656 LEC o cuando se hace después, pero los detalles los veremos en la Lección Cuadragésima. La ejecución puede continuar también respecto de bienes embargados que se han transmitido después del embargo (art. 662 LEC). En estos casos la ejecución se dirige contra bien que en su totalidad es de un tercero, pero cabe asimismo dirigirla contra bien que en parte es propiedad del ejecutado y en parte de un tercero (el caso más destacado es el de embargo de bien ganancial por deudas de uno de los cónyuges).

2.º) La ejecución afecta de modo ilícito a un bien de tercero cuando se embarga por error relativo a su titularidad. Si el bien es inmueble y está inscrito en el Registro a nombre de ese tercero, puede bastar para levantar el embargo la constancia judicial de este hecho (arts. 658 LEC y 38 LH), pero en otro caso será necesaria la tercería de dominio (Lección Trigésima).

> Como puede verse las situaciones son muy variadas y más complejas que en el proceso de declaración, y de ahí que los medios de tutela también lo sean. Con todo sigue siendo válido que, con relación al proceso, sólo se puede ser parte o tercero. Las distinciones entre terceros, extraños, personas interesadas o personas ajenas carecen procesalmente de significado útil.

IV. EL OBJETO DE LA EJECUCIÓN

Con la expresión objeto de la ejecución se está haciendo referencia a la pretensión, esto es, a la petición fundada que se hace a un órgano jurisdiccional, frente a otra persona, sobre un bien de la vida. Recordando lo que dijimos en la Lección Sexta nos importan ahora los elementos objetivos de esa definición.

A) La petición

La distinción que ya se hizo en la Lección Sexta puede mantenerse aquí y así cabe referirse a:

a) Objeto inmediato: La petición de la pretensión tiene como objeto inmediato una cierta actuación jurisdiccional, que aquí no se refiere a declaración judicial alguna, sino que atiende siempre, primero, a que se despache la ejecución, y, luego, a una conducta física que debe producir un cambio en el mundo exterior para acomodar la realidad al título ejecutivo. El contenido de la actividad puede ser muy distinto, como luego veremos.

b) Objeto mediato: El título ejecutivo de que se parte declara la existencia de una obligación cuyo objeto es naturalmente una prestación, entendida ésta como comportamiento del deudor; según el art. 1.088 CC ese comportamiento puede reducirse a hacer, no hacer y dar alguna cosa, precisándose después que ese dar puede referirse a cosas específicas, genéricas o dinero.

Por tanto el objeto de la pretensión será la consecuencia prevista en la ley a que nos referimos, que debe ser actuada por el tribunal, y su naturaleza dependerá de la clase de prestación que debía ser realizada por el deudor. Si el objeto de la obligación es un hacer, el tribunal debe emplear los medios necesarios al efecto de que el deudor haga; si el objeto era entregar una cosa especifica, el tribunal procederá a poner al ejecutante en posesión de la misma; y si el objeto era una cantidad de dinero, el tribunal procederá al embargo y realización forzosa de bienes del ejecutado para obtener esa cantidad de dinero y entregarla al ejecutante.

La petición del ejecutante habrá de referirse, pues, a esa consecuencia jurídica. Pedirá el objeto inmediato (la realización de la actividad jurisdiccional), pero sobre todo la entrega de un bien concreto y determinado, de una cosa genérica, de una cantidad de dinero, la realización de una obra, la destrucción de otra, etc.

La petición del ejecutante no es libre, por cuanto el título determina los límites de su petición; cuando se trata de dinero o de cosa genérica siempre será posible pedir menos (el título se refiere a un millón y el ejecutante pide medio, o el título habla de mil toneladas de hierro y se piden quinientas), pero nunca más. En todo caso no podrá pedirse cosa distinta de la que establece el título o un hacer distinto. El título marca no sólo el objeto, sino también los confines. Por ello es por lo que en la mayoría de los casos no es precisa una petición expresa, sino que es suficiente decir, en la demanda ejecutiva, que se pide que se inicie la ejecución, estando ya implícito (con referencia al título) cuál es el objeto de ésta.

Hay que tener en cuenta, además, que el objeto de la petición no se logrará siempre. No nos referimos ahora a la oposición que puede interponer el ejecutado, sino a imposibilidad derivada de la naturaleza de la situación. El juez pondrá en marcha los medios necesarios para obtener la consecuencia jurídica prevista por la ley, pero su actividad puede no lograr éxito; en el caso más común de obligaciones dinerarias, el juez intentará el embargo de bienes del deudor, pero si éste no tiene bienes la ejecución termina aquí y sin éxito (si bien puede volver a intentarse el embargo cuando se descubran bienes o el deudor los adquiera; recuérdese el art. 1.911 CC).

> Suele decirse que la consecuencia prevista en la ley es, en nuestro Derecho, siempre patrimonial, pero ello no es así. Teóricamente las consecuencias pueden ser personales y patrimoniales; en el segundo caso el objeto de la ejecución se reduce siempre, de una u otra manera, a los bienes del ejecutado, mientras que en el primero la ejecución puede recaer en la persona misma del ejecutado. En el proceso de ejecución civil español lo patrimonial es predominante, pero no exclusivo; existen manifestaciones evidentes de la ejecución personal (como es el caso del lanzamiento en el desahucio).

B) El fundamento o causa de pedir

En el proceso de ejecución el fundamento de la petición es siempre el título ejecutivo; éste por sí solo establece el hecho relevante para fundar la petición, individualizándola de las demás, no siendo necesario alegar nada distinto. Más aún, el ejecutante no precisará probar nada para que la ejecución se despache y se lleve hasta el final. Si el ejecutado alega algo, sea lo que fuere, a él corresponde la prueba. En el título se resumen todas las alegaciones y pruebas que el ejecutante precisa; cualquier otra cosa entrará por la vía del ejecutado.

Legislación: Ley de Enjuiciamiento Civil (arts. 521 y 538 a 547)
Lectura: MONTERO y FLORS, *Tratado de proceso de ejecución civil*, 2ª ed., Valencia, 2013.

I. NOCIÓN DE TÍTULO EJECUTIVO

A) Su función en la ejecución

En la lección anterior hemos hecho repetidas alusiones al título y con ellas ha podido irse ya comprobando su trascendencia en la ejecución. Si ahora añadimos el brocardo *nulla executio sine titulo* tendremos suficientemente resaltada la importancia de su noción y función.

Posiblemente el mejor método para explicar el concepto de título ejecutivo sea empezar casi por el final, haciendo primero referencia a cómo opera respecto del proceso de ejecución, y para ello vamos a centrarnos, primero, en el título más claro, que es la sentencia firme de condena y, luego, en la escritura pública.

a) Después del proceso de declaración, la sentencia firme de condena termina con toda posibilidad de discusión en torno a la existencia del derecho subjetivo y de la obligación, por hechos anteriores a ella misma. En esa sentencia pueden descubrirse dos elementos: 1) Un acto jurídico con un contenido determinado, y 2) Un documento que sirve para acreditar la existencia del acto anterior y al que se incorpora el contenido.

Después de dictada la sentencia (después de ese acto jurídico y su plasmación en un documento), la relación jurídico material a la que ella se refiere continúa viviendo en el tiempo, y respecto de la misma pueden producirse toda clase de hechos, actos y negocios jurídicos. Podemos suponer que la sentencia condenaba al pago de una cantidad de dinero y que el condenado, de modo voluntario y extrajudicial, procedió a pagar al acreedor. Pues bien, el pago no impide que la sentencia siga existiendo como acto y como documento y que el acreedor inste la ejecución, estando el tribunal obligado a despacharla.

Es evidente que la obligación se ha extinguido (art. 1.156 CC), pero ello no impide que la sentencia como título siga existiendo, implicando aún la existencia de un derecho y un deber:

1) El derecho del acreedor, con base en la sentencia, a instar la ejecución y a que ésta se ponga en marcha. Aquí se demuestra la diferencia entre derecho a la actividad ejecutiva y derecho subjetivo material; éste no existe, pero el título determina la existencia del primero. El título funciona de modo autónomo.

2) El deber del tribunal de poner en marcha la actividad ejecutiva, de realizar los actos propios de ésta. En el inicio de la ejecución para el tribunal lo determinante es la existencia regular del título; con él basta para que se esté obligado a despachar la ejecución y a realizar los actos propios de ésta.

En la situación que hemos descrito si el ejecutado no se opone, el tribunal llevará la ejecución hasta el final. En manos del ejecutado está el oponerse a la ejecución, alegando la inexistencia de la obligación, es decir, un hecho extintivo que debe probar. El ejecutante no precisa más que presentar el título, sin que deba probar nada. Todas las alegaciones que se opongan al acto jurídico y al documento tendrá que hacerlas el ejecutado y sólo a él incumbe la carga de la prueba.

b) Normalmente el ordenamiento exige que la ejecución esté precedida de una fase previa de declaración, pero no siempre es así. Atendiendo a razones no jurídicas, sino de oportunidad política, la ley puede prescindir de la declaración judicial y atribuir a determinados actos jurídicos, documentados de una determinada manera, la posibilidad de acceder directamente a la ejecución. Puede hacerse así un reconocimiento de deuda en escritura pública y a ello el art. 517, 4.º LEC le otorga fuerza ejecutiva. Cabe aquí también distinguir los dos elementos: 1) Un acto jurídico, y 2) Un documento que sirve para acreditar la existencia del acto.

Desde el punto de vista del derecho a instar la ejecución no es aquí tampoco trascendente la existencia de la obligación; lo importante es la existencia del título con todos sus requisitos. Instada la ejecución y comprobada la regularidad formal del título, el tribunal tendrá el deber de despacharla y de realizar todos los actos ejecutivos. El ejecutante no precisa más que presentar el título, sin que deba probar nada. Naturalmente el ejecutado puede oponerse a la ejecución —para lo que tiene limitadas las alegaciones conforme a una lista preestablecida— pero todas las que haga habrán de ser probadas por él.

B) Acto jurídico + documento

Visto, pues, cómo funciona el título podemos atender ahora a su noción. Tradicionalmente la doctrina viene discutiendo en torno a dos posiciones básicas que podemos simplificar como: 1) Título ejecutivo = acto jurídico, y 2) Título ejecutivo = documento. Es decir, si para unos el título es el acto o conjunto de actos jurídicos a los que la ley concede fuerza ejecutiva, esto es, eficacia para lograr la actividad ejecutiva llevándola, en su caso, hasta el final, para otros el título ejecutivo es un documento que prueba la existencia de esos actos y cuya mera existencia basta para que se tenga el derecho a la ejecución y surja el deber del tribunal de realizar la actividad ejecutiva.

> Naturalmente no han faltado posturas intermedias según las cuales: Título ejecutivo = acto jurídico + documento. En este sentido se ha hablado de un doble elemento en el título, sustancial y formal; así el título en sentido sustancial es el acto jurídico del que resulta la voluntad concreta de la ley y en sentido formal el

documento en el que el acto se contiene. Esta solución se ha dado para explicar dos situaciones propias de la ejecución:

1.ª) Que la mera posesión de un documento, formalmente regular, pone al acreedor en condiciones de pedir la incoación de la ejecución y al tribunal en el deber de dictar las resoluciones ejecutivas.

2.ª) Que la falta del acto jurídico permite al ejecutado alegar en torno al contenido de la relación jurídica sustancial, es decir, poner en marcha la actividad de conocimiento dentro de la actividad ejecutiva (el incidente declarativo intercalado en el proceso de ejecución). A tener en cuenta que esa «falta» del acto jurídico puede ser de muy variada condición; puede referirse a que el acto jurídico no existió nunca (inexistencia, nulidad), a que ha surgido un hecho nuevo que ha extinguido sus efectos totalmente (pago) o en el momento presente (pacto de no pedir) o a que se ha producido un hecho que excluye sus efectos (prescripción).

Implícito en ese intento de explicar dos situaciones, está el hecho de que la mera presentación de un documento determinado es bastante para iniciar la ejecución y para llevarla hasta el final. El ejecutante no debe alegar ni probar la existencia de una obligación de la que es titular pasivo el ejecutado; basta el documento, que se convierte así en causa de la pretensión; iniciada la ejecución, el ejecutado podrá alegar que, a pesar del documento, del acto jurídico no nació la obligación o que actos posteriores la extinguieron, impiden su reclamación actual o la excluyen, pero en todo caso la ejecución se ha iniciado.

Hoy suele darse por superada la discusión en torno al acto jurídico *adversus* documento, pero lo cierto es que partiendo de que en el título ejecutivo existe un acto jurídico, del que nace una obligación, y un documento, que es la representación de la misma, siempre restará por determinar qué es lo esencial del título, es decir, cuál es el supuesto de hecho constitutivo del título y cuál es la *regula iuris* que fija su perfeccionamiento. Criterio básico para determinar esa esencia es que la noción a descubrir debe importar desde el proceso de ejecución; el punto de vista a adoptar ahora no se refiere a la trascendencia que el título puede tener en las relaciones jurídico materiales, ni en el proceso de declaración.

C) El título como documento típico

Precisar que el acto jurídico no es lo esencial para fijar el hecho constitutivo del título ejecutivo es muy sencillo; tanto como observar que la inexistencia del acto jurídico, siempre que exista documento, no impide poner en marcha la ejecución, mientras que lo mismo no ocurre al revés, es decir, la inexistencia del documento siempre comporta la inexistencia del título. La falsedad total de un documento de contrato mercantil, siempre que aparezca formalmente cumpliendo los requisitos del art. 517, 5.º LEC, permite a quien lo tenga en su poder instar la ejecución forzosa y al tribunal le llevará a dictar los actos procesales ejecutivos, y ello a pesar de que no exista en realidad dicho contrato; por el contrario, si el contrato mercantil existió pero no existe documento, no podrá ni instarse la ejecución ni dictarse actos ejecutivos.

> Desde el punto de vista de la ejecución el documento no interesa tanto como representación de la obligación, sino por sí mismo. La representación determina el contenido de lo que el ejecutante puede pedir (la petición de la pretensión) y de lo que el tribunal puede dar, pero el documento importa especialmente como supuesto de hecho de la aplicación del derecho procesal, es decir, el documento no es un medio de prueba de la obligación, sino el presupuesto legal de la actividad jurisdiccional.

Lo que se está afirmando básicamente es que el supuesto de hecho constitutivo del título tiene carácter típico y naturaleza procesal.

1.º) La tipicidad supone que no se pueda dar un concepto abstracto de título ejecutivo y partiendo del mismo buscar en la realidad jurídica documentos que se acomoden a ese concepto. Esa labor es inútil porque el título ejecutivo no es una categoría. Documentos título ejecutivo son los que el legislador quiere que sean; atendiendo a razones de oportunidad política, el legislador atribuye a determinados documentos la cualidad de título ejecutivo y nada más. Un concepto atípico o general carece de utilidad. Se debe hacer una enumeración (siempre *numerus clausus*), pero no buscar una noción.

2.º) Esos documentos típicos, que son título ejecutivo en cuanto tales, importan únicamente desde el punto de vista del proceso de ejecución, no interesando lo que puedan significar fuera de este proceso. Fuera del proceso de ejecución los documentos no operan como títulos ejecutivos. En este proceso el documento típico es presupuesto legal de la actividad jurisdiccional y son normas procesales las que lo rigen, y, por tanto, lo que importa no es tanto su noción (abstracta e inútil) sino la función que se cumple en el proceso. Hemos vuelto así al inicio de esta exposición.

II. CLASES DE TÍTULOS EJECUTIVOS

De lo dicho se desprende que lo que importa es el examen detallado de cada título, pero, atendido el contenido del art. 517 LEC, y algunas otras disposiciones de la misma, debe realizarse la siguiente clasificación, partiendo de que sólo llevan aparejada ejecución los títulos que la ley dispone.

A) Títulos judiciales o equiparados

Cuando se habla de títulos judiciales o asimilados se está haciendo referencia a aquellos títulos que consisten, bien en resoluciones que han sido dictadas por un tribunal español, de las que la ley dice que son título ejecutivo (donde se incluyen resoluciones muy variadas, como veremos), bien en otros títulos que la ley asimila o equipara a las resoluciones judiciales a la hora de su ejecución (caso básicamente de los laudos arbitrales); en el mismo grupo deben incluirse las sentencias y laudos dictados por tribunales y árbitros extranjeros en los términos en que veremos.

En estos títulos puede haberse procedido a la documentación de todo tipo de obligaciones, esto es, tanto dinerarias como no dinerarias, con lo que se comprende todo tipo de prestaciones: hacer, no hacer y dar (cosa específica o genérica, y la más genérica de todas que es el dinero). También tratándose de estos títulos veremos como la oposición que pueda formular el deudor ejecutado se limita extraordinariamente (art. 556 LEC).

a) Sentencia de condena firme

La sentencia firme de condena es el título ejecutivo básico, y respecto del mismo deben hacerse dos puntualizaciones:

1.ª) La sentencia que puede ejecutarse es la firme, es decir, aquélla contra la que no caben recursos ordinarios o extraordinarios. Las sentencias definitivas (art. 207) no son, en principio, título ejecutivo, salvo lo que diremos después sobre la ejecución provisional.

2.ª) En términos estrictos el título ejecutivo se reduce a la parte dispositiva de la sentencia, es decir, al fallo. La fundamentación fáctica y jurídica no compone el título, sin perjuicio de que en ocasiones sea necesario acudir a ella para integrar o para interpretar el fallo.

> En unos casos será para integrar el fallo. Son frecuentes en la práctica los casos en que, con técnica no depurada, en el fallo se contienen remisiones a lo dicho en la fundamentación, especialmente cuando con ello se evita un fallo muy extenso o, si se quiere, tener que escribir dos veces lo mismo. Esta práctica es normal en nuestros tribunales, sobre todo en las sentencias de separación y divorcio respecto de las medidas consecuencia (guarda de los hijos y régimen de visitas, por ejemplo).
>
> En otros para interpretar el fallo es preciso acudir a la fundamentación; para saber el contenido real de determinados pronunciamientos que en sí mismos no tienen la claridad y precisión necesarias, pero que, atendida la fundamentación, no llegan a constituir defectos de forma del acto procesal que es la sentencia.

En nuestro Derecho ni la sentencia ni las otras resoluciones judiciales que son título ejecutivo han de acompañarse a la demanda en la que se insta la ejecución, y ello como consecuencia de que una y otras obran en los autos que están en el Juzgado competente para realizar la ejecución (art. 550.1, 1.º LEC). Incluso en el caso de que haya existido recurso, el tribunal que conozca del mismo debe remitir testimonio de la sentencia dictada al inferior, de modo que la misma constará siempre en los autos.

> Supuesto muy especial de la sentencia firme de condena es el relativo a los consumidores y usuarios y previsto en el art. 519 LEC. Cuando las asociaciones de éstos han asumido la legitimación del art. 11 LEC, la sentencia que se dicte, si se refería a una pretensión de condena dineraria, puede no haber establecido la determinación individual de los consumidores y usuarios, sino sólo las características y requisitos para poder exigir el pago y, en su caso, instar la ejecución (conforme a lo dispuesto en el art. 221.1, 1.º LEC), y entonces el título ejecutivo es realmente el testimonio del auto que dicte el tribunal, a instancia de uno o más de los consumidores y usuarios y con audiencia del condenado, reconociéndoles la condición de beneficiarios.

b) Laudo y acuerdo de mediación

a") De características similares a la sentencia es el laudo de condena a que se refiere el art. 44 de la Ley 60/2003, de Arbitraje, de 23 de diciembre, del que podrá obtenerse la ejecución del modo que la ley procesal establece para las sentencias. En esta ejecución sólo existen las especialidades que se derivan de la propia esencia del laudo, sin que el legislador haya establecido otras que pudiéramos calificar de artificiales.

1.º) Si antes se sostenía que el laudo a ejecutar era el firme con base en que el art. 517.2, 2.º de la LEC decía: «Los laudos o resoluciones arbitrales firmes», ahora, después de la Ley 60/2003, que ha modificado la redacción de la norma para que diga: «Los laudos o resoluciones arbitrales», ya no se cuestiona que el laudo a ejecutar es el que dictan el o los árbitros, independientemente de que se formule o no la llamada acción de anulación.

2.º) En todo caso se ejecuta el laudo, nunca sentencia alguna. Si la llamada acción de anulación formulada contra el laudo es estimada, no hay ejecución; si es desestimada, se ejecuta el laudo.

3.º) Lo dicho para el fallo de la sentencia puede repetirse en el laudo.

4.º) El laudo puede ser una decisión tomada por el o por los árbitros manteniéndose la discrepancia hasta el final de las partes, pero puede ser también el laudo dictado ante el acuerdo de las partes, como prevé el art. 36 de la Ley 60/2003, puesto que ante el acuerdo se debe dictar laudo y el mismo tiene la misma eficacia que cualquier otro laudo sobre el fondo del asunto.

5.º) Junto a la demanda ejecutiva deberá presentarse el título (art. 550.1, 1.º LEC y art. 44 Ley 60/2003), y éste se integra por: 1) El laudo, 2) El convenio arbitral, y 3) Los documentos acreditativos de la notificación del laudo a las partes.

Debe advertirse que esta Ley 60/2003 ha suprimido la necesidad de la protocolización notarial del laudo, manteniéndola simplemente como posible (art. 37.8), por lo que en su caso podrá también acompañarse. También deberá acompañarse, en su caso, la corrección, aclaración y complemento del laudo (art. 39). La falta de presentación de alguno de los tres primeros documentos, junto con la demanda ejecutiva, tiene que llevar a que la ejecución no sea despachada.

La posibilidad del ejercicio de la llamada acción de anulación contra el laudo, dentro del plazo de dos meses, o el ejercicio efectivo de la misma, no afectan a la presentación de la demanda ejecutiva. Si iniciado el proceso de ejecución se formula la demanda con el ejercicio de la acción de anulación, cabe que el proceso de ejecución se suspenda, en los casos y con los requisitos del art. 45 de la Ley 60/2003, pero ello no supone que el laudo deje de ser título ejecutivo.

b") Desde la Ley 5/2012, de 6 de julio, de mediación en asuntos civiles y mercantiles, es también título el acuerdo de mediación elevado a escritura pública de acuerdo con la Ley de mediación en asuntos civiles y mercantiles.

El Real Decreto-ley 5/2012, de 5 de marzo, de mediación en asuntos civiles y mercantiles, dispone en su art. 25 que el acuerdo de mediación podrá ser elevado a escritura pública, debiendo el notario verificar el cumplimiento de los requisitos exigidos legalmente y que su contenido no es contrario a Derecho. Y luego el art. 517.2. 2º dice que el título es realmente la escritura pública en que se ha plasmado el acuerdo dictado por el mediador

c) Resoluciones judiciales de aprobación u homologación de transacciones judiciales o de acuerdos logrados en el proceso

Se trata básicamente del auto que homologa la transacción judicial (arts. 1.816 CC y 19.2 LEC), pero también del auto que homologa el llamado acuerdo entre las partes logrado en la audiencia previa del juicio ordinario (art. 415 LEC). Tampoco aquí será necesario acompañar el título a la demanda ejecutiva, pues ha de constar en los autos (art. 550.1, 1.º, LEC), sin perjuicio de que el art. 517.1, 3.º, LEC dice que estas resoluciones judiciales pueden ir acompañadas, si fuera necesario para constancia de su concreto contenido, de los correspondientes testimonios de las actuaciones.

Debe recordarse:
1º) Transacción judicial, en general: Es título ejecutivo el auto que homologa la transacción judicial en general, es decir, aquella a la que se refiere el art. 19.2 de la LEC, que puede realizarse en cualquier momento de la primera instancia, de los recursos o de la ejecución de sentencia. Esta transacción es la judicial, y no la extrajudicial.

2º) Acuerdo o conciliación en la audiencia previa: Hay que distinguir, primero, lo dispuesto en el art. 415, con su acuerdo previo o su intento de conciliación, y, después, lo previsto en el art. 428.2.

3º) Convenio regulador: Un supuesto especial de transacción es el del convenio regulador del art. 90 del CC y lo es hasta el extremo que la resolución que lo homologa o aprueba no siempre es auto e, incluso, que no es lo normal.

d) Auto de cuantía máxima

El art. 517.2, 8.º LEC mantiene como título ejecutivo el llamado auto de cuantía máxima (en la redacción de la Ley 35/2015, de 22 de septiembre, de reforma del sistema para la valoración de los daños y perjuicios causados a las personas en accidentes de circulación); se trata del auto que establezca la cantidad máxima reclamable en concepto de indemnización, dictado en los supuestos previstos por la ley en procesos penales incoados por hechos cubiertos por el Seguro Obligatorio de Responsabilidad Civil derivada del uso y circulación de vehículos de motor. Debe estarse, además, a lo previsto en los arts. 12 a 19 del RD-legislativo 8/2004, de 29 de octubre, por el que se aprueba el texto refundido de la Ley sobre Responsabilidad Civil y Seguro en la Circulación de Vehículos a Motor (con las reformas dichas de la Ley 35/2015).

Las particularidades a resaltar son las siguientes:

1.ª) El crédito nace de los daños corporales o materiales que causa el conductor de un vehículo de motor con motivo de la circulación. Para el cobro del mismo el perjudicado o sus herederos tienen acción directa contra el asegurador del vehículo o, en su caso, contra el Consorcio de Compensación de Seguros, y hasta el límite del seguro obligatorio (que se establece reglamentariamente). Esta acción directa puede realizarse por medio del proceso de ejecución.

2.ª) Partiendo de la existencia del auto que es título, y de que la obligación lógicamente ha de ser dineraria, puede formularse demanda ejecutiva que se tramitará conforme a lo dispuesto en general para el proceso de ejecución.

Cuando la indemnización haya de correr a cargo del Consorcio de Compensación de Seguros se añaden estas especialidades: 1) Para que sea admitida la demanda ejecutiva debe acreditarse fehacientemente que el Consorcio fue requerido judicial o extrajudicialmente de pago y que desde el mismo ha transcurrido un plazo de tres meses, 2) Todo requerimiento judicial o extrajudicial se hará al Consorcio en sus Servicios Centrales o en las delegaciones regionales, y aquél dispondrá del plazo de diez días, 3) No es necesaria reclamación en vía gubernativa, y 4) El Consorcio no tiene los privilegios de que goza el Estado (RD-Leg. 7/2004, de 29 de octubre).

e) Las demás resoluciones procesales que, por disposición legal, lleven aparejada ejecución

Pueden incluirse aquí resoluciones muy variadas como: auto que aprueba la tasación de costas (art. 246.4, II LEC), acta en la que se fija la indemnización al demandado por incomparecencia del demandante en el juicio verbal (art. 442.1 LEC), etc.

La norma dice ahora «resoluciones procesales», con lo que comprende también las resoluciones del letrado de la administración de justicia [como se desprende del art. 206, que distingue entre «resoluciones judiciales» (apart. 1) y «resoluciones de los letrados judiciales» (apart. 2)]. Junto a esto en algún caso existe norma expresa, y así el art. 476 de la LEC/1881 («la resolución aprobando lo convenido por las partes tendrá fuerza ejecutiva», con remisión expresa a este núm. 9.º), y otras veces sin esa mención la conclusión tiene que ser la misma (caso de los arts. 29.2, II, 34.2, II, 35.2, III, 375, etc.), pues hay remisión al procedimiento de apremio.

B) Títulos no judiciales o contractuales

Si los anteriores títulos se forman judicialmente, estos otros tienen un origen contractual y se trata de actos jurídicos que se documentan con tales garantías que la ley les atribuye fuerza ejecutiva. Lo característico de todos ellos es que sólo pueden documentar obligaciones dinerarias, que cumplan los siguientes requisitos, según el art. 520 LEC: 1) Cantidad determinada, 2) Superior a 300 euros (aunque esta cuantía puede alcanzarse por la adición de varios títulos), 3) En dinero efectivo, 4) En moneda extranjera convertible (cuando la obligación de pago en la misma esté autorizada o resulte permitida legalmente), y 5) En cosa o especie computable en dinero.

a) Escritura pública

El título lo constituye la primera copia de la escritura pública o, si es segunda, que esté dada en virtud de mandamiento judicial y con citación de la persona a quien deba perjudicar, o de su causante, o que se expida con la conformidad de todas las partes.

La escritura pública es una clase de instrumento público notarial cuyo contenido son las declaraciones de voluntad, los actos jurídicos que impliquen prestación de consentimiento y los contratos y los negocios jurídicos de todas clases (art. 144, II, del Reglamento Notarial de 2 de junio de 1944), para cuya regulación debe estarse a los arts. 147 a 196 del mismo Reglamento (con la modificación del RD 45/2007, de 19 de enero).

Escritura pública lo es tanto la escritura matriz como las copias de la misma expedidas con las formalidades de derecho (art. 221 Regl.). Atendido lo dispuesto en la Ley del Notariado de 28 de mayo de 1862 (art. 32), que prohíbe sacar de las notarías las escrituras matrices y los libros protocolo, el título ejecutivo será la copia. Para éstas el art. 233 del Regl., y sólo a los efectos del ahora art. 517.2, 4.º LEC, distingue entre primera y segunda copia. En principio sólo es título ejecutivo la primera copia.

Dice ahora el artículo 17.1, IV, de la Ley del Notariado de 1862 (en la reforma de la Ley 36/2006, de 29 de noviembre, de medidas para la prevención del fraude fiscal, que entró en vigor al día siguiente): «Es primera copia el traslado de la escritura matriz que tiene derecho a obtener por primera vez cada uno de los otorgantes. A los efectos del art. 517.2.4° de la Ley 1/2000, de 7 de enero, de Enjuiciamiento Civil, se considerará título ejecutivo aquella copia que el interesado solicite que se expida con tal carácter. Expedida dicha copia el Notario insertará mediante nota en la matriz su fecha de expedición e interesado que la solicitó».

Como puede comprobarse del juego de los artículos 517.2, 4.° LEC y 17.1, IV, Ley del Notariado, la expedición de primera copia con fuerza ejecutiva exige que así lo pida el interesado, y que se deje nota en la matriz del protocolo. Como puede verse ha cambiado un tanto la regulación notarial, permaneciendo la misma la regulación procesal del título ejecutivo. Debe tenerse en cuenta que las copias de las escrituras anteriores a 2006 deberán regirse por la norma propia del momento en que se expidieron.

Con la distinción entre primera y segunda copia, y la constitución en título ejecutivo sólo de la primera, lo que se trata de evitar es que un acreedor, utilizando distintas copias, pueda incoar varias ejecuciones. Ahora bien, ello no impide la expedición de segunda copia con fuerza ejecutiva por mandamiento judicial. Si el acreedor no dispone de la primera copia expedida en su día (por pérdida o la circunstancia que fuere) puede instar que se expida segunda copia ejecutiva por mandamiento judicial y con citación del deudor.

Para la regulación de este acto de jurisdicción voluntaria debe estarse al art. 235 del Reglamento. El acreedor deberá presentar un escrito en el Juzgado de Primera Instancia del territorio donde radique el protocolo, sin necesidad de letrado ni de procurador, expresando el documento de que se trata, la razón de pedir la copia y el protocolo donde se encuentra; el juez dará traslado al deudor (o al Ministerio fiscal si se ignora su paradero), y con o sin impugnación resolverá por auto, expidiendo en su caso mandamiento al notario.

El art. 234 del Reglamento se refiere a la obtención de segunda copia ejecutiva por conformidad de los otorgantes de la escritura, y por este sistema puede ahora obtenerse un verdadero título. El art. 517.2, 4.° LEC se refiere literalmente «a la conformidad de todas las partes» (obviamente en la escritura), con lo que el sistema del art. 234 del Regl. Notarial ha quedado legalizado.

b) Pólizas de contratos mercantiles

El título lo constituyen esas pólizas cuando están firmadas por las partes e intervenidas por notario, debiendo acompañarse, además, la certificación en la que el notario acredite la conformidad de la póliza con los asientos de su Libro-Registro y la fecha de estos (arts. 197 a 197 sexiens del Reglamento Notarial según el RD 45/2007).

Debe tenerse en cuenta que los corredores de comercio colegiados a los que se refiere la LEC han desaparecido al unificarse con los notarios, conforme a lo dispuesto en la Ley 55/1999, de 29 de diciembre. Las pólizas subsistirán, pues se trata del documento en que se plasma un contrato mercantil, y la intervención también, que harán los notarios. Estos darán fe, por un lado, en las escrituras públicas con unos requisitos (con existencia de protocolo) y, por otro, en las pólizas, con Libro-Registro, y existirán por tanto dos títulos ejecutivos distintos.

c) Obligaciones y cupones vencidos

Títulos al portador o nominativos, legítimamente emitidos, que representen obligaciones vencidas y los cupones, también vencidos, de dichos títulos, siempre que los cupones confronten con los títulos y éstos, en todo caso, con los libros talonarios.

En realidad estamos aquí ante dos títulos ejecutivos. El primero de ellos, o principal, es el propio título valor (acción u obligación) que para ser ejecutivo ha de: 1) Estar legítimamente emitido; 2) Ser al portador o nominativo (no a la orden), y 3) Confrontar y ser conforme con el libro talonario. El segundo, o accesorio, es el cupón, el cual ha de cumplir los requisitos anteriores pero además una segunda confrontación: la del cupón con el título valor y la de éste con el libro talonario.

> Dos son los aspectos a destacar:
> 1) La LEC se remite a legítimamente emitido, lo que supone que ella por sí sola no determina la existencia del título ejecutivo; así debe estarse al Título XII, Capítulo I del RDLeg. 1/2010, de 2 de julio, Ley de Sociedades de Capital, respecto de la emisión de obligaciones por estas sociedades, y a una larga lista de normas sobre títulos de renta fija, mercado hipotecario, etc.
> 2) La LEC no dice cómo se realiza la o las confrontaciones, pero lógicamente existirá escrito del acreedor, presentando ante el Juzgado de Primera Instancia competente incluso por el territorio, adjuntando el documento título valor y sus cupones; el juez acordará la confrontación o confrontaciones, realizándose la del título valor con el libro talonario en el domicilio del deudor (art. 49, III, Cdc.), requiriéndose al mismo para que exhiba el libro, y las dos por el mismo juez con el letrado, levantándose el acta correspondiente; al final el juez debe dictar auto teniendo por hechas las confrontaciones y ser conformes, o no.
> Si en la confrontación resulta conformidad, el título ejecutivo queda constituido, aunque el deudor alegue incluso la falsedad del título valor, sin perjuicio de la posterior oposición a la ejecución.

d) Anotaciones en cuenta

Los certificados no caducados expedidos por las entidades encargadas de los registros contables respecto de los valores representados mediante anotaciones en cuenta a los que se refiere el Real Decreto Legislativo 4/2015, de 23 de octubre, por el que se aprueba el texto refundido de la

Ley del Mercado de Valores, siempre que se acompañe copia de la escritura pública de representación de los valores o, en su caso, de la emisión, cuando tal escritura sea necesaria, conforme a la legislación vigente.

> Admitida la emisión de títulos valores representados, no por un documento, sino por una simple anotación en cuenta (conforme a los arts. 6 a 15 del Real Decreto Legislativo 4/2015, de 23 de octubre, por el que se aprueba el texto refundido de la Ley del Mercado de Valores). Dice el artículo 6.: «Los valores negociables podrán representarse por medio de anotaciones en cuenta o por medio de títulos. La modalidad de representación elegida habrá de aplicarse a todos los valores integrados en una misma emisión». Se trata entonces de determinar un sistema de conversión de los valores en documento título ejecutivo, lo que se hace por medio de la certificación de las entidades encargadas de los registros contables (art. 14).

e) Otros documentos

Por último, el art. 517.2, 9.º LEC admite como títulos ejecutivos otros documentos que, por disposición legal, lleven aparejada ejecución. Con ello se trata de admitir como título ejecutivo lo que se disponga de modo expreso por ley, caso, por ejemplo, de la póliza de seguro de caución en la compra de viviendas.

> Estos títulos son muy diferentes, pero puede hacerse la siguiente enumeración:
> 1º) Ley 57/1968, de 27 de julio, dispuso que los promotores de viviendas, si pretenden obtener de los compradores entregas a cuenta de dinero antes de iniciar la construcción o durante la misma, deben garantizar la devolución de las cantidades percibidas mediante contrato de seguro otorgado con entidad aseguradora o por aval solidario prestado por banco o caja de ahorros. Ese contrato de seguro o aval, unido a documento fehaciente en que se acredite la no iniciación de las obras o la no entrega de la vivienda, tendrá carácter ejecutivo para exigir del asegurador o del avalista las cantidades entregadas a cuenta (además Orden de 29 de noviembre de 1968).
> 2º) El art. 20, c) del Estatuto Legal del Consorcio de Compensación de Seguros redactado conforme al Real Decreto Legislativo 7/2004, de 29 de octubre (y la modificación de la Ley 6/2009, de 3 de julio), dispone: "c) En el ejercicio de la facultad de repetición por el Consorcio será título ejecutivo, a los efectos del artículo 517 de la Ley 1/2000, de 7 de enero, de Enjuiciamiento Civil, la certificación expedida por la citada entidad acreditativa del importe de la indemnización abonada por la misma, siempre que el responsable haya sido requerido de pago y no lo haya realizado en el plazo de un mes desde dicho requerimiento".
> 3º) El Reglamento Hipotecario dispone en su artículo 615 (en la parte que queda después de la derogación parcial efectuada por el RD 1427/1989, de 17 de noviembre) que el registrador podrá proceder a la exacción de sus honorarios y suplidos por la vía de apremio y luego debe estarse al artículo 617.
> 4º) Conforme a la Disposición Adicional 22.ª de la Ley la Ley 27/1992, de 24 de noviembre, de Puertos del Estado y de la Marina Mercante (en la redacción dada por la Disp. Adicional 6.ª de Ley 14/2000, de 29 diciembre), existe otro

título ejecutivo que es una certificación del Director, como autoridad portuaria, relativo a las tarifas por servicios portuarios.

5°) Según el artículo 34.14 de la Ley 14/2013, de 27 de septiembre, de apoyo a los emprendedores y su internacionalización, las cédulas y bonos tendrán carácter ejecutivo en los términos previstos en la Ley de Enjuiciamiento Civil

También deben tenerse en cuenta los documentos públicos extranjeros, conforme a lo que dispone el art. 56 de la Ley 29/2015, de 30 de julio, de cooperación jurídica internacional en materia civil.

III. LA RESOLUCIÓN EXTRANJERA

Entre los extremos que significarían que España negara la condición de titulos ejecutivos a todas las resoluciones dictadas por tribunales extranjeros y reconociera a todas esa condición sin control alguno, se encuentra un termino medio en el que debe predominar el principio de cooperación internacional en la realización de la Justicia. Ese termino medio consiste en admitir la posibilidad de que una resolución extranjera tenga plena eficacia en España, previo un examen de concurrencia de requisitos elementales realizado por los tribunales propios; a ese examen se denomina exequátur (art. 42 de la Ley 29/2015, de 30 de julio, de cooperación jurídica internacional en materia civil).

> Hablamos de resolución judicial (y no de sentencia) para mantener la terminología de la Ley 29/2015. Para ésta (art. 43) resolución es cualquier decisión adoptada por un órgano judicial de un Estado, con independencia de su denominación, incluida la resolución por la cual el letrado de la administración de justicia o autoridad similar liquide las costas de un proceso. Esa resolución es firme cuando contra la misma no cabe recurso en el Estado de origen.

La homologación de una resolución extranjera puede pretenderse con dos finalidades:

1.ª) Para que la resolución adquiera en España la eficacia de cosa juzgada material, con los efectos negativo y positivo propios de la misma (Lección Vigesimotercera), y la homologación entonces puede referirse a sentencias (o laudos) meramente declarativas y constitutivas, que no precisan de ejecución en sentido estricto, aunque si, por ejemplo, de la inscripción en un registro publico. Cabe también el reconocimiento de: 1) Resoluciones de jurisdicción voluntaria, y 2) Transacciones judiciales extranjeras, bien entendido que el reconocimiento habrá de referirse a la resolución que homologa la transacción.

> Para este reconocimiento debe estarse a los arts. 41 a 49 de la Ley 29/2015, de 30 de julio, de cooperación jurídica internacional en materia civil. Según esa norma el reconocimiento puede hacerse a título principal, para lo que debe estar-

se al exequátur (art. 42), y de forma incidental en un proceso principal en el que
el juez puede tener que pronunciarse incidentalmente; en este caso la eficacia
del reconocimiento queda limitada a lo decidido en el proceso principal. Caso
especial es el de las acciones colectivas (art. 47)

2.ª) Para convertir las resoluciones judiciales extranjeras en titulo ejecutivo, en cuyo caso el titulo es complejo, la resolución judicial extranjera
más el auto del tribunal español que concede la homologación.

> Debe tenerse en cuenta que en lo que sigue no vamos a ocuparnos pro-
> piamente de la ejecución, sino de como se convierte una resolución extranjera
> en titulo ejecutivo en España. El art. 50 distingue claramente entre lo que es el
> exequátur (que se logra conforme a lo dispuesto en la Ley 29/2015) y lo que es
> la ejecución propiamente dicha (para la que debe estarse a las disposiciones de
> la LEC).

La Ley 29/2015, de 30 de julio, de cooperación jurídica internacional en materia civil, parte del principio de que la misma tiene carácter
subsidiario, y por eso en el art. 2 dispone que la cooperación jurídica
internacional en materia civil y mercantil, se rige por: a) Las normas de la
Unión Europea y los tratados internacionales en los que España sea parte,
b) Las normas especiales del Derecho interno, y c) Subsidiariamente, por
la presente ley. Eso supone que el primer criterio para el reconocimiento
y ejecución de las resoluciones judiciales extranjeras es el denominado
tradicionalmente convencional, es decir, que debe estarse a los tratados internacionales en los que España es parte y de modo especial a las normas
de la Unión Europea.

Con todo vamos a desarrollar el sistema de modo escalonado.

A) El supuesto de los tratados internacionales

Dejando a un lado, de momento, las normas de la Unión Europea,
atendida su trascendencia, el criterio preferente es el de los tratados internacionales. Solicitado el exequátur lo primero que hay que preguntarse es
si la resolución extranjera puede acogerse a una norma específica y preferente como es el tratado.

> Los tratados bilaterales ratificados por España son: 1) Suiza: Tratado de 19 de
> noviembre de 1896, ratificado el 6 de julio de 1898 (Gaceta de 9 de julio). 2)
> Colombia: Convenio de 30 de mayo de 1908, ratificado el 16 de abril de 1909
> (Gaceta de 18 de abril). 3) Francia: Convenio de 28 de mayo de 1969, ratificado
> el 15 de enero de 1970 (BOE de 14 de marzo), con el canje de notas de 1 de abril
> de 1974 (BOE de 20 de abril). 4) Italia: Convenio de 22 de mayo de 1973, ratifi-
> cado el 27 de julio de 1977 (BOE de 15 de noviembre). 5) Alemania: Convenio
> de 14 de noviembre de 1983, ratificado el 19 de enero de 1988 (BOE de 16 de
> febrero). 6) Austria: Convenio de 17 de febrero de 1984, ratificado el 11 de julio
> de 1985 (BOE de 29 de agosto). 7) Checoslovaquia: Convenio de 4 de mayo de

1987, ratificado el 22 de septiembre de 1988 (BOE de 3 de diciembre), después del 1 de enero de 1993 se entiende que han sucedido las repúblicas Checa y Eslovaca). 8) Israel: Convenio de 30 de mayo de 1989, ratificado el 8 de noviembre de 1990 (BOE de 3 de enero de 1991). 9) México: Convenio de 17 de abril de 1989, ratificado el 10 de julio de 1990 (BOE de 9 de abril de 1991). 10) Brasil: Convenio de 17 de abril de 1989, ratificado el 29 de noviembre de 1990 (BOE de 10 de julio de 1991). 11) China: Convenio de 2 de mayo de 1992 (BOE de 31 de enero de 1994). 12) Bulgaria: Convenio de 23 de mayo de 1993 (BOE de 30 de junio de 1994). 13) Marruecos: Convenio de 20 de mayo de 1997 (BOE de 25 de junio de 1997). 14) URSS: Convenio de 26 de octubre de 1990 (BOE de 25 de junio de 1997), que hoy debe entenderse en vigor con Rusia. 15) Uruguay: Convenio de 4 de noviembre de 1987 (BOE de 30 de abril de 1998). 16) Rumanía: Convenio de 17 de noviembre de 1997 (BOE de 5 de junio de 1999). 17) Salvador: Convenio de 7 de noviembre de 2000 (BOE de 25 de octubre de 2001). 18) Túnez: Convenio de 24 de septiembre de 2001 (BOE de 1 de marzo de 2003).

B) Las normas especiales del Derecho interno

Se trata aquí de dar prioridad a algunas normas que regulan sectores específicos como es el caso de las contenidas en la Ley 22/2003, de 9 de julio, Concursal, en la Ley 54/2007, de 28 de diciembre, de adopción internacional, en la Ley 20/2011, de 21 de julio, del Registro Civil y en el texto refundido de la Ley General para la Defensa de los Consumidores y Usuarios y otras leyes complementarias, aprobado por el Real Decreto Legislativo 1/2007, de 16 de noviembre, tras su modificación por la Ley 3/2014, de 27 de marzo.

C) El supuesto general

La regulación de cómo se convierte una resolución judicial extranjera en título ejecutivo en España se encuentra en la Ley 29/2015, de 30 de julio, de cooperación jurídica internacional en materia civil. En ella debe distinguirse:

a) Competencia

1ª) Objetiva: Se distingue entre: 1) Regla general: La competencia para conocer de las solicitudes de exequátur corresponde a los Juzgados de Primera Instancia, y 2) Regla especial: Cabe que la competencia sea de los Juzgados de lo Mercantil, cuando se trate de solicitudes de exequátur de resoluciones judiciales extranjeras que versen sobre materias de su competencia.

2ª) Territorial: Debe estarse al domicilio de la parte frente a la que se solicita el reconocimiento o ejecución, o de la persona a quien se refieren los efectos de la resolución judicial extranjera. Subsidiariamente, la competencia territorial se determinara por el lugar de ejecución o por el lugar en el que la resolución deba producir sus efectos, siendo competente, en ultimo caso, el Juzgado de Primera Instancia ante el cual se interponga la demanda de exequátur.

b) Proceso

1°) Partes: Actor podrá ser cualquier persona que acredite un interés legitimo. El demandado será la persona o personas frente a las que se quiera hacer valer la resolución judicial extranjera. En todo caso serán necesarios procurador y abogado. El fiscal siempre será parte.

2°) Demanda: Se ajustará a los requisitos de la demanda ordinaria del art. 399 LEC y precisará acompañar los documentos siguientes: a) El original o copia autentica de la resolución extranjera, debidamente legalizados o apostillados, b) El documento que acredite, si la resolución se dicto en rebeldía, la entrega o notificación de la cedula de emplazamiento o el documento equivalente. c) Cualquier otro documento acreditativo de la firmeza y fuerza ejecutiva en su caso de la resolución extranjera en el Estado de origen, pudiendo constar este extremo en la propia resolución o desprenderse así de la ley aplicada por el tribunal de origen y d) Las traducciones pertinentes con arreglo al art. 144 de la Ley de Enjuiciamiento Civil.

3°) Admisión: Corresponde al letrado de la administración de justicia, el cual dictará decreto de admisión. En su caso podrá instar la subsanación por defectos formales de la demanda o por falta de algún documento. En cualquier caso la no admisión de la demanda corresponde al juez, al que dará cuenta el letrado de la administración de justicia para que resuelva en plazo de diez días sobre la admisión en los casos en que estime falta de jurisdicción o de competencia o cuando la demanda adoleciese de defectos formales o la documentación fuese incompleta y no se hubiesen subsanado por el actor en el plazo de cinco días concedido para ello por el letrado de la administración de justicia.

4°) El letrado de la administración de justicia dará traslado de la demanda a la parte demandada para que se oponga en el plazo de treinta días. El demandado podrá acompañar a su escrito de oposición los documentos, entre otros, que permitan impugnar la autenticidad de la resolución extranjera, la corrección del emplazamiento al demandado, la firmeza y fuerza ejecutiva de la resolución extranjera.

5°) Causas de oposición y de denegación del reconocimiento: Las causas de oposición que pueden convertirse en causas de denegación estas taxativamente enumeradas.

Las resoluciones judiciales extrajeras firmes no se reconocerán:

a) Cuando fueran contrarias al orden publico.

b) Cuando la resolución se hubiera dictado con manifiesta infracción de los derechos de defensa de cualquiera de las partes. Si la resolución se hubiera dictado en rebeldía, se entiende que concurre una manifiesta infracción de los derechos de defensa si no se entrego al demandado cedula de emplazamiento o documento equivalente de forma regular y con tiempo suficiente para que pudiera defenderse.

c) Cuando la resolución extranjera se hubiere pronunciado sobre una materia respecto a la cual fueren exclusivamente competentes los órganos jurisdiccionales españoles o, respecto a las demás materias, si la competencia del juez de origen no obedeciere a una conexión razonable. Se presumirá la existencia de una conexión razonable con el litigio cuando el órgano jurisdiccional extranjero hubiere basado su competencia judicial internacional en criterios similares a los previstos en la legislación española.

d) Cuando la resolución fuera inconciliable con una resolución dictada en España.

e) Cuando la resolución fuera inconciliable con una resolución dictada con anterioridad en otro Estado, cuando esta ultima resolución reuniera las condiciones necesarias para su reconocimiento en España.

f) Cuando existiera un litigio pendiente en España entre las mismas partes y con el mismo objeto, iniciado con anterioridad al proceso en el extranjero.

Además las transacciones judiciales extranjeras no se reconocerán cuando fueran contrarias al orden publico.

6°) El órgano jurisdiccional resolverá por auto en el plazo de diez días. Contra ese auto cabe apelación conforme a la LEC. También para la casación debe estarse a la LEC, aunque no cabe contra los autos (art. 477 LEC).

Otorgado el exequátur tenemos constituido el título ejecutivo.

D) El caso especial de la Unión Europea

Debe estarse actualmente al Reglamento (UE) núm. 1215/2012, del Parlamento Europeo y del Consejo de 12 de diciembre de 2012, relativo a la competencia judicial, el reconocimiento y la ejecución de resoluciones judiciales en materia civil y mercantil.

Se trata básicamente de que: 1) Las resoluciones dictadas en un Estado miembro serán reconocidas en los demás Estados miembros sin necesidad de procedimiento alguno (art. 36) y 2) Las resoluciones dictadas en un Estado miembro que tengan fuerza ejecutiva en el gozaran también de esta en los demás Estados miembros sin necesidad de una declaración de fuerza ejecutiva (art. 39). El principio esencial es éste: La resolución dictada en un Estado miembro en ningún caso podrá ser objeto de una revisión en cuanto al fondo en el Estado miembro requerido (art. 50). La ejecución se refiere también a los documentos publicos con fuerza ejecutiva (art. 58) y a las transacciones judiciales homologadas (art. 59).

Además debe tenerse en cuenta la Disposición final vigésima quinta de la LEC, sobre: Medidas para facilitar la aplicación en España del Reglamento (UE) N.º 1215/2012, del Parlamento y del Consejo, de 12 de diciembre de 2012, relativo a la competencia judicial, el reconocimiento y la ejecución de resoluciones judiciales en materia civil y mercantil.

> Supuesto especial es también en el del Convenio de Lugano de 16 de septiembre de 1988 (ratificado ya por España, BOE de 20 de octubre de 1994), firmado por los miembros de la Unión Europea y los países incluidos en la AELE, que en líneas generales es reproducción del de Bruselas actualizado; sustituye al bilateral de Suiza y teniendo en cuenta el Convenio de 30 de octubre de 2007.

E) El título jurídico europeo

El Reglamento 805/2004, del Parlamento Europeo y del Consejo, de 21 de abril de 2004, ha dado un paso más y ha creado un título ejecutivo. El Reglamento se aplica a las resoluciones, transacciones judiciales o documentos públicos con fuerza ejecutiva que tengan por objeto créditos dinerarios, líquidos y exigibles, provenientes de obligaciones civiles o mercantiles y no impugnados.

> Conforme al art. 3 un crédito se considera no impugnado si: (a) el deudor ha manifestado expresamente su acuerdo sobre el mismo, mediante su admisión o mediante transacción aprobada por un órgano jurisdiccional o celebrada en el curso de un procedimiento judicial ante un órgano jurisdiccional; (b) el deudor nunca lo ha impugnado, con cumplimiento de los pertinentes requisitos procesales de la ley del Estado miembro de origen, en el marco de un procedimiento judicial; (c) el deudor no ha comparecido ni ha sido representado en la vista relativa a dicho crédito después de haber impugnado inicialmente el crédito en el transcurso del procedimiento judicial, siempre que dicho comportamiento equivalga a una aceptación tácita del crédito o de los hechos alegados por el acreedor de acuerdo con la legislación del Estado miembro de origen; o bien (d) el deudor lo ha aceptado expresamente en un documento público con fuerza ejecutiva. Desde esta norma se está admitiendo que deben distinguirse dos supuestos: 1) En el que se incluyen los apartados a) y d), relativo a los créditos reconocidos expresamente por el deudor, y 2) Con los apartados b) y c) de créditos reconocidos solo tácitamente.

El Reglamento es una medida más del Programa adoptado por el Consejo de 30 de noviembre de 2000 para la aplicación del «principio de reconocimiento mutuo de resoluciones judiciales» (Tempere de octubre de 1999). Se trata de una medida compatible con el Reglamento 44/2001, el Bruselas I, pues el título ejecutivo europeo tiene un ámbito limitado.

> La Ley 19/2006, de 5 de junio, por la que se amplían los medios de tutela de los derechos de propiedad intelectual e industrial y se establecen normas procesales para facilitar la aplicación de diversos reglamentos comunitarios, añadió la Dispo-

sición Final 21.ª a la LEC, y en ella se regulan medidas para facilitar la aplicación en España del Reglamento (CE) nº 805/2004 del Parlamento Europeo y del Consejo, de 21 de abril de 2004, por el que se establece un título ejecutivo europeo para créditos no impugnados. Esta regulación atiende más a como se emite un título ejecutivo europeo los órganos españoles, aunque también dispone que «la competencia territorial para la ejecución de resoluciones, transacciones judiciales y documentos públicos certificados como título ejecutivo europeo corresponderá al juzgado de primera instancia del domicilio del demandado o del lugar de ejecución».

IV. EL LAUDO EXTRANJERO

La Ley 60/2003, de 23 de diciembre, de Arbitraje, regula en su art. 46 el exequátur de los laudos pronunciados en el extranjero, a los que se califica de «laudo extranjero». Debe tenerse en cuenta que si entre nosotros se habla normalmente de «laudo» en otros ordenamientos suele hablarse de sentencia arbitral (sentencias arbitrales, *arbitral awards*), y aún que estos son los términos normales en los tratados multilaterales.

El art. 46.2 de la LA distingue entre: 1) El exequátur de laudos extranjeros, que se regirá por el Convenio sobre reconocimiento y ejecución de las sentencias arbitrajes extranjeras, hecho en Nueva York, el 10 de junio de 1958, sin perjuicio de lo dispuesto en otros convenios internacionales más favorables a su concesión, y 2) El procedimiento, para que debe estarse a lo establecido en el ordenamiento procesal civil para las sentencias dictadas por tribunales extranjeros, con lo que efectúa una remisión a la Ley 29/2015, de 30 de julio, de cooperación jurídica internacional en materia civil, y dentro de la misma a los arts. 41 y siguientes.

Si respecto de las sentencias no existía tradición de convenios multilaterales (antes de la ratificación del ya sustituido de Bruselas de 1968), la situación es distinta respecto de los laudos o sentencias arbitrales, en donde existe un convenio ratificado por la mayoría de los países del mundo. Se trata del Convenio de Nueva York sobre reconocimiento y ejecución de sentencias arbitrales extranjeras, de 10 de junio de 1958, adhesión de 29 de abril de 1977 (BOE de 11 de julio).

> Si no puede acudirse al régimen convencional por no existir tratado, hay que admitir la posibilidad de acudir a los otros dos regímenes, los de reciprocidad de hecho y de control interno independiente, aunque en la práctica serán raros dado el gran número de adhesiones al Convenio de Nueva York. En la actualidad es este Convenio el que da base legal a prácticamente todos los exequátur que se presentan en España. Más aún, cuando existe convenio bilateral y ratificación del de Nueva York normalmente es preferible la aplicación de este último.

El procedimiento para solicitar la homologación debe sujetarse, pues, a lo que previene la Ley 29/2015, de 30 de julio, de cooperación jurídica internacional en materia civil, teniendo en cuenta que el art. 8.6 LA (redactado por Ley 11/2011, de reforma de la Ley de Arbitraje) dispone que:

a) Para el reconocimiento de laudos o resoluciones arbitrales extranjeros será competente la Sala de lo Civil y de lo Penal del Tribunal Superior de Justicia de la Comunidad Autónoma [art. 73.1, c) LOPJ, redactado por LO 5/2011] del domicilio o lugar de residencia de la parte frente a la que se solicita el reconocimiento o del domicilio o lugar de residencia de la persona a quien se refieren los efectos de aquellos, determinándose subsidiariamente la competencia territorial por el lugar de ejecución o donde aquellos laudos o resoluciones arbitrales deban producir sus efectos.

b) Para la ejecución de laudos o resoluciones arbitrales extranjeros será competente el Juzgado de Primera Instancia (art. 85.5 LOPJ, redactado por LO 5/2011) con arreglo a los mismos criterios.

V. HOMOLOGACIÓN DE RESOLUCIONES CANÓNICAS

Supuesto especial de exequátur es el relativo a las resoluciones dictadas por tribunales eclesiásticos sobre nulidad de matrimonio canónico y decisiones pontificias sobre matrimonio rato y no consumado, que tiene normativa propia. Esas normas son:

1) El art. VI, 2, del Acuerdo sobre Asuntos Jurídicos con la Santa Sede de 3 de enero de 1979, según el cual «los contrayentes, a tenor de las disposiciones de Derecho canónico, podrán acudir a los tribunales eclesiásticos solicitando declaración de nulidad o pedir decisión pontificia sobre matrimonio rato y no consumado. A solicitud de cualquiera de las partes, dichas resoluciones tendrán eficacia en el orden civil si se declaran ajustadas al derecho del Estado en resolución dictada por el Tribunal civil competente».

2) El art. 80 CC que reproduce la norma anterior añadiendo «conforme a las condiciones a las que se refiere el artículo 954 de la Ley de Enjuiciamiento Civil» (de 1881), y

> El art. 80 se remite aún a un artículo de la Ley de Enjuiciamiento Civil que está derogado por la Ley 29/2015, de 30 de julio, de cooperación jurídica internacional en materia civil (Disp. Derogatoria). La remisión debe entenderse ahora referida al art. 46, en el que se regulan las causas de denegación del reconocimiento de las resoluciones judiciales extranjeras.

3) El art. 778 LEC que se refiere al procedimiento del exequátur.

Esas normas obligan a distinguir, por un lado, los requisitos de fondo y, por otro, el procedimiento de la homologación.

A) Requisitos de fondo

Estos requisitos son los establecidos en el art. 46 de la Ley 29/2015. De modo que "las resoluciones judiciales extranjeras firmes no se reconocerán:

a) Cuando fueran contrarias al orden público.

> Tradicionalmente lo que se decía es que las sentencias eclesiásticas fueran ajustadas al Derecho del Estado y ahora se ha usado una expresión general más adecuada, pues al final la antigua expresión acababa entendiéndose como orden público. No se trataba ni se trata, pues, de que el tribunal español controle la regularidad procedimental de las actuaciones de los tribunales eclesiásticos, ni de que la causa de nulidad esté admitida por la ley sustantiva española, sino de algo más simple y tradicional como es el orden público español. En este sentido no sería homologable una sentencia que declara la nulidad por el impedimento de disparidad de cultos, por ser contraria a la libertad religiosa del art. 16 CE.

b) Cuando la resolución se hubiera dictado con manifiesta infracción de los derechos de defensa de cualquiera de las partes. Si la resolución se hubiera dictado en rebeldía, se entiende que concurre una manifiesta infracción de los derechos de defensa si no se entregó al demandado cédula de emplazamiento o documento equivalente de forma regular y con tiempo suficiente para que pudiera defenderse.

c) Cuando la resolución extranjera se hubiere pronunciado sobre una materia respecto a la cual fueren exclusivamente competentes los órganos jurisdiccionales españoles o, respecto a las demás materias, si la competencia del juez de origen no obedeciere a una conexión razonable. Se presumirá la existencia de una conexión razonable con el litigio cuando el órgano jurisdiccional extranjero hubiere basado su competencia judicial internacional en criterios similares a los previstos en la legislación española.

d) Cuando la resolución fuera inconciliable con una resolución dictada en España.

e) Cuando la resolución fuera inconciliable con una resolución dictada con anterioridad en otro Estado, cuando esta última resolución reuniera las condiciones necesarias para su reconocimiento en España.

f) Cuando existiera un litigio pendiente en España entre las mismas partes y con el mismo objeto, iniciado con anterioridad al proceso en el extranjero.

B) Procedimiento

La regulación se encuentra en el art. 778 LEC que establece un procedimiento especial de exequátur frente al general de la Ley 29/2015.

La competencia se atribuye al juez de primera instancia del domicilio conyugal en los términos del art. 769 LEC. No hay especialidades respecto de las partes. La legitimación se concede a cualquiera de las partes (debe entenderse a las que lo fueron en el proceso canónico). Siempre es necesaria la postulación procesal.

Para el procedimiento dicho artículo distingue dos posibles supuestos:

1.º) Si la parte pretende únicamente la eficacia en el orden civil de la resolución o decisión eclesiástica, de la demanda se dará traslado, por diez días, al otro cónyuge y al Ministerio fiscal, y el juez resolverá por auto lo que resulte procedente.

2.º) Si además de la eficacia civil se pretende la adopción o modificación de medidas, a la demanda se le dará el trámite que corresponda conforme a lo dispuesto en el art. 770 LEC.

Legislación: Ley de Enjuiciamiento Civil (art. 517 LEC de 2000 y Ley 29/2015, de 30de julio, de cooperación jurídica internacional en materia civil; y art. 778 LEC de 2000)
Lectura: MONTERO FLORS, *Tratado de proceso de ejecución civil*, 2ª ed., Valencia, 20013.

CAPÍTULO II
LA EJECUCIÓN PROVISIONAL

Lección Vigesimoséptima
La ejecución provisional

I. **CONCEPTO Y NATURALEZA**
   Injerencias coactivas sin sentencia firme
   A) Concepto: Opción política
      1. Sentencia, 2. Sobre el fondo, 3. Estimatoria
      4. de condena y 5. Interpuesto recurso
   B) Naturaleza jurídica: Es actividad ejecutiva. Teorías

II. **PRESUPUESTOS:**
   Ope iudicis y *ope legis*
   A) Sentencias ejecutables provisionalmente
      Todas, pero no:
      1. Declarativas ni constitutivas
      2. Paternidad, filiación, matrimonio, estado civil, menores
      3. Declaraciones de voluntad
      4. Propiedad industrial y
      5. Registros públicos
      6. Extranjeras y
      7. Honor indemnización
   B) Competencia: Tribunal de primera instancia
   C) Legitimación
      Pronunciamiento favorable. Recurrente o recurrido
   D) No necesidad de caución: Esta es la gran innovación

III. **DEMANDA Y DESPACHO DE LA EJECUCIÓN PROVISIONAL:**
   Demanda
   A) Momento de la demanda ejecutiva
      a) De primera instancia: desde 2
         1. Antes o 2. Después de la elevación
      b) De segunda instancia: Desde notificación
   B) Auto despachando la ejecución
      No se oye al ejecutado

IV. **LA OPOSICIÓN A LA EJECUCIÓN PROVISIONAL**
   No hay criterios para despachar ejecución. *Ope legis*
   A) Causas de oposición al conjunto de la ejecución
      a) Presupuesto requisito procesal
      b) No dineraria: Extrema dificultad volver atrás
   B) Oposición a actuaciones ejecutivas concretas
      Dineraria. Otras medidas, caución
   C) Causas de oposición general
      Remisión a 556. Error

V. **REVOCACIÓN O CONFIRMACIÓN DE LA SENTENCIA EJECUTADA PROVISIONALMENTE**
   A) Confirmación. Firme o no firme
   B) Revocación: a) Condenas dinerarias
                  b) Condenas no dinerarias: 1. Dar bien determinado
                                            2. Hacer

I. CONCEPTO Y NATURALEZA

Regla lógica de la actividad jurisdiccional es la de que en la esfera jurídica del demandado sólo caben injerencias coactivas cuando de la incertidumbre inicial del proceso se ha pasado a la certidumbre que supone la firmeza de la resolución final del mismo, la que se pronuncia sobre el fondo del asunto sin que contra ella quepa ya recurso alguno. Esto explica que el título ejecutivo básico sea la sentencia firme de condena.

Hay que advertir, con todo, que firmeza no es sinónimo de ejecutabilidad, pues el ordenamiento jurídico puede atribuir la condición de título ejecutivo a sentencias no firmes, es decir, a sentencias contra las que se haya interpuesto alguno de los recursos que la propia ley autoriza, dando así lugar a la llamada ejecución provisional de sentencias de condena no firmes.

> Dice la Exposición de Motivos de la LEC que «la regulación de la ejecución provisional es, tal vez, una de las principales innovaciones de este texto legal. La nueva Ley de Enjuiciamiento Civil representa una decidida opción por la confianza en la Administración de Justicia y por la importancia de su impartición en primera instancia y, de manera consecuente, considera provisionalmente ejecutables, con razonables temperamentos y excepciones, las sentencias de condena dictadas en ese grado jurisdiccional». Lo importante no es, con todo, que la LEC regule la ejecución provisional; lo radicalmente nuevo es, primero, la amplitud con la que esa ejecución se admite y, después, el que no sea necesaria la prestación de caución.

A) Concepto

Por ejecución provisional se entiende la ejecución de sentencias de condena definitivas (esto es, no firmes, art. 207), que se han pronunciado sobre el fondo del asunto, de modo que esa ejecución queda condicionada en su efectividad a que la sentencia recurrida y ejecutada no sea revocada por la sentencia que dicte el tribunal que conoce del recurso.

> Teóricamente la ejecución provisional puede referirse a sentencias recurribles, es decir, aquéllas contra las que la ley prevé algún recurso pero que todavía no han sido recurridas, y a sentencias ya recurridas, con lo que la definición de la ejecución provisional podría aludir a que la efectividad de la misma queda condicionada a que la decisión contenida en la sentencia simplemente permanezca. Ahora bien, dado que en nuestro Derecho la ejecución provisional se refiere sólo a las sentencias ya recurridas, la condición de su efectividad sólo puede atender a que la sentencia recurrida sea revocada por la sentencia que dicte el tribunal superior al conocer del recurso.

Los elementos de la definición de la ejecución provisional son: 1) Sólo se refiere a la sentencia, no a otro tipo de resoluciones, 2) Ha de haberse pronunciado sobre el fondo del asunto, 3) Tiene que haber estimado, por lo menos en parte, la pretensión, 4) Tiene que ser de condena, esto es, quedan excluidas las sentencias meramente declarativas y las constitutivas, y 5) Contra ella ha de haberse interpuesto el recurso previsto por la ley, se trate de apelación, de infracción procesal o de casación.

El fundamento de esta ejecución parte de, primero, admitir que no existe obstáculo constitucional a la misma y, después, de que, antes al contrario, la efectividad de la tutela judicial la favorece. Ni la presunción de inocencia (?), ni el derecho al recurso pueden ser argumentos oponibles a la ejecución provisional, la cual encuentra su fundamento en el derecho a la tutela judicial efectiva, aunque en el mismo se justifican también sus límites.

> La efectividad de la tutela judicial no puede desconocer que la sentencia, aunque no sea firme, es un pronunciamiento judicial con todas las garantías y con vocación de permanencia, al que no puede privarse de toda eficacia porque contra el mismo se haya preparado un recurso, si bien ese mismo derecho a la efectividad de la tutela judicial ha de impedir la ejecución provisional cuando sea imposible o de extrema dificultad restaurar la situación anterior a la ejecución provisional o compensar económicamente al ejecutado si la sentencia es revocada.

Cosa distinta son las razones que pueden llevar al legislador a regular esta ejecución. En general la ejecución provisional se regula por el legislador para evitar que los recursos sean usados con fines ajenos a los que le son propios (la posibilidad de errores en la aplicación de derecho, principalmente). Esos fines ajenos se refieren sobre todo a retardar la ejecución, a dilatar la efectividad práctica de la resolución. Aunque es imposible cuantificar, la experiencia demuestra que los recursos se utilizan en un gran número de casos, no por creer el recurrente que la resolución recurrida es injusta, sino sólo para alargar el proceso, manteniéndose el demandado en la posesión de la cosa, sin pagar la cantidad debida, sin hacer, etc., es decir, para mantener la situación preprocesal de la relación jurídico material. El combatir esto sólo puede hacerse mediante la decisión política de conceder la ejecución provisional de las sentencias no firmes, aun a pesar de los riesgos que implica la posible revocación de la sentencia si se estima el recurso.

B) Naturaleza jurídica

Tomada la decisión política de regular la ejecución provisional, ésta es simplemente actividad ejecutiva, como demuestra el art. 524 LEC, para el que: 1) la ejecución provisional se despachará y se llevará a cabo del mismo modo que la ejecución ordinaria y 2) las partes dispondrán en ella de los mismos derechos y facultades procesales que en la ordinaria.

Tradicionalmente se han sostenido tres posiciones sobre la naturaleza jurídica de la ejecución provisional:

1.ª) Para algunos autores se trata de una medida cautelar que se resuelve en una medida ejecutiva. Esta tesis es negada en el Preámbulo de la LEC y para impugnarla basta recordar las diferencias entre medida cautelar y ejecución provisional, sobre todo con relación a los presupuestos de una y otra. Para adoptar la medida cautelar se exige sólo apariencia de buen derecho (*fumus boni iuris*), mientras que la ejecución provisional supone la existencia de una sentencia pronunciada en un proceso tramitado con todas las garantías.

2.ª) Por otros autores se ha pretendido distinguir, dentro de la ejecución provisional, aquellos casos en que la ejecución tiene su fundamento en el *periculum in mora*, de aquellos otros en la ejecución se permite por la ley sin que exista ese peligro en el retardo; en el primer caso estaríamos ante una medida cautelar y en el segundo ante una verdadera ejecución. Las razones anteriores pueden aquí repetirse, y añadir que se está haciendo desaparecer la institución de la ejecución provisional como instituto procesal único, y ello sin razón alguna que explique después la unidad de tratamiento y efectos.

3.ª) La ejecución provisional es simplemente un proceso de ejecución, que constituye una institución sustancialmente única. Lo que diferencia a la provisional de la ordinaria no es la naturaleza ni la función; son las razones que mueven al legislador para establecer la ejecución de las sentencias de condena no firmes.

Esta naturaleza de ejecución explica el contenido de la regulación de la ejecución provisional. Las normas del Título II del Libro III de la LEC no se refieren a los actos ejecutivos propiamente dichos, para los cuales el art. 524 se limita a remitirse a los actos de la ejecución ordinaria, sino que atienden a aspectos que son exclusivos de la ejecución provisional, como son las sentencias ejecutables provisionalmente, el momento para pedirla, la oposición a esta ejecución y, especialmente, los efectos que produce la revocación de la sentencia recurrida y ejecutada.

II. PRESUPUESTOS

La ejecución provisional se regula en la LEC partiendo de que el título ejecutivo es la sentencia definitiva de condena, de modo que el tribunal competente se limita a despachar la ejecución, sin que sea él el que cree el título ejecutivo.

Debe tenerse en cuenta que existen dos posibilidades a la hora de regular la ejecución provisional. Unas veces la ley establece unos criterios que permiten a las partes pedir y al tribunal crear el título ejecutivo aplicando esos criterios, de modo que el verdadero título no es la sentencia definitiva sino el correspondiente auto (se trata de las ejecuciones provisionales llamadas *ope iudicis*), mientras que otras veces el legislador dispone que la propia sentencia definitiva es el título ejecutivo, sin que el tribunal tenga que crear el título aplicando unos criterios generales (ejecuciones provisionales *ope legis*). En esta alternativa la LEC se ha decidido por la segunda opción, de modo que el título ejecutivo es la sentencia y el tribunal competente se limita a despachar la ejecución.

A) Sentencias ejecutables provisionalmente

La regla general establecida en la LEC es la de que todas las sentencias de condena son títulos ejecutivos para la ejecución provisional, si bien luego atempera la regla excluyendo de esta ejecución algunas sentencias. Especial trascendencia tiene la ejecución provisional de las sentencias en las que se tutelen derechos fundamentales, para las que no sólo se admite la ejecución provisional, sino que ésta se declara preferente (art. 524.5). Las excepciones se refieren a:

a) No son ejecutables provisionalmente las sentencias meramente declarativas ni las constitutivas, y no lo son porque las mismas tampoco son ejecutables de modo definitivo (art. 521).

b) Las sentencias dictadas en los procesos sobre paternidad, maternidad, filiación, nulidad de matrimonio, separación y divorcio, capacidad y estado civil, oposición a las resoluciones administrativas en materia de protección de menores, así como sobre las medidas relativas a la restitución o retorno de menores en los supuestos de sustracción internacional y derechos honoríficos, salvo los pronunciamientos que regulen las obligaciones y relaciones patrimoniales relacionadas con lo que sea objeto principal del proceso.

> Estas sentencias son normalmente constitutivas o meramente declarativas, de modo que podrían entenderse incluidas en el apartado anterior, pero de ellas se hace mención expresa. Debe tenerse en cuenta, con todo, que en esos procesos suelen acumularse dos tipos de pretensiones: 1) La relativa a la declaración o constitución de uno de esos estados, y 2) La de condena atinente a obligaciones y relaciones patrimoniales relacionadas con la anterior. A la pretensión de divorcio, por ejemplo, van normalmente acumuladas pretensiones de alimentos, pensión compensatoria, etc., que darán lugar a pronunciamientos de condena y patrimoniales que sí serán ejecutables provisionalmente.

c) No son ejecutables provisionalmente las sentencias que condenan a emitir declaraciones de voluntad (art. 525.1, 2.ª).

d) Tampoco las que declaran la nulidad o caducidad de títulos de propiedad industrial (art. 525.1, 3.ª LEC).

e) Cuando se trate de sentencias que dispongan o permitan la inscripción o la cancelación de asientos en Registros públicos no se dará lugar a esa inscripción, sino sólo a la anotación preventiva, mientras la sentencia no sea firme, o aún siéndolo, no hayan transcurridos los plazos indicados por esta Ley para ejercitar la acción de rescisión de la sentencia dictada en rebeldía (art. 524.4, que se remite al art. 502.1).

Debe partirse aquí de que la inscripción de la sentencia en un Registro público no es una verdadera ejecución, pero además de que con la sentencia definitiva
no se procederá a la misma (recordando que una cancelación es una inscripción),
sino simplemente a la anotación preventiva. Las más importantes, sin duda, son
las del Registro de la Propiedad, y sobre ellas debe estarse a los arts. 42 y ss. de
la LH y a los arts. 139 y ss. del RH.

f) Las sentencias extranjeras no firmes no se ejecutarán provisionalmente, salvo que así lo disponga expresamente el tratado correspondiente
(art. 525.2).

El Reglamento de Bruselas de 22 de diciembre de 2000 admite el reconocimiento y la ejecución provisional de las sentencias no firmes, aunque luego establece algunas cautelas (arts. 37, 38 y 46). También cabe este tipo de ejecución
en las sentencias relativas a alimentos entre parientes (Convenio de La Haya de 2
de octubre de 1973) o sobre custodia de menores (Convenio europeo de Luxem-
burgo de 20 de mayo de 1980).

g) La LO 19/2003, de 23 de diciembre, ha introducido un apartado 3
en el art. 525 para que ahora diga que no serán susceptibles de ejecución
provisional «los pronunciamientos de carácter indemnizatorio de las sentencias que declaren la vulneración de los derechos al honor, a la intimidad personal y familiar y a la propia imagen».

Con ocasión de un caso conocido atinente a dos medios de comunicación
y a algunos integrantes de un más conocido club de fútbol, caso en el que se
pidió y se obtuvo la ejecución provisional del pronunciamiento indemnizatorio
de una sentencia en la que se declaraba que los medios de comunicación habían
vulnerado un derecho fundamental de los futbolistas, los medios en general se
alzaron contra la ejecución provisional y el poder político cedió a la presión. Este
es el mejor ejemplo hasta ahora de cesión política al chantaje de los medios de
comunicación, aunque con ello se sacrifique algún derecho fundamental de los
ciudadanos.

B) Competencia

A pesar de que la admisión de un recurso devolutivo supone privar
al tribunal que dictó la resolución recurrida de competencia para seguir
conociendo del asunto, como dispone el art. 462 para el recurso de apelación, la misma norma excepciona de esa pérdida de competencia las
actuaciones relativas a la ejecución provisional de la resolución apelada.
Con esta base el art. 524.1 atribuye la competencia para la ejecución provisional (funcional) al tribunal que fue competente para conocer de la
primera instancia, y ello tanto:

1.º) La sentencia a ejecutar provisionalmente sea la de primera instancia (como se desprende del art. 527),

2.°) Esa sentencia sea la dictada en el recurso de apelación (art. 535.2).

> Al ser la ejecución provisional de la clase de las *ope legis*, no existe distinción entre competencia para crear el título ejecutivo y competencia para la ejecución propiamente dicha. Toda la competencia, es decir, para despachar la ejecución y para llevarla a cabo, se atribuye al tribunal que conoció de la primera instancia del proceso, aunque la sentencia a ejecutar la haya dictado el tribunal que conoció del recurso de apelación.

C) Legitimación

La ejecución provisional sólo puede despacharse a instancia de parte, como se corresponde con el principio dispositivo, pero la precisión que debe hacerse, desde el art. 526, es que la legitimación para pedir que se despache corresponde a «quien haya obtenido un pronunciamiento a su favor en sentencia de condena dictada en primera instancia», lo que es también aplicable a las sentencias dictadas en segunda instancia, dado lo dispuesto en el art. 535.1, que es una norma de mera remisión.

Cuando la sentencia no contiene pronunciamiento alguno favorable al recurrente es obvio que éste no puede instar la ejecución provisional, pero las cosas tienen que ser diferentes cuando la sentencia estima sólo parcialmente la pretensión y contiene pronunciamientos favorables y contrarios a las dos partes, pues entonces nada se opone a que las dos estén legitimadas para pedir la ejecución provisional, evidentemente en la parte que sea favorable a cada una. Quiere esto decir que la legitimación puede corresponder tanto al recurrente como al recurrido o, dicho de otro modo, que el apelar de una sentencia, bien de modo principal, bien por adhesión, no obsta a instar la ejecución provisional, siempre que exista pronunciamiento que le sea favorable, y lo mismo cabe decir en los demás recursos.

> A lo que decimos no es contrario el art. 527.2. El mismo se refiere al momento en que puede pedirse la ejecución provisional, no a la legitimación para pedirla, y en ese sentido el art. 535.2. El que la ejecución provisional pueda pedirse después de que sea notificada la providencia en que se tiene por preparado el recurso de apelación o, en su caso, desde el traslado a la parte apelante del escrito del apelado adhiriéndose al recurso (art. 527.2), o desde el momento de la notificación de la resolución que tiene por preparado el recurso extraordinario por infracción procesal o el recurso de casación (art. 535.2), no dice nada sobre la legitimación para pedir que se despache la ejecución provisional.

D) No necesidad de caución

La efectividad de la concesión de la ejecución provisional no se hace depender en la LEC de la constitución de caución suficiente para responder de lo que perciba el ejecutante, de los daños y perjuicios y de las costas que se ocasionen a la otra parte. El art. 526 lo dice muy claramente y ésta es, sin duda, la innovación más importante introducida por la LEC en esta materia.

> Como dice el Preámbulo de la LEC si se exige la caución la ejecución provisional sólo puede ser pedida por quien dispone de efectivo o de crédito, con lo que en la mayoría de los casos no se pide esta ejecución, aparte de que de este modo se demora la satisfacción el acreedor y se favorece que el deudor se coloque en situación de insolvencia. Esto es algo que ha demostrado la experiencia. Por el contrario, la no exigencia de la caución comporta el riesgo de que quien se ha beneficiado de ella no sea luego capaz de devolver lo percibido si se revoca la sentencia provisionalmente ejecutada. Estamos, por tanto, ante una grave alternativa política en la que la LEC ha optado por favorecer la ejecución provisional.

III. DEMANDA Y DESPACHO DE LA EJECUCIÓN PROVISIONAL

Dado que las normas propias del Título II del Libro III de la LEC regulan sólo lo que es exclusivo de la ejecución provisional, no cabe extrañarse de que, primero, el art. 524.1 diga que la ejecución provisional se solicitará por demanda o por simple solicitud, para la que debe estarse a lo dispuesto en el art. 549, en el que se regula la demanda ejecutiva o la solicitud, ni de que, después, el art. 524.2 disponga que para despachar la ejecución se estará a lo dispuesto para la ejecución ordinaria.

> Si la solicitud puede usarse cuando se trata de pedir la ejecución de una resolución del letrado o de una sentencia o resolución del tribunal competente para conocer de la ejecución, al tratarse ahora de la ejecución provisional en que siempre se ejecuta una sentencia hubiera bastado son regular una solicitud y no una demanda. Si no ha sido así es porque se está implícitamente reconociendo que lo propio de la iniciación de un proceso, de todo proceso, incluso el de ejecución, es que comienza por demanda.

Las remisiones legales permiten que nosotros nos remitamos también a los puestos oportunos, debiendo atender aquí solamente a:

A) Momento de la demanda ejecutiva

La determinación de los momentos inicial y final entre los que puede pedirse la ejecución provisional sí es algo específico de ésta. No tiene duda el momento final, es decir, el *dies ad quem*, hasta el que puede presentarse la demanda, pues siempre será antes de que se dicte sentencia en el recurso correspondiente. Si la ejecución provisional lo es de la sentencia dictada en primera instancia pendiente del recurso de apelación, antes de que haya recaído sentencia en éste (art. 527.1) y si la ejecución provisional lo es de la sentencia de segunda instancia y pendiente recurso de infracción procesal o de casación, antes de que haya recaído sentencia en estos recursos (art. 535.2).

Los problemas pueden referirse al *dies a quo*, es decir, al día inicial para pedir la ejecución provisional, y aquí debe distinguirse:

a) *Ejecución provisional de sentencias de primera instancia*

Según el art. 527.1 la ejecución puede pedirse en cualquier momento desde: 1º) Bien la notificación de la resolución en que se tenga por interpuesto el recurso de apelación, y 2º) Bien desde el traslado a la parte apelante del escrito del apelado adhiriéndose al recurso.

> Permitido en la LEC que la ejecución provisional sea pedida por quien haya obtenido un pronunciamiento a su favor, la distinción temporal ha perdido su sentido. No lo tiene que no pueda pedirse la ejecución provisional antes de que se notifique la resolución teniendo por interpuesto el recurso de apelación, dado que el plazo para esa preparación es de veinte días (arts. 455.1 y 457.1).

Al disponerse que la ejecución puede pedirse mientras esté pendiente el recurso de apelación (hasta que se dicta sentencia en éste), puede ocurrir que la petición se formule:

1º) Antes de la remisión de las actuaciones al tribunal que ha de conocer de la apelación (art. 463), caso en el que en el tribunal que ha dictado la sentencia de primera instancia recurrida, y respecto de la que se pide la ejecución provisional, debe quedar testimonio, que expedirá el letrado de la administración de justicia, de lo que sea necesario para ésta (art. 527.2, II).

> Si lo que se ejecuta es la sentencia y si el original de ésta ha de quedar en el libro de sentencias, uniéndose a las actuaciones un testimonio (art. 213), no se acaba de comprender la necesidad de ese testimonio para la ejecución, salvo que sean precisas otras actuaciones para integrar o para interpretar lo dispuesto en el fallo de la misma, lo cual no dejará de resultar anómalo.

2º) Después de la remisión de las actuaciones al tribunal competente para conocer de la apelación (art. 463), supuesto en el que el solicitante de la ejecución provisional deberá obtener previamente de éste testimonio de lo que sea necesario para la ejecución provisional y acompañarlo a la demanda ejecutiva (art. 527.2, I).

> Lo dicho antes sobre el libro de sentencia destaca aquí aún con mayor nitidez, pues si el original de la sentencias consta en el libro de sentencias del tribunal que dictó la recurrida no se acaba de comprender qué comprenderá ese testimonio, salvo que la sentencia sola no sea suficiente para despachar la ejecución y para llevarla a efecto, lo que será siempre anómalo.

b) Ejecución provisional de las sentencias de segunda instancia

Según el art. 535.2 la ejecución provisional puede solicitarse en cualquier momento desde la notificación de la resolución que tenga por interpuesto el recurso de infracción procesal o el de casación.

En este supuesto, junto con la solicitud o demanda ejecutiva, se presentará en el tribunal competente (el que conoció del proceso en la primera instancia) «certificación (será testimonio) de la sentencia cuya ejecución provisional se pretenda, así como testimonio de cuantos particulares se estimen necesarios»; uno y otros deberán obtenerse, bien del tribunal que haya dictado la sentencia de apelación, si no ha remitido todavía las actuaciones (arts. 472 y 482), bien del tribunal competente para conocer del recurso de infracción procesal o del recurso de casación, si se han remitido ya las actuaciones.

B) Auto despachando la ejecución

Si concurren los presupuestos y se han cumplido los requisitos procesales, el tribunal dictará auto despachando la ejecución. Ese auto es el mismo que aquél por el que se despacha la ejecución ordinaria (art. 553). Se advierte así que estamos ante una ejecución provisional *ope legis*, pues no es el tribunal el que crea el título ejecutivo. El art. 527.3 dice que, solicitada la ejecución provisional, el tribunal la despachará salvo que se trate de sentencia no ejecutable provisionalmente, pero debe tenerse en cuenta que el control de oficio por el tribunal debe comprender todos los presupuestos y los requisitos procesales. Contra el auto que deniegue la ejecución cabe recurso de apelación, sin reposición previa (por tratarse de auto definitivo que pone fin a las actuaciones, a las de la ejecución), que se tramitará y resolverá con carácter preferente.

Para despachar la ejecución provisional no se oye al ejecutado, pero el auto que la despache será notificado al mismo, sin citación ni emplazamiento. Contra ese auto no cabe recurso alguno, sin perjuicio de la oposición a que nos referimos a continuación (art. 527.4). Despachada la ejecución provisional se procederá por los trámites de la ejecución ordinaria (art. 524.2).

IV. OPOSICIÓN A LA EJECUCIÓN PROVISIONAL

La facilidad para despachar la ejecución provisional quiere compensarse en la LEC con la admisión de oposición a la misma, oposición que puede formular el ejecutado.

Prescindiendo del control de oficio y de la oposición por falta de presupuestos o el incumplimiento de requisitos procesales para despachar la ejecución provisional, existen dos sistemas posibles:

1.º) Cabe que la ley establezca algún o algunos criterios para despachar la ejecución, disponiendo que el tribunal debe aplicarlos de oficio, con lo que podrá despachar o no la ejecución.

2.º) Puede que la ley, disponiendo que el tribunal despachará la ejecución provisional en todo caso, permita que después el ejecutado formule oposición alegando alguna de las causas que la ley disponga.

La LEC ha optado por este segundo sistema y lo ha hecho para favorecer la ejecución provisional y también para que en la misma se pueda oír al ejecutado con mayores garantías de acierto. En efecto, si el tribunal tuviera que controlar de oficio la causa 2.ª del art. 528.2, en el momento de despachar la ejecución provisional, tendría que pronunciarse sobre la imposibilidad o extrema dificultad de restaurar la situación anterior o de compensar económicamente al ejecutado, y tendría que hacerlo sin contar con los elementos necesarios de juicio.

Procedimentalmente la oposición a la ejecución tiene una tramitación sencilla y escrita. Dentro de los cinco días siguientes a la notificación del auto despachando la ejecución o a la notificación de la resolución que acuerde actuaciones concretas, el ejecutado puede presentar escrito de oposición, acompañado de los documentos que estime oportunos. Dado traslado al ejecutante, y a quienes estuvieren personados en la ejecución provisional, pueden éstos, también en otro plazo de cinco días, manifestar y acreditar lo que consideren conveniente, también por escrito. Sin más trámite el tribunal dictará auto, bien desestimando la oposición, bien estimándola, con consecuencias distintas según la causa de oposición. Contra este auto no cabe recurso alguno.

A) Causas de oposición al conjunto de la ejecución

Se trata, en primer lugar, de causas de oposición a toda la ejecución, al conjunto de la misma, aunque las consecuencias de la estimación son distintas según la causa.

a) Haber despachado la ejecución provisional no concurriendo algún presupuesto procesal o con inobservancia de algún requisito procesal.

Aunque el art. 528.2, 1.ª, se refiere a haber despachado la ejecución con infracción del art. 527, es evidente que no puede tratarse únicamente del momento para pedir y despachar la ejecución y ni siquiera sólo de que la sentencia no sea provisionalmente ejecutiva, debiendo entenderse que se trata de todos los presupuestos y de todos los requisitos.

Por ello la estimación de la oposición tiene que producir consecuencias distintas:

1.º) Si se despachó la ejecución tratándose de sentencia no provisionalmente ejecutiva, la estimación de la oposición significará que se declarará no haber lugar a que prosiga dicha ejecución, alzándose los embargos y trabas y las medidas de garantía que pudieran haberse adoptado (art. 530.1).

2.º) Cualquier otra infracción de norma procesal relativa a presupuestos y requisitos procesales debe llevar a permitir la subsanación; éste sería el caso, por ejemplo, de demanda ejecutiva sin firma de letrado (salvo que se trate de ejecución de sentencia dictada en juicio verbal de cuantía superior a 2.000 euros).

b) Tratándose de sentencia de condena no dineraria, que resulte imposible o de extrema dificultad, atendida la naturaleza de las actuaciones ejecutivas, restaurar la situación anterior a la ejecución provisional o compensar económicamente al ejecutado mediante el resarcimiento de los daños y perjuicios que se le causaren, si aquella sentencia fuese revocada.

Este es, sin duda, la causa de oposición de más importancia y de mayor dificultad para determinar su concurrencia, aunque puede decirse:

1.º) Se tratará de sentencias de condena a cualquier prestación, menos la dineraria, es decir, hacer, no hacer y dar cosa distinta del dinero.

2.º) La imposibilidad o la extrema dificultad se determina con relación a la naturaleza de las actuaciones ejecutivas, no atendiendo a la capacidad económica del ejecutante. La imposibilidad o extrema dificultad tiene que ser objetiva, no pudiendo ser subjetiva.

3.º) La imposibilidad de restaurar la situación anterior a la ejecución provisional, si la sentencia es revocada, no es por sí sola causa que deba impedir esta ejecución, pues debe estarse entonces a la posibilidad de compensar económicamente al ejecutado, esto es, a que pueda existir una verdadera compensación que resarza efectivamente al ejecutado.

4.º) La verdadera causa se resuelve así en que sea imposible o de extrema dificultad compensar económicamente al ejecutado, es decir, no en que no pueda obtenerse el dinero para esa compensación, sino en que la compensación no exista realmente, pues el dinero no es medio útil para efectuarla.

5.º) En cualquier caso se está dejando al tribunal un amplio arbitrio para determinar en cada supuesto la concurrencia de la causa, lo cual no es nada anómalo pues lo mismo ha sucedido en otras ocasiones (por ejemplo, con referencia a los daños y perjuicios de reparación imposible o difícil).

Alegada esta causa por el ejecutado en su escrito de oposición, el ejecutante al contestar al mismo, aparte de impugnar la concurrencia de la causa, podrá ofrecer caución suficiente para garantizar que, en caso de revocarse la sentencia, se restaurará la situación anterior o, de ser esto imposible, se resarcirán los daños y perjuicios causados; la caución podrá constituirse de cualquier modo que garantice la inmediata disponibilidad de la cantidad de que se trate (art. 529.3).

En el auto decidiendo sobre la oposición el tribunal podrá: 1) Desestimar sin más la causa, 2) Estimar la causa pero también la caución, determinando su importe, con lo que la ejecución seguirá adelante, y 3) Estimar la causa y entender que, de revocarse posteriormente la condena, sería imposible o extremadamente difícil restaurar la situación anterior a la ejecución provisional o garantizar el resarcimiento mediante la caución que el solicitante se mostrase dispuesto a prestar, por lo que dejará en suspenso la ejecución, si bien subsistiendo los embargos y las medidas de garantía adoptadas y se adoptarán las que procedieren, de conformidad con el art. 700 (art. 530.2); esto es, las medidas cautelares que pueden adoptarse para garantizar el pago de las eventuales indemnizaciones sustitutorias de la ejecución específica de obligaciones de hacer, no hacer y entregar cosa distinta del dinero.

B) Oposición a actuaciones ejecutivas concretas

Cuando se trate de la ejecución provisional de sentencia de condena dineraria, el ejecutado no podrá oponerse a la ejecución provisional como conjunto (aunque sí por falta de presupuestos procesales), pues entonces su oposición ha de limitarse a actuaciones ejecutivas concretas del procedimiento de apremio, por entender que dichas actuaciones causarán una situación absolutamente imposible de restaurar o de compensar económicamente mediante el resarcimiento de daños y perjuicios. Al formular esta oposición:

1.º) El ejecutado habrá de indicar otras medidas o actuaciones ejecutivas que sean posibles y que no provoquen situaciones similares a las que causaría, a su juicio, la actuación o medida a la que se opone, y

2.º) Ofrecerá caución suficiente para responder de la demora en la ejecución, si las medidas alternativas no fuesen aceptadas por el tribunal y el pronunciamiento de condena dineraria resultare posteriormente confirmado.

Faltando en el escrito de oposición la indicación de las medidas alternativas o el ofrecimiento de prestar caución suficiente, el letrado de la administración de justicia inadmitirá por decreto la oposición, pero con recurso directo de revisión ante el juez (art. 528.3, III).

En el auto decidiendo sobre la oposición cabe: 1) Desestimar esta oposición, con lo que la ejecución seguirá adelante, 2) Estimarla, por considerar posibles y de eficacia similar las actuaciones o medidas alternativas indicadas por el ejecutado, que entonces se adoptarán, y 3) Estimarla, por apreciar que concurre en el caso una absoluta imposibilidad de restaurar la situación anterior a la ejecución o de compensar económicamente al ejecutado mediante ulterior resarcimiento de daños y perjuicios, en caso de ser revocada la condena, con lo que acordará que se preste la caución ofrecida si la estima suficiente.

Al referirse esta oposición a una concreta actividad ejecutiva, la estimación de la misma sólo supone la no realización de esa actividad, pero el procedimiento de apremio seguirá conforme a lo previsto en la LEC (art. 530.3).

C) Causas de oposición general

Añade el art. 528.4 que, además de las causas anteriores, la oposición podrá estar fundada en el pago o cumplimiento de lo ordenado en la sentencia, que habrá de justificarse documentalmente, así como en la existencia de pactos o transacciones que se hubieran convenido y documentado en el proceso para evitar la ejecución provisional, y se añade que estas causas de oposición se tramitarán conforme a lo dispuesto parta la ejecución ordinaria o definitiva.

> Como puede comprobarse se trata de unas causas similares (no iguales) a las del art. 556 para la ejecución definitiva, pero es difícil imaginar la concurrencia de alguna de las causas de oposición a la ejecución cuando el título ejecutivo es una sentencia. En efecto, no cabe imaginar cómo se está recurriendo de la sentencia y, al mismo tiempo, pagándose o haciendo pactos o transacciones para evitar la ejecución.

Aunque no se menciona expresamente tiene que ser admisible la impugnación de infracciones procesales en el curso de la ejecución.

> Aparte completamente de estas oposiciones se encuentra la previsión del art. 531, referido a la suspensión de la ejecución provisional de condenas al pago de cantidades de dinero cuando el ejecutado pusiere a disposición del Juzgado, para su entrega al ejecutante, la cantidad a que hubiese sido condenado, más los intereses y las costas. En este caso se trata de un pago provisional, pendiente de la revocación o confirmación de la sentencia recurrida, que debe suponer la terminación de la ejecución provisional. Se atribuye de esta suspensión al letrado.

V. REVOCACIÓN O CONFIRMACIÓN DE LA SENTENCIA PROVISIONALMENTE EJECUTADA

El riesgo de la ejecución provisional radica en que la sentencia ejecutada provisionalmente sea revocada por el tribunal que ha conocido del recurso.

A) Confirmación

Naturalmente cuando la sentencia es confirmada en el recurso no surgen cuestiones problemáticas, debiendo únicamente distinguirse entre:

1.º) Si la sentencia del recurso, que confirma la ejecutada provisionalmente, no es firme, porque contra la misma se ha interpuesto otro recurso sucesivo, la ejecución provisional continuará, si aún no hubiere terminado, salvo desistimiento expreso del ejecutante.

2.º) Si la sentencia confirmatoria dictada en el recurso es firme, porque contra ella no cabe recurso alguno o porque no ha sido recurrida, la ejecución seguirá adelante, pero ahora como definitiva, siempre que no hubiera concluido o que desista el ejecutante.

> Procedimentalmente la constancia en la ejecución provisional de que la sentencia ha sido confirmada interesa al ejecutante provisional, en los dos casos, por lo que, sin perjuicio de que al final del o de los recursos han de ser devueltas las actuaciones al tribunal de primera instancia, con testimonio de la o de las sentencias, aquél podrá presentar en éste testimonio en los momentos oportunos.

B) Revocación

Los problemas, como decimos, se presentan cuando la sentencia ejecutada provisionalmente es revocada por el tribunal que conoce del recurso, y a estos efectos es indiferente que esa segunda sentencia sea o no firme, pues las consecuencias van a ser las mismas.

> La LEC está partiendo implícitamente de que la ejecución provisional ya ha concluido, y por eso se refiere a la restitución de la situación al momento anterior a la ejecución, pero debe tenerse en cuenta que es posible que, cuando se dicte la sentencia revocatoria, la ejecución provisional esté aún en curso, por lo que la consecuencia primera tiene que consistir en la terminación de esa ejecución, en que en la misma no se realicen más actos ejecutivos.

a) Condenas dinerarias

Cuando la sentencia ejecutada provisionalmente contenía una condena dineraria (art. 533), que ha sido ejecutada completamente, la sentencia del recurso puede ser revocatoria:

a) *Total*: Se procederá inmediatamente a sobreseer la ejecución, en el estado en que se halle, y el ejecutante deberá: 1) Devolver la cantidad que, en su caso, hubiere percibido, 2) Reintegrar al ejecutado las costas de la ejecución provisional que éste hubiere satisfecho y 3) Resarcirle de los daños y perjuicios que dicha ejecución le hubiere ocasionado.

b) *Parcial*: Con sobreseimiento de la ejecución, el ejecutante deberá: 1) Devolver la diferencia entre la cantidad por él percibida y la que resulte de la revocación o confirmación parciales, y 2) Indemnizar en el interés legal del dinero por la cantidad que hubiere percibido y que debe devolver.

> El art. 533.3 empieza diciendo que si la sentencia revocatoria no fuera firme la percepción de las anteriores cantidades podrá pretenderse por la vía de apre-

mio ante el tribunal que hubiere sustanciado la ejecución provisional, pero esa vía es la adecuada en todo caso, es decir, también cuando la sentencia revocatoria en firme. En el Preámbulo de la LEC se dice claramente que «la ley no remite a un proceso declarativo para la compensación económica en caso de revocación de lo provisionalmente ejecutado, sino al procedimiento de apremio, ante el mismo órgano que ha tramitado o está tramitando la ejecución forzosa provisional».

Para la percepción de todas esas cantidades el que ha sido ejecutado puede acudir al procedimiento de apremio, teniendo en cuenta que:

1°) La cantidad percibida que debe devolver es líquida, y también lo es la cantidad por intereses, pues éstos se calculan con una simple operación aritmética.

2°) Las costas deben liquidarse, por el sistema de la tasación de costas (arts. 241 y ss.).

3°) Para la liquidación de los daños y perjuicios debe estarse a lo dispuesto en los arts. 712 y ss.

> La distinción entre cuando la sentencia revocatoria es o no firme tiene interés sólo respecto de un supuesto. Si esa sentencia no es firme la devolución de las cantidades por la vía de apremio supone una suerte de ejecución provisional al revés, y por ello el art. 533, 3, II, dice que en esa vía de apremio el obligado a devolver, reintegrar e indemnizar podrá oponerse a actuaciones concretas en los términos dichos en el art. 528.

b) Condenas no dinerarias

Cuando la sentencia ejecutada provisionalmente y revocada hubiera condenado a obligación no dineraria (art. 534), debe distinguirse según se trate de la obligación:

1.°) *Dar bien determinado*: Si el bien hubiera sido entregado al ejecutante, se restituirá al ejecutado en el concepto en que lo hubiere tenido, más las rentas, frutos o productos, o el valor pecuniario de la utilización del bien. Cuando esa restitución fuere imposible, de hecho o de derecho, el ejecutado podrá pedir que se le indemnicen los daños y perjuicios, lo que se hará por el procedimiento de los arts. 712 y ss.

> Para la restitución debe estarse a lo previsto en la propia LEC para la ejecución de obligaciones de dar cosa determinada (arts. 701 y ss.). No se contiene previsión para cuando la obligación de dar se ha referido a cosa genérica o indeterminada, pero: 1) La ejecución provisional es posible, y 2) La restitución debe acomodarse a lo dispuesto en el art. 702, y atendidas las varias posibilidades en que ha podido hacerse la ejecución provisional (incluido que haya sido sustituida por una obligación dineraria).

2.°) *Hacer*: Si el ejecutado hubiera hecho, podrá pedir que se deshaga lo realizado y que se le indemnicen los daños y perjuicios causados.

El acceso a los recursos genéticos está sometido al consentimiento fundamentado previo del proveedor de dichos recursos, así como a condiciones mutuamente acordadas entre las partes.

Bajo el sistema de la CDB los ABS se extienden a los conocimientos y prácticas tradicionales asociados a los recursos genéticos de las comunidades indígenas y locales, y a los beneficios que se deriven de la utilización de dichos conocimientos, por lo que debiéramos entender que a efectos de la ley SBAP los ABS se extienden al acceso y uso que pudiere hacerse de aquellos conocimientos y prácticas.

La ley SBAP si bien no entró en los principios, reglas y arreglos convencionales que deben dar origen a los ABS estableció que para acceder a ellos se deberá contar: 1) con el permiso del art. 94 para otras actividades en AP; y 2) con un convenio de acceso a recursos genéticos, suscrito entre el SBAP y el particular o interesado en ellos, que será regulado por Reglamento.

Esta norma lamentablemente no fue extendida al acceso a recurso genéticos fuera de AP lo que podría generar más de algún problema dada la desregulación existente en la materia. Sin embargo, la ratificación del Protocolo de Nagoya sobre Acceso a los Recursos Genéticos y Participación Justa y Equitativa en los Beneficios que se deriven de su utilización, en lo que Chile está en deuda, podría resolver en parte ese vacío y sentar las bases para un posterior desarrollo legislativo sobre esta materia.

CAPÍTULO III
LA EJECUCIÓN DEFINITIVA

Disposiciones comunes

Lección Vigesimoctava
Unidad, incoación y oposición a la ejecución

I. LA UNIDAD DE LA EJECUCIÓN:
En el inicio existía un único proceso de ejecución
En LEC 1855 dos procesos= en LEC 1881. LEC un solo proceso

II. LA INICIACIÓN DEL PROCESO:
Principio dispositivo. Título ya en el Jugado: solicitud
A) Demanda ejecutiva:
    a) Requisitos de contenido: 7
    b) Documentos que deben acompañarla: 5
B) Despacho de la ejecución (orden general)
    No se admite. Se despacha ejecución o no
    Control de oficio. Presupuestos y requisitos. No el fondo
    a) Auto denegando el despacho de ejecución
    b) Auto despachando la ejecución: 4
C) Decreto de concreción: Del mismo día o día después
    3 contenidos
D) Notificación al ejecutado: No se emplaza ni se cita. Se notifica
    1. Título judicial (procurador) y
    2. Título no judicial

III. LA OPOSICIÓN A LA EJECUCIÓN
Esquema siguiente

IV. OPOSICIÓN AL CONJUNTO DE LA EJECUCIÓN:
A) Defectos procesales
    Art. 559. 6 motivos. En 10 días
B) Motivos de fondo
    a) Títulos judiciales y asimilados:
        1. Resoluciones procesales
        2. Homologan o aprueban
        3. Acuerdos de mediación
    b) Títulos no judiciales: 6 motivos
    c) Procedimiento de la oposición: 1. Sólo Fondo y 2. Acumulación
    d) Sumariedad de la oposición

V. OPOSICIÓN A LOS ACTOS EJECUTIVOS:
A) Infracción de norma procedimental o procesal
    a) Procedimental: Legalidad en la forma
    b) Procesal
    c) Vías de impugnación: 1. Resolución y 2. Actuación
B) Infracción del título ejecutivo: art. 563

VI. SUSPENSIÓN DE LA EJECUCIÓN
Art. 565: Solo casos previstos
Casos especiales

I. LA UNIDAD DE LA EJECUCIÓN

En el inicio —por ejemplo en Las Partidas— se partía de que el único título ejecutivo era la sentencia firme de condena, pero ya desde el siglo XIV van a ir surgiendo títulos ejecutivos contractuales, que suponen tutelas judiciales privilegiadas. La existencia de dos clases de títulos no impidió que el proceso de ejecución fuera el mismo para los dos.

La *Lex Toletana*, dada por los Reyes Católicos en 1480, decretó que las escrituras públicas eran título ejecutivo en toda España y reguló el proceso de ejecución. Cuando esa Ley se recopiló en la Nueva Recopilación (Libro IV, Título XXI, ley 2.ª) se dispuso al final de la misma: «Y esto mismo mandamos que se guarde, pidiendose execución de sentencia passada en cosa juzgada», con lo que se consagró el sistema único de la ejecución. No había dos sistemas de ejecución, uno para las sentencias y otro para los títulos no judiciales (o contractuales), sino un sistema único que igualaba el tratamiento procesal de todos los títulos ejecutivos. En ese sistema único al hacerse la enumeración de los títulos se comprendían los dos más importantes, que eran la sentencia y el instrumento público.

El anterior sistema unitario se rompe con la LEC de 1855, en la que aparece la dualidad de ejecuciones. Esta Ley distinguía entre «De la ejecución de las sentencias» y «De las ejecuciones» (en donde se regulaba el juicio ejecutivo). Por el camino abierto por la LEC de 1855 siguió la LEC de 1881 en la que se regulaba, por un lado, «De la ejecución de las sentencias» y, por otro, «Del juicio ejecutivo», cometiéndose el grave error sistemático de que las normas propias del embargo y del apremio se encontraban en éste y no en aquélla.

La LEC/2000 ha unificado las ejecuciones, regulando un único sistema de ejecución, en el que existe oposición del ejecutado, si bien dentro de la misma habrá de distinguirse con relación al título ejecutivo. Las diferencias de mayor importancia entre los títulos judiciales y los no judiciales radican en:

1.º) Los títulos judiciales y asimilados pueden documentar todas las obligaciones, que se resuelven en prestaciones de hacer, de no hacer y de dar, mientras que los títulos no judiciales sólo pueden documentar obligaciones dinerarias (o de cosas o especies computables en dinero).

2.º) La oposición a la ejecución que puede formular el ejecutado es la misma, tratándose de títulos judiciales o de no judiciales, en lo que se refiere a los defectos procesales y a las infracciones legales en el curso de la ejecución, y es distinta en lo que atiende al fondo, pues no puede ser igual oponerse a un título que tiene eficacia de cosa juzgada material que a otro que carece de esa eficacia.

En cualquier caso, lo que importa destacar es que el sistema español, después de haberse separado de lo que es común en las legislaciones procesales, al haber establecido dos procesos de ejecución, ha vuelto con la nueva LEC, primero, a nuestro sistema tradicional y, también, a lo que es normal en las legislaciones de nuestro entorno. Es cierto que la unificación podría haber sido mayor, pero como se ha hecho no permite seguir hablando de dos clases de ejecución.

II. LA INCOACIÓN DEL PROCESO

El principio dispositivo y su consecuencia la incoación de parte son plenamente aplicables en el proceso de ejecución. Este se inicia sólo cuando una parte lo pide, no pudiendo el tribunal iniciarlo de oficio. En un procedimiento regido por la escritura, la incoación se efectúa de esta forma, mediante la presentación del correspondiente escrito, que se denomina demanda, como en todos los procesos.

Existen dos supuestos especiales:

1.°) El art. 549.2 permite que en los casos en el título ejecutivo sea una resolución del letrado de la administración de justicia (absurdo), una resolución judicial, y de modo especial, una sentencia, la demanda ejecutiva sea simplemente una solicitud de que se despache la ejecución, identificando la sentencia o resolución cuya ejecución se pretenda. Naturalmente la solicitud no puede limitarse a esto pues será preciso, en su caso, indicar los bienes del ejecutado y las medidas de localización, por ejemplo.

2.°) El plazo de espera legal de 20 días no será de aplicación en la ejecución de resoluciones de condena de desahucio por falta de pago de rentas o cantidades debidas, o por expiración legal o contractual del plazo, que se regirá por lo previsto en tales casos.

No obstante, cuando se trate de vivienda habitual, con carácter previo al lanzamiento, deberá haberse procedido en los términos del artículo 441.5 de la LEC.

A) La demanda ejecutiva

El proceso de ejecución, pues, se inicia por medio de la demanda ejecutiva (art. 549.1). De ella debe atenderse, primero, a los requisitos propios del escrito y, después, a los documentos que deben acompañarla:

a) Requisitos de contenido

Respecto del contenido el art. 549.1 establece los requisitos que podemos considerar generales, pues luego se establecen los requisitos especiales según sea la obligación documentada en el título ejecutivo. Esos requisitos generales han de ser, completando lo que dispone dicho art. 549:

1.º) La designación del tribunal ante el que se presenta.

> La determinación de ese órgano viene realizada por las normas de competencia que vimos en la Lección Vigesimoquinta. Cuando se trata de la ejecución de un título judicial, título que se ha constituido por el propio tribunal competente para la ejecución, la determinación del mismo no ofrecerá dificultades, pues se tratará de competencia funcional. En otro caso habrán de entrar en juego las normas de competencia objetiva y territorial e incluso las del reparto.

2.º) La identificación de las partes.

> La identificación del ejecutante no ofrecerá dificultades para el mismo, debiendo tenerse en cuenta lo que dijimos respecto de la legitimación activa. La determinación de la legitimación pasiva puede ser más compleja cuando el legitimado pasivo no aparece como deudor en el mismo título; por ello el art. 549.1, 5.º LEC dice que en la demanda se expresará la persona o personas, con expresión de sus circunstancias identificativas, frente a las que se pretenda el despacho de la ejecución, por aparecer en el título como deudores o por estar sujetos a la ejecución según lo dispuesto en los arts. 538 a 544 LEC.

3.º) El título en que se funda.

> Los requisitos propios de la demanda declarativa, como son los hechos y los fundamentos de derecho, se sustituyen en esta demanda ejecutiva por la expresión del título ejecutivo, y ello es así porque el título es en sí mismo la causa de pedir de la pretensión ejecutiva, sin que sea preciso alegar nada más.

4.º) La tutela ejecutiva que se pretende, con relación al título ejecutivo que se aduce.

> Cuando se habla aquí de tutela ejecutiva se está refiriendo a los objetos de la petición, tanto al inmediato (la actividad ejecutiva que se pide, que depende de la obligación documentada en el título, pues no será esa actividad la misma si lo que se ejecuta es una obligación de hacer o una obligación de dar, por ejemplo), como al inmediato (el bien concreto al que la actividad ejecutiva ha de referirse; por ejemplo que se entregue un bien mueble determinado).

5.º) Los bienes del ejecutado susceptibles de embargo de los que tuviere conocimiento el ejecutante y, en su caso, si los considera suficientes para el fin de la ejecución.

> La determinación de los bienes del ejecutado susceptibles de embargo adquiere especial importancia cuando se trata de la ejecución de una obligación dineraria, pero también puede tener sentido en cualesquiera otras obligaciones, dada la posibilidad de que la ejecución específica acabe transformándose en ejecución genérica.

6.º) Las medidas de localización e investigación que interese el ejecutante al amparo del art. 590 LEC y en su caso.

> La investigación judicial del patrimonio del ejecutado se realiza cuando el ejecutante no puede designar bienes de aquél sobre los que practicar el embargo,

y por eso la norma dice en su caso. Este es, por tanto, un contenido contingente de la demanda, pero el mismo no tiene porque quedar limitado al supuesto de las obligaciones dinerarias, atendida igualmente la posibilidad de transformación de las ejecuciones específicas en la genérica.

7.º) Firmas de abogado y procurador.

La postulación procesal es necesaria en el proceso de ejecución, salvo que se trate de ejecución de sentencias dictadas en procesos en que no sea preceptiva la intervención de estos profesionales (dice el art. 539 LEC, con lo que se remite a los arts. 23 y 31 LEC).

Aunque no aparece como requisito propiamente dicho de la demanda, en ésta convendrá hacer alusión a otros dos contenidos, si bien los mismos se refieren sólo a la demanda que tiene como base un título judicial o asimilado. Se trata de: 1) Deberá expresarse que la demanda se presenta pasados veinte días desde aquél en que la resolución de condena, de aprobación del convenio o de firma del acuerdo haya sido notificada al ejecutado (art. 548, con la excepción del art. 549.4: desahucio), y 2) También que la demanda se presenta sin haber transcurrido los cinco años siguientes a la firmeza de la sentencia o del laudo arbitral o del acuerdo de mediación (art. 518 LEC).

b) Documentos que deben acompañarla

El art. 550 LEC se refiere a los documentos que deben presentarse junto con la demanda. Aunque no existe norma especial debe estarse a lo dispuesto en el art. 273 LEC para las copias:

1.º) El título ejecutivo.

Con la demanda ejecutiva debe presentarse el título ejecutivo, que insistimos es la causa de pedir. Naturalmente cuando la ejecución se funde en sentencia, decreto, acuerdo o transacción que conste en los autos, no será necesario presentar ese título, pues es absurdo presentar aquello de lo que ya dispone el tribunal.

En sentido contrario el art. 550.1, II exige que: 1) Título laudo: Se acompañará el laudo, el convenio arbitral y los documentos de la notificación del laudo, y 2) Cuando el título sea un acuerdo de mediación elevado a escritura pública, se acompañará, además, copia de las actas de la sesión constitutiva y final del procedimiento.

2.º) Poder a procurador.

Dado que en el proceso de ejecución es necesaria la intervención de procurador, el poder debe presentarse con el primer escrito. El poder notarial no será necesario, bien cuando la representación se confiera apud acta, bien cuando la representación esté ya acreditada en las actuaciones al tratarse de la ejecución de sentencia, transacción o acuerdo aprobado judicialmente.

3.º) Los documentos que acrediten los precios o cotizaciones aplicados para el cómputo en dinero de deudas no dinerarias, cuando no se trate de datos oficiales o de público conocimiento.

4.º) Los demás documentos que la ley exija para el despacho de la ejecución.

5º) Tratándose de títulos extrajudiciales (no los judiciales) se acompañará el documento acreditativo del pago de la tasa judicial (Ley 10/2012).

> Ley 10/2012, de 20 de noviembre, por la que se regulan determinadas tasas en el ámbito de la Administración de Justicia y del Instituto Nacional de Toxicología y Ciencias Forenses, modificada por los RRDD-Leyes 3/2013, de 22 de febrero,1/2015, de 27 de febrero, y Ley 25/2015, de 28 de julio y STC 140/2016, de 21 de julio). Hay que advertir que en la Ley 10/2012 los hechos impositivos son: 1) La interposición de la demanda de ejecución cuando se trata de títulos ejecutivos extrajudiciales, y 2) La presentación del escrito de oposición cuando se trata de los títulos judiciales. Después debe tenerse en cuenta la Orden HAP/2662/2012, de 13 de diciembre, modificada por la Orden HAP/861/2015, de 7 de mayo.

6.º) Cuantos documentos considere el ejecutante útiles o convenientes para el mejor desarrollo de la ejecución y contengan datos de interés para despacharla.

> Se trata de los documentos a que, a veces, la propia LEC ha ido haciendo referencia. Por ejemplo, en el art. 540 LEC para acreditar la legitimación derivada cuando se ha producido la sucesión en la posición del acreedor o del deudor después de constituido el título; en el art. 543 LEC para dirigir la ejecución contra los socios, miembros o integrantes de las asociaciones o entidades temporales que deben responder solidariamente con éstas.

B) El despacho de la ejecución (orden general)

En la tradición jurídica española la demanda declarativa se admite o no se admite, mientras que la demanda ejecutiva da lugar a despachar la ejecución o a denegar el despacho de la ejecución. Para llegar a esa decisión el tribunal debe examinar de oficio, primero, la regularidad formal de la demanda y del título y, luego, la posibilidad de que existan cláusulas abusivas en el título.

> Con carácter previo el letrado de la administración de justicia llevará a cabo la oportuna consulta al Registro Público Concursal a los efectos previstos en el apartado 4 del artículo 5 bis de la Ley Concursal; esto es, el que no podrán iniciarse ejecuciones judiciales de bienes que resulten necesarios para la continuidad de la actividad profesional o empresarial del deudor en concurso de acreedores (ver art. 5 bis de la Ley Concursal). No se trata de denegar el despacho de la ejecución, sino de suspender la tramitación.

1.º) El examen debe referirse, primero, a la concurrencia de los presupuestos procesales en general (por ejemplo, la competencia) y de los requisitos procesales, especialmente los propios del título, es decir, si el documento presentado con la demanda debe considerar verdadero título ejecutivo.

> El art. 551.1 LEC dice que el tribunal también examinará si los actos de ejecución que se solicitan en la demanda son conformes con la naturaleza y contenido del título, y con ello introduce un elemento de confusión. A pesar de la falta de claridad legal, debería distinguirse:
>
> 1) Con referencia a los presupuestos y requisitos procesales debe atenderse a si los mismos son o no subsanables; si cabe subsanación el tribunal debe conceder plazo para ello (por ejemplo no se acompaña el poder a procurador); si son insubsanables, denegara el despacho de la ejecución (por ejemplo, falta de competencia).
>
> 2) Cuando los actos de ejecución que se solicitan no son conformes con la naturaleza y contenido del título, esto es, cuando se pide una actividad jurisdiccional, u objeto inmediato, distinto del previsto legalmente según la naturaleza de la obligación documentada y según el título, debería distinguirse atendido que la petición de la actividad jurisdiccional no es libre para el ejecutante. Habría así casos en que debería denegarse el despacho de la ejecución (con un título no judicial se pide la ejecución de una obligación de hacer) y otros en que podría pedirse la subsanación del defecto (se pide que el ejecutado haga cosa distinta de la prevista en el título judicial que documenta una obligación de hacer).

En este momento, y sea cual fuere el título, el tribunal no puede pretender cuestionarse el tema de fondo, es decir, la legalidad o justicia de la obligación que en él se documenta; eso está cubierto, bien por la cosa juzgada material de la sentencia o del laudo, bien por la garantía formal del título no judicial, salvo lo que diremos de las cláusulas abusivas.

> Sí ha de atender al plazo de caducidad de cinco años de la acción ejecutiva fundada en sentencia, en resolución del tribunal o del letrado que apruebe una transacción judicial o un acuerdo alcanzado en el proceso, o en resolución arbitral o en acuerdo de mediación (art. 518 LEC) y al plazo de espera de veinte días tratándose de resoluciones judiciales, arbitrales o acuerdo de mediación (art. 548 LEC), y en este segundo caso para no despachar la ejecución hasta que transcurra ese plazo.

En principio, pues, la iniciación de la ejecución no es contradictoria, es decir, de la petición del ejecutante no se da traslado al ejecutado antes de dictarse el auto despachándola. Después del examen de la regularidad formal de la demanda y del título, el tribunal debe dictar auto despachando la ejecución o denegando el despacho de la ejecución, con consecuencias muy distintas:

2.°) También debe controlarse de oficio la concurrencia de cláusulas incluidas en los títulos no judiciales (dice la norma de los citados en el art. 557.1) que puedan ser calificadas como abusivas. Entonces se dará audiencia por quince días a las partes. Oídas éstas, acordará lo procedente en el plazo de cinco días hábiles conforme a lo previsto en el artículo 561.1, 3.ª.

> Esta audiencia tiene que ser a las dos partes, al ejecutante y al ejecutado, lo que tiene que suponer el dar traslado de la demanda y del título al ejecutado. Si a las partes se les da un plazo tiene que debe tratarse de un emplazamiento, con un fin determinado, el que se pronuncien sobre la posibilidad de una o más cláusulas san abusivas. Si después del control de oficio se estima que la cláusula no es abusiva se despachara ejecución.

a) Auto denegando el despacho de la ejecución

1.º) Si falta algún presupuesto procesal o se ha incumplido algún requisito procesal, el tribunal dictará auto denegando el despacho de la ejecución. Dicho auto es susceptible de reposición facultativa, pues contra el mismo cabe apelación directa, entendiéndose solo con el acreedor (?).

> Si el auto se convierte en firme, el acreedor no podrá intentar de nuevo que se despache la ejecución con el mismo título, pudiendo acudir al proceso declarativo ordinario que corresponda, sin perjuicio de la posible cosa juzgada cuando se trate de sentencia o de resolución firme (art. 552 LEC).

2.º) Cuando se aprecie por el juez que una o más cláusulas son abusivas aparecen dos posibilidades. Cabe que a, pesar de todo, se despache ejecución, si bien dejando de aplicar las cláusulas consideradas abusivas; y cabe que se dicte auto denegando el despacho de la ejecución.

b) Auto despachando la ejecución

1.º) Si concurren los presupuestos y los requisitos procesales, el tribunal dictará auto despachando la ejecución (contra el que el ejecutado no podrá recurrir, pero sin perjuicio de la oposición, art. 551.4).

2.º) Si ninguna cláusula es abusiva se despachará la ejecución y lo mismo se hará si una o más lo son pero ello no obsta a despachar la ejecución, si bien no aplicando esas cláusulas.

> El contenido de ese auto habrá de ser el siguiente, según el art. 551.2 LEC:
> 1.º) La persona o personas a cuyo favor se despacha la ejecución y la persona o personas contra quien se despacha ésta.
> 2.º) Si la ejecución se despacha en forma mancomunada o solidaria.
> 3.º) La cantidad, en su caso, por la que se despacha la ejecución, por todos los conceptos.
> 4.º) Las precisiones que resulte necesario realizar respecto de las partes o del contenido de la ejecución, según lo dispuesto en el título ejecutivo, y asimismo respecto de los responsables personales de la deuda o propietarios de bienes especialmente afectos a su pago o a los que ha de extenderse la ejecución, según lo establecido en el art. 538.

Hasta aquí lo que en la LEC se llama orden general de ejecución y despacho de la ejecución. La dualidad de denominaciones es absurda. El único que puede despachar la ejecución es un juez (art. 117.3 CE) y no se trate de que el mismo dicte una especie de orden general que luego se concrete en una resolución no judicial. Esta distinción entre orden general y orden especial es inconstitucional.

C) Decreto de concreción

Dictado el auto despachando la ejecución, el letrado de la administración de justicia (al que se llama responsable de la ejecución) en el mismo día o al siguiente hábil dictará decreto (llamado con sorna el «Decreto del día de después») en el que contendrá:

1.°) Las medidas ejecutivas concretas que resultaren procedentes, incluido si fuera posible el embargo de bienes.

2.°) Las medidas de localización y averiguación de los bienes del ejecutado que procedan, conforme a lo previsto en los artículos 589 y 590 de esta ley.

3.° El contenido del requerimiento de pago que deba hacerse al deudor, en los casos en que la ley establezca este requerimiento, y si este se efectuara por funcionarios del Cuerpo de Auxilio Judicial o por el procurador de la parte ejecutante, si lo hubiera solicitado.

> El letrado de la administración de justicia, seguidamente, pondrá en conocimiento del Registro Público Concursal la existencia del auto por el que se despacha la ejecución con expresa especificación del número de identificación fiscal del deudor persona física o jurídica contra el que se despache la ejecución. El Registro Público Concursal notificará al juzgado que esté conociendo de la ejecución la práctica de cualquier asiento que se lleve a cabo asociado al número de identificación fiscal notificado a los efectos previstos en la legislación concursal. El letrado de la administración de justicia pondrá en conocimiento del Registro Público Concursal la finalización del procedimiento de ejecución cuando la misma se produzca.

Contra el decreto dictado por el letrado de la administración de justicia judicial cabrá interponer recurso directo de revisión, sin efecto suspensivo, ante el Tribunal que hubiere dictado la orden general de ejecución.

> Y aquí se descubre de modo más claro, si cabe, el absurdo. El auto despachando la ejecución no debería ser una resolución formal, de iniciación de la ejecución, sino que en el mismo deberían ordenarse las medidas ejecutivas que, atendiendo a la petición del ejecutante, fueran adecuadas a la obligación documentada en el título.

De modo muy especial es inconstitucional que el letrado de la administración de justicia decida nada menos que el embargo y luego concrete en qué bienes se practica.

D) Notificación al ejecutado

En el proceso de ejecución no se cita ni se emplaza al demandado, que son actos de comunicación típicos del proceso de declaración. En este otro proceso lo procedente es notificar, es decir, poner simplemente en conocimiento del ejecutado el auto despachando la ejecución y el decreto de concreción, con traslado de la copia de la demanda ejecutiva y de los documentos acompañados (art. 553). No se trata, pues, de que el ejecutado deba de personarse en un término (citación) o en un plazo (emplazamiento), y por ello si no se persona no ha lugar a declararlo en rebeldía.

Al ejecutado simplemente se le notifica la existencia del proceso de ejecución, para que, en cualquier momento, pueda personarse en la ejecución, entendiéndose con él, en tal caso, las ulteriores actuaciones. Es preciso matizar:

1.º) Si el título ejecutivo es judicial, habiéndose dictado la resolución judicial es un proceso de declaración, podría discutirse si la notificación debería hacerse a la propia parte o podría hacerse al procurador, pero se dispone en el art. 553 que se haga al procurador.

> La solución no es evidente:
> 1") Cabe estimar que la notificación se debe hacer a la propia parte ejecutada, pues el proceso de ejecución es distinto y autónomo del proceso de declaración, de modo que la representación procesal anterior no se entiende subsistente sin más para el proceso de ejecución.
> 2") Se puede entender que la notificación puede hacerse al procurador, puesto consta en las actuaciones la existencia de un poder.
> Lo que la LEC dispone es que la notificación se haga al procurador, pero se abre la cuestión de qué sucede si ese procurador aduce que él no representa ya a la parte.

2.º) Si el título ejecutivo no se ha constituido en un proceso de declaración, la notificación habrá de hacerse al ejecutado tal y como establece la LEC para las partes no personadas (art. 155 LEC).

> El único problema de la notificación es el momento en que debe hacerse, y a este efecto el art. 554 LEC distingue:
> 1º) Si la LEC no ordena que se realice en primer lugar requerimiento de pago al deudor ejecutado, deberá procederse de entrada a llevar a efecto las medidas de localización y averiguación de los bienes del ejecutado (conforme a los arts. 589 y 590 LEC) y, después, se practicará la notificación del auto despachando la ejecución y del decreto de concreción.
> También se procederá así, aún debiendo efectuarse el requerimiento de pago, cuando lo solicitare el ejecutante, justificando, a juicio del tribunal, que cualquier demora en la localización e investigación de bienes del ejecutado puede frustrar el buen fin de la ejecución.
> 2.º) Cuando se establezca el requerimiento de pago al ejecutado (recuérdense los arts. 580 a 583 LEC), la notificación se efectuará al mismo tiempo que ese requerimiento.

III. LA OPOSICIÓN A LA EJECUCIÓN: SUPUESTOS

La LEC/2000 regula la oposición que puede formular el ejecutado y lo hace distinguiendo entre: a) Oposición al conjunto de la ejecución (arts. 556 a 562) y b) Oposición a los actos ejecutivos (arts. 562 y 263). Ese esquema es el que debemos desarrollar seguidamente.

> Cuando se trata de títulos judiciales la oposición al conjunto de la ejecución precisa del pago de la tasa judicial (conforme a la Ley 10/2012, de 20 de noviembre, modificada por el RD-Ley 3/2013, de 22 de febrero, vuelta a modificar por el RD-Ley 1/2015, de 27 de febrero, y otra vez modificada por la Ley 25/2015, de 28 de julio; y atendida la STC 140/2016, de 21 de julio); no cuando se trata de títulos extrajudiciales. Y siempre atendidas las excepciones subjetivas.

IV. OPOSICIÓN AL CONJUNTO DE LA EJECUCIÓN

La oposición puede referirse, de modo principal, a la existencia misma del proceso de ejecución, pretendiéndose por el ejecutado que éste finalice, y para ello puede atender a dos tipos de motivos o razones:

A) Defectos procesales

Los primeros motivos a alegar por el ejecutado son los relativos a los presupuestos y requisitos procesales; de ellos el art. 559 LEC enumera los siguientes:

1.°) Carecer el ejecutado del carácter o representación con que se le demanda.

> La terminología utilizada es profundamente insatisfactoria. La palabra «carácter» es poco precisa, pero debe entenderse que se refiere a la legitimación aquí pasiva, de modo que el ejecutado puede alegar que carece de legitimación para que la demanda se dirija contra él. Debe recordarse lo que dijimos en la Lección Vigesimocuarta respecto de esta legitimación, sobre todo en los casos en que la ejecución se dirige contra quien no aparece en el título ejecutivo.
>
> Cuando la norma habla de carecer de la «representación con que se le demanda», está incurriendo en un claro error. La demanda ejecutiva no debe dirigirse contra el representante, sino contra el representado (no contra el representante legal, sino contra la persona jurídica; no contra el representante legal, sino contra el menor de edad), por lo que el defecto carece de sentido. Cosa distinta es que si la sentencia condena a una sociedad anónima, el error se cometa dirigiendo la ejecución contra su consejero delegado, que fue la persona física órgano que compareció en el proceso de declaración por la persona jurídica, pero en este caso estamos ante un supuesto de falta de legitimación.

2.°) Falta de capacidad o de representación del ejecutante o no acreditar el carácter o representación con que demanda.

Si cabe la confusión es aquí todavía mayor. No existe duda en lo que se refiere a la falta de capacidad, ni en lo atinente a no acreditar la representación con la que se demanda, pero: 1) La falta de «representación del ejecutante» es un absurdo, pues el ejecutante no es el representante, sino el representado, y 2) El «no acreditar el carácter... con que demanda», es una manera poco técnica de aludir a la falta de legitimación activa.

3.º) Nulidad radical del despacho de la ejecución por no contener la sentencia o el laudo arbitral pronunciamientos de condena, o por no cumplir el documento presentado, el laudo o el acuerdo de mediación los requisitos legales exigidos para llevar aparejada ejecución, o por infracción, al despacharse ejecución, de lo dispuesto en el artículo 520.

En este apartado del art. 559.1, 3º se están mezclando causas de oposición que debieron nunca mezclarse. En efecto, la primera parte se refiere los títulos judiciales y asimilados (sentencia y laudo), mientras que la referencia al art. 520 lo es a los títulos no judiciales.

4.º) No ser el documento presentado con la demanda título ejecutivo.

Los títulos ejecutivos son los expresamente así declarados por la ley y los documentos deben cumplir todos los requisitos legales.

5.º) En la Ley 60/2003, de 23 de diciembre, de Arbitraje, la fuerza ejecutiva del laudo no se hace depender de su protocolización notarial y por ello se ha añadido en el art. 559.1, 4.º de la LEC, como causa de oposición procesal a la ejecución, la falta de autenticidad del laudo

Estos defectos procesales deben ser alegados por el ejecutado por medio de escrito, dentro de los diez días siguientes al de la notificación del auto despachando la ejecución. Del escrito se dará traslado al ejecutante para que conteste en el plazo de cinco días y, sin más tramitación, el tribunal resolverá por auto lo procedente, que puede ser.

1.º) Entender que concurre el defecto, pero que es subsanable: Concederá al ejecutante un plazo de diez días para subsanarlo, y si así se hace mandará seguir adelante la ejecución. Si no se subsana dictará auto dejando sin efecto la ejecución despachada, con imposición de costas al ejecutante.

2.º) Entender que concurre el defecto y que es insubsanable: Dictará auto dejando sin efecto la ejecución, también con costas.

3.º) Entender que no concurre el defecto: Dictará auto desestimando la oposición procesal y mandando seguir la ejecución adelante, con costas al ejecutado.

Como puede comprobarse la tramitación es muy sencilla y puede serlo porque en ningún caso será nesesario practicar prueba alguna respecto de la concurrencia o no del defecto procesal alegado, dado que todos los elementos de juicio para decidir constan en las actuaciones.

B) Motivos de fondo

A pesar del título ejecutivo la relación jurídica material existente entre las partes ha continuado en la realidad y han podido producirse actos o negocios jurídicos que hayan afectado a la existencia o al contenido de la obligación documentada en el título. Existirá así el documento título, y con él la necesidad de que el tribunal despache la ejecución si le es pedida, pero también el derecho del ejecutado a oponerse a la misma. El contenido de esa oposición, por motivos atinentes al fondo del asunto, no puede ser la misma en todos los casos, pues la naturaleza judicial o no judicial del título tiene que condicionar las posibilidades de oposición.

a) Títulos judiciales y asimilados

Cuando el título es una resolución procesal o arbitral de condena o un acuerdo de mediación la oposición del ejecutado, que ha de formularse por escrito y dentro de los diez días siguientes a la notificación del auto en que se despache la ejecución, puede referirse a:

1º) «Pago o cumplimiento de lo ordenado en la sentencia, laudo o acuerdo que habrá de justificar documentalmente» (art. 556.1).

2º) Caducidad de la acción ejecutiva; es decir que ha transcurrido el plazo de cinco años del art. 518.

3º) Pactos y transacciones que se hubiesen convenido para evitar la ejecución, siempre que consten en documento público.

> La contradicción es manifiesta entre el inicio del párrafo: «resolución procesal o arbitral de condena» y el final del mismo: «en la sentencia». Cuando se refiere a los títulos alude a la resolución que llama procesal, con olvido de la terminología más elemental, pues una resolución procesal es aquella que no es de fondo, pero aquí se equipara a resolución dictada en un proceso y que es ejecutiva. Luego acaba por aludir únicamente a la sentencia. Más confuso no se puede ser.

En la norma no se distingue, como debería hacerlo, entre:

1.º) Resoluciones procesales (sic), arbitrales que producen cosa juzgada material: En este supuesto los hechos causa de pedir que puede alegar el ejecutado, para oponerse a la ejecución, han de ser de fecha posterior al último momento preclusivo en que pudieron alegarse en el proceso de declaración (o en el arbitraje), y aún éstos hechos han de ser extintivos.

> Respecto de las clases de hechos a oponer debe tenerse en cuenta: 1) El ejecutado no podrá negar los hechos constitutivos que sirvieron al demandante para obtener un fallo favorable, pues quedan cubiertos por la cosa juzgada; 2) Tampoco podrá alegar hechos impeditivos, pues los mismos siempre quedan cubiertos por la cosa juzgada, tanto si fueron alegados en el proceso de declaración (o arbitraje) como si no lo fueron, y 3) Los únicos hechos de posible alegación

son los extintivos del pago o cumplimiento y siempre naturalmente que se hayan producido con posterioridad a la preclusión declarativa.

De todos los posibles hechos extintivos, lo que el art. 556 LEC está diciendo es que el ejecutado puede alegar el pago o cumplimiento y el pacto o transacción y, además, limita los medios para acreditar la realización de los mismos, pues ha de ser documento o documento público, respectivamente.

2.°) Dentro de la llamada «resolución procesal» deben incluirse las soluciones que aprueban u homologan una transacción o un acuerdo logrado en el proceso de declaración: La transacción judicial (art. 19.2 LEC y art. 1816 CC) y el acuerdo homologado judicialmente (art. 415.2 LEC) a pesar de cierta terminología legal no producen cosa juzgada, sino que se trata de contratos que pueden ser impugnados por las causas que invalidan los mismos (art. 1817 CC), a pesar de lo cual debe entenderse que el art. 556 LEC los iguala a las resoluciones judiciales a efectos de la oposición.

3°) El acuerdo de mediación debe tener tratamiento propio, pues no es una resolución procesal que apruebe u homologue un transacción judicial. Es sólo una transacción extrajudicial y por ello debe poder se impugnado por las causas que invalidan los contratos. Si no se ha impugnado y se utiliza como título ejecutivo tiene las mismas causas de oposición de fondo.

Mención especial requiere la oposición cuando el título ejecutivo es el auto de cuantía máxima (art. 517.2, 8.°), al existir, aparte de las causas generales (las de la oposición a la ejecución fundada en título no judicial) causas específicas: 1) Culpa exclusiva de la víctima, 2) Fuerza mayor extraña a la conducción o al funcionamiento del vehículo, y 3) Concurrencia de culpas (art. 556.3).

b) Títulos no judiciales

En los títulos no judiciales, es decir, los títulos de los números 4.°, 5.°, 6.°. 7.° y parte del 9.° (documentos) del art. 517 LEC, la oposición, siempre a presentar dentro de los diez siguientes a la notificación del auto despachando la ejecución, puede basarse en las causas siguientes, según el art. 557 LEC:

1.°) Pago, que debe acreditarse documentalmente.

2.°) Compensación de crédito líquido que resulte de documento que tenga fuerza ejecutiva.

3. °) Pluspetición o exceso en la computación a metálico de las deudas en especie.

Dada la colocación sistemática del art. 558 LEC, parece que la pluspetición sólo puede oponerse cuando se trata de estos títulos no judiciales y tiene tratamiento específico. La causa de oposición sólo será admisible si el ejecutado, al mismo tiempo que se opone, pone a disposición del tribunal, para su inmediata entrega por el letrado al ejecutante, la cantidad que considere debida y, además:

1.º) Basada la oposición exclusivamente en la pluspetición o el exceso, no se suspenderá el curso de la ejecución, pero el producto de la venta del bien embargado no se entregará al ejecutante mientras la oposición no haya sido resuelta, se entiende de modo firme.

2.º) Cuando se trate de título que se refiera a saldo resultante de cierre de cuenta corriente o a operación de interés variable, la determinación del importe líquido puede hacerse por medio de perito, designado por el letrado; del dictamen se dará traslado a las partes para que aleguen en el plazo de cinco días. Caben después dos posibilidades:

1″) Si las partes están conformes (expresa o tácitamente) con el dictamen, el letrado dictará decreto de conformidad, con recurso de revisión ante el tribunal.

2″) Si no hay acuerdo el letrado señalará fecha para la vista ante el juez.

3.º) En el auto resolutorio de la oposición por pluspetición cabe que el tribunal: 1») Estime enteramente la causa de oposición, declarando que no procede la ejecución, 2») Estime parcialmente la causa, declarando procedente la ejecución sólo por la cantidad que corresponda, y 3) Desestime totalmente la causa de oposición, ordenando que la ejecución siga adelante.

4.º) Prescripción y caducidad.

5.º) Quita, espera o pacto o promesa de no pedir, que conste documentalmente.

6.º) Transacción, siempre que conste en documento público.

7.º) Que el título contenga cláusulas abusivas.

c) *Procedimiento de la oposición*

La oposición a la ejecución por razones de fondo se concibe en la LEC como un incidente declarativo intercalado en un proceso de ejecución, incidente que precisa de una verdadera demanda. El ejecutado se convierte así en demandante incidental y el ejecutante en demandado en el mismo. Ese incidente opera de modos distintos respecto de la suspensión de la ejecución, dado que:

1.º) Tratándose títulos judiciales la oposición no suspende el curso de la ejecución (art. 556.2).

2.º) Si el título es no judicial, la oposición sí suspende la ejecución, salvo el caso de que la causa alegada sea pluspetición o exceso en la computación a metálico (arts. 557.2 y 558.2).

La tramitación procedimental del incidente es, sin embargo, la misma en los dos supuestos de oposición por motivos de fondo (art. 560 LEC), aunque debe distinguirse según que exista o no acumulación de oposiciones:

1.º) *Oposición sólo por motivos de fondo*

En escrito debe presentarse dentro de los diez siguientes a la notificación del auto que despacha la ejecución y del mismo se dará traslado al ejecutante para que, en el plazo de cinco días, alegue y presente los documentos que estime oportunos. A petición de cualquiera de las partes, el tribunal podrá acordar la celebración de vista, para dentro de los diez días siguientes, si la controversia no pudiere resolverse con los documentos aportados. Esto supone que en esa vista, que señalará el letrado, puede practicarse prueba, aunque debe tenerse en cuenta que algunas de las causas de oposición sólo pueden acreditarse documentalmente. La prueba puede atender, bien a la acreditación de la causa, bien a la impugnación de la autenticidad del documento presentado por la parte contraria.

> La incomparecencia de las partes al acto de la vista produce consecuencias distintas (art. 560, IV). Si no comparece el ejecutado, que es el demandante incidental, se le tendrá por desistido de la oposición, imponiéndole las costas y se le condenará a indemnizar al ejecutante comparecido, si éste lo solicitare y acreditare daños y perjuicios. Si no comparece el ejecutante, el tribunal resolverá, sin oírle, sobre la oposición a la ejecución. Comparecidas las dos partes la vista se celebra del modo previsto para el juicio verbal.

La oposición se resuelve por medio de auto, con o sin celebración de vista, y el tribunal, a los solos efectos de la ejecución (art. 561 LEC), es decir, sin producir su resolución cosa juzgada material, puede decidir:

1.º) Declarar procedente que la ejecución siga adelante por la cantidad que se hubiere despachado: Cuando la oposición se desestime (se condenará en costas al ejecutado).

2.º) Declarar que no procede la ejecución: Cuando estime alguno de los motivos de la oposición, decretando el sobreseimiento, alzando los embargos y dejando sin efecto las medidas de garantía adoptadas, con lo que se reintegrará al ejecutado a la situación anterior a haberse despachado la ejecución, con costas al ejecutante.

3.º) Si se aprecia el carácter abusivo de una o varias cláusulas, en el auto se determinaran las consecuencias de ello, de modo que puede decretarse bien la improcedencia de la ejecución, bien que la ejecución seguirá pero no aplicando esas cláusulas.

Sea cual fuere el contenido de la decisión, cabe recurso de apelación, aunque sin efecto suspensivo.

2.º) *Acumulación de oposiciones*

En un mismo escrito el ejecutado puede acumular la oposición por defectos procesales y por motivos de fondo, y entonces debe resolverse primero sobre lo procesal y después, y en su caso, sobre el fondo, de modo que:

1) Dado traslado del escrito al ejecutante, éste alegará sólo en torno a los defectos procesales y se continuará el procedimiento previsto en el art. 559.2, que vimos antes. Estimada esta oposición, no ha lugar a seguir con el procedimiento.

2) Si se desestima la oposición por defectos procesales y se ordena seguir adelante la ejecución, el ejecutante, dentro de los cinco días siguientes a la notificación de este auto, puede alegar en torno a los motivos de fondo, y se seguirá entonces el procedimiento propio de estos motivos, el de los arts. 560 y 561.

d) Sumariedad de la oposición por motivos de fondo

El incidente declarativo intercalado en el proceso de ejecución tiene naturaleza sumaria, en el sentido estricto de esta palabra. En efecto, se limitan las alegaciones de las partes, es decir, las causas de oposición que puede formular el ejecutado, se limitan los medios de prueba, pues normalmente la única admitida es la documental, se limita consiguientemente la cognición judicial y todo ello tiene que suponer que el auto decidiendo la oposición no produce cosa juzgada material. Esto es lo que quiere decir el art. 561.1 LEC cuando alude «a los solos efectos de la ejecución». Es posible, por tanto, un proceso declarativo plenario posterior en el que cualquiera de las partes plantee cualquier cuestión relativa a la existencia y contenido de la relación jurídica material.

El art. 564 LEC, atendido lo dicho anteriormente, no añade nada útil, aunque aclara la posible duda. Según esta norma las causas que no pueden oponerse a la ejecución y que afectan a la existencia y contenido de la relación jurídica material, pueden hacerse valer en el proceso que corresponda. Decimos que no añade nada útil porque en ese proceso declarativo posterior puede debatirse respecto de todos los hechos o actos jurídicos que afecten a los derechos de la parte ejecutante y a las obligaciones del ejecutado, siempre que no estén cubiertos por la cosa juzgada material de un anterior proceso declarativo, e independientemente de que se alegaran o no en el incidente declarativo intercalado en el proceso de ejecución.

> La comprensión de ese proceso declarativo posterior requiere tener en cuenta que: 1) No podrá pedirse en él la declaración de nulidad de acto procesal alguno realizado en el proceso de ejecución, pues estas nulidades deben quedar resueltas en la ejecución (como veremos a continuación), y 2) No podrá pedirse que se efectúen declaraciones que son propias de la ejecución (por ejemplo, no podrá pedirse que se declare que la ejecución no debió despacharse porque el título no era ejecutivo). El proceso declarativo posterior sólo puede versar sobre la relación jurídica material.

V. OPOSICIÓN A LOS ACTOS EJECUTIVOS

Si en la oposición anterior el ejecutado alegaba en contra de la ejecución como conjunto, pidiendo que no continuara, en esta otra oposición se atiende sólo a actos concretos y determinados de la ejecución, respecto de los cuales se pide su modificación (adecuándolos a la norma o al título) o anulación. La oposición puede aquí basarse en:

A) Infracción de norma procedimental o procesal

La oposición puede referirse, en primer lugar, a la infracción de normas que regulen los actos concretos del proceso de ejecución. La infracción de esas normas puede ser:

a) Procedimental

El proceso de ejecución, por su propia naturaleza y por los poderes que en él ejercita el tribunal, está sujeto, en mayor medida si cabe que el proceso de declaración, al principio de legalidad en la realización de los actos procesales. Ante el incumplimiento de las normas que regulan la ordenación y forma de esos actos, que son la garantía del ejercicio de los poderes jurisdiccionales, cualquiera de las partes ha de tener la posibilidad de recurrir.

> La manera de realizar el embargo o el apremio está sujeta a normas muy precisas, en la que la forma no es accidental, sino garantía para las partes, pero sobre todo para el ejecutado, de la injerencia que el tribunal realiza en su esfera jurídica. El cumplimiento de esas formas hay que exigirlo con especial escrupulosidad. Si la subasta tiene que anunciarse de la manera prevista en los arts. 645 y 667 LEC) y no se respetan esos requisitos, con ello no se está incumpliendo un simple formalismo inútil, se está incumpliendo la posibilidad de que los postores concurran a la subasta y, por tanto, de que el bien obtenga un mejor precio.

b) Procesal

En otros casos podrá suceder que, aun respetándose completamente la forma del acto, su contenido suponga vulneración de la norma procesal, en cuanto ésta regula el fondo del acto o de la resolución. Se parte aquí de la distinción entre procedimiento y proceso.

> Aun cumpliéndose la forma del embargo puede trabarse un bien inembargable, puede no respetarse el orden de prelación de los bienes a embargar, pueden embargarse bienes excesivos para cubrir el importe de la responsabilidad de la ejecución, puede no acordarse la mejora o reducción del embargo cuando es procedente, etc. En cualquiera de estos casos la parte perjudicada y, por tanto,

también el ejecutado, han de tener la posibilidad de oponerse a ese concreto acto ejecutivo. Normalmente esa oposición, se articulará por la vía de los recursos.

En la infracción de normas procedimentales y procesales la oposición del ejecutado no guarda relación alguna con el título ejecutivo, es independiente de éste. Sea cual fuere el objeto del proceso de ejecución, se atiende aquí al cumplimiento de la norma en cuanto garantía general per se.

c) Vías de la impugnación

La infracción de norma procedimental o procesal puede denunciarse por dos vías ordinarias y una excepcional. Las vías ordinarias son:

1.ª) Cuando la infracción se haya cometido en una resolución judicial o en otra del letrado de la administración de justicia, cabrá acudir, en todo caso, a los recursos de reposición y al de apelación cuando así lo prevea la ley (art. 562.1, 1.º y 2.º, LEC).

> Es absurdo que en esta norma no se prevea que debe acudirse al recurso de revisión para ante el juez contra las resoluciones del letrado de la administración de justicia. Debe recordarse, con todo, la previsión del art. 454 bis.1, relativa a la posibilidad de reproducir la petición ante el juez. Por mucho que al letrado de la administración de justicia se le considere «responsable de la ejecución» tiene que existir manera de que el juez controle las resoluciones del letrado de la administración de justicia; esa manera puede ser la de la nulidad de actuaciones que vemos seguidamente.

2.ª) Cuando la infracción no se haya cometido en una resolución, sino en una actuación, la parte podrá presentar escrito dirigido al juez expresando con claridad la resolución o actuación que se pretende para remediar la infracción cometida, y contra la resolución que se dicte cabrá siempre reposición y, en su caso apelación (art. 562.1, 3.º, LEC).

La vía excepcional es la de la nulidad de actuaciones. Cuando la parte estime que se ha producido un acto sujeto a esta nulidad puede: 1) Alegarla ante el letrado de la administración de justicia, el cual dará cuenta al el juez, 2) Alegarla ante el juez directamente, que decidirá. Cabe también que la nulidad se declare de oficio: 1) El letrado de la administración de justicia, cuando entendiere que existe nulidad de actuaciones, dará cuenta al juez, y 2) El juez la puede estimar, aunque no se dice cómo.

Estamos ante el rizar el rizo del absurdo. Ante hemos visto que contra las resoluciones del letrado de la administración de justicia no parece existir recurso ante el juez, pero todo puede solucionarse por la vía excepcional de la nulidad de actuaciones. Por si falta algo adviértase que el art. 562.2 (en la redacción de la Ley 13/2009) se remite al art. 225, siempre de la LEC, que no está en vigor, pues las normas aplicables son los arts. 238 a 243 de la LOPJ (Disposición Final 17.ª LEC).

B) Infracción del título ejecutivo

El título ejecutivo es la medida de la ejecución, por lo que el tribunal ha de acomodarse al mismo. Ahora bien, esto no siempre es tan sencillo en la práctica, dada la multitud de situaciones que pueden presentarse, y la necesidad de no defraudar la ejecución. Al juez le queda siempre un amplio campo de interpretación del título, para lo que puede servirse de la fundamentación de la sentencia (o resolución judicial) y aun de los antecedentes procesales de la resolución, y de integración del mismo, completándolo con consecuencias accesorias o que se derivan lógicamente de lo dispuesto en el fallo.

En ese amplio campo de arbitrio judicial existe un límite: lo que no podrá hacer es desconocer lo dispuesto en el título, infringiendo su contenido; a ello se refiere el art. 563 LEC diciendo que si, habiéndose despachado la ejecución en virtud de sentencia o resolución judicial, el tribunal provee en contradicción con el título, la parte perjudicada podrá recurrir en reposición y, si se desestima, en apelación. Lo mismo sucede si quien dicta la resolución es el letrado, y entonces cabe revisión directa y luego apelación.

Con el recurso la parte podrá pedir la concreta suspensión de la actividad ejecutiva impugnada, que se concederá por el juez si presta caución suficiente para responder de los daños que el retraso pueda causar a la otra parte, caución que puede constituirse de cualquiera de las formas previstas en el art. 529 LEC.

VI. SUSPENSIÓN DE LA EJECUCIÓN

La regla general es la de que la ejecución sólo puede suspenderse en los casos en que así lo ordene la ley de modo expreso (art. 565.1 LEC). La consecuencia más importante de esta regla es la de que la interposición de los recursos ordinarios no suspenderá la ejecución (art. 567 LEC).

Partiendo de lo anterior deben destacarse dos matizaciones:

1.ª) En el caso de que la ejecución deba suspenderse, por existir previsión legal expresa, los embargos ya acordados: 1) Deberán practicarse, 2) Se mantendrán las medidas de garantía, y 3) Se adoptarán las medidas de garantía (art. 565.2 LEC).

2.ª) Aunque los recursos ordinarios no suspenden la ejecución, la suspensión podrá decretarse si el ejecutado acredita que el llevar a efecto la resolución recurrida le produce daño de difícil reparación, prestando caución suficiente para responder de los perjuicios que el retraso pudiera producir al ejecutante (art. 567 LEC).

Aparte de la regla general y de su consecuencia, la LEC prevé tres supuestos especiales, que se refieren a:

1.º) Pendencia de demanda de revisión o de rescisión de sentencia firme dictada en rebeldía (art. 566 LEC).

2.º) Situaciones concursales (arts. 55 LC y 568 LEC).

3.º) Prejudicialidad penal (art. 569 LEC).

Legislación: Ley de Enjuiciamiento Civil (arts. 548 a 570).
Lectura: MONTERO y FLORS, *Tratado de proceso de ejecución civil*, 2ª edición, Valencia, 2013.

Ejecución dineraria

Lección Vigesimonovena
Actividad ejecutiva (I)

I. INTRODUCCIÓN: ESQUEMA DE ACTOS

II. LIQUIDEZ DEL TÍTULO EJECUTIVO:
Fácil cuando el título es líquido
A) Saldo de operaciones
Contratos de entrega del dinero y devolución en varios momentos
Privilegio exorbitante. Documentos
B) Intereses:
   a) En general: 1. Vencidos, 2. Los que van venciendo
   b) Mora procesal (título judicial)
   c) Interés variable (títulos no judiciales)
C) Moneda extranjera

III. LIQUIDACIÓN DE TÍTULOS ILÍQUIDOS
   a) Daños y perjuicios
   b) Equivalente de prestación no dineraria
   c) Frutos y rentas
   d) Cuentas de administración

IV. REQUERIMIENTO DE PAGO
No procede en 580. Cabe: 1. Pagar en el acto, y 2. No pagar=embargo

V. EL EMBARGO EJECUTIVO: CONCEPTO
Elegir y afectar

VI. OBJETO DEL EMBARGO: BIENES NO EMBARGABLES
   a) Bienes absolutamente inembargables
   b) Bienes inembargables del ejecutado
   c) Sueldos y pensiones
   d) Nulidad del embargo

VII. LOCALIZACIÓN DE LOS BIENES DEL EJECUTADO
En demanda.
Manifestación de bienes
Investigación judicial del patrimonio. Multas coercitivas

VIII. INTEGRACIÓN DEL PATRIMONIO DEL EJECUTADO
   a) Acciones del ejecutado: art. 1111 CC
   b) Transmisiones fraudulentas

IX. DETERMINACIÓN DE LOS BIENES A EMBARGAR
   A) Ámbito cualitativo
   Pacto y si no el orden de 10
   B) Ámbito cuantitativo
      a) Mejora del embargo
      b) Reducción del embargo

I. INTRODUCCIÓN

Cuando el título ejecutivo impone directamente una obligación pecuniaria, o cuando a la misma se ha llegado como consecuencia de haberse fijado el equivalente pecuniario de una prestación no dineraria, o cuando se ha procedido a la liquidación de daños y perjuicios o de frutos, rentas, utilidades o productos de cualquier clase o se ha determinado el saldo resultante de la rendición de cuentas de una administración, la actividad ejecutiva tiende a extraer del patrimonio del ejecutado los bienes necesarios para que, una vez convertidos en dinero, pueda hacerse pago al ejecutante. Estamos entonces ante la ejecución dineraria regulada en el Título IV del Libro III de la LEC.

Esta es, sin duda, la ejecución más utilizada en la práctica, tanto porque el título con prestación dineraria es el más frecuente, como porque en ella acaban otras ejecuciones inicialmente no dinerarias. Esta actividad ejecutiva se integra por una compleja serie de actos que en esquema son los siguientes: 1) Demanda ejecutiva, 2) Despacho de la ejecución y decreto de concreción, 3) Requerimiento de pago, en algunos casos, 4) Embargo de bienes del ejecutado, 5) Realización de los bienes embargados, y 6) Pago al ejecutante. A esta actividad dedicamos esta Lección y las dos siguientes.

> Naturalmente todo este conjunto de actos puede verse frustrado si el ejecutado no tiene bienes que embargar, pues entonces la ejecución no puede seguir adelante. El tribunal habrá realizado la actividad necesaria y posible, pero la satisfacción real de la pretensión ejecutiva depende de la concurrencia de condiciones que están fuera de lo controlable por el tribunal.

II. LIQUIDEZ DEL TÍTULO EJECUTIVO

El inicio de la ejecución dineraria es sencillo cuando el título contiene una cantidad líquida, pues entonces puede procederse sin más a dictar el auto despachando la ejecución, con el requerimiento, en su caso, y embargo consiguientes. La liquidez del título es evidente cuando en él se expresa una cantidad de dinero determinada mediante letras, cifras o guarismos comprensibles. En el caso de que exista disconformidad entre diversas expresiones de cantidad, prevalecerá la que conste con letras.

Dado que las costas de la ejecución son siempre de cargo del ejecutado, pero que en el momento de despacharse la misma no puede saberse su importe, se admite que a este efecto se considere líquida la cantidad que el ejecutante solicite para las costas que se originen (art. 572.1).

> La liquidez de la deuda existe también en el supuesto del vencimiento de nuevos plazos o de la totalidad de la deuda, al que se refiere el art. 578. Despachada la ejecución por una cantidad líquida, si venciera algún plazo de la misma obligación o la obligación en su totalidad, se entenderá ampliada la obli-

gación por el importe correspondiente a los nuevos vencimientos de principal e intereses, si pidiese así el actor y sin necesidad de retrotraer el procedimiento. Esa petición puede hacerse en la misma demanda ejecutiva, y entonces, aparte de que ello será notificado al ejecutado, el ejecutante habrá de presentar, en su momento, una liquidación final de la deuda, incluyendo los vencimientos de principal e intereses producidos durante la ejecución.

A) Saldo de operaciones

Aspecto siempre complejo ha sido el relativo a la liquidez derivada de contratos de préstamo, crédito o descuento, formalizados en escritura pública o en póliza intervenida por notario, que no suponen la entrega en único momento de la cantidad total o en los que no se pacta la devolución de la cantidad prestada en un único momento. Tradicionalmente en estos casos se ha atribuido al acreedor el privilegio exorbitante (declarado constitucional por las SSTC 14/1992, de 10 de febrero, y 26/1992, de 5 de marzo), de liquidar unilateralmente el saldo resultante de las operaciones, siempre que así se haya pactado en el título y que la liquidación se efectúe en la forma convenida por las partes en el propio título.

En este supuesto los requisitos necesarios para que pueda despacharse la ejecución y por la cantidad pedida por el ejecutante son:

1º) Debe preceder a la demanda ejecutiva notificación al ejecutado (y al fiador, si lo hubiere) de la cantidad exigible resultante de la liquidación unilateral (art. 572.2, II).

2.º) A la demanda ejecutiva deberán acompañarse, además del título y de los documentos del art. 550, otros documentos específicos (art. 573.1).

> Los documentos específicos a acompañar son:
> 1) El realizado por el propio acreedor en el que exprese el saldo resultante de la liquidación, con el extracto de las partidas de cargo y abono y de las partidas correspondientes a la aplicación de intereses. Puede ser uno o varios documentos, pero lo importante es que el acreedor tiene que expresar las partidas de cargo y de abono y las de aplicación de los intereses. La LEC no exige que se presenten los documentos que justifican las diversas partidas, pero el acreedor puede hacerlo, si lo estima conveniente.
> 2) El fehaciente que acredite haberse practicado la liquidación en la forma pactada por las partes en el título ejecutivo. Se trata del documento realizado por notario o corredor de comercio colegiado por el que se acreditará que el acreedor ha realizado la liquidación cumpliendo las cláusulas pactadas por las partes en la escritura o póliza.
> 3) El que acredite que se ha realizado la notificación de la cantidad exigible al deudor y al fiador, si lo hubiere. Este documento no tiene que ser fehaciente, es decir, no tiene que ser público, aunque pueda serlo.

Cuando el acreedor tuviera duda sobre la realidad o exigibilidad de alguna partida o sobre su efectiva cuantía, podrá pedir el despacho de la ejecución por la cantidad que le resulta indubitada y reservar la reclamación del resto para el proceso declarativo que corresponda, que podrá ser simultáneo a la ejecución.

La consumación del privilegio radica en que, sin perjuicio de la pluspetición que pueda alegar el ejecutado, el tribunal no podrá denegar el despacho de ejecución porque entienda que la cantidad debida es distinta de la fijada por el ejecutante en la demanda ejecutiva, aunque sí deberá hacerlo si en la demanda no se expresan los cálculos necesarios y si no se acompañan los documentos (art. 575.2 y 3).

B) Intereses

Cuando el título impone al ejecutado el pago de intereses estamos, en realidad, ante una parte líquida (el principal) y otra ilíquida (los intereses), pero dado que el título tiene que expresar el tanto por ciento, el tiempo y el principal, los intereses reciben tratamiento de cantidad líquida.

a) En general

En general puede decirse respecto de los intereses que la demanda ejecutiva tiene que hacer dos menciones de los mismos:

1.ª) Los intereses ya vencidos en el momento de presentar la demanda, que deben determinarse modo líquido, puesto que los mismos son el resultado de una operación matemática, y ello tanto se trate de los intereses ordinarios (o remuneratorios) como de los moratorios.

> Los *intereses ordinarios o remuneratorios* se caracterizan porque: 1) Derivan de la voluntad de las partes y, en algún caso, de la imposición legal (por ejemplo, Ley 3/2004, de 29 de diciembre, de medidas de lucha contra la morosidad en las operaciones comerciales), 2) Atienden a la productividad del dinero y 3) Vencen, normalmente, de conformidad con los plazos pactados. Los *intereses moratorios*: 1) Derivan de la conducta del deudor, del incumplimiento por éste de lo pactado, 2) Atienden a la indemnización de los daños y perjuicios producidos por ese incumplimiento, y 3) Dan lugar a un crédito que en el momento del pacto, por un lado, depende de un hecho futuro e incierto (que el deudor incumpla lo pactado) y, por otro tienen siempre cuantía indeterminada (han de producirse mientras dure el incumplimiento. Cuando se presenta la demanda ejecutiva todos estos intereses dan lugar a cantidad líquida.

2.ª) Los intereses que van a ir venciendo durante el curso del proceso de ejecución, que evidentemente no pueden ser cantidad líquida, pues se desconoce el tiempo sobre el que deben calcularse. Para estos intereses el ejecutante debe pedir en la demanda la cantidad que calcule (arts. 572.1 y 575.1), sin perjuicio de su liquidación al final del proceso.

Para los intereses que tienen que ir venciendo y para las costas que se causen, el art. 575.1 dispone que la cantidad prevista para ellos, que ha de pedir el ejecutante, no puede superar el treinta por ciento de la que se reclame en la demanda ejecutiva, sin perjuicio de su posterior liquidación, aunque a continuación prevé una excepción en atención al tiempo previsible de la ejecución y al tipo de interés aplicable. Otra excepción se prevé para la ejecución que recae sobre vivienda habitual, pues entonces las costas a cargo del deudor no pueden sobrepasar el cinco por ciento de la cantidad reclamada en la demanda.

En cualquier caso, y sin perjuicio de la pluspetición que pueda alegar el ejecutado, el tribunal no podrá negar el despacho de la ejecución porque entienda que la cantidad debida es distinta de la fijada por el ejecutante en la demanda ejecutiva, aunque sí podrá hacerlo si en ésta no se expresan los cálculos que han debido realizarse.

b) Mora procesal (título judicial)

Cuando el título ejecutivo es una sentencia o resolución judicial de cualquier orden jurisdiccional, un laudo arbitral y un acuerdo de mediación que imponga el pago de cantidad líquida, salvo las especialidades legalmente previstas para las Haciendas Públicas, el art. 576 obliga a distinguir dos supuestos:

1.º) Cuando el título condena a una cantidad líquida y al mismo tiempo a los intereses que las partes habían pactado en la relación jurídico material (o a los establecidos por disposición especial de la ley), esos intereses se consideran como cantidad líquida también, por cuanto en la sentencia se han de fijar el tanto por ciento y el tiempo por el que deben abonarse. Esto es posible porque se trata de realizar una simple operación matemática.

2.º) Si el título condena al pago de una cantidad líquida pero no existe pacto entre las partes relativo a los intereses, por cuanto la fijación del principal se produce en la misma sentencia, en la ejecución habrá de entenderse que el principal devengará, a favor del acreedor y desde la fecha de la sentencia de primera instancia, el interés legal del dinero incrementado en dos puntos; también aquí los intereses se entienden líquidos pues se trata, otra vez, de una operación matemática.

Adviértase que:
1) El interés legal del dinero se fija (según la Ley 24/1984, de 29 de junio) anualmente en la Ley de Presupuestos.
2) Si la resolución de primera instancia es confirmada íntegramente, los intereses se devengan desde que fue dictada aquélla y hasta que sea totalmente cumplida o ejecutada.
3) Si la resolución de primera instancia es totalmente revocada, no ha lugar al pago de intereses, naturalmente, porque no existe la obligación principal.

4) Si la resolución es revocada en parte, el tribunal superior decidirá respecto de los intereses conforme a su prudente arbitrio, razonándolo debidamente.

5) Estas normas son de aplicación a todas las resoluciones judiciales y a todos los órdenes jurisdiccionales (civil, laboral, administrativo y penal), a los laudos y a los acuerdos de mediación cuando se contenga condena al pago de cantidad líquida, salvo cuando se condene a las Haciendas Públicas, que tenían norma especial en la Ley General Presupuestaria de 4 de enero de 1977 (RD-Legislativo 1.091/1988, de 23 de septiembre, arts. 36.2 y 45) (estimada constitucional en STC 206/93, de 22 de junio), y reiterada en el art. 24 de la Ley 47/2003, de 26 de noviembre, General Presupuestaria.

c) Interés variable (títulos no judiciales)

Hasta aquí hemos partido del supuesto de que el interés es fijo, pero en la actualidad en las operaciones bancarias lo normal es establecer un interés variable. Con esta previsión el art. 574, dispone que el ejecutante expresará en la demanda las operaciones de cálculo que arrojen como saldo la cantidad determinada por la que se pide el despacho de la ejecución cuándo: 1.°) La cantidad que se reclama provenga de un préstamo o crédito en el que se pactó el interés variable, y 2.°) La cantidad reclamada provenga de un préstamo o crédito en el que sea preciso ajustar las paridades de distintas monedas y de sus respectivos tipos de interés. En estos dos casos es aplicable lo dispuesto en el art. 573.1, 2.° y 3.°, 2 y 3. Se trata especialmente de los documentos a presentar con la demanda.

> Debe estarse para las cláusulas suelo a la STJUE de 14 de junio de 2012 (Asunto C-618, Banco Español de Crédito), luego a la STS de 9 de mayo de 2013 (Pleno de la Sala), confirmada en su doctrina por las SSTS de 16 de julio de 2014 y la de 24 de marzo de 2015, declarando abusiva y, por ende, nula la denominada cláusula suelo inserta en un contrato de préstamo con tipo de interés variable; también la STS de 25 de marzo de 2015.

C) Moneda extranjera

Todos los títulos pueden establecer obligaciones dinerarias en moneda extranjera, y en la misma se despachará la ejecución, que acabará entregando al acreedor precisamente esa moneda, siempre que la misma sea convertible. Sólo los intereses moratorios y las costas se abonarán en moneda nacional (art. 577).

Únicamente a los efectos de la actividad ejecutiva, es decir, para calcular los bienes que han de ser embargados, el tribunal tendrá que conocer su equivalencia en moneda nacional, lo que se hará en atención al cambio oficial del día del despacho de la ejecución.

> Cuando la moneda extranjera no sea convertible, es decir, cuando no esté admitida a cambio oficial, la ejecución no podrá acabar entregando al acreedor esa

moneda. Por ello se precisa: 1) Para la actividad ejecutiva, su computo en moneda nacional se hará aplicando el cambio que el tribunal considere adecuado, a la vista de las alegaciones y documentos que aporte el ejecutante con la demanda, y 2) Para el pago al ejecutante en moneda nacional, se tendrá que proceder a la liquidación, lo que se hará conforme a los arts. 714 a 716. La liquidación se hará normalmente con referencia a una moneda convertible; es decir, la moneda extranjera sí será convertible en dólares y éstos luego pueden computarse en moneda nacional.

III. LIQUIDACIÓN DE TÍTULOS ILÍQUIDOS

La actividad ejecutiva propia de la ejecución dineraria necesita partir de una cantidad líquida. Con todo, no siempre que existe una obligación dineraria se conoce de entrada su importe líquido, siendo entonces preciso proceder a la liquidación. Dice por ello el art. 712 que, siempre que conforme a esta Ley, deba determinarse en la ejecución forzosa el equivalente pecuniario de una prestación no dineraria o fijar la cantidad debida en concepto de daños y perjuicios (Lección Decimoséptima) o de frutos, rentas, utilidades o productos de cualquier clase o determinar el saldo resultante de la rendición de cuentas de una administración, habrá de procederse del modo que la misma LEC prevé.

a) Daños y perjuicios

El ejecutante, con el escrito en que inste la liquidación, presentará una relación detallada de los daños y perjuicios, con su valoración, y los dictámenes y documentos que considere oportunos. De todo ello se dará traslado por el letrado al ejecutado para que, en el plazo de diez días, conteste lo que estime conveniente (art. 713).

En ese plazo el ejecutado puede:

1.º) Conformarse con la relación de daños y perjuicios y su importe: La conformidad puede ser: 1) Expresa, cuando se manifiesta, y 2) Tácita, cuando el ejecutado deja pasar el plazo sin formular oposición o se limita a negar genéricamente la existencia de daños y perjuicios, sin concretar los puntos en que discrepa de la relación presentada por el acreedor, ni expresar las razones y el alcance de la discrepancia. En estos casos el letrado de la administración de justicia aprobará la liquidación presentada por el acreedor, pasándose a los trámites de la ejecución dineraria (art. 713).

2.º) Oponerse motivadamente, bien a las partidas de los daños y perjuicios, bien a su valoración en dinero. Dice el artículo 715 (redacción de la Ley 42/2015, de 5 de octubre): «Si, dentro del plazo legal, el deudor se opusiera motivadamente a la petición del actor, sea en cuanto a las partidas de daños y perjuicios, sea en cuanto a su valoración en dinero, se sustanciará la liquidación de daños y perjuicios por los trámites establecidos para los juicios verbales, pero podrá el tribunal que dictó la orden general de ejecución, mediante providencia, a instancia de parte o de oficio, si lo considera necesario, nombrar un perito que dictamine sobre la efectiva producción de los daños y su evaluación en dinero, tras la presentación del escrito de impugnación de la oposición. En tal caso, fijará el plazo para que emita dictamen y lo entregue en el juzgado y la vista oral no se celebrará hasta pasados diez días a contar desde el siguiente al traslado del dictamen a las partes».

Dentro de los cinco días siguientes a la vista, el tribunal dictará auto fijando la cantidad (con pronunciamiento sobre las costas), auto que es recurrible en apelación, pero sin efecto suspensivo (art. 716).

b) Equivalente dinerario de prestación no dineraria

Cuando una prestación no dineraria se ha de convertir en dinero (por ejemplo, arts. 701.3, 702.2), el ejecutante habrá de expresar la estimación pecuniaria de la prestación y las razones que la fundamenten, acompañando los documentos que considere oportunos. La tramitación siguiente se iguala a la que antes hemos visto para los daños y perjuicios (art. 717).

c) Frutos y rentas

A diferencia de los casos anteriores, aquí, solicitada la liquidación por el ejecutante, el letrado de la administración de justicia requerirá al deudor para que, dentro de un plazo que se determinará según las circunstancias del caso, presente la liquidación, ateniéndose, en su caso, a las bases que establezca el título (art. 718). Frente a ese requerimiento el ejecutado puede, según el art. 719:

1.°) No presentar la liquidación: Se requerirá al acreedor para que presente la liquidación que considere justa y se dará traslado de ella al ejecutado, siguiéndose a continuación lo dispuesto para los daños y perjuicios.

2.°) Presentar la liquidación: Se dará traslado al ejecutante, el cual puede: 1) Expresar su conformidad, con lo que el letrado aprobará la liquidación, y 2) Oponerse, y entonces se sigue la tramitación que hemos visto para la liquidación de los daños y perjuicios.

d) Rendición de cuentas de administración

Lo dispuesto para la liquidación de frutos y rentas se aplica también a esta liquidación, aunque el art. 720 dispone que el letrado puede ampliar los plazos cuando lo estime necesario, atendida la importancia y complicación del asunto.

Por cualquiera de estos sistemas se llega a la liquidación del título ejecutivo. Fijada la cantidad estamos ante la ejecución normal de obligaciones dinerarias, es decir, a los arts. 571 y ss. de la LEC.

IV. REQUERIMIENTO DE PAGO

El decreto del letrado concretando la ejecución debe determinar el contenido del requerimiento de pago que debe hacerse al ejecutado (art. 551.3, 3.°), cuando el mismo sea necesario. Esto supone que dicho requerimiento:

1.°) No procede cuando el título ejecutivo consista en resoluciones del letrado de la administración de justicia, resoluciones judiciales o arbitrales o que aprueben transacciones o convenios alcanzados dentro del proceso, y acuerdos de mediación, que obliguen a entregar cantidades determinadas de dinero (art. 580).

2.°) Es necesario cuando se trate de título distinto de los anteriores, caso en el que, despachada la ejecución, se requerirá de pago al ejecutado por la cantidad reclamada en concepto de principal e intereses devengados hasta la fecha de la demanda. El requerimiento, aun en este supuesto, no es necesario si junto a la demanda ejecutiva se ha presentado acta notarial que acredite haberse requerido de pago al ejecutado, al menos con diez días de antelación (art. 581).

> El requerimiento debe hacerse en el domicilio del ejecutado que figure en el título ejecutivo, aunque el ejecutante puede pedir que se haga, además, en cualquier lugar en el que el ejecutado, incluso de forma accidental, pudiera ser hallado. Si no se encontrase al ejecutado en el domicilio del título, podrá practicarse el embargo si el ejecutante lo solicita, sin perjuicio de intentar nuevo requerimiento con arreglo a lo dispuesto en la Ley para los actos de comunicación mediante entrega de la resolución o de cédula y, en su caso, para la comunicación edictal (art. 582).

Frente al requerimiento, el ejecutado puede:

1.°) Pagar en el acto: Se le entregará por el letrado de la administración de justicia justificante del pago y se pondrá la suma de dinero correspondiente a disposición del ejecutante, dándose por el letrado por terminada la ejecución (siendo de cargo del ejecutado las costas causadas, por las que se continuará la ejecución, salvo que justifique que, por causa que no le es imputable, no pudo efectuar el pago antes de que el acreedor promoviera la ejecución) (art. 583).

> La norma prevé que también se puede pagar antes del despacho de la ejecución, con la consecuencia de que se le entregará justificante del pago y de que el dinero se entregará por el letrado de la admministración de justicia al ejecutante. Ahora bien, en este supuesto no queda claro sin serán de cargo del ejecutado las costas causadas, entre otras cosas porque antes de que se despache la ejecución no hay ejecución ni ejecutado.

2.°) No pagar en el acto: Se procederá al embargo de sus bienes en la medida suficiente para responder de la cantidad por la que se haya despachado la ejecución y las costas de ésta (art. 581.1).

V. EL EMBARGO EJECUTIVO: CONCEPTO

Como hemos visto en la Lección Vigesimoquinta, el objeto de la pretensión ejecutiva es la realización de la prestación que el título ejecutivo impone al deudor. Si éste no cumple voluntariamente, la prestación se lleva a cabo sustituyendo la actividad del ejecutado por la actividad que debería ser del tribunal (no simplemente del letrado). Esto también es aplicable cuando se trata de la ejecución de obligaciones dinerarias.

> Si el deudor quisiera cumplir la prestación del título voluntariamente, tendría que sacar de su patrimonio una cantidad de dinero para entregarla al acreedor; si no contara con la liquidez requerida se vería en la necesidad de vender alguno o algunos de sus bienes, eligiendo aquéllos que estimara más adecuados, es decir, más fácilmente realizables. Si el deudor no cumple voluntariamente esas actividades debería realizarlas alguien dotado de potestad jurisdiccional, y no simplemente un órgano administrativo como es el letrado.

Con Carreras entendemos por embargo «aquella actividad procesal compleja llevada a cabo en el proceso de ejecución, enderezada a elegir los bienes del ejecutado que deben sujetarse a la ejecución y a afectarlos concretamente a ella, engendrando en el acreedor ejecutante una facultad meramente procesal a percibir el producto de la realización de los bienes afectados, y sin que se limite jurídicamente ni se expropie la facultad de disposición del ejecutado sobre dichos bienes».

Si el embargo se resuelve básicamente en la afección de los bienes al proceso de ejecución, el mismo existe desde que se decreta por el letrado, o se reseña la descripción de un bien en el acta de diligencia de embargo, aunque no se hayan adoptado todavía las medidas de garantía o de publicidad de la traba (art. 587.1). Por lo mismo, es nulo el embargo sobre bienes o derechos cuya efectiva existencia no conste (art. 588.1).

Sólo cabe un cierto embargo indeterminado cuando el mismo se refiera a depósitos bancarios y saldos favorables de cuentas corrientes abiertas en entidades de crédito, siempre que en el letrado determine una cantidad como límite máximo, caso en el que lo que exceda de ese límite podrá ser dispuesto libremente por el ejecutado (art. 588.2).

> Cuando los fondos se encuentren depositados en cuentas a nombre de varios titulares sólo se embargará la parte correspondiente al deudor. A estos solos efectos, en el caso de cuentas de titularidad indistinta con solidaridad activa frente al depositario o de titularidad conjunta mancomunada, el embargo podrá alcanzar a la parte del saldo correspondiente al deudor, entendiéndose que corresponde a partes iguales a los titulares de la cuenta, salvo que conste una titularidad material de los fondos diferente.
>
> Cuando en la cuenta afectada por el embargo se efectúe habitualmente el abono del salario, sueldo, pensión, retribución o su equivalente, deberán respetarse las limitaciones establecidas en esta Ley, mediante su aplicación sobre el importe que deba considerarse sueldo, salario, pensión o retribución del deudor

o su equivalente. A estos efectos se considerará sueldo, salario, pensión, retribución o su equivalente el importe ingresado en dicha cuenta por ese concepto en el mes en el que se practique el embargo o, en su defecto, en el mes anterior.

Atendida la posibilidad de oposición al conjunto de la ejecución, el ejecutado, al efecto de poder formularla o mantenerla, cabe que:

1.º) Antes de que se practique el embargo, proceda a consignar la cantidad por la que se ha despachado la ejecución, en cuyo caso se suspenderá el embargo (art. 585, I). Formulada la oposición, la cantidad consignada quedará en el establecimiento destinado al efecto, con el embargo suspendido. Si no se formula la oposición, la cantidad consignada se entregará al ejecutante, sin perjuicio de la posterior liquidación de intereses y costas (art. 586).

2.º) Después de practicado el embargo, de que el ejecutado ha formulado oposición al conjunto de la ejecución y antes de que ésta finalice, puede proceder a consignar la cantidad por la que se despachó la ejecución, caso en el que se alzarán los embargos (art. 585, II). A pesar del silencio legal, si la oposición es desestimada, la cantidad consignada deberá entregarse al ejecutante, también sin perjuicio de la liquidación de intereses y costas.

VI. OBJETO DEL EMBARGO: BIENES NO EMBARGABLES

En el art. 1.911 CC se parte de la base de que el deudor responde del cumplimiento de sus obligaciones con todos sus bienes presentes y futuros, lo que implica que, en principio, objeto del embargo pueden ser todos los bienes del patrimonio del deudor.

> Ahora bien, a esa afirmación general hay que hacerle dos matizaciones importantes:
>
> 1.ª) El patrimonio del deudor no se contempla como un todo; no recae el embargo sobre el patrimonio como conjunto, sino sobre bienes diferenciados e individualmente considerados. En el proceso concursal sí se tiene en cuenta el patrimonio como conjunto, pero aquí se atiende a los bienes.
>
> 2.ª) A pesar de que el art. 1.911 CC habla de «todos sus bienes», lo cierto es que la expresión no puede tomarse literalmente, pues existen bienes que están excluidos de la ejecución y, por tanto, del embargo. Podríamos decir que la regla general es que todos bienes pueden ser embargados, pero que al mismo tiempo existe una serie de excepciones, las cuales responden a razones distintas que atienden a la no patrimonialidad, no alienabilidad y no embargabilidad.

A) Bienes absolutamente inembargables

El art. 605 declara inembargables de modo absoluto:

1.º) Los bienes que hayan sido declarados inalienables.

Si la ejecución va a conducir, normalmente, a la enajenación forzosa, para que el embargo sea posible es necesario que el bien sea enajenable. De ahí que queden excluidos los derechos inalienables, que pueden ser:

1) Bienes públicos: El art. 132.1 CE dispone que los bienes de dominio público y los comunales son inalienables e inembargables, y dentro de esta inalienabilidad se incluyen: 1) Los bienes de uso público del Estado, 2) Los que pertenecen privativamente al Estado, sin ser de uso común, pero están destinados a un servicio público, 3) Los bienes de dominio público de las Comunidades Autónomas, y 4) Los bienes de dominio público y los comunales de las Entidades locales (art. 80.1 de la Ley 7/1985, de 2 de abril). La STC 166/1998, confirmada por otras posteriores, ha admitido la embargabilidad de los bienes patrimoniales de las entidades públicas no afectos a un uso o servicio público, excluyendo en todo caso el embargo de dinero.

2) Bienes privados declarados inalienables por la ley, en cuanto su transmisión frustraría su razón de ser. Así los derechos de uso y habitación (art. 525 CC), el derecho de arrendamiento de viviendas y fincas rústicas (pero sí es embargable el derecho de cesión del contrato de arrendamiento de locales de negocio (art. 32 de la LAU), el derecho a alimentos (art. 151 CC), aunque sí son embargables las pensiones devengadas y no satisfechas, en su totalidad, y las corrientes, sobre el exceso fijado en el art. 607 LEC.

2.°) Los derechos accesorios, que no sean alienables con independencia del principal.

Se trata de los bienes cuya titularidad se tiene en cuanto se es titular de otro derecho, por lo que aquél es inalienable de modo independiente; este es el caso de las servidumbres (art. 534 CC), de los derechos de tanteo y retracto, de los bienes considerados inmuebles por incorporación (art. 334 CC), del derecho de copropiedad sobre elementos comunes en el régimen de propiedad horizontal (art. 396 CC), de la prenda, hipoteca y anticresis que son inalienables con independencia del crédito que garantizan.

3.°) Los bienes que carezcan, por sí solos, de contenido patrimonial.

Si el embargo es una fase de un proceso dirigido a obtener una cantidad de dinero para pagar al acreedor, es evidente que sólo podrán ser susceptibles de embargo aquellos bienes que tienen contenido económico, excluyéndose los no patrimoniales. Por su no patrimonialidad se excluyen del embargo:

1) Los derechos de la persona en cuanto tal, es decir, los derechos a la vida, a la libertad, al nombre, al honor, a la propia imagen, etc. Curiosamente ello no impide que una lesión a estos derechos se resarza económicamente o que, en algún caso, se comercialice, como es el derecho a la propia imagen. Naturalmente estos beneficios económicos sí son embargables.

2) Los derechos derivados de la relación familiar, como pueden ser la patria potestad o la tutela.

3) Los derechos de carácter político, social o corporativo, derivados de la condición de miembro de una comunidad política, de una institución social o de un organismo corporativo.

4) Los derechos administrativos, o por lo menos los que se conceden por la Administración sin contenido patrimonial; así la condición de funcionario y algunos derechos que de ella se derivan son inembargables, pero otros sí lo son, como el sueldo.

4.°) Los bienes expresamente declarados inembargables por alguna disposición legal.

> Estas declaraciones deben buscarse en multitud de leyes
>
> 1) Los bienes y derechos de dominio público de las administraciones públicas, que el art. 6, a) de la Ley 33/2003, de 3 de noviembre, del Patrimonio de las Administraciones Públicas, declara inalienables, inembargables e imprescriptibles. Debe tenerse en cuenta que el art. 8 de la misma Ley no efectúa la misma declaración respecto de los bienes y derechos patrimoniales.
>
> 2) Los bienes de las instituciones de beneficencia (art. 10 del RD de 14 de marzo de 1989, redacción de 18 de marzo de 1955). No se excluye el patrimonio de las Fundaciones (Ley 50/2002, de 26 de diciembre).
>
> 3) Los bienes del Patrimonio Nacional (art. 6.2 de la Ley 23/1982, de 16 de junio).
>
> 4) Respecto de los bienes afectos al transporte público hay que distinguir: *) Carretera: La Ley 16/1987, de 30 de julio, de ordenación del transporte terrestre, en su art. 86 declara inembargables las concesiones administrativas de servicios públicos regulares permanentes de transporte por carretera y los vehículos e instalaciones a ellas destinados, pero puede ser intervenida judicialmente la explotación y asignada una parte de la recaudación a la amortización de la deuda, a cuyo efecto el acreedor podrá designar, por su cuenta y riesgo, un interventor que compruebe la recaudación y se haga cargo de la parte señalada, la cual se determinará reglamentariamente, *) Ferrocarril: El art. 153.2 de la misma Ley para las explotaciones ferroviarias de transporte, ya sean públicas o privadas, se remite al art. 86 en lo relativo al embargo, *) Buques: Contiene alguna limitación el art. 584 Cdc, y *) Aviones: Son embargables, pero sin interrumpir el servicio público (art. 132 de la Ley de 21 de julio de 1960).
>
> 5) Las autopistas de peaje (art. 28 de la Ley 8/1972, de 10 de mayo).
>
> 6) Los montes de dominio público (art. 14 de la Ley 43/2003, de 21 de noviembre, de Montes) y los montes vecinales en mano común (art. 11.4 de la misma).
>
> 7) Los productos mineros cuando hayan de ser puestos a disposición del Estado, pero podrá embargarse el importe que arroje la valoración oficial de los mismos a medida que se realice la entrega (art. 105.2 de la Ley de Minas de 21 de julio de 1973).
>
> 8) Los hidrocarburos, para los que se repite la disposición anterior, ahora en el art. 52 de la Ley 54/1997, de 27 de noviembre.
>
> 9) Las cuotas sindicales (art. 5.3 de la LO 11/1985, de 2 de agosto, de Libertad Sindical).

B) Bienes inembargables del ejecutado

El art. 606 declara inembargables de modo relativo:

1.°) El mobiliario y menaje de la casa, así como las ropas del ejecutado y su familia, en lo que no pueda considerarse superfluo. Aquellos bienes como alimentos, combustible y otros que, a juicio del tribunal, resulten imprescindibles para que el ejecutado y las personas de él dependientes puedan atender con razonable dignidad a su subsistencia.

2.º) Los libros e instrumentos necesarios para el ejercicio de la profesión, arte u oficio a que se dedique el ejecutado, cuando su valor no guarde proporción con la cantidad de la deuda reclamada.

3.º) Los bienes sacros y los dedicados al culto de las religiones legalmente registradas.

4.º) Los bienes y cantidades declarados inembargables por tratados ratificados por España.

> Son así inembargables los bienes y activos de la Comunidad Europea sin autorización del Tribunal de Justicia de ésta (art. 1 de los Protocolos sobre privilegios e inmunidades de la CECA (de 18 de abril de 1951), de la CEE y de la CEEA (de 17 de abril de 1957).

C) Sueldos y pensiones

Las cantidades de dinero de que esté en posesión el ejecutado son, naturalmente, embargables. La inembargabilidad parcial se refiere al salario, sueldo, pensión, retribución o su equivalente (ingresos por actividades profesionales y mercantiles autónomas) en la cuantía que no exceda del salario mínimo interprofesional (art. 607.1). Salario Mínimo anual es de 10.302,60 € (14 pagas), para 2018.

> Partiendo de esa base mínima inembargable, el embargo sobre el exceso se practicará conforme a una escala, teniendo en cuenta que:
> 1) La cantidad es siempre la que perciba realmente el ejecutado, es decir, descontados los gravámenes de carácter público (fiscales o de seguridad social),
> 2) Si el ejecutado es beneficiario de más de una percepción, se acumularán todas ellas para fijar la inembargabilidad,
> 3) Se acumularán las percepciones de los cónyuges cuando su régimen económico no sea el de separación de bienes, y
> 4) En atención a las cargas familiares del ejecutado en la escala puede aplicarse una rebaja de entre un diez y un quince por ciento en los porcentajes.

Cuando se trata de ejecución de sentencia que condene al pago de alimentos, en todos los casos en que la obligación de satisfacerlos nazca directamente de la Ley (incluyendo los pronunciamientos de las sentencias dictadas en procesos de nulidad, separación o divorcio sobre alimentos debidos al cónyuge o a los hijos o de los decretos o escrituras públicas que formalicen el convenio regulador que los establezcan) no serán de aplicación las limitaciones dichas de la embargabilidad de los ingresos, pudiendo el tribunal fijar la cantidad a embargar. Y ocurre lo mismo en las medidas cautelares (art. 608).

Existe norma especial (RDLey 8/2011, de 1 de julio), cuando se trate de la ejecución hipotecaria de la vivienda habitual.

D) Nulidad del embargo sobre bienes inembargables

El embargo trabado sobre bienes inembargables es nulo de pleno derecho, pudiendo el ejecutado formular los recursos ordinarios e, incluso, pedir la declaración de nulidad por simple comparecencia ante el letrado, si no se hubiera personado en la ejecución ni deseara hacerlo. La nulidad la declara el juez (art. 609).

La nulidad del embargo supone también que el ejecutado tiene la posibilidad de desconocerlo y que, por ejemplo, el registrador no anotará el embargo ordenado por el letrado.

VII. LOCALIZACIÓN DE LOS BIENES DEL EJECUTADO

Antes de que se proceda a elegir cuáles son los bienes del ejecutado que deben quedar afectados a la ejecución, es preciso descubrir qué bienes embargables existen en su patrimonio. Esa búsqueda puede hacerla inicialmente el ejecutante y, como resultado de la misma, en la demanda ejecutiva deberá indicar:

a) Los bienes del ejecutado susceptibles de embargo de los que tuviere conocimiento y, en su caso, si los considera suficientes para el fin de la ejecución (art. 549.1, 3.°). Si lo hace así no serán precisas otras actividades de búsqueda y el letrado, en el decreto de concreción, podrá determinar los bienes concretos sobre los que recae el embargo (art. 551.3, 1.°), quedando desde esa resolución hecho el embargo y sin perjuicio de que las medidas de garantía se adopten posteriormente (art. 587.1).

b) Las medidas de localización e investigación que, al amparo del art. 590, interese (art. 549.1, 4.°). Cuando el ejecutante no ha encontrado bienes del ejecutado en la demanda ejecutiva instará esas medidas, pero el letrado podrá acordar en el decreto de concreción (art. 551.3, 2.°):

1.°) Manifestación de bienes por el ejecutado: El letrado de la administración de justicia podrá acordar, por medio de diligencia de ordenación, de oficio que se requiera al ejecutado para que manifieste relación de bienes y derechos suficientes para cubrir la cuantía de la ejecución, con expresión en su caso, de cargas y gravámenes, así como, en el caso de inmuebles, si están ocupados, por qué personas y con qué título (art. 589.1).

Este requerimiento se hará al ejecutado con apercibimiento de las sanciones que puedan imponérsele, cuando menos por desobediencia grave, en caso de que no presente la relación de sus bienes, incluya en ella bienes que no son suyos o no desvele las cargas y gravámenes que sobre ellos pesaren. Además, y sin perjuicio de lo anterior, el letrado (¡) podrá imponer multas coercitivas periódicas al ejecutado que no respondiere debidamente al requerimiento.

> Respecto de estas multas: 1) Para fijar la cuantía de las mismas se tendrá en cuenta la cantidad por la que se haya despachado la ejecución, la resistencia a la presentación de la relación de bienes y la capacidad económica del requerido, y 2) Pueden variarse o dejarse sin efecto en atención a la ulterior conducta del requerido y a las alegaciones que pudiera efectuar para justificarse.
>
> Que el letrado de la administración de justicia pueda imponer multas coercitivas es algo inaudito. Menos mal que contra estas resoluciones cabe recurso directo de revisión, aunque sin efecto suspensivo.

2.º) Investigación judicial del patrimonio: El letrado de la administración de justicia, por simple diligencia de ordenación, a instancia del ejecutante acordará dirigirse a las entidades financieras, organismos y registros públicos y personas físicas y jurídicas que el ejecutante indique, para que faciliten la relación de bienes o derechos del ejecutado de los que tengan constancia (art. 590).

> Esta investigación se condiciona a que: 1.º) El ejecutante lo pida y expresando las razones por las que estime que la entidad, organismo, registro o persona de que se trate dispone de información sobre el patrimonio del ejecutado, 2) Cabe que sea el procurador de la parte ejecutante la que diligencie los oficios, y 3.º) Los datos no puedan ser obtenidos por el propio ejecutante o su procurador.

La investigación sólo puede ser útil partiendo del deber de colaborar que tienen todas las personas y entidades, públicas y privadas, las cuales están obligadas a facilitar al letrado (o el procurador que asuma el diligenciamiento) cuantos documentos y datos tengan en su poder, sin más limitaciones que las que imponen el respeto a los derechos fundamentales o a los límites que, para casos determinados, expresamente impongan las leyes (art. 591).

> Este deber de colaboración tiene especial énfasis cuando se trata de la Administración Tributaria. Respecto de ella debe recordarse que el art. 95.1 de la Ley 58/2003, de 17 de diciembre, General Tributaria, dice: «h) La colaboración con los Jueces y Tribunales para la ejecución de resoluciones judiciales firmes. La solicitud judicial de información exigirá resolución expresa, en la que previa ponderación de los intereses públicos y privados afectados en el asunto de que se trate y por haberse agotado los demás medios o fuentes de conocimiento sobre la existencia de bienes y derechos del deudor, se motive la necesidad de recabar datos de la Administración tributaria».

La imposición de multas coercitivas periódicas en este supuesto no es función del letrado de la administración de justicia, sino del juez. Se trata de que:

1.º) Cuando las personas y entidades de esta norma aleguen razones legales o de respeto a los derechos fundamentales para no realizar la entrega, el letrado de la administración de justicia dará cuenta al tribunal para que éste acuerde lo procedente (el letrado puede imponer estas multa al ejecutado, pero no a terceros).

2.º) Previa audiencia de los interesados, el tribunal podrá imponer multas coercitivas periódicas a las personas y entidades que no presten la colaboración requerida. Para la cuantía se tendrían en cuenta los criterios del art. 589 (lo que es absurdo, pues la cuantía no puede depender de la cuantía por la que se ha despachado la ejecución, aunque sí de la capacidad económica del requerido).

> Los artículos 589 y 591 emplean las expresiones «multas coercitivas» y «apremios pecuniarios» como sinónimas y realmente estamos ante algo conocido en el Derecho administrativo (art. 103 de la Ley 39/2015, de 1 de octubre, del Procedimiento Administrativo Común de las Administraciones Públicas) con la denominación de «multas coercitivas». Puede así decirse que estamos ante una institución general, con manifestaciones administrativas y jurisdiccionales, que se caracteriza porque: 1) No es una sanción (STC 239/1988, de 14 de diciembre), 2) Impone al sujeto pasivo una obligación nueva y distinta de la que se trata de ejecutar, y 3) Persigue remover la resistencia del ejecutado o de los obligados a colaborar para que hagan.

VIII. INTEGRACIÓN DEL PATRIMONIO DEL EJECUTADO

Si después de todo lo anterior no se ha encontrado bien alguno, o los encontrados no son suficientes para cubrir el importe de la cantidad por la que se despachó la ejecución, puede acudirse todavía a lo que podemos denominar integración del patrimonio del ejecutado. Ello puede hacerse de dos maneras:

a) Ejercitando las «acciones» del ejecutado: Se trata aquí de hacer uso de la legitimación extraordinaria (lección 4.ª) que concede el art. 1.111 CC para, por la vía de la sustitución procesal, ejercitar las «acciones», del ejecutado contra terceros. Estamos ante la denominada acción subrogatoria.

Recordemos que el primer inciso del artículo 1.111 CC dice que «los acreedores, después de haber perseguido los bienes de que esté en posesión el deudor para realizar cuanto se les debe, pueden ejercitar todos los derechos y acciones de éste con el mismo fin, exceptuando los que sean inherentes a su persona».

> Muy en síntesis los requisitos para su ejercicio son: 1) Que no existan otros bienes en el patrimonio del ejecutado; 2) No parece imprescindible que se haya instado el embargo y que éste haya resultado frustrado, aunque ello sea lo normal; 3) Habrá de tratarse de derechos patrimoniales, y 4) La acción ejercitada del deudor no tiene que limitarse al importe del título ejecutivo, sino que puede comprender la totalidad del derecho ejercitado.

b) Impugnando las transmisiones fraudulentas: También para reintegrar bienes al patrimonio del ejecutado, el ejecutante puede ejercitar la denominada acción revocatoria o pauliana, dirigida a impugnar los actos que el ejecutado haya realizado en fraude de acreedores, y a la que se refiere el segundo inciso del art. 1.111 CC, según el cual «pueden también impugnar los actos que el deudor haya realizado en fraude de su derecho», norma que se contempla procesalmente con lo que el mismo CC dispone para la rescisión de los contratos.

> En general los requisitos necesarios son: 1) Que en el proceso de ejecución pendiente el ejecutante no haya podido encontrar bienes bastantes para cubrir la cantidad por la que se despachó la ejecución; 2) Que el ejecutado haya realizado un acto de disposición patrimonial que beneficie a un tercero, en momento posterior al nacimiento de la obligación por la que se está ejecutando; 3) Que el ejecutante se haya visto perjudicado por ese acto, al disminuir el patrimonio del ejecutado; 4) Que el ejecutante no tenga medio distinto para satisfacer su pretensión que lograr la declaración de rescisión de dicho acto; 5) Que éste sea fraudulento y que en el *consilium fraudis*, si el acto fue oneroso, haya intervenido el tercero adquirente, y 6) Que la demanda se dirija contra el ejecutante y el tercero adquirente.
>
> La declaración de rescisión del acto fraudulento en la sentencia estimatoria supone la reintegración de la cosa transmitida al patrimonio del ejecutado, con lo que puede ser embargada. Si es imposible jurídicamente esa reintegración, el que hubiese adquirido de mala fe, en fraude de acreedores, debe indemnizar a éstos en los daños y perjuicios que les hubiera ocasionado (arts. 1.295 y 1.298 CC).

IX. DETERMINACIÓN DE LOS BIENES A EMBARGAR

Localizados los bienes del ejecutado, la determinación de cuál o de cuáles de ellos han de ser embargados depende de la aplicación de toda una serie de reglas legales.

A) Ámbito cualitativo

La determinación puede hacerse, en primer lugar, por pacto entre el acreedor y el deudor, pacto que cabe que sea anterior a la ejecución o que se concierte pendiente la misma, de modo que todas las reglas que decimos a continuación entran en juego ante la no existencia de ese pacto. Esto supone que el acto que desconozca las reglas legales es anulable (no nulo), debiendo impugnarse por alguna de las partes (art. 592.1).

A falta de pacto, el letrado de la administración de justicia determinara el bien o bienes del ejecutado a embargar teniendo en cuenta:

a) El orden debe establecerse atendiendo a dos razones distintas pero complementarias: Mayor facilidad de su enajenación y menor onerosidad de ésta para el ejecutado (art. 592.1).

b) Si resulta imposible o muy difícil la aplicación de los criterios anteriores se estará al orden previsto en el art. 592.2 y 3, en el cual están incluidos todos los bienes patrimoniales, alienables y embargables del ejecutado:

1.º) Dinero y cuentas corrientes de cualquier clase.

> El término dinero tiene aquí un sentido jurídico estricto, que no coincide con su sentido económico. Dinero son sólo las monedas y billetes de curso legal. Curiosamente los billetes extranjeros son y no son dinero al mismo tiempo; si la ejecución se despacha en moneda nacional, no son dinero; si la ejecución se despacha en una determinada moneda extranjera, los billetes de esa divisa sí son dinero, siempre a los efectos que aquí importan, pero el resto no. Naturalmente en la práctica nunca se encuentra dinero para embargar. Por cuenta corriente debe entenderse el saldo que arroje esa cuenta abierta en entidad de crédito, debiendo determinarse la cantidad límite (art. 588.2).

2.º) Créditos y derechos realizables en el acto o a corto plazo, y títulos valores u otros instrumentos financieros admitidos a negociación en un mercado secundario oficial de valores.

> Respecto de los primeros la dificultad consiste en precisar si la condición de realizable de un crédito debe establecerse jurídicamente o de hecho. Si fuera jurídicamente se incluirían todos los créditos ya exigibles de que fuera titular el ejecutado, aunque luego resultara que el supuesto deudor no reconoce su existencia o que era insolvente. Por ello creemos que la condición de realizable debe ser de hecho, esto es, que no ofrezca duda alguna ni la existencia ni la solvencia.
>
> Debe estarse a la Ley 24/1988, de 28 de julio, del Mercado de Valores (modificada reiteradamente en las leyes 9/1991, 37/1998, 26/2003, 12/2006, 14/2007, 11/2009). Lo importante es precisar que se entiende por «valores» o, mejor, por «valores negociables», concepto que la exposición de motivos de la Ley dicha califica de difícil. Tres notas pueden identificarlos: 1) Ya no cabe hablar sólo de títulos valores, por cuanto los valores negociables pueden presentarse en anotaciones en cuenta y en títulos; 2) Negociabilidad, que es algo más que mera transmisibilidad, y que atiende a la economía y no a las características personales de los contratantes, y 3) Agrupación en emisiones, que no es igual a emisión en serie, completándose reglamentariamente. Este apartado se justifica sobre todo en atención al art. 635.1 y la especial manera de realización.

3.º) Joyas y objetos de arte.

4.º) Rentas en dinero, cualquiera que sea su origen y la razón de su devengo.

5.º) Intereses, rentas y frutos de toda especie.

> Las rentas son una clase de frutos y, para precisar lo que sean éstos, debe estarse a los arts. 354 a 357 CC, que distinguen entre: naturales (las producciones espontáneas de los bienes y las crías y demás productos de los animales), industriales (los que producen los predios a beneficio del cultivo o del trabajo) y civiles (alquileres de edificios, de tierras y el importe de rentas perpetuas, vitalicias o análogas).

Lo importante es destacar que una cosa es el embargo de un inmueble (un huerto de naranjos) y otra la de sus frutos (las cosechas de naranjas), de modo tal que el embargo del primero no presupone el de los segundos. Por ello si se quieren embargar los dos bienes, deben efectuarse dos afecciones que tienen garantías distintas.

6.º) Bienes muebles o semovientes, acciones, títulos o valores no admitidos a cotización oficial y participaciones sociales.

El concepto de bien mueble que da el art. 335 CC no puede aplicarse aquí. En el sentido del embargo para ser bien mueble tiene que: 1) Ser susceptible de apropiación, pudiendo ser transportado de un sitio a otro sin menoscabo de la cosa inmueble a que estuviere unido, y 2) No estar incluido en otros apartados de este art. 592. Así una joya es bien mueble en el sentido del art. 335 CC, pero no conforme al art. 592.2, 6.º LEC. En el CC todos los bienes son muebles o inmuebles, y no hay referencia a los semovientes, que son los animales, los que pueden moverse por sí mismos.

Los valores y participaciones no negociables en Bolsa se realizan conforme al art. 635.2.

7.º) Bienes inmuebles.

Son los calificados como tales en el art. 334 CC, salvo que queden incluidos en otro apartado de este art. 592 LEC. Así los frutos pendientes son inmuebles según el CC (art. 334, 2.º), pero en la LEC se incluyen en el apartado 5.º.

8.º) Sueldos, salarios, pensiones e ingresos procedentes de actividades profesionales y mercantiles autónomas.

Para la definición de sueldo o salario puede estarse al art. 26.1 del Estatuto de los Trabajadores, que analógicamente puede aplicarse a los funcionarios públicos. En cambio el término pensión es más complejo, porque en el CC se utiliza con muy diversos sentidos que van desde la corrección del desequilibrio económico del art. 97, hasta las rentas vitalicias del art. 1.802, pasando por el canon de los censos del art. 1.613, la carga al heredero del art. 788, todos del CC, y prestación de la Seguridad Social o Mutualidades oficiales.

9.º) Créditos, derechos y valores realizables a medio y largo plazo.

10.º) Empresas, que serán embargadas cuando, atendidas las circunstancias, resulte preferible al embargo de sus distintos elementos patrimoniales.

Se incluye aquí también el caso de que lo embargado sea la mayoría de las acciones de una sociedad cuyo activo básico sea un establecimiento mercantil o industrial, o la mayoría del patrimonio común de una sociedad o de los bienes y derechos adscritos a su explotación.

Este ámbito cualitativo puede modificarse sustituyendo un bien embargado por otro, lo que se hace levantando el embargo del primero y practicándolo sobre el segundo (art. 612). Las razones de esta sustitución pueden ser muy variadas, pero la más común responde a la estimación de la tercería de dominio (Lección Trigésima), aunque cabe también desde el acuerdo de las partes hasta la estimación de un recurso por no haberse respetado el orden anterior.

B) Ámbito cuantitativo

El embargo no recae sobre el patrimonio del deudor como conjunto, sino sobre bienes determinados del mismo. Además no se trata de embargar, uno a uno, todos los bienes que integran ese patrimonio, sino sólo los suficientes para cubrir la cantidad por la que se despachó la ejecución y las costas. Por lo mismo no se embargarán bienes cuyo previsible valor exceda de la cantidad por la que se haya despachado la ejecución, salvo que en el patrimonio del ejecutado sólo existan bienes de valor superior a esos conceptos y la afección de dichos bienes resultare necesaria a los fines de la ejecución (art. 584).

El ámbito cuantitativo no es inmutable. A lo largo de la ejecución pueden producirse circunstancias que obliguen a:

1.º) Mejorar el embargo, esto es, extenderlo a bienes que antes no habían sido embargados. La mejora se producirá, a petición del ejecutante, si el tribunal estimare que puede dudarse de la suficiencia de los bienes embargados en relación a la responsabilidad del ejecutado o si se ha admitido o estimado una tercería de dominio, o cuando se aumenta la cantidad prevista en concepto de intereses; también cabe modificar las garantías sobre el bien embargado (art. 612).

2.º) Reducir el embargo, es decir, a petición del ejecutado, levantar el embargo respecto de algunos bienes cuando se comprende que ha habido exceso en la traba, pues no son necesarios todos para cubrir principal, intereses y costas; también cabe modificar las garantías adoptadas sobre los bienes (art. 612).

Legislación: Ley de Enjuiciamiento Civil (arts. 571 a 592 y 605 a 612)
Lectura: MONTERO Y FLORS, *Tratado del proceso de ejecución*, 2ª edición, Valencia, 2013.

Actividad ejecutiva (II)

El embargo ejecutivo (sigue)

X. **AFECCIÓN DE LOS BIENES**
Declaración de voluntad letrado. Control de oficio: 4
Reglas: 3 y sus matizaciones

XI. **LA TERCERÍA DE DOMINIO**
   a) Naturaleza jurídica
   b) Competencia
   c) Legitimación: activa y pasiva (litisconsorcio necesario)
   d) Título
   e) Tiempo
   f) Procedimiento: Verbal
   g) Efectos

XII. **GARANTÍAS DE LA AFECCIÓN:**
No hay una garantía general
   A) Anotación preventiva en registro público
      a) Bienes inmuebles: Mandamiento por duplicado. Efectos
      b) Bienes muebles: Inscripción de gravámenes. Efectos
   B) Depósito judicial
      a) Institucional
      b) Personal
      Remoción del depositario
   C) Retención sin desapoderamiento
      a) *Arrestatorium*
      b) Notificación del embargo
   D) Administración judicial
      a) Frutos y rentas
      b) Empresas: 1) Intervención y administración. Acuerdo

XIII. **EL REEMBARGO**
Pretensión si carácter exclusivo
Afección de un bien ya embargado
Percibir después
Realización forzosa antes que el primero

XIV. **EL EMBARGO DE SOBRANTE**
Embargo de inmaterial y futuro. Cantidad que sobre

X. AFECCIÓN DE LOS BIENES

La afección es una declaración de voluntad del letrado de la administración de justicia —partiendo del auto del juez despachando la ejecución— explícita (decreto) o implícita (descripción de un bien en el acta de la diligencia de embargo), por la que se vincula un bien determinado a la ejecución. En términos estrictos la afección, que es el elemento fundamental del embargo, debería ser siempre expresa y provenir únicamente del juez, pero en nuestro sistema se admiten dos cosas muy irregulares: 1) Que la declaración de voluntad expresa provenga del letrado de la administración de justicia, y 2) Que exista una declaración implícita en el acta de la diligencia de embargo. En todo caso debe advertirse que el embargo existe aunque no se hayan adoptado aún medidas de garantía o de publicidad de la traba (art. 587.1).

La declaración de voluntad del letrado de la administración de justicia en qué consiste la afección exige que se controle de oficio la concurrencia de los requisitos de: 1) Que el bien sea embargable (art. 609), 2) Que se respete el orden preestablecido (art. 592), 3) Que no se exceda en la suficiencia (art. 584), y 4) Que el bien pertenezca al ejecutado. Este último requisito es el que examinamos ahora.

> Debe tenerse en cuenta que una cosa es que la ejecución pueda dirigirse en ocasiones contra quien no aparezca como deudor en el título ejecutivo (art. 538.2 y Lección Vigesimoquinta), otra que el tribunal entienda que pueden embargarse bienes de tercero, aunque la ejecución no se dirija contra él, por estar esos bienes afectos al cumplimiento de la obligación por la que se proceda (art. 538.3) y otra muy distinta que se embargue por error el bien de un tercero. Este último supuesto en al que se atenderá después y al que se refiere la exigencia de que el bien pertenezca al ejecutado.

Presupuesto de la afección es que el bien a trabar pertenezca al ejecutado, pero para juzgar sobre la concurrencia de este requisito deben tenerse en cuenta estas reglas:

1.ª) No puede ser suficiente que el acreedor designe un bien como perteneciente al deudor.

2.ª) No puede exigirse la realización de un incidente declarativo para establecer la titularidad de cada uno de los bienes, pues los incidentes podrían ser mucho más complejos que la ejecución misma. Tampoco podrá exigirse la realización de investigaciones u otras actuaciones.

3.ª) Para decretar la afección bastará con que existen indicios y signos externos de los que razonablemente pueda deducirse la pertenencia del bien al ejecutado, y el indicio básico es que el bien se encuentre dentro del señorío físico del ejecutado, que tenga su posesión.

Estas reglas pueden ser matizadas atendiendo a consideraciones prácticas de muy variada condición:

a) En sentido favorable a la traba: En ocasiones un bien no se encuentra en el señorío físico del ejecutado, pero es de su propiedad, por lo que a él debe llegar la afección. Este es el caso, por ejemplo, del art. 626.2; si el bien mueble del ejecutado está en poder de un tercero se le requerirá para que lo conserve a disposición del tribunal, nombrándole depositario judicial. También lo es de todos los supuestos en los que el embargo recae sobre intereses, rentas o valores u otros instrumentos financieros.

b) En sentido contrario a la traba: El art. 593.2 y 3 pretende evitar el embargo cuando puede establecerse de modo fácil que un bien, a pesar de estar en el señorío físico del ejecutado, no pertenece al mismo. Para ello parte de que cuando el letrado de la administración de justicia, por percepción directa o por manifestaciones del ejecutado o de otra persona, tenga motivos racionales para entender que el bien que se propone trabar puede pertenecer a un tercero, ordenará que se haga saber a éste la inminencia de la traba para que, en el plazo de cinco días, alegue lo que estime oportuno. Frente a esa notificación el tercero puede:

1.°) No comparecer ni dar razón alguna: El letrado de la administración de justicia dictará decreto mandando trabar el bien, a no ser que las partes, dentro de ese mismo plazo de cinco días, hayan manifestado su conformidad con que no se realice el embargo.

2.°) Oponerse razonadamente al embargo: Lo que hará aportando, en su caso, los documentos que justifiquen su derecho, y entonces el letrado de la administración de justicia dará traslado a las partes, por plazo común de cinco días, y remitirá los autos al juez para éste decida lo procedente. Si el tribunal decreta el embargo, al tercero sólo le queda la posibilidad de la tercería de dominio.

> Existen dos casos especiales:
>
> 1") Si se trata de un bien susceptible de inscripción registral, se ordenará en todo caso el embargo por el letrado de la administración de justicia, salvo que el tercero acredite ser titular registral, mediante la correspondiente certificación del Registro. Esta es la llamada tercería registral del art. 38, III, de la LH. Naturalmente siempre queda a salvo el derecho de los eventuales titulares no inscritos, que podrán ejercitar contra quién y cómo corresponda.
>
> 2") Si el bien es la vivienda familiar del tercero y éste presentare documento privado que justifique su adquisición, el letrado de la administración de justicia dará traslado a las demás partes y si éstas, en el plazo de cinco días, manifiestan su conformidad en que no se realice el embargo, el mismo letrado no lo decretará.
>
> Con estas dos normas especiales se están previendo dos casos muy frecuentes en la práctica y se pretende con ellas evitar las más comunes tercerías de dominio.

La trascendencia de la afección es tal que el embargo decretado es eficaz, incluso aunque el bien pertenezca a un tercero, y esa eficacia se manifiesta en que si el verdadero titular del bien no hiciese valer su derecho, por medio de la tercería de dominio, no podrá impugnar la enajenación de los bienes embargados, si el rematante o adjudicatario los hubiera adquirido de modo irreivindicable, conforme a lo establecido en la legislación sustantiva. Al tercero sólo le restarán entonces las «acciones» de resarcimiento o de enriquecimiento injusto (no contra el rematante) o de nulidad de la enajenación (sí contra el rematante, cuando actuara de mala fe) (art. 594).

XI. LA TERCERÍA DE DOMINIO

Las reglas sobre la afección que hemos examinado no pueden impedir que en la práctica se decrete el embargo sobre un bien que pertenezca a un tercero, y ante esta situación el afectado por el embargo, en una ejecución en la que él no es parte, ha de poder reaccionar. El medio previsto legalmente es el de la tercería de dominio.

A) Naturaleza jurídica

Por medio de esta tercería se formula por el tercero oposición a un acto concreto de embargo, pidiendo que se levante la afección decretada sobre un bien determinado. Para ello el tercero tiene que afirmar, bien que es dueño de ese bien (y que no lo ha adquirido del ejecutado una vez decretado el embargo), bien que es titular de un derecho que, por disposición legal, puede oponerse al embargo o a la realización forzosa del bien embargado como perteneciente al ejecutado (art. 595.1 y 2). El objeto de la tercería se reduce así al alzamiento del embargo, que es pedido por el tercerista y que es negado por el ejecutante y, en su caso, por el ejecutado, los cuales no pueden pedir cosa distinta (art. 601).

> Tradicionalmente la jurisprudencia entendía que la tercería de dominio equivalía a una «acción» reivindicatoria, lo cual llevaba a la conclusión de que sólo cabía la tercería cuando se trataba de bienes susceptibles de dominio. El presupuesto y la conclusión eran claramente erróneos. Lo esencial de la tercería era que se alzara el embargo, si bien a esa pretensión podían acumularse otras, como la declarativa del dominio o la reivindicatoria, que eran posibles pero que no hacían a la esencia de la tercería. Hoy no existe duda alguna de que la tercería es una mera pretensión de alzamiento del embargo, sin perjuicio de que para estimarla sea preciso a veces pronunciarse sobre la pertenencia del bien, aunque entonces ese pronunciamiento no produce efectos de cosa juzgada.

B) Competencia

La competencia funcional para conocer de la tercería de domino se atribuye al tribunal de la ejecución, que la sustanciará por los trámites del juicio verbal (art. 599).

> Dice el art. 599 que la tercería se interpondrá ante el letrado responsable de la ejecución, lo que es un evidente exceso formalista, pues ninguna demanda se presenta ante el letrado, exceso proveniente del afán desmedido de atribuir funciones al letrado, aunque sean inútiles.
>
> Dado que el objeto de la tercería es solamente que se alce el embargo decretado, y no que se declare la titularidad del tercero sobre el bien, no puede existir problema alguno para que un Juzgado de Paz conozca del alzamiento del embargo por él decretado sobre cualquier bien, sea cualquiera el valor de éste.

C) Legitimación

El actor de la tercería ha de tener necesariamente la condición de tercero respecto del proceso de ejecución, lo que significa que no tiene esta legitimación quien ya es parte en ese proceso, el cual articulará sus medios de defensa por los recursos y por la vía de la oposición a la ejecución. Además ese tercero tiene que afirmar, bien que es dueño del bien embargado, bien que es titular de un derecho que puede oponerse al embargo o a la realización forzosa del bien.

En esta tercería se trata de sacar de la ejecución un bien, sobre el que ha recaído embargo como consecuencia de un error, por lo que cualquier otra cuestión no puede ventilarse por este medio procesal.

> Esto supone que:
>
> 1.º) Los que son parte en la ejecución tienen otros medios para oponerse a los actos concretos de la misma.
>
> 2.º) Quien no aparezca en el título ejecutivo y a pesar de ello se haya despachado contra él la ejecución, se ha convertido en parte en la misma, de modo que cualquier oposición que desee formular tiene que hacerlo como tal parte. En este caso la ejecución puede haberse despachado contra él correcta o incorrectamente, pero ello es indiferente desde la perspectiva de la tercería (art. 538.2).
>
> 3.º) Aquél contra el que no se hubiere despachado la ejecución, pero respecto de quien el tribunal estime que se pueden embargar sus bienes, tampoco puede interponer la tercería, pues en este caso ya desde el inicio sabe el tribunal que el bien no es de la titularidad del ejecutado y a pesar de ello embargó. En este caso el tercero puede utilizar todos los medios de defensa que la ley reconoce al ejecutado (art. 538.3).

Respecto de la legitimación pasiva deben distinguirse dos supuestos: 1) En todo caso la misma se atribuye al ejecutante, por lo que la demanda debe formularse contra él, y 2) Si el bien embargado ha sido designado por el ejecutado, la demanda también se dirigirá contra él.

En el primer supuesto la legitimación pasiva se atribuye, pues, sólo al ejecutante, sin perjuicio de lo cual el ejecutado puede intervenir en el procedimiento, con los mismos derechos procesales que las partes, y a este efecto se le debe notificar en todo caso la admisión de la demanda.

> Estamos ante una intervención que debe calificarse de litisconsorcial, y no de adhesiva simple, pues el ejecutado no es titular de una relación jurídica dependiente de la que está debatiéndose en la tercería. El ejecutado tiene en ésta un interés muy claro: La estimación de la tercería conducirá necesariamente a la mejora del embargo, recayendo éste en otros bienes o derechos.

En el segundo supuesto, el art. 600 parece entender que se trata de un litisconsorcio pasivo voluntario, es decir, de una acumulación de pretensiones objetivo-subjetiva (Lección Sexta), pero no parece que sea realmente así. La acumulación presupone la existencia de dos pretensiones, y en la tercería se formula una única pretensión, la de que se alce el embargo, y existirá, en su caso, un único pronunciamiento, el alzamiento de la traba. La conclusión lógica es la de que si ha de demandarse al ejecutante y al ejecutado, éstos se encuentra en situación de litisconsorcio pasivo que es necesario por disposición legal.

D) Título

Con la demanda de tercería deberá aportarse un principio de prueba por escrito del fundamento de la pretensión del tercerista (art. 595.3), sin el cual el tribunal (no el letrado) rechazará de plano, sin sustanciación alguna, la demanda (art. 596.2), aunque debe estimarse que se trata de defecto subsanable.

El principio de prueba por escrito se refiere a cualquier documento, sea público o privado, aunque no debería admitirse documento que provenga exclusivamente del tercerista, pues entonces el requisito podría quedar vacío de contenido, dado que dependería del propio demandante. Cuando la ley habla de «principio de prueba por escrito» no se está refiriendo a documento material en que la parte funde su derecho (art. 265.1), es decir, a documento prueba sobre el fondo del asunto, los cuales se refieren a la estimación de la demanda, sino que atiende a un requisito de admisibilidad de la demanda, que sirve para acreditar la seriedad de quien formula la pretensión.

> Mediante el documento «principio de prueba por escrito» no se trata de probar la existencia del derecho material que se alega como fundamento de la tercería, sino de posibilitar que se de curso a la demanda. La prueba del derecho afirmado por el actor habrá de practicarse en el proceso, y para ello podrá utilizarse cualquiera de los medios previsto en la ley (aunque los documentos materiales han de presentarse también con la demanda, art. 265.1). Aquí estamos ante algo

distinto, ante un requisito de la demanda que afecta más bien a la acreditación de la legitimación. Nada impide, por otra parte, que un mismo documento sirva, primero, como requisito de la admisibilidad de la demanda y, luego, como medio de prueba de la existencia del derecho alegado.

E) Tiempo

La admisión de la tercería se hace depender de que la demanda se presente entre dos momentos, uno inicial y otro final:

1.°) *Inicial*: La demanda puede interponerse desde que se haya embargado el bien a que se refiera, aunque el embargo sea preventivo (art. 596.1), recordando que el embargo se entiende hecho desde que se decreta o se reseña la descripción de un bien en el acta de diligencia de embargo, aunque no se hayan adoptado aún medidas de garantía o publicidad de la traba (art. 587).

2.°) *Final*: Se tiene que interponer la demanda antes del momento en que, de acuerdo con lo dispuesto en la legislación civil, se produzca la transmisión del bien al acreedor o al tercero que lo adquiera en subasta pública, de modo que si la demanda se interpone después será rechazada de plano y sin sustanciación alguna (art. 596.2).

> Si la demanda se interpone después carecerá de sentido. Si la tercería de dominio lo que pretende es sacar el bien de la ejecución, evitando su realización forzosa, la tercería debe iniciarse antes de que sea realizado el bien, antes de que se haya transmitido, bien por medio de la enajenación, bien por medio de la adjudicación.

La fórmula legal para la determinación del momento final, con su remisión a la legislación civil, hace que se reproduzca aquí todo el debate respecto de la transmisión y adquisición de los derechos, con las distintas soluciones atendida la naturaleza de éstos, la del bien y el modo de efectuarse la transmisión. Lo peor es que la realización del bien no se resuelve en un contrato, por lo que, por ejemplo, la remisión al art. 609 del CC (los derechos sobre bienes se transmiten «por consecuencia de ciertos contratos mediante la tradición») carece de sentido en su aplicación a la enajenación o adjudicación forzosas.

F) Procedimiento

La tercería se sustanciará por los trámites previstos para el juicio verbal, dice el art. 599, si bien en la misma concurren algunas especialidades:

1.ª) Si los demandados no contestan a la demanda se entenderá que admiten los hechos alegados en ella (art. 602).

Si se ha demandado sólo al ejecutante, de acuerdo con el art. 600, la no contestación se referirá sólo a él. Si se ha demandado al ejecutante y al ejecutado, aunque sólo uno conteste oponiéndose, el procedimiento seguirá por sus trámites normales, sin que se produzca admisión alguna. En el caso de que se haya demandado sólo al ejecutante, pero el ejecutado intervenga en el procedimiento, la contestación a la demanda por uno cualquiera de ellos impide la admisión de hechos.

> Si la tercería presupone un proceso de ejecución en marcha, es evidente que el ejecutante, en todo caso, y el ejecutado, normalmente, estarán personados como parte en ella, por lo que no procederá su declaración de rebeldía en la tercería. El art. 602 prevé sólo que no contesten a la demanda, y para este supuesto establece una regla especial que atribuye valor positivo a la inactividad de los demandados: La admisión de hechos. El tribunal, pues, en el auto que decide la tercería tendrá que partir de que los hechos afirmados por el tercerista son ciertos, aplicando el Derecho.

2.ª) La resolución que decide la tercería no adopta la forma de sentencia, sino la de auto (art. 603).

> No es verdadera especialidad que no se permita segunda o ulterior tercería sobre el mismo bien y ejercitada por el mismo tercero, fundada en títulos o derechos que poseyera al tiempo de formular la primera (art. 597). No lo es porque el art. 400 exige en general que, si lo que se pide en la demanda puede fundarse en diferentes hechos o títulos jurídicos, habrán de aducirse en ella, sin que sea posible reservar su alegación para un proceso posterior.

G) Efectos

Debe distinguirse entre:

1.º) Efectos de la admisión de la tercería: Produce la suspensión de la ejecución respecto del bien a que se refiera y es razón suficiente para que el letrado de la administración de justicia por decreto, pero a instancia de parte, ordene la mejora del embargo (art. 598.1 y 3).

> Ahora bien, el tribunal, previa audiencia de las partes, puede condicionar la suspensión de la ejecución, se entiende respecto de ese bien concreto, a que el tercerista preste caución por los daños y perjuicios que pudiera producir al ejecutante, caución que podrá otorgarse en las formas previstas en el art. 529.3, II (art. 598.2).

2.º) Efectos de la estimación de la tercería: Si la demanda de tercería es desestimada se alzará, en su caso, la suspensión de la ejecución respecto del bien a que se refirió la misma, continuando por sus trámites normales. Si la tercería es estimada se levantará el embargo y se cancelarán las medidas de garantía y publicidad adoptadas (remoción del depósito y cancelación de la anotación del embargo). Se efectuará, en todo caso, pronunciamiento sobre las costas (arts. 603 y 604).

Lo más importante del auto que decide la tercería es que su pronunciamiento principal es el relativo a la procedencia del embargo y a los únicos efectos de la ejecución en curso. Para efectuar ese pronunciamiento puede ser necesario tener que pronunciarse, de modo lógicamente previo, sobre la pertenencia del bien, pero este otro pronunciamiento no producirá cosa juzgada, por lo que es posible un proceso posterior.

XII. GARANTÍAS DE LA AFECCIÓN

El embargo propiamente dicho se resuelve en la afección, en la declaración de voluntad del letrado de la administración de justicia que afecta un bien a la ejecución; desde ese momento existe la traba con relación a las partes procesales. La fase siguiente no se refiere, pues, a la constitución de la traba, sino a garantizar su existencia en un doble aspecto: 1) Frente al ejecutado, para evitar que éste realice cualquier acto de ocultación o disposición que haga imposible la continuación de la ejecución, bien en sentido físico (ocultación o destrucción), bien en sentido jurídico (transmisión de su titularidad de modo irreivindicable), y 2) Frente a los terceros, para que éstos tengan conocimiento de la existencia de la traba, tanto a efectos de mera publicidad como de preferencia en el cobro del crédito respecto del bien.

> Los actos de garantía no constituyen el embargo en sí, aunque determinados efectos del mismo pueden referirse a ellos. Dado que estos actos suelen tener una apariencia exterior más destacada que la mera declaración de voluntad del letrado de la administración de justicia, suele decirse, con error, que el embargo existe cuando se ha realizado el acto de garantía. Jurídicamente el embargo existe desde la afección, aunque algunos efectos propios del mismo con relación a terceros comienzan desde que se produce la garantía externa.

Las garantías a adoptar, con la doble finalidad dicha, dependen de la clase de bien embargado; no existe una garantía general y otras especiales, sino que existen una serie de bienes y otra serie de garantías, siendo misión del intérprete encuadrar los primeros en las segundas.

A) Anotación preventiva en registro público

Según el art. 629 cuando el embargo recaiga sobre bienes o derechos susceptibles de inscripción registral se procederá por el letrado de la administración de justicia, a instancia del ejecutante, a la anotación preventiva de aquél. Con carácter general esta norma prevé que el mismo día en que se libra el mandamiento, éste se remitirá por fax, o en cualquiera de las formas previstas en el art. 162 de la LEC. El registrador extenderá el asiento de presentación quedando en suspenso la práctica de la anotación hasta que se presente el documento original en la forma prevista en la legislación correspondiente (art. 418 del RH).

> El art. 629 parece referir esta remisión del mandamiento por los medios del art. 162 sólo al Registro de la Propiedad, pero evidentemente nada obsta a que el mismo se refiera también al Registro de hipoteca mobiliaria y prenda sin desplazamiento, en el que también se practican asientos de presentación y anotaciones preventivas de embargo.

a) Bienes inmuebles

Cuando el embargo recaiga sobre bienes inmuebles o sobre derechos susceptibles de inscribirse en el Registro de la Propiedad debe estarse a lo dispuesto en la legislación hipotecaria, es decir, en la LH y en el RH. El debate relativo al carácter constitutivo o declarativo de la anotación preventiva está resuelto en la LEC a favor del segundo.

> Los términos de la polémica eran estos. Para algunos la anotación preventiva es elemento integrante del embargo del bien, por lo que declarado éste debe procederse obligatoriamente a realizar aquélla; el embargo no existe si no se realiza la anotación (Prieto-Castro). Por el contrario según otros la anotación es meramente voluntaria o declarativa, existiendo el embargo aunque no se realice ésta, sin perjuicio de que el ejecutante haya de sufrir las consecuencias de la no existencia de la anotación (Fernández López). No faltan posiciones intermedias, y así la de Roca Sastre. Lo inadmisible es decir que la anotación no tiene carácter constitutivo, pero que ha de adoptarse obligatoriamente, sin decir además para quién es obligación y cuáles son las consecuencias del incumplimiento.
>
> Estimamos que hay que distinguir entre: 1) Existencia del embargo: Este existe sin necesidad de la anotación, y así si el ejecutado vende el bien la venta puede rescindirse por fraude de acreedores y podrá constituir delito de estafa, y 2) Efectos registrales del embargo: Sólo existen desde el momento de la anotación preventiva, que habrá de ser pedida por el ejecutante.

Decretado el embargo, el letrado de la administración de justicia, a petición del ejecutante, expedirá mandamiento por duplicado al Registro de la Propiedad en que esté inscrito el bien. En ese mandamiento se debe insertar: resolución que decreta el embargo, cantidad por la que se embarga, identificación de ejecutante y ejecutado y descripción precisa de la finca embargada (arts. 72, 73 y 75 LH y arts. 165 y 166 RH). El mandamiento debe dirigirse directamente al Registro (art. 165, II, RH), aunque puede enviarse por conducto personal (art. 167 LEC). La anotación tiene una vigencia de cuatro años, pudiendo ser prorrogada (art. 86 LH y art. 199 RH).

El registrador debe calificar el mandamiento antes de hacer la anotación, pero hay que tener en cuenta que el art. 100 RH ha ido más allá de lo dispuesto en el art. 18 LH, por lo que habrá de estimarse que el tribunal puede ordenar que el registrador anote si la calificación se extiende a algo no previsto en la Ley (como sería la competencia del juez o tribunal, vid. art. 100 LH).

Los efectos fundamentales de la anotación son dos:

1.º) *Ius persequendi*: Aunque el bien se transmita a tercero, continúa sometido a la ejecución, subrogándose el tercero adquirente en la posición del ejecutado (art. 38, IV y V).

2.º) *Ius prioritatis*: Otorga preferencia para el cobro del crédito correspondiente, sobre el producto de la enajenación forzosa del bien embargado, frente a los créditos posteriores (arts. 44 LH y 1.923, 1.º, CC), pero quedan a salvo las preferencias establecidas legalmente.

Cuando el art. 629.2 LEC se refiere a las posibilidades de que el bien no esté inmatriculado o de que esté inscrito a favor de persona distinta del ejecutado, pero de la que traiga causa el derecho de éste, debe entenderse que se está aludiendo a bienes inmuebles y al Registro de la Propiedad, y para este caso se prevé que el registrador tomará anotación preventiva de suspensión de la anotación de embargo, en la forma y con los efectos previstos en la legislación hipotecaria.

b) Bienes muebles

En virtud de la Ley de Hipoteca Mobiliaria y Prenda sin Desplazamiento de la Posesión, de 16 de diciembre de 1954, existe la posibilidad de garantía registral para la afección de determinados bienes muebles. A diferencia del Registro de la Propiedad, al Registro establecido por la Ley citada no tiene acceso la mera inscripción de ciertos bienes muebles, sino sólo la inscripción de ciertos gravámenes sobre los mismos, de carácter convencional o judicial. A la anotación preventiva de embargo se refiere el art. 68, d) de la Ley; en el art. 39 del Reglamento de la misma, de 17 de junio de 1955, se declara que la anotación preventiva puede ser el primer asiento relativo a un bien, si éste no estaba previamente hipotecado o pignorado.

En cuanto a los efectos de la anotación hay que distinguir:

1.º) Recayendo sobre bienes susceptibles de hipoteca mobiliaria, otorga *ius persequendi* (art. 16) y también *ius prioritatis* (art. 10); la Ley no dice expresamente que tales efectos correspondan a la anotación preventiva, pero hay que entenderlo así para que ésta no carezca de sentido.

2.º) Sobre bienes susceptibles de prenda, la anotación no otorga el *ius persequendi*, por lo que es necesario el depósito judicial, pero sí el *ius prioritatis* (art. 10).

Todavía cabe referirse a la anotación de embargo de vehículos de motor en el registro de las Jefaturas de Tráfico, bien entendido que estamos aquí ante una práctica judicial que no es alternativa sino complementaria al depósito, al que nos referimos a continuación.

B) Depósito judicial

Algunas normas consideran a los bienes inmuebles susceptibles de depósito judicial o secuestro (art. 1.786 CC especialmente), pero dado que la afección de aquéllos tiene prevista una garantía específica (la anotación preventiva), el ámbito de aplicación del depósito judicial, como medida de garantía de la afección, ha de limitarse a aquellos bienes que por su naturaleza, por la posibilidad de ser hechos desaparecer, necesitan de la aprehensión física para que conste frente a terceros su afección a una ejecución. Estos bienes son: dinero o divisas, valores, objetos especialmente valiosos, muebles y semovientes. En situación un tanto especial se encuentran los saldos de cuentas, los sueldos y pensiones y otras prestaciones periódicas, intereses, rentas o frutos, valores en anotaciones en cuenta y valores u otros instrumentos financieros.

Por depósito judicial se entiende la tenencia de bienes muebles o semovientes afectados a una ejecución, por persona designada para ello, para guardarlos y retenerlos a disposición del tribunal, hasta que éste ordene su entrega a otra persona. No es esencial para el depósito la traslación física de los bienes, pudiendo consistir en sujetar al régimen jurídico del depósito judicial bienes que se hallan en poder de una persona. Hay que distinguir dos clases de depósito judicial, pero respecto de todos ellos debe tenerse en cuenta que:

1.º) El dinero y demás bienes embargados tendrán, desde que se depositen o se ordene su retención, la consideración de efectos o caudales públicos (art. 625).

2.º) La obligación básica del depositario consiste en conservar los bienes con la debida diligencia a disposición del tribunal, en exhibirlos en las condiciones que el letrado de la administración de justicia le indique y en entregarlos a la persona que éste designe, obligación que si se incumple puede originar responsabilidad civil y penal (art. 627).

a) Institucional

Se trata en este caso de un depósito que se hace, no en persona concreta, sino en:

1.º) Cuando se trata de dinero o divisas convertibles, se ingresarán en la Cuenta de Consignaciones y Depósitos del Juzgado (art. 621.1). Debe estarse aquí al RD 467/2006, de 21 de abril, que se refiere a dinero, divisas convertibles y cheques (con las modificaciones del Real Decreto 948/2015, de 23 de octubre, por el que se regula la Oficina de Recuperación y Gestión de Activos).

2.º) Cuando se trata de títulos valores o de objetos especialmente valiosos o necesitados de especial conservación, se depositarán en el establecimiento público o privado que resulte más adecuado (art. 626.1).

b) Personal

Si el embargo recae sobre bienes muebles (distintos de los que ya hemos dicho y de los que diremos en el apartado siguiente) deben tenerse en cuenta dos aspectos complementarios:

1.º) Requisitos específicos respecto del acta de la diligencia de embargo (art. 624).

> La realización del embargo requiere en este supuesto una diligencia propia, y para ella se prevé un contenido detallado del acta en que se documenta. En el acta, pues, debe hacerse mención de:
>
> 1) Relación de los bienes embargados, con descripción, lo más detallada posible, de su forma y aspecto, características principales, estado de uso y conservación así como la clara existencia de defectos o taras que pudieran influir en una disminución de su valor. Para ello se utilizarán los medios de documentación gráfica o visual de que la oficina judicial disponga o le facilite cualquiera de las partes para su mejor identificación.
>
> 2) Manifestaciones efectuadas por quienes hayan intervenido en el embargo, en especial las que se refieran a la titularidad de las cosas embargadas y a eventuales derecho de terceros.
>
> 3) Persona a la que se designa depositario y lugar donde se depositan los bienes.

2.º) Designación de depositario: Se trata de designar a una persona, y no a una institución, y esa designación puede recaer:

1") Si el bien mueble embargado está en posesión de un tercero, puede nombrarse depositario al mismo, con lo que mantendrán la posesión, si bien con título distinto; motivadamente puede ser removido de la posesión nombrado depositario a otra persona (art. 626.2).

2") Cuando el bien mueble embargado esté en posesión del ejecutado y éste lo destine a actividad productiva o es difícil o costoso su transporte o almacenamiento, puede nombrarse depositario al mismo ejecutado (art. 626.3). También aquí se cambia el título de la posesión.

> Si el ejecutado es designado depositario de los bienes, se altera su título de posesión, pues no posee ya como propietario sino como depositario. De ahí que si el ejecutado vende un bien antes de ser depositario, puede cometer un delito de alzamiento de bienes, pero la venta es perfecta si el comprador obró de bue-

na fe; mientras que si lo vende después de ser designado depositario, el delito cometido es malversación de caudales públicos y la venta es nula, aunque el comprador actuara de buena fe.

3") En casos distintos de los dos anteriores o cuando el letrado de la administración de justicia lo considere más conveniente puede nombrar un depositario de los bienes, nombramiento que puede recaer en el propio ejecutante o en un tercero, y entonces oyendo previamente al ejecutante (la designación puede recaer en el Colegio de Procuradores que disponga de servicio adecuado para ello) (art. 626.4).

> Cuando el depositario sea persona distinta del ejecutante, del ejecutado o del tercero poseedor del bien mueble objeto del depósito, tendrá derecho: 1) Al reembolso de los gastos ocasionados por el transporte, conservación, custodia exhibición y administración de los bienes, pudiendo acordarse por el letrado de la administración de justicia el adelanto de alguna cantidad por el ejecutante, sin perjuicio de incluirla después en las costas, y 2) Al resarcimiento de los daños y perjuicios que sufra a causa del depósito (art. 628).

El problema práctico más importante respecto del depositario ha sido siempre el de la remoción del mismo. Dice el art. 627.1, II que, a instancia de parte o de oficio, el letrado de la administración de justicia podrá remover de su cargo al depositario, a cualquiera de ellos, nombrado otro, si aquél no cumpliere sus obligaciones, y sin perjuicio de la responsabilidad civil y penal en que haya podido incurrir el removido.

C) Retención sin desapoderamiento

Cuando se trata de embargo que recae sobre bienes incorporales la aprehensión física no es posible, y entonces la garantía se instrumenta acudiendo al depósito por vía de retención sin desapoderamiento, que se articula en dos medidas:

a) Arrestatorium

Comunicando al deudor del ejecutado o a la persona o entidad que custodia o tiene el derecho el ejecutado la existencia de la afectación, con lo que la garantía consiste en el *arrestatorium* u orden de que conserve el bien bajo su responsabilidad a disposición del tribunal, absteniéndose de pagar al ejecutado y, en su caso, para que entregue en el Juzgado el importe del crédito de una sola vez o para que vaya haciendo las entregas periódicas correspondientes; consecuencia de esta orden es que el pago al ejecutado no es válido (art. 1165 CC).

Esto es lo que sucede en los siguientes casos:

1.º) Cuando se embargaren saldos favorables en cuentas de cualquier clase abiertas en entidades de crédito, ahorro o financiación, el letrado de la administración de justicia enviará a la entidad orden de retención de las concretas cantidades que sean embargadas o con el límite máximo a que se refiere el apartado segundo del artículo 588 (art. 621.2).

> Esta orden podrá ser diligenciada por el procurador de la parte ejecutante. La entidad requerida deberá cumplimentarla en el mismo momento de su presentación, expidiendo recibo acreditativo de la recepción de la orden en el que hará constar las cantidades que el ejecutado, en ese instante, dispusiere en tal entidad. Dicho recibo se entregará en ese acto al procurador de la parte ejecutante que haya asumido su diligenciamiento; de no ser así, se remitirá directamente al órgano de la ejecución por el medio más rápido posible.

2.º) Si se tratase del embargo de sueldos, pensiones u otras prestaciones periódicas pueden darse dos supuestos:

1") Las cantidades embargadas podrán ser entregadas directamente a la parte ejecutante, en la cuenta que ésta designe previamente, si así lo acuerda el letrado de la administración de justicia encargado de la ejecución. Contra la resolución del letrado de la administración de justicia acordando tal entrega directa cabrá recurso directo de revisión ante el Tribunal.

> En este caso, tanto la persona o entidad que practique la retención y su posterior entrega como el ejecutante, deberán informar trimestralmente al letrado de la administración de justicia sobre las sumas remitidas y recibidas, respectivamente, quedando a salvo en todo caso las alegaciones que el ejecutado pueda formular, ya sea porque considere que la deuda se halla abonada totalmente y en consecuencia debe dejarse sin efecto la traba, o porque las retenciones o entregas no se estuvieran realizando conforme a lo acordado por el letrado de la administración de justicia.

2") Si no es el caso anterior, se ordenará a la persona, entidad u oficina pagadora que los retenga a disposición del Tribunal y los transfiera a la Cuenta de Depósitos y Consignaciones (art. 621.3).

3.º) Cuando lo embargado fueran intereses, rentas o frutos de toda clase, se enviará orden de retención a quien deba pagarlos o directamente los perciba, aunque sea el propio ejecutado, para que, si fueran intereses, los ingrese a su devengo en la Cuenta de Consignaciones y Depósitos o, si fueran de otra clase, los retenga a disposición del tribunal (art. 622.1).

> En este supuesto el letrado de la administración de justicia sólo acordará mediante decreto la administración judicial en garantía del embargo de frutos y rentas, cuando la naturaleza de los bienes y derechos productivos, la importancia de los intereses, las rentas o los frutos embargados o las circunstancias en que se encuentre el ejecutado razonablemente lo aconsejen. Y también podrá el letrado de la administración de justicia acordar la administración judicial cuando se compruebe que la entidad pagadora o perceptora o, en su caso, el mismo ejecu-

tado, no cumplen la orden de retención o ingreso de los frutos y rentas a que se refiere el apartado primero de este artículo (art. 622. 2 y 3).

4.º) Si lo embargado fueran valores u otros instrumentos financieros, el embargo se notificará a quien resulte obligado al pago, en caso de que éste debiere efectuarse periódicamente o en fecha determinada, o a la entidad emisora, en el supuesto de que fueran redimibles o amortizables a voluntad del tenedor o propietario de los mismos.

> A la notificación del embargo se añadirá el requerimiento de que, a su vencimiento o, en el supuesto de no tener vencimiento, en el acto de recibir la notificación, se retenga, a disposición del tribunal, el importe o el mismo valor o instrumento financiero, así como los intereses o dividendos que, en su caso, produzcan (art. 623.1).

5.º) Cuando se trate de valores o instrumentos financieros que coticen en mercados secundarios oficiales, la notificación del embargo se hará al órgano rector a los mismos efectos del párrafo anterior, y, en su caso, el órgano rector lo notificará a la entidad encargada de la compensación y liquidación (art. 623.2).

6.º) Si se embargaren participaciones en sociedades civiles, colectivas, comanditarias, en sociedades de responsabilidad limitada o acciones que no cotizan en mercados secundarios oficiales, se notificará el embargo a los administradores de la sociedad, que deberán poner en conocimiento del tribunal la existencia de pactos de limitación a la libre transmisión de acciones o cualquier otra cláusula estatutaria o contractual que afecte a las acciones embargadas (art. 623.3).

7.º) El embargo de valores representados en anotaciones en cuenta se comunicará al órgano o entidad que lleve el registro de anotaciones en cuenta para que lo consigne en el libro respectivo.

b) Notificación del embargo

La segunda medida está poco clara en el Derecho español, pues en él no existe propiamente el *inhibitorium* u orden dirigida al ejecutado para que se abstenga de toda disposición sobre los bienes embargados, orden que parece estar sustituida por la simple notificación del embargo y del *arrestatorium* al ejecutado.

D) Administración judicial

En ocasiones el mero depósito del bien, con la obligación de conservarlo, es insuficiente, siendo necesario algo más complejo. Ese algo es la administración judicial, que la LEC (art. 630) prevé para dos supuestos:

a) En el embargo de frutos y rentas, en los casos del art. 622.2 y 3.

> Hay que distinguir entre embargo de un inmueble y embargo de sus frutos y rentas, siendo lo normal en la práctica que se embargue el primero y no los segundos. Las dificultades que comporta la administración (cultivo de un huerto de naranjos, explotación de una granja avícola, por ejemplo), hacen que sea raro este tipo de embargo y garantía.

b) En el embargo de empresa o grupo de empresas o cuando se embarguen acciones o participaciones que representen la mayoría del capital social, del patrimonio común o de los bienes o derechos pertenecientes a las empresas, o adscritos a su explotación.

> Este es el supuesto importante y por ello los arts. 631 a 633 están pensando en el mismo. De modo implícito las normas están aludiendo a dos verdaderos sistemas de administración, aunque debería hablarse con más propiedad de: 1) Que continúe la misma administración, y 2) Que se sustituya a los administradores, procediéndose a nombrar una verdadera administración judicial. Para este segundo caso es para el que la LEC prevé realmente todo lo que sigue.

1.º) La LEC pretende que la constitución de la administración y el nombramiento del administrador se realice por acuerdo entre todos los implicados.

> A este efecto el letrado de la administración de justicia convocará a una comparecencia ante él a: 1) Las partes, 2) Los administradores de las sociedades cuando éstas no sean la parte ejecutada, y 3) Los socios o partícipes cuyas acciones o participaciones no se hayan embargado, para que lleguen a un acuerdo o efectúen las alegaciones y pruebas oportunas respecto de: 1) Nombramiento de administrador, 2) Persona que deba desempeñar el cargo, 3) Exigencia o no de caución, 4) Forma de actuación, 5) Mantenimiento o no de la administración preexistente, 6) Rendición de cuentas del administrador y 7) Retribución procedente.

2.º) Si existe acuerdo el letrado de la administración de justicia fijará por decreto los términos del mismo

3.º) Sobre lo que no exista acuerdo fijará los términos el juez, lo que podrá hacer bien previa celebración de vista (para practicar prueba), bien sin vista.

4.º) Acordada la administración y nombrado el administrador judicial, se nombrará también interventor o interventores.

Acordada la administración de una empresa o grupo de ellas, deberá nombrarse por el letrado de la administración de justicia: 1) Un interventor, designado por el titular o titulares de la empresa o empresas embargados, y 2) Dos interventores, si sólo se embargare la mayoría del capital social o la mayoría de los bienes y derechos pertenecientes a una empresa o adscritos a su explotación, uno designado por los afectados mayoritarios y otro por los minoritarios.

5.º) Sustituida la administración, se establece el régimen jurídico de la nueva.

Ese régimen es sustancialmente el siguiente:

1″) Se inscribirá el nombramiento en el Registro Mercantil, y en su caso y si es necesario en el Registro de la Propiedad.

2″) Se dará inmediata posesión al designado, requiriendo al ejecutado para que cese en la administración que hasta entonces llevara.

3″) Es necesaria autorización del letrado de la administración de justicia para enajenar o gravar participaciones en la empresa o de ésta en otras, bienes inmuebles u otros indicados por el dicho letrado (?). Con revisión directa ante el juez.

4″) El administrador judicial asumirá los derechos, obligaciones, facultades y responsabilidades de la administración ordinaria. Las discrepancias que puedan surgir sobre los actos del administrador, serán resueltas por el letrado de la administración de justicia (?) tras oír a los afectados.

5″) Al final de su mandato el administrador judicial rendirá cuenta final justificada, de la que se dará vista a las partes y a los interventores. Si no se formula oposición la aprueba el letrado. Si se formula oposición resolverá el tribunal con auto recurrible en apelación.

XIII. EL REEMBARGO

La pretensión ejecutiva no tiene carácter exclusivo, por lo que sobre un mismo bien del deudor pueden desarrollarse coetáneamente varias ejecuciones. Manifestación de ello es el reembargo que consiste en la afección de un bien, embargado ya en otro y anterior proceso de ejecución, a una segunda o posteriores ejecuciones. El que el bien esté embargado anteriormente no repercutirá sobre el acto de afección que, siendo una declaración de voluntad, es perfectamente posible y no se verá modificado por el hecho del embargo anterior. Este repercutirá, en cambio, sobre las garantías de la afección.

El reembargo otorga al reembargante el derecho a percibir el producto de lo que se obtenga de la realización de los bienes reembargados, una vez satisfechos los derechos de los ejecutantes a cuya instancia se hubieren decretado embargos anteriores. Naturalmente si el embargo primero es alzado, por cualquier causa el primer reembargante queda en la posición de primer ejecutante (art. 610.1).

Los ejecutantes del proceso en el que se decrete el reembargo podrán solicitar del letrado de la administración de justicia que adopte medidas de garantía de esta traba, siempre que no entorpezca la ejecución anterior y no sean incompatibles con las adoptadas en el embargo anterior (art. 610.3), lo que exige distinguir según sea la medida de garantía adoptada en el primer embargo.

Tratándose de bienes en los que la garantía de la afección consiste en el depósito o en la administración, en el reembargo no podrá nombrarse nuevo depositario o administrador, pero el segundo tribunal se dirigirá al primero comunicándole la existencia del segundo embargo y requiriéndole para que, si se procede a la realización de los bienes embargados, retenga la cantidad sobrante, si existe, poniéndola a su disposición. Al mismo tiempo se ordenará al depositario del primer embargo que, si el bien queda sin la primera traba, conserve en su poder el bien en virtud del segundo embargo, y lo mismo cabe decir con relación al pagador del sueldo embargado o al deudor del deudor ejecutado. Es decir, las garantías se adoptan en lo posible en un doble frente: con relación al tribunal primer embargante y con relación a los bienes, tomándose las garantías compatibles con el primer embargo; si éste desapareciera, sin realización de los bienes, el segundo embargo desplegará la totalidad de sus efectos.

Lo anterior significa que si en la primera ejecución se procede a la enajenación forzosa, el adjudicatario recibirá el bien libre de toda carga, sin estar sometido a la segunda ejecución. El primer tribunal, del precio obtenido en la realización, retendrá la parte que exceda del importe de la primera ejecución, que se destinará a satisfacer al segundo ejecutante; si del precio no excede nada, el segundo ejecutante no percibirá cantidad alguna. Este orden sólo podrá ser alterado por el ejercicio y estimación de la tercería de mejor derecho.

Cuando se trata de bienes inmuebles o de cualesquiera en los que la medida de garantía consiste en la anotación preventiva del embargo en registro público, nada impide que el segundo tribunal ordene la anotación preventiva de su embargo que se efectuará normalmente.

El extremo más complejo ha sido siempre el relativo a si en el segundo proceso de ejecución puede efectuarse la realización forzosa pendiente el primer embargo. Según el art. 610.2, II, el reembargante puede pedir la realización forzosa del bien, sin necesidad del alzamiento del embargo o embargos anteriores, cuando los derechos de los embargantes anteriores no hayan de verse afectados por aquella realización.

Con esto parece decirse que:

1.º) En la realización forzosa del segundo embargo quedará subsistente el primero, sin que se destine a su cancelación el precio del remate, por lo que el rematante se subroga en la responsabilidad derivada del mismo.

2.º) El importe que se obtenga en la realización del segundo embargo no se destinará, en primer lugar, a pagar al embargante anterior, sino que su embargo permanecerá sin ser cancelado.

XIV. EL EMBARGO DE SOBRANTE

Distinto del reembargo es lo que viene denominándose embargo de sobrante (art. 611). En ocasiones no se realiza un verdadero reembargo sobre el bien, sino simplemente el embargo de algo inmaterial y futuro, como es la cantidad que sobre después de que se haya procedido a la enajenación forzosa del bien y al pago al primer ejecutante. En este caso el segundo ejecutante no tiene derecho alguno sobre el bien, por lo que si en la primera ejecución se levanta la traba, por cualquier causa, el embargo de sobrante desaparece. Su derecho se refiere a la cantidad sobrante en la primera realización forzosa, que se ingresará por el primer tribunal en la Cuenta de Consignaciones y Depósitos del segundo tribunal, el que ordenó el embargo del sobrante.

El párrafo III de este art. 611 aclara que cuando los bienes realizados sean inmuebles, se ingresara la cantidad que sobrare después de pagado el ejecutante, así como los acreedores que tengan su derecho inscrito o anotado con posterioridad al del ejecutante y que tengan preferencia sobre el acreedor en cuyo favor de acordó el embargo del sobrante.

Legislación: Ley de Enjuiciamiento Civil (arts. 593 a 604; 621 y ss. y 610 y 611)
Lectura: MONTERO y FLORS, *Tercería de dominio*, Valencia, 2004; VEGAS TORRES, *El reembargo*, Madrid, 2004.

Lección Trigésima primera
Procedimiento de apremio

I. LA REALIZACIÓN FORZOSA

Practicado el embargo ejecutivo, con sus medidas de garantía, puede pasarse a la fase de realización forzosa de los bienes embargados, que la LEC llama procedimiento de apremio, por medio de la cual se pretende la obtención de dinero con el que efectuar el pago al acreedor ejecutante. Se trata, pues, de convertir el bien en dinero, y por ello la fase no es necesaria atendiendo a dos supuestos posibles:

a) Cuando lo que se ha embargado ha sido precisamente dinero u otro bien con el que puede efectuarse inmediatamente el pago. Esto es lo que ocurre, según el art. 634.1 cuando lo embargado ha sido: 1) Dinero efectivo, 2) Saldos de cuentas corrientes y otras de inmediata disposición, 3) Divisas convertibles, previa conversión, en su caso, 4) Cualquier otro bien cuyo valor nominal coincida con su valor de mercado, o que, aunque inferior, el acreedor acepte la entrega del bien por su valor nominal, y 5) Si se trata de saldo en cuenta con vencimiento diferido, habrá que esperar al vencimiento, adoptando el letrado de la administración de justicia mientras tanto las medidas oportunas para lograr su cobro (pudiendo incluso nombrar un administrador cuando fuere conveniente o necesario para la realización) (art. 634.2).

b) Cuando se trate de la ejecución de sentencias que condenen al pago de las cantidades debidas por incumplimiento de contratos de venta a plazos de bienes muebles, si el ejecutante lo solicita, se le hará entrega inmediata del bien o bienes muebles vendidos o financiados a plazos por el valor que resulte de las tablas o índices referenciales de depreciación que se hubieren establecido en el contrato (art. 634.3).

En los casos anteriores no existe propiamente realización forzosa. Sí cuando el bien embargado es distinto de los anteriores y entonces la misma puede realizarse adoptando tres formas: enajenación, adjudicación y administración forzosas.

II. LA ENAJENACIÓN FORZOSA

Esta enajenación, si no es el único sistema en el que se resuelve la realización forzosa, sí es el más importante y el preferente en la LEC, que regula varias modalidades.

> Antes de examinar esas posibilidades conviene aludir a la naturaleza jurídica de la enajenación, en la que los bienes embargados son utilizados por valor en cambio para satisfacer al ejecutante. La LEC sigue hablando de venta y de precio de venta (arts. 558.1, 643.1, 652.1, 653.1 y 693.1, por ejemplo) pero es obvio que esta concepción no es científicamente asumible. Se trata de un acto procesal por el que el tribunal transmite a un tercero un bien, previamente embargado al

deudor ejecutado, en virtud de su potestad jurisdiccional, como medio para obtener dinero con el que satisfacer la pretensión del ejecutante. No se trata, desde luego, de un contrato, sino de un acto del proceso de ejecución, y su base no es un negocio jurídico entre juez y adquirente, sino el ejercicio de la potestad jurisdiccional.

A) Enajenación por fedatario público

De acuerdo con el art. 635 hay que distinguir dos clases de valores:

a) Valores admitidos a negociación en mercado secundario: Su transmisión se efectuará con arreglo a las leyes que rigen estos mercados (y lo mismo se hará cuando el bien cotice en cualquier mercado reglado o pueda acceder a un mercado con precio oficial).

> Los mercados secundarios son, según el art. 31 de la Ley 24/1988 (reformado varias veces), las Bolsas de Valores, el Mercado de Deuda Pública en Anotaciones, los Mercados de Futuro y Opciones, el Mercado de Renta Fija y otros, de ámbito estatal o autonómico que cumpliendo los requisitos legales se autoricen por el Gobierno o por las Comunidades Autónomas con competencia.

b) Otros valores y especialmente las acciones y participaciones societarias que no coticen en Bolsa: Se venderán por medio de notario, atendiendo a las disposiciones estatutarias y legales sobre enajenación de acciones o participaciones y, en especial, a los derechos de adquisición preferente (art. 635.2).

B) Otros sistemas de enajenación. El avalúo

Cuando se trata de bienes distintos de los anteriores, la LEC abre varias posibilidades de enajenación forzosa (art. 636). Se trata de establecer los siguientes criterios:

a) Se estará, en primer lugar, al convenio que pueda lograrse entre las partes y los interesados para determinar la forma de realización, convenio que ha de ser aprobado por el letrado de la administración de justicia (?).

b) A falta de convenio la enajenación puede llevarse a cabo por dos procedimientos: 1.º) Por medio de persona o entidad especializada, y 2.º) Por subasta judicial, bien entendido que este segundo procedimiento es el que cabe considerar ordinario, tanto que, después del embargo, se han de poner en marcha las actuaciones precisas para la subasta judicial, que se producirá en el plazo señalado si antes no se solicita y acuerda una manera diferente de llevar a cabo la realización forzosa.

Para todas estas posibilidades existe algo común: La necesidad de dejar establecido cuál es el valor de los bienes embargados, actividad imprescindible para la enajenación (y también para la adjudicación), puesto que el valor del bien es, de entrada, desconocido. Atendida esta razón la determinación del valor puede hacerse:

1.º) Por acuerdo entre ejecutante y ejecutado, acuerdo que puede ser anterior a la ejecución o lograrse en ella (art. 637).

2.º) Pericialmente, a cuyo efecto se procederá a nombramiento de perito tasador (art. 638).

> El nombramiento del perito debe hacerlo el letrado de la administración de justicia de entre: 1) Los que presten servicio en la Administración de Justicia, 2) En su defecto se encomendará a organismos y servicios técnicos dependientes de las Administraciones públicas que dispongan de personal cualificado y hayan asumido el compromiso de colaborar, a estos efectos, con la Administración de Justicia, y 3) También en su defecto se nombrará perito tasador de entre las personas físicas o jurídicas que figuren en una relación, que se formará con las listas que suministren las entidades públicas competentes para conferir habilitaciones para la valoración de bienes, así como los Colegios profesionales cuyos miembros estén legalmente capacitados para dicha valoración. Nombrado el perito por el letrado de la administración de justicia, la consecuencia es que ese perito puede ser recusado por las partes, para lo que debe estarse a los arts. 124 a 128.

La valoración debe hacerse fijando el valor de mercado del bien (art. 639), y para ese efecto hay que distinguir entre:

1.º) La actividad del perito: Hecho el nombramiento se notificará al perito, quien en el siguiente día aceptará el cargo, si no concurre causa de abstención que se lo impida, debiendo estarse al art. 105. En el plazo de ocho días entregará en el tribunal el informe sobre la valoración, aunque es posible ampliar ese plazo.

2.º) La determinación del valor: Del informe presentado por el perito ha de darse traslado a las partes y acreedores interesados (los del art. 658 que luego veremos), los cuales, en el plazo de cinco días, podrán presentar: 1) Las alegaciones que estimen oportunas, y 2) Informes, suscritos por perito tasador, en el que se exprese su valoración. Con todo ello el letrado de la administración de justicia determinará la valoración definitiva, mediante decreto, contra el que cabe revisión directa ante el juez.

III. REALIZACIONES ALTERNATIVAS A LA SUBASTA

Después de una experiencia más que centenaria con la subasta judicial como única manera de enajenación forzosa de los bienes embargados, experiencia que demostró que esa subasta era un modo de malvender los bienes, la LEC pretende buscar nuevos caminos en la realización forzosa que consiste en la utilización del valor en cambio de los bienes. A esos nuevos medios se aplica, en todo caso, lo relativo a la subsistencia y cancelación de cargas (art. 642).

Las disposiciones de la Ley, que veremos después, sobre subsistencia y cancelación de cargas, como consecuencia de la enajenación y adjudicación forzosas, se aplican tanto cuando se trate del convenio de realización como de la realización por persona o entidad especializada. Esto supone que el tribunal aprobará las enajenaciones previa comprobación de que la transmisión del bien se produjo con conocimiento, por parte del adquirente, de la situación registral que resulte de la certificación de cargas. Consecuencia de ello es también la aplicación de lo dispuesto para la subasta de inmuebles en lo referente a la distribución de la suma recaudada, la inscripción del derecho del adquirente y el mandamiento de cancelación de cargas.

A) Convenio de realización

En cualquier momento de la tramitación del proceso de ejecución, siempre después del embargo (salvo que se trate de bienes hipotecados o pignorados, pues entonces no hay embargo), el ejecutante, el ejecutado o cualquier interesado directo en la ejecución podrá pedir al letrado de la administración de justicia que convoque una comparecencia con la finalidad de convenir el modo de realización más eficaz de uno o más bienes embargados, hipotecados o pignorados contra los que se dirige la ejecución (art. 640).

a) La convocatoria: Partiendo siempre de que el letrado de la administración de justicia no encuentre motivos para denegarla, depende de quien la pida: 1) Si la pide el ejecutante, el letrado de la administración de justicia la efectuará, y 2) Si la pide el ejecutado o un interesado directo, la convocatoria depende de que el ejecutante se conforme con ella, pues si no existe esa conformidad el letrado de la administración de justicia ya no puede realizarla.

Decidida la convocatoria, y sin que ello suponga la suspensión de la tramitación de la ejecución, se citará a las partes y a quienes conste en el proceso que pudieren estar interesados.

> Se ha hecho alusión dos veces a «interesados» o a «interés directo» y en las dos la LEC no precisa más, pero debe tenerse en cuenta que, en principio, debe tratarse de cualquier persona que sea titular de un derecho real o carga que deba resultar extinguida como consecuencia de la ejecución. Por ello no es interesado el titular de derechos que deban quedar subsistentes, por ser preferentes o anteriores, como el embargante anterior.

b) La comparecencia: Al acto habrán de concurrir las partes, que podrán hacerse acompañar por otras personas, y la celebración del mismo no está sujeto a requisitos formales, tratándose sólo de la manera de llegar a un convenio sobre cualquier forma de realización e, incluso, de cualquier forma de satisfacción del ejecutante.

c) El convenio: El acuerdo tiene que producirse, necesariamente, entre ejecutante y ejecutado, pero queda además sujeto a otros condicionamientos.

Estos condicionamientos son:

1.º) En todo caso ha de existir persona que, consignando o afianzando, se ofrezca a adquirir el o los bienes por un precio previsiblemente superior al que pudiera lograrse en la subasta judicial, o que proponga otra forma de satisfacción del ejecutante.

2.º) El letrado de la administración de justicia aprobará el acuerdo por decreto, con suspensión de la ejecución respecto del o de los bienes objeto del mismo, cuando: 1) No se cause perjuicio a tercero cuyos derechos proteja esta Ley, o 2) Cuando exista conformidad de los sujetos, distintos del ejecutante o ejecutado, a quienes afectare.

3.º) En el caso de que el convenio se refiera a bienes susceptibles de inscripción registral será necesaria la conformidad de los acreedores y terceros poseedores que hubieren inscrito o anotado su derecho en el Registro correspondiente con posterioridad al gravamen que se ejecuta.

d) Si no se logra el acuerdo, ello no impide que la comparecencia sea reiterada cuando las circunstancias del caso lo aconsejen y con los mismos requisitos.

e) Cumplimiento: Si se logra el acuerdo la ejecución será sobreseída cuando se acredite el cumplimiento del mismo. Si el acuerdo no se cumpliere en el plazo pactado o, por cualquier causa, no se lograse la satisfacción del ejecutante en los términos convenidos, éste podrá pedir que se alce la suspensión de la ejecución y se proceda a la subasta.

B) Realización por persona o entidad especializada

A petición del ejecutante (con o sin el consentimiento del ejecutado) y a petición del ejecutado (con el consentimiento del ejecutante) y en atención a las características del bien embargado, el letrado de la administración de justicia podrá acordar que el bien lo realice (art. 641):

1.º) Persona especializada y conocedora del mercado en que se compran y venden esos bienes, y en la que concurran los requisitos exigidos legalmente para operar en el mercado de que se trate. Ha de prestar caución para responder del cumplimiento del encargo. La persona especializada puede ser el colegio de procuradores.

Cuando las características de los bienes o la posible disminución de su valor así lo aconsejen el letrado de la administración de justicia encargado de la ejecución, con consentimiento del ejecutante, podrá designar como entidad especializada para la subasta al Colegio de Procuradores en donde con arreglo a lo dispuesto en el artículo 626 se encuentren depositados los bienes muebles que vayan a realizarse.

A tal efecto, se determinarán reglamentariamente los requisitos y la forma de organización de los servicios necesarios, garantizando la adecuada publicidad de la subasta, de los bienes subastados y del resultado de la misma.

2.°) Entidad especializada pública (sin caución, también el colegio de procuradores) o privada (con caución), pudiendo acomodarse la enajenación a las reglas y usos de la casa o entidad que subaste o enajene, siempre que no sean incompatibles con el fin de la ejecución y con la protección de los intereses de ejecutante y ejecutado.

La desconfianza del legislador por este sistema de enajenación se manifiesta en el apartado 3 de este art. 641, al exigir, bien el acuerdo de las partes para admitir un precio inferior al 50 por 100 del avalúo, en todos los bienes, bien al requerir ese acuerdo incluyendo a los interesados y siendo expreso, cuando se trata de bienes inmuebles, para admitir su enajenación por precio inferior al 70 por 100.

El resultado del encargo puede ser:

a) Se lleva a cabo la realización del bien: En el plazo de seis meses la persona o entidad ha de ingresar en la Cuenta de Depósitos y Consignaciones del Juzgado la cantidad obtenida, menos los gastos y lo que le corresponda por su intervención. La operación puede necesitar, bien ser aprobada por el letrado de la administración de justicia, bien que ante el mismo se presenten las justificaciones oportunas. Con ello se procederá a devolver la caución.

b) No se lleva a cabo: Si en el plazo de seis meses no ocurre lo anterior, el letrado de la administración de justicia por decreto revocará el encargo, salvo que se justifique que la realización no ha sido posible, pudiendo entonces conceder otro plazo de seis meses, a cuyo término se revocará definitivamente, con pérdida de la caución.

IV. LA SUBASTA JUDICIAL

El sistema de enajenación forzosa que la LEC considera ordinario es el de la subasta judicial, y lo hace distinguiendo entre la relativa a los bienes muebles y derechos (arts. 643 a 654) y la atinente a bienes inmuebles (arts. 655 a 675), si bien las normas de la primera se aplican supletoriamente en la segunda.

Aparte de destacar el contrasentido que supone regular de modo preferente la subasta de bienes muebles, lo que lleva, por ejemplo, a que los artículos dedicados a la de inmuebles sean mucho más numerosos que los dedicados a aquélla, debe empezarse por deslindar el ámbito de una y otra. Prescindiendo del dinero, los saldos de cuentas corrientes, las divisas convertibles, otros bienes de valor nominal (art. 634), de las acciones, obligaciones u otros valores admitidos a negociación en mercado secundario o que coticen en mercado a precio oficial y de las acciones o participaciones societarias que no coticen en Bolsa (art. 635), la subasta de bienes inmuebles se aplica realmente a estos bienes y a los bienes muebles sujetos a régimen de publicidad registral similar al de aquellos (art. 655.1), quedando la subasta de bienes muebles para todos los demás susceptibles de embargo. Con todo veremos después la situación de los créditos y derechos realizables en el acto o a corto plazo y la de los sueldos, salarios, pensiones y retribuciones periódicas.

En general debe tenerse en cuenta que, habiendo precedido la valoración del o de los bienes, el mero conocimiento del valor de mercado puede ya impedir que se convoque la subasta porque:

1.º) Si se trata de bienes muebles, que pueden agruparse en lotes por el letrado de la administración de justicia, previa audiencia de las partes, porque puede preverse que el bien o el lote no obtendrá con su realización una cantidad de dinero que supere los gastos de la subasta misma (art. 643).

2.º) Tratándose de inmuebles, cuando el valor de las cargas o gravámenes iguala o supera el precio de mercado, caso en el que el letrado de la administración de justicia dejará en suspenso la ejecución sobre ese bien (art. 666.2).

> En los dos casos se deja la ejecución del bien en la indefinición. Si no se convoca la subasta (mueble) querrá decir que se suspende la ejecución y si se deja en suspenso la ejecución (inmueble) querrá decir que estamos en los dos casos ante el supuesto de la suspensión de la ejecución (del art. 565), pero de este modo no se dice nada de lo que sucederá, aparte de mantener la traba y las medidas de seguridad. ¿Hasta cuándo?

A) Situación jurídica de los bienes

Tratándose de bienes inmuebles una vez incoado el procedimiento de apremio, y antes de cualquier otra actividad, debe establecerse cuál es la situación jurídica de los bienes.

a) Titularidad del dominio y cargas

El letrado de la administración de justicia librará mandamiento al Registro para que remita al Juzgado certificación en la que consten (art. 656):

1.º) Titularidad del dominio y demás derechos reales del bien o derecho gravado.

> Si de la certificación se desprende que el ejecutado no es el titular del bien se levantará el embargo, salvo que la inscripción sea posterior al embargo o que éste se hubiere decretado teniendo en cuenta tal circunstancia (art. 658).

2.°) Derechos de cualquier naturaleza que existan sobre el bien y, en especial, relación completa de las cargas o que está libre de cargas.

> Si el bien tuviera cargas, éstas pueden ser:
> 1) Preferentes al derecho al ejecutante, y entonces de oficio el letrado de la administración de justicia se dirigirá a sus titulares para determinar la subsistencia y cuantía de los créditos, pudiendo proceder, a la vista de lo que los acreedores declaren, a expedir los mandamientos que procedan a los efectos del art. 144 de la LH. Las situaciones pueden ser diferentes si existe o no conformidad (art. 657 LEC).
> 2) Posteriores al derecho del ejecutante, apareciendo la necesidad de comunicar a sus titulares la existencia de la ejecución, lo que debe hacer el registrador y en el domicilio que conste en el Registro, para que aquéllos puedan ejercitar los derechos que les reconoce la ley, incluido el de pagar el crédito del ejecutante, subrogándose en sus derechos (arts. 659 y 660).

En todo caso, la certificación se expedirá en formato electrónico y dispondrá de información con contenido estructurado. Al mismo tiempo el registrador hará constar por nota marginal la expedición de la certificación, expresando la fecha y el procedimiento a que se refiera.

> El registrador notificará, inmediatamente y de forma telemática, al letrado de la administración de justicia y al Portal de Subastas el hecho de haberse presentado otro u otros títulos que afecten o modifiquen la información inicial a los efectos del artículo 667.
> El Portal de Subastas recogerá la información proporcionada por el Registro de modo inmediato para su traslado a los que consulten su contenido.
> Y ello sin perjuicio de que el procurador de la parte ejecutante, debidamente facultado por el letrado de la administración de justicia y una vez anotado el embargo, podrá solicitar la certificación, cuya expedición será igualmente objeto de nota marginal.

b) Notificaciones

Los arts. 657 y 659 ordenan hacer diversas notificaciones a titulares de créditos y a esos efectos el art. 660.1, II dispone que cualquier titular registral de un derecho real, carga o gravamen que recaiga sobre un bien podrá hacer constar en el Registro un domicilio en territorio nacional en el que desee ser notificado en caso de ejecución. Esta circunstancia se hará constar por nota al margen de la inscripción del derecho real, carga o gravamen del que sea titular. También podrá hacerse constar una dirección electrónica a efectos de notificaciones. Habiéndose señalado una dirección electrónica se entenderá que se consiente este procedimiento para recibir notificaciones, sin perjuicio de que estas puedan realizarse en forma acumulativa y no alternativa a las personales. En este caso, el cómputo de los plazos se realizará a partir del día siguiente de la primera de las notificaciones positivas que se hubiese realizado conforme a las normas procesales o a la Ley 18/2011, de 5 de julio, reguladora del uso de las tecnologías de la información y la comunicación en la Administración de Justicia. El establecimiento o cambio de domicilio o dirección electrónica podrá comunicarse al Registro en cualquiera de las formas y con los efectos referidos en el art. 683.3 de la LEC.

c) Presentación de los títulos

Al mismo tiempo podrá requerirse al ejecutado para que presente los títulos de propiedad de que disponga. Frente a ese requerimiento el ejecutado puede: 1) Presentar los títulos, lo que se comunicará al ejecutante para que manifieste sobre su suficiencia y subsanación (art. 663), y 2) No presentarlos, y entonces cabe apremiarlo u obtenerlos por medio de certificación del Registro o de copia auténtica de notario (art. 664).

> Cabe por consiguiente: 1) Solucionar todos los problemas de titulación cuando el bien está inscrito, 2) Proceder a su inscripción si no fuera así y existiera el título, y 3) Suplir la falta de títulos acudiendo al Título VI de la LH, que se refiere a la concordancia entre el Registro y la realidad y a los medios del expediente de dominio y del acta de notoriedad.
>
> En todo caso la falta de titulación o los defectos en la misma, no impide que el ejecutante pida que se saque el bien a subasta, aunque en los edictos convocándola debe expresarse esta circunstancia (art. 665). Los licitadores en la subasta, por el hecho de concurrir a ella, aceptan el estado de la titulación (art. 669.2) y el rematante puede quedar obligado a verificar la inscripción (art. 140, 5.ª, RH).

d) Arrendatarios y ocupantes de hecho

Cuando conste en el procedimiento la existencia e identidad de personas, distintas del ejecutado, que ocupen el inmueble embargado, se les notificará la existencia de la ejecución para que presenten en el tribunal los títulos que justifiquen su situación (art. 661).

> Se trata de dejar establecido, antes del anuncio de la subasta, la situación posesoria del inmueble, lo que debe expresarse en ese anuncio, dada la influencia que ello puede tener en el precio. Por ello el ejecutante puede pedir que antes de anunciarse la subasta el tribunal se pronuncie sobre el derecho del ocupante a permanecer en el inmueble.

B) Celebración de la subasta

Con determinación de la situación jurídica del bien inmueble o sin esa determinación cuando se trata de bien mueble, y partiendo de que ya se ha realizado la valoración del bien, puede procederse a la celebración de la subasta.

a) Fijación del tipo y subsistencia y extinción de cargas

Cuando se trata de bien mueble el tipo de la subasta es el precio fijado por el acuerdo de las partes o por la valoración pericial (arts. 637, 639 y 644), pero cuando se trata de bien inmueble la situación puede ser más complicada, en atención a que existan cargas o derechos anteriores al crédito por el que se ha despachado la ejecución, cuya preferencia resulte de la certificación registral de dominio y cargas, y a que existan cargas y derechos posteriores al crédito del ejecutante, los cuales, por no ser preferentes, deberán extinguirse (art. 666). Después de una muy compleja evolución se ha llegado a establecer dos principios claros:

1.º) De subsistencia y subrogación del rematante en todas las cargas anteriores o preferentes, las cuales subsistirán después de la ejecución y en las que se subrogará el adquirente del bien, por lo que su importe se deducirá del tipo de la subasta.

2.º) De extinción de todas las cargas y derechos no preferentes, sin perjuicio de destinar a ello el remanente del precio obtenido después de pagar al ejecutante, por lo que su importe no influirá en el tipo de la subasta.

El juego de estos principios lleva a que, existiendo unas y otras cargas, deba fijarse el tipo por el que el bien sale a subasta teniéndolas en cuenta el letrado de la administración de justicia, que debe hacer una verdadera liquidación de las cargas. Veámoslo con un ejemplo. El perito tasador fijó el valor de mercado del bien inmueble en 320.000 euros, pero ese bien está gravado con:

1 Una primera hipoteca por............................ 130.000 euros
2 El embargo (letra A) del ejecutante por .... 30.000 euros
3 Un segundo embargo (letra B) por .... 24.000 euros

El bien saldrá a subasta por el tipo que resulte de deducir de su avalúo el importe de la carga anterior (la hipoteca por 130.000 euros), pues esa carga va a quedar subsistente después de la ejecución y el que adquiera el bien en la subasta se hará cargo de ella. Por el contrario, como el crédito posterior, el embargo por 24.000 euros, quedará extinguido con la ejecución, su importe no se toma en cuenta para fijar el tipo de la subasta.

El letrado de la administración de justicia, por tanto, deberá: 1) Determinar el importe de todas las cargas y derechos anteriores al gravamen por el que se está procediendo a la ejecución, cuya preferencia resulte de la certificación de dominio y cargas, y 2) Descontar del valor por el que ha sido tasado el inmueble el importe total garantizado que resulte de la certificación de cargas o, en su caso, de lo que se ha hecho constar en el Registro al aplicar los arts. 657 LEC y 144 LH (art. 666 LEC)

De estas dos operaciones puede resultar que el importe de la hipoteca asciende en este momento a 100.000 euros (se ha pagado ya parte), y como en esa cantidad y deuda tiene que subrogarse el que adquiera el bien en la subasta, el tipo de ésta será de 220.000 euros.

b) Convocatoria y anuncio

Determinado en su caso (bienes inmuebles) el tipo de la subasta procederá la convocatoria de la subasta que se anunciará en el BOE. El letrado de la administración de justicia remitirá a éste el anuncio con contenido estrictamente establecido en la LEC. Para los bienes muebles, en el art. 646 y para los inmuebles en el art. 668. También habrá de estarse al contenido del anuncio en el Portal de Subasta, con la misma distinción.

> Bienes muebles: El edicto, que incluirá las condiciones generales y particulares de la subasta y de los bienes a subastar, así como cuantos datos y circunstancias sean relevantes para la misma, y necesariamente el avalúo o valoración del bien o bienes objeto de la subasta que sirve de tipo para la misma. Estos datos deberán remitirse al Portal de Subastas de forma que puedan ser tratados electrónicamente por este para facilitar y ordenar la información (art. 646.2).
>
> Bienes inmuebles: El edicto que expresará, además de los datos indicados Para los bienes muebles, la identificación de la finca o fincas objeto de la subasta, sus datos registrales y la referencia catastral si la tuvieran, así como cuantos datos y circunstancias sean relevantes para la subasta y, necesariamente, el avalúo o valoración que sirve de tipo para la misma, la minoración de cargas preferentes, si las hubiera, y su situación posesoria, si consta en el procedimiento de ejecución. También se indicará, si procede, la posibilidad de visitar el inmueble objeto de subasta. Estos datos deberán remitirse al Portal de Subastas de forma que puedan ser tratados electrónicamente por este para facilitar y ordenar la información.

En cualquier caso se indicará que todo licitador acepta como bastante la titulación existente en el procedimiento de ejecución o asume su inexistencia, así como las consecuencias de que sus pujas no superen los porcentajes del tipo de la subasta establecidos en el artículo 670. Además se señalará que las cargas, gravámenes y asientos anteriores al crédito del actor continuarán subsistentes y que, por el solo hecho de participar en la subasta, el licitador los admite y acepta quedar subrogado en la responsabilidad derivada de aquéllos si el remate se adjudicare a su favor.

Nada impide que se realice publicidad de la subasta por cualesquiera otros medios.

c) Depósito previo

Para tomar parte en la subasta los licitadores deberán acreditar que han consignado el 5 por ciento del valor de los bienes. La consignación habrá de realizarse por medios electrónicos a través del Portal de Subastas, que utilizará los servicios telemáticos que la Agencia Estatal de la Administración Tributaria pondrá a su disposición, quien a su vez recibirá los ingresos a través de sus entidades colaboradoras (arts. 647.1, 3º muebles; y art. 669.1 inmuebles).

Debe tenerse en cuenta que: 1) Si algún licitador realiza el deposito con cantidades recibidas de un tercero, ello no afectará al hecho de que el depósito, en su caso, se devolverá a quien lo efectuó (art. 652.2), 2) El ejecutante, que no puede concurrir solo a la subasta, si concurre está exento del depósito (art. 647.2), 3) La cantidad del depósito se devolverá a sus respectivos dueños acto continuo del remate, salvo la que corresponda al mejor postor, la cual se reserva como garantía del cumplimiento de su obligación y, en su caso, como parte del precio de la venta (art. 652.1), y 4) Si los demás postores lo solicitan, también se mantendrán la reserva de las cantidades consignadas por ellos, para que, si el rematante no entregare en plazo el resto del precio, pueda aprobarse el remate en favor de los que le sigan, por el orden de sus respectivas posturas (art. 652.1, II).

d) La subasta electrónica

El cambio esencial producido en 2015 es el de la subasta electrónica (regulada en la Ley 19/2015, de 13 de julio, y vuelta a regular en la Ley 42/2015, de 5 de octubre, tras la Resolución de 13 de octubre de 2016, BOE del 28), que queda sujeta a estas reglas (art. 648).

1ª) La subasta tendrá lugar en el Portal de Subastas, dependiente de la Agencia Estatal del BOE para la celebración electrónica de subastas, a cuyo sistema de gestión tendrán acceso todas las Oficinas judiciales. Todos los intercambios de información que deban realizarse entre las Oficinas judiciales y el Portal de Subastas se realizarán de manera telemática. Cada subasta estará dotada con un número de identificación único.

2ª) La subasta se abrirá transcurridas, al menos, veinticuatro horas desde la publicación del anuncio en el BOE, cuando haya sido remitida al Portal de Subastas la información necesaria para el comienzo de la misma.

3ª) Una vez abierta la subasta solamente se podrán realizar pujas electrónicas con sujeción a las normas de esta Ley en cuanto a tipos de subasta, consignaciones y demás reglas que le fueren aplicables. En todo caso el Portal de Subastas informará durante su celebración de la existencia y cuantía de las pujas.

4ª) Para poder participar en la subasta electrónica, los interesados deberán estar dados de alta como usuarios del sistema, accediendo al mismo mediante mecanismos seguros de identificación y firma electrónicos de acuerdo con lo previsto en la Ley 59/2003, de 19 de diciembre, de firma electrónica, de forma que en todo caso exista una plena identificación de los licitadores.

El alta se realizará a través del Portal de Subastas mediante mecanismos seguros de identificación y firma electrónicos e incluirá necesariamente todos los datos identificativos del interesado. A los ejecutantes se les identificará de forma que les permita comparecer como postores en las subastas dimanantes del procedimiento de ejecución por ellos iniciado sin necesidad de realizar consignación.

5ª) El ejecutante, el ejecutado o el tercer poseedor, si lo hubiere, podrán, bajo su responsabilidad y, en todo caso, a través de la Oficina judicial ante la que se siga el procedimiento, enviar al Portal de Subastas toda la información de la que dispongan sobre el bien objeto de licitación, procedente de informes de tasación u otra documentación oficial, obtenida directamente por los órganos judiciales o mediante Notario y que a juicio de aquéllos pueda considerarse de interés para los posibles licitadores. También podrá hacerlo el letrado de la administración de justicia por su propia iniciativa, si lo considera conveniente.

6ª) Las pujas se enviarán telemáticamente a través de sistemas seguros de comunicaciones al Portal de Subastas, que devolverá un acuse técnico, con inclusión de un sello de tiempo, del momento exacto de la recepción de la postura y de su cuantía. El postor deberá también indicar si consiente o no la reserva de su depósito (art. 652.1, II) y si puja en nombre propio o en nombre de un tercero.

7ª) En principio las posturas admisibles son aquellas por importe superior a la más alta ya realizada

> Con todo cabe admitir posturas por igual o inferior a la más alta ya realizada, entendiéndose en los dos últimos supuestos que consienten desde ese momento la reserva de consignación y serán tenidas en cuenta para el supuesto de que el licitador que haya realizado la puja igual o más alta no consigne finalmente el resto del precio de adquisición. En el caso de que existan posturas por el mismo importe, se preferirá la anterior en el tiempo. El portal de subastas solo publicará la puja más alta de las realizadas hasta el momento.

8ª) La subasta admitirá posturas durante un plazo de veinte días naturales desde su apertura. La subasta no se cerrará hasta transcurrida una hora desde la realización de la última postura, siempre que ésta sea superior a todas, aunque ello conlleve la ampliación de ese plazo inicial de veinte días, si bien por un máximo de 24 horas.

e) Suspensión y terminación de la subasta

La subasta puede suspenderse en el caso de que el letrado de la administración de justicia tenga conocimiento de la declaración de concurso del deudor. Por decreto suspenderá la ejecución y procederá a dejar sin efecto la subasta, aunque ésta ya se hubiera iniciado. Tal circunstancia se comunicará inmediatamente al Portal de Subastas.

Esa o cualquier suspensión, dice el art. 649.2 LEC, por un periodo superior a quince días llevará consigo la devolución de las consignaciones, retrotrayendo la situación al momento inmediatamente anterior a la publicación del anuncio. La reanudación de la subasta se realizará mediante una nueva publicación del anuncio como si de una nueva subasta se tratase. Y completa el art. 669.4, para los inmuebles, la reanudación de la subasta suspendida por un periodo superior a quince días se realizará mediante una nueva publicación del anuncio y una nueva petición de información registral, en su caso, como si de una nueva subasta se tratase.

Por fin, en la fecha del cierre de la subasta y a continuación del mismo, el Portal de Subastas remitirá al letrado de la administración de justicia información certificada de la postura telemática que hubiera resultado vencedora, con el nombre, apellidos y dirección electrónica del licitador.

En el caso de que el mejor licitador no completara el precio ofrecido, a solicitud del letrado de la administración de justicia, el Portal de Subastas le remitirá información certificada sobre el importe de la siguiente puja por orden decreciente y la identidad del postor que la realizó, siempre que este hubiera optado por la reserva de postura a que se refiere el párrafo segundo del apartado 1 del artículo 652.

Terminada la subasta y recibida la información, el letrado de la administración de justicia dejará constancia de la misma, expresando el nombre del mejor postor y de la postura que formuló.

f) Subasta sin postor

Hemos partido en lo anterior de que a la subasta concurrió algún postor, pero si no ha sido así el acreedor, en el plazo de veinte días, al cierre de la subasta, podrá pedir la adjudicación del bien, distinguiéndose entre vivienda habitual u otro inmueble:

1) Si se tratare de la vivienda habitual del deudor, la adjudicación se hará por importe igual al 70 por cien del valor por el que el bien hubiese salido a subasta o si la cantidad que se le deba por todos los conceptos es inferior a ese porcentaje, por el 60 por cien.

2) Si no se tratare de la vivienda habitual del deudor, el acreedor podrá pedir la adjudicación por el 50 por cien del valor por el que el bien hubiera salido a subasta o por la cantidad que se le deba por todos los conceptos.

En los dos casos se aplicará en todo caso la regla de imputación de pagos contenida en el artículo 654.3. Además y para los dos casos si el acreedor, en el plazo de veinte días, no hiciere uso de esa facultad, el letrado de la administración de justicia procederá al alzamiento del embargo, a instancia del ejecutado.

C) Aprobación del remate

La aprobación del remate se realiza ahora por decreto del letrado de la administración de justicia, éste puede ahora transmitir la propiedad de un bien. Esa aprobación viene condicionada por multitud de supuestos posibles:

1.º) Si la mejor postura fuera igual o superior al 50 por 100 (bienes muebles) o al 70 por 100 (bienes inmuebles) del valor por el que el bien hubiere salido a subasta, el letrado de la administración de justicia, el mismo día o el siguiente al cierre de la subasta y mediante decreto, aprobará el remate en favor del mejor postor (arts. 650.1 y 670.1).

2.º) Si sólo se hicieren posturas superiores al 50 ó al 70 por 100 del valor por el que el bien hubiere salido a subasta, pero ofreciendo pagar a plazos con garantías suficientes, bancarias o hipotecarias, del precio aplazado, se harán saber al ejecutante quien, en los 5 (muebles) o en los 20 (inmuebles) días siguientes, podrá pedir la adjudicación del bien por el 50 ó por 70 por 100 (respectivamente) del valor de salida. Si el ejecutante no hiciere uso de este derecho, se aprobará el remate en favor de la mejor de aquellas posturas, con las condiciones de pago y garantías ofrecidas en la misma (arts. 650.3 y 670.3)

3.º) Cuando la mejor postura ofrecida en la subasta sea inferior al 50 ó al 70 por 100, respectivamente, del valor por el que el bien hubiere salido a subasta, podrá el ejecutado, en el plazo de diez días, presentar tercero que mejore la postura ofreciendo cantidad superior al 50 ó al 70 por 100 del valor de tasación o que, aun inferior a dicho importe, resulte suficiente para lograr la completa satisfacción del derecho del ejecutante (arts. 650.4 y 670.4)

> Transcurrido el indicado plazo sin que el ejecutado realice lo previsto en el párrafo anterior, el ejecutante podrá, en el plazo de cinco días, pedir la adjudicación del mueble por el 50 de dicho valor o por la cantidad que se le deba por todos los conceptos, siempre que esta cantidad sea superior a la mejor postura (muebles), o por el 70 por 100 del valor del inmueble o por la cantidad que se le deba por todos los conceptos, siempre que esta cantidad sea superior al 60 por 100 del valor de tasación y a la mejor postura.

Cuando el ejecutante no haga uso de esta facultad, se aprobará el remate en favor del mejor postor, siempre que la cantidad que haya ofrecido supere el 30 (muebles) o el 50 (inmuebles) por ciento del valor de tasación o, siendo inferior, cubra, al menos, la cantidad por la que se haya despachado la ejecución, incluyendo la previsión para intereses y costas.

4.º) Si la mejor postura no cumpliera ni siquiera los últimos requisitos, el letrado de la administración de justicia, oídas las partes, resolverá sobre la aprobación del remate a la vista de las circunstancias del caso y teniendo en cuenta especialmente la conducta del deudor en relación con el cumplimiento de la obligación por la que se procede, las posibilidades de lograr la satisfacción del acreedor mediante la realización de otros bienes, el sacrificio patrimonial que la aprobación del remate suponga para el deudor y el beneficio que de ella obtenga el acreedor. Contra este decreto del letrado de la administración de justicia cabe revisión directa ante el juez.

5.º) En el mismo caso anterior si el letrado de la administración de justicia deniega la aprobación del remate, se procederá con arreglo a lo dispuesto para la subasta sin ningún postor (arts. 650.4, III, y 670.4, III).

6.º) En cualquier momento anterior a la aprobación del remate o de la adjudicación al acreedor, podrá el deudor liberar sus bienes pagando íntegramente lo que se deba al ejecutante por principal, intereses y costas.

> Sólo tratándose de bienes inmuebles: 1) Quien resulte adjudicatario del bien inmueble habrá de aceptar la subsistencia de las cargas o gravámenes anteriores, si los hubiere y subrogarse en la responsabilidad derivada de ellos, y 2) Cuando se le reclame para constituir la hipoteca a que se refiere el número 12.º del art. 107 de la LH, el letrado de la administración de justicia expedirá inmediatamente testimonio del decreto de aprobación del remate, aun antes de haberse pagado el precio, haciendo constar la finalidad para la que se expide. La solicitud suspenderá el plazo para pagar el precio del remate, que se reanudará una vez entregado el testimonio al solicitante.

D) Pago del precio y entrega del bien

En el mismo decreto en el que se aprueba el remate, el letrado de la administración de justicia ordenará al rematante consignar el importe de la postura (menos el depósito) en el plazo de 10 (muebles) o de 40 (inmuebles) días y en la Cuenta de Consignaciones y Depósitos (arts. 650.1 y 670.1).

Si el rematante fuera el ejecutante, aprobado el remate, se procederá por el letrado de la administración de justicia a la liquidación de lo que se le deba por principal e intereses y, notificada esta liquidación, el ejecutante consignará la diferencia, si la hubiere, en el plazo de diez días, a resultas de la liquidación de costas (arts. 650.2, muebles, y 670.2, inmuebles, con alguna diferencia).

a) Tratándose de bien mueble, hecha la consignación del precio se pondrá al rematante en posesión de aquél (art. 650.1). No dice la LEC cómo, pero recuérdese que normalmente el bien estará depositado judicialmente.

> Puede darse el caso que el embargo esté anotado en un registro de bienes muebles, caso en el que el letrado dictará decreto de adjudicación con las circunstancias necesarias para la inscripción.

b) Si el bien fuera inmueble, la situación es mucho más compleja, debiendo atenderse a:

1.º) Decreto de adjudicación: Aprobado el remate, consignada la diferencia entre el depósito y el precio total del remate, el letrado de la administración de justicia dictará decreto de adjudicación, expresando que se ha consignado el precio y todo lo demás necesario para la inscripción con arreglo a la legislación hipotecaria (art. 670.8)

2.°) Inscripción de la adquisición: Es título bastante para la inscripción en el Registro de la Propiedad el testimonio del decreto de adjudicación, comprensivo de la resolución de aprobación del remate, de la adjudicación al acreedor o de la transmisión por convenio de realización o por persona o entidad especializada y en el que se exprese, en su caso, que se ha consignado el precio asó como todo lo necesario para la inscripción según la legislación hipotecaria (art. 674.1).

3.°) Entrega de la posesión: Si el bien no se hallare ocupado, al adquirente se le pondrá en posesión del mismo (art. 675.1).

> Si el inmueble estuviere ocupado deben distinguirse dos posible situaciones:
> 1.ª) Si el tribunal ha resuelto ya, atendido lo dispuesto en el art. 661, que el ocupante no tiene derecho a permanecer en el inmueble, el adquirente podrá instar el lanzamiento y así lo acordará el letrado de la administración de justicia (sin perjuicio de que el ocupante ejercite en juicio el derecho que crea le asiste), y
> 2.ª) Si el tribunal no ha resuelto ya, según lo anterior, cabe que el adquirente pida al tribunal de la ejecución el lanzamiento de quienes, teniendo en cuenta lo dispuesto en el artículo 661, puedan considerarse ocupantes de mero hecho o sin título suficiente. La petición deberá efectuarse en el plazo de un año desde la adquisición del inmueble por el rematante o adjudicatario, transcurrido el cual la pretensión de desalojo sólo podrá hacerse valer en el juicio que corresponda.
> La petición de lanzamiento a que se refiere el apartado anterior, se notificará a los ocupantes indicados por el adquirente, con citación a una vista dentro del plazo de diez días, en la que podrán alegar y probar lo que consideren oportuno respecto de su situación. El tribunal, por medio de auto, sin ulterior recurso, resolverá sobre el lanzamiento, que decretará en todo caso si el ocupante u ocupantes citados no comparecieren sin justa causa.
> El auto del juez que resolviere sobre el lanzamiento de los ocupantes de un inmueble dejará a salvo, cualquiera que fuere su contenido, los derechos de los interesados, que podrán ejercitarse en el juicio que corresponda.

E) Subasta en quiebra

Hemos partido hasta aquí de que el rematante, en el plazo concedido, procede a consignar el precio. Esto no ocurre siempre. Cuando no ocurre se está ante la subasta en quiebra (art. 653), aunque realmente las posibilidades son variadas.

> Cuando el rematante no consigna el precio, pierde naturalmente el depósito hecho para concurrir a la subasta, y además puede ocurrir:
> 1.°) Que uno o más postores hubieran mantenido a disposición del tribunal el depósito previo, caso en el que puede aprobarse el remate a su favor, por el orden de sus respectivas posturas (art. 652.1, II).

2.°) Que con los depósitos perdidos por uno o más postores que no han consignado el precio, pueda satisfacerse el capital e intereses del crédito del ejecutante y las costas, en cuyo caso no es preciso continuar la ejecución.

3.°) Que no siendo posible lo anterior, deba procederse a convocar nueva subasta, caso en el que el o los depósitos se destinarán, primero, a satisfacer sus gastos y, después, a pagar el crédito del ejecutante y las costas.

4.°) La previsión del art. 653.2, relativa a la posibilidad de que se llegue, con los depósitos perdidos, a indemnizar al ejecutado e, incluso, a devolver cantidades a los depositantes, parece irreal en la práctica.

F) Distribución del dinero y cancelación de cargas

Si todo ha ido bien en la subasta, al final de la misma se habrá obtenido una cantidad de dinero, en la cual estará interesado no sólo el ejecutante sino también otras personas, en lo que ahora importa el ejecutado y los titulares de cargas no preferentes. El precepto base es el de que sin estar completamente reintegrado el ejecutante del principal, intereses y costas de la ejecución, no podrán aplicarse las sumas realizadas a ningún otro objeto (salvo preferencia declarada en tercería de mejor derecho) (art. 613.2). Por ello el precio del remate se entregará al ejecutante (arts. 654 y 672).

> En el caso de que la ejecución resultase insuficiente para saldar toda la cantidad por la que se hubiera despachado ejecución más los intereses y costas devengados durante la ejecución, dicha cantidad se imputará por el siguiente orden: intereses remuneratorios, principal, intereses moratorios y costas. Además el tribunal expedirá certificación acreditativa del precio del remate, y de la deuda pendiente por todos los conceptos, con distinción de la correspondiente a principal, a intereses remuneratorios, a intereses de demora y a costas.

Los problemas se refieren a:

1.°) Bienes muebles: Quedando remanente debe atenderse a la existencia de reembargos (art. 610) y a los embargos de sobrante (art. 611) y, en último caso, se entregará al ejecutado (art. 654).

2.°) Bienes inmuebles: Existiendo remanente debe atenderse al pago de los derechos inscritos o anotados con posterioridad al del ejecutante, derechos que habrán de ser cancelados; sólo si después resta alguna cantidad se entregará al ejecutado (art. 672).

> La distribución del sobrante entre los titulares de derechos inscritos o anotados con posterioridad al del ejecutante, se realiza en el mismo proceso de ejecución y conforme a un incidente regulado en el art. 672.2, debiendo tenerse en cuenta también la existencia de embargos de sobrante y de proceso concursal.

Hecho todo lo anterior podrá procederse, a instancia del adquirente, a la cancelación en el Registro de la inscripción o anotación del gravamen por el que se procedió a la ejecución y de todas las inscripciones y anotaciones posteriores, por medio del correspondiente mandamiento del letrado (art. 674).

V. LA ADJUDICACIÓN FORZOSA

Este sistema de realización es posible en nuestro derecho en dos casos, distintos en los presupuestos y en los efectos.

A) Adjudicación para pago

Cuando lo que se embargó fueron sueldos, pensiones u otras prestaciones periódicas y créditos realizables en el acto no puede hacerse pago inmediatamente al ejecutante, sino que en realidad estamos ante una adjudicación para pago, no ante una adjudicación en pago. Todavía convendría distinguir entre:

a) Créditos realizables en el acto

Para la determinación de lo que éstos sean recuérdese lo que dijimos en las Lecciones Vigesimonovena y Trigésima (especialmente la retención sin desapoderamiento en que se resuelve la garantía de la afección). Pues bien, la adjudicación requerirá resolución expresa del letrado de la administración de justicia en que así se establezca y orden al deudor del ejecutado (al que se comunicó el arrestatorium) para que entregue la cantidad adeudada en la Cuenta de Depósitos y Consignaciones; el letrado de la administración de justicia procederá a pagar al ejecutante.

> La resolución que se dicta no es inútil, pues a partir de la misma se ha efectuado la realización del crédito y deviene irrevocable; a partir de ese momento el ejecutante es el acreedor del deudor del ejecutado. Con todo la adjudicación no supone sin más que se ha efectuado el pago, pues éste existirá jurídicamente cuando exista en la realidad. Por las mismas razones que la enajenación no es un contrato de compraventa, la adjudicación de un crédito no puede quedar sujeta a las normas del derecho civil, sobre todo al art. 1.529 CC.
>
> En la LEC no queda claro que en este caso de los créditos realizables en el acto debe estarse a la adjudicación para pago, pero cuesta admitir que haya de procederse a la realización del crédito por medio de subasta judicial.

b) Sueldos y pensiones

Si lo que se embargó fue la parte no inembargable de un sueldo o pensión, la realización puede ser también inmediata y se resolverá en la adjudicación para pago. Conviene distinguir entre los sueldos y pensiones ya vencidos, en cuyo caso se trata de un crédito realizable en el acto, y los sueldos y pensiones que se devenguen en el futuro, que es el caso que aquí se considera.

La adjudicación precisará de resolución específica, a partir de la cual el sueldo o pensión queda vinculado a un concreto ejecutante, sin que pueda alterarse en el futuro la preferencia, aunque aparezca otro acreedor. Se ve aquí de modo más claro que la adjudicación es para pago, pues la subsistencia del derecho a percibir la parte retenida del salario depende de un hecho sujeto a la libre voluntad del ejecutado, como es el que siga trabajando. Más clara es también la no aplicación del CC.

> A partir de la adjudicación, el pagador del sueldo o la pensión deberá periódicamente:
>
> 1) Bien hacer el ingreso en la Cuenta de depósitos y Consignaciones, procediendo el letrado de la administración de justicia a pagar al ejecutante.
>
> 2) Bien a entregarlas directamente a la parte ejecutante, en la cuenta que ésta designe, y previa decisión del letrado de la administración de justicia.
>
> En este caso, tanto la persona o entidad que practique la retención y su posterior entrega como el ejecutante, deberán informar trimestralmente al letrado de la administración de justicia sobre las sumas remitidas y recibidas, respectivamente, quedando a salvo en todo caso las alegaciones que el ejecutado pueda formular, ya sea porque considere que la deuda se halla abonada totalmente y en consecuencia debe dejarse sin efecto la traba, o porque las retenciones o entregas no se estuvieran realizando conforme a lo acordado por el letrado de la administración de justicia. Contra la resolución del letrado de la administración de justicia acordando tal entrega directa cabrá recurso directo de revisión ante el Tribunal (art. 607.7)
>
> Consistiendo la garantía del embargo en que la orden a la persona, entidad u oficina pagadora para que retenga las cantidades y las ponga a disposición del tribunal (art. 621.3), no puede admitirse que la realización consista en la subasta del sueldo o pensión, siendo mucho más lógica su adjudicación al acreedor ejecutante para pago.

B) Adjudicación en pago

La segunda manifestación de la adjudicación aparece de modo subsidiario, y es consecuencia del fracaso de la enajenación forzosa. Se trata de un derecho del ejecutante que puede ejercitarlo en las ocasiones previstas legalmente.

Estas ocasiones son:

1.º) Arts. 650.3 y 670.3: El ejecutante puede pedir la adjudicación por el 50 (muebles) o por 70 (inmuebles) por 100 del tipo de la subasta.

2.º) Arts. 650.4, II, y 670.4, II: El ejecutante puede pedir la adjudicación por el 50 (muebles) o por el 70 (inmuebles) del tipo o por la cantidad que se le deba por todos los conceptos siempre que esa cantidad sea superior a la mejor postura de la subasta.

3.°) Arts. 651 y 671: Frustrada la subasta por la no concurrencia de postores, el ejecutante puede pedir la adjudicación del bien por el 30 (muebles) o el 50 (inmuebles) del tipo o por la cantidad que se le deba por todos los conceptos.

> La Disposición adicional sexta de la LEC (norma añadida por la Ley de Agilización Procesal de 2011) y atinente a la adjudicación de bienes inmuebles estableció: En el caso de las adjudicaciones solicitadas por el acreedor ejecutante en los términos previstos en la Sección VI del Capítulo IV del Título IV del Libro III y siempre que las subastas en las que no hubiere ningún postor se realicen sobre bienes inmuebles diferentes de la vivienda habitual del deudor, el acreedor podrá pedir la adjudicación de los bienes por cantidad igual o superior al cincuenta por ciento de su valor de tasación o por la cantidad que se le deba por todos los conceptos. Esta norma se la llevado en la Ley 1/2013, de 14 de mayo, al art. 671, de modo que una cosa es la regla general (50 por 100 o cantidad que se adeude) y otra la especial cuando se trata de la vivienda habitual (70 por 100 del valor por el que el bien hubiese salido a subasta o si la cantidad que se le deba por todos los conceptos es inferior a ese porcentaje, por el 60 por cien).
>
> Asimismo, en los términos previstos en la mencionada sección y para los citados bienes inmuebles diferentes de la vivienda habitual del deudor, cuando la mejor postura ofrecida sea inferior al 70 por ciento del valor por el que el bien hubiere salido a subasta y el ejecutado no hubiere presentado postor, podrá el acreedor pedir la adjudicación del inmueble por el 70 por ciento o por la cantidad que se le deba por todos los conceptos, siempre que esta cantidad sea superior a la mejor postura.

Si en la enajenación forzosa los bienes embargados son utilizados por su valor en cambio, en la adjudicación forzosa se atiende a su valor en sí y puede definirse como el acto procesal por el que el órgano jurisdiccional transmite al ejecutante un bien previamente embargado al deudor ejecutado, en virtud de su potestad jurisdiccional, como medio para lograr la satisfacción de aquél. La diferencia fundamental con la enajenación forzosa reside en que en la adjudicación se entrega el bien al ejecutante en cuanto tal, mientras que en la enajenación la transmisión se produce a favor del rematante, sea éste quien fuere, normalmente un tercero, pero también puede serlo el ejecutante, aunque no en cuanto tal, sino en cuanto mejor postor.

> Del régimen jurídico de la adjudicación conviene precisar: 1) Que la adjudicación en pago supone transmisión de la propiedad, bastando para inscribirla en el Registro de la Propiedad testimonio de la resolución firme (art. 674.1), y 2) Que respecto de las cargas también rige la subsistencia de las anteriores y la extinción de las posteriores (art. 674.2).

VI. LA ADMINISTRACIÓN FORZOSA

Esta tercera forma de realización puede pedirla el ejecutante en cualquier momento de la ejecución y consiste en que se le entreguen el o los bienes embargados para aplicar sus rendimientos al pago del principal, intereses y costas. Los bienes son, pues, utilizados por valor en uso o, si se prefiere, por sus frutos, lo que supone que el bien tiene que ser productivo («cuando la naturaleza del bien así lo aconseje»).

> El término «administración» posiblemente no sea el más indicado para expresar lo que la institución realmente significa, pues mediante ella se entrega el bien al ejecutante para que con sus frutos o productos vaya satisfaciendo paulatinamente su crédito. Lo que importa es destacar que el administrador es precisamente el ejecutante, y no un tercero nombrado por el juez. De aquí que administración forzosa y administración judicial sean dos figuras distintas e incompatibles.
>
> La judicial es una forma de garantizar la afección de bienes al proceso, cuando lo embargado sean frutos y rentas o empresas, en los que las garantías del depósito o de la anotación preventiva no son suficientes ni adecuadas, y en la que el administrador es un tercero designado por el letrado (arts. 630 a 633), que debe entregar las cantidades obtenidas al Juzgado, quedando afectadas a la ejecución; la forzosa es una forma de realización, en la que el administrador es el propio ejecutante (normalmente, pues cabe que se confiera a un tercero y con retribución), que destina los productos a satisfacer su crédito. Una y otra son incompatibles; acordada la administración forzosa, cesará la judicial.

Cuando el ejecutante haya optado por esta forma de realización, el letrado de la administración de justicia la acordará, oyendo antes, en su caso, a los terceros titulares de derechos sobre el bien embargado inscritos o anotados con posterioridad al del ejecutante, ordenará que se le entreguen las fincas embargadas bajo inventario, y que se le dé a conocer como administrador a las personas que designe, pudiendo imponer multas coercitivas al ejecutado o a los terceros que impidan o dificulten el ejercicio de las facultades del administrador (art. 676).

El régimen de la administración puede determinarse de dos maneras: bien por acuerdo entre ejecutante y ejecutado, bien se estará a la costumbre del país (art. 677). El ejecutante administrador tiene un derecho básico: hacer suyos los productos de la finca; y dos obligaciones importantes: mantener la finca en el estado en que se le entregó, realizando los gastos necesarios para su conservación y reparación (naturalmente a cargo de los productos), y rendir cuentas anualmente (art. 678).

> La rendición de cuentas se efectuará anualmente al letrado de la administración de justicia, y de ellas se dará vista al ejecutado, por el plazo de quince días, y de las alegaciones que éste hiciere se dará traslado al ejecutante para que manifieste, en el plazo de nueve días, si está o no conforme con ellas. En caso de disconformidad, se convocará a las partes a una comparecencia, con práctica de prueba, dictándose decreto resolviendo lo procedente sobre la aprobación o rectificación de la cuenta presentada por el acreedor. Todas las demás divergencias que puedan surgir sobre la administración se sustanciarán ante el juez por los trámites del juicio verbal (art. 679).

La administración forzosa puede concluir de tres maneras (art. 680):

1.ª) Cuando el ejecutante se haya hecho pago de su crédito, intereses y costas con los productos de la finca, volverá ésta a poder del ejecutado. La administración ha cumplido su finalidad.

2.ª) A petición del ejecutado, cuando pague lo que resta de la deuda según el último estado de cuentas, en cuyo caso será repuesto inmediatamente en la posesión de la finca y cesará la administración, sin perjuicio de la rendición general de cuentas y de las demás reclamaciones.

3.ª) A petición del ejecutante, la administración puede cesar y acudirse a la realización forzosa por otros medios, previa rendición de cuentas.

> La adjudicación forzosa no afecta a la propiedad del bien, aunque sí a su posesión (y con ella a la comparecencia en juicio, a la legitimación para defender los intereses propios de la administración), pero los productos son percibidos directamente por el ejecutante. Por ello no existe incidencia sobre los demás gravámenes que pueda soportar el bien, subsistiendo tanto los preferentes o anteriores como los posteriores o no preferentes. Los primeros pueden, en su caso, ser ejecutados, aunque el administrador puede realizar el pago, aumentando así su crédito, pero los segundos para su realización habrán de esperar al término de la administración.

VII. LA TERCERÍA DE MEJOR DERECHO

La afección de los bienes a la ejecución, que constituye básicamente el embargo, confiere al ejecutante el derecho de percibir el producto de la enajenación forzosa, en principio, con independencia respecto a cualquier otro acreedor del ejecutado. Por ello sin estar completamente reintegrado el ejecutante de principal, intereses y costas no podrán aplicarse las sumas realizadas a ningún otro objeto que no haya sido declarado preferente por sentencia dictada en tercería de mejor derecho (art. 613.2).

A) Naturaleza jurídica

El tercero, en general, con la tercería persigue que su crédito sea declarado preferente respecto del crédito del acreedor ejecutante, pero puede perseguir también que se declare la existencia del crédito mismo, condenando al ejecutado al pago.

Cuando la tercería se basa en un título ejecutivo su única finalidad es la de declarar la preferencia, pero si la tercería no se basa en título ejecutivo, la declaración de preferencia precisará, lógica y jurídicamente, que antes se declare la existencia del crédito mismo. De esta distinción arrancan consecuencias claras en la LEC:

1) Si existe título ejecutivo, la demanda de tercería se dirigirá sólo contra el ejecutante (aunque el ejecutado pueda intervenir en el procedimiento con plenitud de derechos procesales, pero si no existe ese título la demanda de tercería habrá de dirigirse contra ejecutante y ejecutado, produciéndose una acumulación de pretensiones, y no un litisconsorcio (art. 617),

2) Si existe título ejecutivo, el allanamiento del ejecutante supone que se dicte auto declarando la preferencia del derecho del tercero, pero si no existe tal título el allanamiento sólo producirá el efecto anterior si el ejecutado se conforma (art. 619), y

3) Con título ejecutivo el tercero podrá intervenir en la ejecución desde que sea admitida la demanda de tercería, y sin él sólo cuando su demanda sea estimada (art. 616.2).

B) Tramitación

1.º) Demanda: Quien afirme que le corresponde un derecho a que su crédito sea satisfecho con preferencia al del acreedor ejecutante, podrá interponer demanda de tercería de mejor derecho (art. 614).

> La demanda debe acompañarse de un principio de prueba por escrito del crédito que se afirma preferente, sin el cual la demanda no se admitirá a trámite. Lo que dimos sobre el principio de prueba por escrito en la tercería de domino (Lección Trigésima) puede repetirse aquí. Naturalmente no se permitirá segunda tercería que se funde en títulos o derechos que poseyera el tercero al tiempo de formular la primera.

2.º) Tiempo: La admisión de la tercería se hace depender también de la presentación de la misma entre dos momentos, uno inicial y otro final (art. 615).

> El momento inicial depende de la naturaleza de la preferencia; si es general desde que se despache la ejecución y si es especial, es decir, con relación a un bien concreto, desde que se embarga ese bien. El momento final depende del sistema de realización, si se produjo la enajenación forzosa, el de la entrega del dinero al ejecutante, y si se trató de adjudicación forzosa del bien al ejecutante, el de la adquisición de la titularidad del bien por este según la legislación civil (art. 615).

3.º) Procedimiento: Se sustanciará por los trámites del juicio verbal (art. 617.1).

Las especialidades se refiere a: 1) Allanamiento del ejecutante, con las diferencias relativas a si el tercerista presenta o no título ejecutivo (art. 619.1), y 2) Desistimiento del ejecutante de la ejecución, pues éste puede, una vez que le ha sido notificada la demanda de tercería, desistir de la ejecución, con diferencias también si el título del tercerista e o no ejecutivo (art. 619.2).

4.°) Efectos: Los de la interposición de la demanda atiende a que la ejecución proseguirá, pero el dinero que se obtenga con ella se depositará en la Cuenta de Consignaciones y Depósitos del Juzgado para luego, primero, reintegrar al ejecutante en las costas de la ejecución y, luego, pagar a los acreedores según el orden de preferencia que se declare en la sentencia (art. 616.1).

La sentencia resolverá sobre la preferencia y el orden en que los créditos deben ser satisfechos en la ejecución, pero sin prejuzgar otras acciones que pudieran corresponder, y especialmente la de enriquecimiento injusto (art. 620).

> En los arts. 616, 619 y 620 se encuentran claras manifestaciones del intento de evitar que la estimación de la tercería suponga que el tercero cobra con preferencia, mientras que el ejecutante tiene que hacerse cargo de las costas de la ejecución que ha ido adelantando; de ahí que se disponga que al tercerista no le entregará cantidad alguna procedente de la ejecución, mientras no se hayan satisfecho al ejecutante las tres quitas partes de las costas causadas en ésta hasta el momento en que recaiga la sentencia de tercería.

Legislación: Ley de Enjuiciamiento Civil (arts. 634 a 680)
Lectura: MONTERO Y FLORS, *Tratado del proceso de ejecución*, 2ª edición, Valencia, 2013.

SECCIÓN TERCERA
Ejecuciones no dinerarias

Lección Trigésima segunda
Ejecuciones no dinerarias

I. EJECUCIÓN EN FORMA ESPECÍFICA NO DINERARIA:
Sólo títulos ejecutivos judiciales o asimilados
- A) Ejecución específica y tutela judicial efectiva
  Derecho de acción en forma específica: arts. 118 CE y 18.2 LOPJ
  Diferencia entre: 1. Ejecución específica y 2. Ejecución genérica
  Reglas especiales: 5
- B) Aseguramiento de la ejecución genérica sustitutoria
  Art. 700: medida cautelar, embargo
- C) Apremios o multas coercitivas
  Demanda. Auto con plazo: art. 699
  Apremio económico y multa coercitiva. Luego 711

II. OBLIGACIONES DE DAR:
- A) Cosa mueble determinada
  Puesta en posesión de la cosa. Art. 701. Aprehensión de esa cosa
  Obstáculos: 1. Naturales y 2. Jurídicos
  Remedios: 1. Preventivos y 2. Coactivos
- B) Cosas genéricas
  Pesan, cuentan y miden. Si no se cumple:
  1. Puesta en posesión y 2. Adquirir otras iguales
- C) Bienes inmuebles
  Ordenar lo que procesa, pero:
  1. Qué es lo que proceda: Lanzamiento y Registro (5 cuestiones)
  2. Imposibilidad de entrega in natura: Natural y jurídica
- D) El equivalente pecuniario
  1. Valor de la cosa y 2. Daños y perjuicios

III. OBLIGACIONES DE HACER:
- A) Inicial actividad ejecutiva
  Posibilidades: 1. Hacer. 2. En parte. 3. Hacer defectuosamente. 4. No hacer
- B) Conductas fungibles o no personalísimas
  Cabe al final: 1. Daños y perjuicios y 2. Que otro haga a costa
  Difusión de la sentencia
- C) Conductas infungibles o personalísimas
  Al final multa coercitiva

IV. CONDENA A LA EMISIÓN DE UNA DECLARACIÓN DE VOLUNTAD
Opciones: 1. Todos los elementos esenciales. 2. Sólo esenciales. 3. Nada

V. OBLIGACIONES DE NO HACER
1. Omitir una conducta sin plazo
2. Realización de algo que puede deshacerse
3. Permitir que otro haga lícitamente

I. EJECUCIÓN EN FORMA ESPECÍFICA NO DINERARIA

Las obligaciones de contenido pecuniario pueden constar en cualesquiera clases de títulos ejecutivos, sean judiciales o no, pero las obligaciones no dinerarias sólo pueden constar en títulos ejecutivos judiciales.

A) Ejecución específica y tutela judicial efectiva

El derecho de acción, o derecho fundamental a la tutela judicial efectiva (art. 24.1 CE), tiene un contenido complejo que va desde el deber del órgano jurisdiccional de poner en marcha el proceso declarativo hasta el proceder a la ejecución de la sentencia que se dicte por medio del proceso de ejecución, importando ahora destacar que ese derecho comprende también el que la ejecución lo sea en forma específica, de modo que sólo se admitirá su transformación en ejecución genérica cuando existan razones objetivas que así lo determinen.

> En sentido estricto una ejecución será específica cuando al final de ella se llegue a proporcionar al ejecutante exactamente la misma prestación que venía establecida en el título ejecutivo; la consecuencia del incumplimiento del deudor, que debe ser actuada por el tribunal, ha de ser idéntica a aquélla que realizaría el deudor si cumpliera voluntariamente el comportamiento que supone la prestación que es objeto de la obligación declarada en el título.
>
> Por el contrario, una ejecución genérica implica siempre un cambio en la prestación establecida en el título, la cual es sustituida por otra equivalente pero distinta. Sin hacer ahora referencia a la causa, la ejecución genérica lleva a que el tribunal, ante el incumplimiento del deudor, actúe siempre la misma consecuencia (no en cantidad, pero si en calidad), sea cual fuere la prestación incumplida; naturalmente esa consecuencia siempre es dinero.

La inclusión de la ejecución específica en el derecho a la tutela judicial efectiva se refuerza, desde el punto de vista constitucional, con lo que dispone el art. 118 CE: «Es obligado cumplir las sentencias, y demás resoluciones firmes de los Jueces y Tribunales». Descendiendo en el rango normativo, la regla general de que la ejecución ha de ser en forma específica se encuentra en el art. 18.2 LOPJ cuando dice que «las sentencias se ejecutarán en sus propios términos». Ahora bien, en la misma norma se admite la posibilidad de reglas especiales por las cuales la ejecución específica se sustituya por la ejecución genérica, y es para esas reglas especiales para las que debe tenerse en cuenta:

a) La ejecución genérica, es decir, la sustitución de la ejecución específica por dinero, sólo será admisible en casos de imposibilidad natural o jurídica.

> La imposibilidad a la que se refiere el art. 18.2 LOPJ puede deberse a dos clases de causas:

1.ª) Naturales: Cuando por la naturaleza de las cosas la ejecución específica se ha convertido en físicamente imposible, como es el caso de pérdida o destrucción del bien determinado que debía ser entregado.

2.ª) Jurídicas: Aun siendo físicamente posible, la imposibilidad puede derivar de la interrelación del ordenamiento jurídico, y así si la cosa determinada a entregar existe, pero está legalmente en poder de una tercera persona, el condenado en la sentencia no podrá entregarla, ni aunque quisiera hacerlo.

b) Cuando parezca que la ley hace depender la ejecución específica de la voluntad del ejecutado hay que realizar una interpretación favorecedora de esta clase de ejecución, y a su servicio están los apremios o multas coercitivas.

c) Existen casos en los que, aun tratándose de obligaciones de hacer, ante la negativa del ejecutado debe acudirse a la coacción personal, pues no se trata de un hacer que pueda calificarse de personalísimo o la conversión en dinero carece de sentido; éstos serían supuestos como el lanzamiento en el desahucio, la negativa de uno de los cónyuges a abandonar el domicilio conyugal, la negativa a permitir que el otro cónyuge visite a los hijos según lo dispuesto en la sentencia, etc.

d) Si la ejecución específica es imposible, en todo o en parte, será sustituida por la genérica, pero teniendo en cuenta que una cosa será el valor dinerario del hacer no hecho o de la cosa no entregada, es decir, el equivalente pecuniario, que existirá siempre, siendo su único problema el de la cuantificación, y otra la determinación del importe de los daños y perjuicios, los cuales en algún caso pueden incluso no existir.

e) El último remedio es el delito de desobediencia grave o leve (art. 556 CP), al que debe acudirse con prudencia pero con decisión, pues no está en juego sólo el derecho del ejecutante, sino también el bien jurídico tutelado en la desobediencia, que por algo se incluye en el título del CP relativo al orden público.

B) Aseguramiento de la ejecución genérica sustitutoria

Dada la posibilidad de que la ejecución específica acabe transformándose en una ejecución genérica, el art. 700, contiene una previsión para que, por lo menos ésta, no se frustre. Establece así la posibilidad de adoptar una medida cautelar y, especialmente, la de embargo preventivo (Lección Trigésimo tercera), de modo que cuando el título condene a hacer, no hacer o entregar cosa distinta de una cantidad de dinero y el requerimiento inicial no pueda tener inmediato cumplimiento, el letrado de la administración de justicia (?), a instancia del ejecutante, podrá acordar las medidas de garantía que resulten adecuadas para asegurar la efectividad de la condena y, en todo caso cuando el ejecutante lo pida el embargo de bienes del ejecutado en cantidad suficiente para asegurar el pago de las eventuales indemnizaciones sustitutorias y las costas de la ejecución. El ejecutado podrá pedir que se alce el embargo preventivo prestando caución.

De esta medida cautelar de embargo preventivo importa tener en cuenta:

1.º) Carece de sentido jurídico que esta verdadera medida cautelar pueda ser acordada por el letrado de la administración de justicia; las medidas cautelares sólo se acuerdan por quien está dotado de jurisdicción.

2.º) La adopción de la medida no se hace depender de resistencia alguna del ejecutado a la ejecución, sino que su adopción depende de un hecho objetivo: la imposibilidad de ejecución inmediata de la condena de hacer, no hacer o entregar alguna cosa, sin que importe la causa de esa imposibilidad. El *periculum in mora* consiste aquí en el mero retardo. Más aún, la imposibilidad no se refiere al inicio de los actos ejecutivos, sino a la conclusión de los mismos; no se trata de que no empiece la ejecución, sino de que no concluya.

3.º) Contra el decreto que acuerda este embargo preventivo cabe revisión directa ante el juez.

4.º) A diferencia del embargo preventivo común no cabe exigir fianza al ejecutante, pues aquí partimos de la existencia indudable del derecho a garantizar, aparte de un título ejecutivo.

5.º) El embargo se alzara si el ejecutado presta caución suficiente a juicio del letrado de la administración de justicia (debería entenderse que aquí cabe también revisión directa).

6.º) En su calidad de preventivo el embargo subsistirá hasta que se haya completado la ejecución específica, momento en que se alzará; si la ejecución específica se transforma en genérica o pecuniaria, el embargo se convertirá en ejecutivo, siguiéndose la ejecución por los trámites de éste.

C) Apremios económicos y multas coercitivas

La ejecución no dineraria comienza siempre con la demanda ejecutiva (art. 549) y con el auto despachando la ejecución (art. 553) y aquí sin «decreto del día de después». Lo específico es que el tribunal, en dicho auto, ordenará que se requiera al ejecutado, dándole plazo adecuado, para que cumpla lo dispuesto en el título ejecutivo y que ese requerimiento podrá completarse con el apercibimiento del empleo de apremios personales o multas coercitivas (art. 699). Antes y después la LEC se refiere a apremios, a apremios económicos y a multas coercitivas.

La palabra apremio tiene un sentido muy amplio que la hace equivaler a compeler, obligar, mandar por la autoridad, de modo que puede entenderse que apremiar es mandar por la autoridad a una persona que cumpla alguna obligación. Por ello a la realización forzosa de los bienes embargados se la ha denominado tradicionalmente «procedimiento de apremio». El «apremio personal» supone, por tanto, el mandato dirigido al ejecutado para que cumpla la obligación contenida en el título ejecutivo, con la posibilidad de acudir al uso de la coacción sobre su persona. La única vez que la LEC utiliza esta expresión es la del art. 699. De «apremios» habla en los arts. 591 (equivaliendo a multa coercitiva), 664 y 701 (en sentido muy general).

Con las expresiones «apremio económico» y «multa coercitiva» se está haciendo referencia a una única institución, nueva en el Derecho procesal pero ya antigua en el Derecho administrativo. No se trata de la *astreinte* del Derecho francés, que tiene su origen en la teoría del resarcimiento de daños y perjuicios y que destina el dinero obtenido a ingresarlo en al patrimonio del ejecutante, mientras que en la multa coercitiva la cantidad obtenida se ingresa en el Tesoro Público, sino que es una institución común o general, con manifestaciones en el Derecho administrativo (arts. 96 y 99 de la anterior Ley 30/1992, de 26 de noviembre, de Régimen Jurídico de las Administraciones Públicas y del Procedimiento Administrativo Común, arts. 100 y 103 de la Ley 39/2015, de 1 de octubre, de procedimiento administrativo común de las Administraciones Públicas) y en el Derecho procesal (art. 95.4 LOTC, art. 239.2 LRJS y art. 711 LEC).

> En los dos casos las multas coercitivas se caracterizan porque: 1) No son sanciones, pues por ellas se trata de remover la resistencia pasiva del ejecutado, forzando su voluntad para que cumpla, y de ahí que deba concedérsele el tiempo necesario para ello, y 2) Impone al ejecutado una obligación nueva y distinta de la establecida en el título ejecutivo que se trata de ejecutar.

Lo que regula el art. 711.1 es sólo la cuantía de las multas coercitivas y únicamente de las que pueden imponerse en la ejecución no dineraria. Esa cuantía, no se hace depender de la capacidad económica del ejecutado, sino del precio o la contraprestación del hacer personalísimo establecidos en el título ejecutivo y, si no constara o se tratara de deshacer lo mal hecho, del coste dinerario que en el mercado se atribuya a esas conductas, de modo que: 1) Las multas mensuales podrán ascender a un 20 por 100 del precio o valor, y 2) La multa única al 50 por 100 (queda aparte el supuesto de la acción de casación).

II. OBLIGACIONES DE DAR

El título ejecutivo, que será una sentencia, un laudo arbitral o un acuerdo de mediación, puede condenar al demandado a entregar una cosa determinada, que puede ser mueble o inmueble, y la ejecución se inicia con el auto despachando la ejecución, en el que se requerirá al ejecutado para que, dentro del plazo que se le conceda, proceda a cumplir en sus propios términos, es decir, para entregue la cosa (art. 699). Si el ejecutado cumple lo ordenado no se procede ya a realizar verdaderos actos físicos de ejecución; ésta aparece realmente cuando el ejecutado no cumple dentro del plazo.

A) Cosa mueble determinada

La actividad ejecutiva consiste aquí en que el letrado de la administración de justicia ponga al ejecutante en la posesión de la cosa debida, empleando para ello los medios que crea precisos (art. 701.1). Esta norma debe completarse teniendo en cuenta, por ejemplo, los arts. 1097 (sobre los accesorios) y 1.096 (caso fortuito) del CC, y, cuando se trate de bien mueble sujeto a régimen de publicidad registral similar al inmobiliario, las normas relativas a la adecuación del Registro a lo dispuesto en el título ejecutivo.

La actividad ejecutiva básica consiste, pues, en la aprehensión de la cosa, y a ello pueden oponerse dos tipos de obstáculos:

a) Naturales: Tratándose de cosa mueble puede darse el caso de la no subsistencia de la misma, y habrá de estarse entonces a las normas civiles relativas a la pérdida de la cosa debida, teniendo en cuenta que se parte de que existía en el momento inicial del proceso de declaración, por lo que la reclamación judicial ha supuesto colocar al demandado en mora (art. 1.100 CC), con lo que la pérdida o destrucción posterior de la cosa no supone extinción de la obligación (art. 1.182 CC) sino su transformación en indemnización.

Frente a la posible resistencia del ejecutado a entregar la cosa existen varios remedios:

1.º) Preventivo: Como diligencia preliminar el art. 256.1, 2.º, regula la exhibición de la cosa mueble a la que se haya de referir el posterior juicio declarativo y el art. 261, 3.ª, admite la búsqueda de la misma, incluso con la entrada y registro, y el depósito o medida de garantía más adecuada para su conservación. Estas decisiones sólo puede adoptarlas el juez.

2.º) Coactivos: Si la cosa mueble no estaba depositada y si el ejecutado no la entrega, cabe:

1") Emplear el apremio que sea preciso, que será normalmente la entrada y registro del lugar cerrado en el que se sospeche que puede encontrarse la cosa, con el auxilio de la fuerza pública su fuere necesario. La utilización de esta fuerza pública puede consistir también en la orden dada a la misma para que realice la búsqueda de la cosa. En estos casos las decisiones sólo puede adoptarlas el juez, nunca el letrado, por tratarse de limitar derechos fundamentales.

2") Interrogar al ejecutado o a terceros para que digan si la cosa está o no en su poder y si saben dónde se encuentra, con apercibimiento de incurrir en el delito de desobediencia. Esto extrañamente sí puede hacerlo el juez.

b) Jurídicos: Consistentes en la posesión de la cosa por un tercero ajeno al proceso declarativo y al título ejecutivo formado en él, no pudiendo dirigirse la ejecución contra él.

Este supuesto no está previsto en el art. 701 pero no puede desconocerse su posibilidad. Si en los bienes inmuebles es frecuente en la práctica la transmisión fraudulenta a un tercero para evitar la ejecución de dar, lo mismo, pero con mayor énfasis, hay que decir de los bienes muebles, atendiendo a la mayor facilidad de la aparente transmisión. Surgen así una serie de situaciones que pueden llevar la ejecución a la inutilidad, especialmente cuando después el ejecutado resulta insolvente. Por ello hay que moverse con especial cuidado entre el extremo de proteger a ultranza los derechos del ejecutante o decantarse por los del tercero. En principio la regla general podría ser que la mera tenencia fáctica de la cosa mueble por un tercero no supone posesión legítima cuando el demandado, a lo largo del proceso declarativo, no alegó su falta de posesión, sino que, antes al contrario, afirmó expresamente o dio a entender que él era el poseedor. A esta regla habría que añadir otra relativa a que no es bastante que el ejecutado manifieste que él no es el poseedor, sino que debe acreditar la imposibilidad jurídica de cumplir «in natura».

B) Cosas genéricas

Tratándose de cosas genéricas (o fungibles o sustituibles), esto es, de aquéllas que pueden ser adquiridas en los mercados (art. 702), que son las que se pesan (mil arrobas de naranja clementina), se cuentan (mil ejemplares de un libro) o se miden (mil metros de tejido de seda), es posible que el ejecutante con su conversión en dinero se vea satisfecho, pues con él puede encontrar la misma cosa en el mercado, pero esto no tiene porque ser así. Esta consideración es la que lleva al art. 702 a ofrecer al ejecutante, después de que el ejecutado ha incumplido el requerimiento hecho para que entregara las cosas, una alternativa, pudiendo optar entre:

1.º) Que se le ponga en posesión de las cosas debidas, lo que supone que las cosas se encuentran en posesión del ejecutado: Para este fin deben de practicase las diligencias conducentes, es decir, se aplicará lo que antes hemos dicho respecto de la búsqueda por la fuerza pública, la entrada y registro y el interrogatorio del ejecutado o de terceros.

> Aunque el art. 702 dice que se insta del letrado de la administración de justicia la puesta en posesión, es evidente que la misma no puede ordenarla el letrado, en tanto que los actos supongan entradas y registros.

2.º) Que se le faculte para que las adquiera, a costa del ejecutado, pidiendo al letrado de la administración de justicia que ordene, al mismo tiempo, el embargo de bienes suficientes para pagar la adquisición, de la que el ejecutante dará cuenta justificada.

Si la cosa genérica no se encuentra en el poder del ejecutado ni el mercado o, simplemente, si que al ejecutante le interesa su reducción a dinero porque la adquisición tardía de las cosas no satisface ya su interés legítimo, se determinará el equivalente pecuniario, con los daños y perjuicios que hubieran podido causarse al ejecutante, que se liquidarán conforme a los arts. 712 y ss.

> El párrafo 2 de este art. 702 debe entenderse, no el sentido de que el equivalente pecuniario se determinará por el tribunal sin más, sino en el de que se está efectuando una remisión a lo dispuesto en el art. 717. Es decir, tanto la determinación del equivalente pecuniario como la liquidación de los daños y perjuicios deben hacerse por los artículos de la LEC relativos a la liquidación.

C) Bienes inmuebles

Si el título ejecutivo dispone la transmisión o entrega de un bien inmueble, dice el art. 703.1, que primero se despachará ejecución por el juez y que, luego, el letrado de la administración de justicia ordenará de inmediato lo que proceda según el contenido de la condena incluyendo la adecuación del Registro de la Propiedad al título ejecutivo. Esta norma debe completarse con alguna otra del CC relativa a los frutos de la cosa (art. 1.095) o a que quedan comprendidos los accesorios, aunque no hayan sido mencionados (art. 1.097).

Las cuestiones a considerar son dos:

a) ¿Qué es «lo que proceda»?: La generalidad de la norma puede significar que el ejecutante pida el lanzamiento del ejecutado que ocupa el bien, incluso mediante el recurso a la fuerza pública, la adecuación del Registro de la Propiedad al título si es necesaria, es decir, la inscripción y la cancelación de otros asientos que sean contradictorios con el anterior, la notificación de la condición de nuevo poseedor al arrendatario, etc. Debe llamarse la atención que no existe referencia a plazo alguno para practicarse «lo que proceda».

> En el lanzamiento pueden plantearse cinco que podemos llamar incidencias:
> 1.ª) Cuando el inmueble cuya posesión se deba entregar fuera vivienda habitual del ejecutado o de quienes de él dependan, el letrado de la administración de justicia les dará un plazo de un mes para desalojarlo. De existir motivo fundado, podrá prorrogarse dicho plazo un mes más. Transcurridos los plazos señalados, se procederá de inmediato al lanzamiento, fijándose la fecha de éste en la resolución inicial o en la que acuerde la prórroga (art. 704.1).
> 2.ª) Si en el inmueble que haya de entregarse hubiere cosas que no sean objeto del título, el letrado de la administración de justicia requerirá al ejecutado para que las retire dentro del plazo que señale. Si no las retirare, se considerarán bienes abandonados a todos los efectos (art. 703.1, II).
> 3.ª) Cuando en el acto del lanzamiento se reivindique por el que desaloje la finca la titularidad de cosas no separables, de consistir en plantaciones o instalaciones estrictamente necesarias para la utilización ordinaria del inmueble, se resolverá en la ejecución sobre la obligación de abono de su valor, de instarlo los interesados en el plazo de cinco días a partir del desalojo (art. 703.2).
> 4.ª) De hacerse constar en el lanzamiento la existencia de desperfectos en el inmueble originados por el ejecutado o los ocupantes, se podrá acordar la

retención y constitución en depósito de bienes suficientes del posible responsable, para responder de los daños y perjuicios causados, que se liquidarán, en su caso y a petición del ejecutante, de conformidad con lo previsto en los arts. 712 y siguientes (art. 703.3).

5.ª) Si con anterioridad a la fecha fijada para el lanzamiento, en caso de que el título consista en una sentencia dictada en un juicio de desahucio de finca urbana, se entregare la posesión efectiva al demandante, acreditándolo el arrendador ante el letrado de la administración de justicia encargado de la ejecución, se dictará decreto declarando ejecutada la sentencia y cancelando la diligencia, a no ser que el demandante interese su mantenimiento para que se levante acta del estado en que se encuentre la finca.

b) ¿Cuándo existe la imposibilidad de entrega «in natura»?: El art. 703 no contempla el supuesto de que la ejecución específica sea imposible, pero no puede desconocerse que siempre cabrá en la práctica algún caso en el que la ejecución in natura será imposible.

1.º) Imposibilidad natural, esto es, cuando la cosa se ha destruido. Tratándose de cosa inmuebles es difícil pensar en supuestos de destrucción total, pues aún en el caso de demolición del edificio siempre quedará el solar, con lo que procederá la entrega de parte «in natura» y de parte en indemnización. Sobre todo hay que tener en cuenta que, partiendo de la existencia de la sentencia firme, al ejecutante no le afectan las causas de la destrucción, fuera ésta debida a actos del hombre o hechos naturales.

2.º) Imposibilidad jurídica, es decir, cuando la cosa existe físicamente pero hay un obstáculo jurídico que no permite la entrega. Ese obstáculo se resume normalmente en la posesión de la cosa por un tercero, que no ha sido oído y vencido en juicio.

> En realidad las situaciones posibles son aquí muy variadas, debiendo la solución adecuarse a cada una de ellas. Por ejemplo:
>
> 1″) Si ese tercero es causahabiente del condenado en la sentencia a dar, la ejecución podrá dirigirse contra él (art. 540).
>
> 2″) Si en la sentencia, al mismo tiempo que se condenaba a una persona a dar, se declaraba nulo el título en virtud del cual posee una persona, éste ha quedado privado de protección jurídica.
>
> 3″) Si ha existido una anotación preventiva de la demanda, la transmisión de la cosa a un tercero con posterioridad no se convierte en imposibilidad jurídica (art. 727, 5.ª).
>
> 4″) Cuando un tercero se encuentra legalmente en posesión de la cosa a título de propiedad habiéndola adquirido de modo irreivindicable), no podrá procederse a la entrega de la misma al ejecutante.

Supuesto especial es el del art. 704.2, que atiende a cuando el inmueble estuviera ocupado por terceras personas, distintas del ejecutado y de quienes con él compartan la utilización de aquél. Respecto de esas personas:

1.º) Tan pronto como el letrado de la administración de justicia tenga noticia de su existencia, les notificará el despacho de la ejecución la pendencia de ésta, para que, en el plazo de diez días, presenten los títulos que justifiquen su situación.

2.º) El ejecutante podrá pedir el lanzamiento de quienes considere ocupantes de mero hecho (sin título, como precaristas, caso de los familiares directos del ejecutado) o sin título suficiente (cuando, por ejemplo, el contrato de arrendamiento es de fecha inmediatamente anterior al lanzamiento). De esa petición se dará traslado a las personas que designe el ejecutante, procediéndose después como dispone el art. 675 y vimos en la Lección Trigésimo primera.

D) El equivalente pecuniario

Para el supuesto de que sea imposible la entrega de la cosa objeto del título, normalmente de la específica (art. 701.3) (también en el supuesto de bien inmueble, aun faltando la expresa previsión legal), pero en algún caso también de la genérica (art. 702.2), aparece la sustitución de la ejecución específica por la sustitutoria, que es naturalmente dineraria.

> En la LEC se habla a veces de «justa compensación pecuniaria» o de «indemnización de daños y perjuicios», aunque se trata de dos cosas distintas:
> 1.ª) Deberá estarse, en primer lugar, al valor de la cosa que no se ha entregado, que existirá siempre consistiendo su único problema en la cuantificación, para lo que debe estarse al art. 717.
> 2.ª) Después habrán de tenerse en cuenta los posibles daños y perjuicios, para cuya liquidación debe estarse a los arts. 713 a 716, si bien recordado que los mismos pueden no haber existido.

III. OBLIGACIONES DE HACER

La regulación de esta ejecución se encuentra en los arts. 705 a 709, en los que existe algún supuesto especial.

A) Inicial actividad ejecutiva

Partiendo de la demanda ejecutiva, el tribunal despachará la ejecución y requerirá al ejecutado para que haga, señalándole plazo en atención a la naturaleza del hacer y a las circunstancias que concurran (art. 705). Dentro de ese plazo el ejecutado puede:

a) Realizar completamente y bien la actividad ordenada: La ejecución finaliza aquí, quedando pendiente únicamente el pago de las costas, pues éstas en la ejecución son siempre a cargo del ejecutado; se procederá, pues, a su tasación y si el ejecutado no las paga a su exacción por la vía de apremio, con lo que la ejecución puede continuar por el trámite de la ejecución ordinaria por obligaciones dinerarias.

b) Realizar en parte la actividad: La ejecución debe continuar respecto de la parte no realizada y en la forma que se dirá para cuando no haga.

c) Realizar defectuosamente o contraviniendo el tenor el título: Se equipara al no realizar lo ordenado y, además, el ejecutante puede pedir que se deshaga lo mal hecho a costa del ejecutado (art. 1.098, II, CC).

d) No realizar la actividad ordenada: A este supuesto se equiparan los de realización parcial y realización defectuosa, y la ejecución ha de seguir adelante, distinguiéndose entre conductas fungibles e infungibles.

> Teóricamente la diferencia entre una y otra conducta se encuentra en la equivalencia entre infungible e insustituible. Así, cosa fungible es la que es sustituible, en el sentido de que consumiéndose por su uso puede utilizarse otra de la misma especie; la cosa típica fungible es el dinero, pero lo son todas aquéllas que se pesan, cuentan o miden. Lo importante ahora son las conductas y éstas son fungibles cuando es indiferente que las realice una u otra persona, dado que el resultado es el mismo; naturalmente una conducta es infungible cuando ha de realizarse precisamente por una persona determinada, atendiendo a cualidades propias y específicas de ella que hacen que su resultado sea distinto al que puede producir la conducta de otra persona.
>
> Insistimos en que las diferencias dichas son solamente teóricas, pues desde el punto de vista del ejecutante el hacer puede ser personal, aunque teóricamente se considere fungible. En efecto, como dice el art. 1.161 CC en las obligaciones de hacer el acreedor no podrá ser compelido a recibir la prestación o el servicio de un tercero, cuando la calidad y circunstancias de la persona del deudor se hubiesen tenido en cuenta al establecer la obligación. Así un hacer fungible es el escribir un libro de texto (contrato entre editorial y autor, habiendo percibido éste cantidades a cuenta), pero aunque teóricamente pueda parecer lo mismo que la intervención quirúrgica la haga un equipo médico u otro, para el enfermo puede no serlo, con base en razones personales de confianza. Además, en la práctica una conducta fungible en abstracto puede convertirse de hecho en insustituible, cuando el servicio lo puede prestar sólo una persona (como sucede en los servicios en régimen de monopolio).

B) Conductas fungibles o no personalísimas

Cuando el hacer a que obliga el título ejecutivo sea fungible o no personalísimo, cabe que el ejecutado no lo haga dentro del plazo señalado.

> La determinación de ese plazo no está nada clara en la LEC. Si el art. 705 dice que el plazo lo señala el tribunal (que señala todos los plazos para hacer), el art. 706 dice que cuando el hacer es no personalísimo el plazo lo señala el letrado.

En todo caso, si el ejecutado no lo lleva a cabo en el plazo señalado podrá suceder que:

1.°) El título contenga una disposición expresa para el caso de incumplimiento del deudor: Se estará a lo dispuesto en aquél (art. 706.1, II).

2.º) El ejecutante opte por el resarcimiento de daños y perjuicios: Se procederá a cuantificarlos conforme a lo previsto en los arts. 712 y siguientes.

3.º) El ejecutante opte por pedir que se le faculte para encargarlo a un tercero, a costa del ejecutado: Se valorará previamente el coste de dicho hacer, por un perito tasador designado por el letrado de la administración de justicia y, si el ejecutado no depositase la cantidad que éste apruebe o no afianzase el pago, se procederá al embargo y realización forzosa de sus bienes hasta obtener la suma necesaria.

> Algunas consideraciones prácticas no pueden dejar de hacerse:
>
> 1.ª) A pesar de lo que digan la LEC y el CC existen conductas teóricamente fungibles que, ante la negativa del ejecutado, no pueden resolverse en que se harán por un tercero ni en el resarcimiento de daños y perjuicios. Este es el caso de los servicios que se prestan legalmente o de hecho en régimen de monopolio, sobre todo cuando se trata de servicios de larga duración o aun de duración permanente en el tiempo (grandes grúas en el puerto).
>
> 2.ª) Si la ejecución se resuelve en que se haga a costa del ejecutado, ello supone necesariamente la actuación de un tercero, el cual, con la solución legal, es nombrado por el ejecutante, que pagará con el dinero obtenido en la ejecución dineraria, con lo que resulta que no existe diferencia entre optar por el resarcimiento de daños y perjuicios (se obtiene una cantidad fija de dinero) o por el hacer por un tercero (también se logra una cantidad fija de dinero).
>
> 3.º) Cuando el hacer es muy complejo (construir un edificio) no puede concederse al ejecutado el plazo necesario para ello, pues esto supondría tener que esperar más de un año para saber si ha hecho o no. Lo lógico es ir concediendo plazos parciales (para la realización de los planos, para la fundamentación, para la estructura, etc.).

Supuesto especial es el de que la sentencia condene a la difusión, total o parcial, de su contenido en medios de comunicación a costa de la parte vencida en el proceso (art. 707), pues entonces:

1.º) Se despachará la ejecución por el juez y el letrado de la administración de justicia requerirá al ejecutado para que contrate los anuncios que resulten procedentes, se entiende dándole plazo.

2.º) Si se incumple el requerimiento, el ejecutante podrá contratar la publicidad, dice la norma previa la obtención de los fondos precisos del patrimonio del ejecutado, lo que exige nombramiento de perito tasador, embargo, realización forzosa, obtención de la cantidad de dinero y contratación de la publicidad.

> Esta solución carece de sentido práctico. En algún caso podrá interesar al ejecutante, pero lo lógico es que éste no pueda esperar tanto tiempo a que la sentencia se difunda, pues perderá toda su actualidad. La contratación de anuncios está sujeta a un mercado de precios determinados, que no requiere de perito tasador. Debe ser posible que el ejecutante adelante el importe de los anuncios y que luego deba hacer frente a la factura el ejecutado, en su caso acudiendo a la ejecución dineraria.

C) Conductas infungibles o personalísimas

Cuando la condena parezca referirse a un hacer personalísimo (art. 709), se empieza con el despacho de la ejecución y el requerimiento con plazo al ejecutado. Naturalmente si el título contiene disposición expresa para el caso de incumplimiento, a la misma deberá estarse. Si no es así el procedimiento consiste en que:

a) El ejecutado, dentro del plazo conferido, podrá cumplir el requerimiento, pero también podrá alegar: 1) En torno al carácter personalísimo o no de la prestación debida, y 2) Sobre los motivos que tiene para negarse a hacer lo que el título dispone.

b) Siempre que haya transcurrido el plazo sin haberse realizado la prestación, el ejecutante puede optar entre:

1.º) Pedir que la ejecución siga adelante para entregarle un equivalente pecuniario de la prestación de hacer, con lo que se estaría ante la aplicación del art. 717.

2.º) Solicitar que se apremie al ejecutado con una multa por cada mes que transcurra sin que el ejecutado haga.

c) El tribunal debe decidir y puede hacerlo de modo que:

1.º) Estime que el hacer no es personalísimo, con lo que se estará ante la ejecución de condena a hacer no personalísimo del art. 706.

2.º) Declare que el hacer es personalísimo y, atendida la petición del ejecutante, estar a su equivalente pecuniario, caso en el que impondrá al ejecutado una única multa del 50 por 100 de su valor.

3.º) Considere que el hacer es personalísimo y, habiendo el ejecutante pedido acudir a la multa coercitiva, apremiará al ejecutado con una multa por cada mes que transcurra sin llevar a cabo el hacer. En este caso se reiterarán trimestralmente por el letrado de la administración de justicia los requerimientos durante un año y si, pasado éste, el ejecutado continuare rehusando hacer lo dispuesto en el título, proseguirá la ejecución, en la que: 1) Se estará al equivalente pecuniario, o 2) Se adoptarán por el juez cualesquiera otras medidas que resulten idóneas para la satisfacción del ejecutante, pedidas por éste y después de oír al ejecutado.

IV. CONDENA A LA EMISIÓN DE UNA DECLARACIÓN DE VOLUNTAD

Caso especial de la ejecución de obligaciones de hacer es el relativo a la condena a la emisión de una declaración de voluntad, que se cuestionó, primero, con ocasión de la promesa de vender o comprar (art. 1.451 CC), pero que puede plantearse en general, si bien el supuesto más claro es el de otorgar un contrato. En general se regula en el art. 708 LEC.

> El punto de partida es la distinción entre conductas fungibles e infungibles, debiendo precisarse que la fungibilidad puede ser natural o jurídica. Una conducta es fungible de modo natural cuando la actividad de una persona puede ser sustituida por la de otra alcanzándose el mismo resultado; la infungibilidad existe en el caso contrario, cuando no cabe sustitución.
>
> La fungibilidad jurídica parte siempre de la posibilidad de la sustitución física, en cuanto no sea contraria a las leyes de la naturaleza, pero supone que la conducta de una persona puede ser sustituida por el juez, siendo preciso para ello una injerencia en el «señorío jurídico» de aquélla, basada en la potestad jurisdiccional del segundo. Teóricamente todas las conductas que supongan emisión de manifestaciones de voluntad son jurídicamente fungibles y el derecho puede hacerlas posible, si bien habrán de determinarse los límites de esta posibilidad con relación a la salvaguarda de los derechos fundamentales de las personas.

En el caso del precontrato, que es el más claro, pueden presentarse tres hipótesis de modo escalonado:

1.ª) Que en el precontrato se hayan establecido los elementos esenciales, los naturales e incluso los accidentales, con lo que en realidad se ha fijado la totalidad del contrato definitivo. En este caso, según el art. 708.1, pasado el plazo de veinte días de espera para instar la ejecución, el del art. 548, el tribunal por medio de auto resolverá tener por emitida la declaración de voluntad, y entonces el ejecutante podrá pedir que el letrado, con testimonio del auto, libre mandamiento de anotación o inscripción en el Registro.

> No acabamos de entender esta solución legal. Si en el precontrato están determinados todos los elementos del negocio jurídico o contrato, no habría realmente una sentencia de condena a emitir una declaración de voluntad, ni el juez tendría que sustituir nada; debería bastar con que la sentencia se limite a dar por existente el contrato, condenado a la obligación en él contenida. No estaríamos aquí ante una sentencia que condene a hacer.

2.ª) Que en el precontrato se hayan fijado sólo los elementos esenciales, pero no los naturales ni los accidentales, caso en el que el art. 708.2, I, dispone que el tribunal, oídas las partes, los determinará en la propia resolución en que tenga por emitida la declaración, conforme a lo que sea usual en el mercado o en el tráfico jurídico.

> En este supuesto la jurisprudencia más antigua entendía que las partes del precontrato se obligaron a «hacer algo» y que ese «algo» era una emisión de voluntad consistente en un «querer», por lo que al mismo debía reducirse la condena, para a continuación considerar que ese era un hacer no fungible, debiendo estarse, en caso de negativa del condenado, al resarcimiento de daños y perjuicios. La jurisprudencia más reciente (a partir de la STS de 1 de julio de 1950, RA 1.187) entendió ya que si los elementos esenciales están fijados por las partes, y si los naturales han de ser los establecidos por la ley, puede condenarse a imponer los efectos del contrato.

3.ª) Que en el precontrato no se hayan establecido los elementos esenciales, con lo que el juez, no sólo tendría que sustituir en la declaración de voluntad, sino también en la determinación del contenido del contrato. Esta doble sustitución no es posible en nuestro Derecho, según el art. 708.2, II, por lo que debe estarse a los daños y perjuicios.

> La naturaleza infungible de la determinación del objeto del contrato parece evidente, sin perjuicio de que en algunos casos concretos la ley permita la fungibilidad. Sucede así en el art. 15 de la Ley 60/2003, de 23 de diciembre, de Arbitraje, que permite al juez el nombramiento del o de los árbitros, que son elemento esencial en el arbitraje. Salvados los casos para los que existe norma expresa, si la parte no cumple voluntariamente la obligación asumida de, primero, integrar el contrato y, después, emitir la declaración de voluntad, el único remedio es el resarcimiento de los perjuicios, pues la sentencia no podría condenar a emitir una declaración de voluntad en cuanto falta el contenido de ésta.

V. OBLIGACIONES DE NO HACER

Las obligaciones de no hacer pueden referirse a una gran variedad de supuestos, de los que el art. 710 no contempla la mayoría de ellos, dejándolos en la indeterminación.

> Teóricamente las condenas a no hacer, que son siempre infungibles pues no cabe que otra persona no haga por el condenado, pueden consistir bien en una omisión de realizar una conducta, que puede atender a una indefinida duración en el tiempo (prohibición de elevar un piso en un edificio quitando las vistas a otro), o referirse a uno o unos pocos actos determinados (no grabar durante un plazo un disco con otra compañía), o bien en una mera tolerancia de que otra persona realice una conducta (permitir que el actor utilice un camino particular, habiéndose declarado la existencia de una servidumbre de paso).

Partiendo de la conminación que supone la sentencia (o el laudo) puede sostenerse que la verdadera ejecución no entra en juego, sino cuando el condenado ha quebrantado lo dispuesto en el título. Por ello el art. 710.1 parte de que el condenado ha quebrantado la sentencia, de modo que los verdaderos actos ejecutivos comienzan cuando se ha producido la violación del mandato que contiene el título ejecutivo.

Si las obligaciones de no hacer son muy variadas, también lo son las maneras de incumplirlas:

1.ª) Cuando la obligación consiste en omitir una conducta de duración indefinida en el tiempo, la violación del mandato del título puede consistir en realizar un acto que suponga por sí mismo el incumplimiento total. En este supuesto, a instancia del ejecutante, el letrado de la administración de justicia requerirá al ejecutado para que: 1) Deshaga lo mal hecho (se le intimará con la imposición de multas por cada mes que transcurra sin deshacerlo), 2) Se abstenga de volver a hacer (con apercibimiento de incurrir en el delito de desobediencia a la autoridad judicial), y 3) Indemnice los daños y perjuicios causados (por el procedimiento de los arts. 713 a 716).

> Si la condena prohibía al dueño de un edificio elevar un piso más, quitando las vistas a otro edificio situado detrás, la violación puede consistir en construir ese piso. En este caso la ejecución consiste en deshacer lo hecho y ese hacer es siempre fungible, por lo que puede hacerse por otra persona y a costa del ejecutado (art. 1.099 CC), no siendo imprescindible acudir al sistema de las multas coercitivas, pues no se trata de un hacer personalísimo.

2.ª) El incumplimiento total puede que suponga la realización de algo que no puede deshacerse, y la ejecución entonces, dice el art. 710.2 que consistirá en el resarcimiento de daños y perjuicios.

> Cuando la obligación consiste en no fabricar un determinado artículo, puede que el condenado realice uno o varios actos de fabricación. La ejecución aquí difícilmente podrán consistir en deshacer lo hecho, porque los artículos estarán en el mercado y posiblemente vendidos, lo que supone que la ejecución habrá de limitarse al valor de lo vendido y al resarcimiento de perjuicios, pero además requiriendo al ejecutado para que se abstenga de hacer en el futuro con apercibimiento de que incurrir en el delito de desobediencia a la autoridad judicial.

3.ª) Cuando el no hacer consiste en permitir que otra persona haga lícitamente, la violación consiste en impedir esa actuación y entonces la ejecución pude adoptar diversas formas.

Si la sentencia condena al demandado a no impedir el paso por un camino de su propiedad, la violación puede consistir en obstaculizar el ejercicio de la servidumbre de paso, lo que puede hacerse, bien construyendo una obra permanente, bien mediante la coacción física. En este caso la ejecución supondrá destruir lo mal hecho, indemnizar los daños y perjuicios y requerir al ejecutado para que no realice actos de obstaculización, con el apercibimiento del proceso penal; si los actos continúan, la ejecución debe repetirse, pero ahora con el inicio del proceso penal. También es admisible que el juez ordene a la policía judicial que ésta garantice el derecho de pasar, protegiendo al ejecutante.

Legislación: Ley de Enjuiciamiento Civil (arts. 699 a 711).
Lectura: PARDO IRANZO, *Ejecución de sentencias por obligaciones de hacer y de no hacer*, Valencia, 2001.

LIBRO IV
EL PROCESO CAUTELAR

La tutela cautelar. Elementos personales y medidas cautelares

I. CONCEPTO Y PRINCIPIOS
Manifestación de la función jurisdiccional.
Garantía de los otros procesos: de declaración y de ejecución.
Mantiene los principios del proceso y del procedimiento civil

II. ELEMENTOS PERSONALES
A) Tribunal
  a) Extensión y límites de la jurisdicción
  b) Competencia genérica
  c) Criterios de atribución de competencia
B) Partes

III. LAS MEDIDAS CAUTELARES
A) Características
  – Instrumentalidad
  – Provisionalidad
  – Temporalidad
  – Variabilidad
  – Proporcionalidad
B) Naturaleza jurídica
  1. Medidas que asegurar la ejecución
  2. Medidas que conservan la situación
  3. Medidas que anticipan el resultado
C) Presupuestos
  – Situación jurídica cautelable y apariencia de buen derecho (*Fumus boni iuris*)
  – Peligro por la mora procesal (*periculum in mora*)
  – Caución

IV. MEDIDAS CAUTELARES ESPECÍFICAS
  – Embargo preventivo de bienes
  – Intervención y administración judiciales
  – Depósito de cosa muebles
  – Formación de inventario de muebles
  – Anotación preventiva de demanda
  – Otras anotaciones registrales
  – Cesación provisional, abstención temporal, prohibición temporal de actividades, conductas o realización de prestaciones
  – Intervención y depósito de ingresos obtenidos mediante actividad ilícita, consignación o depósito de las cantidades reclamadas en concepto de remuneración de la propiedad intelectual
  – Depósito de ejemplares de obras u objetos y material
  – Suspensión de acuerdos sociales
  – Otras previstas legalmente

V. CAUCIÓN SUSTITUTORIA
Posibilidad de sustituir la medida cautelar por caución: casos y condiciones

I. CONCEPTO Y PRINCIPIOS

La Constitución configura la función jurisdiccional como aquella que consiste en juzgar y en hacer ejecutar lo juzgado (art. 117.3 CE). Ambas subfunciones se cumplen por medio de dos tipos procesales: el proceso de declaración y el proceso de ejecución. En ocasiones la necesaria duración de los mismos se convierte en una rémora para su eficacia, e incluso puede ser aprovechada por el sujeto pasivo para hacer inútil la resolución que, en su día, se dicte.

Aparece así la subfunción cautelar, que sirve para garantizar el cumplimiento de las otras, la declarativa y la de ejecución. El art. 5 LEC configura a la cautelar como una de las clases de tutela jurisdiccional, juntamente con la declarativa y la ejecutiva, pese al intento del legislador de eludir, como lo hace en los arts. 721 a 747 de la LEC, la expresión «proceso cautelar» en todo momento.

> La doctrina se mostró dividida al respecto. Frente a los partidarios de la expresión «medidas cautelares», nunca proceso cautelar, con un común nexo de unión entre aquéllas: la instrumentalidad en relación con el proceso principal, siendo incidente del proceso de declaración o medio de aseguramiento del de ejecución, otro sector doctrinal postulaba que la actividad jurisdiccional cautelar es un verdadero proceso cautelar, autónomo, pese a su carácter instrumental respecto de los procesos de declaración y de ejecución. Su fundamento se halla en que la pretensión procesal, objeto del proceso cautelar, es distinta de la del proceso principal, lo que, entre otras razones, provoca y exige un tratamiento específico en relación con su regulación. Es por ello que en la LEC se delimitan reglas especiales de competencia, la necesidad de audiencia con carácter previo como regla general, al desarrollo de la vista, al régimen de recursos, etc. Todo ello supone la implícita asunción del concepto «proceso cautelar» y su configuración como modalidad de tutela jurisdiccional (art. 5), con un tratamiento procesal específico de los elementos objetivos, subjetivos y de la actividad.

Consecuencia de la correlación e interdependencia que se mantiene entre la jurisdicción y el proceso, debe, por ello, estructurarse la función y la pretensión cautelar sobre un proceso, al que se denomina cautelar. Su objeto es facilitar otro proceso principal asegurando la efectividad de su resultado (o, en expresión del art. 721.1 LEC, «asegurar la efectividad de la tutela judicial que pudiera otorgarse»), permitiendo, como afirmaba Calamandrei, que, frente a hacer las cosas pronto, pero mal, y hacerlas bien, pero tarde, se adopten medidas cautelares que permiten conjugar las ventajas de la rapidez con la ponderación y la reflexión en la solución de los litigios. Este proceso se asienta sobre tres grupos de principios:

a) *Relativos a las partes*: Dualidad, con demandante cautelar (actor principal o reconvencional, art. 721) y demandado (art. 733); Contradicción (arts. 733 y 734 LEC); e igualdad, con los mismos derechos, cargas y obligaciones.

b) *Relativos al proceso:* Se rige por los principios de oportunidad y dispositivo. Se exige instancia de parte para su incoación (art. 721.1), destacando también el principio de aportación de parte (arts. 732 y 734).

c) *Relativos al procedimiento:* Predominio de la oralidad, excepto el inicio escrito, con un trámite característico —vista (art. 734)—, en el que podrá exponerse verbalmente lo que a las partes convenga según su derecho, practicar pruebas, efectuar alegaciones sobre el tipo y cuantía de la caución.

II. ELEMENTOS PERSONALES DEL PROCESO CAUTELAR

La delimitación subjetiva de la tutela cautelar se efectúa atendiendo al tribunal y a los sujetos demandante y demandado de las mismas.

A) Tribunal

Asumido que la función cautelar es función jurisdiccional, deben delimitarse las normas que configuran la atribución competencial a los tribunales.

a) Extensión y límites de la jurisdicción: La presencia de un elemento de extranjería suscita el ejercicio de la potestad jurisdiccional española en materia cautelar. En defecto de norma convencional o reglamentaria, debe estarse a los arts. 22 sexies LOPJ y 722, II, LEC. El primero, con carácter general, permite a los órganos del orden jurisdiccional civil español la adopción de medidas provisionales o de aseguramiento respecto de personas o bienes que se hallen en territorio español y deban cumplirse en España. El art. 722, II, LEC, por su parte, faculta a los órganos españoles a adoptar tales medidas en relación con un proceso judicial «principal» desarrollado fuera de España, sobre una materia respecto de la que no sean exclusivamente competentes los tribunales españoles, o de un procedimiento arbitral celebrado dentro o fuera de nuestro país.

> Con un carácter marcadamente especial, la Ley 14/2014, de 24 de julio, de Navegación Marítima (BOE, 25 de julio 2014), incorpora ahora una normativa específica en materia de embargo de buques (arts. 43 y 470 y siguientes).

Si las situaciones se hallaren cubiertas por normativa convencional o por Reglamentos de la UE, lo dispuesto en éstos prevalecerá sobre las disposiciones antes mencionadas.

1°) Dentro de los convenios bilaterales concluidos por España habrá que atender, como ejemplo aislado y paradigmático, al art. 8 del Tratado entre el Reino de España y la República de El Salvador sobre competencia judicial, reconocimiento y ejecución de sentencias en materia civil y mercantil, de 7 de noviembre de 2000 (BOE, 25 de diciembre de 2001).

Más relevantes resultan los Convenios multilaterales. Dentro de ellos, salvando los existentes en materias muy específicas —por ejemplo, el Convenio de Roma, de 1933, sobre embargo preventivo de aeronaves o, el Convenio de Bruselas, de 1952, sobre ciertas reglas relativas al embargo preventivo de buques— habrá de estarse al Convenio de Lugano de 2007. Hay que estar a su artículo 31: «Podrán solicitarse medidas provisionales o cautelares previstas por la ley de un Estado vinculado por el presente Convenio a las autoridades judiciales de dicho Estado, incluso si, en virtud del presente Convenio, un tribunal de otro Estado vinculado por el presente Convenio fuere competente para conocer sobre el fondo». Se exige, sin embargo, que exista un nexo entre el tribunal y el objeto de las medidas solicitadas.

2°) A todo lo anterior debe añadirse el Reglamento (CE) n° 1215/2012 del Consejo, de 12 de diciembre de 2012, relativo a la competencia judicial, el reconocimiento y la ejecución de resoluciones judiciales en materia civil y mercantil.

A diferencia de lo que ocurre con el art. 22 sexies LOPJ, respecto del que no existe jurisprudencia, el art. 5 del Reglamento 1215/2012 se ha mostrado como complejo en su interpretación y aplicación, existiendo un buen número de Sentencias del TJCEE en relación con el mismo.

> Se ha suscitado el significado de la noción de «medidas provisionales o cautelares» o incluso la referencia a «previstas por la ley del Estado contratante», y si ello implicaba una suerte de remisión (o renacionalización) a los ordenamientos nacionales, lo que parece no aceptar el Tribunal de Luxemburgo, que ha sostenido la interpretación autónoma del precepto (STJCE de 26 de marzo de 1992, en el asunto 261/90 *Reichert* c. *Dresdner Bank*) viniendo a considerar la doctrina especifica hasta cuatro tipos diferentes de protección: las medidas de aseguramiento de la ejecución, las medidas de aseguramiento de pruebas, medidas anticipatorias y, por último, medidas cuyo fundamento mediato o inmediato es la urgencia en su adopción. Medidas, recuérdese, que podrán ser adoptadas por el juez siempre que estén previstas en su ordenamiento.
>
> Por su parte, el TJCE no ha dudado en recordar algo que resulta obvio: las medidas cautelares podrán ser adoptadas únicamente, respecto de cuestiones cubiertas por el ámbito material de aplicación del propio Reglamento 1215/2012. Asimismo, se vino sosteniendo, desde la interpretación del antiguo art. 24 del Convenio de Bruselas, que se podrán solicitar medidas cautelares o provisionales ante los tribunales de un Estado, pese a que no tengan competencia para conocer de la acción principal, siempre que según las reglas de competencia del derecho de ese concreto Estado, sus tribunales fueran competentes para adoptar dichas medidas.

A partir de enero de 2017 se toma en consideración el Reglamento (UE) núm. 655/2014 del Parlamento Europeo y del Consejo, de 15 de mayo de 2014, por el que se establece el procedimiento relativo a la orden europea de retención de cuentas, a fin de simplificar el cobro transfronterizo de deudas en materia civil y mercantil (DO L. 189, de 27 de junio de 2014).

3º) Cuando, por el orden de aplicación subsidiario de normas no es posible la normativa de la UE o convencional, habrá de estarse a lo dispuesto en el art. 22 sexies LOPJ: «Los Tribunales españoles serán competentes cuando se trate de adoptar medidas provisionales o de aseguramiento respecto de personas o bienes que se hallen en territorio español y deban cumplirse en España. Serán también competentes para adoptar estas medidas si lo son para conocer del asunto principal». No será necesario que los tribunales españoles tengan competencia sobre el fondo del asunto para tener competencias en este ámbito.

> Finalmente, junto a la extensión y límites de la jurisdicción, debe abordarse la eficacia en España de las medidas cautelares adoptadas en el extranjero. Dichas medidas serán reconocidas en España, a pesar de carecer de firmeza, al amparo de los textos convencionales o institucionales que vinculan a nuestro país: básicamente, los Convenios de Lugano y con El Salvador y el Reglamento 1215/2012, con eficacia automática.

Fuera del ámbito convencional o reglamentario, el reconocimiento de las medidas cautelares se subordina al régimen de exequátur.

b) *Competencia genérica:* Según el art. 22 sexies LOPJ, el orden jurisdiccional al que se atribuye la competencia para adoptar medidas cautelares en el proceso civil es el orden jurisdiccional civil. Se exceptúan las medidas cautelares civiles que se adoptan en el proceso penal para garantizar la efectividad de una resolución que verse sobre una pretensión de responsabilidad civil derivada de un hecho delictivo, siendo competente en el proceso civil acumulado al penal, el órgano jurisdiccional penal.

c) *Criterios de atribución de competencia:* Para su fijación debe estarse al momento procesal de adopción de las medidas cautelares:

1.º) Si la medida se solicita antes de la iniciación del proceso principal, será competente el Juzgado de Primera Instancia o, en su caso, el Juzgado de lo Mercantil en aquellas materias que le sean propias (arts. 85.1 y 86 ter. 1 y 2 LOPJ, competencia objetiva) que deba conocer del futuro proceso principal (art. 723.1 LEC, competencia territorial)

> El tribunal controlará de oficio su jurisdicción, su competencia objetiva y la territorial. Si carece de jurisdicción o de competencia objetiva, se abstendrá de conocer, por auto, remitiendo a las partes a que usen de su derecho ante quien corresponda. Si se considerare incompetente territorialmente podrá acordar lo anterior, siempre que la competencia territorial no pueda fundarse en ninguno de los fueros legales que resulten aplicables, si bien cuando el fuero legal sea

dispositivo, no declinará su competencia si existiera sumisión expresa a su jurisdicción para el asunto principal (art. 725.1 LEC). Pese a considerarse territorialmente incompetente, puede ordenar a prevención medidas cautelares urgentes, con remisión de los autos al tribunal competente (art. 725. 2 LEC).

2.°) Si se solicita con la demanda o con posterioridad, pero antes de la finalización del proceso, será competente el mismo órgano que conoce del asunto en la primera instancia (art. 723.1, competencia funcional).

El tratamiento procesal de la competencia seguirá las normas generales del proceso principal, a saber los arts. 37, 38, 39, 48, 49,58, 59, y 62, LEC.

3.°) Si se solicita durante la sustanciación de la segunda instancia o de un recurso extraordinario por infracción procesal o de casación, será competente el tribunal que conozca de la segunda instancia o de dichos recursos (art. 723.2., competencia funcional).

4.°) Aun no regulándose la adopción de medidas cautelares tras la sentencia firme, debe admitirse esta posibilidad ex art. 700, siendo competente para adoptar estas medidas el mismo órgano que conoció de la instancia (art. 60).

B) Partes

Sólo es posible adoptar la tutela cautelar a instancia de parte; el tribunal no podrá hacerlo de oficio.

a) No existe especialidad respecto de la capacidad de las partes para solicitar las medidas respecto del proceso declarativo, de manera que quien tenga capacidad para acceder a éste, la tendrá también para solicitar la tutela cautelar.

b) Tampoco existe especialidad en materia de legitimación. Son legitimados activos el demandante, o futuro demandante del proceso declarativo o al demandante reconvencional (art. 721.1), y pasivo, quien lo es o lo será en el proceso de declaración que garantiza.

c) La necesidad de integrar la postulación dependerá del momento en que se solicitan las medidas cautelares.

Si la medida se solicita antes de la demanda, se exime de la obligatoriedad de la representación procesal por Procurador (art. 23.2, 3.°, LEC) y de la obligatoriedad de la defensa técnica por medio del Abogado (art. 31.2, 2.°, LEC). Esta exención no implica imposibilidad de acudir con abogado y procurador, si bien se excluirán estos conceptos en la imposición de costas. Deberá, en todo caso, ponerse en conocimiento anticipado del tribunal, quien deberá notificarlo a las demás partes con antelación suficiente para que puedan proveerse de la misma asistencia y representación (art. 32).

Si la medida se solicita con la demanda o con posterioridad, no habrá especialidad en relación con la postulación, estándose a las reglas generales del proceso principal —obligatoriedad salvo excepciones— (arts. 23 y 31). Esta obligatoriedad se predica tanto mientras se tramita el proceso principal como en fase de recursos y de ejecución.

III. LAS MEDIDAS CAUTELARES

El objeto de este proceso es la pretensión cautelar, consistente en la petición de adopción de medidas necesarias para «asegurar la efectividad de la tutela judicial que pudiera otorgarse en la sentencia estimatoria que se dictare»(art. 721.1), convirtiéndose así en instrumentos procesales que inciden, directa o indirectamente, en la esfera de derechos y bienes del demandado (art. 726.1).

A) Características

Desarrolladas en el art. 726 LEC, se confunden en ocasiones con elementos delimitadores de su naturaleza. Centrándonos en las características, éstas son:

a) *Instrumentalidad*: Las medidas cautelares son exclusivamente conducentes a hacer posible «*la efectividad de la tutela judicial que pudiere otorgarse en una eventual sentencia estimatoria*» (art. 726.1, 1ª), siendo instrumentales del proceso de declaración y del de ejecución. Es por ello que se les configura como *instrumentos del instrumento* (Calamandrei).

b) *Provisionalidad*: No pretenden convertirse en definitivas, por lo que deben alzarse cuando en el proceso principal se llegue a una situación que haga inútil el aseguramiento, bien por cumplimiento de la sentencia, bien por actuaciones en el proceso de ejecución que despojan de motivación el mantenimiento de las medidas.

> Esta provisionalidad es también característica de otras instituciones, como la ejecución provisional de la sentencia (arts. 524 a 537 LEC), en la que la provisionalidad tiende a convertirse en definitiva, dado que sólo desaparecerán sus efectos si la sentencia es revocada, mientras que las medidas cautelares desaparecerán en todo caso; o, por ejemplo, en los supuestos de justicia provisional o sumaria.

c) *Temporalidad:* Tienen una duración limitada, sin que sea la misma determinable *a priori*, si bien por su propia naturaleza nacen para extinguirse. Se adoptan por tiempo limitado, que depende de la duración del proceso principal.

d) *Variabilidad*: Son «*susceptibles de modificación y alzamiento*», tienen un carácter variable, pudiendo ser modificadas e incluso suprimidas, según el principio *rebus sic stantibus*, cuando se modifica la situación de hecho que dio lugar a su adopción. La variabilidad puede ser positiva (para adoptarlas o modificarlas) o negativa (para alzarlas).

e) *Proporcionalidad*: La medida debe ser proporcionalmente adecuada a los fines pretendidos, de modo que se adoptará cuando no sea susceptible de «sustitución por otra medida igualmente eficaz y menos gravosa o perjudicial para el demandado» (art. 726.1, 2.º, LEC). La proporcionalidad se delimitará mediante un juicio de razonabilidad acerca de la finalidad perseguida y las circunstancias concurrentes, potenciándose con ello una menor onerosidad para el demandado.

B) Naturaleza jurídica

Su delimitación exige distinguirlas de otras instituciones afines. Así:

a) La función exclusiva de ser conducentes a hacer posible la efectividad de la tutela judicial que pudiera otorgarse en una eventual sentencia estimatoria (art. 726.1, 1.º), impide configurar como tales a medidas de aseguramiento de las personas, especialmente las que se refieren a menores o incapaces, que pueden no guardar relación alguna con el proceso principal.

b) Tampoco son cautelares las que aseguran el proceso mismo o alguna de sus fases, como la prueba anticipada, que proporciona a las partes una posición necesaria o jurídicamente conveniente para el proceso futuro o ya incoado.

c) No debe confundirse con la tutela cautelar la justicia provisional o sumaria, dado que existe abierta la vía de un proceso plenario posterior.

> Ni son provisionales de forma definitiva, ni tienen carácter instrumental. En ocasiones las pretensiones de justicia provisional se engloban bajo estos dos tipos de tutela —la sumaria y la cautelar— pero no son lo mismo; razones de política legislativa determinan la opción entre procesos sumarios o la de adoptar medidas cautelares, si bien es perfectamente posible utilizar ambas técnicas.

En otro momento se sostuvo doctrinalmente que con las medidas cautelares se aseguraba tan sólo la ejecución de la sentencia. Esta función de aseguramiento servía para diferenciarlas de las restantes medidas instrumentales existentes en el proceso, y, por otro, servía para intentar diferenciarlas de las medidas ejecutivas. Hoy esta posición ha sido superada regulándose incluso medidas anticipatorias de la resolución.

C) Presupuestos

Para la adopción de las medidas cautelares se hace necesario que concurran una serie de elementos fundamentales que la doctrina denomina «presupuestos». En la LEC se delimitan estos fundamentos, debiendo, sin embargo, distinguir entre: 1) Presupuestos para la adopción de las medidas cautelares: Del art. 728 se desprenden dos, la apariencia de buen derecho *(fumus boni iuris)* y el peligro por la mora procesal *(periculum in mora)*; y 2) Presupuesto de ejecución de la medida (no de adopción de la misma): La necesidad de prestar caución con carácter general.

a) Situación jurídica cautelable y apariencia de buen derecho

La situación jurídica cautelable, delimitada en ciertos casos de manera específica, en el art. 727, al enumerar las medidas cautelares, se proyecta sobre el tipo de pretensión que se ejercita en el proceso principal, pudiendo extenderse, por ello, a los tres tipos de tutela: la merodeclarativa, la constitutiva y la de condena.

En conexión con la situación jurídica cautelable se halla el presupuesto de la «apariencia de buen derecho» o *fumus boni iuris*. La adopción de estas medidas no puede depender de que el actor pruebe la existencia del derecho subjetivo por él alegado en el proceso principal, ya que esa existencia es la que se debate en éste, pero tampoco puede adoptarse la medida cautelar sólo porque lo pida el actor. Entre uno y otro extremo la adopción precisa que se acrediten unos indicios de probabilidad, de verosimilitud, de «apariencia de buen derecho». Es fundamento de adopción de las medidas cautelares conducentes a hacer posible la ejecución o la efectividad de la eventual (por ende, futura) sentencia estimatoria, si bien es posible —no es lo común—, que la medida garantice la ejecución —art. 700—, no existiendo *fumus boni iuris* como su fundamento de éstas, al asentarse en un título ejecutivo, y, por tanto, en la certeza del derecho alegado por el ejecutante-demandante cautelar.

En general, de este presupuesto debe tenerse en cuenta:

1.º) Es el *fumus boni iuris* un presupuesto legalmente configurado en el art. 728.2 LEC, y al que el legislador denomina como «apariencia de buen derecho».

2.º) Comporta la existencia de un juicio de verosimilitud o de probabilidad, provisional e indiciario, a favor del demandante de la medida cautelar sobre el derecho que viene afirmando en el proceso principal.

3.º) Debe ser alegado y justificado mediante los medios oportunos y permitidos en derecho. El art. 728.2 LEC se refiere a datos, argumentos y justificaciones documentales, sin excluirse otros medios no documentales, en lógica coherencia con aquellos supuestos en los que la presentación del principio de prueba por escrito (baste pensar en los supuestos de responsabilidades extracontractuales) impediría el acceso a la tutela cautelar.

b) Peligro por la mora procesal (periculum in mora)

Implica la necesidad de conjugar los riesgos que amenazan la duración del proceso principal, de modo que existe peligro de inejecución o de inefectividad de la sentencia estimatoria. Esta inefectividad puede derivarse de la concurrencia de dos tipos de peligro: el retraso y el daño que se puede producir por la demora.

Para su configuración legal dos son los sistemas que pueden acogerse: *in abstracto*, o bien mediante la determinación *in concreto* de los riesgos que, en cada una de las medidas cautelares, se pretenden conjurar. La LEC ha optado con carácter general por la configuración *in abstracto* de este presupuesto, atendido el peligro de la duración, que podría aprovecharse por quienes participan en el proceso, haciendo inefectiva la tutela judicial que pudiere otorgarse en la sentencia. No obstante, pueden confluir otros peligros: el de insolvencia o de no disposición de medios económicos suficientes (pretensiones pecuniarias), riesgos derivados de la inutilidad práctica que se pretenden contrarrestar a través de una anotación preventiva, riesgo de difusión de una determinada actividad o publicidad (en los supuestos de ejercicio de remoción de los efectos), riesgos de continuidad de la actividad (en caso de ejercicio de pretensión de cesación), entre otros.

Por su parte, el art. 728.1, II permite restringir la aplicación de la excesiva duración del proceso de modo que, aun concurriendo, es posible no acordar medidas cautelares «cuando con ellas se pretenda alterar situaciones de hecho consentidas por el solicitante durante largo tiempo, salvo que éste justifique cumplidamente las razones por las cuales dichas medidas no se han solicitado hasta entonces», fijándose con ello los efectos directos de la inactividad del actor, por consentimiento, y la excepción a la misma por la justificación de la no solicitud de la tutela cautelar con anterioridad.

c) Caución

La caución sirve para responder, en su caso, de los posibles daños y perjuicios que puedan ocasionarse al demandado si, con posterioridad, se pone de manifiesto que la medida carecía de fundamento y es por ello revocada. No es, sin embargo, elemento que fundamente la adopción de la medida, si bien su prestación deberá ser siempre previa a cualquier acto de cumplimiento de la medida cautelar acordada (art. 737.1), y, sin embargo, el ofrecimiento de la prestación de la caución sí que debe considerarse como presupuesto de la adopción. Las notas que la caracterizan son:

1.º) A diferencia de otros momentos históricos, el art. 728 consagra de manera general la exigencia de caución, si bien cabe excepcionarla cuando el legislador lo pueda considerar oportuno, atendiendo a la situación jurídica que pretenda garantizarse o incluso a la medida cautelar en concreto que se haya solicitado.

2.º) A través de la misma se obtiene cantidad suficiente para responder de los posibles daños y perjuicios que puedan ocasionarse al demandado, en el supuesto de revocación de la misma.

3.º) La LEC hace referencia al término «caución suficiente», si bien debe configurarse ésta cuantitativa y cualitativamente. Así:

1) Desde el punto de vista cuantitativo, su determinación es decisión del tribunal, si bien se establecen unas bases para su cuantificación: «*naturaleza y contenido de la pretensión*» y «*valoración que realice sobre el fundamento de la pretensión*» (art. 728.3). En ocasiones, sin embargo, los perjuicios pueden ser bienes de difícil cuantificación o incluso que carezcan de valor patrimonial, y, pese a todo, ser conveniente la misma.

2) Cualitativamente, cualquiera de las clases de fianza sería posible. En este sentido parece pronunciarse la LEC en su art. 735.2, cuando establece que el tribunal determinará «*la forma...en que deba prestarse caución por el solicitante*», y en el art. 737 señala que «*el tribunal decidirá, mediante providencia, sobre la idoneidad...de la caución*». En todo caso, se hace referencia al ofrecimiento de caución que deberá realizar el solicitante (art. 732.3).

4.º) La caución podrá otorgarse en cualquiera de las formas previstas en el art. 529.3, II: dinero efectivo, aval solidario o por cualquier otro medio que, a juicio del tribunal, garantice la inmediata disponibilidad de la cantidad de que se trate.

5.º) El derecho a la justicia gratuita no exime de la prestación de la caución, dado que la exención supondría una importante lesión en el interés privado del sujeto pasivo de la medida, como ha venido consagrando el TC.

6.º) Supuesto especial es el de aquellos procesos en los que se ejercita una acción de cesación en defensa de los intereses colectivos y de los intereses difusos de los consumidores y usuarios, dado que el art. 728.3.IV permite que el tribunal pueda dispensar al solicitante de la medida del deber de prestar caución, atendidas las circunstancias del caso, la entidad económica y la repercusión social de los distintos intereses afectados.

7.º) Especial regulación es la del art. 25 de la Ley 1/2019, de 20 de febrero, de Secretos Industriales. El art. 25 incorpora algunas especificidades en relación con la caución exigible al demandante referidas a su determinación, así como la posibilidad de que terceros afectados puedan reclamar daños y perjuicios en ciertos casos por alzamiento de la caución.

Incorpora en los arts. 20 a 25 algunas reglas sobre tutela cautelar en estos litigios. Algunos de ellos son innecesarios y se encuentran integrados en el régimen común de la LEC. En materia de caución si que ha incorporado algunas especializaciones, tanto en cuanto a los componentes de valoración judicial para su determinación (los potenciales perjuicios que las medidas cautelares puedan ocasionar a los terceros que resulten afectados desfavorablemente por ellas), como la imposibilidad de cancelación de la caución en tanto no haya transcurrido un año desde el alzamiento de las medidas. También los terceros afectados–no solo el demandado- podrán reclamar daños y perjuicios cuando las medidas se alzaron debido a un acto u omisión del demandante o por haberse constatado posteriormente que la obtención, utilización o revelación del secreto empresarial no fueron ilícitas o no existía riesgo de tal ilicitud.

IV. MEDIDAS CAUTELARES ESPECÍFICAS

La delimitación de las medidas en el art. 727 tiene carácter de *numerus apertus* («entre otras»). En este listado se comprenden tres tipos de medidas, que vendrán condicionadas por la pretensión ejercitada en el proceso principal y, con ella también por la sentencia estimatoria que se dicte, que determinará los efectos como consecuencia de su adopción:

a) Medidas de aseguramiento: constituyen la situación adecuada para que, una vez dictada la sentencia en el proceso principal, pueda procederse a la ejecución de la misma (el ejemplo más significativo es el embargo preventivo);

b) Medidas de carácter conservativo, que tienden a evitar que el demandado, durante la pendencia del proceso, pueda aprovecharse de los resultados de los actos que se consideran ilícitos por el actor (tal es la prohibición temporal de interrumpir o de cesar en la realización de una prestación que viniera llevándose a cabo);

c) Medidas innovativas o anticipatorias del resultado de la estimación de la pretensión, como mecanismo más idóneo para que las partes participen en el proceso en igualdad de condiciones, produciéndose una innovación sobre la situación jurídica preexistente al proceso principal (tal es la pensión provisional).

En algunas de estas medidas enumeradas en el art. 727 se establecen limitaciones o concreciones a los presupuestos de adopción de las mismas, si bien allá donde nada se establezca al respecto, habrá de aplicarse el tratamiento común.

1.°) *El embargo preventivo de bienes*

El art. 727.1ª concreta los presupuestos de adopción de la medida cautelar de aseguramiento por excelencia, el embargo preventivo, en el que la situación jurídica cautelable atiende a pretensiones de condena a la entrega de cantidades de dinero o de frutos, rentas y cosas fungibles computables en metálico por aplicación de precios ciertos.

Con ello se excluye la posibilidad de adoptar el embargo preventivo para asegurar la sentencia meramente declarativa o constitutiva, planteándose dudas acerca de sí tan sólo sirve para garantizar obligaciones pecuniarias o sí podría, por el contrario, asegurar obligaciones de hacer, no hacer o dar cosa específica en aquellos supuestos previstos de conversión de éstas en subsidiaria condena pecuniaria. A esta segunda interpretación podría llegarse a través del art. 727, 1.ª, II, quedando como posible ésta aún cuando, no dándose la situación jurídica cautelable, es medida menos gravosa para el sujeto que la debe padecer y sirve con eficacia a los fines pretendidos.

Tratándose de asegurar la futura ejecución de sentencias que condenen a entregar dinero, el peligro que trata de evitarse es el de que el demandado se convierta en insolvente mientras se realiza el proceso principal, y por eso este embargo afecta uno o más bienes de aquél a la posible futura ejecución.

2.°) *La intervención y la administración judicial*

Cuando se pretende la entrega de bienes cuyo valor principal reside en la productividad (establecimientos industriales o comerciales o fincas rústicas), la medida tiende a garantizar el mantenimiento de esa productividad, y para ello puede pedirse, bien la intervención judicial (controlándose los actos de administración que realice el demandado), bien la administración judicial (se nombra un administrador que sustituye al demandado en la administración del bien).

> Es posible también pedir esta medida cuando en el proceso principal no se pida la entrega del bien, pero la productividad del mismo garantice la efectividad de la sentencia que recaiga (por ejemplo, si se ha decretado el embargo preventivo de los frutos y rentas que produce el bien).

3.°) *El depósito de cosa mueble*

Si se demanda en juicio la entrega de una cosa mueble, que está en posesión del demandado, la medida cautelar de depósito tiende a evitar que la sentencia futura de condena a entregarla sea imposible, bien porque el demandado transmite la cosa de modo irreivindicable, bien porque la haga desaparecer (recuérdese la diligencia preliminar de los arts. 256.1, 2ª y 261.3ª).

4.°) *La formación de inventarios de bienes*

La generalidad de la norma deja a la apreciación judicial la determinación de la situación jurídica cautelable, aunque ésta tiene que referirse a supuestos en los que el conocimiento de los bienes que integran un patrimonio sea determinante para la efectividad de la sentencia que llegue a dictarse (por ejemplo, extinción de comunidades de bienes).

5.°) *La anotación preventiva de demanda*

Las reglas 5.ª y 6.ª del art. 727 realizan una distinción dentro de las anotaciones preventivas: anotación preventiva de la interposición de una demanda y las demás anotaciones. La regla 5ª se refiere a la «anotación preventiva de demanda, cuando ésta se refiera a bienes o derechos susceptibles de inscripción de Registros públicos» (equivale a lo dispuesto en el art. 42, 1.º LH). Se parte de una concreta situación, motivada por la presencia de un bien o derecho registrado o registrable, quedando fuera hechos o situaciones jurídicas (supuestos de demanda de impugnación de acuerdos sociales o demandas de incapacitación) que podrían requerir de la debida cobertura registral cautelarmente, y que ninguno de ambos apartados la permiten. Quedaría la posibilidad de acudir a la regla 11.ª, como cláusula de cierre, siempre que no se trate de materia expresamente derogada.

> Ello crea, por tanto, que frente al sentido cautelar que debería ofrecer una medida como ésta, referible a una situación jurídica cautelable expansiva y por tanto referida a todo tipo de tutela pretensiones de condena, merodeclarativas o constitutivas— no es ésta la solución a que se refiere el legislador en este capítulo específico de medidas cautelares.

El *periculum in mora* se halla en el riesgo de transmisiones de esos bienes o derechos sobre los que versa el proceso, efectuadas por el demandado, y que impidieren la efectividad de la sentencia.

6.º) *Otras anotaciones registrales*

La opción legislativa de deslindar como categoría cautelar independiente la anotación preventiva de demanda de otras anotaciones registrales, sólo tiene sentido si se da cabida aquí a situaciones jurídicas que carecen de trascendencia registral inmediata, de modo que frente a la situación de derechos registrados o registrables a cuya tutela se dirigía la anotación preventiva de demanda, aquí la anotación no es de la demanda, sino de otro tipo de actos, siendo en estos supuestos la publicidad un elemento útil para llevar a cabo la ejecución. Así, asumida regulación anterior existente en la Ley Hipotecaria, podría distinguirse entre la anotación preventiva de demanda (art. 42, 1.º LH), y los otros supuestos del art. 42, de quedarían cubiertos por este apartado 6.º del art. 727 LEC.

> Resulta criticable, sin embargo, que el precepto se refiriera a la adopción de estas medidas en los casos en que la publicidad registral sea útil para el buen fin de la ejecución tan sólo, dado que hubiere sido más lógico referir la utilidad de la publicidad registral a la efectividad de la sentencia, no restringiendo tan sólo a la ejecución.

7.º) *Cesación provisional, o abstención temporal, o prohibición temporal de actividades, conductas o realización de prestaciones*

La introducción en el capítulo abierto de medidas cautelares de este apartado 7.º en el art. 727 responde a una necesidad sentida de uniformar el tratamiento de las medidas mediante la ley común, además de que comporta la asunción legal de la existencia de medidas que en ocasiones conservan, e incluso anticipan, la situación jurídica sobre la que se proyecta la tutela cautelar.

> Se incluyen algunas medidas que durante mucho tiempo no se regulaban en la LEC, sino en leyes materiales sectoriales (patentes, marcas, competencia desleal, publicidad, entre otras), que ofrecían un tratamiento procesal privilegiado, si bien incompleto, lo que provocaba algunas contradicciones. La aprobación de la LEC supuso adaptación de algunas de esas leyes, como por ejemplo para la propiedad intelectual, patentes, marcas, diseño industrial… (con la Ley 19/2006, de 5 de junio, por la que se amplían los medios de tutela de los derechos de propiedad intelectual e industrial, se establecen normas procesales para facilitar la aplicación de diversos reglamentos comunitarios).
>
> El art. 21 de la Ley 1/2019, de Secretos Industriales, hace expresa referencia a posibles medidas cautelares, entre las que se enumeran el cese o prohibición de utilizar o revelar el secreto empresarial, así como el cese o prohibición de producir, ofrecer, comercializar o utilizar mercancías infractoras o importar, exportar o almacenar mercancías infractoras con tales fines; pudiendo complementarse con la retención y depósito de mercancías infractoras y el embargo de bienes.

Se asegura a través de estas medidas la tutela de condena a obligaciones de hacer y de no hacer, si bien la variedad de medidas van a fundamentarse en diversas situaciones jurídicas. Así, la cesación provisional de una determinada actividad se despliega como garantía de una situación jurídica que consiste en la tutela de una condena a un *facere*, una abstención de una actividad real y presente (por ejemplo, en el supuesto de una cesación de la publicidad ilícita se garantiza una acción de omisión de una actividad publicitaria considerada por el demandante como ilícita). La abstención temporal supone la tutela de un *non facere*, no llevar a cabo una conducta que previsiblemente es inminente (abstenerse de lanzar a la audiencia una campaña publicitaria sobre determinado producto).

> A través de ambas medidas —la cesación provisional de una actividad o la abstención temporal de la misma— se está en cierta medida anticipando los efectos de la sentencia eventual que se pudiera dictar en el proceso principal estimando la pretensión del actor, máxime si se tiene en cuenta que ambas son instrumento para garantizar la efectividad de la sentencia dictada en un proceso en el que se estima las pretensiones de cesación de una actividad o de abstención (prohibición de realización de la misma de forma inminente).

Se incluye además la medida cautelar de prohibición temporal de interrumpir o de cesar en la realización de una prestación que viniera llevándose a cabo. Se cautela con esta medida una obligación de hacer, consistente en continuar realizando lo que se estaba haciendo (por ejemplo un contrato de suministro, en el que la interrupción de la cadena de suministro implicaría la imposibilidad de realización de un determinado producto; la medida cautelar consistiría en prohibir temporalmente la interrupción o la cesación del contrato de suministro). Con esta medida se consigue que, durante la tramitación del proceso, continúe la actividad o conducta, dado que la cesación o interrupción de la misma causaría un daño probablemente irreparable para el actor. A diferencia de las medidas anteriores, en las que la conducta es ilícita, en esta medida la actividad es lícita; lo ilícito sería interrumpir o cesar el procedimiento de producción, el de suministro, la actividad empresarial, entre otras.

> Esta medida tiene un carácter conservativo, en cuanto pretende mantener el *statu quo ante bellum* durante la litispendencia. Algún sector doctrinal le ha denominado medida no innovativa, en cuanto se pretende que no cambie la situación jurídica existente.

8.º) *Intervención y depósito de ingresos obtenidos mediante actividad ilícita, o consignación o depósito de las cantidades reclamadas en concepto de remuneración de la propiedad intelectual*

A través de estas medidas se pretende cautelar pretensiones patrimoniales ejercitadas ante la explotación ilícita de un derecho de propiedad intelectual o afines o conexos.

> Se hace referencia a dos medidas cautelares autónomas e independientes —la intervención y el depósito de ingreso— que pueden decretarse conjunta o independientemente, dado el tenor literal del precepto, que utiliza la conjunción «y».

La intervención de los ingresos es una medida cautelar eficaz para determinar el lucro que ha obtenido y que obtiene quien realiza una actividad ilícita de propiedad intelectual; complemento de la cual es el depósito de los mismos, que garantiza un menor riesgo de incumplimiento económico por insolvencia.

> Por ejemplo, si se está representando una obra teatral sin la debida autorización, al titular de los derechos de autor puede interesarle que la obra continúe representándose, solicitando cautelarmente la intervención de los ingresos que se obtienen en la taquilla. La intervención puede tener como garantía del cobro, el depósito de dichas cantidades en la Cuenta de Depósitos y Consignaciones en la entidad bancaria correspondiente.

Junto a las dos medidas anteriores, también es posible decretar la consignación o depósito de las cantidades reclamadas en concepto de remuneración de propiedad intelectual. En este caso, la conjunción «o» refleja que nos hallamos ante la misma medida cautelar. Se pretende también garantizar la efectividad y ejecución de una eventual sentencia estimatoria de una pretensión económica —la obligación de remuneración en los casos en que un contrato o la misma ley establezcan una obligación de este carácter—.

> En este caso, como la remuneración viene legal o contractualmente determinada, no hace falta la intervención, sino que basta con la consignación o depósito de las cantidades que se adeudan (que son el determinante cuantitativo de la pretensión económica en el proceso principal) en concepto de remuneración.

Con estas medidas se cumplen los mismos fines que con el embargo preventivo —riesgo de insolvencia— variando el ámbito objetivo sobre el que recaen: los ingresos que provienen de la actividad ilícita o las cantidades reducibles a dinero. Quizás por la participación de entidades públicas en el desempeño del ejercicio de derechos tutelados por la LPI, es por lo que se prefiere el depósito y no el embargo preventivo.

9.°) *Depósito de ejemplares de obras, objetos y material*

Si bien en algunas leyes se regulaba la medida del «secuestro» en lugar de «depósito», se está garantizando la tutela judicial que puede otorgarse con una sentencia estimatoria de una pretensión de cesación o de prohibición, de una pretensión de remoción de efectos, o incluso de una pretensión indemnizatoria. Los objetos sobre los que recae esta medida cautelar son:

a) Obras: ejemplares producidos o utilizados en materia de propiedad intelectual. Al solicitante le interesa que dejen de producir estos ejemplares o que se sigan produciendo para sufragar una condena posterior a prestación patrimonial.

Para la primera finalidad el depósito de los ejemplares es perfectamente útil; para la segunda, podría serlo también, con el fin de venderlos para beneficiarse de la venta.

b) Objetos creados a través de la explotación de una patente o de una marca, existiendo un interés de no continuidad de la explotación de las mismas y, por tanto, de expansión en el mercado de los productos u objetos que se consideran producidos con quebranto de las normas de LM y LP;

c) Material, entendiéndolo en sentido amplio, esto es, tintes, papeles, tampones, grabados, planchas, ordenadores, diskettes, cintas, videos, entre otros.

Fundamental en ellas es la proporcionalidad con el daño que pueda causársele al sujeto, cuando afecta a su profesión. Y la posible vinculación entre diligencias preliminares y medidas cautelares, dado que, para adoptar esta medida, sería previamente idónea la diligencia de exhibición de maquinaria, utensilios, entre otros, con la que se produce la actuación ilícita, así como el producto de la misma: objetos, ejemplares, fotocopias, cintas, partituras, videos, etc.

10.°) *Suspensión de acuerdos sociales*

Si la pretensión es la impugnación de un acuerdo societario, la medida cautelar más efectiva será la de suspender su ejecución durante la pendencia del proceso. Sin embargo, no toda pretensión de nulidad en el proceso principal podrá presuponer, como situación jurídica objeto de esta cautela, la suspensión, sino que el legislador, para evitar posibles abusos en el orden común o general societario, ha fijado un supuesto de legitimación cualificada, exigiéndose que el demandante o demandantes «representen, al menos, el uno o el cinco por ciento del capital social, según que la sociedad demandada hubiere o no emitido valores que, en el momento de la impugnación, estuvieren admitidos a negociación en mercado secundario oficial».

11.º) *Otras previstas legalmente*

Frente a la caótica sistematización legal de las medidas cautelares en España con la legislación anterior, amén de privilegiada para determinados sectores frente a otros, existiendo un tratamiento especial (presupuestos específicos, especialidades procedimentales, fueros específicos competenciales, entre otros), la LEC supuso una ordenación al delimitar en el art. 727 las medidas que pueden comúnmente adoptarse, si bien no cierra las posibilidades de necesidades que *ex novo* requieran de diferente cobertura cautelar. Es por ello que en el apartado 11ª del art. 727 se establece la posibilidad abierta de adoptar otras medidas, dentro del régimen común de la LEC, siempre que se trate de medidas que «para la protección de ciertos derechos, prevean expresamente las leyes, o que se estimen necesarias para asegurar la efectividad de la tutela judicial que pudiere otorgarse en la sentencia estimatoria que recayere en el juicio». Así pueden citarse a título de ejemplo: la suspensión provisional de obra nueva, el cese inmediato de la intromisión ilegítima en la esfera de los derechos fundamentales, el secuestro de bienes del ajuar, la retención o inmovilización de cuentas bancarias, o aquellas medidas que no son la mayoría cautelares, sino preventivas, de aseguramiento o protección de la víctimas de violencia de género, referidas a la protección de datos y las limitaciones a la publicidad, a la salida del domicilio, alejamiento o suspensión de las comunicaciones, a la suspensión de la patria potestad o la custodia de menores, a la suspensión del régimen de visitas y a la suspensión del derecho a la tenencia, porte y uso de armas (art. 61 LOVG), etc.

V. CAUCIÓN SUSTITUTORIA

Tras la solicitud de la medida cautelar, bien en la tramitación procedimental de concesión, bien tras su adopción, es posible que el demandado solicite, por ser menos gravosa, la sustitución de la medida cautelar por una caución. Esta posibilidad, que existía para algunos supuestos específicos de tutela cautelar, se acoge con carácter general en la LEC, arts. 746 y 747 LEC, si bien sometida a la concurrencia de unos presupuestos y condiciones, que son:

a) Se exige petición de parte, no siendo posible que el tribunal de oficio acuerde la sustitución.

> Sin embargo, podría el tribunal, al amparo del art. 726.1, 2.ª, considerar que la caución es medida eficaz y conducente a hacer posible la efectividad de la tutela judicial que pudiera otorgarse en una eventual sentencia estimatoria, siendo menos gravosa o perjudicial para el demandado. Se trataría de una decisión del tribunal, si bien deberían concurrir los presupuestos para su adopción, en especial que el demandado estuviere conforme con asumir tal gravamen económico.

b) La decisión de la conversión no procede automáticamente sino que deben concurrir:

1.º) El fundamento de las medidas cautelares, en cuanto aseguren la efectividad de la tutela judicial que pudiere otorgarse en una eventual sentencia estimatoria.

2.º) La naturaleza y el contenido de la pretensión de condena.

> No se limita el legislador a la regla general, la condena genérica, sino que deja abierta la posibilidad de caución sustitutoria cuando se ejercitan pretensiones de condena de carácter específico, lo que obliga al análisis en concreto de cada una de las pretensiones que tutelan cautelarmente las medidas para determinar la justificación ó no de la caución sustitutoria, y ello por cuanto allá donde coexistan derechos de contenido no económico o al menos no reconvertibles a dinero, se estaría desnaturalizando la medida adoptada, porque garantizaría el cumplimiento de la sentencia de condena a prestación económica, empero no a la obligación u obligaciones específicas objeto de la condena.
>
> En ningún caso se admitirá que el demandado sustituya por caución las medidas cautelares dirigidas a evitar la revelación de secretos empresariales (art. 23.II Ley 1/2019, Secretos empresariales).

3.º) La apariencia jurídica favorable que pueda presentar la posición del demandando. Se concreta en el hecho de que debe la caución asegurar un derecho de contenido económico.

4.º) La proporcionalidad considerada por el tribunal, analizándose dos elementos: 1) El valor de aseguramiento que la medida comporta para el solicitante, sin que en ningún caso implique la desaparición o desvanecimiento de la fuerza garantizadora que se pretende con la medida originaria; y 2) La restricción que la misma supone a la actividad patrimonial o económica del demandado, de manera que ésta debe significar una injerencia lo menos grave y desproporcionada posible.

c) La sustitución por caución puede solicitarse bien antes de que se hubiere adoptado la cautela o tras su adopción (en la vista, art. 747.1, o en el trámite de oposición o mediante escrito motivado, art. 734 LEC, si ya se hubiere adoptado).

La petición deberá acompañarse de los documentos que se estimen convenientes sobre su solvencia, dada la calidad patrimonial de la medida, las consecuencias de su adopción, mediante la conjugación de la proporcionalidad de su mantenimiento con la función de aseguramiento que comporta su sustitución por la caución, y la valoración del peligro de mora procesal, contrarrestado por la solvencia del demandado. Tras la solicitud de sustitución, se traslada al demandante, desarrollándose una vista (según el art. 734 LEC), resolviéndose mediante auto, en el plazo de cinco días, que es irrecurrible (art. 747.2).

d) Aceptada la sustitución de la medida por caución, debe determinarse las formas de otorgarla (dinero efectivo, aval solidario de duración indefinida y pagadero a primer requerimiento emitido por entidad de crédito o sociedad de garantía recíproca o por cualquier otro medio que, a juicio del tribunal, garantice la inmediata disponibilidad de la cantidad de que se trate, lo que no cierra otras posibles vías de prestación de la caución).

Legislación: Ley de Enjuiciamiento Civil (arts. 721 a 747)
Lectura: FERNÁNDEZ BALLESTEROS, M. A., *La ejecución forzosa y las medidas cautelares, en la nueva Ley de Enjuiciamiento Civil*, Madrid, 2001.

Lección Trigésimo cuarta
Proceso y procedimiento cautelar

I. LA DEMANDA CAUTELAR

Unificada la norma procedimental para la tramitación de todas las medidas, puede plantearse la demanda antes, con o después de la demanda del proceso principal, y es posible que exista contradicción previa o diferida en el proceso.

II. TRAMITACIÓN

A) Con contradicción previa
   Regla general
B) Con contradicción diferida
   Excepción basada en la urgencia o el posible compromiso del buen fin de la medida

III. RESOLUCIÓN CAUTELAR

Auto
A) Plazo
B) Contenido
C) Cosa Juzgada
D) Ejecución

IV. IMPUGNACIÓN DE LA RESOLUCIÓN

Dictado el auto cautelar, son dos las vías para responder frente al mismo: a) Medios de impugnación si se dicta con contradicción previa; b) Interposición de la demanda de oposición, sin contradicción previa
A) Impugnación por medio de recurso
B) Oposición en los supuestos de resolución sin contradicción previa
C) La estimación de la oposición: responsabilidad por daños y perjuicios
   Solo a petición de parte y necesidad de justificación del nexo causal entre la medida y los daños y perjuicios ocasionados por aquélla.

V. VARIABILIDAD DE LA MEDIDA CAUTELAR

Viene condicionada a la posible modificación de los presupuestos

VI. RELACIÓN DE DEPENDENCIA TUTELA CAUTELAR Y PROCESO PRINCIPAL

A) Tutela cautelar *ante causam*: Necesidad de proceso principal
B) Suspensión del proceso principal
C) Terminación del proceso principal
D) Alzamiento de las medidas cautelares tras la sentencia firme

I. LA DEMANDA CAUTELAR

La LEC, frente a situaciones anteriores en las que había que acudir a la regulación específica de cada una de las medidas para determinar su tramitación procedimental o incluso a las leyes especiales para su determinación, supuso la unificación del procedimiento, y con ella, la desaparición de la dispersión normativa.

Para la adopción de una medida se requiere instancia de parte (art. 721 LEC), no siendo posible en ningún caso la adopción de oficio de la tutela cautelar. Los momentos en que esta solicitud puede formularse son antes, con y después de la demanda del proceso principal.

A) Antes de la demanda

La solicitud de medidas cautelares antes de la demanda del proceso principal debe formularse mediante escrito en el que habrá que: 1) Determinar el tribunal al que se dirige el escrito; 2) Identificar a los sujetos activo y pasivo; 3) Fundamentar la medida; y 4) Expresar la medida concreta que se pide. Los problemas se refieren a la fundamentación, por cuanto ésta debe ser doble: por un lado, general, referida a los presupuestos; y, por otro, especial, en cuanto deberá razonarse la urgencia o necesidad de la adopción *ante causam*. A todo ello habrá que añadir la acreditación de los presupuestos (art. 732.2).

En la formulación de esta solicitud *ante causam* de las medidas concurre un supuesto de exención de la obligatoriedad de integrar la postulación mediante procurador y abogado (arts. 23.2, 3.º, y 31.2, 2.º).

La adopción de las medidas antes de la interposición de la demanda del proceso principal condiciona la incoación del mismo, de modo que la demanda principal deberá interponerse dentro de los veinte días siguientes a la adopción de las medidas, computándose desde el día siguiente de la notificación del auto de concesión. De este modo, si en el plazo de veinte días no se interpusiese la demanda, el letrado de la administración de justicia, de oficio, acordará el alzamiento o la revocación de los actos de cumplimiento que hubieran sido realizados mediante decreto, condenando al solicitante cautelar al pago de las costas y declarándole responsable de los posibles daños y perjuicios que se hubieren podido ocasionar al sujeto respecto del cual se adoptaron las medidas (art. 730.2).

B) Con la demanda

La solicitud de la medida se efectuará de ordinario junto a la demanda del proceso principal. Formalmente en un mismo escrito se formularán, pues, dos demandas: una, la del proceso principal, y la otra, la del cautelar. Los requisitos de las dos son comunes, distinguiéndose claramente entre una y otra demanda.

C) Con posterioridad a la presentación de la demanda

La LEC (art. 730.4) posibilita la petición de tutela cautelar con posterioridad a la presentación de la demanda, incluso pendiente un recurso, si bien con carácter restrictivo, esto es, sólo cuando la petición se base en hechos y circunstancias que justifiquen la solicitud en estos momentos.

> Cualquiera que fuere el momento en que se ejercita la pretensión cautelar, la solicitud deberá atender a tres requisitos (art. 732.1 LEC): 1) Claridad; 2) Precisión; y 3) Justificación de los presupuestos para su adopción. Los dos primeros requisitos —claridad y precisión— se refieren a la petición como elemento compositivo de la demanda, y suponen la necesidad de que en la solicitud se establezca la petición de manera tal que quede delimitado el ámbito dentro del cual debe moverse el órgano competente para decidir, no pudiendo dar cosa distinta, ni más de lo pedido, por aplicación del principio dispositivo. El tercer requisito comporta la necesidad de justificar la concurrencia de los presupuestos exigidos legalmente para la adopción de la medida, para lo cual se acompañarán los medios necesarios para su acreditamiento, tanto los de carácter documental como aquellos que, no siéndolo, puedan servir a los mismos fines.

En los supuestos en que la caución juega como presupuesto deberá, en el mismo escrito de petición de la medida o medidas cautelares, ofrecerse la prestación de caución, especificando de qué tipo o tipos se ofrece constituirla y con justificación del importe que se propone (art. 732.3).

> En la LEC se establece un supuesto específico: Cuando las medidas se soliciten en relación con procesos incoados por demandas en que se pretenda la prohibición o cesación de actividades ilícitas, podrá proponerse al tribunal que, con carácter urgente y sin dar traslado del escrito de solicitud, requiera los informes u ordene las investigaciones que el solicitante no pueda aportar o llevar a cabo y que resulten necesarias para resolver sobre la solicitud (art. 732. 2, II).

II. TRAMITACIÓN

Presentada la solicitud de tutela cautelar, hay que cumplir con el principio de contradicción, pudiendo cubrirse a través de dos fórmulas: la contradicción previa o la llamada contradicción diferida. Obviamente el «factor sorpresa» se salva si la contradicción es diferida, impidiéndose que el sujeto básico de la medida pueda actuar haciendo ineficaz la misma.

Ambas fórmulas —la contradicción previa y la diferida— han sido acogidas por el legislador, pues, si bien proclama como regla general la exigencia de la contradicción previa, cierto es que también asume la posibilidad de excepcionar la misma, cuando concurran circunstancias que permitan, e incluso exijan, acordar la medida sin oír previamente al demandado, pero atribuyéndole la posibilidad diferida de ser oído, mediante la interposición de una oposición, regulada en los arts. 739 a 742 LEC.

A) Con contradicción previa

El art. 733.1 dispone que, como regla general, el tribunal proveerá a la petición de medidas cautelares previa audiencia del demandado. Este principio de contradicción previa se formaliza a través del desarrollo de la vista, a que se refiere el art. 734, cuyas notas fundamentales son:

1.º) En el plazo de cinco días, desde el traslado de la solicitud de tutela cautelar, el letrado de la administración de justicia, mediante diligencia, convocará a las partes a la vista, que se celebrará dentro de los diez días siguientes sin necesidad de seguir el orden de los asuntos pendientes cuando así lo exija la efectividad de la medida cautelar. Así se posibilitan los adelantamientos de los señalamientos de las vistas en las que se oirá a las partes, permitiendo la adopción de medidas como tramitación preferente.

2.º) El contenido de la vista consistirá en:

1") Las alegaciones del demandante y demandado, exponiendo cada uno lo que les convenga a su derecho, sin exclusión.

2") La práctica de las pruebas, que se admitirán si fueran pertinentes en razón de los presupuestos cautelares, haciéndose especial referencia a la práctica del reconocimiento judicial, que, de no poder practicarse en el acto de la vista, se deberá practicar en el plazo de cinco días. El legislador condiciona la pertinencia de la prueba a su relación con los presupuestos, acreditados por cualquier medio permitido legalmente.

3") Cabe referenciar en la vista a las cauciones. Por un lado, servirá la vista para formular alegaciones relativas al tipo y a la cuantía de la caución que debe prestarse para responder de los posibles daños y perjuicios que la adopción de la medida pudiera causar al patrimonio del demandado; y por otro, podrá solicitarse en este trámite la sustitución de la posible medida cautelar que se acuerde por la caución sustitutoria, conforme a lo que prevé el art. 747 LEC.

B) Con contradicción diferida

La adopción de las medidas sin contradicción previa viene condicionada al cumplimiento de los requisitos establecidos en el art. 733.2, que son:

1.º) Se requiere que así sea solicitada a instancia de parte por el demandante cautelar, sin ulteriores trámites.

2.º) La solicitud de excepcionalidad debe acreditarse por razones de urgencia o porque la adopción de las medidas con audiencia previa puedan comprometer el buen fin de la medida cautelar.

> En ambos supuestos se trata de fundamentar la necesidad de urgencia en la adopción de la medida cautelar, en cuanto la efectividad de la tutela cautelar pretendida podría quedar en peligro de no adoptarse de forma sorpresiva la misma o bien podría ésta quedar en peligro si, aun adoptándose la medida, ésta no hubiera podido paliar el efecto pernicioso que conlleva el conocimiento por parte del demandado de la existencia de una demanda cautelar contra el mismo, de modo que le hubiere permitido colocarse en tal situación que hace inútil por ineficaz la adopción de la tutela cautelar.

3.º) La resolución que adopta la medida sin audiencia previa deberá motivar, por un lado, la presencia de los requisitos para la adopción de la medida y, por otro, las razones que han aconsejado acordarla sin oír al demandado.

4.º) Este auto deberá ser notificado a las partes sin dilación y, de no ser posible antes, inmediatamente después de la ejecución de las medidas (art. 733.2 in fine).

III. RESOLUCIÓN CAUTELAR

La decisión del tribunal sobre la solicitud de las medidas cautelares reviste la forma de auto motivado.

A) Plazo

El plazo para dictar la resolución cautelar varía según se trate del régimen general de la contradicción previa o, por el contrario, el excepcional sin contradicción. Así, finalizada la vista previa, el plazo es de cinco días, a contar desde el día siguiente de la finalización de la misma (art. 735.1); si se adopta sin audiencia previa, el plazo de cinco días cuenta desde el momento en que se presentó la solicitud de tutela cautelar, sin otro trámite (art. 733.2).

B) Contenido

El contenido de la resolución puede ser estimatorio (accediendo a la solicitud de la tutela cautelar) o desestimatorio (denegándola). En el supuesto de que se hubiere adoptado la medida sin contradicción previa habrá que motivar, además, el por qué se adoptaron las medidas sin oír a la parte contraria, es decir, bajo esta forma de tramitación.

La resolución cautelar deberá motivarse, en atención a lo dispuesto en el art. 120 CE. Esta motivación está especialmente exigida cuando limita, restringe o afecta a quien la padece, de manera que habrá que concretar sí se han acreditado o no los presupuestos, la procedencia o no de todas o de algunas de las medidas cautelares, e incluso la exigencia o no de la fianza a prestar el demandante-solicitante de las medidas, que sirviera para garantizar, en su caso, los posibles daños y perjuicios que la medida cautelar pudiera producir.

> Ilustrativo es el art. 22 de la Ley 1/2019, de Secretos Industriales, que vie-ne a referirse, aun cuando a este asunto, de forma específica cuáles serían los elementos a ponderar por el juez en su resolución cautelar: las circunstancias específicas, su proporcionalidad teniendo en cuenta el valor y otras característi-cas del secreto empresarial, las medidas para protegerlo, el comportamiento de la parte contraria en su obtención, utilización o revelación, las consecuencias de su utilización o revelación ilícitas, los intereses legítimos de las partes y las con-secuencias para estas de la adopción o denegación de las medidas, los intereses legítimos de terceros, el interés público y la necesidad de salvaguardar derechos fundamentales. Con esto se introduce una "especialización" para esta materia específica que no se encuentra ni en la LEC ni en la Ley de Patentes.

1.º) Si el auto es estimatorio, debe fijarse por el tribunal con toda pre-cisión, por un lado, la medida o medidas cautelares que se acuerdan, pre-cisando el régimen a que han de estar sometidas, y a este respecto el art. 721.2 está condicionando el límite de gravosidad que afecta a la con-gruencia, en cuanto el tribunal no va a poder acordar medidas más gravo-sas que las que se hubieren solicitado por el actor. Por otro lado, deberá determinarse la forma, cuantía y tiempo en que deba prestarse la caución por el solicitante (art. 735.2).

> Si sería posible, sin embargo, dictar una resolución adoptando medida me-nos gravosa (cualitativamente) que la solicitada por el actor, o adoptando menos medidas de las pedidas (cuantitativamente), siempre que no comporten modifi-cación sustancial del objeto procesal, que pueda provocar indefensión. En este caso, el auto debe desestimar la medida solicitada, argumentando a favor de la medida que se acuerda, sin que dicha resolución pueda tildarse de incongruente, siempre que la medida acordada esté prevista por la ley, y se hayan tenido en cuenta la concurrencia de los presupuestos para su adopción así como la adecua-ción entre la medida y la finalidad pretendida. Debe tenerse presente que la tu-tela judicial cautelar, si bien pedida por el actor, también se concede en relación con el demandado, de ahí la necesidad de ponderar, bajo el criterio de la propor-cionalidad, la tutela que se concede, en cuanto el tribunal otorga tutela a ambos.

2.º) Si el auto es desestimatorio, el tribunal debe motivar las razones por las que deniega la medida solicitada. La denegación no comporta una imposibilidad de acceso a la tutela cautelar, dado que el actor puede reproducir su solicitud siempre y cuando hubieren cambiado las circunstancias existentes en el momento de la petición (art. 736.2).

C) Cosa juzgada

Una de las características de las medidas cautelares es su variabilidad, que ha llevado a cierto sector doctrinal a la negación de la eficacia de cosa juzgada de las resoluciones cautelares. Sin embargo debe atenderse a la naturaleza de la tutela cautelar, que no es otra que la que pretende garantizar la eficacia de los resultados que puedan llegar a alcanzarse en el proceso principal, de manera que lo razonable es entender que la cosa juzgada debe predicarse de las resoluciones cautelares cuando se mantienen los presupuestos para la adopción de la medida. Lo contrario conduce a un estado de inestabilidad e inseguridad jurídica, indefendible, por otra parte.

Es por ello que, siempre que se produzca el mantenimiento de los presupuestos que, concurriendo, dieron lugar a la adopción de la tutela cautelar, habría que afirmar la existencia del efecto de cosa juzgada, y ello por cuanto conservándose la misma causa de pedir, el auto cautelar debe desplegar los efectos de cosa juzgada, excluyéndose un nuevo pronunciamiento sobre el mismo auto.

> Cuestión distinta es cuando cambia el fundamento fáctico que sirvió de base para dictar la resolución cautelar, dado que en este caso nada impediría que la parte vuelva a solicitar la medida denegada, el alzamiento de la misma si fue concedida, o incluso su modificación.

D) Ejecución

Acordada la medida, deberá procederse a su ejecución, siendo competente el tribunal que dictó la resolución. Las reglas para concretar el régimen de ejecución de las mismas pueden sintetizarse del modo siguiente:

1.º) La ejecución se practicará de oficio por el órgano jurisdiccional.

2.º) Uno de los grandes problemas suscitados por la doctrina ha sido el de delimitar los medios empleados para el inmediato cumplimiento de la medida.

> Debe tenerse presente que, si no se consigue una inmediata eficacia con las mismas, carecería de sentido la adopción de estas medidas, dado que con la mera declaración cautelar no se está cumpliendo la función de garantía de la efectividad de la resolución que en su día se dicte.

Los medios para su ejecución, salvo las excepciones legales, no pueden ser otros que los que, con carácter general, se entiendan como necesarios para llevar a cabo la ejecución, incluso remitiéndose para ello a los instrumentos que prevé el legislador con carácter general para la ejecución de las sentencias.

3.º) En materia de embargo preventivo se refiere específicamente a los instrumentos de ejecución que se utilizan para los embargos decretados en el proceso de ejecución, y, por ello, con remisión a los arts. 584 y siguientes, si bien con la excepción de que el deudor no quedará obligado a efectuar la manifestación de bienes (art. 589) para el embargo en ejecución.

4.º) En materia de ejecución de una anotación preventiva de demanda, se ha fijado una regla especial para el cumplimiento de la resolución cautelar, que comporta la necesidad de procederse conforme a las normas del Registro correspondiente.

5.º) En la LEC se regula una específica situación para llevar a cabo la ejecución de una resolución cautelar consistente en la adopción de una administración judicial, en cuanto se produce una remisión a los arts. 630 y siguientes.

6.º) Se establece una regla especial que afecta a la intervención de los depositarios, administradores judiciales o responsables de los bienes o derechos sobre los que ha recaído una medida cautelar, dado que sólo podrán enajenarlos, previa autorización por medio de providencia del tribunal y si concurren circunstancias tan excepcionales que resulte más gravosa para el patrimonio del demandado la conservación que la enajenación (art. 738.3).

IV. IMPUGNACIÓN DE LA RESOLUCIÓN CAUTELAR

Dictado el auto cautelar, caben dos posibles vías para atacarlo, que responden a las dos vías de tramitación del procedimiento de adopción de la tutela cautelar: a) Interposición de medios de impugnación si se dicta la resolución cautelar con contradicción previa; y b) Interposición de la demanda de oposición, si se hubiere dictado sin contradicción previa.

A) Por medio de recurso

El auto dictado con contradicción previa es recurrible en apelación (arts. 735.2, II y 736.1), siendo su tramitación preferente en el supuesto de que se tratare de recurso planteado contra un auto denegatorio de la medida.

> No creemos, sin embargo, que sea viable la casación, y ello por cuanto todas las normas cautelares son procesales, no aplicándose nunca una norma material, en cuanto no se trata de determinar si la parte tiene derecho subjetivo material,

función de la sentencia que pone fin al proceso, sino sólo si concurren los presupuestos para la adopción de la tutela cautelar, y eso es siempre procesal. Si el recurso de casación responde a una función de unificación material, no parece avalar la posibilidad del acceso de las resoluciones cautelares a la casación. Sin embargo, si podría accederse al recurso extraordinario por infracción procesal, motivado por infracciones en la regularidad del procedimiento, vulneraciones del art. 24 causando indefensión, etc., todos ellos sí pueden producirse en el proceso de obtención de la tutela cautelar.

Debe tenerse presente asimismo que contra las resoluciones del tribunal sobre el desarrollo de la comparecencia, su contenido y la prueba propuesta no cabe interponer recurso alguno, sin perjuicio de que, previa la oportuna protesta, puedan alegarse las infracciones que se hubieran producido en la comparecencia en el recurso contra el auto que resuelva sobre las medidas cautelares (art. 734.3).

Las costas se impondrán con arreglo al criterio de vencimiento, dada la remisión que se efectúa en el art. 736.1 LEC a la regulación general del art. 394.

B) Oposición en los supuestos de resolución sin contradicción previa

El auto cautelar que se dicta sin contradicción previa es irrecurrible, si bien se regula la contradicción diferida mediante la interposición por el demandado de la demanda de oposición (arts. 739 y ss.).

Cuando se adopta la medida cautelar sin previa audiencia del demandado, la ausencia de una posible reacción de éste podría comportar una situación de indefensión. En estos casos, el legislador ha establecido una contradicción diferida, que consiste en el desarrollo, en el Capítulo III, de un procedimiento de oposición a las medidas cautelares adoptadas sin audiencia del demandado.

El plazo para formular la oposición es de veinte días, a contar desde la notificación del auto que acuerda las medidas cautelares.

La forma que debe revestir la formulación de esta oposición es la de demanda, con alegaciones, ya sean fácticas o jurídicas, a través de las cuales se pretende la revocación (por oponerse a su procedencia, a los requisitos, al alcance de la misma, por ejemplo por excesiva, el tipo de medida o cualquier otra circunstancia que pueda plantear oposición en relación con la misma) o la modificación de la medida cautelar adoptada por una caución sustitutoria.

Así, el art. 740 LEC se refiere a «cuantos hechos y razones se opongan a la procedencia, requisitos, alcance, tipo y demás circunstancias de la medida o medidas efectivamente acordadas, sin limitación alguna». Quizás el único elemento condicionador o limitador de la posible alegación de hechos y circunstancias es el que deba tratarse de aquéllos que pudieron tenerse en cuenta al tiempo de su concesión, dado que de tratarse de alegación de hechos y circunstancias nuevos, en cuanto no pudieron tenerse en cuenta al tiempo de su concesión, nos hallaríamos ante un supuesto del art. 743, que ampara la posible modificación de las medidas cautelares adoptadas, lo que implicaría que este trámite posterior quedaría impedido ante su planteamiento en la fase de oposición.

Presentada la demanda de oposición, se dará traslado al solicitante, y en el plazo de cinco días desde el traslado de aquélla, se convocará a las partes a una vista, que se celebrará dentro de los diez días siguientes. El art. 741.1 remite para el desarrollo de la vista al art. 734, sin especificar su contenido, esto es, qué puede alegarse por los sujetos, sí es posible la práctica de algún medio de prueba, etc. El silencio del legislador debe entenderse en sentido amplio, de modo que no nos parece razonable limitar o restringir esta comparecencia en la vista, si el legislador no lo hace.

> El problema se suscita ante la no limitación de alegaciones que puedan efectuar las partes, y fundamentalmente cabría pensar en la posibilidad de alegaciones novedosas que, cuanto menos, pudieran implicar una posible modificación o revisión de la medida cautelar, lo que no podría impedir que el sujeto activo de la tutela cautelar pudiera responder también con fundamentación nueva, dado que, de lo contrario, se estaría creando una situación de indefensión a esta parte.

Celebrada la vista, el tribunal, en el plazo de cinco días, decidirá en forma de auto. Esta decisión, además de pronunciarse sobre la estimación o desestimación de la demanda de oposición, tendrá otros contenidos, como las costas y el posible pronunciamiento sobre la condena por responsabilidad de daños y perjuicios. Así:

a) Si el auto desestima la oposición, lo puede hacer por diversos motivos, que responderán a la no desvirtuación de los presupuestos que fundamentaron la adopción de la tutela cautelar, y no de cualquier tipo de tutela sino de la adopción de una o unas medidas cautelares en concreto que, bajo la cobertura del acreditamiento del *fumus boni iuris y del periculum in mora*, determinan la proporcionalidad de las mismas a los fines pretendidos. Supone el mantenimiento de las medidas.

En el mismo auto el tribunal impondrá las costas al opositor, aplicándose con ello el principio del vencimiento (art. 741.2, II).

Si la petición del opositor se dirigiera hacia el alzamiento de las medidas y a la condena por responsabilidad de daños y perjuicios, la desestimación de la primera pretensión, y por tanto, el mantenimiento de las medidas trae consigo la desestimación de cualquier pronunciamiento de condena por daños y perjuicios.

b) Si el auto estima la pretensión de oposición, alzará las medidas o las modificará o las sustituirá por caución sustitutoria. Mientras en el primer caso se está resolviendo a favor de la innecesariedad de la tutela cautelar, en los demás, se está sosteniendo la conveniencia de la misma, si bien considerando las medidas adoptadas como impertinentes, inadecuadas y quizás desproporcionadas a los fines pretendidos, y ello puede repercutir en los pronunciamientos complementarios que puedan derivarse de este auto estimatorio de la pretensión opositora. Se puede considerar en parte estimada la pretensión o en parte desestimada, lo que puede llevar a considerar que en este caso cada una de las partes pagará las costas causadas a su instancia y las comunes por mitad.

En cuanto al pronunciamiento sobre los posibles daños y perjuicios que éstas hayan podido producir, estamos ante un pronunciamiento debido (art. 741, «si alzare las medidas cautelares acordadas condenará al actor... al pago de los daños y perjuicios que éstas hayan producido»), y por tanto el juez declara la sanción, la condena, quedando bajo la cobertura del principio dispositivo la necesidad de que esta responsabilidad se concrete, se fijen los daños y perjuicios, que se harán por el perjudicado con posterioridad, en el momento de la exacción de daños y perjuicios. Ello no va a impedir que sea la parte perjudicada la que aproveche la demanda de oposición para solicitar, como uno de las peticiones de la misma, la correspondiente responsabilidad.

> Esta situación afecta a la congruencia del auto, de modo que:
> 1) Si el opositor solicita la condena a indemnizar por daños y perjuicios, el tribunal habrá de pronunciarse sobre la misma. La falta de pronunciamiento, daría lugar a una situación de incongruencia por defecto, que podría dar lugar a la interposición de recurso.
> 2) Si la parte no solicitó en la demanda de oposición nada más que la revocación de la medida, su alzamiento o su modificación, el tribunal se pronunciará sobre la responsabilidad, como pronunciamiento-consecuencia, sin previa petición de parte, si bien la ausencia de una declaración judicial sobre la condena a indemnizar no podría tildarse de incongruencia, sino más bien de una omisión de pronunciamiento, que podría subsanarse por vía de la aclaración a que se refiere el art. 214 LEC.

La decisión que pone fin a este procedimiento reviste la forma de auto, que podrá ser impugnado mediante recurso de apelación, si bien tendrá eficacia inmediata, en cuanto se entiende que el recurso de apelación solo tendrá efecto devolutivo, sin que pueda suspenderse, a estos efectos, la eficacia de la resolución cautelar, como dispone expresamente el art. 741.3.

C) La estimación de la oposición: responsabilidad por daños y perjuicios

Dado que el auto que pone fin al procedimiento de oposición estimatorio de la pretensión se pronuncia también sobre la condena a indemnizar los daños y perjuicios, habrá que esperar a alcanzar firmeza para proceder a la determinación de los mismos. Del art. 742 se desprende:

1.º) La determinación concreta de los daños y perjuicios se llevará a cabo previa petición de parte, nunca de oficio.

2.º) Se seguirá los trámites señalados en los arts. 712 y siguientes de la LEC, referidos a la liquidación de daños y perjuicios.

> El escrito de solicitud de los daños y perjuicios deberá acreditar una relación detallada de los mismos, y de su valoración, acompañando, en su caso, dictámenes y documentos que pueda considerarse oportunos. Se dará traslado a quien hubiere de abonarlos, con el fin de que, en el plazo de diez días, conteste lo conveniente, pudiendo incluso conformarse con la citada relación y con su importe, en cuyo caso se aprobará por el tribunal por providencia sin ulterior recurso. Se entiende que presta conformidad cuando deja pasar el plazo de diez días sin evacuar traslado o se limita a negar genéricamente la existencia de los daños y perjuicios, sin concretar los puntos en que discrepa de la relación presentada, ni expresar las razones y el alcance de la discrepancia. Puede también oponerse motivadamente a esta petición, pudiéndose nombrar un perito para que dictamine sobre la efectiva producción de los daños y su evaluación en dinero. Termina el procedimiento mediante auto, dentro de los cinco días siguientes a aquél en que se celebre la vista, fijándose, en su caso, la cantidad que deba abonarse al acreedor en concepto de daños y perjuicios, siendo este auto apelable sin el efecto suspensivo.

3.º) Elemento fundamental es que los daños y perjuicios se hayan causado como consecuencia de la medida revocada; lo que implica tanto como justificar el nexo causal entre la medida y los daños y perjuicios ocasionados por aquélla.

4.º) Declarada la responsabilidad del solicitante, éste deberá pagar de manera inmediata. De lo contrario deberá procederse a la exacción forzosa de los mismos (art. 742 *in fine*).

> De todo ello es perfectamente posible mantener que este tipo de responsabilidad lo es objetiva, y hacia esta defensa se ha dirigido la doctrina más reciente cuando manifiestan que, aunque efectivamente el régimen general de responsabilidad establecido en el CC es el de la responsabilidad subjetiva o por culpa, el principio social vigente hoy lleva a que se deban reparar todos los perjuicios en los que no haya razón alguna para que la víctima los deba soportar por sí sola (responsabilidad objetiva).

V. VARIABILIDAD DE LA MEDIDA CAUTELAR

Dictada la resolución cautelar, es posible modificar la medida adoptada. Para ello la LEC regula los trámites que deben seguirse al respecto en el Capítulo IV (De la modificación y alzamiento de las medidas cautelares, arts. 743 a 745).

La solicitud de modificación de las medidas cautelares deberá fundarse en los requisitos que se exigen en el art. 743, precepto en el que también se determina la vía de sustanciación de la misma.

> Cuando se hace referencia a la posible variabilidad o modificación de las medidas, son varias las vías, atendidas las diversas situaciones, que pueden producirse. Así: 1) Puede plantearse, en los supuestos en que la medida cautelar se adoptó con audiencia y vista del sujeto pasivo de la misma, recurso de apelación (art. 735.2, *in fine*); 2) En los supuestos en que la medida se adoptó sin audiencia previa del demandado, cabe plantear el procedimiento de oposición (arts. 739 a 742); 3) Cabe, en tercer lugar, solicitar la modificación de la medida cautelar adoptada, como consecuencia de la alegación de hechos y circunstancias que no pudieron tenerse en cuenta al tiempo de su concesión o en la fase de oposición (art. 743); y 4) Cabe, finalmente, que se produzca el alzamiento de la medida cautelar tras la sentencia no firme o firme (arts. 744 y 745), en función de los resultados alcanzados al finalizar el proceso del que instrumentalmente pende.

Asumida la posible variabilidad de las medidas cautelares, la permanencia o modificación de las mismas dependerá del mantenimiento de sus presupuestos. Este carácter de provisionalidad y de posible modificabilidad es la consecuencia de la instrumentalidad en relación con el proceso declarativo y el de ejecución.

El legislador ha querido ser restrictivo. La demanda de modificación de las medidas cautelares debe fundarse en la alegación y prueba de hechos y circunstancias que no pudieron tenerse en cuenta al tiempo de su concesión (por desconocidos o por variación de las circunstancias que concurrían en el momento de su adopción, por ejemplo, por solvencia del demandado que pudiera desvirtuar la concurrencia de uno de los presupuestos necesarios para adoptar el embargo preventivo) o bien que no pudieron tenerse en cuenta dentro del plazo previsto por ley para oponerse a la concesión de las medidas (art. 743).

> No se trata de alzar las medidas solicitadas (arts. 744 y 745 LEC), sino de la sustitución de la medida cautelar adoptada por otra menos gravosa para el sujeto que la padece.

El legislador ha admitido esta posible modificación de las medidas cautelares, fijando unos límites y requisitos a la misma, que son:

1.°) La modificación de la medida se fundamenta en la característica de la variabilidad o susceptibilidad de modificación, a que se refiere el art. 726.2: Los hechos y circunstancias que motivaron su adopción pueden variar, y con ellas la modificación de las medidas adoptadas.

2.°) La modificación de las medidas cautelares debe provenir de petición de parte, no siendo posible la modificación de oficio.

3.°) La solicitud de modificación será sustanciada y resuelta conforme a lo que prevén los arts. 734 y siguientes (art. 743, II).

Presentada la solicitud de modificación, en el plazo de cinco días desde el traslado de la misma, se convocará a las partes a una vista, que se celebrará dentro de los diez días siguientes. En la vista se expondrán lo que convenga a su derecho, sirviéndose de cuantas pruebas se consideren pertinentes. Terminada la vista, el tribunal, en el plazo de cinco días, decidirá mediante auto sobre la viabilidad de la modificación. Si se accede, se fijará con toda precisión el contenido de las medidas modificadas, así como el régimen a que han de estar sometidas, pudiendo interponerse contra el auto, recurso de apelación sin efectos suspensivos. Si se deniega la modificación, sólo es posible interponer apelación.

4.º) La modificación de las medidas no supone que la resolución cautelar no produce efectos de cosa juzgada, dado que aquélla sólo es posible cuando se produce una variación en la *causa petendi, y* si se modifica la situación de hecho con base en la que se adoptaron, no se mantiene la identidad objetiva que comportaría el efecto de cosa juzgada.

Así, si las circunstancias de hecho no se han alterado, a la petición de modificación de las medidas puede oponerse la excepción de cosa juzgada; si los hechos no son los mismos, por modificarse la causa de pedir, no puede alegarse la excepción de cosa juzgada.

VI. RELACIÓN DE DEPENDENCIA ENTRE TUTELA CAUTELAR Y PROCESO PRINCIPAL

Consecuencia del carácter instrumental del proceso cautelar respecto del proceso principal, existe una dependencia del mantenimiento de las medidas respecto de la suerte del proceso principal, lo que supone que las medidas sólo pueden perdurar en tanto en cuanto exista proceso del que pendan. Así:

A) Tutela cautelar *ante causam:* Necesidad del proceso principal

Cuando las medidas se hubieran adoptado antes de la demanda, por razones de urgencia o necesidad, la dependencia respecto del proceso principal se halla en la necesidad de existencia de éste, de modo que las medidas quedarán sin efecto si la demanda no se presenta en el plazo previsto legalmente. Esa necesaria instrumentalidad implica, atendido el art. 730.2:

1.º) La necesidad de presentar la demanda del proceso principal en el plazo de veinte días a contar desde el siguiente de su adopción.

2.º) La demanda deberá presentarse ante el mismo tribunal que concedió la tutela cautelar, produciéndose con ello una regla legal de reparto que se conoce como reparto por antecedentes.

3.º) La no presentación de la demanda principal supone el alzamiento o la revocación de los actos de cumplimiento que hubieran sido realizados a los efectos de la ejecución de las mismas, declarado mediante decreto del letrado de la administración de justicia.

4.º) El alzamiento o revocación de las medidas comportará la condena en costas al solicitante, así como la declaración de responsabilidad por los daños y perjuicios producidos al sujeto pasivo que ha debido soportar la adopción de las medidas.

B) Suspensión del proceso principal

La instrumentalidad del proceso cautelar respecto del proceso principal también tiene consecuencias en los casos de suspensión del proceso principal. A este posible evento se refiere el art. 731.1, II, cuando dispone que no podrá mantenerse «una medida cautelar si el proceso quedare en suspenso durante más de seis meses por causa imputable al solicitante de la medida», lo que supone:

1.º) Que se produzca una suspensión de más de seis meses para que pueda producirse el alzamiento de las medidas cautelares. Ello excluye el alzamiento de las medidas cuando se trate de suspensiones, incluso debidas al solicitante de las medidas cautelares, por tiempo inferior a seis meses.

2.º) Que la causa de la suspensión sea imputable al solicitante de la medida cautelar.

> Esta exigencia llevaría a excluir situaciones de suspensión del proceso principal provocadas por la interposición de una cuestión de inconstitucionalidad o de una cuestión prejudicial del art. 267 TFUE, supuestos excluidos de la actuación subjetiva del sujeto pasivo soportante de la medida.

C) Terminación del proceso principal

La conexión entre proceso principal y cautelar se manifiesta con la suerte que las medidas corren tras la finalización del proceso principal, de modo que dependerá del resultado final del proceso declarativo, el mantenimiento o, en su caso, el alzamiento de la medida. Es significativo el tenor literal del art. 731.1 que señala que no se mantendrán las medidas cautelares cuando el proceso principal haya terminado, consecuencia de la instrumentalidad de la tutela cautelar respecto de aquél. Esta afirmación, sin embargo, queda matizada cuando el proceso finaliza por sentencia condenatoria o por auto equivalente, que permitirán en los supuestos que vamos a determinar el posible mantenimiento de la medida. Habrá, por tanto, que establecer las diversas formas de finalización del proceso.

a) Finalización del proceso sin contradicción

Cuando el proceso principal finaliza anormalmente, sin sentencia contradictoria, por desistimiento, sobreseimiento, renuncia, allanamiento, transacción o por satisfacción extraprocesal o carencia sobrevenida de objeto, la suerte de las medidas quedará condicionada al resultado que cada uno de estas actuaciones pueda suponer en el proceso. Si ya no hay proceso, difícilmente puede mantenerse cautelarmente lo que ha quedado sin contenido, si bien las situaciones específicas de cada uno de estos actos comportan soluciones diversas.

Si se produce el *desistimiento del demandante,* se abandona el proceso iniciado por éste, sin resolución de fondo, provocándose el alzamiento de las medidas cautelares adoptadas a instancia del actor. Cuestión distinta es la producida por un desistimiento en la segunda instancia o estando pendiente casación, dado que en este caso el destino y la suerte de las medidas cautelares dependerá del contenido de la resolución dictada, dado que se genera tal situación que deviene firme la resolución recurrida (arts. 744 y 745).

Lo mismo sucede si se dicta el *sobreseimiento*, poniéndose fin al proceso y provocándose con ello la innecesariedad de la tutela cautelar.

Alcanzada la *caducidad* en la instancia, habría inmediato alzamiento de las medidas, dado que si desaparece el proceso principal, no tienen sentido las medidas. Cuestión diferente es la caducidad en fase de recursos, dado que produciría el efecto directo de la confirmación de la sentencia dictada en la instancia, condicionando la suerte de las medidas al contenido de la resolución del proceso principal, es decir, a que en la misma se hubiere producido la estimación o desestimación de la pretensión.

Si hay *renuncia* del actor, con dejación de la pretensión interpuesta, la suerte de las medidas es la de su alzamiento, al perder sentido su mantenimiento, ante la dejación de la pretensión en el proceso principal.

En caso de *allanamiento*, conformándose el demandado con la pretensión interpuesta por el actor, la solución producida es la misma que la que se alcanza cuando finaliza el proceso con contradicción, es decir, estimando la pretensión del actor.

Alcanzada una *transacción entre las partes o un acuerdo de mediación,* no existirían vencedores ni vencidos, pudiéndose distinguir dos situaciones: 1) Una transacción judicial: con alzamiento de las medidas si en la transacción no se asume la pretensión garantizada cautelarmente, si bien podría mantenerse la cautela cuando no mediare renuncia expresa a las medidas adoptadas; y 2) Si la transacción es extrajudicial o se incorpora el acuerdo de mediación al proceso, lo normal será el alzamiento de las medidas cautelares.

Cuando se obtiene una satisfacción extraprocesal de las pretensiones o la carencia sobrevenida del objeto del proceso, también debería producirse el alzamiento de las medidas cautelares, al carecer de objeto el proceso-instrumento del proceso principal, tal como sucede, a título de ejemplo, con el alzamiento de las medidas previstas en supuestos de defensa de secretos industriales, al dejar de reunir requisitos para ser considerado secreto industrial (art. 24 Ley 1/2019).

> Será el letrado de la administración de justicia el que procederá en estos casos a ordenar el inmediato alzamiento de las medidas cautelares adoptadas (art. 744.1).

b) Finalización del proceso con contradicción. Situación en la segunda instancia

Manteniéndose la contradicción hasta el final, la suerte de las medidas cautelares dependerá de que se trate de una sentencia estimatoria o desestimatoria de la pretensión.

Si la *sentencia es estimatoria* de la pretensión, puede serlo total o parcialmente. Si la estimación es parcial «el tribunal, con audiencia de la parte contraria, decidirá mediante auto sobre el mantenimiento, alzamiento o modificación de las medidas acordadas» (art. 744.2). Si la estimación es total, debe tenerse en cuenta el art. 731.1, II, que da soporte al mantenimiento de las medidas cautelares hasta que devenga firme y transcurra el plazo de espera de la ejecución de dicha resolución (veinte días posteriores a la notificación, art. 548), y si transcurrido dicho plazo no se solicitare la ejecución, se alzarán las medidas cautelares que estuvieren adoptadas.

Si la *sentencia es desestimatoria* de la pretensión, el art. 744.1 LEC establece que el letrado de la administración de justicia ordenará el inmediato alzamiento de las medidas cautelares adoptadas, salvo que el recurrente solicite su mantenimiento o la adopción de alguna medida distinta. En este caso se dará cuenta al tribunal y éste, oída la parte contraria, atendidas las circunstancias del caso y previo aumento de importe de la caución, resolverá lo procedente «mediante auto».

> En consecuencia, la regla general es el alzamiento; la excepción, el mantenimiento o la adopción de medida distinta, siempre que medie petición del recurrente, se cumpla con el principio de contradicción o audiencia, y jueguen a este respecto determinadas circunstancias que puedan fundamentar la presencia de la tutela cautelar durante la segunda instancia, para lo cual se deberá proceder a prestar mayor caución que permita asumir la posible responsabilidad derivada por el mantenimiento de las medidas adoptadas (daños y perjuicios causados al sujeto pasivo de la medida), máxime cuando la sentencia en la primera instancia desestimaba la pretensión del actor que fundamentaba la cobertura cautelar concedida en la instancia. Si la sentencia es desestimatoria de la pretensión y se alzaren las medidas cautelares, se deberá imponer las costas al demandante.

Ante la ausencia de norma que regule la formulación de la contradicción, podría remitirse al art. 735 LEC, desde el que el tribunal puede esgrimir la decisión de acceder ó no, tras el cumplimiento de los anteriores requisitos, al alzamiento inmediato o al mantenimiento de las medidas cautelares adoptadas.

D) Alzamiento de las medidas cautelares tras la sentencia firme

Cuando la sentencia hubiere sido absolutoria, sea en el fondo o en la instancia y se convierta en firme, se producirá el alzamiento de oficio por el letrado de la Administración de Justicia de todas las medidas cautelares (art. 745.I LEC). Se trata de una situación que afecta tanto a la terminación del proceso con sentencia contradictoria como sin la citada contradicción, a través de aquellas fórmulas que pueden convertir la decisión en firme, impidiéndose con ello el posterior conocimiento por parte del juez de la misma pretensión en un proceso posterior. Pero no se limita a estas situaciones, sino que el legislador ha extendido también este efecto inmediato de alzamiento a supuestos en los que el proceso termina sin sentencia, como en el caso del desistimiento de la instancia, en los que el art. 745, II, LEC entiende que deberá seguirse las mismas consecuencias que aquí analizamos. Los requisitos para que pueda procederse a este alzamiento son:

1.º) El contenido de la resolución que pone fin al proceso debe comportar la absolución del demandado, sobre el que pesan las medidas cautelares adoptadas, aunque esa absolución puede ser sólo en la instancia (sentencia meramente procesal).

Si la resolución hubiere acogido la pretensión del actor, estas medidas se convertirían en medidas ejecutivas, dejando de ser también medidas cautelares.

2°) El alzamiento de las medidas cautelares se lleva a cabo de oficio.

3.º) Efecto directo de este alzamiento por alcanzar firmeza la resolución dictada en el proceso principal es el de abrirse el cauce procesal que permite estimar por el tribunal la petición interpuesta por el demandado de la exigencia de la responsabilidad que deriva en la exacción de los daños y perjuicios que se hubieren producido al demandado como consecuencia de haber sufrido la adopción y el mantenimiento de las correspondientes medidas cautelares (arts. 745.I en relación con los arts. 742 y 712 y siguientes de la LEC).

Legislación: Ley de Enjuiciamiento Civil (arts. 721 a 747)
Lectura: GASCÓN INCHAUSTI, F., *La adopción de medidas cautelares con carácter previo a la demanda*, 1999. RAMOS ROMEU, F., *Las medidas cautelares civiles*, 2006.

LIBRO V
LOS PROCESOS ESPECIALES[1]

---

[1] Como en ocasiones anteriores, seguimos optando por explicar con detalle lo ordinario, común o general, convencidos, por la experiencia docente, de que es lo más conveniente pedagógicamente, y haciendo rápida alusión a lo especial, sin perjuicio de que lo especial de más frecuente uso merezca mayor atención.

CAPÍTULO I
LOS PROCESOS DISPOSITIVOS

Procesos civiles privilegiados

I. LA TUTELA JUDICIAL PRIVILEGIADA

La LEC revoluciona el tratamiento procesal de los procesos especiales y, con base en los dos procesos ordinarios que articula, establece tutelas privilegiadas a tramitar por uno u otro, pero sin articular verdaderos procesos, sino especialidades.

Mantiene la distinción entre procesos dispositivos y no dispositivos; pero atiende a diversos criterios para esta nueva configuración: Consecuencias del Derecho material que debe aplicarse, forma y requisitos de los actos procesales, alegación y cognición plenas o limitadas.

La consecuencia es una mayor facilitación de su estudio, una reducción drástica de los procesos especiales y una simplificación en su tramitación.

II. LA DETERMINACIÓN DEL PROCESO ADECUADO POR LA MATERIA

La LEC establece: 1. pretensiones que deben tramitarse por el juicio ordinario 2. por el juicio verbal: 1. Plenarios. 2. Sumarios

No está clara la razón de la elección legislativa, pero se trata de tutelas privilegiadas.

III. LA APLICACIÓN DEL JUICIO ORDINARIO

Se conocen por su cauce las siguientes pretensiones:

a) Derechos honoríficos.
b) Derecho al honor, a la intimidad y a la propia imagen.
c) Impugnación de acuerdos societarios.
d) Competencia desleal.
e) Defensa de la competencia.
f) Propiedad industrial.
g) Propiedad intelectual.
h) Publicidad.
i) Condiciones generales de la contratación.
j) Arrendamientos.
k) Retracto.
l) Propiedad horizontal.

IV. LA APLICACIÓN DEL JUICIO VERBAL

La LEC distingue entre la utilización del juicio verbal:

A) De modo plenario. Se conocen por el juicio verbal las siguientes pretensiones:

a) Precario.
b) Alimentos.
c) Rectificación de hechos.
d) Calificaciones registrales.
e) Tráfico.
f) Intereses colectivos y difusos de consumidores y usuarios.
g) Reclamaciones de rentas arrendaticias.

B) De modo sumario. Se conocen por el juicio verbal las siguientes pretensiones:

a) Desahucio.
b) Tutela posesoria y análoga.
c) Derechos reales inscritos.
d) Ventas a plazos de bienes muebles.
e) Arrendamiento financiero.

I. LA TUTELA JUDICIAL PRIVILEGIADA

La historia del proceso civil español en el siglo XX se ha caracterizado por ciertas huidas significativas. Se ha tratado, primero, de la huída del juicio de mayor cuantía y, luego, de la huída de la propia LEC/1881, con lo que se acabó dando lugar a un número muy elevado de procesos civiles especiales, es decir, de tutelas judiciales privilegiadas.

Frente a la proliferación de estas tutelas privilegiadas, la LEC vigente supone un claro intento de simplificación y de reconducción a lo ordinario. Se parte así de la existencia de dos únicos procesos declarativos, el llamado ordinario y el verbal, luego del propósito de suprimir el mayor número posible de procesos especiales y, por fin, de reducir las especialidades procedimentales, y con todo ello el resultado es que:

a) Tienen que seguir existiendo, porque no puede ser de otro modo, procesos civiles no dispositivos, que son aquellos por medio de los que se trata de aplicar normas sustantivas civiles más o menos influidas por una concepción publicista, que lleva a que el objeto del proceso no sea disponible para las partes. Estos procesos son los regulados en el Título I del Libro IV y se refieren a la capacidad, filiación, matrimonio y menores (Lección Trigésimo sexta). Adviértase que en estos casos lo verdaderamente distinto son los principios que informan el proceso, pero que respecto del procedimiento existe una remisión al juicio verbal y que se regulan muy pocas especialidades, bien procesales, bien procedimentales.

b) Dentro ya de los procesos civiles dispositivos, que son todos los demás y en los que las partes tienen la disposición del objeto del proceso, se debe distinguir entre:

1.º) Normas procesales derivadas del derecho material a aplicar: El derecho material que debe aplicarse en el caso concreto puede imponer la existencia de normas procesales específicas, que son aquellas que atienden al objeto del proceso, a la competencia, a las partes, a los efectos, en algún caso a la ejecución y a menudo a las medidas cautelares. Esto no supone la existencia de normas procedimentales propias, esto es, no existe regulación específica de los actos procesales y tampoco del procedimiento.

> Es evidente en este sentido, y por ejemplo, que la impugnación de acuerdos de la junta general de sociedades de capital da lugar a un proceso que se conocerá por el cauce del juicio ordinario, sin que en esa tramitación exista norma específica alguna que establezca un procedimiento distinto del común. Las especialidades establecidas por la ley para estas sociedades de capital, como veremos *infra*, por ejemplo, la medida cautelar de suspensión del acuerdo, son necesarias por la propia naturaleza de la regulación sustantiva y no suponen una huída de la LEC.

2.º) Normas procedimentales que atienden a la forma o requisitos de los actos procesales y a la manera de conjuntar el procedimiento: Frente a la proliferación anterior se ha realizado un gran esfuerzo de unificación y puede así decirse que existen muy pocas especialidades procedimentales. Se empieza por reconducir todos los procedimientos a un juicio ordinario, el llamado así o el verbal, y luego se establecen escasas normas procedimentales.

> Este es el caso, por ejemplo, de las normas relativas a los requisitos de la demanda (art. 439 LEC) o de las reglas especiales sobre el contenido de la vista (art. 444). Tratándose del retracto, y siempre por ejemplo, la LEC establece, primero, una norma de procedimiento adecuado (art. 249.1, 7.°), otra sobre la determinación de la cuantía (art. 251, 3.ª, 4.°) y luego otra relativa a los documentos a acompañar a la demanda (art. 266, 3.°), y eso es todo lo que se encuentra en la LEC sobre el retracto, frente a los trece artículos de la LEC/1881. Procedimentales sólo son las normas primera y última, y por ello puede decirse que no existe proceso especial en materia de retracto.

c) Por último debe tenerse en cuenta que ha de seguir subsistiendo la distinción en procesos plenarios y procesos sumarios, si bien esto no tiene repercusión en la existencia de procesos especiales. La LEC ha optado, con acierto, por mantener la existencia de tutelas judiciales sumarias (v. Lección Octava), pero ello no ha supuesto el mantenimiento de normas procedimentales propias. Lo importante es destacar la ausencia de cosa juzgada (art. 447).

> Esta conclusión puede verse muy clara con relación a los llamados interdictos, siempre a modo de ejemplo. Si en la LEC de 1881 se les dedicaban los arts. 1631 a 1685, más de cincuenta artículos, en la LEC vigente todo lo específico de los mismos se reduce a la existencia de la tutela (art. 250.1, 3.°, 4.°, 5.° y 6.°, se conocerán por el juicio verbal), al documento a acompañar a la demanda (art. 266, 4.°), a la caducidad (art. 439.1) y a alguna actuación previa a la vista (art. 441.1 y 2).

De todo lo anterior resulta que las tutelas judiciales privilegiadas declarativas han sufrido un gran recorte en la LEC, sobre todo en lo que se refiere a las normas procedimentales en sentido estricto. Las especialidades se centran ahora en lo que se refiere a los principios (procesos no dispositivos) o en lo atinente a normas procesales propias (que no es necesario que estén en la LEC), pero ya no en normas procedimentales específicas.

II. LA DETERMINACIÓN DEL PROCESO ADECUADO POR LA MATERIA

Hemos dicho que la simplificación más importante ha consistido en que sólo existen dos procesos declarativos a los que hay que considerar comunes: El juicio ordinario y el juicio verbal. La determinación del proceso adecuado se hace, en general, atendiendo a la cuantía, y de ahí que los arts. 249.2 y 250.2 fijen el límite de uno y otro proceso en 6.000 euros. La aplicación de esta norma no implica especialidad alguna, no puede llevar a tutela judicial privilegiada.

> Recuérdese la posibilidad de que los juicios verbales por la cuantía se tramiten como «juicio rápido civil», cuando se desarrollen e implanten definitivamente las Oficinas Judiciales, y con ellas las OSI (Oficinas de Señalamiento Inmediato), de acuerdo con las previsiones de aceleración procedimental previstas por la Disp. Adic. 5.ª LEC. No deben olvidarse tampoco los importantes cambios procesales que la reforma de la LEC por la Ley 42 /2015, de 5 de octubre), ha introducido en el juicio verbal.

Cuando la determinación del proceso adecuado se hace en atención a la materia, se está realmente disponiendo una regla especial, que se aplica de modo preferente a la de la cuantía, y en virtud de la cual se trata realmente de establecer una cierta tutela privilegiada, aunque hay que admitir que la misma es de grado menor. El legislador estima que en ciertas materias no debe aplicarse la regla de la cuantía para determinar el proceso adecuado, sino que siempre las pretensiones relativas a esas materias deben conocerse por uno u otro de los procesos declarativos comunes. Esto es lo que hacen los arts. 249.1 y 250.1, a los que ya nos referimos en la Lección Octava.

III. LA APLICACIÓN DEL JUICIO ORDINARIO

El art. 249.1 enumera ocho materias que se reconducen al juicio ordinario, sin atender a la cuantía. Para algunas de esas materias la única norma procesal propia es la relativa a la aplicación del juicio ordinario, pero para otras materias, bien en la LEC, bien fuera de ella, existen normas procesales específicas.

A) Derechos honoríficos

Las únicas normas relativas a los mismos son el art. 249.1, 1.º, y el art. 525.1, 1.ª. Aquélla determina la procedencia del juicio ordinario en todo caso, y ésta que no cabe la ejecución provisional de las sentencias no firmes.

B) Derecho al honor, a la intimidad y a la propia imagen

La LEC no ha podido derogar, y no lo ha hecho, la LO 1/1982, de 5 de mayo, de protección civil del derecho al honor, a la intimidad personal y familiar y a la propia imagen, por lo que siguen en vigor sus normas procesales. Nos importan las siguientes, teniendo en cuenta que han sido reformadas parcialmente por la LO 5/2010, de 22 de junio, para mejorar la posición de la víctima de un delito en el proceso civil cuando su honor, intimidad o propia imagen haya sido dañada:

1.ª) El art. 9.1 dispone que la tutela judicial frente a las intromisiones ilegítimas en estos derechos podrá recabarse por las vías procesales ordinarias o por el procedimiento previsto en el art. 53.2 de la CE. Esta norma ha quedado prácticamente vacía de contenido, pues la única vía procesal existente en la actualidad es la del juicio ordinario de la LEC (art. 249.1, 2.º LEC), al haberse derogado las normas procesales civiles de la Ley 62/1978, de 26 de diciembre, de protección jurisdiccional de los derechos fundamentales de la persona (Disp. Derogatoria 2.3.º LEC).

> No debe olvidarse que las «acciones» de protección frente a las intromisiones ilegítimas caducan a los cuatro años, desde que el legitimado pudo ejercitarlas (art. 9.5).

2.ª) Los art. 4, 5 y 6 contienen toda una serie de normas relativas a la legitimación para el ejercicio de las «acciones» cuando se trata del honor, intimidad o imagen de una persona fallecida.

A ello hay que añadir que según el art. 249.1, 2.º LEC: 1) En estos procesos será siempre parte el Ministerio Fiscal y 2) Que su tramitación será siempre preferente.

C) Impugnación de acuerdos societarios

El art. 249.1, 3.º LEC ha previsto el juicio ordinario para el conocimiento de las demandas sobre impugnación de acuerdos sociales adoptados por Juntas o Asambleas Generales o especiales de socios o de obligacionistas o de órganos colegiados de administración en entidades mercantiles.

a) La LEC consideró conveniente regular además para estos procesos la competencia territorial como norma imperativa (arts. 52.1, 10.º, y 54.1), la acumulación necesaria y reparto (art. 73.2), la cosa juzgada (art. 222.3, III), el juicio ordinario como procedimiento adecuado (art. 249.1, 3.º) y la medida cautelar de suspensión del acuerdo impugnado (art. 727, 10.º).

b) La regulación de las sociedades mercantiles ha sufrido constantes transformaciones desde la aprobación de la LEC vigente. Todas ellas han mantenido el mismo criterio en lo procesal. La última novedad legislativa, que se anuncia igualmente como provisional mientras no se apruebe el código de sociedades mercantiles, es la regulación conjunta de la sociedad anónima, la sociedad de responsabilidad limitada y la sociedad comanditaria por acciones como sociedades de capital por el Real Decreto Legislativo 1/2010, de 2 de julio.

> Conforme a esta última legislación, la impugnación de acuerdos nulos y anulables de las sociedades de capital se realiza por los trámites del juicio ordinario (art. 207), teniendo en cuenta que la pretensión caduca en los plazos breves

fijados por el art. 205 (reformado por la Ley 31/2014, de 3 de diciembre), estando legitimados para impugnar los socios administradores y terceros descritos en el art. 206. La sentencia debe pronunciarse sobre los efectos previstos en el art. 208. Finalmente el régimen de responsabilidad de los socios se establece en los arts. 73 a 76.

c) No hay en la LEC alusión directa a la Ley 27/1999, de 16 de julio, de Cooperativas, por lo que se mantienen en vigor sus arts. 31 (impugnación de acuerdos de la Asamblea General) y 37 (impugnación de acuerdos del Consejo Rector), que contienen también una remisión a lo dispuesto en la LSA (hoy a la LSCap), aparte de normas propias.

d) La impugnación de acuerdos y actuaciones de las asociaciones contempladas en la LO 1/2002, de 22 de marzo, reguladora del Derecho de Asociación, según su art. 40, deficientemente redactado, debe realizarse conforme a lo analizado en este subapartado (pero si estuviéramos ante pretensiones que traigan causa del tráfico jurídico de dichas asociaciones, el juicio a seguir debería ser el ordinario que corresponda por la cuantía).

D) Competencia desleal

Se tramitarán por el juicio ordinario las demandas en esta materia siempre que no versen exclusivamente sobre reclamaciones de cantidad, en cuyo caso se tramitarán por el procedimiento que corresponda a la cuantía (art. 249.1, 4.° LEC). Lo mismo dispone también el art. 22 de la Ley 3/1991, de 10 de enero, de Competencia Desleal (modificado por la Disp. Final 4.ª LEC), según la cual los procesos en materia de competencia desleal se tramitarán con arreglo a lo dispuesto en la LEC para el juicio ordinario.

> La LEC (Disp. Derogatoria 2, 11.°) ha derogado los arts. 23, 25 y 26 de la Ley 3/1991, pero aún así existen varias normas procesales en la misma, relativas a acciones derivadas de la competencia desleal (art. 32), legitimación (arts. 33 y 34), prescripción (art. 35) y diligencias preliminares (art. 36), de acuerdo con la reforma operada por la Ley 29/2009, de 30 de diciembre.

También en la LEC existe alguna norma propia, como son los arts. 52.1, 12.° y 54.1 (competencia territorial imperativa) y 217.4 (carga de la prueba), sin perjuicio de que algunas medidas cautelares parecen preordenadas para esta materia (art. 727, 7.ª).

E) Defensa de la competencia

La Ley 15/2007, de 3 de julio, de Defensa de la Competencia, además de suprimir el órgano administrativo denominado «Tribunal de Defensa de la Competencia», establece especialidades procesales nuevas para el conocimiento de las pretensiones basadas en conductas colusorias (art. 1) y en abuso de posición dominante (art. 2), en punto a la defensa de la competencia, que tengan como fundamento las arts. 81 y 82 del Tratado de la Comunidad Europea, pues las que no se apoyen en estas normas se consideran materias administrativas. Las pretensiones civiles son competencia del JMerc (arts. 86 ter 2, f) LOPJ y DA-1ª LDComp).

Se tramitan por el juicio ordinario, siempre que no versen exclusivamente sobre reclamaciones de cantidad, en cuyo caso se estará al proceso correspondiente según la cuantía (art. 249.1-4° LEC). La LEC prevé en su art. 15 bis (modificado por la LO 3/2018, de 5 de diciembre, de Protección de Datos Personales y Garantía de los Derechos Digitales) la intervención de ciertos órganos públicos europeos y nacionales para presentar informes u observaciones.

> La LDComp reforma la LEC estableciendo normas procesales propias en esta materia: Prejudicialidad penal (art. 46 LDComp), asistencia procesal como *amicus curiae* de determinadas instituciones en el proceso civil, que no como parte (art. 15 bis LEC), notificación de resoluciones (arts. 212.3, 404, II y 461 LEC), suspensión del plazo para dictar sentencia (art. 465.5 LEC). Téngase en cuenta además la importante reforma operada por el RD-Ley 9/2017, de 26 de mayo, que establece disposiciones probatorias específicas en materia de Derecho de la Competencia (nuevos arts. 283 bis a) a 283 bis k) LEC).

F) Propiedad industrial

También se tramitarán por el juicio ordinario las demandas relativas a la propiedad industrial, siempre que no versen exclusivamente sobre reclamaciones de cantidad, en cuyo caso se estará al proceso correspondiente a la cuantía (art. 249.1, 4.°, LEC).

La regulación de estas materias se establece en tres leyes que atienden a los siguientes títulos de propiedad industrial: 1) Patentes (Ley 24/2015, de 24 de julio, y su Reglamento aprobado por RD 316/2017, de 31 de marzo, BOE 1 de abril), 2) Marcas [Ley 17/2001, de 7 de diciembre (reformada en parte por el RD-Ley 23/2018, de 21 de diciembre), y su Reglamento, RD 687/2002, de 12 de julio] y 3) Diseño (Ley 20/2003, de 7 de julio).

> Las normas de la LEC sobre patentes y marcas son escasas; aparte del citado art. 249.1, 4.°, sólo cabe aludir a los arts. 52.1, 13.°, y 54.1 (sobre competencia territorial que no es más que una norma de remisión) y al art. 525.1, 3.ª (sobre no ejecución provisional de las sentencias que declaren la nulidad o caducidad de títulos de propiedad industrial).
>
> Por el contrario, las normas procesales en la Ley de Patentes son muy numerosas y afectan a aspectos importantes: Es competente el JMerc (arts. 116 y 118); los tipos de pretensiones declarativas se regulan en los arts. 70 a 78 y 121, y la pretensión de nulidad en los arts. 103 y 120. Se establecen normas específicas además respecto a la legitimación (art. 117); los plazos (art. 119); las diligencias

de comprobación de hechos (arts. 123 a 126) la carga de la prueba (art. 19), y, extensamente, sobre medidas cautelares (arts. 127 a 132). Incluso existe regulación de una conciliación propia (arts. 133 a 135), siendo admisible el arbitraje y la mediación como solución extrajudicial de la controversia (art. 136).

Las normas procesales de la Ley de Marcas de 2001 afectan principalmente a tipos de pretensiones (arts. 40 a 42), cálculo de la indemnización (arts. 43 y 44), prescripción (art. 45), y nulidad de la marca (arts. 51, 53 y 61), aplicándose las disposiciones de la Ley de Patentes sobre jurisdicción y normas procesales en lo que sea compatible (DA-1ª, reformada en 2015).

También deben tenerse en cuenta toda una serie de normas procesales en la Ley de Diseño Industrial de 2003, modificada en 2015, y desarrollada por RD 1937/2004, de 27 de septiembre, que aprueba su Reglamento (caso de los arts. 16, reivindicación de la titularidad; 17, efectos de la presentación de la demanda; 18, efectos de la sentencia; 52 a 57, acciones por violación; 65 y ss. nulidad, legitimación, sentencia).

Debe tenerse en cuenta que sendas DA-1ª sobre jurisdicción y normas procesales, tanto en la LMarc como en la LDI, ambas reformadas en 2015, aparte de confirmar la competencia del JMerc y de los Juzgados de Marca Comunitaria, se remiten a las normas contenidas en el título XII de la LPat de 2015, en lo relativo al ejercicio de acciones y a la adopción de medidas provisionales y cautelares, y en todo aquello que no sea incompatible con lo previsto en la misma.

G) Propiedad intelectual

Otra vez se tramitarán por el juicio ordinario las demandas relativas a la propiedad intelectual, siempre que no versen exclusivamente sobre reclamaciones de cantidad, en cuyo caso se estará al proceso correspondiente a la cuantía (art. 249.1, 4.º LEC).

La norma básica en esta materia es el Real Decreto Legislativo 1/1996, de 12 de abril, que aprueba su texto refundido de la Ley de Propiedad Intelectual, debiendo tenerse en cuenta que la Ley 5/1998, de 6 de marzo, modificó algunos de sus artículos (sobre protección jurídica de bases de datos) y alteró la numeración de los mismos. La Ley 2/2019, de 1 de marzo (que proviene del RD-Ley 2/2018), ha modificado profundamente el RD-Leg. de 1996, e incorporado diversas directivas al ordenamiento español, ha redactado de nuevo el art. 150, cuyo ap. II fue declarado inconstitucional por la STC 166/2007, de 4 de julio), y realizando una importante modificación, especialmente en punto a las entidades de gestión, incorporando directivas europeas. La LEC ha derogado el art. 142 LPInt; y que la Ley 19/2006, de 5 de junio, ha modificado diversos preceptos de la LEC, aplicando la Directiva 2004/48/CE del Parlamento Europeo y del Consejo, de 29 de abril de 2004, sobre el respeto a los derechos de propiedad intelectual (Disp. Derogatoria 2, 13.º), y ha modificado los arts. 25.20, 103, 143 y 150 LPInt (Disp. Final 2.ª). Recientemente se han añadido el art. 521.4 (inscripción de la sentencia en el Registro de CGC), y modificado el art. 693.3 (límites a la reclamación del total de la deuda en ejecución de bienes hipotecados a personas físicas) de la LEC (ambos por la Ley 5/2019, de 15 de marzo).

> Sin perjuicio de alguna norma en la LEC, aparte de la dicha en el art. 249.1, 4.°, como la de los arts. 52.1, 14.° y 54.1 (sobre competencia territorial), los arts. 256, 257, 259, 261, 263 (sobre diligencias preliminares), 297 y 298 (sobre aseguramiento de prueba), 328 (sobre prueba documental), y 727 y 733 (sobre medidas cautelares), las normas procesales de trascendencia se encuentra en la Ley de Propiedad Intelectual, especialmente en sus arts. 138 a 141 (sobre acciones y medidas cautelares), especialmente en los arts. 138, 139 y 141. Deben destacarse, sin embargo, el art. 103, que contiene una remisión genérica a la LEC, y el art. 150, que confiere legitimación a las entidades de gestión para hacer valer en juicio los derechos confiados a su gestión, dando lugar a una legitimación muy especial (el art. 150, II, LPInt ha sido declarado inconstitucional por la STC 166/2007, de 4 de julio). Ténganse en cuenta también los arts. 10 y 12 de la Ley 3/2008, de 23 de diciembre, relativa al derecho de participación en beneficio del autor de una obra de arte original.

H) Publicidad

Por fin, se tramitarán por el juicio ordinario las demandas relativas a publicidad, siempre que no versen exclusivamente sobre reclamaciones de cantidad, en cuyo caso se estará al proceso correspondiente a la cuantía (art. 249.1, 4.° LEC).

La norma a tener en cuenta es la Ley 34/1988, de 11 de noviembre, General de Publicidad, respecto de la que la LEC ha derogado los arts. 29, 30 y 33 (Disp. Derogatoria 2, 12.°). Resta, pues, únicamente en la LEC una norma sobre carga de la prueba (art. 217.4), y en la Ley de Publicidad algunas normas sobre pretensiones (art. 6), legitimación y actividad previa al inicio del proceso (arts. 25 a 27), sobre pretensiones y legitimación cuando la publicidad sea vejatoria o discriminatoria para la mujer (art. 25.1 bis y DA LGP), y sobre contenido de la sentencia (art. 31).

Téngase en cuenta que los derechos de personas físicas o jurídicas a exigir el cese o rectificación de campañas de publicidad institucionales prohibidas, reguladas por la Ley 29/2005, de 29 de diciembre, dan lugar a un procedimiento administrativo especial, pero ello no obsta a la protección civil en su caso tratada en este subapartado (arts. 4 y 7).

I) Condiciones generales de la contratación

Las demandas en que se ejerciten «acciones» relativas a estas condiciones, en los casos previstos en la legislación específica, se decidirán en juicio ordinario, dice el art. 249.1, 5.° LEC, y con ello está efectuando una remisión a la Ley 7/1998, de 13 de abril, sobre Condiciones Generales de la Contratación. Respecto de ella la LEC deroga los arts. 9.3, 14, 15, 18 y 20 (Disp. Derogatoria 2, 15.º), y modifica la redacción de los arts. 12.2, 12.3, 12.4, 16.6 y Disp. Adicional 4.ª (Disp. Final 6.ª).

> Así las cosas en la LEC se contiene sólo norma especial relativa a la competencia territorial imperativa (arts. 52.1, 14.º, y 54.1). Por el contrario la Ley 7/1998 contiene normas procesales muy importantes que atienden a las clases de acciones (art. 12), a la conciliación previa (art. 13), a la legitimación activa (art. 16) y pasiva (art. 17), a la prescripción de las acciones (art. 19) y a la publicidad e inscripción de las sentencias (arts. 21 y 22).
>
> También aquí el extremo de mayor trascendencia es el atinente a la acciones colectivas y a la legitimación que se reconoce, no a particulares, sino a una serie de entidades, entre las que destacan las asociaciones de consumidores y usuarios legalmente constituidas.

J) Arrendamientos

Las demandas relativas a cualesquiera asuntos de arrendamientos urbanos o rústicos de bienes inmuebles se decidirán por el juicio ordinario, salvo que se trate de reclamaciones de rentas o cantidades debidas por el arrendatario, o del desahucio por falta de pago o por extinción del plazo de la relación arrendaticia, o salvo que sea posible hacer una valoración de la cuantía del objeto del procedimiento, conforme al art. 249.1-6º LEC (modificado por la Ley 19/2009, de 23 de noviembre; y por el Real Decreto-ley 7/2019, de 1 de marzo de Medidas Urgentes en materia de Vivienda y Alquiler).

1.º) *Urbanos*: Salvo lo que diremos después sobre las reclamaciones de rentas o cantidades o del desahucio, bien por la vía del juicio verbal bien por la vía rápida, puede decirse que ha desaparecido el proceso especial en materia de arrendamientos urbanos. Restan únicamente las escasas alusiones contenidas en la LEC, que se refieren a: 1) Competencia territorial imperativa (arts. 52.1, 7.º, y 54.1); 2) Determinación de la cuantía de la demanda (art. 251, 9.ª); y 3) Necesidad de estar al corriente en el pago de la renta para que sean admisibles los recursos de apelación, infracción procesal y casación (art. 449).

2.º) *Rústicos*: La LEC/2000 derogó los arts. 123 a 137 de la LAR de 1980, es decir, prácticamente todas las normas procesales en ésta contenidas. Ahora esta LAR ha sido sustituida por la Ley 49/2003, de 26 de noviembre, de Arrendamientos Rústicos (modificada por Ley 26/2005, de 30 de noviembre), que conserva como normas procesales los arts. 25, a), 33 y 34, de poca trascendencia procesal. En cuanto a la LEC, son aplicables los arts. 52.1, 7.º, 54.1, 251, 9.º y 449 a estos arrendamientos.

K) Retracto

Por el juicio ordinario se conocerán las demandas relativas al retracto de cualquier tipo (art. 249.1, 7.°), es decir, tanto del legal como del convencional. La única especialidad procesal radica en que, según el art. 266, 3.°, a la demanda hay que acompañar: 1) Los documentos que constituyan un principio de prueba del título en que se funden la misma; y 2) Cuando la consignación del precio se exija por la ley o por contrato, el documento que acredite haber consignado, si fuere conocido, el precio de la cosa objeto de retracto o haberse constituido caución que garantice la consignación en cuanto el precio se conociere. No falta norma sobre la determinación de la cuantía (art. 251.1, 2.ª, 4.°)

L) Propiedad horizontal

Por el juicio ordinario se decidirán las demandas en las que se ejerciten las acciones que la Ley de Propiedad Horizontal de 1960, otorga a los propietarios y a la Junta de Propietarios, salvo que versen exclusivamente sobre reclamaciones de cantidad, en cuyo caso se tramitarán por el procedimiento que corresponda (art. 249.1, 8.°).

Dada la trascendencia práctica conviene aludir a las posibles pretensiones: 1) De cesación de actividades prohibidas (art. 7); 2) De impugnación acuerdos contrarios a la ley o a los estatutos, gravemente lesivo o perjudicial (art. 18); 3) Adopción en equidad de acuerdos y designación de presidente de la comunidad (arts. 13.2 y 17); 4) De pago las cuotas, para el que está previsto el cauce del proceso monitorio (según el art. 21; v. lección 38.ª).

IV. LA APLICACIÓN DEL JUICIO VERBAL

El art. 250.1 enumera trece materias que se reconducen al juicio verbal, sin atender a la cuantía. Para algunas de ellas la única norma procesal propia es la relativa a su reconducción a este juicio, pero en otras, bien en la LEC, bien fuera de ella, existen normas procesales específicas; en los dos casos no puede hablarse propiamente de normas procedimentales propias, salvo en ocasiones muy contadas.

El examen de esas materias tiene que hacerse distinguiendo entre tutela plenaria (que da simplemente lugar a un proceso especial, que sigue siendo plenario) y tutela sumaria (en la que se trata de un proceso especial que, además, es sumario o con limitaciones). Esta distinción ha sido aludida con reiteración en las Lecciones Octava y Décimo novena, por lo que no vamos a insistir en ella.

A) De modo plenario

La remisión al juicio verbal se hace de modo sólo especial, es decir, tratándose de un proceso plenario en estas materias:

a) Precario

La única norma propia es la que dice que se decidirán en juicio verbal las demandas que pretendan la recuperación de la plena posesión de una finca rústica o urbana, cedida en precario, por el dueño, usufructuario o cualquier otra persona con derecho a poseer dicha finca (art. 250.1, 2.º).

b) Alimentos

Las demandas que soliciten alimentos, debidos por disposición legal o por otro título, se decidirán en juicio verbal (art. 250.1, 8.º).

La tutela en este caso es también plenaria. Dice la Exp. de Motivos de la LEC que «los procesos sobre alimentos, como otros sobre objetos semejantes, no han de confundirse con medidas provisionales ni tienen por qué carecer, en su desenlace, de fuerza de cosa juzgada. Reclamaciones ulteriores pueden estar plenamente justificadas por hechos nuevos». Hay que añadir que los alimentos pueden ser una medida anticipatoria a acordar en procesos matrimoniales cuando hay hijos menores (e incluso mayores de edad), pero el juicio verbal se refiere al caso de que la pretensión es exclusiva de alimentos, debiendo entenderse incluido el caso del art. 748, 4.º, aunque se cuenta con el norma especial del art. 753.

c) Rectificación de hechos

Deben decidirse en juicio verbal las demandas que supongan el ejercicio de la acción de rectificación de hechos inexactos y perjudiciales (art. 250.1, 9.º).

La LEC no hace alusión a la LO 2/1984, de 26 de marzo, reguladora del Derecho de Rectificación. En ésta ya se dijo que el proceso adecuado era el juicio verbal, pero introduciendo en él una serie de modificaciones que han de entenderse subsistentes.

> Aparte de un intento de rectificación con el director del medio de comunicación social (arts. 1 a 3), se trata básicamente de la competencia territorial (art. 4), de la no necesidad de abogado ni de procurador (art. 5), de la inadmisión de oficio de la demanda cuando el juez estime que la rectificación es manifiestamente improcedente (único caso en el Derecho español de inadmisión por estimar infundada una demanda) y algunas normas específicas sobre el juicio propiamente dicho (art. 7) y sobre los recursos (art. 8).

d) Calificaciones registrales

Las resoluciones, expresas o presuntas, que dicte la Dirección General de los Registros y del Notariado en materia del recurso previsto por la Ley Hipotecaria contra la calificación documental de los Registradores, pueden ser recurribles, aunque no estamos ante un recurso sino ante un verdadero proceso civil nuevo, ante el JPI, conforme al art. 328 LH, en la redacción dada por la Ley 24/2001, de 27 de diciembre, de Medidas Fiscales, Administrativas y del Orden Social, modificada por su homónima Ley 53/2002, de 30 de diciembre (ambas conocidas como leyes de acompañamiento a la que regula los presupuestos generales del Estado). En ese precepto se regulan la legitimación, plazo para demandar y medidas cautelares posibles en este proceso, que se tramitará en lo demás por los trámites del juicio verbal.

e) Tráfico

Entre las materias que el art. 250 LEC atribuye al ámbito del juicio verbal, no se mencionan las demandas en que se pretendan indemnizaciones por daños y perjuicios derivados de la circulación de vehículos de motor. Esto llevó a que inicialmente se debatiera la procedencia o no del juicio verbal, pero el caso es que la jurisprudencia menor se ha inclinado decididamente porque los procesos con tal objeto habrán de sustanciarse por el correspondiente a su cuantía.

Las únicas singularidades que cabe destacar en estos procesos sobre hechos de tráfico son: 1) Que la competencia territorial corresponde al Juzgado del lugar en que se causaron los daños (art. 52.1, 9.º), que deberá controlarse de oficio (art. 54.1); y 2) Que al condenado a pagar la indemnización señalada en la sentencia, no se le admitirán los recursos de apelación, extraordinario por infracción procesal o de casación si, al prepararlos, no acredita haber constituido depósito del importe de la condena más los intereses y recargo exigibles, cuyo depósito no impedirá, en su caso, la ejecución provisional de la sentencia (art. 449.3).

f) Intereses colectivos y difusos de consumidores y usuarios

1.º) *Ámbito de aplicación*: El Real Decreto Legislativo 1/2007, de 16 de noviembre (BOE del 30), por el se aprueba el Texto Refundido de la Ley General para la Defensa de los Consumidores y Usuarios, regula en sus arts. 53 a 56 la acción de cesación, que fue introducida por la Ley 39/2002, de 28 de octubre, de transposición al ordenamiento jurídico español de diversas directivas comunitarias en materia de protección de los intereses de los consumidores y usuarios.

Lo que se hace en 2007 es refundir en un texto único la Ley 26/1984, de 19 de julio, para la Defensa de los Consumidores y Usuarios, y las normas de transposición de las directivas comunitarias dictadas en materia de protección de los consumidores y usuarios, manteniendo con ciertas modificaciones las normas procesales (arts. 53 a 56) y articulando un sistema arbitral para la resolución de los conflictos que surjan en estas materias (arts. 57 y 58), entre otros preceptos, los artículos 249.1, 4.° y 5.° y 250.1, 12.° de la LEC, estableciendo que se decidirán en juicio verbal las demandas en las que se ejercite la acción de cesación en defensa de los intereses colectivos y difusos de los consumidores y usuarios.

> Dicha Ley 39/2002 había modificado las leyes sectoriales correspondientes para regular de nuevo o para introducir en ellas la acción de cesación en defensa de aquellos intereses, reformando en lo necesario determinados preceptos de las siguientes leyes: Ley 7/1998, de 13 de abril, de Condiciones Generales de la Contratación (arts. 16 y 19), que no ha sido modificada por el RD-Leg 1/2007, y otras leyes que han sido derogadas ahora en su mayor parte, aunque todavía no se ha logrado la unificación total en esta materia, quedando en vigor sólo la Ley 42/1998, de 15 de diciembre, sobre derechos de aprovechamiento por turno de bienes inmuebles de uso turístico (art. 16 bis); Ley 29/2006, de 26 de julio, de garantías y uso racional de los medicamentos y productos sanitarios (arts. 105 y 106); Ley 25/1994, de 12 de julio sobre ejercicio de actividades de radiodifusión televisiva (arts. 21 y 22); la Ley 34/1988, de 11 de noviembre, General de Publicidad (arts. 6, 6 bis, 25, 26 y 29); Ley 22/2007, de 11 de julio, sobre comercialización de servicios financieros destinados a los consumidores (arts. 15, 16 y 17); y Ley 43/2007, de 13 de diciembre, de protección de los consumidores en la contratación de bienes con oferta de restitución del precio (arts. 6 y 7). Por su parte, el RD-Leg 1/2007 ha sido modificado por la Ley 3/2014, de 27 de marzo, por el RD-Ley 9/2017, de 26 de mayo, y por la Ley 7/2017, de 2 de noviembre, para proteger mejor al consumidor.

También se considera conducta contraria a esta norma en materia de cláusulas abusivas la recomendación de utilización de las mismas (art. 53). La pretensión de cesación es procedente frente a cláusulas abusivas, contratos celebrados fuera de establecimiento mercantil, venta a distancia, garantías en la venta de productos y viajes combinados.

2.°) *Objeto*: La pretensión de cesación se dirige a obtener una sentencia que condene al demandado a cesar en la actividad que sea contraria a la Ley que, en cada caso, la regula y a prohibir su reiteración futura. Pero también puede tener por objeto prohibir la realización de una conducta de tal clase que ya hubiera finalizado al tiempo del ejercicio de la acción, si existen indicios suficientes que hagan temer su reiteración de modo inmediato.

3.º) *Competencia:* En los procesos en que se ejercite la acción de cesación en defensa de los intereses tanto colectivos como difusos de los consumidores y usuarios, será competente el tribunal del lugar donde el demandado tenga su establecimiento, y, a falta de éste, el de su domicilio; si careciere de domicilio en territorio español, el del lugar del domicilio del actor (art. 52.1, 16.º LEC, redactado por Ley 29/2002).

4.º) *Legitimación*: Para el ejercicio de dichas acciones se legitima activamente a diversos entes públicos y asociaciones (art. 54.1).

> 1) En general: El Instituto Nacional de Consumo y los órganos o entidades correspondientes de las Comunidades Autónomas y de las Corporaciones locales competentes en materia de defensa de los consumidores; las asociaciones de consumidores y usuarios que reúnan los requisitos establecidos en la Ley estatal o autonómica; el Ministerio Fiscal; las entidades de otros Estados miembros de la Comunidad Europea constituidas para la protección de los intereses colectivos y de los intereses difusos de los consumidores que estén habilitadas mediante su inclusión en la lista publicada a tal fin en el Diario Oficial de las Comunidades Europeas. También las personas legitimadas indicadas en el art. 55 pueden interponer las pretensiones de cesación en otro Estado miembro de la Unión Europea.
>
> 2) En materia de Condiciones Generales de la Contratación, además de los anteriores, también están legitimados activamente: Las asociaciones o corporaciones de empresarios, profesionales y agricultores que estatutariamente tengan encomendada la defensa de los intereses de sus miembros, las Cámaras de Comercio, Industria y Navegación y los Colegios Profesionales legalmente constituidos.
>
> 3) En materia de ejercicio de actividades de radiodifusión televisiva y en materia de publicidad ilícita, la legitimación activa se reconoce, además, a los titulares de un derecho o un interés legítimo.
>
> El art. 53 del RD-Leg 1/2007, que regula las acciones de cesación, ha sido modificado por la Ley 3/2014, de 27 de marzo, que ven ampliada su legitimación con la nueva redacción del art. 11.4 LEC, efectuada también por dicha ley.

5.º) *Reclamación previa*: En materias de publicidad (ya sea de medicamentos o en general) y de actividades de radiodifusión televisiva, sus normas reguladoras contemplan la posibilidad de que, con carácter previo al ejercicio de la acción de cesación, las personas y entidades legitimadas puedan solicitar el cese de la actividad que se considere contraria a la ley. Pero esa reclamación previa no es en ningún caso necesaria cuando aquellas conductas lesionen intereses colectivos o difusos de los consumidores y usuarios

6.º) *Publicidad de la sentencia*: En las sentencias estimatorias de una acción de cesación en defensa de los intereses colectivos y de los intereses difusos de los consumidores y usuarios, el Tribunal, si lo estima procedente, y con cargo al demandado, podrá acordar la publicación total o parcial de la sentencia o, cuando los efectos de la infracción puedan mantenerse a lo largo del tiempo, una declaración rectificadora (art. 221. 2 LEC, redactado por Ley 39/2002).

7°) *Imprescriptibilidad*: El art. 56 dispone que la pretensión de cesación es imprescriptible, sin perjuicio de lo dispuesto en el art. 19.2 de la ley 7/1998.

8°) *Solución alternativa de conflictos*: La Ley 7/2017, de 2 de noviembre, que incorpora diversas directivas europeas, ha articulado una forma particular de resolver los litigios en esta materia extrajudicialmente, a través de las llamadas "entidades de resolución alternativa", que pueden ser públicas o privadas, y que actúan únicamente si el litigio es entre consumidor y empresario, mediante un sencillo procedimiento gratuito.

g) *Reclamaciones de rentas arrendaticias*

El juicio verbal es el adecuado para tramitar las pretensiones de reclamación de rentas derivadas de la relación arrendaticia, cualquiera que sea su cuantía (art. 250.1, 1° LEC), siempre que no se acumulen al desahucio tramitado sumaria o rápidamente (art. 437.3 LEC, v. *infra*), lo que desde la reforma de la Ley 19/2009, de 23 de noviembre, ya no es obligatorio, o no se haya utilizado la vía del proceso monitorio (art. 818.3 LEC, v. lecc. 38ª).

> Es sorprendente que tratándose de cantidades no operen los criterios generales de la cuantía para el proceso ordinario o verbal. El legislador quiere con ello imprimir una tutela más ágil. Por eso, y en general, atendida la profunda reforma operada por la Ley 19/2009, de 23 de noviembre, sus especialidades son las consignadas en el desahucio exigido sumariamente, por lo que a lo que expliquemos a continuación nos remitimos.

B) De modo sumario

La LEC no regula ni en apartado concreto ni con carácter particularizado la tutela procesal civil sumaria, pero existe y se desprende de sus disposiciones. De hecho, la EM XII, 14 se refiere expresamente a los procesos sumarios, calificados así por pretenderse una rápida tutela de la posesión o tenencia, y que ven ampliada su naturaleza a más objetos que los previstos por al legislación derogada, aunque no siempre sea una calificación acertada, atendido el desarrollo del articulado.

> Las características más importantes de las pretensiones sumarias son las siguientes:
> 1.°) La fundamental es que no se produce la cosa juzgada material en sentido técnico de la sentencia que se dicte en estos procesos (art. 447.2).
> 2.°) El procedimiento adecuado es siempre el juicio verbal (art. 250.1, 1.°, 3.°, 4.°, 5.°, 6.°, 7.°, 10.° y 11.°).

3.º) En ningún caso se admite reconvención en las pretensiones sumarias, pues se tramitan por los cauces del juicio verbal y finalizan sin efectos de cosa juzgada (art. 438.1).

a) Desahucio

Las pretensiones de desahucio de un bien inmueble urbano o rústico, exigiendo el pago de cantidades debidas fundadas en la falta de pago de la renta (alquiler) o rentas ya vencidas o por vencer en determinados casos, o en el cumplimiento del tiempo establecido en el contrato o fijado legalmente, han sufrido desde la LEC demasiados cambios y además muy bruscos.

La causa fundamental es sin duda la crisis económica aguda que estamos viviendo desde hace unos años, pues ha hecho más patente la necesidad de proteger al arrendador frente al inquilino moroso por un lado, facilitando que su propiedad inmueble entre de nuevo en el mercado inmobiliario del alquiler al haber sido recuperada por su propietario, evitando su paralización y por tanto haciéndola otra vez rentable, pero de otro favoreciendo igualmente a los ciudadanos que por las razones que fuesen no pueden acceder todavía a la propiedad y necesitan acudir a la figura jurídica del alquiler, haciendo más fácil y más barato el alquiler al haber más opciones.

Pero la realidad española muestra que estas sanas intenciones no se han cumplido y que el desahucio del inquilino que no cumple sigue siendo un problema legal (y social) importante. Si no es cierto ello, no se explica la cantidad de reformas legales habidas.

En la redacción originaria de la LEC las pretensiones se dividían entre las generales sobre asuntos arrendaticios de bienes inmuebles urbanos o rústicos, que se tramitaban por el juicio ordinario, y las de desahucio por falta de pago de la renta o por extinción del plazo, que tenían como procedimiento adecuado al juicio verbal por ser tutela sumaria. Varias disposiciones dispersas de la LEC regulaban aspectos concretos de este proceso.

La Ley 19/2009, de 23 de noviembre, opera una primera reforma legal importante en el desahucio, permitiendo la acumulación de la pretensión de reclamación de rentas o cantidades debidas por el arrendatario, y la pretensión de desahucio por falta de pago o por extinción del plazo de la relación arrendaticia (o por ambas razones). La Ley Orgánica 19/2003, de 23 de diciembre añadió la DA-5.ª LEC, modificada por la Ley 13/2009, de 3 de noviembre, y, sobre todo por la Ley 19/2009, de 23 de noviembre, permitiendo que el juicio por desahucio, con otros procesos, fuese susceptible de un tratamiento ultrarrápido en aquellos partidos en los que se hubiesen constituido Oficinas de Señalamiento Inmediato, incardinadas en la Oficina Judicial, creando el que se ha llamado coloquialmente desahucio «express», que no ha entrado todavía en vigor porque estas oficinas nunca se han implementado. En ese camino a ninguna parte la Ley 37/2011, de medidas de agilización procesal, volvió a reformar el desahucio, dotándolo ahora de una estructura monitoria y después ha insistido en la reforma la Ley 4/2012, de 4 de junio.

Procesalmente, dicho esto, la situación legal, que por confusa debe aclararse cuanto antes, es la siguiente: Existe una única tutela sumaria del desahucio, que cuando lo es por falta de pago de la renta o de cantidades debidas, acumulando o no la pretensión de condena al pago de las mismas, o por cumplimiento del tiempo establecido en el contrato o fijado legalmente, se tramita mediante unas normas generales y unas particulares, que se pretenden muy ágiles por configurar una estructura similar a la del proceso monitorio (v. lecc. 38ª).

Dicha estructura consiste en que entre la demanda de desahucio, su admisión por el letrado de la administración de justicia, y la vista se introduce un trámite de requerimiento al deudor con consecuencias muy importantes para el futuro desarrollo del proceso, pues puede evitar su lanzamiento.

1. Normas generales

El juicio de desahucio se configura en la LEC como un proceso sumario que tiene por objeto la recuperación de una finca rústica o urbana dada en arrendamiento con fundamento en el impago de la renta o cantidades asimiladas o en la expiración del plazo fijado legal o contractualmente (art. 250.1, 1.º). A la pretensión de desahucio por esas razones se puede acumular la pretensión de reclamación de rentas derivadas del arrendamiento (art. 438.3, 3.º). Por lo demás:

1.º) La competencia se atribuye a los Juzgados de Primera Instancia (art. 45) del lugar en que esté sita la finca (art. 52.1, 7.º), debiendo controlarse de oficio (art. 54.1).

2.º) La cuantía de la demanda se fija conforme a las reglas de los arts. 251.9ª y 252-2ª LEC.

3.º) Cuando la demanda se funde en la falta de pago de la renta o cantidad asimilada, sólo se permitirá al demandado como motivo de oposición alegar y probar el pago (art. 444.1 LEC).

4.º) No se admitirán al demandado los recursos devolutivos si, al interponerlos, no acredita tener satisfechas las rentas vencidas (art. 449.1, reformado por la Ley 37/2011).

2. Normas del desahucio con estructura monitoria

Tras esas modificaciones legales indicadas, las normas que regulan el desahucio con carácter particular, las que configuran su estructura monitoria, son las siguientes conforme a las reformas de 2011 y 2019 y lo que ha quedado en vigor de las reformas anteriores:

1.ª) Admisibilidad de la demanda: No se admitirá la demanda si el arrendador no indica en ella las circunstancias concurrentes que puedan permitir o no en el caso concreto, la enervación del desahucio (art. 439.3)

2.ª) Acumulación de prensiones: Además de la indicada, hay que estar al art. 438.3, en el que expresamente se permiten determinadas acumulaciones de pretensiones en el juicio verbal.

3.ª) Condonación de rentas: También podrá el demandante, si así le conviniere, anunciar en la demanda que asume el compromiso de condonar al arrendatario toda o parte de la deuda (por las rentas o cantidades análogas vencidas y no pagadas) y de las costas, con expresión de la cantidad concreta, condicionándolo al desalojo voluntario de la finca dentro del plazo que se indique, que no podrá ser inferior a 15 días desde que se notifique la demanda (art. 437.3).

4.ª) Citación del demandado: A efectos de actos de comunicación, podrá designarse como domicilio del demandado la vivienda o local arrendado, siempre que no conste otro distinto en el contrato (art. 155.3).

> Si el domicilio donde se pretende practicar la comunicación fuere el lugar en el que el destinatario tenga su domicilio según el padrón municipal o a efectos fiscales o según registro oficial o publicaciones de colegios profesionales o fuere la vivienda o local arrendado al demandado, y no se encontrare allí dicho destinatario, podrá efectuarse la entrega de la cédula o a cualquier empleado o familiar, mayor de 14 años, que se encuentre en ese lugar, o al conserje de la finca, si lo tuviere, advirtiendo al receptor que está obligado a entregar la copia de la resolución o la cédula al destinatario de ésta, o a darle aviso, si sabe su paradero (art. 161.3, I). En defecto de todo ello, será notificado en el tablón de anuncios de la oficina judicial (art. 164, IV). En caso de rebeldía, hay que estar al art. 497.2, III.
>
> En el requerimiento al demandado conforme al art. 440.3, I (reformado por la Ley 37/2011) el letrado indicará, en su caso, la posibilidad de enervar el desahucio conforme a lo establecido en el apartado 4 del art. 22, así como, si el demandante ha expresado en su demanda su compromiso de condonar la deuda, que la aceptación de este compromiso equivaldrá a un allanamiento con los efectos del art. 21, a cuyo fin otorgará un plazo de diez días al demandado para que pague o se oponga (art. 440.3, II, reformado por la Ley 37/2011).

5.ª) Fase de requerimiento: En estas pretensiones, de acuerdo con el art. 440.3 y 4 (reformado por la Ley 37/2011), el letrado de la administración de justicia, tras la admisión y previamente a la vista que se señale, requerirá, en la forma prevista en el art. 161, al demandado para que, en el plazo de diez días, desaloje el inmueble, pague al actor o, en caso de pretender la enervación, pague la totalidad de lo que deba o ponga a disposición de aquel en el tribunal o notarialmente el importe de las cantidades reclamadas en la demanda y el de las que adeude en el momento de dicho pago enervador del desahucio; o en otro caso comparezca ante éste y alegue sucintamente, formulando oposición, las razones por las que, a su entender, no debe, en todo o en parte, la cantidad reclamada o las circunstancias relativas a la procedencia de la enervación. El requerimiento expresará también el día y la hora que se hubieran señalado para que tengan lugar la eventual vista, para la que servirá de citación, y la práctica del lanzamiento.

Se apercibirá también al demandado en el requerimiento que se le realice que, de no comparecer a la vista, se declarará el desahucio sin más trámites y que queda citado para recibir la notificación de la sentencia que se dicte el sexto día siguiente al señalado para la vista.

Pueden pasar entonces dos cosas:

a) Si el demandado no atendiere el requerimiento de pago o no compareciere para oponerse o allanarse, el letrado de la administración de justicia dictará decreto dando por terminado el juicio de desahucio y dará traslado al demandante para que inste el despacho de ejecución, bastando para ello con la mera solicitud.

b) Si el demandado atendiere el requerimiento en cuanto al desalojo del inmueble sin formular oposición ni pagar la cantidad que se reclamase, el letrado de la administración de justicia lo hará constar, y dictará decreto dando por terminado el procedimiento respecto del desahucio, dando traslado al demandante para que inste el despacho de ejecución, bastando para ello con la mera solicitud.

6.ª) Lanzamiento: En el requerimiento efectuado por el letrado para fijar el día y hora de la vista, se fijará también el día y hora exactas para la práctica del lanzamiento (art. 440.3, III, reformado por la Ley 37/2011M y por el RD-Ley 7/2019). El lanzamiento deberá verificarse antes de un mes desde la fecha señalada para la vista, advirtiendo al demandado que, si la sentencia fuese condenatoria y no se recurriera, se procederá al lanzamiento en la fecha fijada, sin necesidad de notificación posterior (art. 440.4, reformado por la Ley 37/2011).

7.ª) Enervación: El desahucio podrá ser enervado por el arrendatario si atendiendo el requerimiento efectuado por el letrado paga al actor o pone a su disposición en el Juzgado o notarialmente el importe de las cantidades reclamadas en la demanda y el de las que en dicho instante adeude (art. 440.3, I reformado por la Ley 37/2011). Esta enervación no tendrá lugar, sin embargo, en los dos casos siguientes: 1) Cuando se hubiere producido otra anteriormente, excepto si el cobro no hubiese tenido lugar por causas imputables al arrendador, y 2) Cuando el arrendador hubiese requerido de pago al arrendatario, por cualquier medio fehaciente, con, al menos, un mes de antelación a la presentación de la demanda y éste no hubiese pagado las cantidades adeudadas al tiempo de dicha presentación. Enervada la acción se dictará decreto por el letrado de terminación del proceso, que tendrá los mismos efectos que una sentencia absolutoria, con condena en costas (art. 22.4 y 5). Es posible una oposición a la enervación, que da lugar a una vista (art. 22.4 LEC).

8.ª) Sentencia: La sentencia se dictará en los cinco días siguientes a la terminación de la vista, convocándose en dicho acto a las partes a la sede del tribunal para recibir la notificación, que tendrá lugar el día más próximo posible dentro de los cinco siguientes al de la sentencia (art. 447.1). Una previsión específica sobre condenas de futuro se contiene en el art. 220.2. Ante el incumplimiento voluntario del desalojo ordenado en la sentencia hay que estar al art. 447.1, II, que lo facilita de manera expeditiva

9.ª) Otros modos de terminación: Cabe el allanamiento en los términos del art. 21.3 LEC, con efectos inmediatos de lanzamiento en caso de incumplimiento de lo acordado.

10.ª) Recursos: No es admisible en ningún caso el recurso de queja (art. 494, II).

11.ª) Ejecución: La solicitud de ejecución de la sentencia condenatoria al desahucio es título legal suficiente para proceder al lanzamiento del inquilino condenado (art. 549.3 y 4), evitable mediante la entrega voluntaria de la posesión del inmueble al ejecutante (art. 703.4).

12.ª) Justicia gratuita: Si alguna de las partes, especialmente el demandado pues debe hacerlo en plazo perentorio (v. art. 440.3, III, reformado por la Ley 37/2011), solicitara el reconocimiento del derecho a la asistencia jurídica gratuita, el tribunal, tan pronto como tenga noticia de este hecho, dictará resolución motivada requiriendo de los colegios profesionales el nombramiento provisional de abogado y de procurador, sin perjuicio del resarcimiento posterior de los honorarios correspondientes por el solicitante si se le deniega después el derecho a la asistencia jurídica gratuita (art. 33.3 y 4 LEC).

La Ley 4/2013 crea un Registro de Sentencias Firmes de Impagos de Rentas de Alquiler (art. 3). Su finalidad es advertir a los propietarios de los riesgos que puede suponer alquilar inmuebles a personas que han sido condenadas por no pagar la renta.

b) Tutela posesoria y análoga

La tutela de la posesión que se centraba en los interdictos no ha desaparecido en la LEC aunque en ella no se utiliza la palabra «interdicto». Las posibilidades siguen siendo:

1.º) Tutela sumaria para que el heredero pueda obtener la posesión de los bienes que haya adquirido por herencia, si no estuviesen poseídos por nadie a título de dueño o usufructuario (art. 250.1, 3.º).

Aparte de que debe acompañarse a la demanda el documento en que conste fehacientemente la sucesión «mortis causa» en favor del demandante, así como la relación de los testigos que puedan declarar sobre la ausencia de poseedor a título de dueño o usufructuario, cuando se pretenda que el tribunal ponga al demandante en posesión de unos bienes que se afirme haber adquirido en virtud de aquella sucesión (art. 266, 4.°), se regula, como es lógico, la concesión o denegación de la posesión y luego se insta a los interesados a comparecer (art. 441.1).

2.°) Tutela sumaria de la tenencia o posesión de una cosa o derecho frente a actos de despojo o de perturbación en su disfrute (art. 250.1, 4.°).

La demanda pretendiendo recobrar o retener la posesión no es admisible si se interpone transcurrido un año desde que se produjo el despojo o la perturbación (art. 439.1).

3°) Tutela sumaria frente a ocupación ilegal de viviendas (nuevo art. 250.1-4°, II introducido por la Ley 5/2018, de 1 de junio, v. sobre ella la STC 32/2019, de 28 de febrero).

Esta grave y actual problemática social ha sido abordada por dicha reforma para permitir, en lo civil, que los legítimos propietarios puedan lograr hacer frente eficaz y rápidamente a una ocupación ilegal premeditada con finalidad lucrativa de sus viviendas. En caso de que el ocupante identificado sea vulnerable socialmente (a determinar conforme al nuevo art. 441.5, introducido por el Real Decreto-ley 7/2019, de 1 de marzo), se le pide su consentimiento para que los servicios sociales resuelvan su situación (arts. 150.4 y 441.1bis LEC). Se amplía la legitimación pasiva genéricamente a cualquier ocupante desconocido (art. 437.3 bis), además de a quien se encuentra habitando ilícitamente el inmueble (art. 441.1bis). El procedimiento, regulado en los arts. 441.1bis y 444.1bis, no acoge un incidente como afirma la ley, sino un auténtico juicio verbal sumario con estructura monitoria. Si no hay oposición, se resuelve mediante auto irrecurrible; si hay oposición, en donde únicamente se permiten la de poseer título suficiente el demandado o no haber acreditado su legitimación el actor, se resuelve mediante sentencia. La pretensión es recuperar la plena posesión de una vivienda por quien haya sido privada de ella sin su consentimiento, siempre que se tenga título habilitante. El demandante puede ser una persona física o jurídica, pública o privada. Se prevén el auxilio de la autoridad policial para realizar los actos de comunicación, y una ejecución inmediata de lanzamiento si no se aporta en un brevísimo plazo título que legitime la posesión, o no se contesta a la demanda en plazo.

4.°) Tutela sumaria para obtener la suspensión de una obra nueva (art. 250.1, 5.°).

Si la demanda pretendiere que se resuelva judicialmente, con carácter sumario, la suspensión de una obra nueva, el tribunal, antes incluso de la citación para la vista, dirigirá inmediata orden de suspensión al dueño o encargado de la obra, que podrá ofrecer caución para continuarla, así como la realización de las obras indispensables para conservar lo ya edificado. El tribunal podrá disponer que se lleve a cabo reconocimiento judicial, pericial o conjunto, antes de la vista. La caución podrá prestarse en la forma prevista en el párrafo segundo del apartado 2 del art. 64 de la LEC (art. 441.2).

5.º) Tutela sumaria para obtener la demolición o derribo de obra, edificio, árbol, columna o cualquier otro objeto análogo en estado de ruina y que amenace causar daños a quien demande (art. 250.1, 6.º).

c) Derechos reales inscritos

Las demandas instadas por los titulares de derechos reales inscritos en el Registro de la Propiedad, que insten la efectividad de esos derechos frente a quienes se oponga a ellos o perturben su ejercicio, sin disponer de título inscrito que legitime la oposición o la perturbación, da lugar a un juicio verbal de carácter sumario (art. 250.1, 7.º), modificándose la redacción del art. 41 de la LH. Se cambia con ello, y radicalmente, la naturaleza de este proceso.

> Entendiendo que los arts. 138 y 139 del RH han quedado derogados, las especialidades procesales se refieren a:
> 1.º) En la demanda deben indicarse las medidas que se consideren necesarias para asegurar la eficacia de la sentencia que recayere (art. 439.2, 1.º), que son adoptadas por el juez en el momento de admitir la demanda (art. 441.3 LEC).
> 2.º) En la demanda se ha de indicar la caución que ha de prestar el demandado para responder de los frutos indebidamente percibidos, de los daños y perjuicios irrogados y de las costas del juicio, en su caso, salvo renuncia del demandante (art. 439.2, 2.º).
> 3.º) A la demanda debe acompañarse certificación del registrador en la que se acredite la vigencia, sin contradicción alguna, del asiento correspondiente (art. 439.2, 3.º LEC y art. 41 LH, reformado por la Disp. Final 9.ª.1 LEC).
> 4.º) El demandado sólo puede oponerse a la demanda si ha prestado caución, y únicamente fundada en alguna de las causas recogidas en el art. 444.2, II. LEC.

d) Ventas a plazos de bienes muebles

La LEC considera sumarias las pretensiones cuyo objeto sea tutelar determinados conflictos surgidos con ocasión de las ventas de bienes muebles a plazos. Estas ventas se regulan por la Ley 28/1998, de 13 de julio, que es una transposición de la Directiva del Consejo CE 87/102/CEE, de 22 de diciembre de 1986, sobre crédito al consumo. Se derogado el art. 12 LVPBMueb (Dispos. Derogatoria 2, 16.º), y se han modificado sus arts. 15.3, I, 16.1, 16.2, d) y Disp. Adicional 1ª.2, 3 y 3, c) (Disp. Final 7.ª).

La LEC considera sumarias sólo dos pretensiones (siendo posibles además juicios ordinario, monitorio y de ejecución):

1.ª) La que se funda en el incumplimiento de las obligaciones derivadas de los contratos de ventas a plazo de bienes muebles corporales no consumibles e identificables, cuyo fin es obtener una sentencia condenatoria que permita dirigir al ejecución exclusivamente sobre el bien o bienes adquiridos a plazos (art. 250.1, 10.º).

2.ª) La que se basa en el incumplimiento de contratos de préstamos destinados a la financiación de las ventas a plazo con reserva de dominio, con la finalidad de obtener la inmediata entrega del bien al vendedor o financiador en el lugar indicado en el contrato, previa declaración de la resolución de éste, en su caso (art. 250.1, 11.º).

> Para que las reservas de dominio o las prohibiciones de disponer contenidas en estos dos contratos sean oponibles frente a terceros, deben estar formalizadas en el modelo oficial e inscritas en el Registro de Venta a Plazos de Bienes Muebles (art. 15 LVPBMueb). Su tutela sumaria depende, pues, de estos dos requisitos formales (art. 250.1, 10.º LEC).

Aparte de la inevitable norma de competencia territorial imperativa (arts. 52.2 y 54.1), los arts. 439.4, 441.4 y 444.3 LEC contienen normas propias relativas a la demanda, a actuaciones previas a la vista y a las posibilidades de oposición del demandado.

e) Arrendamiento financiero

El contrato de arrendamiento financiero o *leasing* se regula en la Disp. Adicional 7.ª Ley 26/1988, de 29 de julio, sobre Disciplina e Intervención de las Entidades de Crédito, en su texto no derogado. Los bienes muebles o inmuebles objeto de este contrato, cuyo uso se cede a cambio de una contraprestación periódica o cuotas de pago, quedan afectados a actividades determinadas, v.gr., profesionales, incluyendo el contrato necesariamente una opción de compra a su término a favor del usuario.

> Este contrato está excluido expresamente de la regulación de la LVPBMueb (art. 5.5 y Disp. Adicional 1.ª, reformada por la Disp. Final 7.ª, 4, 5 y 6 LEC), pero cuando se arrienda un bien mueble, es un contrato muy similar al préstamo financiero para facilitar la adquisición de un bien comprado a plazos con reserva de dominio, adquiriéndose la propiedad con el pago de la última cuota. Tiene grandes ventajas fiscales aunque los intereses sean más elevados. De ahí que a pesar de que procesalmente existió un tratamiento diferenciado entre ambos contratos, ahora ya han sido asimilados ambos.

En este sentido, la tutela sumaria se dispensa frente a incumplimientos de un contrato de arrendamiento financiero, de un contrato de arrendamiento de bienes muebles, o de un contrato de venta a plazos con reserva de dominio, con la finalidad de obtener la inmediata entrega del bien al arrendador financiero en el lugar indicado en el contrato, previa declaración de la resolución de éste, en su caso (art. 250.1, 11.º LEC, en relación con el art. 4 LVPBMueb, reformado por la Ley 37/2011). En los demás conflictos se aplican las disposiciones del juicio ordinario, del juicio verbal, del proceso monitorio, o incluso de la ejecución (Disp. Adicional 1.ª, 2 LVPBMueb, reformada por la Disp. Final 7.ª, 4 LEC).

Según ese mismo precepto, para que las reservas de dominio o las prohibiciones de disponer contenidas en estos dos contratos sean oponibles sumariamente frente a terceros, deben estar formalizadas en el modelo oficial e inscritas en el Registro de Venta a Plazos de Bienes Muebles (art. 15 LVPBMueb).

Aparte de la norma de competencia territorial imperativa (arts. 52.2 y 54.1) debe atenderse a los arts. 439.4, 441.4 y 444.3 LEC, y su reforma de 2011.

Legislación: Ley de Enjuiciamiento Civil (arts. 240 y 250 y sus remisiones)
Lectura: MONTERO y FLORS, *Tratado de juicio verbal*, 2ª ed., Pamplona 2004 y CERRATO GURI, *La tutela sumaria de la posesión en la LEC*, Valencia 2011; GASCÓN INCHAUSTI, *Tutela judicial de los consumidores y transacciones colectivas*, Madrid 2010. PLANCHADELL GARGALLO, A., *Las «acciones colectivas» en el ordenamiento Jurídico español. Un estudio comparado*, Valencia 2013; BONACHERA VILLEGAS, *Tutela procesal de los derechos e intereses de los consumidores*, Valencia 2018; MOLLAR PIQUER, *La prueba en el proceso de consumidores y usuarios*, Valencia 2019.

CAPÍTULO II
LOS PROCESOS NO DISPOSITIVOS

Procesos civiles no dispositivos

I. CARACTERÍSTICAS DE LOS PROCESOS NO DISPOSITIVOS
No rigen los principios de oportunidad ni dispositivo. El Derecho material es público Sus características son: Objeto indisponible, el MF es generalmente parte, normas probatorias especiales y juicio verbal con especialidades.

II. LOS PROCESOS SOBRE LA CAPACIDAD DE LAS PERSONAS
A) Incapacitación
B) Prodigalidad
C) Reintegración de la capacidad
D) Esterilización
E) Internamiento de trastornados mentales

III. LOS PROCESOS SOBRE FILIACIÓN, PATERNIDAD Y MATERNIDAD
La filiación, paternidad o maternidad sean declaradas judicialmente.

IV. LOS PROCESOS MATRIMONIALES
Se regulan varios objetos procesales muy trascendentales, especialmente la separación y el divorcio, bien de mutuo acuerdo, bien sin él:
A) Nulidad, separación y divorcio contenciosos, y otras pretensiones amparadas enel Título IV del Libro I del Código Civil: Sobre todo nulidad matrimonial Hoy no existen causas de separación ni divorcio prácticamente.
B) Separación o divorcio de mutuo acuerdo: Necesidad de un convenio regulador.
C) Medidas provisionales: De gran importancia en la práctica.
D) Medidas definitivas: Regulan con detalle la vida posterior a la ruptura.

V. RELACIONES FAMILIARES
Resuelve problemas de relación de los niños con sus abuelos y otros parientes.

VI. EFICACIA DE RESOLUCIONES ECLESIÁSTICAS
Proceso de homologación (*exequatur*) necesario para que sean reconocidas estas resoluciones civilmente por el Estado.

VII. PROCESOS PARA LA TUTELA, ACOGIMIENTO O GUARDA DE LOS MENORES, ASÍ COMO PARA LA PRESTACIÓN DE ALIMENTOS
Resuelven problemas familiares de gran trascendencia en temas muy delicados.

VIII. LOS PROCESOS PARA LA TUTELA DE LA INFANCIA Y LA ADOLESCENCIA Y LA ADOPCIÓN
Procesos necesarios para la plena protección civil de los menores.

IX. LOS PROCESOS SOBRE OPOSICIÓN A LAS RESOLUCIONES Y ACTOS DE LA DIRECCIÓN GENERAL DE LOS REGISTROS Y DEL NOTARIADO EN MATERIA DE REGISTRO CIVIL
Se controla en ellos la legalidad de la actuación de la autoridad administrativa del Registro Civil.

X. ESPECIALIDADES EN LA TUTELA DE DERECHOS FUNDAMENTALES EN EL ÁMBITO PROCESAL CIVIL
Se tutelan derechos fundamentales que no tienen una tramitación específica (no entran por tanto honor, intimidad, propia imagen ni rectificación).

XI. PROCESO PARA LA DISOLUCIÓN O SUSPENSIÓN DE UN PARTIDO POLÍTICO.
Incardinado en el Ordenamiento Jurídico para resolver problemas puntuales con ese objeto.

I. CARACTERÍSTICAS DE LOS PROCESOS NO DISPOSITIVOS

El principio esencial del proceso civil es el de oportunidad y sus consecuencias, principalmente el principio dispositivo. Los dos son manifestación de la autonomía de la voluntad que está en la base del Derecho privado y de la existencia en éste de verdaderos derechos subjetivos. Éstos se ejercitan o no por sus titulares, quienes deciden también el cómo y el cuándo de su práctica, de modo que el proceso parte de la disponibilidad del derecho por su titular y tiene que acomodarse a ello. Por ello, el principio no puede ser aplicable cuando se trata de la actuación de normas imperativas aunque sean de Derecho privado.

Si estamos ante normas sustantivas que configuran situaciones jurídicas en las que lo decisivo no es la autonomía de la voluntad de los particulares, sino la aplicación en sus exactos términos de esas normas, el principio dispositivo no puede ser ya el determinante del proceso civil. Como no puede decirse que se aplique plenamente el principio de necesidad, se habla comúnmente de procesos no dispositivos. Estos son regulados por la LEC en el Título I del Libro IV, fijándose su ámbito de aplicación en el art. 748.

Se trata de la capacidad de las personas; filiación, paternidad y maternidad; nulidad, separación y divorcio (incluyendo los de modificación de medidas adoptadas en ellos); guarda y custodia de hijos menores o sobre alimentos reclamados por un progenitor contra el otro en nombre de los hijos menores; reconocimiento de eficacia civil de resoluciones o decisiones eclesiásticas en materia matrimonial; medidas relativas a la restitución de menores en los supuestos de sustracción internacional; oposición a las resoluciones administrativas en materia de protección de menores; y necesidad de asentimiento en la adopción.

Sobre esos procesos habrá que atender a sus especialidades propias, pero es necesario antes dejar establecidas sus características generales, las que les diferencian de los procesos dispositivos:

A) Objeto indisponible

La voluntad de las partes no puede condicionar la decisión judicial sobre el objeto planteado, lo que lleva a la exclusión de los actos en que procesalmente se manifiesta la disposición.

> La disposición del objeto del proceso se realiza en actos diversos y a todos ellos afecta la indisponibilidad:
> 1.°) Como regla general se dispone que no surtirán efecto la renuncia, el allanamiento y la transacción (art. 751.1), aunque tiene luego que admitirse la posibilidad de los mismos cuando se trata de pretensiones relativas a materias sí disponibles (art. 751.3). Esta aparente contradicción se resuelve teniendo en cuenta que en la indisponibilidad existen grados; en algunos casos la materia

es absolutamente indisponible (capacidad de las personas) y en otros existe casi total disponibilidad (separación o divorcio).

2.º) Por lo mismo cuando se trata del desistimiento, dado que en él se mantiene la situación existente antes del divorcio, pero la ley distingue: 1) En general exige la conformidad del Ministerio fiscal, y 2) En especial la exceptúa: a) En los procesos de declaración de prodigalidad, así como en los que se refieran a filiación, paternidad y maternidad, siempre que no existan menores, incapacitados o ausentes interesados en el procedimiento, b) En los procesos de nulidad matrimonial por minoría de edad, cuando el cónyuge que contrajo matrimonio siendo menor ejercite, después de llegar a la mayoría de edad, la acción de nulidad, c) En los procesos de nulidad matrimonial por error, coacción o miedo grave, y d) En los procesos de separación y divorcio.

3.º) Los hechos que han de servir para conformar la decisión judicial, siempre que resulten debatidos y probados, pueden ser introducidos en el proceso en cualquier momento y de manera distinta a la habitual (art. 752.1), con lo que se está exceptuando tanto al principio de aportación de parte como a la preclusión.

B) Partes

El proceso, naturalmente, empieza a instancia de parte, nunca de oficio por el tribunal, con las siguientes particularidades:

1.º) Suele concederse legitimación al Ministerio fiscal, algunas veces activa y otras sólo pasiva.

Según el art. 749.1, en los procesos sobre la capacidad de las personas, en los de nulidad matrimonial, en los de sustracción internacional de menores y en los de determinación e impugnación de la filiación será siempre parte el Ministerio Fiscal, aunque no haya sido promotor de los mismos ni deba, conforme a la Ley, asumir la defensa de alguna de las partes. El Ministerio Fiscal velará durante todo el proceso por la salvaguarda del interés superior de la persona afectada. Se concede así al MF una legitimación propia. Se trata de la creación de una parte artificial que responde a la función a que se refiere el art. 3.6 del EOMF (Ley 50/1981, de 30 de diciembre): «Tomar parte, en defensa de la legalidad y del interés público o social, en los procesos relativos al estado civil y en los demás que establezca la ley».

Cosa muy distinta es que siendo parte un menor, incapacitado o ausente el Ministerio Fiscal asuma la representación y defensa del mismo, pues entonces el Fiscal no está legitimado para ser él parte, sino que, siendo la parte el menor, incapacitado o ausente, el Fiscal asume la representación y defensa de éste, defendiendo sus intereses (no la legalidad ni el interés público). Esto es lo que sucede cuando el art. 749.2 LEC dice que será preceptiva la intervención del Fiscal, pues entonces se está remitiendo al art. 3.7 del EOMF: «Asumir la representación y defensa en juicio de quienes por carecer de capacidad de obrar o de representación legal, no puedan actuar por sí mismos ».

2.º) Se produce la determinación por la ley de las personas legitimadas, bien de modo activo, bien de modo pasivo.

Como en estos procesos no suele tratarse de la existencia de verdaderas relaciones jurídicas originadoras de derechos subjetivos, sino de situaciones jurídicas, es la ley la que determina normalmente quienes están legitimados (el ejemplo más claro es el art. 757 para el caso del proceso sobre la capacidad), no abandonándose a la voluntad del actor la determinación de las personas que deben ser demandadas. Por eso el art. 753 dice que de la demanda se dará traslado a las personas que, conforme a la ley, deban ser parte en el procedimiento.

3.°) Es siempre necesaria la postulación por medio de abogado y procurador (art. 750).

> A pesar de que el procedimiento adecuado suele ser el verbal, el procurador y el abogado son necesarios, pero la verdadera especialidad radica en la posibilidad de que en los procesos de separación y divorcio de común acuerdo, los cónyuges pueden valerse de una sola defensa y representación. Con todo, cuando alguno de los pactos propuestos por los cónyuges no fuera aprobado por el tribunal, se requerirá a las partes a fin de que en el plazo de cinco días manifiesten si desean pleitear con la defensa y representación únicas o si, por el contrario, prefieren litigar cada una con su propia defensa y representación. Asimismo, cuando, a pesar del acuerdo suscrito por las partes y homologado por el tribunal, una de las partes pida la ejecución judicial de dicho acuerdo, se requerirá a la otra para que nombre Abogado y Procurador que la defienda y represente.

C) Prueba

El interés público presente en estos procesos lleva, por un lado, al aumento de las facultades del tribunal en la prueba y, por otro, a la imposibilidad de que la regulación normal de la prueba conduzca a la disposición por las partes del objeto del proceso, y por ello existen normas especiales sobre la admisión de hechos y sobre la valoración de la prueba (art. 752).

> El aumento de los poderes del tribunal se manifiesta en que puede decretar de oficio la práctica de cuantos medios de prueba estime pertinentes (art. 752.1). También en que: 1) La conformidad de las partes sobre los hechos no vincula al tribunal (es decir, no convierte los hechos en no controvertidos); 2) No pueden darse por probados hechos con base en el silencio o las respuestas evasivas; y 3) No pueden aplicarse las reglas de valoración legal de algunos medios de prueba (interrogatorio de las partes y documental). Todas estas especialidades son aplicables en primera y en segunda instancia.
>
> Debe tenerse en cuenta que estas especialidades no pueden ser aplicables en todos los procesos incluidos en el ámbito del art. 748. Cuando se trate de normas materiales disponibles (separación y divorcio, principalmente) esas especialidades no podrán aplicarse. Siendo posible obviamente la separación matrimonial por acuerdo entre los cónyuges, nada puede impedir que los mismos hagan admisiones de hechos en el proceso.

D) Procedimiento

Aparte lo anterior que afecta a los principios del proceso, se establecen en la LEC algunas disposiciones comunes que pueden calificarse de procedimentales. En concreto:

1.º) Se dispone que estos procesos se sustanciarán por el juicio verbal (art. 753.1).

2.º) Son de tramitación preferente siempre que alguno de los interesados en el procedimiento sea menor, incapacitado o esté en situación de ausencia legal (art. 753.3 LEC, añadido por la Ley 37/2011).

3.º) Se admite el trámite de conclusiones orales al finalizar la vista (art. 753.2), lo que no es especialidad.

4.º) Se permite excluir la publicidad de los actos procesales (art. 754).

5.º) Las sentencias que se dicten se inscribirán de oficio en los registros públicos (art. 755).

6.º) En general, y salvo los pronunciamientos patrimoniales, las sentencias no son susceptibles de ejecución provisional (art. 525.1, 1.ª).

E) En caso de violencia de género

Cuando un Juez de Familia, o de Primera Instancia, esté conociendo de un proceso matrimonial, de relaciones paterno-filiales, adopción, etc., en los términos del art. 87 ter.2 LOPJ y se dé alguna de las circunstancias que otorgan la competencia a los Juzgados de Violencia sobre la Mujer (art. 87 ter.3 LOPJ), el juez civil perderá su competencia a favor de éste, por el carácter exclusivo y excluyente de su competencia objetiva y funcional, de acuerdo con el procedimiento fijado en el art. 49 bis LEC (sólo la declinatoria).

II. LOS PROCESOS SOBRE LA CAPACIDAD DE LAS PERSONAS

Los arts. 756 a 763 LEC prevén los procesos especiales que genéricamente se denominan sobre la capacidad de las personas, pero que encierran varias pretensiones. Responden a las situaciones previstas por el Derecho privado en las que la persona tiene limitada su capacidad de obrar al quedar impedida para gobernarse por sí misma, bien por razones de carácter físico, bien por razones de carácter psíquico (art. 200 CC), en unos casos en su totalidad, en otros únicamente respecto a la administración de sus bienes, que por la trascendencia jurídica que tienen han de ser declaradas judicialmente (art. 199 CC).

En todos los casos, es juez territorialmente competente el de Primera Instancia del lugar en que resida la persona a la que se refiera la declaración que se solicite (arts. 52.1, 5.ª, y 756 LEC), normas que son de carácter imperativo (art. 54.1 LEC).

A) Incapacitación

La pretensión para la declaración judicial de incapacitación se puede interponer cuando se dé alguna de las causas de incapacidad previstas en el art. 200 CC, por el cónyuge o pareja de hecho, los descendientes, los ascendientes o los hermanos del presunto incapaz y el propio presunto incapaz (art. 757.1 LEC, v. STC 236/2012, de 13 de diciembre), salvo que se pida la incapacitación de un menor, en cuyo caso solamente pueden pedirlo quienes ejerzan la patria potestad o la tutela (art. 757.4), pudiendo promoverla también el Ministerio Fiscal (art. 757.2), quedando facultada cualquier persona para comunicar al Fiscal los hechos que puedan ser determinantes de la incapacitación, estando obligadas en particular las autoridades y funcionarios públicos (art. 757.3), normas particulares éstas últimas que dan contenido a una de las características principales de los procesos no dispositivos.

La legitimación pasiva corresponde al presunto incapaz, lo que confirma que sí hay partes en este proceso, como mantenía la mejor doctrina con la regulación anterior, siendo defendido por su propio abogado y representado por su propio procurador, y si no lo hicieren, no se acude a la defensa ni a la representación de oficio en virtud de asistencia jurídica gratuita, sino que asume esos papeles el Fiscal, como es lo lógico, o un defensor nombrado judicialmente si no lo estuviere ya, en caso de que aquél hubiese interpuesto la demanda (art. 758 LEC).

Las especialidades procesales afectan a la prueba, a la sentencia, y a las medidas cautelares:

a) Se prevé, sin perjuicio de las demás que procedan, la práctica de oficio de las pruebas periciales necesarias o pertinentes en relación con las pretensiones y nunca se decidirá sobre la incapacitación sin previo dictamen pericial médico acordado por el tribunal (art. 759).

> Debe tenerse en cuenta que la necesidad de oír a los parientes más próximos del presunto incapaz no puede calificarse de medio de prueba (y por eso es necesario especialmente cuando se trata de nombrar a persona que represente o asista al incapaz). El examen del presunto incapaz por el tribunal puede considerarse reconocimiento judicial, aunque la jurisprudencia no lo ha entendido así. Si la sentencia que decida sobre la incapacitación fuere apelada, se ordenará también de oficio en la segunda instancia la práctica de las pruebas preceptivas a que se refieren los apartados anteriores de este artículo.

b) La sentencia debe fijar la extensión y los límites de la incapacitación que declare, en su caso, así como el régimen de tutela o guarda, y la posibilidad de internamiento en su caso, sin perjuicio de designar al representante si se hubiera pedido en la demanda (art. 760.1 y 2), inscribiéndose en el registro Civil (art. 72.1 LRCiv de 2011); y

c) Las medidas cautelares se adoptan de oficio, a instancias del Fiscal o de parte, y serán aquéllas que se estimen necesarias para la adecuada protección del presunto incapaz, como regla oyendo antes a las personas afectadas por los trámites previstos en los arts. 734 a 736 LEC (art. 762).

B) Prodigalidad

La pretensión de declaración judicial de prodigalidad, por la que la persona pierde la facultad de administrar sus bienes, sólo puede ser instada por el cónyuge, los descendientes o ascendientes que perciban alimentos del presunto pródigo o se encuentren en situación de reclamárselos, y los representantes legales, en su defecto, también el Fiscal (art. 757.5 LEC), teniendo únicamente efectos a partir de la admisión de la demanda (art. 297 CC).

La sentencia que declare la prodigalidad fijará los actos que el pródigo no puede realizar sin el consentimiento de la persona que deba asistirle.

En estos procesos se pueden adoptar igualmente las medidas cautelares que se estimen necesarias para la adecuada protección del patrimonio del presunto pródigo, de acuerdo con los requisitos y procedimiento fijado en el art. 762 LEC.

C) Reintegración de la capacidad

Dado que es posible que desaparezca, o que se matice, la causa que motivó la declaración judicial de incapacitación, la LEC debe prever cómo hay que proceder para reintegrar a la persona en el pleno goce de sus derechos, o modificar el régimen de incapacidad establecido.

A ello se dedica el art. 761, que permite un nuevo proceso que tenga por objeto dejar sin efecto o modificar el alcance de la incapacitación ya establecida. No es ninguna norma contraria a la cosa juzgada alcanzada en el primer proceso, porque las circunstancias que motivaron la resolución han cambiado, con lo cual no se puede dar la identidad objetiva.

Las especialidades son las siguientes:

a) La legitimación activa corresponde a las mismas personas que en el primer proceso y las que añade el art. 761.2, I, aunque el primer interesado puede ser el propio incapacitado, de ahí que se le conceda legitimación activa, quien deberá obtener previamente autorización judicial para actuar en el proceso por sí mismo si se le privó de la capacidad para comparecer en juicio (art. 761.2, II), y no por su Abogado, por el Fiscal o por el defensor judicial, con lo que se resuelve un tema práctico de importancia ante el silencio de la legislación anterior. No se dice ahora tampoco quién está legitimado pasivamente, por lo que ello vendrá determinado en cada caso en función de quién sea verdaderamente el demandante;

b) Las pruebas a practicar de oficio preceptivamente son las del art. 759 LEC (art. 761.3, I); y

c) La sentencia que se dicte declarará en su caso si procede o no dejar sin efecto la incapacitación, o la modificación y su alcance (art. 761.3, II).

D) Esterilización

Es posible judicialmente acordar la esterilización de una persona siempre que se den los estrictos requisitos del art. 156, II CP, básicamente que se trate de personas que no pueden prestar de ninguna forma el consentimiento y que estemos ante casos muy excepcionales en los que se produzca un grave conflicto de bienes jurídicos protegidos, conforme al procedimiento regulado en la DA-1ª LO 1/2015, de 30 de marzo, de reforma del Código Penal, que es el previsto en este subapartado de modificación de la capacidad.

E) Internamiento de trastornados mentales

Un tema específico que plantean determinadas situaciones muy graves de personas incapaces por trastornos psíquicos, es que deben ser internadas para un mejor tratamiento médico, para su mejor cuidado personal o incluso por razones de seguridad, en centros especialmente destinados al efecto (y así se previó por el art. 211 CC, derogado por la LEC, v. SSTC 129/1999, de 1 de julio y 131/2010, de 2 de diciembre).

La LEC regula el procedimiento que hay que seguir para acordar el internamiento en el art. 763, pues tal medida, como es fácilmente imaginable por los graves problemas personales, familiares y económicos que implica, debe estar sujeta a un estricto control judicial.

El juez del lugar en donde resida la persona afectada, o aquél en el que esté ubicado el centro, es el territorialmente competente, según el internamiento se autorice con carácter ordinario o con carácter de urgencia (art. 763.1).

La rapidez se justifica porque en muchas ocasiones el internamiento debe ser inmediato, pues ha sido cualquier familiar el que ha llevado al centro a la persona con síntomas evidentes de trastorno. Por eso la Ley exige que sea el director del centro el que deba instar la autorización judicial en el plazo de un día. Cuando no se den estas circunstancias, la autorización judicial debe preceder siempre al internamiento (art. 763.1, I, II y III), manera de evitar muchos posibles desmanes familiares. En caso de menores, el establecimiento debe ser adecuado a su edad, previo informe de los servicios de asistencia al menor (art. 763.2)

Si la persona no está declarada incapaz, el juez debe instar ante el Fiscal que solicite su incapacitación, en los términos procesales antes vistos (art. 763.1, III, in fine).

> La STC 132/2010, de 2 de diciembre, ha declarado parcialmente la inconstitucionalidad de los incisos de los párrafos primero y segundo del artículo 763.1 LEC, que posibilitan la decisión de internamiento no voluntario por razón de trastorno psíquico, pues, en tanto que constitutiva de una privación de libertad, esta medida sólo puede regularse mediante ley orgánica.

El sometido a internamiento está representado y defendido por su procurador y abogado, en su defecto por el Ministerio Fiscal, salvo que inste el internamiento, o por un defensor judicial (art. 763.3, I, in fine, y también SSTC 22/2016, de 15 de febrero, y 50/2016, de 14 de marzo).

El procedimiento para autorizar el internamiento tiene las siguientes particularidades:

a) Antes de tomar la decisión, o de ratificar el internamiento urgente producido, el juez debe realizar estos actos (art. 763.3):

1.º) Debe oír a la persona afectada, si médicamente es factible se entiende, al Fiscal, y a cualquier otra persona cuya comparecencia sea conveniente o se le solicite.

> Dado que la LEC no regula específicamente cómo proceder ante una oposición al internamiento, que es perfectamente posible, es dudoso que estemos ante un acto de jurisdicción voluntaria, pues la controversia o la reclamación son la base de esta petición, ya que el internamiento no es voluntario.

2.º) Debe examinar por sí misma a la persona de cuyo internamiento se trate; y

3.º) Debe oír el dictamen de un facultativo por él designado, sin perjuicio de poder practicar las pruebas que considere convenientes.

b) La decisión sobre el internamiento, que es susceptible de apelación (art. 763.3, II), si se acuerda, requiere un control periódico, a efectos de que no dure más allá de lo necesario, que realiza el juez con asistencia de los facultativos en los términos del art. 763.4.

III. LOS PROCESOS SOBRE FILIACIÓN, PATERNIDAD Y MATERNIDAD

Regulados en los arts. 764 a 768 LEC, responden a tres tipos diferentes de pretensiones, cuyo común denominador es la necesidad de que la filiación, paternidad o maternidad sean declaradas judicialmente, ante la imposibilidad de conseguir los efectos legalmente previstos utilizando los procedimientos registrales oportunos.

> Materialmente, la paternidad y filiación se regulan en los arts. 108 a 141 CC,
> pero la LEC/2000 ha derogado los arts. 127 a 130, 134, II y 135 (Disp. Derogato-
> ria 2, 1.ª). El art. 133, I CC ha sido declarado en parte inconstitucional por la STC
> 273/2005, de 27 de octubre, y el art. 136, I CC igualmente no por una, sino por
> dos SS del TC, la 138/2005, de 26 de mayo, y la 156/2005, de 9 de junio.

De acuerdo con ello, la tutela se establece con relación a la filiación por naturaleza, quedando excluida por tanto la filiación por adopción (que tratamos en esta misma lección), de conformidad con alguna de estas dos pretensiones:

a) La determinación legal de la filiación (art. 764.1), es decir, la pretensión de reclamación de la filiación, matrimonial o no (una persona pide ser declarada hijo o hija de tal padre y de tal madre, o de tal hombre y de tal mujer, arts. 131 a 134 CC); y

b) La de impugnación de la filiación legalmente determinada (art. 764.1), es decir, la pretensión de negación de la condición de hijo, matrimonial o no, por falta de paternidad del marido u hombre, o por falta de maternidad de la esposa o mujer por suposición de parto o hijo distinto (arts. 136 a 141 CC).

En estos casos la demanda no se admitirá a trámite si la filiación se declaró ya por sentencia firme, o se pretende su determinación contradictoriamente con una también declarada por sentencia firme (art. 764.2).

La legitimación activa corresponde al padre o madre, y al hijo menor de edad o incapacitado, por quienes actuarán su representante legal o el Ministerio Fiscal, indistintamente (art. 765.1 LEC, y arts. 132, 133 (que ahora hay que interpretar que sí permite al progenitor no matrimonial la reclamación de la filiación en los casos de inexistencia de posesión de estado, de acuerdo con la STC 273/2005, de 27 de octubre), 136 (que debe ser interpretado en el sentido de que el plazo de un año para el ejercicio de la pretensión de impugnación de las paternidad matrimonial sólo empieza a correr cuando el marido se entere de que no es el padre biológico del hijo inscrito como suyo, de acuerdo con la SSTC 138/2005, de 26 de mayo, y 156/2005, de 9 de junio), 137, 139 y 140 CC, según los casos), y a cualquier persona con interés legítimo, aunque no siempre (art. 131 CC), pudiendo suceder sus herederos al actor si muere (art. 765.2 LEC). La pasiva, en función de la demanda interpuesta, a las personas determinadas en el art. 766 LEC, incluso sus herederos.

Normas comunes a estos procesos se dedican a la prueba y a las medidas cautelares:

1.ª) A la demanda debe acompañarse un principio de prueba de los hechos en que se funde (art. 767.1), siendo admisible la prueba de investigación de la paternidad y maternidad mediante toda clase de pruebas, incluidas las biológicas (art. 39.2 CE, y art. 767.2 LEC), lo que en la práctica es decisivo para la exclusión de la paternidad, teniendo obligación las autoridades de colaborar en su práctica (STS de 21 de septiembre de 1999, RA 6944), pudiendo causar efecto la *ficta confessio* (art. 767.4, con los motivos y requisitos de la SSTC 55/2001, de 26 de febrero y 3/2005, de 17 de enero), siendo posible finalmente que se reconozca la determinación o se estime la impugnación por alguno de los indicios recogidos en el art. 767.3; y

2.ª) En estos procesos las medidas cautelares oportunas sobre la persona y bienes del sometido a la potestad del que aparece como progenitor, son adoptadas por el juez mientras dure el procedimiento (art. 768.1), previa audiencia de las personas que pudieran ser afectadas (art. 768.3, I), salvo que por motivos de urgencia no sea así (art. 768.3, II), decidiéndose en una comparecencia, sin que sea preciso otorgar caución (art. 768.3, III).

En caso de que la pretensión sea la de impugnación de la filiación, el juez puede conceder de oficio alimentos provisionales a cargo del demandado (art. 768.2).

> Hay otros preceptos en vigor del CC que también tienen importancia procesal, v.gr., las presunciones de los arts. 116 y 117, los deberes y facultades derivados de la patria potestad fijados en el art. 154, o las normas que establecen plazos de caducidad para la interposición de la pretensión (arts. 132, 133, II, 136, I, 137, I, etc.).

IV. LOS PROCESOS MATRIMONIALES

Fue en los procesos matrimoniales, dentro de las tutelas específicas, en los que, probablemente, la LEC de 2000 supuso una reforma mayor respecto a las normas anteriores. La Ley de Jurisdicción Voluntaria ha introducido, quince años después, reformas importantes en esta materia.

Los procesos matrimoniales se regulan en los arts. 769 a 778 LEC. En ésta LEC se mantuvo sin modificación alguna la regulación sustantiva de los arts. 42 a 107 CC, y las disposiciones correspondientes de la LOPJ en las que se hace referencia a la extensión y límites de la jurisdicción española en esta materia (art. 22). Pero fue la Ley 15/2005, de 8 de julio, la que reformó de manera muy trascendental los preceptos sustantivos que afectaban a la separación y al divorcio, básicamente al suprimir las causas de separación y de divorcio. Debe tenerse en cuenta también el llamado Bruselas II bis, el Reglamento (CE) 2201/2003, del Consejo, de 27 de noviembre de 2003, por el que se regula la competencia, el reconocimiento y la ejecución de resoluciones judiciales en materia matrimonial y de responsabilidad parental (y en su desarrollo la DF-22.ª LEC).

En estos procesos contemplamos las siguientes pretensiones: Nulidad matrimonial, separación y divorcio legal, en estos dos últimos casos contencioso o consensuado, y el reconocimiento de resoluciones canónicas mediante exequátur, así como el procedimiento para la adopción de medidas provisionales previas a la demanda o derivadas de su admisión, y las medidas definitivas.

> Los Jueces de Primera Instancia, y donde los haya los Jueces de Familia, son los competentes objetivamente para conocer de los procesos matrimoniales, según esas mismas normas. Conviene recordar que también son competentes los Juzgados de Violencia sobre la Mujer según el art. 87 ter LOPJ, modificado en 2015, para conocer en el orden civil de los asuntos de nulidad, separación y divorcio cuando: 1) Alguna de las partes de ese proceso civil sea víctima de violencia de género, 2) Alguna de las partes de ese proceso civil sea imputado en la realización de actos de violencia de género, o 3) Se haya iniciado ante este Juzgado de Violencia sobre la mujer actuación penal por delito de violencia sobre la mujer o se haya adoptado una orden de protección a una víctima de violencia de género. Finalmente, el Letrado de la Administración de Justicia puede ser competente para la separación o divorcio legal de mutuo acuerdo (art. 777.2 LEC, modificado en 2015).

La competencia territorial se establece con gran detalle en el art. 769, básicamente en torno al fuero del lugar del domicilio conyugal. En caso de residir los cónyuges en distintos partidos judiciales, será tribunal competente, a elección del demandante, el del último domicilio del matrimonio o el de residencia del demandado. Los que no tuvieren domicilio ni residencia fijos podrán ser demandados en el lugar en que se hallen o en el de su última residencia, a elección del demandante y, si tampoco pudiere determinarse así la competencia, corresponderá ésta al tribunal del domicilio del actor. En el procedimiento de separación o divorcio de mutuo acuerdo a que se refiere el artículo 777, será competente el Juzgado del último domicilio común o el del domicilio de cualquiera de los solicitantes.

La simplificación procedimental no se ha logrado totalmente en esta materia, pues aunque el procedimiento adecuado y los actos procedimentales se regulan básicamente en el art. 770 LEC, no es norma que rija para todos los procesos matrimoniales, pues la separación y el divorcio de mutuo acuerdo tiene un procedimiento específico a su vez (regulado en el art. 777 LEC).

De acuerdo con la DA-5.ª LEC, se crean Oficinas de Señalamiento Inmediato en los partidos judiciales importantes, dando así lugar a lo que se denomina común pero incorrectamente «juicio rápido civil», que puede ser aplicable a las medidas previas y provisionales y a los procesos matrimoniales de mutuo acuerdo.

> Debe entenderse, con el único apoyo del art. 44, II CC, que las disposiciones que siguen relativas a la separación y al divorcio, tanto consensuados como

contenciosos, son aplicables al matrimonio entre personas del mismo sexo, pues dicha norma no hace referencia explícita alguna al tema (v. STC 198/2012, de 6 de noviembre).

A) Nulidad, separación y divorcio contenciosos, y otras pretensiones amparadas en el Título IV del Libro I del Código Civil

El juicio verbal, con las particularidades fijadas en el art. 770 LEC, es el adecuado para tramitarse en él:

a) Todos los casos de nulidad matrimonial sin excepción.

b) Todos los supuestos en los que la separación o el divorcio se solicite sin mediar acuerdo entre los cónyuges al respecto (por tanto, de manera contenciosa).

> Las causas de nulidad se fijan en el art. 73 CC. Las causas de separación se fijaban en el art. 82 CC y las de divorcio en el art. 86 CC, pero ambos artículos fueron derogados en 2005, de manera que hoy no existe causa alguna para solicitar la separación y tampoco para solicitar el divorcio, bastando el dato temporal del transcurso de tres meses desde la celebración del matrimonio, y ni siquiera eso si se da una situación de riesgo de las reguladas en el art. 81, 2º CC para un cónyuge o los hijos. Tampoco es preciso ya estar separado antes de pedir el divorcio.

c) Todos los demás supuestos en los que el CC o la LEC no establezcan un cauce procedimental específico (lo que implica que estamos ante el procedimiento adecuado subsidiario).

> Por ejemplo: Pretensiones con relación a esponsales, cumplimiento de los derechos y deberes de los cónyuges de los arts. 66 a 69 CC, o resarcimiento de gastos y obligaciones contraídas a causa de promesa de matrimonio (art. 43, I CC).

La legitimación para demandar también se especifica en el CC: La pretensión de nulidad matrimonial la pueden interponer los cónyuges, el Ministerio Fiscal y cualquier persona que tenga interés directo y legítimo en la declaración de nulidad (art. 74 CC, con las excepciones de los arts. 75 y 76 CC); en la separación y el divorcio contenciosos, están legitimados sólo los cónyuges (arts. 81 y 86 CC).

Las especialidades procedimentales son las recogidas en el propio art. 770 LEC, lo que implica que en lo no previsto, primero se aplican las normas específicas de los arts. 748 a 755 LEC y, después, las generales de los juicios verbales:

1.ª) A la demanda hay que acompañar los documentos procesales, sin perjuicio de los generalmente establecidos por la LEC, y de fondo (si existieren, y en la nulidad en función de la causa alegada) y además, en caso de solicitarse medidas patrimoniales, los documentos de tipo económico explicitados en la regla 1.ª de ese precepto.

> Complementariamente a las referencias del art. 753 LEC, se observa que no hay norma alguna sobre inadmisibilidad de la demanda, por lo que se tendrán que aplicar las reglas generales que afectan a los presupuestos procesales. Tampoco hay disposición expresa sobre acumulación, pero parece lógico pensar que se aplican las reglas generales, y, por tanto, el actor debe poder acumular en su demanda todas las causas de nulidad que considere fundadas, salvo las que naturalmente se excluyan entre sí. En separación y divorcio esta cuestión ya no juega ningún papel.

2.ª) La reconvención, a formular en la contestación a la demanda, disponiendo el actor de diez días para a su vez contestarla, sólo es admisible cuando: 1) Se funde en alguna de las causas que pueden dar lugar a la nulidad del matrimonio; 2) El cónyuge demandado de separación o de nulidad pretenda el divorcio; 3) El cónyuge demandado de nulidad pretenda la separación; y 4) Cuando el cónyuge demandado pretenda la adopción de medidas definitivas no solicitadas en la demanda que no deban imponerse de oficio (regla 2.ª).

La reconvención exige una conexión objetiva especial con la pretensión interpuesta, lo que implica inadmitirla cuando no se refiera a ninguno de los supuestos indicados, quedando abierta la vía de otro proceso especial matrimonial, o el juicio verbal en general. La eliminación de las causas de separación y divorcio hace que la reconvención pierda prácticamente toda su complejidad en estos procesos porque su campo práctico de aplicación disminuye enormemente.

3.ª) Los cónyuges deben acudir personalmente a la vista, aparte de con sus abogados y procuradores, pues en caso de no hacerlo uno de ellos se podrán tener admitidos por *ficta confessio* los hechos alegados por el cónyuge compareciente, pero sólo en lo que a medidas definitivas patrimoniales se refiere (regla 3.ª)

4.ª) Hay pruebas que se pueden practicar fuera de la vista, en el plazo que se señale, y el juez puede ordenar la práctica de pruebas de oficio para una mejor comprobación de los hechos (regla 4.ª), manifestación típica de los procesos no dispositivos.

Tendrá que oírse en todo caso a los hijos mayores de 12 años, y a los hijos menores o incapacitados menores de esa edad, tratándose de proceso matrimonial contencioso, si tuvieren suficiente juicio, acordándolo de oficio el juez o a instancias del fiscal, de las partes, de un miembro del equipo técnico judicial o del propio menor. La prueba de exploración del menor se refuerza pues debe ser oído sin interferencia de otras personas y con el auxilio de especialistas si es necesario, de acuerdo con el último párrafo de la regla 4.ª del art. 770 LEC.

La fase probatoria mantiene su importancia cuando se trata de la nulidad matrimonial (art. 752), pero ha perdido todo su sentido y utilidad si se trata de la separación y del divorcio. Cuando hay causas de nulidad hay que probar los hechos que son la base fáctica de la causa, pero si no hay causas de separación ni de divorcio tampoco deberá practicarse prueba alguna.

5.ª) Es posible, si los cónyuges llegan a un acuerdo en materia de separación o divorcio, o uno de los cónyuges con consentimiento del otro (pero no en otro caso por la remisión legal concreta), transformar el procedimiento al previsto legalmente para estos casos en el art. 777, poniendo fin al contencioso, posibilidad que literalmente sería factible incluso en fase de recurso, pues el acuerdo cabe «en cualquier momento del proceso» (regla 5.ª).

6.ª) También es posible que las partes, de común acuerdo, pidan la suspensión del proceso, de conformidad con lo dispuesto en el art. 19.4 LEC, para someterse a mediación (regla 7.ª).

7°) Finalmente, debe indicarse que es posible jurídicamente la separación de parejas heterosexuales de hecho a pesar del silencio legal (STS de 17 de junio de 2003, RA 4605).

> El problema es que el cauce procedimental para la resolución de las pretensiones que se pueden plantear no está claramente definido por la jurisprudencia: Se suele sostener mayoritariamente que: 1°) Si las pretensiones son sólo de carácter económico (v.gr., alimentos), el procedimiento adecuado será el que corresponda por la cuantía (ordinario o verbal); 2°) Si no son exclusivamente económicas (v.gr, derecho de visita) y existen hijos menores de edad, los procedimientos adecuados serán los que corresponderían en el caso de que por estar legalmente casados los hijos fueran matrimoniales (el verbal principalmente); y 3°) Si no existen hijos menores de edad, aquí vienen las discrepancias mayores, pues unas Audiencias creen que se debe aplicar el juicio ordinario para alimentos definitivos entre mayores de edad, derecho de uso de vivienda familiar, liquidación del patrimonio común, indemnizaciones por enriquecimiento injustificado, y el ejercicio de otros derechos reconocidos por leyes autonómicas; mientras que otras Audiencias entienden que se debe aplicar en todo caso el juicio verbal; y otras, finalmente, el declarativo que proceda, lo cual es absurdo porque la ley no dice qué procedimiento es el adecuado (v.gr. SAP Castellón 28 abril 2003, Tol 303888; SAP Cádiz 29 noviembre 2006, RA 143153). Pero no es jurisprudencia unánime y, lo que es más grave, no es verdadera jurisprudencia, pues el TS no se ha pronunciado al respecto todavía.

B) Separación o divorcio legal de mutuo acuerdo

Cuando ambos cónyuges, o uno con el consentimiento del otro, estén de acuerdo en su separación o divorcio, el procedimiento matrimonial se fija en el art. 777 LEC, estableciéndose un cauce procedimental específico, pues ni rigen las normas del juicio ordinario, ni tampoco las del juicio verbal, aunque este debe ser supletorio a tenor del art. 753 LEC.

Estamos ante un acto de jurisdicción voluntaria, probablemente el mejor ejemplo que se pueda poner junto con la conciliación extrajudicial, pues la ausencia de controversia es total, y si aparece, como veremos, el procedimiento se transforma a contencioso. Es competencia, como se ha dicho, del Letrado de la Administración de Justicia, pero sólo si no ha habido hijos menores no emancipados o con la capacidad modificada judicialmente. Habiéndolos, la competencia es judicial.

> Desde 2015 es posible la separación legal o el divorcio legal ante Notario, siempre que los cónyuges no tengan hijos menores no emancipados o con la capacidad modificada judicialmente El convenio regulador y la separación o divorcio se acuerdan en escritura pública (art. 54 Ley Notariado, introducido en 2015).

El procedimiento se inicia por ambos cónyuges de común acuerdo o por uno de los cónyuges con el consentimiento del otro, presentando el escrito correspondiente, al que se acompañarán los documentos procesales y materiales fijados en el art. 777.2 LEC (incluyéndose, en su caso, el documento del acuerdo final de mediación familiar). Destaca como documento de fondo la propuesta de convenio regulador, escrito sin el cual no pueden aplicarse las disposiciones del procedimiento por mutuo acuerdo. Hay posibilidad de subsanación de la documentación si fuera insuficiente, o de presentar prueba para acreditar las circunstancias exigidas por el CC (art. 777.4 LEC, reformado en 2015).

> El convenio regulador es el documento en el que se contiene el estatuto que va a regular todas las cuestiones relativas a quienes, de obtener la separación o el divorcio de mutuo acuerdo, eran hasta esa fecha cónyuges (parte contractual), y todos los temas que se refieran a los hijos (parte de acuerdos que requieren para su efectividad una sanción judicial), en los términos del art. 90 CC, modificado en 2015. Debe presentarse al completo, regulando todos los aspectos, y es de obligatorio acompañamiento a la solicitud. En caso de no aprobarse en su totalidad o alguna de sus cláusulas, v. *infra*.

Los cónyuges deben ratificarse por separado de su petición (art. 777.3 LEC), transformándose en contencioso el expediente si no se produce ésta, conforme a esa misma norma. La ratificación no debe referirse sólo a la petición principal de separación o divorcio, sino también a los términos y cláusulas de la propuesta del convenio regulador.

El Ministerio Fiscal interviene como representante defendiendo a los hijos menores e incapaces si los hubiere, con ocasión de los términos del convenio que les afecten. La parte verdadera son los hijos, en lo que les afecta, es decir, no en la separación ni en el divorcio propiamente dichos, debiendo ser oídos necesariamente por el juez si tienen el juicio suficiente, cuando se estime necesario de oficio o a petición del Fiscal, partes o miembros del Equipo Técnico Judicial o del propio menor (art. 777.5 LEC), debiendo ser potestativo en otro caso.

Una vez practicada la prueba propuesta en el escrito por el que se ha promovido el procedimiento, si ha habido lugar, el juez dicta sentencia concediendo o denegando la separación o el divorcio, y pronunciándose en su caso sobre el convenio regulador (art. 777.6 LEC).

Si no se ha aprobado el convenio en todo o en parte, se abre una variante procedimental, de manera que las partes se ven abocadas a proponer nuevo convenio o nuevas cláusulas, pues aunque no lo hagan el juez resolverá (art. 777.7 LEC). En el futuro, el convenio regulador o las medidas acordadas por el juez pueden ser modificadas, por el procedimiento previsto en este art. 777 (art. 777.9 LEC).

La recurribilidad de la sentencia es limitada: Si deniega la separación (algo inimaginable en principio), o el divorcio, o contra el auto que apruebe medida no acordada por los cónyuges, cabe recurso de apelación (el auto en un solo efecto), mientras que la sentencia y el auto que aprueben en su totalidad la propuesta de convenio sólo pueden ser recurridas por el MF defendiendo el interés de los hijos menores o incapaces (art. 777.8 LEC).

Si la competencia hubiera sido del letrado de la administración de justicia, dictará decreto pronunciándose sobre el convenio regulador después de la ratificación de los cónyuges y en la misma resolución declarará la separación o divorcio de los cónyuges. Negándolo, las partes sólo pueden acudir al juez (art. 777.10 LEC, introducido en 2015).

C) Medidas provisionales

En los procesos matrimoniales las medidas cautelares específicas tienen una gran importancia, porque durante el desarrollo del proceso hay que regular y asegurar muchas de las cuestiones personales y económicas de los cónyuges entre sí, y con sus hijos en su caso, que se van a decidir en la sentencia: Atribución de la guarda y custodia de los hijos y régimen de visitas de los mismos en su caso, atribución de la vivienda familiar, disfrute del ajuar familiar, fijación de la contribución a las cargas económicas del matrimonio y medidas sobre el régimen económico matrimonial en cuanto a la distribución de bienes y su administración.

Se denominan medidas provisionales, y pueden solicitarse con carácter previo a la demanda (medidas provisionales previas), o simultáneamente en ella (medidas provisionales coetáneas), y se prevén en el art. 103 CC.

Por otra parte, el art. 102 CC prevé una serie de efectos que se producen automáticamente una vez se admite a trámite la demanda de nulidad, separación o divorcio, que no son medidas cautelares, pero que al tener carácter provisional conviene tener en cuenta también aquí: Separación de vida en común y revocación de poderes y consentimientos.

Entrando en temas procedimentales, hay que decir que uno de los cónyuges, o ambos, con ocasión de la nulidad de su matrimonio, su separación o el divorcio, puede pedir también la adopción de las medidas provisionales a que se refieren los arts. 102 y 103 CC (art. 771.1, I LEC). La referencia a pedir los efectos del art. 102 CC es incorrecta, pues aunque no lo pidan las partes se producen *ex opere legis*.

No se necesita ni abogado ni procurador para esta petición, aunque sí para el desarrollo posterior del procedimiento (art. 771.1, II LEC).

La LEC establece tres procedimientos distintos, lo que es una complicación innecesaria, para la adopción de las medidas provisionales:

1.º) Si se trata de medidas provisionales solicitadas previamente a la demanda de nulidad, separación o divorcio (medidas previas), se aplica el procedimiento del art. 771 LEC: Comparecencia con audiencia de las partes y del Ministerio Fiscal si hay hijos menores o incapacitados, en la que se intentará el acuerdo entre las partes, posibilidad de adopción inmediata de la medida, práctica de la prueba si no hay acuerdo entre las partes, resolución mediante auto irrecurrible, con advertencia de que su vigencia sólo se prolongará durante 30 días, plazo por tanto que tienen las partes para iniciar el proceso matrimonial;

2.º) Si se trata de confirmar o modificar las medidas provisionales adoptadas previamente a la demanda, al admitirse ésta, se aplica el procedimiento previsto en el art. 772 LEC: Sólo hay comparecencia si el juez decide que hay que completarlas o modificarlas; y

3.º) Siempre que no se hayan solicitado antes, el cónyuge que solicite la nulidad, la separación o el divorcio puede pedir en su demanda, de manera unilateral, o mediando acuerdo con su cónyuge, y también el cónyuge demandado cuando el actor no haya realizado la correspondiente petición, la adopción de medidas provisionales (medidas coetáneas o simultáneas), por el procedimiento fijado en el art. 773 LEC, teniendo vigencia hasta su sustitución por las definitivas, o hasta que se ponga fin al procedimiento de otro modo (art. 106 CC y art. 773.5 LEC).

D) Medidas definitivas

Las medidas definitivas son aquéllas que regulan diversos aspectos fundamentales de la relación personal entre los cónyuges, y entre éstos y sus hijos, en su caso, a partir de la sentencia firme de nulidad, separación o divorcio, y de las obligaciones patrimoniales que surgen a partir de entonces. Se prevén en el art. 90 CC, modificado en 2015.

En la vista del juicio los cónyuges pueden someter al juez los acuerdos a que han llegado para regular las consecuencias de su pretensión, proponiendo prueba para justificar su procedencia (art. 774.1), resolviendo el juez en la sentencia (art. 91 CC y art. 774.3 LEC); no existiendo acuerdo, las medidas definitivas, que pueden ser confirmación de las provisionalmente adoptadas al inicio del proceso u otras nuevas, las fijará el juez (v. arts. 92 a 98 CC), tras la práctica de la prueba al respecto, mediante auto, cuya recurribilidad no suspenderá su ejecución (art. 774.4 y 5 LEC).

Las medidas definitivas son modificables si hubieren variado sustancialmente las circunstancias tenidas en cuenta para adoptarlas (v. arts. 99 y 100 CC, modificados en 2015), por el procedimiento fijado en el art. 770 LEC, o, si las partes presentan convenio regulador sobre ello, por el procedimiento previsto en el art. 777 (art. 775.2). Es posible incluso pedir la modificación de las medidas definitivas en un pleito anterior, sustanciándose entonces por los trámites del art. 773 (art. 775.3 LEC).

La ejecución forzosa de las medidas definitivas se regula en el art. 776 LEC, destacando la posibilidad de multas coercitivas al cónyuge que no pague las cantidades económicas fijadas. Es posible también ejecutar gastos extraordinarios no previstos en las medidas cumpliendo lo dispuesto en el art. 776.4. A las prestaciones alimenticias se refiere en particular el art. 608 LEC, reformado en 2015.

V. RELACIONES FAMILIARES

La Ley 43/2003, de 21 de noviembre, de modificación del CC y de la LEC en materia de relaciones familiares de los nietos con los abuelos, aparte de establecer en el art. 160 del CC, reformado en 2015, que no podrán impedirse sin justa causa las relaciones personales de los niños con sus progenitores, aunque estén en prisión o no ejerzan ya la patria potestad, salvo que se disponga otra cosa por resolución judicial o por la Entidad Pública en los casos establecidos en el artículo 161, con sus abuelos y con otros parientes y allegados, introdujo un nuevo número en el art. 250.1 de la LEC. Ese número es el 13.º, conforme al cual se conocerán por el juicio verbal las demandas en que se pretenda la efectividad de los derechos reconocidos en el art. 160 del CC, añadiéndose que en estos casos el juicio verbal se sustanciará con las peculiaridades dispuestas en el Capítulo I del Título I del Libro IV de la LEC, efectuándose así una remisión, no a las normas generales del juicio verbal, sino a las especiales de los arts. 749 a 755.

VI. EFICACIA DE LAS RESOLUCIONES ECLESIÁSTICAS

En virtud de los Acuerdos entre España y la Santa Sede, particularmente el de Asuntos Jurídicos, de 3 de enero de 1979, tratado internacional firmado al amparo del art. 16.3 CE, determinadas cuestiones matrimoniales decididas por la Iglesia Católica, en concreto las que afectan a la nulidad del matrimonio y a la decisión del Papa sobre matrimonio rato y no consumado (pero no a la separación, pues es competencia exclusiva del Estado; ni al divorcio, no reconocido por la Iglesia), tienen eficacia en el Derecho interno, es decir, alcanzan los efectos de cosa juzgada como si de una sentencia de un juez civil español se tratara.

Pero ello no ocurre automáticamente, pues es necesario desarrollar ante el juez civil un procedimiento de homologación, llamado de exequátur («procédase»), tal y como se establece en el art. VI, 2) de dicho Acuerdo y se recoge en el art. 80 CC, que ha de ponerse en relación con los arts. 52 a 55 de la Ley 29/2015, de 30 de julio, de Cooperación Jurídica Internacional en Materia Civil.

> Esta ley ha derogado finalmente los arts. 951 a 958 LEC de 1881 por los que todavía se regulaba este tema.

Si concurren los requisitos, el procedimiento se regula en el art. 778 LEC, que establece que la solicitud de eficacia civil de las resoluciones dictadas por los tribunales eclesiásticos sobre nulidad de matrimonio canónico, o las decisiones pontificias sobre matrimonio rato y no consumado, da paso a un proceso especial a considerar dentro de los procesos matrimoniales, puesto que comienza por demanda, si bien lo estructura con base en dos posibilidades procedimentales distintas:

1.ª) Si en la demanda se pide la adopción o la modificación de medidas cautelares matrimoniales, la petición de reconocimiento de eficacia civil se sustancia conjuntamente con la relativa a las medidas, siendo de aplicación el art. 775, anteriormente visto.

2.ª) Si en la demanda no se piden medidas cautelares matrimoniales o si, existiendo, no se solicita su modificación, el juez de primera instancia (o de familia) da audiencia al otro cónyuge por plazo de 10 días, y también al Fiscal, y resuelve por medio de auto lo que corresponda acerca de dicha eficacia.

Nada dice la LEC acerca de la posibilidad de que el otro cónyuge, o el Fiscal, se opongan a la homologación, pero a pesar de la parquedad debe entenderse que el juez competente (el previsto en el art. 769 LEC por aplicación supletoria) resolverá lo que considere procedente en el seno de este mismo procedimiento (art. 778.1 inciso final LEC), sin que se pueda acudir a un juicio ordinario, o al especial de nulidad matrimonial.

El problema es que el art. 54 de la Ley 29/2015 establece un procedimiento de homologación, que no puede entenderse que deroga al art. 778.2 in fine LEC, sino que forzosamente deben complementarse, pues el art. 778 LEC es norma especial respecto al procedimiento de homologación general regulado en aquella ley. En este sentido, para salvar la falta de regulación de la oposición del demandado, debe estarse hoy a su art. 54.5. También es importante el art. 55, que establece los recursos de apelación y de casación contra los autos de homologación.

VII. PROCESOS PARA LA TUTELA, ACOGIMIENTO O GUARDA DE LOS MENORES, ASÍ COMO PARA LA PRESTACIÓN DE ALIMENTOS

Los procesos que versen sobre la tutela, acogimiento o guarda de los hijos menores (arts. 172 a 174 CC, reformados por la Ley 26/2015, de 28 de julio, de modificación del sistema de protección a la infancia y a la adolescencia), siempre que no estén a cargo de un entidad pública, en cuyo caso son de naturaleza administrativa y no civil, con intervención del MF, o sobre alimentos reclamados por un progenitor contra el otro en nombre de los hijos menores con fundamento en los arts. 143 y 144 CC, son procesos no dispositivos (art. 748, 4.º).

> Del tenor literal de esta norma debemos deducir que si el acogimiento (familiar o residencial) o la guarda es pretensión «exclusiva», es decir, única, porque no va acumulada a otra, el juicio que corresponde es el verbal (art. 753 LEC); y si la pretensión de alimentos es exclusiva se tratará también del juicio verbal (art. 250.1, 8.º LEC). Estas pretensiones suelen ir acumuladas a los procesos matrimoniales de nulidad, separación o divorcio y entonces ya no estamos ante el caso de procesos que verse exclusivamente sobre esas materias.

Es competente territorialmente el Juez de Primera Instancia del lugar del último domicilio común de los progenitores, y si residen en distintos partidos, a elección del demandante, el del domicilio del demandado o el de residencia del menor (art. 769.3), norma que es indisponible (art. 769.4).

En estos casos de pretensiones «exclusivas», para la adopción de las medidas cautelares que sean idóneas para la tutela deseada a través de dichos procesos, se seguirán los trámites establecidos para la adopción de medidas previas, simultáneas o definitivas en los procesos de nulidad, separación o divorcio (art. 770, 6.ª).

VIII. LOS PROCESOS PARA LA TUTELA DE LA INFANCIA Y LA ADOLESCENCIA Y LA ADOPCIÓN

La tutela de los menores de edad (menores, adolescentes), que es un acto de jurisdicción voluntaria (arts. 43 y ss. Ley 15/2015, de 2 de julio, de la Jurisdicción Voluntaria), ha sido revisada en lo sustantivo y en lo procesal mediante la LO 8/2015, de 22 de julio, de modificación del sistema de protección a la infancia y a la adolescencia, y la Ley 26/2015, de 28 de julio, de modificación del sistema de protección a la infancia y a la adolescencia, para los casos en los que hay que tomar decisiones que requieren un juicio contradictorio.

En esencia, por lo que afecta a los procesos civiles no dispositivos, se distinguen ahora cinco procesos distintos cuyo nexo común es la mejor protección del menor con base en su superior interés (ahora explicitado en el art. 2 LO 1/1996, de 15 de enero, de Protección Jurídica del Menor, y de modificación parcial del CC y de la LEC, modificado en 2015).

Por un lado se regulan dos nuevos procesos, introduciéndose las correspondientes normas en la LEC; y por otro, se reforman dos procesos que estaban ya regulados en la LEC relativos al tema de la filiación por adopción que afectan a menores de edad, intercalados ambos entre los correspondientes actos de jurisdicción voluntaria que se estén desarrollando conforme a las normas de la nueva Ley 15/2015, de 2 de julio, de la Jurisdicción Voluntaria (arts. 33 y ss.), y del CC (arts. 175 a 180, reformados por esta ley). El quinto proceso, relativo a la adopción internacional está regulado fuera de la LEC:

1°) Pretensión de ingreso de un menor con problemas de conducta en un centro de protección específico (art. 778 bis LEC, en relación con el art. 26 LO 1/1996, de 15 de enero, reformada en 2015).

> Su objeto es obtener la autorización del JPI para el ingreso de un menor problemático (con problemas de conducta) en centros de protección especiales. Están legitimadas la entidad pública que ostente la tutela o guarda del menor y el MF. El menor debe ser oído, así como también quienes en su día ostentaron la patria potestad o tutela. Un dictamen pericial médico es obligatorio. El procedimiento se detalla en el precepto indicado.
>
> Si fuese necesario entrar en el domicilio en el que se encuentra el menor para la ejecución de una medida que le favorezca, actuará como Juez de Garantías no como hasta ahora el JCA, sino el JPI del lugar en donde radique el domicilio de la entidad pública, la única legitimada para pedir autorización para entrada y, en su caso, traslado del menor (se supone, ante la falta de precisión legal), o que hubiera dictado el auto de ejecución. El procedimiento se fija en el nuevo art. 778 ter LEC, introducido en 2015 también. Las medidas de seguridad, de contención, aislamiento y registros que se pueden adoptar se regulan en los art. 27 a 30 LO 1/1996, de 15 de enero (reformada en 2015).

2°) Pretensión sobre medidas relativas a la restitución de menores en los supuestos de sustracción internacional (art. 748-6° LEC).

Dos posibilidades procedimentales existen:

1ª) Arts. 778 quáter y 778 quinquies LEC (introducidos por la Ley 15/2015, de 2 de julio, de la Jurisdicción Voluntaria): Proceso previsto para aquellos supuestos en los que, siendo aplicables un convenio internacional o las disposiciones de la Unión Europea, se pretenda la restitución de un menor o su retorno al lugar de procedencia por haber sido objeto de un traslado o retención ilícitos y se encuentre en España, siempre que sea conforme con una norma internacional o supranacional.

Este proceso se prevé para resolver el lamentablemente frecuente problema del menor hijo de padres de diferente nacionalidad, que ha sido «secuestrado» ilegalmente por uno de ellos, el de nacionalidad española probablemente, y traído a España o retenido ilegalmente en nuestro país para evitar su traslado legal con el otro padre.

Es competente el Juez de Familia o JPI de la capital de provincia, Ceuta y Melilla con esas competencias. Están legitimadas las personas, instituciones u organismos que tengan atribuida la guarda y custodia o un régimen de visitas, relación o comunicación del menor, la autoridad central española fijada en el convenio, o la persona que ésta designe en su representación. Los requisitos y el procedimiento, demasiado complejo en nuestro parecer, se fijan con detalle en esos preceptos. Este proceso no es aplicable en los casos en los que el menor procediera de un Estado que no forma parte de la Unión Europea ni sea parte de algún convenio internacional.

2ª) Art. 778 sexies LEC (también introducido por la LJV): Aunque la LEC no es lo suficientemente clara, en nuestra opinión debe acudirse al juicio verbal (porque es el previsto en el Título I del Libro IV de la LEC a los que se refiere la norma), cuando un menor con residencia habitual en España sea objeto de un traslado o retención internacional, conforme a lo establecido en el correspondiente convenio o norma internacional aplicable.

Aquí se trata de obtener, previamente a la demanda para que se ordene la restitución del menor (la primera posibilidad de las tratadas aquí), una decisión judicial que acredite que el traslado o retención del menor es ilícito (conforme a los arts. 3 y 15 del Convenio de la Haya de 25 de octubre 1980, sobre los aspectos civiles de la sustracción internacional de menores).

La competencia recae en la última autoridad judicial que haya conocido en España de cualquier proceso sobre responsabilidad parental afectante al menor. En defecto de ello, será competente el Juzgado de Primera Instancia del último domicilio del menor en España. La legitimación la tiene cualquier persona interesada, que puede pedir asistencia a la Autoridad Central española fijada en el Convenio, y al margen del proceso que se inicie para pedir su restitución internacional. Dicha persona podrá dirigirse en España a la autoridad judicial competente para conocer del fondo del asunto con la finalidad de obtener una resolución que especifique que el traslado o la retención lo han sido ilícitos. El precepto dice también que son aplicables las medidas del art. 158 (se entiende que del Código Civil, pues no dice de qué código).

3°) Pretensión de oposición a las resoluciones administrativas en materia de protección de menores (art. 748-7° LEC).

Sus actos procesales básicos se contienen en el art. 780, reformado en 2015: Es competente el JPI del domicilio de la entidad pública y, en su defecto o en los supuestos de los artículos 179 y 180 CC, el JPI del domicilio del adoptante. No es necesaria la reclamación administrativa previa, escrito de oposición del legitimado, reclamación por el letrado del expediente administrativo y emplazamiento del actor para que formule la demanda en el plazo de 20 días, continuándose después por los trámites del juicio verbal. Si existen varios procedimientos de oposición, pueden acumularse. La tramitación del procedimiento es preferente (art. 779, I LEC)

4°) Pretensión sobre la necesidad de asentimiento en la adopción (art. 748-8° LEC).

El procedimiento se regula en el art. 781 LEC, también modificado en 2015: Comparecencia de los padres en el expediente de adopción para solicitar su asentimiento, suspensión del expediente por el letrado y señalamiento de plazo para formular la correspondiente demanda, que se tramitará si se interpone como si fuera un juicio verbal, dándose por finalizado el trámite en caso contrario, sin posibilidad ninguna de poder reiterar el trámite.

En ambos casos es juez territorialmente competente el del domicilio de la entidad protectora y, en su defecto, o en los supuestos de los arts. 179 y 180 CC, el del domicilio del adoptante (art. 779).

5°) Fuera de la LEC, la Ley 54/2007, de 28 de diciembre, reformada en 2015 regula la adopción internacional, y en concreto fija la competencia para el conocimiento de las diversas cuestiones sustantivas relacionadas con ella en su art. 16.1 (no reformado), pero erróneamente considera que todas ellas deben tramitarse como si fueran actos de jurisdicción voluntaria (la doble remisión a su art. 41 no resuelve nada), cuando hay algunas, como la pretensión de declaración de nulidad de la adopción (art. 15.1), que por ser contenciosas, deben tramitarse por los cauces del proceso civil ordinario.

La competencia se atribuye al JVM si se dan los requisitos para que éste tenga atribuida la misma (art. 87 ter 2 y 3 LOPJ, reformado en 2015).

En todos los casos judiciales que le afecten el menor debe ser escuchado siempre y rodeado en su caso de garantías especiales, conforme al art. 9 LO 1/1996, de 15 de enero (reformada en 2015), teniendo derecho a solicitar asistencia legal y a que se le nombre un defensor judicial para emprender acciones judiciales a favor de sus derechos e intereses, sin perjuicio de las facultades al respecto del MF (art. 10.2, e) LO 1/1996, de 15 de enero, reformada en 2015).

IX. LOS PROCESOS SOBRE OPOSICIÓN A LAS RESOLUCIONES Y ACTOS DE LA DIRECCIÓN GENERAL DE LOS REGISTROS Y DEL NOTARIADO EN MATERIA DE REGISTRO CIVIL

Se ha introducido en la LEC por la LRCivil de 2011 el nuevo art. 781 bis, que regula la oposición a las resoluciones y actos de la Dirección General de los Registros y del Notariado en materia de Registro Civil, para el que son competencia del JPI de la capital de provincia del domicilio del recurrente (art. 87.1 LCiv).

En realidad el precepto establece un trámite previo al juicio verbal por el que se ventilará la correspondiente demanda (art. 781bis.4 LEC), consistente en que el futuro demandante debe presentar un escrito inicial en el que sucintamente exprese su pretensión e indique la resolución a la que se opone. El letrado de la administración de justicia reclamará el expediente a la Dirección General y, cuando llegue, emplazará al actor por 20 días para que presente la demanda (art. 781 bis 2 a 4 LEC).

X. ESPECIALIDADES EN CASO DE TUTELA DE LOS DERECHOS FUNDAMENTALES EN EL ÁMBITO PROCESAL CIVIL

A) Objeto

La LEC no regula como proceso especial la tutela de los derechos fundamentales en el ámbito procesal civil, y por tanto no debemos considerarlo como tal. Pero es cierto que la pretensión que se interpone en estos procesos es de carácter no dispositivo, por lo que científicamente es más correcto tratar esta cuestión al final de esta lección.

> La razón es que la LEC ha derogado los arts. 11, 12, 13, 14 y 15 de la Ley 62/1978, de 26 de diciembre, de protección jurisdiccional de los derechos fundamentales de la persona (Disp. Derogatoria 2, 3.ª), que regulaban un proceso civil especial, y ha establecido normas particulares. La LEC nada dice sobre la LO 1/1982, de 5 de mayo, de protección civil del derecho al honor, a la intimidad personal y familiar y a la propia imagen, por lo que queda en vigor al ser formalmente superior.

Las pretensiones aquí consideradas se dirigen, de acuerdo con el art. 249.1, 2.°, a obtener la tutela de cualquier derecho fundamental, menos los relativos a los derechos al honor, a la intimidad, a la propia imagen y el derecho de rectificación (tratados en la Lección anterior).

> A los efectos del art. 53.2 CE, éste es ahora el procedimiento previo a la vía del amparo constitucional, una vez cumplidos los demás requisitos, como es natural, entendiéndose el término «sumario» como equivalente a rápido. De acuerdo con la Constitución, es un procedimiento «preferente».

B) Competencia y procedimiento adecuado

Es juez territorialmente competente el del domicilio del demandante, y, cuando no lo tuviere en territorio español, el juez del lugar en donde se hubiera producido el hecho que haya vulnerado el derecho fundamental de que se trate (art. 52.1, 6.º), norma que es de carácter imperativo (art. 54.1).

El procedimiento adecuado es el juicio ordinario en todo caso (art. 249.1, 2.º).

No se dispone nada acerca del plazo para presentar la demanda, por lo que debe ser aplicable el de 4 años del art. 9.5 de la Ley 1/1982, de 5 de mayo, de protección civil del derecho al honor, a la intimidad personal y familiar y a la propia imagen, dado que estamos ante otros derechos fundamentales también.

C) Partes

La intervención del Ministerio Fiscal se dispone expresamente, con carácter preceptivo y en calidad de parte defensora de la legalidad, en el art. 249.1, 2.º, en consonancia con la naturaleza no dispositiva de esta pretensión, vista al principio de esta lección.

D) Especialidades procesales

Son dos: 1.ª) No hay posibilidad en ningún caso de ejecución provisional, salvo los aspectos puramente patrimoniales de la pretensión, v.gr., la indemnización fijada (art. 525.1, 1º); y 2.ª) Estos procesos tienen garantizado el acceso al recurso de casación por la materia, ya que se considera expresamente como resolución recurrible las sentencias que se dicten para la tutela judicial civil de derechos fundamentales, con exclusión de los derechos fundamentales del art. 24.2 CE, es decir, de los procesales, por ser objeto de otro recurso, el extraordinario por infracción procesal (art. 477.2, 1.º), teniendo en cuenta transitoriamente la Disp. Final 16.ª LEC.

XI. PROCESO PARA LA DISOLUCIÓN O SUSPENSIÓN DE UN PARTIDO POLÍTICO

Se regula en los arts. 10 a 12 de la LO 6/2002, de 27 de junio, de Partidos Políticos, en donde se contienen también especialidades procesales penales, en las que no entramos. Se trata de un nuevo proceso civil, por cierto escrito, de naturaleza no dispositiva, fundado en los arts. 1, 6, 22 y 23 CE, por el que se quiere dar cauce a la declaración de ilegal de un partido político que atente contra el sistema democrático y las libertades esenciales de los ciudadanos. Se ha aplicado ya una vez (v. STS de 27 de marzo de 2003, caso Batasuna y otros). Incomprensiblemente, el proceso para la extinción de un partido político no es civil, a la vista de esas normas, sino administrativo (art. 127 quinquies LJCA, añadido por la LO 3/2015, de 30 de marzo).

> Es competente la Sala Especial ex art. 61 LOPJ del TS (art. 10.5). Parte demandante es el Gobierno, a instancia propia o del Congreso de los Diputados o del Senado, o el Ministerio Fiscal (art. 11.1), que debería ser también parte en todo caso aunque no sea demandante y a pesar de que la LPP no diga nada al respecto, porque de acuerdo con su Estatuto defiende la legalidad. Demandado es el partido político afectado (art. 11.3). Admitida la demanda y recibida la contestación, la práctica de la prueba es eventual (art. 11.5), único acto oral del proceso si se produce. Se prevé expresamente el trámite de alegaciones escritas sobre la prueba practicada, pero se trata más bien de las clásicas conclusiones (art. 11.6). La sentencia es irrecurrible en el orden jurisdiccional ordinario (art. 11.7). Siendo condenatoria, su ejecución es muy compleja (v. arts. 11.7 y 12).

Legislación: Ley de Enjuiciamiento Civil (arts. 748 a 781)
Lectura: MONTERO AROCA, BARONA VILAR, ESPLUGUES MOTA, CALDERÓN CUADRADO y FLORS MATÍES, *Separación, divorcio y nulidad matrimonial*, 4 tomos, Valencia 2003; MONTERO, FLORS y ARENAS, *Separación y divorcio tras la Ley 15/2005*, Valencia 2006.

CAPÍTULO III
DIVISIÓN JUDICIAL DE PATRIMONIOS

I. CONCEPTOS INICIALES

En el Título II del Libro IV de la LEC, dedicado a los procedimientos especiales, se regulan bajo la rúbrica «De la división judicial de patrimonios» dos grupos de actuaciones judiciales cuyo objeto genérico es liquidar y repartir un conjunto patrimonial entre quienes teniendo derecho a él no se ponen de acuerdo para su reparto. Se trata de: 1) La actividad jurisdiccional que se proyecta sobre la totalidad de un patrimonio que, por causa del fallecimiento de su titular, ha de ser objeto de división y partición en su integridad entre sus herederos, y 2) La liquidación de cualquier régimen económico matrimonial de comunidad o de participación que se haya declarado disuelto. Además dentro de dichas actuaciones se comprenden también otros procedimientos tendentes al aseguramiento y la conservación de los bienes integrantes de la masa patrimonial a dividir.

En atención a la común finalidad perseguida (integración y determinación de la masa patrimonial partible, división de la misma y adjudicación a los interesados de los bienes y derechos que la integran), y a la similitud o equivalencia de los medios jurídicos necesarios para lograrla, la LEC ha optado por agrupar sistemáticamente estos procedimientos en un mismo título, a pesar de que el de división de herencia ofrece los caracteres propios de los llamados juicios universales, de los que no participa el de división del régimen económico matrimonial.

> Para la división judicial de la herencia la LEC diseña un procedimiento de mayor simplicidad que el de su correlativo antecedente en la LEC de 1881, unificando los juicios de abintestato y de testamentaría; y para la liquidación judicial del régimen económico matrimonial se crea un procedimiento específicamente concebido para servir de cauce a dicho objeto, dando con ello respuesta a la necesidad de establecer un instrumento apropiado y una regulación procesal clara de esta materia, cuya falta tanto se había puesto de manifiesto durante la vigencia de la ley anterior.

Como caracteres comunes, aparte del relativo a su finalidad divisoria de una masa patrimonial, pueden destacarse los siguientes:

1) Se tiende en todo caso a promover el acuerdo entre los interesados para resolver las discrepancias que puedan surgir entre ellos durante el curso del procedimiento.

2) En la actuación del Juez predomina la función de control y aprobación de los acuerdos y de las operaciones realizadas por los interesados;

3) Sólo a falta de acuerdo se ejerce propiamente la función jurisdiccional, decidiendo lo procedente por el cauce procedimental del juicio verbal.

Como hemos dicho se trata de dos supuestos:

1°) Relativos a la herencia: Presupuesto básico para instar la división judicial de un patrimonio hereditario es que quienes pretendan promoverla posean y acrediten la cualidad de herederos. Si ésta les corresponde en virtud de institución testamentaria podrán fundar en ella su legitimación, pero en defecto de testamento, o en caso de ineficacia del mismo, los interesados en la sucesión deberán adquirir formalmente dicha condición de herederos solicitando ser declarados como tales del modo previsto por la Ley.

2º) Liquidación del régimen económico matrimonial: Atiende al supuesto de que, como consecuencia de una relación matrimonial, se hubiera formado una masa común de bienes y derechos que, posteriormente, se debe liquidar y repartir entre los cónyuges o ex cónyuges al no haber acuerdo entre ellos al respecto.

II. PROCEDIMIENTOS RELATIVOS A LA HERENCIA

Además de la determinación de quiénes sean los herederos, en ocasiones puede resultar necesaria la adopción de determinadas medidas tendentes al aseguramiento y conservación de los bienes que integran la herencia y que deban ser repartidos, por lo que, con relación a la división de patrimonios hereditarios, el ordenamiento jurídico contempla tres tipos de procedimientos ocasionados por el fallecimiento de una persona que pueden tener por objeto:

1º) Distribuir entre los herederos testamentarios o declarados, a falta de acuerdo privado entre ellos, el caudal hereditario;

2º) Adoptar, de oficio o a instancia de parte, las medidas necesarias para el depósito y conservación de los bienes que integran la herencia; y

3º) Disponer lo procedente en orden a su administración.

> Estos procedimientos pueden iniciarse y seguirse de modo autónomo o independiente para lograr en cada caso la finalidad que es propia de cada uno de ellos, o desarrollarse, cuando así resulte necesario, de forma interrelacionada o correlativa para lograr, consecutivamente, el aseguramiento de los bienes que deban integrar la herencia, la determinación de quienes sean los herederos a falta de institución testamentaria, el nombramiento de un administrador judicial del caudal y, finalmente, la distribución de la herencia entre ellos.

En todos los juicios sobre cuestiones hereditarias, la competencia objetiva corresponde a los juzgados de primera instancia, y la territorial al del lugar en que el finado tuvo su último domicilio y si lo tuvo en el extranjero, al de su último domicilio en España, o donde estuviere la mayor parte de sus bienes, a elección del demandante (art. 52.4º LEC).

III. DIVISIÓN DE LA HERENCIA

La división judicial de la herencia consiste en el conjunto de actuaciones judiciales que tienen por objeto llevar a cabo la partición y adjudicación de los bienes que la integran, cuando los herederos, testamentarios o declarados, no han logrado ponerse de acuerdo sobre ello. Pero no basta la discrepancia ni es suficiente la voluntad de los interesados para promoverlo, pues el art. 782.1 LEC condiciona su procedencia a la circunstancia de que la división no deba efectuarla un comisario o contador-partidor designado por el testador, por acuerdo entre los coherederos o por el letrado de la administración de justicia o el notario.

A) Concepto y caracteres

Este procedimiento tiene, pues, un carácter supletorio, ya que su incoación misma y la aplicación de algunas de sus normas se hacen depender de la ausencia de disposición testamentaria al respecto.

> Así, además de poder excluir el testador la división judicial, encomendándola a un comisario o contador partidor (art. 782.2), también puede fijar las reglas para realizar el inventario, el avalúo y la liquidación y división de sus bienes (siempre que no perjudiquen las legítimas de los herederos forzosos, art. 786), o prohibir expresamente la intervención de la herencia (art. 792.1, 2°), o disponer lo conducente en materia de administración, custodia y conservación (art. 795).

El procedimiento tiene, también, carácter accesorio, pues su prosecución y la aplicación de gran parte de las disposiciones de la LEC se hacen depender de la voluntad de los interesados.

> Así, por ejemplo, los que se consideren herederos ab intestato pueden limitarse a solicitar su declaración como tales, sin interesar las medidas de intervención ni hacer uso del procedimiento para la división judicial de la herencia y adjudicación de los bienes; en cualquier estado del juicio podrán los interesados separarse de su seguimiento y adoptar los acuerdos que estimen convenientes (art. 789); el nombramiento de contador y de perito para el avalúo se efectuará por el acuerdo al que lleguen los herederos y solamente en su defecto se designarán conforme a las normas de la LEC (art. 784); si hay acuerdo en las operaciones divisorias se habrá de estar a lo convenido entre los interesados, aprobándolas y mandando protocolizarlas (art. 787.2).

Es, además, un procedimiento universal, en la medida en que afecta a la totalidad del patrimonio de una persona. En atención a cuyo carácter y a la fuerza de atracción que de ello se deriva, el art. 98.1, 2° LEC dispone que se acordará la acumulación al proceso sucesorio de aquellos otros que se promuevan contra el caudal hereditario, salvo los de ejecución en que sólo se persigan bienes hipotecados o pignorados.

B) Legitimación

Está legitimado para promover el juicio de división cualquier cohere-dero o legatario de parte alícuota (con la limitación establecida en el art. 782 a que ya se ha hecho referencia), y su pretensión debe dirigirse contra los demás coherederos o legatarios interesados en la partición sobre la que exista la controversia, así como respecto del cónyuge sobreviviente si lo hubiere, dada la naturaleza de los derechos que se le reconocen en el Código civil sobre a herencia del consorte fallecido (arts. 834 y ss. y 934 y ss. CC).

Los acreedores de la herencia o de los herederos no podrán instar la división, pero se les permite intervenir en el proceso del siguiente modo:

a) Los acreedores de la herencia reconocidos como tales en el testamen-to o por los coherederos y los que tengan su derecho documentado en un título ejecutivo, podrán oponerse a que se lleve a efecto la partición hasta que se les pague o afiance el importe de sus créditos, pudiendo deducir esta petición en cualquier momento anterior al de la entrega de los bienes adjudicados.

b) Los acreedores de uno o más de los herederos podrán intervenir a su costa en la partición para evitar que se haga en fraude o perjuicio de sus derechos (art. 782.3, 4 y 5).

El Ministerio Fiscal actuará representando a los interesados que sean menores o incapacitados y no tengan representación legítima, y a los au-sentes cuyo paradero se ignore, cesando en dicha representación una vez que aquéllos estén habilitados de representante legal o defensor judicial, o éstos se presenten en el juicio o puedan ser citados personalmente (art. 783.4).

C) Procedimiento

a) *Solicitud*: El procedimiento se inicia por medio de escrito, que la ley denomina «solicitud», y al que deberá acompañarse certificado de defun-ción del causante y el documento que acredite la condición de heredero o legatario del solicitante. Dados los términos utilizados por la Ley, no será necesario que dicho escrito adopte la forma de demanda, pero deberá es-tar firmado por Abogado y Procurador, ya que su intervención en defensa y en representación, respectivamente, del solicitante no está excluida por los arts. 23 y 31 LEC.

b) *Eventual decisión sobre la intervención del caudal*: Si así se hubiere pedido y resultare procedente, se proveerá lo necesario sobre la interven-ción del caudal hereditario y la formación de inventario conforme a lo dispuesto en los arts. 792 a 796.

c) *Convocatoria a los interesados*: Practicadas dichas actuaciones o no siendo necesarias las mismas, a la vista de lo solicitado se mandará convocar a una Junta, dentro de los diez días siguientes, a todos los interesados en la sucesión (herederos, legatarios, cónyuge, acreedores que se hubieren personado y, en su caso, al Ministerio Fiscal), lo que se hará del modo siguiente: 1) A los interesados ya personados en las actuaciones se les citará por medio del procurador; 2) A los no personados se les citará personalmente si su residencia fuera conocida y si no lo fuere se les citará por edictos; 3) Al Ministerio Fiscal se le citará para que represente a los menores o incapacitados que no tuvieren representación legítima, y a los ausentes cuyo paradero se ignore; 4) Los acreedores de los coherederos serán convocados sólo si se hubieren personado; los que no lo hubieren hecho no serán citados, pero podrán participar en la junta si concurren a ella el día señalado con los títulos justificativos de sus créditos (art. 783.3 a 5).

d) *Celebración de la Junta*: La junta se celebrará el día y hora señalados con los interesados que concurran y será presidida por el letrado de la administración de justicia, que les instará a que se pongan de acuerdo sobre el nombramiento de un contador que practique las operaciones divisorias y del perito o peritos que hayan de intervenir en el avalúo de los bienes. Si no hubiere acuerdo, uno y otros serán designados por sorteo, conforme al procedimiento establecido para el nombramiento judicial de peritos en el art. 341 LEC, debiendo recaer el de contador en abogado ejerciente con especiales conocimientos en la materia y despacho profesional abierto en el lugar del juicio, y no designarse más de un perito por cada clase de bienes que deban ser tasados (art. 784).

e) *Operaciones divisorias*: Nombrados el contador y el perito o peritos, y aceptado el cargo, se entregarán los autos al primero y se pondrán a disposición de uno y otros cuantos objetos, documentos y papeles necesiten para practicar el inventario (cuando éste no hubiere sido hecho) y el avalúo, liquidación y división del caudal hereditario (art. 785).

> Las operaciones divisorias deberán practicarse por el contador en el plazo máximo de dos meses desde que fueron iniciadas (o en el más corto que el juez, a instancia de parte, le señale, haciéndole responsable de los daños y perjuicios que se derivaren de su incumplimiento), y para realizarlas deberá atenerse, en primer lugar, a las reglas dispuestas por el testador, siempre que no perjudiquen las legítimas de los herederos forzosos, y en su defecto, a lo dispuesto en la ley aplicable a la sucesión del causante, procurando en todo caso evitar la indivisión, así como la excesiva división de las fincas.

El resultado de dichas operaciones se presentará por escrito firmado por el contador, que contendrá la relación de los bienes que formen el caudal partible, su avalúo y la liquidación de dicho caudal, su división y adjudicación a cada uno de los partícipes (art. 786).

f) *Traslado y posibles posturas de los herederos*: De dicho escrito se dará traslado a las partes, emplazándolas por diez días para que manifiesten su aprobación o formulen oposición a las operaciones divisorias, durante cuyo plazo podrán examinar en la Oficina judicial los autos y las operaciones realizadas. Cabe que:

1°) Los interesados manifiesten su conformidad o dejan transcurrir el plazo señalado sin formular oposición: el letrado de la administración de justicia dictará decreto aprobando las operaciones divisorias y mandando protocolizarlas notarialmente.

2°) Alguno de los interesados formalice oposición: se convocará al contador y a las partes a una comparecencia, dentro de los diez días siguientes. Si se alcanzara en ella la conformidad de todos los interesados respecto de las cuestiones promovidas, el contador hará, en su caso, las reformas convenidas, y lo acordado se aprobará igual que en el caso anterior.

Si no hubiere conformidad, el juez oirá a las partes, quienes harán las alegaciones y propondrán las pruebas que consideren oportunas, y tras la admisión de las que fueren pertinentes y útiles, ordenará que continúe la sustanciación del proceso con arreglo a lo dispuesto para el juicio verbal. La sentencia que se dicte se llevará a efecto conforme a lo que seguidamente se dirá, pero no tendrá eficacia de cosa juzgada, pudiendo los interesados hacer valer los derechos que crean corresponderles en el correspondiente juicio ordinario (art. 787).

> Si la oposición se basara en la existencia de una causa penal por cohecho cometido en el avalúo, se suspenderá el procedimiento conforme a las reglas generales del art. 40 sobre prejudicialidad penal. Pero si los interesados presentaren nuevo avalúo hecho de común acuerdo, se alzará la suspensión sin esperar a que la causa penal finalice por resolución firme y se dictará sentencia con arreglo a lo que resulte de éste (art. 787.6).

g) *Entrega de los bienes*: Firme la resolución que apruebe la partición (en caso de conformidad) o la sentencia que la establezca (en caso de oposición), se procederá a entregar a cada uno de los interesados lo que en ella les haya sido adjudicado y los títulos de propiedad, para su protocolización notarial, poniéndose en ellos por el letrado la correspondiente nota expresiva de la adjudicación. Luego que sean protocolizadas, el letrado de la administración de justicia dará a los partícipes que lo pidieren testimonio de su haber y adjudicación respectivos (art. 788.1 y 2). Sin embargo, si algún acreedor de la herencia hubiere formulado oportunamente la petición cautelar a que se refiere el art. 782.4, no se hará entrega de los bienes a ninguno de los herederos ni legatarios sin estar aquéllos completamente pagados o garantizados a su satisfacción (art. 788.3).

IV. LA INTERVENCIÓN DEL CAUDAL HEREDITARIO

Para poder distribuir la herencia puede ser necesario determinar previamente los bienes y derechos que la integran, así como procurar la adecuada protección de los mismos, mediante su custodia, conservación y administración, hasta su definitiva adjudicación a quien corresponda. A la primera de dichas finalidades atienden las actuaciones relativas a la intervención del caudal hereditario que se regulan en la Sección Segunda del Capítulo dedicado a la División de la herencia (arts. 790 a 796 LEC), cuyas medidas de aseguramiento pueden adoptarse, según los casos, de oficio o a instancia de parte.

A) Adopción de oficio

a) *Procedencia*: El aseguramiento de los bienes de la herencia debe acordarse de oficio por el Juzgado del lugar en que se produzca el fallecimiento de una persona, de cuyo hecho haya tenido noticia, en los casos siguientes:

1º) Cuando no conste la existencia de testamento ni de parientes de los que por disposición legal están llamados a suceder al difunto (ascendientes, descendientes, cónyuge o colaterales dentro del cuarto grado) o de persona que se halle en una situación de hecho asimilable a la del cónyuge; y

2º) Cuando existiendo dichas personas, estuvieren ausentes o alguno de ellos fuera menor o tenga capacidad modificada judicialmente y no tuviere representante legal (art. 790).

b) *Medidas a adoptar*: En primer lugar, el Juez adoptará las medidas indispensables para el enterramiento del difunto, si fuere necesario, y para la seguridad de los bienes, libros, papeles, correspondencia y efectos susceptibles de sustracción u ocultación (art. 790.1). Una vez practicadas, el letrado de la administración de justicia adoptará las medidas adecuadas para averiguar si la persona de cuya sucesión se trata ha otorgado o no disposición testamentaria (para lo que se mandará traer a los autos certificado del Registro de Actos de última Voluntad) y si existen parientes llamados por la ley a sucederle (art. 791.1).

Si hubiere fallecido sin testar y sin parientes llamados a la sucesión intestada, por medio de auto se acordará lo que proceda acerca de: 1) Ocupar los libros, papeles y correspondencia, 2) Inventariar y depositar los bienes (para lo que podrá nombrar persona que haga el inventario, a cargo del caudal hereditario) disponiendo lo procedente sobre su administración y 3) Comunicar a la Delegación de Economía y Hacienda por si procede la declaración abintestato a su favor (o a Comunidad Autónoma).

B) Intervención del caudal a instancia de parte

A instancia de parte podrá acordarse la intervención del patrimonio hereditario si lo solicita alguna de las siguientes personas que la Ley reputa legitimadas para ello:

1º) El cónyuge o cualquiera de los parientes que se crean con derecho a la sucesión legítima, siempre que acrediten haber promovido la declaración de herederos «ab intestato» ante notario, o se formule la solicitud de intervención del caudal al tiempo de promover la declaración notarial de herederos.

2º) Cualquier coheredero o legatario de parte alícuota, siempre que lo solicite al tiempo de instar la división judicial y salvo que la intervención hubiera sido expresamente prohibida por el testador.

3º) Los acreedores reconocidos como tales en el testamento o por los coherederos y los que tengan su derecho documentado en un titulo ejecutivo (art. 792 LEC).

4.º) La Administración Pública que haya iniciado un procedimiento para su declaración como heredero abintestato.

El solicitante habrá de justificar documentalmente que es parte legítima para solicitar la intervención de la herencia y que se dan las circunstancias exigidas por el art. 792.

C) Procedimiento

a) *Convocatoria a los interesados*: Acordada de oficio o a instancia de parte la intervención del caudal, en el auto en que así se decida el Juez ordenará la adopción de las medidas indispensables para la seguridad de los bienes, si no se hubieren tomado anteriormente, y señalará día y hora para la formación de inventario, citando al peticionario y a todos los que pudieren tener interés en la herencia, es decir: 1) El cónyuge sobreviviente, 2) Los parientes que pudieran tener derecho a la herencia, 3) Los herederos o legatarios de parte alícuota, 4) Los acreedores que hubieren instado la intervención y los que estuvieren personados en el procedimiento de división, 5) El Ministerio Fiscal, siempre que pudiere haber parientes que estuvieren ausentes o fueren menores o incapacitados sin representación legal, y 6) El Abogado del Estado o los Servicios Jurídicos de las Comunidades Autónomas, cuando no conste la existencia de testamento ni de cónyuge o parientes con derecho a la sucesión intestada (art. 793).

b) *Formación de inventario*: El día y hora señalados procederá el letrado de la administración de justicia a formar el inventario con los interesados que concurran, con sujeción, en su caso, a las reglas que hubiere establecido el testador. Si el inventario se formare sin discrepancia, quedará aprobado. Si se suscitare controversia sobre la inclusión o exclusión de bienes en el inventario, el letrado de la administración de justicia hará constar en el acta las pretensiones de cada una de las partes sobre los referidos bienes y su fundamentación jurídica, y citará a los interesados a una vista, continuando la tramitación con arreglo a lo previsto para el juicio verbal. La sentencia que se pronuncie sobre la inclusión o exclusión de bienes en el inventario dejará a salvo los derechos de terceros (art. 794).

c) *Medidas de custodia, conservación y administración*: En la formación del inventario o en la sentencia que resuelva la controversia, se determinará lo que proceda, según las circunstancias, acerca de la administración del caudal, su custodia y administración, ateniéndose, en su caso, a lo que sobre estas materias hubiere dispuesto el testador (art. 795).

D) Cesación de la intervención judicial

La vigencia de las medidas de intervención está condicionada por las circunstancias que motivaron su adopción, de modo que:

a) Si se adoptaron de oficio por inexistencia de testamento o de parientes, o a instancia de parte en prevención de una declaración de herederos ab intestato, cesará la intervención cuando se efectúe la declaración de herederos, a no ser que alguno de ellos pida la división judicial y solicite que subsista la intervención hasta la entrega de los bienes.

b) Si se adoptaron a solicitud de acreedor legitimado para ello, no se acordará la cesación hasta que se produzca el pago o afianzamiento de su crédito.

c) En todos los demás casos, durante la sustanciación del procedimiento de división los herederos podrán pedir en cualquier momento que cese la intervención judicial, lo que acordará el letrado de la administración de justicia mediante decreto, salvo que algún interesado estuviere ausente o fuere menor o incapacitado sin representación legal (art. 796).

V. LA ADMINISTRACIÓN DEL CAUDAL HEREDITARIO

Durante el período de tiempo que media entre la aprobación del inventario y la consecución del fin que con el procedimiento divisorio se persigue, la herencia, que constituye una universalidad de bienes y derechos, precisa de una adecuada administración que atienda a su cuidado, conservación y representación. Las actuaciones conducentes a dicho objeto se regulan en la Sección Tercera del Capítulo relativo a la División de la herencia (arts. 797 a 805), cuyas normas sólo se aplicarán en defecto de disposición testamentaria al respecto.

Nada se establece en la Ley sobre la ordenación procedimental de esta materia, pero parece lógico entender que todo lo relativo a la administración se debiera tramitar en una pieza separada que se encabezaría con el nombramiento del administrador.

A) Nombramiento del administrador

El nombramiento se hará en el acto de formación de inventario (si hay conformidad) o en la sentencia que resuelva la controversia sobre el mismo, y recaerá en el viudo o viuda, en su defecto, en el heredero o legatario de parte alícuota que tuviere mayor parte en la herencia, y a falta de éstos, o si no tuvieren a juicio del tribunal la capacidad necesaria para desempeñar el cargo, en cualquiera de los herederos o legatarios de parte alícuota o en un tercero (art. 795).

Hecho le nombramiento y prestada la correspondiente caución (salvo que el administrador fuere exonerado de ello, art. 795, 3º y 4º), se le pondrá en posesión de su cargo, dándole a conocer como tal a las personas que el mismo designe de aquéllas con quienes deba entenderse en su desempeño, y entregándole testimonio de su nombramiento. El estado de administración de las fincas de la herencia y el nombramiento del administrador podrán hacerse constar en el Registro de la Propiedad, a cuyo fin se expedirá el oportuno mandamiento (art. 797).

B) Funciones

a) *Representación*: Mientras la herencia no haya sido aceptada por los herederos, le corresponde al administrador representarla en todos los pleitos que se promuevan o estuvieren pendientes al fallecer el causante. Una vez aceptada, sólo tendrá la representación de la misma en lo que se refiera directamente a la administración del caudal, su custodia y conservación, pudiendo ejercitar las acciones que procedan (art. 798).

b) *Administración*: En orden a la administración, está obligado bajo su responsabilidad a conservar sin menoscabo los bienes y a procurar que den las rentas, productos o utilidades que corresponda, a cuyo fin debe efectuar las reparaciones ordinarias y solicitar autorización del Juzgado para realizar las extraordinarias que resulten necesarias (art. 801); proceder a la venta de los frutos e incluso de los mismos bienes de la herencia, de ser necesario u oportuno, del modo y forma establecidos en la LEC (art. 803); y realizar cuanto demás proceda para la conservación y productividad de la herencia.

C) Deberes y derechos

a) Como deberes del administrador destacan los siguientes:

1º) Prestar caución bastante para responder del resultado de su gestión, de lo que podrá ser relevado por el Juez o por los herederos (art. 795, 3º y 4º).

2º) Cumplir las obligaciones generales relativas al mandato aplicables al desempeño de su cargo y las específicas establecidas en la LEC en materia de administración y conservación de los bienes.

3º) Depositar sin dilación a disposición del Juzgado el importe de las rentas percibidas, el de las ventas y los saldos en general (art. 802).

4º) Mantener bajo su dependencia y control las administraciones que el finado tuviera establecidas para el cuidado de sus bienes (art. 805).

5º) Rendir cuenta de su gestión: primero de modo parcial, en los plazos que el Juez le señale que no podrán exceder de un año (art. 799), y al terminar la gestión o cesar en el cargo debe rendir cuenta final complementaria de las ya prestadas (art. 800).

Todas las cuentas serán puestas de manifiesto a los interesados en la Oficina judicial por el plazo que al efecto se señale. Si no se produce oposición, el letrado de la administración de justicia dictará decreto aprobándolas y mandando cancelar la caución constituida. Si las cuentas fueren impugnadas en tiempo hábil, se dará traslado del escrito de impugnación al cuentadante para que conteste conforme a lo establecido en el art. 438. Las partes, en sus respectivos escritos de impugnación y contestación a ésta, podrán solicitar la celebración de vista, continuando la tramitación con arreglo a lo dispuesto para el juicio verbal.

b) En concepto de retribución por sus servicios tiene derecho a percibir una retribución en los porcentajes establecidos en la LEC para cada actividad desarrollada por el mismo, así como la indemnización que se señale por los gastos de viaje que haya tenido necesidad de hacer para el desempeño del cargo (art. 804).

VI. PROCEDIMIENTO PARA LA LIQUIDACIÓN DEL RÉGIMEN ECONÓMICO MATRIMONIAL

Atiende al supuesto de que, como consecuencia de una relación matrimonial, se hubiera formado una masa común de bienes y derechos que, posteriormente, se debe liquidar y repartir entre los cónyuges o ex cónyuges al no haber acuerdo entre ellos al respecto.

A) En general

La solicitud liquidatoria puede encontrar su origen en dos circunstancias: 1) Al disolverse judicialmente el vínculo matrimonial, como consecuencia de un proceso de nulidad, separación o divorcio; 2) Por concurrir alguna de las situaciones que legalmente permiten efectuar tal solicitud.

> Estas situaciones son muy diversas y así: 1) pérdida de capacidad en el otro cónyuge, provisionalmente o de manera temporal (por ej. al ser declarado judicialmente como incapaz, pródigo o ausente); 2) falta de confianza en sus aptitudes económicas (por ej. inadecuada administración de los bienes integrantes de la sociedad conyugal o por falta de información sobre sus actividades en relación con ella); 3) por haber sido condenado por delito de abandono de familia; 4) por la separación de hecho durante más de un año; 5) por haberse decidido el acogimiento al régimen de separación de bienes (arts. 1392 y 1393 CC).
>
> Hoy el caso más frecuente es el se produce cuando se vieran afectados los bienes gananciales por deudas contraídas por uno de los cónyuges, como consecuencia de un proceso de ejecución o un proceso concursal (art. 541 LEC, 1393,1º CC y 77.2 de la Ley Concursal de 9 de julio de 2003).

La competencia se atribuye exclusivamente al Juzgado de Primera Instancia que esté conociendo, o haya conocido del proceso de nulidad, separación o divorcio. De plantearse como pretensión independiente corresponderá al Juzgado del lugar del domicilio conyugal, y en su defecto el que corresponda en aplicación de las normas del art. 769 (vid. Lección anterior).

> Si la liquidación se solicitase en un proceso de ejecución en el supuesto que prevé el art. 541, o en situaciones similares, hay que entender que la competencia corresponderá al juez que esté conociendo del proceso principal, en aplicación de las previsiones del art. 61.

Los arts. 806 a 811 LEC regulan no uno, sino dos procedimientos distintos, con diferentes objetos. El primero, de naturaleza cautelar, para inventariar judicialmente los bienes y derechos integrantes de la comunidad matrimonial, habiendo pendiente proceso para su disolución; y el segundo, condicionado a la existencia de una decisión judicial firme al respecto, cuyo objeto sería la liquidación y reparto de aquellos.

> No debe olvidarse la posibilidad de las liquidaciones convencionales: 1) Las liquidaciones privadas (en escritura pública, en documento privado, en convenio regulador no ratificado, en transacción) y 2) En convenio regulador o en complemento o adición al convenio, con todos los problemas derivados seguidamente de la impugnación, y 3) En arbitraje.

B) Procedimiento para la formación de inventario

Puede promoverse una vez admitida a trámite una demanda de nulidad, separación o divorcio; o iniciado un proceso promoviendo la disolución del régimen económico matrimonial (art. 808 LEC). De lo dicho parece que esta solicitud debería plantearse siempre tras la demanda principal. Sin embargo, nada impide que se promueva junto a ella, aunque condicionado a su admisión a trámite.

> La legitimación corresponde a los cónyuges o a los ex cónyuges (a pesar de que el art. 808.1 se refiere sólo a los cónyuges). Es siempre posible que, incoado el procedimiento por un legitimado directamente, se produzca la muerte de uno de ellos y entonces cabe la sucesión procesal, pero no cabe la sucesión material. Es decir, Si después de un proceso de separación o de divorcio se produce la muerte de uno de los cónyuges o de los ex cónyuges, sin que se hubiere instado el procedimiento de liquidación del régimen económico matrimonial, se producirá, sin duda, la sucesión en los derechos materiales, de modo que el heredero sucederá al difunto en todos sus derechos y obligaciones (art. 661 CC), pero no se producirá una sucesión procesal, al no haber proceso pendiente, y lo que estamos añadiendo es que la sucesión material no legitima al heredero para instar el procedimiento de liquidación de los artículos 806 y siguientes, que es un procedimiento entre cónyuges o ex cónyuges.

La solicitud habrá de formularse por escrito, con firma de abogado y procurador, al no encontrarse dentro de las exclusiones de los arts. 23.2 y 31.2 LEC. El actor deberá acompañar una relación de los bienes y derechos que han de inventariarse y de los documentos que los acrediten.

Presentada la solicitud, el letrado de la administración de justicia citará a los cónyuges a comparecencia para que, en su presencia, formulen la propuesta de inventario cuyo contenido habrá de ajustarse a los arts. 1397 y 1398 CC. Se trata de llegar a un acuerdo, expreso o tácito, entre los interesados. El acuerdo se considera tácito cuando alguno de ellos no comparezca sin causa justificada, al presumírsele conforme con la propuesta del comparecido.

No hay duda en que la fecha a la que debe referirse la determinación de los bienes existentes es la de la disolución de la sociedad de gananciales, que es la de la sentencia firme que declara la nulidad, la separación o el divorcio, y tampoco debería haberla en que la fecha respecto de la que debe realizarse la valoración de esos bienes es la de la liquidación. En este mismo orden de cosas la valoración debe tender a lograr el precio de mercado. Ahora bien, una cosa es el momento al que debe referirse la valoración y otra el trámite procesal en que debe hacerse esa valoración.

En la propuesta de inventario el demandante del procedimiento debe, primero, incluir relación de todas las partidas a las que se refieren los artículos 1397 (activo) y 1398 (pasivo) del CC y el demandado debe pronunciarse sobre todo ello e incluso pedir inclusiones o exclusiones. El inventario en cuanto relación tiene que ser completo. Tampoco está claro que en el mismo no debe incluirse la valoración de los bienes inmuebles y muebles, pero sí el importe de los saldos, dinero, los «importes actualizados».

Habiendo acuerdo, expreso o tácito, se levantará acta de él y en el mismo día o en el siguiente el Juez fijará las medidas procedentes para la administración y disposición de los bienes (art. 809 LEC).

Si se suscitare controversia sobre la inclusión o exclusión de algún concepto en el inventario o sobre el importe de cualquiera de las partidas, el letrado de la administración de justicia hará constar en el acta las pretensiones de cada una de las partes sobre los referidos bienes y su fundamentación jurídica, y citará a los interesados a una vista, continuando la tramitación con arreglo a lo previsto para el juicio verbal.

La sentencia resolverá sobre todas las cuestiones suscitadas, aprobando el inventario de la comunidad matrimonial, y dispondrá lo que sea proce dente sobre la administración y disposición de los bienes comunes.

C) Procedimiento para la liquidación

En la LEC se parte de que existen dos procedimientos sucesivos, uno el relativo a la formación de inventario (que es el que se regula en los arts. 808 y 809) y otro para la verdadera liquidación (regulado en el art. 810 con las remisiones), entendiéndose que el primero puede formularse desde que se haya admitido la demanda del proceso matrimonial de nulidad, de separación o de divorcio y que el segundo se inicia, sí, una vez concluido el anterior, pero especialmente cuando se haya dictado sentencia firme en el proceso matrimonial, pues es entonces realmente cuando se ha producido la disolución del régimen económico matrimonial.

Se trata de liquidar y repartir entre los cónyuges los bienes previamente inventariados. Hay que hacer, no obstante, algunas precisiones:

1.ª) Su solicitud se condiciona a la previa declaración judicial disolutoria del régimen económico matrimonial (art. 810.1 LEC).

2ª) Se distingue según que el matrimonio se rija por el régimen ganancial o de participación, dadas las diferencias de fondo, aunque procesalmente su tratamiento es el mismo.

Este tratamiento igualitario se traduce en:

1") Una solicitud de liquidación que puede efectuar cualquiera de los cónyuges, con firma de abogado y procurador, al no excluirse su presencia en este procedimiento en los arts. 23.1 y 31.1 LEC, acompañada de una propuesta para su práctica (art. 810.2 LEC).

2") Una citación a comparecencia, admitida a trámite la solicitud, ante el letrado de la administración de justicia que él mismo señalará con objeto de lograr un acuerdo entre los cónyuges, que puede ser expreso o tácito (este último se entiende cuando uno de los cónyuges no comparece, presumiéndose entonces su conformidad con la propuesta del otro) o, en su defecto, designar un contador o, en su caso, peritos para practicar la división del patrimonio (art. 810.3 LEC).

De lo que se trata, en primer lugar, es de llegar a un acuerdo entre los cónyuges sobre la liquidación de su régimen económico matrimonial. En este aspecto el acto en sí no puede calificarse de jurisdiccional, sino de acto de conciliación, es decir, de jurisdicción voluntaria.

3") El acuerdo, en cualquiera de sus formas, producirá la finalización del acto y del procedimiento.

4") La falta de acuerdo convierte las actuaciones en contenciosas, con las consecuencias que veremos a continuación.

Sobre estas bases comunes, el tipo de régimen económico a liquidar conlleva una serie de particularidades.

a) En gananciales: 1) La solicitud de liquidación habrá de efectuarse ciñéndose a las indemnizaciones, reintegros y preferencias de los cónyuges, reconocidas en el CC (art. 1403 y ss.); 2) De obtenerse acuerdo sobre la liquidación se procederá a la entrega de bienes y títulos y a su protocolización, según lo establecido en el art. 786.1 y 2 LEC para la división de patrimonios hereditarios; 3) A falta de acuerdo, el letrado nombrará contador y, en su caso, peritos ajustándose a lo que, en el mismo supuesto, se prevé para la división de patrimonios hereditarios (art. 810.5, en relación con el 784 y ss. LEC).

Dice el art. 788.1 de la LEC que aprobadas definitivamente las particiones, se procederá a entregar a cada uno de los interesados lo que en ellas le haya sido adjudicado y los títulos de propiedad, poniéndose previamente en éstos por el actuario notas expresivas de la adjudicación, para añadir el apartado 2 que luego que sean protocolizadas se dará a los partícipes que lo pidieren testimonio de su haber y adjudicación respectivos, con lo que en la nueva LEC se incurre en el contrasentido de copiar de modo literal el art. 1092 de la LEC de 1881 a pesar de que ello va contra el sistema de aquélla.

> En efecto, carece de sentido la referencia a una pretendida aprobación definitiva, como si hubiera de distinguirse entre una aprobación provisional y otra definitiva, las cuales no se descubren ahora en la LEC de 2000 por sitio alguno. Existe la aprobación en el auto de los apartados 2 y 4 del art. 787 y la propia de la sentencia del juicio verbal del apartado 5, pero no hay dos aprobaciones sucesivas. Es posible que con la palabra «definitiva» la ley pretenda referirse a la partición no ya sujeta a impugnación en el mismo proceso.
>
> De la misma manera carece de sentido la alusión a la protocolización de las particiones, pues se está refiriendo a que deben protocolizarse, tanto los autos antes dichos como la sentencia del juicio verbal, lo que es absurdo, aunque en cualquier caso se estará a lo que es un acta de protocolización, conforme a los arts. 211 y 213 del Reglamento Notarial de 1944. También aquí en cualquier caso a cada cónyuge se acabará dando «testimonio» de su haber y adjudicación

respectivos, pareciera que por el Notario, aunque éste no realiza testimonios sino copias, pues los órganos que dan testimonio son los judiciales.

b) En el régimen de participación: 1) La propuesta de liquidación deberá incluir la estimación del patrimonio inicial y final de cada cónyuge y, en su caso, la suma que debe abonar al otro quien hubiera resultado más beneficiado, en aplicación de los arts. 1417 y ss. CC; 2) El acuerdo, de haberlo, se cumplirá conforme a sus términos; 3) No habiendo acuerdo, se citará a vista por el letrado acomodándose el procedimiento a los trámites del juicio verbal, resolviéndose sobre la liquidación aplicando las previsiones del CC (art. 811.5 LEC, art. 1417 y ss. CC).

Legislación: Ley de Enjuiciamiento Civil (arts. 782 a 811).

Lectura: El contenido de esta Lección proviene en parte de la anterior obra de Alberto Montón y en parte de las Contestaciones al programa de oposiciones de jueces y fiscales de José Flors. MONTERO AROCA, J: *Disolución y liquidación de la sociedad de gananciales*, Valencia, 2008

CAPÍTULO IV
LA TUTELA PRIVILEGIADA DEL CRÉDITO

Lección Trigésimo octava
El proceso monitorio

El último Título del Libro IV LEC se dedica a procesos cuya finalidad común es la protección privilegiada del crédito, basada en la existencia de un documento, en unos casos de apariencia jurídica no indubitada pero suficiente (proceso monitorio), en otros, legalmente protegido (proceso cambiario).

I. EL PROCESO MONITORIO

A) Concepto: El proceso monitorio es un instrumento para crear rápidamente un título ejecutivo sin necesidad de un proceso ordinario previo, con la base de un documento que puede acreditar una deuda dineraria por cualquier importe, líquida, determinada, vencida y exigible.

B) Naturaleza. La primera fase es un proceso declarativo especial. Si hay oposición del deudor se transforma en un proceso ordinario o verbal según la cuantía.

C) Objeto: Pedir que el documento que se aporta se transforme por el tribunal en un título que lleve aparejada ejecución. Características: Los documentos en que se basa no han de estar cualificados, proporciona un título ejecutivo y el deudor no es oído inicialmente.

II. COMPETENCIA Y PROCEDIMIENTO ADECUADO

Juez de Primera Instancia del domicilio del deudor, en principio. También conocen los Jueces de lo Mercantil. Localizar al deudor es un gran problema práctico. El procedimiento del monitorio: 1. Hasta la ejecución del título creado, o 2. Hasta la oposición del deudor.

III. PETICIÓN INICIAL Y DOCUMENTOS

Se trata de una verdadera demanda, no se requiere abogado No se oye inicialmente al deudor. Los documentos: Los del art. 812: facturas o albaranes, más algunos documentos en materia de propiedad horizontal y de desahucio.

IV. ADMISIÓN DE LA PETICIÓN, REQUERIMIENTO DE PAGO Y POSIBLES CONDUCTAS DEL DEMANDADO

La realiza el letrado, quien analiza la corrección formal del escrito y del documento acompañado, además de controlar los presupuestos procesales.

Admitida a trámite la demanda el letrado de la administración de justicia requiere de pago al deudor. Si no comparece o no paga, finaliza el monitorio y el actor solicita del juez que dicte auto despachando ejecución (que es el título ejecutivo), entrándose en la fase de ejecución.

V. LA OPOSICIÓN DEL DEUDOR Y LA TRANSFORMACIÓN DEL PROCEDIMIENTO

Es la clave del proceso monitorio, pues si se produce, obliga a ponerle fin transformándose en un proceso civil ordinario o verbal, según la cuantía (más o menos de 6000 euros).

La LEC no resuelve cuestiones importantes en esta fase: Qué hacer frente a una oposición totalmente infundada, hasta qué punto deben ser fundadas las razones, o si es posible formular reconvención.

VI. LA COSA JUZGADA.

No se discute respecto a la sentencia que se dicte en su día, sino respecto al auto despachando ejecución, pero debe ser indiscutible que sí goza de ella, porque no se debe poder volver a intentar obtener la misma resolución por la misma cantidad con el mismo documento.

I. EL PROCESO MONITORIO

El último Título del Libro IV LEC se dedica a procesos cuyo objeto se fundamenta en el pago de una cantidad de dinero debida a la existencia de un documento, en unos casos de apariencia jurídica no indubitada pero suficiente (proceso monitorio), en otros, legalmente protegido (proceso cambiario).

Finalidad común a ambos procesos es la protección privilegiada del crédito, ante la insatisfacción que proporcionan los mecanismos normales del juicio declarativo ordinario o verbal previstos por la LEC (ejecución forzosa, ejecución provisional, medidas cautelares), o la imposibilidad de una tutela que, aunque específica, está prevista para otros objetos (impugnaciones de acuerdos sociales, protección de propiedades especiales como la intelectual o la industrial, etc.). Parten ambos del hecho de la preocupación social causada por una determinada clase de morosidad, puesto que puede afectar al desarrollo económico adecuado de los países (mercado interior), con repercusión transnacional, ya que el riesgo económico en el tráfico jurídico-mercantil internacional no debería suponer mayores riesgos que el nacional.

De ahí que, en lo que afecta a nuestro ámbito económico más inmediato, la Unión Europea haya exigido una intervención procesal común y directa frente a impagados (Directiva 2000/35/CE del Parlamento Europeo y del Consejo, de 29 de junio de 2000, por la que se establecen medidas de lucha contra la morosidad en las operaciones comerciales, que se ha transpuesto en España mediante Ley 3/2004, de 29 de diciembre, por la que se establecen medidas de lucha contra la morosidad en las operaciones comerciales, es decir, más de dos años después de lo autorizado (que era el día 8 de agosto de 2002, según su art. 6.1, I). Esta Ley, de mínimo contenido procesal, solamente se aplica en las relaciones entre empresarios, o entre éstos y la Administración, no cuando los contratos sean firmados por consumidores (arts. 1 y 3). La intención de la Directiva anterior y de la Ley española es que se aplique a las grandes deudas. Tras varios años de espera se han aprobado por fin dos reglamentos europeos que intentan cubrir todo el espectro de tutela del crédito: 1º) El Reglamento del Parlamento Europeo y del Consejo núm. 1896 de 12 de diciembre de 2006, por el que se establece un proceso monitorio europeo (DOCE de 30 de diciembre de 2006), norma basada en el Libro Verde sobre el proceso monitorio europeo y las medidas para simplificar y acelerar los litigios de escasa cuantía, Comisión de las Comunidades Europeas (Bruselas, 20 de diciembre de 2002), instrumento procesal adecuado en asuntos transfronterizos relativos a créditos pecuniarios no impugnados; y 2º) Con fundamento en el mismo Libro Verde también, el Reglamento del Parlamento Europeo y del Consejo núm. 861 de 11 de julio de 2007, por el que se establece un proceso europeo de escasa cuantía (DOCE de 31 de julio de 2007), que sería el apropiado para las deudas transfronterizas de menor entidad y en donde las partes serían también consumidores. Complementariamente, téngase en cuenta el Reglamento (UE) núm. 655/2014 del Parlamento Europeo y del Consejo, de 15 de mayo de 2014, por el que se establece el procedimiento relativo a la orden europea de retención de cuentas a fin de simplificar el cobro transfronterizo de deudas en materia civil y mercantil.

La Ley 4/2011, de 24 de marzo, ha añadido dos largas disposiciones finales a la LEC, para implementar en España el Reglamento 1896/2006 (la 23ª), y el Reglamento 861/2007 (la 24ª), ambos del Parlamento Europeo, antes citados, además de una nueva disposición final 25ª. Destaquemos la atribución de la competencia al JPI en el primer caso y al JMerc en el segundo, siendo las normas procesales previstas (que regulan ampliamente los procedimientos a seguir facilitando la utilización de formularios) subsidiarias respecto a las normas europeas citadas.

No puede decirse que toda la LEC esté pensada como instrumento que sirve para satisfacer pretensiones fundadas en el Derecho privado, esto es, en el derecho de propiedad y los derechos de crédito, ya que hay pretensiones civiles que ni tutelan, ni pueden proteger la propiedad o el crédito, como las relativas a las relaciones familiares o paterno-filiales, o las que afectan al honor de las personas, aunque en muchos de estos temas alguna relación podríamos encontrar con la propiedad y con el crédito.

A través de estos dos procesos el legislador ha querido encontrar unas vías específicas, mucho mejores que las ordinarias, para que determinados créditos puedan encontrar una pronta satisfacción judicial, una tutela jurisdiccional plenamente efectiva (art. 24.1 CE), básicamente por la seguridad que proporciona la rapidez de la tramitación, ya que el tráfico jurídico-mercantil exige perentoriamente que el acreedor impagado se vea repuesto en su patrimonio cuanto antes. En aquellas parcelas económicas en las que, por la existencia de documentos particulares, ello sea posible, es en donde esos medios deben encontrar su campo idóneo de actuación. En la práctica se está comprobando la gran utilización de este proceso, no así la del juicio cambiario.

A) Concepto

Ahora vamos a fijarnos en la primera de estas posibilidades. En este sentido, el proceso monitorio es un instrumento pensado para crear rápidamente un título ejecutivo sin necesidad de un proceso ordinario previo, con la sola base de que la parte interesada presente ante el tribunal un documento con el que pueda acreditarse una deuda dineraria por cualquier importe, líquida, determinada, vencida y exigible. Se regula en los arts. 812 a 818 LEC.

El adjetivo monitorio se deriva del significado de advertencia o intimación, realizada por una autoridad, la judicial, que tiene el sustantivo «monición» (la amenaza es «o pagas, o ejecuto»), y del documento en el que se hace constar, que con el paso del tiempo dio lugar a una identificación plena entre esta clase de protección procesal y proceso documental, no del todo exacta, pues como tal proceso documental, es decir, como proceso que se haga depender de la presentación de un documento, nuestra propia LEC reconoce otros muchos procesos (v.gr., el cambiario), e incluso el propio ordinario o el verbal pueden ser por sí mismos procesos documentales, atendidos los arts. 249 y 250. Es más, frente a posibilidades que permitirían iniciar un monitorio con base exclusivamente en las afirmaciones del acreedor, o en declaraciones de testigos u opiniones de peritos, nuestro sistema opta correctamente por el proceso monitorio basado en documento.

Y en este sentido, se constata en la vida práctica la realidad de la existencia de documentos que, sin ser títulos ejecutivos por no tener ciertas garantías, debido normalmente a la ausencia de fedatarios públicos que acrediten su autenticidad, sí que gozan sin embargo de una mínima fehaciencia por responder a créditos y débitos absolutamente normales en el tráfico económico diario (v.gr., determinadas facturas de profesionales o empresarios medianos y pequeños, como fontaneros, pintores, mecánicos, tenderos o libreros por ejemplo, albaranes de compra o entrega de mercancías, o minutas de honorarios médicos, arquitectónicos, informáticos, etc., por trabajos y servicios prestados), es decir, que identifican realmente deudas verdaderas, con la particularidad añadida de tener un significado muy importante en la vida económica del país.

Pues bien, el proceso monitorio se crea precisamente para conseguir una protección rápida y eficaz de los acreedores de esos créditos líquidos dinerarios frente a sus deudores que no han pagado por la razón que fuere, prestaciones y cuantías justificadas debidamente por aquellos documentos (EM, XIX, 6).

La forma técnica de lograr aquella tutela, puesto que no hay declaración previa del derecho en forma ordinaria (pero sí hay cierta cognición, v. *infra*) por un órgano jurisdiccional, consiste en conformar de la manera más diligente posible un título ejecutivo, sobre todo válido para los casos, frecuentes, en que no hay oposición del deudor, que una vez creado permite abrir la vía de la ejecución forzosa. Ello, porque sin la intervención judicial su ejecutividad inmediata resulta en nuestro sistema imposible.

El problema es que hasta la nueva LEC no se sabía muy bien cómo hacerlo, ni siquiera qué era exactamente el proceso monitorio, constatándose diferencias esenciales en las diversas regulaciones de Derecho comparado a tomar como modelos posibles, lo que agravaba sin duda la cuestión.

B) Naturaleza

No es clara la naturaleza del proceso monitorio, pues se discute si es un proceso declarativo especial o un proceso ejecutivo. A lo que hay que atender verdaderamente es a las dos fases en que se divide el proceso monitorio, pues cada una de ellas responde a criterios distintos:

a) En nuestra opinión, la primera fase hasta la creación del título es un proceso declarativo especial, porque hay necesidad de declaración previa antes de poder dar satisfacción a la pretensión de creación del título ejecutivo interpuesta, en la que se dicte una resolución judicial que sancione la validez y eficacia del documento presentado, transformándolo en título ejecutivo, y permitiéndose así iniciar la ejecución (arts. 814 y 815 LEC).

Existe, por tanto, función cognoscitiva, consistente en preparar un título ejecutivo. El tribunal debe analizar el documento y vigilar si concurren los demás requisitos legales, y ha de dar traslado al deudor de la demanda (petición), y eso es conocer procesalmente hablando.

b) La segunda fase implica a su vez dos posibilidades de transformación distintas, en ambos casos con cambio de naturaleza, es decir, el proceso monitorio deja de ser proceso declarativo especial, aunque sólo la primera de ellas afecta estrictamente al proceso que estamos considerando en esta lección:

1.ª) Atendida la fundamentación documental y la conducta del demandado, si no comparece (esta «rebeldía» material del demandado, al igual que comparecer y no pagar como veremos, se traduce en despachar la ejecución, art. 816.1 LEC), se transforma esa naturaleza en una ejecución, que a su vez es especial también, como veremos con detalle *infra*. Ésta es verdaderamente la continuación natural del procedimiento del juicio monitorio;

2.ª) Si el deudor no está de acuerdo con la pretensión monitoria del acreedor y se opone a ella, es decir, se niega a pagar la deuda reclamada y justificada documentalmente, esta conducta transforma el proceso declarativo especial de la primera fase del monitorio en un proceso ordinario, a seguir estrictamente desde el punto de vista del procedimiento adecuado con las precisiones del art. 818 LEC.

Aquí no estamos ya ante el verdadero monitorio, pues el legislador decide abandonar la tutela especial del crédito, y canaliza la oposición a través de un medio de tutela absolutamente general. Ante la oposición la celeridad cede, pues carece de sentido la creación inmediata del título por la discusión jurídica que se avecina. Es mejor por ello volver a las situaciones procesales normales, y ésa es la técnica seguida por los países que tradicionalmente son nuestro modelo jurídico.

Su naturaleza es, por tanto, mixta, pues estamos en la primera fase ante un proceso civil declarativo especial, y en la segunda si cumple sus fines ante un proceso de ejecución, también especial.

C) Objeto y características

El proceso monitorio es el adecuado para tutelar las pretensiones fundadas en la exigencia de pago de una deuda dineraria por cualquier cantidad, líquida, determinada, vencida y exigible, que venga justificada documentalmente conforme a la Ley (art. 812, I LEC).

Su objeto es la pretensión monitoria, consistente en pedir que el documento que se aporta se transforme por el tribunal en un título que lleve aparejada ejecución.

> Para el legislador, la introducción de este proceso en España se articula con base en las siguientes consideraciones: «... Punto clave de este proceso es que con la solicitud se aporten documentos de los que resulte una buena apariencia jurídica de la deuda. La ley establece casos generales y otros concretos y típicos. Es de señalar que la eficacia de los documentos en el proceso monitorio se complementa armónicamente con el reforzamiento de la eficacia de los genuinos títulos ejecutivos extrajudiciales.
>
> Si se trata de los documentos que la ley misma considera base de aquella apariencia o si el tribunal así lo entiende, quien aparezca como deudor es inmediatamente colocado ante la opción de pagar o «dar razones», de suerte que si el deudor no comparece o no se opone, está suficientemente justificado despachar ejecución, como se dispone. En cambio, si se «dan razones», es decir, si el deudor se opone, su discrepancia con el demandante se sustancia por los cauces procesales del juicio verbal, según la cuantía de la deuda reclamada...» (EM XIX, 7 y 8).

Del objeto indicado se desprenden las siguientes características:

a) En primer lugar, ser un instrumento válido para la protección específica privilegiada del crédito desde un punto de vista procesal, pues se permite que determinados documentos, los no cualificados, es decir, sin suficientes garantías, pero con acreditados visos de ser válidos (buena apariencia jurídica), puedan dar lugar a través de un rápido procedimiento a su inmediata satisfacción judicial, y ese procedimiento es el monitorio.

Este proceso tiene por finalidad, pues, tras declarar el derecho del acreedor, proporcionarle el título ejecutivo que le permita exigir judicialmente el pago de la deuda. Esos documentos se enumeran en el art. 812 LEC, siempre como *numerus apertus* por lo que en principio es posible cualquiera, y no sólo la factura o el albarán típicos, de acuerdo eso sí con los usos mercantiles o civiles acostumbrados. Ni siquiera se exige firma del deudor o su autenticación (v. art. 812.1, 1.ª LEC), pues pueden servir los creados conforme a ley o costumbre unilateralmente por el acreedor (art. 812.1, 2.ª LEC), o cualquier otro documento comercial sin firma (art. 812.2 LEC).

> Que no se exija la firma del deudor puede plantear problemas prácticos de suma importancia, por la alteración de nuestra tradición que supone, acostumbrada a mecanismos de control de su autenticidad totalmente fiables, ya que no

siendo necesaria la firma, cuando no conste no se podrá acudir a su reconocimiento por el deudor, o ante su negativa o alegación de falsedad, al cotejo con otros documentos firmados que sean indubitados si es posible (lo que no es fácil en caso de ser el documento público, pues sólo consta en archivos), o, directamente o como solución final, a la prueba pericial caligráfica.

b) En segundo lugar, caracteriza al proceso monitorio la ausencia de audiencia inmediata del deudor, que queda aplazada en el siguiente sentido: La LEC no opta porque el tribunal dicte directamente sentencia de condena ante el impago del demandado, sino que prevé la transformación del proceso especial en ordinario si el deudor demandado se opone (art. 818 LEC), o permite entrar directamente en ejecución si no comparece (art. 816 LEC). El proceso monitorio en sentido estricto, si triunfa, es decir, si se crea el título y se entra en ejecución forzosa, se habrá desarrollado sin ejercicio de su derecho a la contradicción por el deudor.

Ni que decir tiene que el que reste deferida la contradicción, no significa que se suprima, en absoluto, sino que se aplaza. Por tanto, al existir la posibilidad real de oponerse, el art. 24.1 CE no queda en modo alguno vulnerado, al igual que ocurre en el proceso cambiario (lección siguiente), o como hemos visto que ocurre en el decretamiento del embargo preventivo. Recordemos que en el proceso civil, el principio de contradicción queda cumplido con su reconocimiento y posibilidad de ejercicio, no con su práctica real.

c) Desde la Ley 37/2011, de 10 de octubre, ya no hay tope en cuanto a la cuantía, de manera que el monitorio es adecuado para cualquier deuda (art. 812, I LEC).

> Inicialmente la LEC de 2000 limitó la cuantía a 30.000 €, que fue elevada a 250.000 € por la reforma de la Ley 13/2009, de 3 de noviembre.

El documento exige además el requisito de expresar una deuda dineraria determinada, vencida y exigible (art. 812.1 LEC), por tanto, ha de estar cuantificada, ser líquida y pura, y no estar sujeta a obligación o contraprestación del acreedor.

> El acreedor no tiene la carga de requerir de pago al deudor, notarialmente, privadamente o en cualquier forma constatable, antes de iniciar el proceso monitorio. Se priva así al deudor, de un lado, de una oportunidad extrajudicial de pagar que evite el proceso, y de otro, de que tome conocimiento indubitado de la cantidad exacta que le será reclamada judicialmente con posterioridad, si no paga. Este segundo fin habría sido realmente importante consignarlo en la LEC, pues, siendo verdad que no es necesario el reconocimiento judicial de la firma para que la petición sea admitida a trámite, el deudor podría haber evitado su curso inmediato si, ante aquella notificación, hubiera probado que negó expresamente la autenticidad del documento. El legislador ha optado por regular el pago (art. 817 LEC), o la oposición al pago (art. 818 LEC), una vez iniciado el proceso, y no también antes, lo que es un error.

A la vista de lo anterior, se confirma la gran importancia práctica del monitorio que se auguró en el momento de su creación, porque poco a poco va convirtiéndose en el mejor medio para luchar contra la morosidad y, por tanto, es prácticamente el único instrumento jurídico eficaz para la protección procesal del crédito. Ello ha ocurrido en otros países también y el nuestro no tiene por qué ser una excepción. Si funciona correctamente, acabará convirtiéndose en el único proceso documental para la protección del crédito, incluso desvalorizando el ejecutivo cambiario, con un porcentaje escasísimo de oposiciones. De hecho, hoy ya representa más del 60% de todos los procesos civiles incoados en nuestros juzgados y tribunales.

II. COMPETENCIA Y PROCEDIMIENTO ADECUADO

a) Tras otorgar la competencia objetiva al Juez de Primera Instancia (art. 813, I), la LEC establece en cuanto a la competencia territorial dos fueros:

1.º) Se otorga la competencia territorial, en primer lugar, al Juez de Primera Instancia del domicilio o residencia del deudor o demandado (art. 813, I LEC).

También conoce en la realidad práctica el Juez de lo Mercantil si los monitorios tienen que ver con sus competencias por razón de la materia (art. 86 ter Ley Orgánica del Poder Judicial), lo que desde luego no es el espíritu de la ley ni la letra, ya que la competencia de los juzgados de primera instancia es según ese precepto exclusiva, pero así lo admite una parte de la jurisprudencia.

2.º) A continuación, se dispone que si el domicilio o residencia del deudor no fueran conocidos, será Juez de primera Instancia competente el del lugar en el que el deudor pudiera ser hallado a efectos del requerimiento de pago por el tribunal (art. 813, I, segundo inciso LEC), frase poco clara, pero que pretende asegurar la localización judicial del demandado.

Tratándose de las reclamaciones de deudas por cantidades debidas en concepto de gastos comunes a las comunidades de propietarios de inmuebles urbanos, es también competente territorialmente el tribunal del lugar donde se halle la finca, a elección del solicitante.

La LEC fija ambos fueros con carácter exclusivo, de manera que no sólo queda excluido cualquier pacto expreso o tácito al respecto, prohibiéndose tanto la sumisión expresa como la tácita (y así se dice expresamente en el art. 813, II LEC), sino que además y también rigen cualquiera que sea la cuantía reclamada, pues no hay precepto que diga lo contrario.

La orientación competencial hacia el domicilio del deudor puede perjudicar sin duda alguna al acreedor, particular o pequeño empresario normalmente, que no ha cobrado sus servicios recordemos, en caso de tener la sede social de la empresa o su negocio en ciudad distinta. En Alemania rige la solución contraria, es decir, es Juez competente el del domicilio del acreedor, a quien se procura no complicar más las cosas.

La no localización del deudor, o su localización en otro partido judicial implica la terminación del proceso monitorio, sin perjuicio del derecho del acreedor de instar de nuevo el proceso ante el Juzgado competente, en los términos del art. 813, III, introducido por la Ley 4/2011, de 24 de marzo.

b) En cuanto al procedimiento adecuado, hay que distinguir igualmente dos posibilidades, a las que antes con relación a otro tema hemos ya aludido:

1.ª) Si no hay oposición del deudor, rigen las normas del proceso monitorio que consideramos en esta lección, que implican entrar directamente en la ejecución forzosa de sentencias judiciales, una vez creado el título por el Juez (arts. 549 y ss.).

2.ª) Si hay oposición del deudor al pago de la cantidad exigida por el acreedor, el trámite procedimental correspondiente se transforma en un proceso ordinario y plenario, que finalizará en su día mediante sentencia con eficacia de cosa juzgada, de acuerdo con el art. 818.2 LEC.

III. PETICIÓN INICIAL Y DOCUMENTOS

El proceso comienza por petición inicial del acreedor (art. 814.1 LEC). Aunque la LEC quiera huir del nombre de demanda, no sólo por la ausencia de contradicción y por la rapidez procedimental, sino también porque se trata de un escrito muy sencillo resumido y sucinto, que será informatizado o que se podrá vender en tipo formulario (art. 814.1, II LEC), y consecuentemente que podrá adquirirse en los Palacios de Justicia, en los Juzgados, o en aquellos lugares en los que se puedan vender documentos públicos, como los estancos, debe tratarse de una verdadera demanda, en tanto en cuanto éste es el escrito inicial de todo proceso declarativo ordinario o especial (arts. 399 y 437 LEC).

En esa demanda (petición), además de los datos de identificación del acreedor y del deudor, al igual que su domicilio o lugar en el que residan o puedan ser hallados, hay que hacer constar el origen de la deuda, es decir, describir el negocio causal, y expresar exactamente su cuantía, acompañando el documento o documentos que dan origen al proceso monitorio (art. 814.1, I LEC).

Los documentos a acompañar a la demanda pueden ser alguno o algunos de los encuadrados en estos cuatro grupos, en los que conste materialmente la deuda (no hay ninguno formal, salvo el impreso o escrito inicial de acuerdo con la ley, pues no se exige que se haya requerido de pago al deudor), fijados con carácter abierto por la LEC:

1.º) Aquellos documentos, cualquiera que sea su forma y clase o el soporte físico en que se encuentren, que aparezcan firmados por el deudor o con su sello, impronta o marca o con cualquier otra señal, física o electrónica, proveniente del deudor (art. 812.1, 1.ª).

> Por ejemplo, la carta remitida por la librería de una población pidiendo al distribuidor nacional la remisión de determinados libros por valor de 23.775 euros, aceptando el precio.

2.º) Aquellos otros documentos, como facturas, albaranes de entrega, certificaciones, telegramas, telefax o cualesquiera otros que, aun unilateralmente creados por el acreedor, sean los que habitualmente documentan los créditos y deudas en relaciones de la clase que aparezca existente entre demandante y demandado (art. 812.1, 2.ª).

> El «numerus apertus» permite, pues, incorporar a esta clase de documentos las compras realizadas por Internet o por correo electrónico, sobre todo después de la regulación de la firma electrónica (por Ley 59/2003, de 19 de diciembre).

3.º) Fundamenta documentalmente el proceso monitorio igualmente el documento comercial que acredite una relación duradera entre acreedor y deudor, pero habrá que aportar necesariamente el documento en el que conste la deuda (art. 812.2,1.º).

> Por ejemplo, el contrato de transporte, o de suministro, por el que ambas partes, ahora en disputa, comprometían de manera duradera y sinalagmática sus relaciones comerciales, aun de ámbito restringido a determinados productos, más la factura impagada.

4.º) También se fundamenta documentalmente el proceso monitorio, por último, cuando la deuda se acredite mediante certificaciones de impago de cantidades debidas en concepto de gastos comunes de comunidades de propietarios de inmuebles urbanos (art. 812.2, 2.º).

> La explicación de este apartado se entiende mejor si se considera el proceso monitorio especial en materia de propiedad horizontal que la Ley 8/1999, de 6 de abril, introdujo en el art. 21 de la Ley de Propiedad Horizontal de 1960, precepto que de acuerdo con la DF 1.ª LEC se reforma de nuevo para adaptarlo al proceso monitorio que estamos contemplando en estas páginas, aunque también permite acudir al proceso ordinario. La tutela específica de la comunidad frente a propietarios morosos presenta la particularidad, cuando se utilice el proceso monitorio, de permitirse expresamente el embargo preventivo, y contemplarse la condena en costas (v. art. 21.5 y 6 LPH, en la redacción dada por la DF 1.ª, LEC).

5.º) Expresamente, el desahucio por falta de pago de la renta o cantidades debidas, se tramita por un procedimiento muy similar al monitorio, regulado en el art. 440.3 LEC, reformado en 2011 (Lección Trigésimo quinta).

Finalmente, hay que indicar que para la petición inicial del proceso monitorio en cualquier caso y, por tanto, independientemente de la cuantía concreta, incluso si supera la cantidad de 2.000 euros, no es necesario procurador (art. 814.2, en relación con el art. 23.2, 1.° LEC), ni abogado (art. 814.2, en relación con el art. 31.2, 1.° LEC), pudiendo acreedor y deudor comparecer por sí mismos, a salvo de lo dispuesto en el art. 32 LEC. Existiendo oposición del deudor, y dando lugar al juicio que corresponda, es necesario complementar la capacidad de postulación procesal mediante la concurrencia de esos profesionales si la cuantía supera aquellos 2.000 euros (art. 818.1, II, LEC).

IV. ADMISIÓN DE LA PETICIÓN, REQUERIMIENTO DE PAGO Y POSIBLES CONDUCTAS DEL DEMANDADO

Aquí es donde tiene realmente importancia la regulación procesal del juicio monitorio civil. En efecto, el deudor toma conocimiento de la demanda monitoria una vez ha sido admitida a trámite.

El proceso monitorio termina en su fase inicial, quedando a salvo el derecho del acreedor para volver a intentarlo de nuevo, si a efectos de notificación de la demanda, el deudor no es localizado o vive en otro partido judicial (nuevo art. 813, III LEC).

Si está localizado, la admisión la realiza el letrado de la administración de justicia controlando de oficio un presupuesto procesal básico, a saber, que el documento acompañado es uno de los recogidos en el art. 812 LEC. La inadmisión a trámite de la demanda monitoria es de exclusiva competencia judicial (art. 815.1, I LEC).

La Ley 42/2015, de 5 de octubre ha modificado el art. 815 LEC, introduciendo un número 4 en dicho precepto, concediendo facultades de control de oficio al órgano jurisdiccional en el trámite posterior a la admisión de la demanda monitoria y con carácter previo al requerimiento de pago, consistentes en vigilar si tratándose, y sólo en este supuesto, de relaciones contractuales entre empresarios y profesionales con consumidores y usuarios, existen cláusulas abusivas para éstos que constituyan el fundamento de la petición o que hubiesen determinado la cantidad exigible, cumpliendo así la jurisprudencia sentada por el TJUE en su Sentencia de 14 de junio de 2012 (caso Banco Español de Crédito). Tras la preceptiva audiencia a las partes, resolverá la improcedencia de la pretensión si la cláusula es abusiva (debe ser un auto de sobreseimiento, porque la demanda ya está admitida a trámite), o la continuación del procedimiento si no lo es.

Debe tenerse presente que el documento a acompañar a la demanda es el presupuesto procesal que condiciona la misma razón de ser del juicio monitorio. Ese documento ha sido admitido por el legislador porque ofrece una apariencia de existencia de la relación jurídica material y de la deuda, pero desde el punto de vista del proceso estamos ante un presupuesto del mismo. No se trata, por tanto, de discutir sobre si el documento «prueba» o no el derecho subjetivo material, sino sólo de controlar su regularidad formal.

En este proceso monitorio no existe una enumeración cerrada de los documentos que lo permiten y por ello el art. 815.1 dice que el letrado controlará si el o los documentos constituyen «un principio de prueba del derecho del peticionario», pero ello no supone que el letrado deba examinar si del o de los documentos se desprende la prueba de la existencia de ese derecho. En el proceso monitorio no cabe hablar propiamente de prueba, como tampoco cabe hablar de ella en el juicio cambiario, sino sólo de apariencia formal, y por ello el documento no juega como medio de prueba sino como presupuesto procesal de admisión de la demanda.

Es decir, se admite la demanda o petición si se acompaña, por ejemplo, una factura aparentemente correcta en donde se describen unos trabajos, lleva el membrete, sello y firma de la empresa y persona que la autoriza, y expresa la cuantía concreta que se adeuda. Obsérvese que esta norma, en definitiva, también implica que el letrado ha de ver acreditada inicialmente la concurrencia del presupuesto de la legitimación, reflejado indiscutiblemente en el documento que se exige.

Aunque la LEC no lo diga expresamente, deben existir más causas de inadmisión de la demanda monitoria, por ejemplo, desde un punto de vista formal, la falta de competencia territorial del tribunal, dados los términos del art. 813, o que el escrito, incluso informatizado, no sea efectivamente el que corresponde a este proceso de acuerdo con el art. 814 (téngase en cuenta que la existencia de formularios y el tratamiento automatizado no implican nunca que el procedimiento avance automáticamente).

Si la cuantía de la cantidad reclamada es incorrecta se está a lo dispuesto en el art. 815.3, reformado en 2011: Resuelve el juez la disputa y si el acreedor no está de acuerdo, se le tiene por desistido.

La admisión a trámite significa que el letrado requiere de pago al deudor demandado (en la forma expresada en el art. 815.1 al remitirse al art. 161), dándole un plazo de 20 días para que satisfaga la deuda con el acreedor, acreditándolo ante el órgano jurisdiccional, o que comparezca y se oponga, por escrito y de forma fundada y motivada a la totalidad o parte de la deuda (art. 815.1 LEC).

La LEC ha eludido todos los problemas prácticos derivados del rigor formal del requerimiento, limitándose a una remisión a la norma general propia de la comunicación por medio de la entrega de copia de la resolución o de cédula. Es evidente que las graves consecuencias que supone la incomparecencia del deudor deberían llevar a exigir mayores garantías sobre que el mismo tiene conocimiento de la existencia del proceso. La reforma del art. 815.1, II LEC por la Ley 13/2009, de 3 de noviembre, admite en ciertos casos el requerimiento al demandado por medio de edictos.

Norma especial existe sólo para el caso de reclamaciones de cantidades debidas en concepto de gastos comunes de comunidades de propietarios de inmuebles urbanos, conforme a la cual el requerimiento se notificará, primero, en el domicilio previamente designado por el deudor para las notificaciones y citaciones de toda índole relacionadas con los asuntos de la comunidad de propietarios, después, y si no existiere esa designación, en el piso o local y, en último caso, conforme a lo dispuesto en el art. 164, el que prevé la notificación edictal (art. 815.2).

La negativa a pagar se traduce en que el procedimiento continúa adelante, es decir, se entra en la fase de ejecución, despachándose la ejecución correspondiente (art. 815.1, II, segundo inciso LEC).

Ahora bien, el demandado puede realizar más conductas que las indicadas hasta ahora. Veámoslas todas ellas:

a) Puede pagar extraprocesalmente: La LEC silencia esta cuestión, pues sólo contempla el pago tras el requerimiento judicial (art. 817). Se entiende que regirán las normas generales, por lo que, una vez el pago se ha acreditado ante el tribunal, se le hará entrega del documento en que conste la deuda y terminará el procedimiento archivándose las actuaciones, imponiéndose las costas al deudor conforme al principio del vencimiento (art. 394 LEC). Únicamente podría impedirse esta condena si justificara el deudor que no pudo pagar antes, a los efectos del art. 394, I *in fine*, pero no es claro que estemos ante una seria duda de hecho en este caso.

b) Puede no pagar extraprocesalmente, en cuyo caso la cuestión se dilucida entre si comparece o no:

1.º) Si no comparece, no atiende el requerimiento de pago, o no alega las razones de su voluntad de no pagar, el letrado mediante decreto da por terminado el proceso monitorio en su fase de proceso declarativo especial y pide al acreedor que inste ante el juez el despacho de ejecución por la cantidad adeudada, en el sentido antes indicado (arts. 815.1, II, segundo inciso, y 816.1 LEC), que incluye siempre los intereses legales (art. 816.2, II, LEC). Desde la reforma operada en 2009, es más claro que no comparecer es equivalente a comparecer y no oponerse. En ambos casos el proceso civil especial entra en su fase de ejecución.

El auto despachando ejecución es el título ejecutivo realmente en este caso, y por ello la ejecución lo es de títulos judiciales (art. 816.2. I LEC). Por tanto, se crea con ella el título ejecutivo, que es el fin pretendido por el proceso monitorio, como ya sabemos. De la LEC puede deducirse, al omitir cualquier referencia al tema, sin duda alguna porque se prevé un trámite específico de oposición del deudor, que esta resolución no es susceptible de recurso alguno.

Se inicia, en consecuencia, el proceso de ejecución forzosa correspondiente (arts. 549 y ss. LEC). El deudor no pierde las oportunidades de oposición, aunque no puede conseguir ya transformar el procedimiento puesto que no ha comparecido, pues puede formular oposición a la ejecución, de acuerdo con las normas generales (art. 818.2, en relación con el art. 556 básicamente, de la LEC).

2.º) Si comparece, puede o pagar o realizar varias conductas de oposición, que en ningún caso cabría entender que son técnicamente equivalentes a un escrito de contestación a la demanda, que implican que el procedimiento monitorio sigue a partir de ahora los cauces del juicio ordinario, a las que por su importancia nos referimos a continuación en epígrafe aparte.

V. LA OPOSICIÓN DEL DEUDOR Y LA TRANSFORMACIÓN DEL PROCEDIMIENTO

En efecto, una vez comparece el deudor puede realizar dos tipos de conductas relevantes procesalmente:

a) Atender el requerimiento de pago, en cuyo caso y tan pronto como lo acredite ante el letrado, se archivarán las actuaciones (art. 817 LEC).

> Este es el único momento que prevé formalmente la LEC para pagar la deuda, con el efecto de poner fin al proceso monitorio. Un pago extraprocesal previo en el sentido antes visto debería tener el mismo efecto, pero un pago también extraprocesal si bien posterior al requerimiento no evitará el auto despachando ejecución, aunque ponga fin a la misma.

b) Oponerse al pago, en todo o en parte (art. 818.1 LEC). No se especifican las causas (razones) de esta oposición, pero indiscutiblemente se podrán alegar todas las excepciones procesales y todas las materiales que pueden oponerse en los procesos declarativos. Con la oposición el asunto pasa a resolverse en el juicio que corresponda (art. 818.1). Con mayor precisión, las posibilidades son:

1.ª) Si la cuantía de la pretensión no supera la propia del juicio verbal (6.000 euros de acuerdo con el art. 250.2 LEC), el LAJ dictará decreto dando por terminado el proceso monitorio y acordando seguir la tramitación del juicio verbal. Pero la oposición del deudor abre ahora un trámite de análisis de la misma difícil de encajar en el procedimiento, porque ya estamos en el juicio verbal a causa de esa oposición. Sin embargo, el art.

818.2 LEC ordena que la oposición del deudor sea comunicada al demandante del proceso monitorio del que el verbal trae ahora causa, para que pueda impugnarla. No se dice en la ley qué ocurre si la impugna, ni tampoco qué efectos tiene la decisión que tome el Juez respecto a esa impugnación. Sólo se indica que tanto el actor impugnante, como el demandado opositor, podrán pedir en sus respectivos escritos la celebración de la vista del juicio verbal (arts. 438 y ss.). Si ninguno de los dos pide que se celebre vista en sus escritos, parece razonable pensar que el juez pase directamente a dictar sentencia sin ulteriores trámites (con base en el art. 438.4, I LEC), lo cual implica crear subrepticiamente un nuevo procedimiento, no exento de problemas; mientras que si piden vista, entonces el juicio verbal es el auténtico, rigiendo las normas generales.

2.ª) Pero si el importe de la reclamación excede de esa cantidad (más de 6.000 euros) hay, a su vez, dos situaciones a considerar, teniendo en cuenta que si la cuestión de fondo es la reclamación de rentas o cantidades debidas en materia arrendaticia urbana, el procedimiento adecuado es siempre el del juicio verbal (art. 818.3 LEC):

1") El acreedor puede proceder a presentar la demanda ordinaria correspondiente, dentro del plazo de un mes a contar desde que se le dio traslado del escrito de oposición, con lo que si se admite la demanda se inicia el juicio ordinario, y por eso existe una remisión a los arts. 404 y siguientes (art. 818.2, tercer inciso LEC). Esto supone que el mismo juez de primera instancia debe conocer de ese proceso, sin nuevas normas de competencia ni de reparto.

2") Si el acreedor no presenta la demanda dentro del plazo dicho, el letrado procederá a sobreseer las actuaciones, condenándole en las costas (y en ellas debe incluirse los honorarios y derechos del abogado y procurador del demandado por el escrito de oposición), de acuerdo con el art. 818.2, segundo inciso LEC).

> Supuesto especial es el de que la oposición del deudor se funde en la existencia de pluspetición, remitiéndose el art. 818.1, III al art. 21. Se trata entonces de la existencia de un allanamiento parcial, caso en el que:
> 1) Respecto de la cantidad por la que se produce el allanamiento, el actor puede pedir al tribunal que se dicte de inmediato auto acogiendo el objeto del allanamiento, auto que es título ejecutivo conforme a las reglas generales.
> 2) Respecto de la cantidad por la que existe oposición podrá seguirse con el juicio verbal o habrá de presentarse la demanda del juicio ordinario, según la cuantía.

No resuelve la LEC en el art. 818, finalmente, qué hacer frente a una oposición totalmente infundada, incluso temeraria, del deudor. La solución debería ser la de proseguir con el proceso monitorio dictando el Juez el auto despachando ejecución, considerando esa conducta como equivalente a la incomparecencia (art. 816.1). Desde luego, imponer una sanción que quedara exclusivamente en la condena en costas sería ridículo, y sin embargo parece que es lo único que puede hacerse hoy por hoy.

Por otra parte, que el deudor diga simplemente que se opone sin dar razones es, evidentemente, manifestar con claridad una oposición a la creación del título ejecutivo. No es para la LEC, sin embargo, suficiente, pues el art. 815.1, I *in fine* dice expresamente que el deudor comparecerá y alegará ante el Juez, sucintamente, «las razones por las que, a su entender, no debe, en todo o en parte, la cantidad reclamada». Por ello, en nuestra opinión, de oponerse tan vaga y generalmente, por tanto, sin dar ni una sola explicación, la consecuencia debe ser también que se le tenga por no opuesto y, en consecuencia, que se dicte auto despachando ejecución, equivaliendo igualmente a una incomparecencia esta manera de actuar (art. 816.1). Optar, al contrario, por dar validez a esta oposición no concretada, pensando quizás en que la amenaza de la condena en costas puede ser suficiente, podría abrir en realidad totalmente el camino a una oposición generalizada absolutamente contraproducente, lo que no ocurre en los países de nuestro entorno jurídico.

Finalmente, el deudor podría comparecer y realizar conductas que no son estrictamente de oposición, v.gr., formular reconvención. Estas posibilidades deben descartarse de plano, no sólo por razones formales, ya que la reconvención se propone en el escrito de contestación de la demanda (art. 406.1 LEC) y en el proceso monitorio no existe tal escrito, sino también porque su tratamiento es absolutamente inadecuado en el proceso monitorio, sólo previsto para lograr que un Juez dicte una resolución en la que dé naturaleza ejecutiva a una deuda acreditada documentalmente, faltando, por tanto, el requisito esencial de la homogeneidad de procedimientos (art. 406.2, I LEC).

VI. LA COSA JUZGADA

Que el juicio que corresponda, a que da lugar la oposición del deudor a la creación de un título ejecutivo mediante el proceso monitorio, termine un día por sentencia con efectos de cosa juzgada, no plantea ningún problema dogmático. Así se dice en el art. 818.1, I, in fine LEC, y se explica en la EM XIX, 8, pues ese juicio declarativo se entiende «como proceso ordinario y plenario y encaminado, por tanto, a finalizar, en principio, mediante sentencia con fuerza de cosa juzgada».

Ello es totalmente correcto, pues se ha abandonado el cauce del monitorio en tanto tutela procesal privilegiada del crédito, para pasar a una tutela procesal no privilegiada o general del crédito, el juicio declarativo que corresponda, en donde deben ser aplicables todas las instituciones procesales ordinarias. Por tanto y en nuestra opinión, gozaría la sentencia que se dictara en él de la cosa juzgada material aunque nada se dijera expresamente al respecto.

La cuestión que se discute es si el auto que crea el título ejecutivo ante la no oposición del deudor o ante su incomparecencia, en los términos antes vistos (art. 816.1 LEC), es decir, sin salirnos del propio proceso monitorio, alcanza igualmente la eficacia de cosa juzgada.

Existe una respuesta indirecta a esta cuestión en el art. 816.2, I. Si el solicitante del proceso monitorio y el deudor ejecutado no pueden pretender ulteriormente en proceso ordinario la cantidad reclamada en el monitorio o la devolución de la que con la ejecución se obtuviere, la conclusión tiene que ser la que el auto por el que se despacha la ejecución, una vez constatado el silencio del deudor, sí produce los efectos propios de la cosa juzgada material.

Sólo desde esta constatación se comprende también que el mismo artículo diga que, despachada la ejecución, proseguirá ésta conforme a lo dispuesto para la de sentencias judiciales, pudiendo formularse la oposición prevista en estos casos. Se está haciendo así una remisión, primero, a la ejecución única pero, sobre todo, a la oposición a los títulos judiciales, con lo que la oposición sobre el fondo tiene todos los límites del art. 556, límites que sólo se explican desde la existencia de cosa juzgada material.

Legislación: Ley de Enjuiciamiento Civil (arts. 812 a 818)
Lectura: PICÓ I JUNOY / ADÁN DOMÉNECH, *La tutela judicial del crédito. Estudio práctico de los procesos monitorio y cambiario*, Barcelona 2006; PLANCHADEL GARGALLO, *La tutela del crédito en el proceso monitorio*, Madrid, 2015.

El juicio cambiario

I. **DE JUICIO EJECUTIVO A DECLARATIVO ESPECIAL**
Evolución. 1782. Título y unidad de ejecución
Ley 19/1985 sin garantías. LEC no es título

II. **EL LABERINTO DE LAS LLAMADAS ACCIONES CAUSAL Y CAMBIARIA**
Relación jurídica material + Documento que incorpora
a) Acción causal y Acciones cambiarias: 1. Directa y 2. De regreso

III. **PRESUPUESTOS DE LA PRETENSIÓN CAMBIARIA**
A) Relativos al documento título valor
Letra, cheque y pagaré. No obligación documentada
B) Competencia
Juzgado de Primera Instancia del domicilio demandado. Imperativa

IV. **EL JUICIO SIN OPOSICIÓN:**
Obtención de despacho de ejecución
A) Demanda
Demanda sucinta: 1. Subjetivos, 2. Fundamentación, 3. Petición
B) Admisión
1. Es admisión, no despacho de ejecución
2. Examen jurisdicción y competencia
3. Corrección formal del título
4. Admitir o no admitir
C) Requerimiento de pago y embargo
Si admite:
1. Requerir de pago en 10 días
2. Embargo preventivo?
D) Auto despachando la ejecución
Si no paga y no se opone: Auto despachando ejecución
Ejecución de resolución judicial

V. **LA OPOSICIÓN CAMBIARIA:**
Demanda de oposición
A) Tramitación
1. Forma: demanda, y
2. Posición procesal: Demandante
Inversión de papeles. Juicio verbal
B) Causas de oposición
a) Procesales: 3
b) Materiales:
1. Cambiarias: 4
2. Extra cambiarias: Relaciones personales
C) Sentencia.
Sobre la oposición

I. DE JUICIO EJECUTIVO A DECLARATIVO ESPECIAL

La letra de cambio se convirtió en título ejecutivo en virtud de la pragmática sanción de Carlos III, dada el 2 de junio de 1782, según la cual «toda letra aceptada sea executiva» (Novísima Recopilación XI, III, 7.ª) y desde entonces así fue considerada, por último en el art. 1429, 4.º de la LEC/1881. La LEC/2000 acaba con esa tradición de más de dos siglos y es razonable que así sea. Naturalmente también dejan de ser títulos ejecutivos el cheque y el pagaré, que lo han sido sólo desde la Ley 19/1985, de 16 de julio, Cambiaria y del Cheque.

La comprensión de esta profunda modificación requiere recordar lo que dijimos en la Lección Vigesimoctava respecto de la unidad de la ejecución. Cuando en 1782 la letra de cambio se convirtió en título ejecutivo lo ocurrido realmente fue que la misma se equiparó a la sentencia y a la escritura pública en lo atinente a su fuerza ejecutiva, procediéndose a su ejecución por el sistema que calificamos de unitario, y así se mantuvo hasta que la LEC de 1855 rompió la unidad ejecutiva y estableció la dualidad de ejecuciones, es decir, por un lado, la ejecución de sentencias y, por otro, el juicio ejecutivo. Dentro de éste llevaban aparejada ejecución diversos documentos, y uno de ellos era la letra de cambio.

> No fue esto lo ocurrido en otros países. En Alemania se distinguió entre proceso de ejecución, siendo los títulos la sentencia y la escritura pública, y proceso documental, una de cuyas variedades es el cambiario, que puede aplicarse también al cheque. La letra de cambio no ha sido nunca título ejecutivo porque se ha considerado que no reviste el grado de autenticidad necesario para ello, aparte de porque carece de fórmula ejecutiva. El proceso declarativo documental es un sistema al que puede acudir quien dispone de un documento que aparentemente acredita la existencia de un derecho, con la finalidad de formar rápidamente un verdadero título ejecutivo, que es una resolución judicial.
>
> En Italia los procesalistas se negaron siempre a convertir la letra de cambio en título ejecutivo y por ello no figuró como tal en el Código Procesal Civil de 1865. El reconocimiento de esa condición se produjo en el Código de Comercio de 1882 y sobre ello la doctrina procesal sostuvo que se habían conculcado los más claros principios jurídicos, pues la letra ni tenía la suficiente autenticidad ni podía existir fórmula ejecutiva; en el Código de 1940 los títulos ejecutivos son la sentencia, la escritura pública y la letra de cambio, dando lugar los tres al mismo procedimiento de ejecución, aunque tienen que ser distintas las causas de oposición a la ejecución.

Hemos tenido así en España desde 1855 dos sistemas de ejecución, uno propio de los títulos judiciales (la ejecución de sentencias) y otro para los títulos no judiciales. Este segundo era el juicio ejecutivo, y en él la letra de cambio era título ejecutivo cuando hubiera sido aceptada y protestada, sin que se hubiera opuesto tacha de falsedad en la aceptación o incluso opuesta esta tacha si la letra había sido intervenida o la firma del aceptante estaba legalizada. El cheque y el pagaré no eran propiamente título ejecutivo, aunque podían serlo en el caso de que, como cualquier otro documento privado, fueran reconocidos bajo juramento ante el juez competente para despachar la ejecución.

El protesto daba a la letra una cierta apariencia de autenticidad que permitía convertirla en título ejecutivo, pero esa apariencia desapareció cuando la Ley 19/1985 admitió que la letra de cambio llevaba aparejada ejecución «sin necesidad de reconocimiento judicial de las firmas» (art. 66), lo que era también aplicable al pagaré (art. 96) y al cheque (art. 153). Desaparecido cualquier rastro de autenticidad, no podía seguir manteniéndose que estos documentos dieran lugar a una verdadera ejecución, y por ello la misma Ley 19/1985, aun manteniendo formalmente la aplicación del procedimiento del juicio ejecutivo, procedió a su desvirtuación sobre todo al aumentar de modo extraordinario las causas de oposición posibles, tanto que llegó a poder hablarse de que ni siquiera era sumario el incidente de oposición intercalado en la ejecución.

En la LEC de 2000 desaparece el juicio ejecutivo porque se vuelve al sistema de la unidad en la ejecución, lo que quiere decir que todos los títulos que se consideran ejecutivos dan lugar a una única ejecución, que es común a los títulos judiciales y a los no judiciales. En este sistema no podía seguir manteniéndose que la letra de cambio, el cheque y el pagaré fueran títulos ejecutivos, dada su carencia de garantías de autenticidad, y por ello se ha procedido a la regulación de un llamado juicio cambiario, que guarda muchas similitudes con el proceso documental del Derecho alemán.

Naturalmente cuando ahora dice el art. 66 de la LCCH (en la redacción dada por la Disposición Final 11.ª de la LEC) que «la letra de cambio tendrá aparejada ejecución a través del juicio cambiario que regula la Ley de Enjuiciamiento Civil sin necesidad de reconocimiento judicial de las firmas», se trata de una mera ficción, pues ese juicio cambiario no es ejecutivo, y además es contradictoria con la supresión de la expresión vía ejecutiva en el art. 49, II, de la misma LCCH.

II. EL LABERINTO DE LAS LLAMADAS ACCIONES CAUSAL Y CAMBIARIA

Aunque no es propiamente un tema procesal ni ha quedado regulado en la LEC, estimamos necesario hacer una síntesis de las llamadas «acciones» causal y cambiaria, pues el conocimiento de lo que las mismas suponen es presupuesto del estudio del juicio cambiario y, sobre todo, de la oposición.

El punto de partida radica en la constatación de que un título valor es un documento en el que se plasma un derecho, debiendo distinguirse entre:

a) La relación jurídica material que da origen o que es causa de derechos y de obligaciones, la cual consiste en un contrato que puede ser de muy variadas naturalezas jurídicas (compraventa, préstamo). Desde esta relación una de las partes de la misma puede acudir a un órgano judicial afirmando un hecho constitutivo, el que ha dado origen a la obligación, y pidiendo la consecuencia jurídica prevista en la norma (el vendedor que, afirmando los hechos que dieron origen al contrato de compraventa, pide que el comprador sea condenado al pago del precio)

b) El documento al que se incorpora un derecho y al que se le da carácter abstracto, en el sentido de que puede ejercitarse por quien sea tenedor legítimo del documento y frente a quien parezca en él como obligado. El hecho constitutivo aquí es el de la incorporación de la obligación al documento y puede afirmarse por su tenedor legítimo, sin relación aparente con el anterior (el tenedor de la letra que, afirmando la tenencia legítima de la misma, pide la cantidad de dinero que se obligó a pagar el librado aceptante según la letra misma).

Estamos, pues, ante dos supuestos de hecho distintos y es lógico que, afirmando la existencia de cada uno de ellos y con diversa fundamentación jurídica, puedan formularse dos pretensiones diferentes. La petición en las dos puede ser la misma: una cantidad de dinero, pero serán distintas las causas de pedir y la fundamentación jurídica. Existen, por tanto, dos posibles pretensiones, a las que la doctrina tradicional ha denominado:

A) Acción causal

Cualquier persona de las que intervinieron en la relación jurídica material que dio origen a la obligación, puede formular una pretensión en la que establezca como objeto de un proceso declarativo cualquiera de los posibles aspectos de aquella relación.

> El supuesto más claro es aquél en el que quien se considere acreedor formule una pretensión declarativa de condena dineraria contra el que afirme que es deudor y obligado al pago (el vendedor del contrato de compraventa puede formular una pretensión de condena dineraria contra el comprador al no haber éste pagado el precio), pero pueden existir otros muchos supuestos; quien aparezca como obligado al pago puede pretender que se declare la resolución del contrato y, consiguientemente, que no está obligado al pago (el comprador de la cosa al que ésta no se ha entregado puede instar judicialmente la resolución del contrato).

En todos estos casos la parte demandante en el oportuno proceso declarativo toma en consideración la relación jurídica, llamada causal o subyacente, y respecto de la misma hace en la demanda las oportunas afirmaciones de hechos constitutivos, cita las normas propias del contrato correspondiente y formula la petición que estima del caso. No hay aquí diferencia alguna derivada del hecho de que la obligación quedara incorporada a una letra de cambio, pues los hechos afirmados no se refieren a esa incorporación, y en el proceso declarativo ordinario la letra de cambio será sólo un documento fuente de prueba. Naturalmente en este supuesto no existe limitación alguna en las posibles alegaciones que las partes puedan hacer y, especialmente, el demandado no se verá limitado en las excepciones materiales que pueda oponer. De la misma manera no surgirá cuestión alguna relativa a la cosa juzgada material.

B) Acciones cambiarias

Cuando la obligación ha quedado incorporada a un documento, a la letra de cambio, esa incorporación en sí misma aparece como hecho constitutivo, que puede ser sin más la causa de pedir de una pretensión autónoma, en la cual no se hará referencia a los hechos que dieron origen a la obligación, y en la que la fundamentación jurídica atenderá a las normas propias de la letra de cambio. El carácter abstracto de ésta supone que, no pagada a su vencimiento, su tenedor legítimo puede formular una pretensión que, por estar basada en el hecho de la existencia de la letra y en las normas reguladoras de ésta, se llama cambiaria y que puede ser formulada, siempre por el tenedor legítimo de la letra, contra:

1.º) Directa: El aceptante de la letra y sus avalistas, es decir, frente a los obligados principales (art. 49, I, LCCH).

> En este caso no es necesario que la letra haya sido protestada ni que se haya procedido a la declaración equivalente (normalmente por la Cámara de Compensación), y aun parece que tampoco es imprescindible que la letra se haya presentado al cobro.

2.º) De regreso: El librador, los endosantes y demás personas obligadas una vez vencida la letra si el pago no se ha efectuado (art. 50 LCCH).

> En este otro caso sí es necesario que la letra, bien haya sido protestada, bien se haya efectuado la declaración equivalente, y es también presupuesto que hace a la admisibilidad misma de la pretensión el que la letra haya vencido y se haya presentado al pago, resultando impagada. Ahora bien, esto último no impide que existan dos especies de «acción» de regreso: 1) La estricta, que es la que exige el vencimiento de la letra y su impago (art. 50, I, LCCH), y 2) La anticipada, que puede formularse antes del vencimiento (art. 50, II, LCCH).

La complicación ha provenido de que:

1.º) Los arts. 49, II, y 56, I, LCCH admitían que las «acciones cambiarias» podían ejercitarse: 1) Bien en la «vía ordinaria», es decir, en el proceso declarativo ordinario que correspondiera a la cuantía, con lo que se estaba ante una pretensión declarativa, y 2) Bien por medio de la «vía ejecutiva», esto es, en un juicio ejecutivo, tratándose, por tanto, de una pretensión de ejecución.

2.º) Desaparecido el juicio ejecutivo con la LEC/2000, no debería admitirse que las «acciones cambiarias» pudieran ejercitarse en dos procesos. Lo lógico hubiera sido que la LEC terminara con esta alternativa, disponiendo que la pretensión basada en el hecho constitutivo de la incorporación de una obligación a una letra de cambio sólo podía ejercitarse por medio del juicio cambiario.

3.º) A pesar de que lo anterior no se ha dispuesto de modo claro, la jurisprudencia ha empezado ya a entender que la acción cambiaria sólo se puede ejercitar en proceso cambiario.

III. PRESUPUESTOS DE LA PRETENSIÓN CAMBIARIA

Como en todos los procesos especiales la posibilidad de acudir al juicio cambiario depende de la concurrencia de unos presupuestos procesales específicos.

A) Relativos al documento título valor

El art. 819 LEC dice que sólo procederá este juicio si, al incoarlo, se presenta letra de cambio, cheque o pagaré que reúnan los requisitos previstos en la Ley Cambiaria y del Cheque, y el art. 821.2 añade que el tribunal analizará de oficio la corrección formal del título cambiario. Con estas normas se está efectuando por la LEC una remisión completa a la LCCH. Se está diciendo, obviamente, que en el juicio cambiario sólo pueden ejercitarse pretensiones de las que hemos llamado cambiarias, pero el presupuesto de la regularidad del documento que incorpora la obligación se determina por remisión.

> Tratándose de la letra de cambio debe estarse a los arts. 1 a 13 de la LCCH, del pagaré a los arts. 94 y 95 y del cheque a los arts. 106 a 119. En su caso habrá de estarse también a la regulación propia del endoso, al tratar de determinar quién queda legitimado para formular la pretensión, es decir, a los arts. 14 a 24 para la letra, al art. 96 para pagaré y a los arts. 120 a 130 para el cheque.
>
> En este sentido es elemental la necesidad de la apariencia de la firma de aquél contra el que se pretende dirigir el proceso (aceptante de la letra, art. 33; firmante del pagaré, art. 97; librador del cheque, art. 106), requisito plenamente aplicable a librador, avalista y endosante.

El protesto (o las declaraciones equivalentes) no es necesario cuando se dirige la ejecución contra el aceptante y/o sus avalistas, por medio de la «acción directa» (arts. 49 a 63 para la letra, art. 96 para el pagaré; en el cheque no hay acción directa). Si lo que se ejercita es la «acción de regreso», esto es, contra el librador, endosante y/o sus avalistas, sí se precisa protesto (o declaración equivalente) (arts. 51 y 63 para la letra; 93 para el pagaré y 146 para el cheque).

Las declaraciones equivalentes al protesto son: 1) Letra de cambio y pagaré: Declaración del librado (firmante) denegando el pago, declaración del domiciliatario o de Cámara de Compensación en que, asimismo, se deniegue el pago (arts. 51 y 96), y 2) Cheque: Declaración del librado o de Cámara o Sistema de Compensación en la que conste que se presentó y no fue pagado en tiempo hábil (art. 146).

Los presupuestos relativos a la obligación documentada no pueden seguir siendo los que eran propios del desaparecido juicio ejecutivo. Evidentemente la petición de la pretensión tiene que referirse a una cantidad de dinero, pero ya no por una cuantía mínima (puede ser hoy inferior a 300 euros). En general la obligación debe estar vencida, pero cabe formular la pretensión cambiaria de regreso, es decir, contra el librador, los endosantes y las demás personas obligadas antes del vencimiento (art. 50, II, LCCH).

B) Competencia

La objetiva se atribuye sólo a los Juzgados de Primera Instancia y la territorial al Juzgado del domicilio del demandado. Cuando el tenedor de título valor demandare varios deudores cuya obligación surja del mismo título, será competente el Juzgado del domicilio de cualquiera de ellos, a elección del demandante.

La norma no dice que ese domicilio del demandado será el determinado en el título valor, pero parece que él habrá de estarse. Cabe, pues, que en la propia letra se distinga entre lugar en que se ha de efectuar el pago (art. 1, 5.º LCCH) y lugar designado junto al nombre del librado que se considera domicilio del mismo (art. 2, b), y la competencia se atribuye en atención a este segundo. Incluso en el caso de que en el título valor no aparezca el domicilio del obligado al pago, no parece que deba estarse al lugar en que se ha de efectuar el pago según el título, sino siempre al domicilio del obligado.

El art. 820 dispone que la norma de competencia territorial es imperativa, lo que excluye la sumisión, tanto la expresa como la tácita, debiendo el juez controlar de oficio su aplicación. Este control de oficio debe realizarse en el momento de la admisión de la demanda, conforme a lo dispuesto en el art. 58 LEC, que es de aplicación general.

A pesar de que no existe alusión al control de la competencia territorial a instancia de parte, se entiende lógicamente del demandado, debe tenerse en cuenta que todas los problemas relativos a la jurisdicción y a la competencia se dilucidan por medio de la declinatoria, lo que supone que el demandado en este proceso especial también ha de tener la posibilidad de alegarla, para lo que debe estarse a la aplicación de los arts. 63 y siguientes de la LEC. La competencia, incluida la territorial, no es así causa de oposición a la ejecución, sino cuestión que debe resolverse de modo previo.

IV. EL JUICIO SIN OPOSICIÓN

La regulación del juicio cambiario está pre ordenada a la rápida obtención de una resolución despachando la ejecución, partiendo de que la obligación está documentada. La experiencia ha demostrado que en muchos casos en los que se presenta una demanda con un título valor, el demandado no formula oposición y el legislador, partiendo de esa experiencia, regula un procedimiento en el que, después de la demanda, se requiere de pago al demandado y ante la falta de oposición por éste hace equivaler su silencio a admisión tácita, por lo que el Juzgado procede a dictar sin más auto despachando la ejecución por las cantidades reclamadas.

El procedimiento del juicio cuando no existe oposición se simplifica así tan extraordinariamente que ni siquiera existe sentencia en la que se condene al demandado. La demanda y el requerimiento de pago no seguidos de oposición lleva a despachar la ejecución y a seguir después por los trámites del proceso de ejecución.

A) Demanda

El juicio cambiario comienza con la presentación de la demanda, que el art. 821.1 califica de sucinta, a la que se acompañará el título cambiario. La utilización de la expresión «demanda sucinta» es un claro error del legislador, debiendo entenderse demanda breve, pues en ella debe interponerse de modo completo la pretensión.

> La LEC emplea la expresión «demanda sucinta» en la regulación del juicio verbal (art. 437.1) y ya dijimos (Lección Decimonovena) que en este tipo de demanda no se interpone de modo completo la pretensión, sino que simplemente se prepara o se interpone parcialmente, siendo completada después en el inicio de la vista, en la que el actor expondrá la fundamentación de lo que pide. Demanda sucinta es igual a demanda simple o no completa.

En el juicio cambiario la demanda contiene completamente la pretensión, pues sus requisitos de contenido son:

1.°) *Subjetivos*: Se determinará el Juzgado ante el que se presenta y se identificará a las partes, con especial referencia al domicilio. Es necesaria en todo caso la representación por procurador y la defensa por abogado.

En realidad todo lo dicho en la Lección Decimocuarta sobre estos requisitos subjetivos de la demanda del juicio ordinario puede repetirse aquí.

> Con escasa técnica el art. 57 LCCH declara que todos los que hubieren librado, aceptado, endosado o avalado una letra (o un pagaré, art. 96; o un cheque, art. 148) responden solidariamente frente al tenedor, el cual podrá proceder contra todas estas personas conjunta o individualmente, sin que sea indispensable observar el orden en que se hubieren obligado. Surge así una falsa solidaridad, que en el fondo no es más que la autorización para que el tenedor acumule varias pretensiones contra varios demandados.
>
> La duda inicial consiste en si estamos ante un litisconsorcio pasivo cuasi necesario o ante una acumulación. En nuestra opinión no se trata de un litisconsorcio porque no existe una única relación con varios titulares pasivos. Tratándose, pues, de una acumulación hay que precisar, después, su clase; es una acumulación de pretensiones inicial y objetivo-subjetiva, pero además eventual propia o subsidiaria (Lección sexta).
>
> Si se concluyera que se trata de una acumulación alternativa los problemas suscitados serían irresolubles. Piénsese en lo que ocurriría si uno de los demandados paga ¿debe requerirse de pago y embargarse a los demás? y, por otra parte, si ninguno paga ¿debe embargarse a todos por el importe de la obligación documentada en el título? Al considerar que es una acumulación eventual propia o subsidiaria, el actor deberá expresar en la demanda el orden de los deudores con que debe procederse, sin necesidad de que sea el mismo en que se hubieren obligado cambiariamente (art. 57, II, LCCH).

2.º) *Fundamentación*: La demanda tiene que ser fundada, esto es, con individualización de la pretensión, aunque esa fundamentación sea muy sencilla pues puede referirse únicamente a que el actor es tenedor legítimo de la letra de cambio que se presenta. El título cambiario sin más expresa todos los hechos constitutivos que es preciso que afirme el actor y por ello no es necesario que se detallen en el escrito de demanda. Este no detallar, no supone que la demanda carezca de fundamentación, y por eso no se trata de una demanda sucinta. Los fundamentos de derecho se referirán, primero, a la procedencia del juicio cambiario, es decir, a que se cumplen los presupuestos del mismo, sobre todo lo relativo a la regularidad formal del título cambiario, y, después, a la fundamentación jurídica que debe considerarse material o de fondo.

3.º) *Petición*: No se refiere a que el demandado sea condenado al pago de una cantidad, es decir, no existe una petición declarativa de condena respecto al fondo del asunto, sino que la petición es procesal, pues debe atender a actividad judicial, es decir, a que se requiera de pago al demandado, se practique el embargo preventivo y a que, si el demandado no paga ni se opone, se dicte auto despachando la ejecución por una cantidad de dinero que debe determinarse, distinguiendo entre principal de la deuda, intereses y costas.

B) Admisión

En los procesos declarativos la resolución judicial inicial atiende a la admisión o inadmisión de la demanda, mientras que en los procesos ejecutivos se trata de despachar o no la ejecución. Respecto de esta distinción procesal básica el art. 821.2 guarda silencio, pues se limita a decir que el tribunal, después de analizar la corrección formal del título cambiario, si lo encuentra conforme adoptará las medidas que especifica. A pesar de ello estimamos que:

a) La decisión judicial tienen que atender a la admisión o no de la demanda, no a despachar la ejecución, entre otras cosas porque ese despacho se hará después si no hay oposición, como dice el art. 825.

> Desde luego no caben situaciones indeterminadas, es decir, no cabe que no exista decisión relativa a la admisión, sino simplemente que esa decisión atienda sólo a acordar o no las medidas específicas. Incluso en el caso de que el juez se limitará a acordar las medidas estaría implícitamente admitiendo la demanda; y a la inversa en el caso de que se limitara a denegar la adopción de las medidas.

b) Esa decisión se basa, primero, en el examen de la jurisdicción y de la competencia, aplicando los arts. 38, 48 y 58 LEC; la inadmisión por esta causa, dado que se tratará de un auto definitivo, será recurrible en apelación (arts. 455 y 207.1).

c) Especialmente esa decisión se basará en la corrección formal del título cambiario, esto es, en el cumplimiento del presupuesto procesal que es la presentación de un título valor con los requisitos previstos en la LCCH.

> Según el art. 2 de la LCCH el documento que carezca de los requisitos indicados en el art. 1 «no se considera letra de cambio», y lo mismo repiten el art. 95 respecto del pagaré, con relación a los requisitos del anterior art. 94, y el art. 107 para el cheque y con relación a los requisitos del art. 106. A estos requisitos habrán de añadirse los atinentes a los presupuestos específicos para el ejercicio de las «acciones cambiarias» (por ejemplo, la acción directa exige que la letra esté aceptada, y la acción de regreso que haya precedido protesto o declaración equivalente).
>
> Problema especial es el atinente al timbre de la letra y a su control de oficio. El art. 37 del RD-legislativo 1/1993, de 24 de septiembre, que aprueba el texto refundido de la Ley del impuesto sobre transmisiones patrimoniales y actos jurídicos documentados, dispone que las letras de cambio se extenderán necesariamente en el efecto timbrado de la clase que corresponda a su cuantía y que la extensión de la letra en efecto de cuantía inferior le priva de eficacia ejecutiva. Después de la LEC y de la desaparición del juicio ejecutivo la letra de cambio no tiene «eficacia ejecutiva», pero sí la tiene como presupuesto para un proceso especial, y lo que debe resolverse es si el supuesto de hecho del art. 37 del RD-legislativo 1/1993 debe aplicarse analógicamente, de modo que no se trate ya de privar de eficacia ejecutiva, sino de privar de eficacia para el juicio cambiario.

Aun partiendo de la base de la interpretación restringida, nuestra respuesta es afirmativa.

d) Si la decisión adoptada en el auto correspondiente, es la de no admitir la demanda por la incorrección formal del título cambiario presentado, contra el auto correspondiente podrá interponer, primero, reposición y, después, apelación, aunque ésta puede interponerse de modo directo, y sustanciándose sólo con el actor (arts. 821.2 y 552.2).

e) Si el juez admite la demanda, en el mismo auto se decretarán las medidas que enumera el art. 821.2.

No hay alusión a que de la demanda se dará traslado al demandado, ni a que se le notificará el auto admitiéndola, pero parece obvio que en el requerimiento a que aludimos a continuación está implícito el traslado y la notificación.

C) Requerimiento de pago y embargo

La admisión de la demanda supone que en el mismo auto el juez debe decretar dos medidas:

a) Requerir de pago al deudor para que lo haga en el plazo de diez días: Si el demandado atiende el requerimiento el pago debe hacerlo por medio del ingreso de la cantidad reclamada en la Cuenta de Consignaciones y Depósitos del Juzgado; éste, por un lado, no tanto entregará al demandado justificante del pago si lo pide, sino que el letrado le entregara el título cambiario, y, por otro, pondrá la suma de dinero a disposición del actor, dando por terminado el proceso.

> En realidad, y dada la remisión del art. 822 al art. 583, el pago puede hacerse antes de que se dicte por el juez el auto despachando la ejecución, si bien y en todo caso las costas serán a cargo del demandado deudor. Obviamente el pago puede hacerse en cualquier momento; lo que la norma dispone es que el proceso no seguirá adelante, ni practicándose el embargo preventivo, ni despachando la ejecución, durante diez días, que es el plazo que se otorga al demandado para pagar.

b) Ordenar el inmediato embargo preventivo de los bienes del deudor, por si no atendiera el requerimiento de pago, con expresión de la cantidad que figure en el título cambiario, más otras para intereses de demora y de costas.

> Según la norma se trata de un embargo preventivo, no de un embargo ejecutivo. Si esta es su naturaleza habrá que admitir que se trata de una medida cautelar muy especial, puesto que: 1) No necesita caución (o por lo menos no hay referencia a la misma), 2) Cubre las costas, 3) No exige ratificación en plazo de caducidad alguno, 4) No se evita con la prestación de contracautela, y 5) No existe declaración expresa de convertirse en ejecutivo. Por otro lado es lógico que

no se trate de un embargo ejecutivo, puesto que todavía no se ha despachado la ejecución.

Si el requerimiento no es para pagar en el acto, sino para pagar dentro de un plazo de diez días (el art. 821.2, 1.ª lo dice expresamente, de modo que el deudor tiene diez días de plazo para pagar), no se comprende que en el auto admitiendo la demanda se ordene el inmediato embargo preventivo de los bienes del deudor y que se proceda inmediatamente a su ejecución. Esto tiene sentido cuando el requerimiento de pago lo sea para pagar en el acto, pues entonces si el deudor no paga se procede sin más a embargar, pero lo ha perdido cuando en el requerimiento se le conceden diez días para pagar.

Por extraño que parezca debe partirse, pues, de que el embargo se practicará inmediatamente, y a partir de ahí se entiende:

1.º) Que, dentro de los cinco primeros días del requerimiento de pago, el requerido se persone en el proceso, niegue categóricamente la autenticidad de su firma o alegue falta absoluta de representación, y pida que se levante el embargo de sus bienes. Ante esta petición, el tribunal, a la vista de las circunstancias y de la documentación aportada, puede acordar que se levante ese embargo, exigiendo, si lo estima conveniente, caución o garantía adecuada.

2.º) Que el demandado requerido no puede pedir que se levante el embargo: 1) Cuando el libramiento, la aceptación, el aval o el endoso hayan sido intervenidos, con expresión de la fecha, por Corredor de comercio colegiado (ahora por notario) o las respectivas firmas estén legitimadas en la propia letra por Notario, 2) Cuando el deudor cambiario en el protesto o en el requerimiento notarial de pago no hubiere negado categóricamente la autenticidad de su firma en el título o no hubiere alegado falta absoluta de representación, y 3) Cuando el obligado cambiario hubiera reconocido su firma judicialmente o en documento público.

D) Auto despachando la ejecución

Si el demandado no paga después del requerimiento y si tampoco interpone la demanda de oposición, una y otra actividad dentro del plazo de diez días, el juez dictará auto despachando la ejecución por las cantidades reclamadas, continuándose el procedimiento conforme a lo previsto en la LEC para la ejecución de sentencias y resoluciones judiciales y arbitrales, empezando por la notificación de este auto y por la práctica del embargo por el letrado, si no se practicó antes o si se levantó (art. 825).

El auto despachando la ejecución debe tener el contenido del art. 553 (sin requerimiento de pago). No está tan claro que el mismo deba notificarse personalmente al ejecutado. En el proceso de ejecución esa notificación es necesaria porque dicho auto es la primera actuación y con su notificación el ejecutado tiene noticia de la existencia misma del proceso de ejecución, de modo que si no se persona no se le hace ya otra notificación personal (con alguna excepción); en cambio en el juicio cambiario el demandado ya ha tenido noticia de la existencia del proceso (en el requerimiento de pago y en la notificación del auto de admisión de la demanda, con traslado de ésta). A pesar de ello nos inclinamos por la notificación personal (si no se ha personado por medio de procurador), porque el tribunal puede no despachar la ejecución y si lo hace el ejecutado debe tener noticia de ello.

En el caso de que no se formule oposición resulta, pues, que:

1.º) Como no se dicta resolución condenando al demandado al pago, no se ha formado un título ejecutivo distinto del documento que se acompañó a la demanda, de modo que puede concluirse que el título ejecutivo es la letra, pagaré y cheque cuando no hay oposición.

2.º) No se prevé que el juez, pasado el plazo de diez días sin que se formule oposición, tenga que volver a considerar la concurrencia de los presupuestos procesales, es decir, su competencia y que el documento cambiario es correcto formalmente. Ahora bien, si se tiene en cuenta que el art. 551 dice que el tribunal despachará la ejecución siempre que concurran los presupuestos y requisitos procesales y especialmente que el título no adolece de ninguna irregularidad formal, puede concluirse que cabe ese segundo examen y no despachar la ejecución.

3.º) No puede hablarse tampoco de resolución alguna que haya producido o dejado de producir cosa juzgada material, pues el auto despachando la ejecución no es, desde luego, una resolución que se pronuncie sobre el fondo de asunto alguno. Lo que existirá es cosa ejecutada, no pudiéndose llevar a un proceso declarativo posterior lo que es típico del juicio cambiario, esto es, si el documento cambiario cumple o no los requisitos para el juicio especial de esta naturaleza.

4.º) El art. 825 se remite para la ejecución a lo previsto en la LEC para la ejecución de títulos judiciales, lo que adquiere especial sentido cuando se trata de la oposición a la ejecución. Es evidente que el ejecutado siempre podrá oponerse a los concretos actos de ejecución (art. 562), pero no lo es tanto que pueda oponerse a la ejecución en su conjunto, bien por defectos procesales (art. 559), bien por motivos de fondo (art. 556.1), y sin embargo así debe ser pues de lo contrario carecería de sentido la remisión que el art. 825 hace precisamente a la ejecución de sentencias y resoluciones judiciales y arbitrales.

Esto supone que el demandado puede: 1) Formular oposición cambiaria dentro de los diez días siguientes al requerimiento de pago, y 2) Si no ha formulado esa oposición, una vez iniciada la ejecución, con la notificación del auto despachándola, podrá formular la oposición a que se refieren los arts. 556.1 y 559. Y todavía cabe cuestionar si, habiendo formulado la oposición cambiaria y habiéndose desestimado la misma por la sentencia del art. 827, una vez iniciada la ejecución es posible formular la oposición de esos mismos artículos; desde luego la oposición por motivos de fondo del art. 556.1 sí será admisible, pero parece que la solución contraria debe aplicarse a la oposición por defectos procesales, pues todos esos defectos han de debido quedar decididos, y con cosa juzgada, en la oposición cambiaria.

V. LA OPOSICIÓN CAMBIARIA

En los diez días siguientes al del requerimiento de pago, dice el art. 824.1, el deudor podrá interponer demanda de oposición al juicio cambiario. Aparece así la oposición cambiaria, de la que hay que estudiar:

A) Tramitación

El peso de la tradición del desaparecido juicio ejecutivo ha llevado a que el juicio cambiario no se regule con demanda y contestación, que es lo propio de un proceso de declaración, sino con demanda, notificación y requerimiento de pago y, dentro del plazo concedido para pagar, el demandado puede formular demanda de oposición. Este esquema es propio de un proceso de ejecución (como era el suprimido juicio ejecutivo), pero desconcierta cuando se aplica a un proceso cuya naturaleza (por esto mismo y por otras causas) no está bien definida, aunque este esquema tiene que producir importantes consecuencias prácticas.

Dentro, pues, del plazo de diez días el demandado podrá formular «demanda de oposición» (art. 825) o, en otras palabras, «la oposición se hará en forma de demanda» (art. 824.2), con lo que se están diciendo dos cosas:

a) Forma: El escrito de oposición adoptará la forma de demanda, lo que implica una remisión a lo dispuesto en el art. 399.

b) Posición procesal: Quien formula el escrito adopta la posición procesal de demandante, convirtiendo a la otra parte en demandado, lo que tiene una gran trascendencia teórica y práctica pues con ello lo que se está diciendo es que quien formula la oposición adquiere todas las cargas propias del actor y, principalmente, las relativas a la alegación de los hechos y a la prueba. La técnica de la oposición por medio de demanda produce realmente una inversión en los papeles de las partes.

Quien formuló la demanda inicial del juicio cambiario afirmó unos hechos constitutivos, que pueden entenderse implícitos en el documento cambiario que hubo de aportar, y con ello no necesita alegar nada más ni probar hecho alguno para que, sin oposición, se despache la ejecución y para que, con oposición, toda la fundamentación de ésta y toda la carga de la prueba recaiga sobre quien se opone. El fundamento de la petición es el documento cambiario y el que lo presenta no necesita añadir nada más; si el demandado quiere alegar algo, lo que fuera, a él le corresponde la carga de alegarlo y la carga de probarlo.

Desde la inversión de los papeles de las partes hay que entender la continuación de la tramitación. Del escrito demanda de oposición se dará traslado al acreedor para que lo impugne, esto es, para que conteste a la demanda, en el plazo de diez días. Las partes, en sus respectivos escritos de oposición y de impugnación de ésta, podrán solicitar la celebración de vista, siguiendo los trámites previstos en los arts. 438 y siguientes para el juicio verbal. Si no se solicitara la vista o si el tribunal no considerase procedente su celebración, se resolverá sin más trámites la oposición.

Siempre desde la inversión de los papeles procesales deben entenderse los efectos de la incomparecencia de las partes a la vista: 1) Si no comparece el deudor, el tribunal le tendrá por desistido de la oposición y dictará auto despachando la ejecución, de modo que esta incomparecencia equivale a desistimiento tácito de la oposición, y 2) Si no comparece el acreedor, el tribunal resolverá sin oírle sobre la oposición, dice el art. 826, y lo que está diciendo realmente es que «el juicio continuará su curso» (art. 442.2), es decir, proseguirá la vista, en la que el deudor tendrá que realizar, como «demandante» toda la actividad procesal, sobre todo la prueba de los hechos por él afirmados, para que luego el tribunal dicte la sentencia que corresponda.

B) Causas de oposición

Respecto el contenido de la oposición el art. 824.2 se limita a efectuar una remisión: El deudor cambiario podrá oponer al tenedor de la letra, el cheque o el pagaré todas las causas o motivos de oposición previstos en el art. 67 de la LCCH, y esta norma, después de enumerar las que llama excepciones, acaba diciendo que, frente al ejercicio de la acción cambiaria, sólo caben esas excepciones.

Del examen de las excepciones enumeradas resulta, de entrada, que no hay alusión a las que deben calificarse, sin duda, de procesales, las que se refieren a la concurrencia de los presupuestos y al cumplimiento de los requisitos de esta naturaleza. El art. 67 LCCH enumera sólo excepciones que en el mismo se consideran materiales, las atinentes a las relaciones jurídicas cambiaria y causal, y por ello, antes de nada, debe afirmarse que esto no puede suponer la exclusión de las excepciones procesales, pues es imposible realizar un proceso sin que en el mismo pueda debatirse sobre su válida constitución.

> Lo anterior es tan evidente que no es necesaria mayor argumentación. La verdadera cuestión se refiere, en este sentido, a la determinación de la naturaleza de alguna de las excepciones posibles, especialmente la atinente a la falta de formalidades necesarias en la letra, cheque o pagaré conforme a lo dispuesto en la Ley, pues esa falta puede considerarse: 1) Procesal, en tanto que se trata de que el título valor no existe y, por tanto, no concurre el presupuesto procesal necesario para dar lugar al juicio cambiario, y 2) Material, pues lo que se está excluyendo es la existencia de la relación jurídica cambiaria, el que se haya incorporado una obligación a un documento. Las dos opciones tienen sentido y aun podría decirse que el elegir una u otra depende del punto de vista que se adopte. Desde el procesal se trata de que el proceso especial depende en su misma posibilidad de la existencia de un documento con requisitos determinados; desde el material lo que se está negando en la existencia de la relación jurídica cambiaria.

a) Procesales

Cuando lo que el deudor, demandante en la oposición, alega es la falta de un presupuesto procesal o, más en general, cuando su alegación se formula al amparo de una norma procesal, aun en el supuesto de que en la LCCH no exista previsión expresa, la causa de oposición ha de ser admisible.

> Todo lo relativo a la jurisdicción y a la competencia, incluida la sumisión de la cuestión litigiosa a arbitraje, no puede formularse como excepción, pues su vía de alegación es la declinatoria, como antes hemos dicho.

1.ª) Falta de personalidad en el acreedor o en su procurador.

> La palabra «personalidad» tiene aquí un sentido muy amplio, pues con la misma se está aludiendo a la falta de capacidad del acreedor, a carecer de la representación con que dice actuar en el proceso (donde entra todo lo atinente al poder, como es su existencia, legalidad y suficiencia), a que no se ha acreditado la sucesión en el derecho (cuando el acreedor no figura nominalmente en el título, pero es el sucesor universal de quien sí figura), y a todo lo que se refiere a la representación procesal del procurador.

2.ª) Carecer el deudor del carácter o representación atribuidos.

> Respecto de sí mismo el deudor podrá alegar que no tiene el carácter o representación con el que se le demandó, pero debe recordarse que la demanda debe formularse contra el representado, no contra el representante. No se trata de que careciera de representación para asumir la relación jurídica cambiaria, sino de la representación con que se le demanda.

3.º) Defectos formales en la tramitación del proceso hasta ese momento.

Sin perjuicio de que el deudor puede formular los recursos admisibles contra las resoluciones que se hayan dictado, cuando ello no le ha sido posible tiene que poder alegar como causa de oposición la nulidad de lo tramitado.

b) Materiales

La alegación se centra aquí en la aplicación de norma sustantiva y tradicionalmente dentro de las excepciones materiales se ha distinguido entre cambiarias y extra cambiarias; las primeras se refieren a lo que es propio de la obligación cambiaria, a lo específico de la creación y circulación del documento cambiario, mientras que la segundas atienden a la relación jurídica causal o subyacente, a la existencia de la obligación en sí misma, independientemente de que se haya o no incorporado a un documento.

1.º) Cambiarias

Los criterios de clasificación de estas excepciones son tantos y se aplican de tantos modos que acaba siendo más esclarecedor seguir el orden del art. 67, II, LCCH.

> Lo que no puede hacerse en pretender clasificar las excepciones materiales con referencia a la naturaleza del hecho alegado por el deudor, y no puede hacerse porque, partiendo de que adopta la posición procesal de demandante, es obvio que no puede alegar hechos que en el caso concreto se consideren impeditivos, extintivos o excluyentes. El demandante de oposición no puede, obviamente, limitarse a negar los hechos constitutivos afirmados por el acreedor, pero es que, además, los hechos que él afirme son siempre constitutivos de su petición de que no se despache contra él la ejecución. Es cierto que en abstracto pueden distinguirse los hechos en impeditivos (falsedad de la firma), extintivos (pago) o excluyentes (prescripción), pero en el proceso en concreto y en la demanda de oposición todos estos hechos afirmados por el deudor son constitutivos, y por ello le corresponderá a él la prueba de los mismos.

1") Falta de las formalidades necesarias de la letra (cheque o pagaré) conforme a lo dispuesto en la LCCH.

> En realidad por este apartado pueden alegarse desde que el acreedor no ha presentado con la demanda el documento cambiario, hasta que el mismo existe pero no cumple los requisitos exigidos por la LCCH (nombre del librador o del tomador, fecha y lugar del libramiento, firma del librador, lugar de pago, timbre), debiendo entonces tenerse en cuenta que el documento que carezca de algún requisito no se considera letra (art. 2), pagaré (art. 95) o cheque (art. 107). Este es el supuesto donde se aprecia de modo más claro que el deudor no puede limitarse a negar la existencia del hecho constitutivo afirmado por el acreedor, sino que para él el incumplimiento de algún requisito es el hecho constitutivo que afirma.

2") Falta de legitimación del tenedor, entendiendo aquí por legitimación titularidad legítima de la letra.

Esta llamada legitimación requiere, por un lado, la posesión del título valor (la detentación material) y, por otro, figurar en la letra a través de un endoso extendido a su favor, es decir, la declaración cambiaria de transmisión a su favor (la «investidura formal»).

3") Inexistencia o falta de validez de su propia declaración cambiaria, incluida la falsedad de su firma.

El supuesto de la falsedad de la firma es claro; el de la declaración cambiaria atenderá normalmente, no tanto a la falta de capacidad, que es posible, cuanto a la falta de representación de la persona que acepta la letra en nombre de otra, y siempre teniendo en cuenta lo dispuesto en los arts. 9 y 10 de la LCCH. Otra vez hay que decir que la alegación de la falsedad de la firma, al convertir el hecho en controvertido, no hacer recaer la carga de la prueba sobre el acreedor, sino que esa carga siempre recae sobre el deudor, que ha adoptado la posición procesal de demandante en la oposición.

4") Extinción del crédito cambiario.

Se trata del pago, de la plus petición (que es un pago parcial), de la prescripción (que siendo un hecho excluyente en abstracto, aquí al alegarse por el deudor juega como hecho constitutivo de la petición que hace en la demanda de oposición).

2.°) *Extra cambiarias*

El deudor cambiario puede oponer al tenedor de la letra las excepciones basadas en sus relaciones personales con él, lo que supone que por esta vía entra en el juicio cambiario la relación jurídica material o causal o subyacente, pero la relación específica entre las dos personas partes en el proceso, no otra relación que pudiera existir entre otras personas.

El deudor cambiario contra el que se ha iniciado el juicio especial por el tercero tenedor de la letra, podrá oponer frente a éste las excepciones fundadas en sus relaciones personales con él, no las excepciones que atiendan a sus relaciones personales con el librador o con tenedores anteriores. Se exceptúa el supuesto de que el tenedor, al adquirir la letra, haya procedido a sabiendas en perjuicio del deudor, esto es, tuviera conocimiento de las posibles excepciones que el deudor cabría que alegara contra el librador o endosante.

Lo anterior supone que entre las partes de la relación jurídica material inicial, los que incorporaron la obligación a la letra (librador y librado), puede alegarse todo el contenido de esa relación causal o subyacente, sin que exista limitación alguna.

Si el juicio cambiario se concibiera como un proceso con demanda y contestación, la alegación por el deudor demandado de excepciones materiales extra cambiarias supondría realmente la formulación de una reconvención, pues con ellas se estaría saliendo del objeto del proceso establecido por el actor en la demanda (de su pretensión) (la relación jurídica cambiaria), para formular una pretensión distinta que se basaría en añadir otro objeto de proceso (otra pretensión) (la relación jurídica causal o subyacente). Concebido el juicio cambiario del modo en que está regulado en la LEC, en la que el deudor se convierte en demandante, no cabe hablar de excepción que en el fondo esconde una reconvención, pues no hay verdaderas excepciones sino alegaciones de hechos constitutivos.

C) Sentencia

En el plazo de diez días, desde el de la vista del juicio verbal, «el tribunal dictará sentencia resolviendo sobre la oposición», dice el art. 827.1, y no añade nada respecto de su contenido. Es obvio que la sentencia tiene que pronunciarse sobre la estimación o desestimación de la oposición, pero no queda nada claro si tiene que contener algún otro pronunciamiento y relativo, bien al despacho de la ejecución, bien a la condena a obligación dineraria. Esta segunda posibilidad parece que se desprende de que quepa ejecución provisional de la sentencia que desestima la oposición y que es recurrida, pues sólo cabrá esta ejecución si la sentencia es título ejecutivo, lo que implica que en ella tiene que hacerse algún pronunciamiento de condena.

No es dudoso que:

1.º) Si la sentencia estima la oposición y no es recurrida, habrá de alzarse el embargo preventivo y el proceso concluye.

2.º) Si la sentencia estima la oposición y contra ella se interpone recurso de apelación (se entiende por el acreedor) se levantará el embargo preventivo, salvo que el recurrente solicite su mantenimiento, lo que el tribunal podrá acordar, oída la parte contraria, atendidas las circunstancias del caso.

> El art. 827.2 se remite a lo dispuesto en el art. 744, sin introducir variación alguna, pero deberá tenerse en cuenta que: 1) No se sabe qué medida podrá sustituir a la de embargo preventivo, y 2) No cabrá aumentar el importe de la caución puesto que el embargo preventivo es el juicio cambiario se adopta sin caución.

3.º) Si la sentencia desestima la oposición y es recurrida, cabe la ejecución provisional, conforme a las reglas generales de ésta, es decir, a los arts. 524 y siguientes, teniendo en cuenta que se trata de sentencia de contenido económico.

Aunque el art. 827 no lo dice si la sentencia desestima la oposición y no es recurrida o, en cualquier caso, la sentencia que al final desestime la oposición de modo firme, debe ser el título ejecutivo a partir del cual el acreedor podrá pedir la ejecución forzosa, siguiendo los trámites de ésta previstos en general.

El art. 827.3 dice que la sentencia firme dictada en el proceso cambiario produce efectos de cosa juzgada respecto de las cuestiones que pudieron en él ser alegadas y discutida y no los produce respecto de las cuestiones restantes, pero esta norma es incomprensible. Si el deudor en la demanda de oposición puede alegar todas las excepciones basadas en sus relaciones personales con el tenedor de la letra es obvio que la cosa juzgada se extenderá al conjunto de la relación jurídica existente entre las partes del proceso, sin que pueda existir otro proceso posterior entre las mismas partes. Podrá haber otro proceso posterior entre el deudor cambiario y otra persona (el librador, por ejemplo), pero entonces no concurrirán las identidades necesarias para que la cosa juzga despliegue su efecto negativo.

Legislación: Ley de Enjuiciamiento Civil (arts. 819 a 827).
Lectura: ADÁN DOMÉNECH, *El nuevo proceso cambiario*, Barcelona, 2002.

La ejecución hipotecaria

I. LAS OPCIONES PROCESALES DEL ACREEDOR HIPOTECARIO
1. Proceso declarativo.
2. Ejecución ordinaria
3. Ejecución especial:

II. EL PROCESO DE EJECUCIÓN COMÚN:
Por el valor del bien
A) Partes y acumulaciones
   a) Dirigido sólo contra el deudor: 2 pretensiones
   b) Contra el deudor y otra persona:
      1. El deudor y el tercer poseedor
      2. El deudor y el fiador
B) Especialidades procesales
   a) El propio de la LEC
   b) El de la LH

III. EL PROCESO ESPECIAL DE EJECUCIÓN HIPOTECARIA:
Nace en 1909. Grandes acreedores. Hoy art. 681
A) Presupuestos procesales
   a) Precio de tasación de la finca
   b) Domicilio para requerimientos y notificaciones
   c) Competencia: territorial
   d) Legitimación
B) Desarrollo de la ejecución
   a) Demanda
   b) Requerimiento de pago
   c) Certificación registral y nota marginal
   d) Tres notificaciones
   e) Depósito y administración del bien
   f) Subasta. Inspección del inmueble
   g) Pago del crédito y destino del sobrante
   h) Insuficiencia de lo obtenido para cubrir el crédito
C) Suspensión y oposición a la ejecución
   a) Causas de suspensión: Tercería y prejudicialidad
   b) Oposición del ejecutado: 1. Procesal. 2. Motivos de fondo
D) Remisión a juicio ordinario
   Limitación del incidente.
   1. No regularidad formal, 2. Relación jurídica material

IV. EL PROCESO ESPECIAL DE EJECUCIÓN DE LA PRENDA SIN DESPLAZAMIENTO DE POSE-SIÓN
Especialidades

I. LAS OPCIONES PROCESALES DEL ACREEDOR HIPOTECARIO

Al acreedor que tiene su crédito garantizado con hipoteca, la ley le ofrece toda una serie de opciones procesales entre las que puede elegir, basándose su decisión en lo que estime más conveniente para la defensa de su derecho y siempre que concurran los presupuestos procesales. Las opciones que nos importan son las ejecutivas.

> Siempre es posible acudir al proceso declarativo ordinario que corresponda conforme a la cuantía, aunque ello no será lo normal, dado que supondría renunciar al camino mucho más rápido que implica ir directamente a la tutela judicial ejecutiva, sin pasar por el proceso de declaración del derecho, al contar con un título ejecutivo no judicial. La posibilidad, con todo, está ahí y no puede desconocerse que en algún supuesto puede ser conveniente optar por ella, advirtiéndose que se tratará entonces de una pretensión declarativa de condena.

1.ª) Puede acudir al proceso de ejecución común u ordinario de la LEC, pues dispone de un título ejecutivo de los del núm. 4.º del art. 517.2. Luego veremos cómo.

2.ª) Cabe que inste el proceso de ejecución especial del Capítulo V del Título IV del Libro III de la LEC, siempre que concurran los presupuestos exigidos por el art. 682.

> Aunque es usual en las escrituras públicas de préstamo hipotecario que las partes convengan expresamente que el acreedor puede utilizar cualquiera de estos caminos, lo cierto es que tales estipulaciones son innecesarias, porque el poder acudir a un procedimiento o a otro no depende de la voluntad concorde de las partes, sino de que, en el caso concreto, concurran los presupuestos específicos de cada uno previstos en la ley. El derecho de opción del acreedor hipotecario no proviene de un acuerdo previo con el deudor, sino directamente de la ley. Otra cosa es que para constituir los presupuestos sí sea necesario ese acuerdo, pero también se precisa de él para la escritura misma.

Antes de seguir conviene dejar despejado un grave problema terminológico. Si el acreedor acude a un proceso de ejecución lo hará formulando, en todo caso, una pretensión ejecutiva, pero ésta puede tener un doble fundamento:

1.º) Título ejecutivo que es la escritura de hipoteca, y entonces podemos hablar de pretensión ejecutiva hipotecaria o, resumiendo, de pretensión hipotecaria, aun siendo conscientes de la imprecisión técnica de esta expresión.

2.º) Título ejecutivo que es la escritura pública en la que se ha constituido el derecho de crédito del acreedor, y de la que podría hablarse de pretensión ejecutiva crediticia, aunque la doctrina hipotecarista viene hablando tradicionalmente de acción personal.

A pesar de que las palabras tienen su importancia, pues con ellas nos entendemos como único instrumento de comunicación, creemos que si existe una terminología, consolidada después de muchos años, no conviene intentar cambiarla, a pesar de su incorrección técnica. En lo que sigue, pues, vamos a mantener las expresiones hipotecaria y personal, aunque hablaremos de pretensión, siendo plenamente conscientes de que se trata de dos pretensiones ejecutivas. Es preferible mantener lo existente, a introducir otro elemento de confusión.

II. EL PROCESO DE EJECUCIÓN COMÚN

El acreedor que dispone de una escritura de constitución de hipoteca, con los presupuestos procesales específicos del art. 682 LEC, lo normal es que acuda al proceso especial de que haremos después mención, pero, si no se han constituido esos presupuestos o aun habiéndose constituido, cabe que inste el proceso de ejecución común.

Habiendo quedado constituidos los presupuestos del art. 682, es posible que existan razones que aconsejen al acreedor iniciar al proceso de ejecución común, razones que se suelen centrar en el valor del bien hipotecado; en efecto, si se estima que el valor del mismo, esto es, que lo que va obtenerse con él en la realización forzosa (en la subasta, normalmente) no va a ser suficiente para cubrir el importe del crédito en la parte garantizada con la hipoteca, es conveniente acudir a la ejecución común.

Esta posibilidad de acudir al proceso de ejecución común estaba prevista de modo expreso tanto en la LH (para la hipoteca inmobiliaria) como en la LHMYPS (hipoteca mobiliaria). En el primer caso el art. 126 LH se refiere al juicio ejecutivo, que hoy debe entenderse como ejecución común, y en el segundo el art. 81 LHMYPD alude a los procesos establecidos en la LEC, con lo no debe efectuarse adecuación a la nueva LEC, dada la generalidad de la remisión.

A) Partes y acumulaciones

Las posibilidades de dirigir la pretensión ejecutiva contra los legitimados pasivamente son muy variadas y, en su caso, supondrán modalidades de acumulación:

a) Dirigido sólo contra el deudor

Cuando el deudor hipotecante sigue siendo, según el Registro de la Propiedad, el titular del bien hipotecado, acudir al proceso de ejecución común se basará en la consideración de que ese deudor tiene otros bienes sobre los que hacer efectiva la realización forzosa, y entonces es conveniente distinguir en la demanda que se formulan dos tipos de pretensiones acumuladas.

El acreedor ejecutante podrá formular dos pretensiones:

1.ª) Hipotecaria: El título ejecutivo es la escritura pública de hipoteca, que se entiende obviamente incluida entre las del art. 517.2, 4.º, LEC, y con esta pretensión se persigue únicamente la realización forzosa del bien hipotecado, sobre el cual carece de sentido útil que se decrete su embargo y anotación, pues esta traba no añade nada a la garantía que supone la hipoteca.

2.ª) Personal: El título ejecutivo es la escritura en que se documenta el derecho de crédito, sin referencia a la hipoteca, también incluida en el núm. 4.º del art. 517.2 LEC, y con esta pretensión se persiguen todos los bienes que integren el patrimonio del deudor, incluida la finca hipotecada pero sólo en la parte de su valor que exceda de la cuantía asegurada con la hipoteca, debiendo procederse al embargo de esos bienes y a su anotación en el Registro.

> La demanda ejecutiva contendrá así una acumulación inicial de pretensiones y exclusivamente objetiva, por cuanto las dos pretensiones se formularán contra la misma persona, el deudor hipotecario. Será necesario dejar claro en esa demanda que se están acumulando las pretensiones hipotecaria y personal, cada una de las cuales se basa en un título distinto, aunque las dos se tramiten conjuntamente. En realidad estamos ante el fenómeno general de la acumulación, lo que supone la existencia de dos procesos ejecutivos que se tramitan en un procedimiento único, que es lo que ocurre en ese fenómeno general.

b) Dirigido contra el deudor y otra persona

El proceso ejecutivo puede dirigirse contra el deudor y contra otra persona en dos supuestos muy distintos, en los que también habrá de tenerse en cuenta el ejercicio acumulado de pretensiones:

1.º) El deudor y el tercer poseedor

Siempre partiendo de que el valor del bien hipotecado no sea suficiente para hacer efectivo el crédito hipotecario (principal e intereses), puede suceder que el bien no sea ya de la propiedad del deudor (o que no lo haya sido nunca, pues el hipotecante no fue el deudor), y para este caso puede acudirse al proceso de ejecución común formulando también dos pretensiones ejecutivas.

> Se tratará en este supuesto de:
> 1.º) Pretensión hipotecaria: Con base en la escritura de hipoteca puede instarse la ejecución contra el tercer poseedor y, en la hipoteca inmobiliaria, si éste no desampara el bien seguirá contra él por el principal garantizado con ese bien, por los intereses devengados desde el requerimiento y por las costas, con lo que estaremos ante las previsiones de los arts. 126 y 127 de la LH y de los arts. 222 y 223 del RH. Si el tercer poseedor desampara el bien, la ejecución seguirá sólo contra el deudor.
> 2.º) Pretensión personal: Tiene como base la escritura de crédito y se dirigirá contra todos los bienes del deudor, acumulándose a la anterior.

También aquí tiene que quedar claro en la demanda ejecutiva que se está procediendo a una acumulación de pretensiones, si bien la misma, siendo inicial, es objetivo-subjetiva, pues la hipotecaria se dirige contra el tercer poseedor (hasta que y si desampara el bien) y la personal contra el deudor. Habrá de realizarse primero el bien hipotecado, sobre el que no debe recaer embargo ni anotación, aunque deba hacerse constar por nota marginal que se ha librado la certificación de cargas. Los bienes del deudor sí deben ser embargados y anotada la traba.

2.°) El deudor y el fiador

Aun permaneciendo el bien hipotecado en la propiedad del deudor, si el crédito fue afianzado por fiador solidario, la demanda ejecutiva puede contener una acumulación aún más compleja de pretensiones.

Cabe formular las siguientes pretensiones:

1.ª) Hipotecaria: Contra el deudor y propietario del bien, siempre con base en la escritura de hipoteca, y sin embargar el bien por lo dicho de que este embargo no añade nada a la garantía hipotecaria.

2.ª) Personal contra el deudor: Pudiendo así perseguirse los demás bienes del mismo que deberán ser embargados y hecha la anotación de la traba, siendo aquí el título ejecutivo la escritura en que se documenta el crédito.

3.ª) Personal contra el fiador solidario: Persiguiendo todos los bienes de éste, con embargo y anotación, y siendo el título ejecutivo la escritura en la que aparece la fianza solidaria.

> La acumulación es en este caso muy compleja porque existe: 1) Una acumulación objetiva de pretensiones, dado que se dirigen dos pretensiones, la hipotecaria y la personal, contra una misma persona, el deudor, y 2) Otra acumulación objetivo-subjetiva, puesto que a las dos pretensiones anteriores se une otra personal contra el fiador. Todas estas pretensiones darán lugar a otros tantos procesos de ejecución que se unirán en un procedimiento único.

B) Especialidades procesales

Aunque el art. 579 diga que cuando la ejecución se dirija exclusivamente contra bienes hipotecados o pignorados se estará a lo dispuesto en el Capítulo V del Título IV del Libro III, debe tenerse en cuenta que la aplicación del proceso especial de ejecución sólo es posible si concurren los presupuestos del art. 682. No concurriendo éstos, la ejecución de la hipoteca se realizara por el proceso ejecutivo común.

a) El propio de la LEC

En la LEC se encuentran alusiones a la ejecución de la hipoteca, pero las mismas parecen centrarse en el caso de que la demanda y la ejecución se dirijan solo y exclusivamente contra bienes especialmente hipotecados (arts. 545.3, III, 555.4 y 568). Con ello se está admitiendo la utilización del proceso de ejecución común cuando se trata de hipoteca y no se está excluyendo la posibilidad de que existan procesos de ejecución acumulados inicialmente contra un mismo deudor y en un mismo procedimiento, de modo que uno de los procesos base la pretensión ejecutiva en el título que es la escritura de hipoteca y otro la pretensión personal en la escritura de crédito. Tampoco se puede excluir la acumulación inicial de procesos de ejecución dirigidos contra varias personas, una el deudor y otra el tercero poseedor o el fiador. El legislador ha olvidado la posibilidad de estos supuestos, pero ello no puede suponer su exclusión en la práctica

Al tratarse el título ejecutivo de escritura pública, despachada la ejecución se requerirá de pago al o a los ejecutados por la cantidad reclamada en concepto de capital e intereses hasta la fecha de la demanda. Este requerimiento judicial no será necesario si a la demanda ejecutiva se ha acompañado acta notarial de requerimiento de pago con al menos diez días de antelación (art. 581 LEC). Si el requerido no paga en el acto no se practicará el embargo sobre el bien hipotecado, porque el mismo no añade nada a la hipoteca, pero sí se practicará sobre los bienes no hipotecados.

b) El de la LH

La LEC/2000 no ha derogado los arts. 126 y 127 de la LH (ni los arts. 222 a 224 del RH), por lo que los mismos están vigentes con relación al caso de que, persiguiéndose los bienes hipotecados, éstos hayan pasado a manos de un tercer poseedor. Para este caso, que es exclusivo de la hipoteca inmobiliaria, debe tenerse en cuenta que, requerido de pago el deudor, notarial o judicialmente, ante el impago debe requerirse al tercer poseedor, el cual puede:

1.º) Pagar el crédito con los intereses correspondientes, en cuyo caso o no empieza el proceso de ejecución, si el requerimiento fue notarial, o ha de finalizar, si se hizo judicialmente.

2.º) Desamparar los bienes hipotecados, y entonces se considerarán éstos en poder del deudor a fin de que pueda dirigirse contra los mismos el proceso de ejecución.

3.º) No pagar ni desamparar, esto es, adoptar cualquier actitud distinta de las anteriores, con lo que el tercer poseedor habrá de considerarse parte ejecutada, con el efecto de que responderá con sus bienes (además de los hipotecados) de los intereses devengados desde el requerimiento y de las costas.

Las relaciones entre proceso de ejecución común y proceso especial pueden ser muy complejas. Entendido que al proceso especial no puede acumularse una ejecución propia del proceso común, lo único que dispone el art. 579 LEC es que, finalizado el proceso especial sin que, subastados los bienes hipotecados, su producto sea suficiente para cubrir el crédito, el ejecutante puede pedir el embargo por la cantidad que falte y la ejecución proseguirá, si bien conforme a las normas del proceso de ejecución común. Ahora bien, esto no puede referirse al proceso de ejecución común.

III. EL PROCESO ESPECIAL DE EJECUCIÓN HIPOTECARIA

En la Ley Hipotecaria de 1861 se partía de que los créditos hipotecarios, en cuanto constituidos en escritura pública, podían ejecutarse por el juicio ejecutivo regulado en la LEC, primero en la de 1855 y luego en la de 1881. Poco después los grandes acreedores, insatisfechos de esa vía de ejecución, y con los argumentos de la difusión del crédito territorial y la reducción del interés del dinero, aspiraron a una tutela judicial todavía más privilegiada, lo que consiguieron, primero en la Ley Hipotecaria de Ultramar de 1893 y, después, en la reforma de la Ley Hipotecaria de 1909. Se procedió así a la regulación de lo que se llamó procedimiento judicial sumario del art. 131 de la LH.

> Antes la Ley de hipoteca naval de 21 de agosto de 1893 había regulado un proceso especial de ejecución (arts. 39 a 51) y, bastante después, la Ley de 16 de diciembre de 1954, de hipoteca mobiliaria y prenda sin desplazamiento de posesión, reguló también un llamado procedimiento judicial sumario para la hipoteca mobiliaria (arts. 82 a 85), siguiendo las líneas esenciales de la hipoteca inmobiliaria.

La LEC no ha suprimido estos procesos especiales de ejecución. Lo que ha hecho es asumirlos en ella unificándolos, de modo que existe un proceso especial de ejecución, que debe denominarse de ejecución hipotecaria, comprendiendo la hipoteca inmobiliaria, la hipoteca mobiliaria y la hipoteca naval. Se ha unificado también en el tratamiento procesal la ejecución de la prenda sin desplazamiento de la posesión, pero aquí existen algunas especialidades que aconsejan dedicarle epígrafe propio.

> Sigue siendo cuestionable que un título ejecutivo no judicial, como es la escritura pública de constitución de hipotecada inscrita en el Registro (de la Propiedad o de Hipoteca mobiliaria y prenda sin desplazamiento), pueda tener una vía de ejecución con «más fuerza» que la sentencia firme de condena, pues ello es lo que sigue ocurriendo. Es cierto que la STC 41/1981, de 18 de diciembre, estimó constitucional esa vía procesal privilegiada, pero ello no impide que las dudas subsistan.

En cualquier caso debe partirse del art. 681 LEC: La acción para exigir el pago de deudas garantizadas con hipoteca podrá ejercitarse directamente contra los bienes hipotecados, sujetando su ejercicio a lo dispuesto en especial en el Capítulo V, con aplicación supletoria de las normas de la ejecución dineraria. Estamos, pues y sin duda, ante un proceso especial de ejecución.

> También debe tenerse en cuenta como causa de suspensión, pero referido únicamente al lanzamiento, la prevista en los artículos 1 y 2 de la Ley 1/2013, de 14 de mayo, de medidas para reforzar la protección a los deudores hipotecarios, reestructuración de deuda y alquiler social, suspensión por plazo de dos años. También lo previsto en el Real Decreto Ley 6/2012, de 9 de marzo (convalidado por la Resolución de 29 de marzo de 2012, del Congreso de los Diputados).
>
> Con base en diversas sentencias del Tribunal de Justicia de la Unión Europea la situación de este proceso de ejecución especial ha sufrido graves modificaciones sin que ello se refleje en la LEC.
>
> El punto de partida ha sido la especial protección de que deben gozar los consumidores. De este modo se han aumentado los poderes y deberes del juez de modo extraordinario. Deberá controlar de oficio la existencia de cláusulas abusivas y todo el desarrollo del procedimiento.
>
> Así puede decirse que tenemos dos procesos especiales. Uno el común, el regulado en la LEC, cuando se trata de no consumidores y usuarios. Y otro, que está fuera de la LEC, aplicable cuando el ejecutado es un consumidor o usuario, en el que la LEC sirve para muy poco, pues se atribuyen al juez poderes y deberes que hacen de ese proceso algo que queda fuera del principio de contradicción, de modo que el juez debe, mejor que puede, proteger al ejecutado.

Este proceso especial también es aplicable cuando la pretensión se refiera a parte del capital o de los intereses, cuando el pago del crédito deba hacerse en plazos y alguno vencido se haya incumplido, siempre que exista tal estipulación y conste inscrita en el Registro. Lo mismo en el caso de que se haya estipulado el vencimiento total en caso de impago de alguno de los plazos (art. 693 LEC).

> La aplicación a la hipoteca naval se limita a los dos primeros casos del art. 39 de la LHN, es decir, al vencimiento del plazo para la devolución del principal o de los intereses (art. 681.2 LEC).

A) Presupuestos procesales

El proceso especial se justifica con la existencia de un título ejecutivo, que es la escritura pública de constitución de hipoteca, en el cual tienen que concurrir requisitos especiales, lo que determina que la ejecución sólo puede dirigirse contra los bienes especialmente hipotecados, y ello afecta a la competencia.

a) Precio de tasación de la finca

En la escritura pública de constitución de la hipoteca los interesados han de determinar el precio en que tasan la finca (inmueble) o bien (mueble) hipotecado, el cual servirá de tipo en la subasta, que no podrá ser inferior, en ningún caso, al 75 por cien del valor señalado en la tasación realizada conforme a las disposiciones de la Ley 2/1981, de 25 de marzo, de Regulación del Mercado Hipotecario (art. 682.2, 1.º LEC).

> Determinado así el precio, se evita la necesidad de acudir al avalúo, pero lo que importa es que esa determinación tiene que hacerse de modo líquido o que, por lo menos resulte así por medio de una simple operación matemática. Los «interesados» son el acreedor y el titular del bien que se hipoteca, al ser éstos los que otorgan la escritura, por lo que puede ocurrir que no lo sea el deudor, en cuanto él no sea el hipotecante. En la inscripción de la hipoteca en el Registro ha de constar ese precio.

b) Domicilio para requerimientos y notificaciones

También en la escritura, el deudor fijará un domicilio en el que se practicarán, en su caso, los requerimientos y notificaciones (art. 682.2, 2.º, LEC), y que habrá de hacerse constar en la inscripción registral.

> Se trata, en principio, de un domicilio electivo, designado libremente por el deudor (en realidad por el hipotecante).
>
> 1.º) Pueden ser dos o más domicilios, en el caso de que los hipotecantes sean varios o de que exista deudor e hipotecante no deudor, como ha sostenido la jurisprudencia.
>
> 2.º) Ese domicilio no puede ser el del acreedor (en contra de cierta práctica impuesta por los bancos acreedores).
>
> 3.º) Cuando la hipoteca recaiga sobre establecimiento mercantil, el domicilio deja de ser electivo, teniendo que serlo necesariamente el local en que esté instalado el establecimiento que se hipoteca.
>
> 4.º) Cuando aparezca un tercer poseedor, el domicilio de éste será el que conste en la inscripción de su adquisición del bien (art. 683.3 LEC).
>
> 5.º) También podrá fijarse, además, una dirección electrónica a los efectos de recibir las correspondientes notificaciones electrónicas, en cuyo caso será de aplicación lo dispuesto en el párrafo segundo del apartado 1 del artículo 660.
>
> Habiéndose señalado una dirección electrónica se entenderá que se consiente este procedimiento para recibir notificaciones, sin perjuicio de que estas deban realizarse en forma acumulativa y no alternativa a las personales. En este caso, el cómputo de los plazos se realizará a partir del día siguiente de la primera de las notificaciones positivas que se hubiese realizado conforme a las normas procesales o a la Ley 18/2011, de 5 de julio, reguladora del uso de las tecnologías de la información y la comunicación en la Administración de Justicia.

El domicilio indicado en la escritura, e inscrito en el Registro, puede ser modificado por el deudor, por el hipotecante no deudor y por el tercer poseedor durante la subsistencia de la hipoteca. El cambio requiere, primero, que se notifique al acreedor y, luego, que se haga constar en el Registro, bien mediante instancia con firma legitimada o ratificada ante el Registrador, bien mediante instancia presentada telemáticamente en el

Registro, garantizada con certificado reconocido de firma electrónica, o bien mediante acta notarial (art. 683.2 LEC).

> La modificación puede hacerse de dos maneras:
> 1.ª) Simplemente por voluntad del deudor, del hipotecante no deudor o del tercer poseedor puesta en conocimiento del acreedor: 1) Bienes inmuebles: Si el nuevo domicilio esta dentro de la misma poblacion del que se hubiere designado en la escritura o de cualquier otra que este enclavada en el termino en que radican las fincas y que sirve para determinar la competencia del Juzgado, y 2) Hipoteca naval: En todos los casos.
> 2.ª) Con consentimiento del acreedor: Se requiere la conformidad del acreedor para efectuar el cambio del domicilio: 1) Bienes inmuebles: Cuando el cambio se refiere a nuevo domicilio diferente de los dichos antes, y 2») Hipoteca mobiliaria: En todo caso.

A efectos de requerimientos y notificaciones, el domicilio de los terceros adquirentes de bienes hipotecados será el que aparezca designado en la inscripción de su adquisición. Y ello sin perjuicio de que cualquier titular registral de un derecho real, carga o gravamen que recaiga sobre un bien podrá hacer constar en el Registro un domicilio en territorio nacional en el que desee ser notificado en caso de ejecución (incluido lo atinente a la dirección electrónica).

c) Competencia

La competencia objetiva se atribuye lógicamente a los Juzgados de Primera Instancia. La norma especial se refiere propiamente a la competencia territorial, y parte de la eliminación de la sumisión en la hipoteca sobre bienes inmuebles, con lo que sólo quedan los fueros legales. Por ello se obliga al Juzgado a controlar de oficio su propia competencia territorial.

Este control de oficio significa que, antes de despachar la ejecución, el juez examinará de oficio su competencia, y si entendiera que no es competente territorialmente dictará auto absteniéndose de despachar ejecución e indicando al demandante el tribunal ante el que ha de presentar la demanda (art. 546 LEC). La existencia de control de oficio no excluye el control a instancia del ejecutado, lo que debe hacerse por medio de declinatoria, dentro de los diez días siguientes a aquél en que reciba la primera notificación del proceso de ejecución (art. 547 LEC).

Existentes sólo los fueros legales cuando se trata de la hipoteca de bienes inmuebles, el art. 684 LEC detalla: El Juzgado del lugar en que radique la finca hipotecada y si ésta radicara en más de un partido judicial, lo mismo que si fueren varias y radicaren en diferentes partidos, el Juzgado de cualquiera de ellos a elección del demandante.

Mucha menos importancia práctica tienen las otras normas de competencia territorial:

1.º) Buques: El Juzgado a que se hubieren sometido las partes en el título constitutivo de la hipoteca y, en su defecto, el Juzgado del lugar en que se hubiere constituido la hipoteca, el del puerto en que se encuentre el buque, el del domicilio del demandado o el del lugar en que radique el Registro en que fue inscrita la hipoteca, a elección del actor.

2.º) Muebles: El Juzgado al que las partes se hubieren sometido en la escritura de constitución de la hipoteca y, en su defecto, el del partido judicial donde ésta hubiere sido inscrita. Si fueren varios los bienes hipotecados e inscritos en diversos Registros, será competente el Juzgado de cualquiera de los partidos judiciales correspondientes, a elección del demandante.

d) Legitimación

La activa la tiene el acreedor con escritura de hipoteca a su favor debidamente inscrita en el Registro. Si, por cualquier causa, la hipoteca no figura inscrita, y precisamente a favor de quien ha instado la ejecución, ésta debe ser sobreseída.

La causa de no inscripción de una hipoteca a favor de una persona determinada puede provenir de cesión no inscrita. Puede haber ocurrido que el crédito, con la hipoteca, haya sido cedido por el primitivo acreedor y que no se haya procedido a inscribir la cesión a favor del nuevo acreedor, caso en el que éste no gozará de legitimación para incoar este proceso especial. Aunque el Tribunal Supremo ha estimado lo contrario en alguna ocasión, debe insistirse en el carácter constitutivo de la inscripción en el Registro en caso de cesión del crédito hipotecario.

La legitimación pasiva pueden tenerla el deudor y el hipotecante no deudor o el tercer poseedor del bien hipotecado, y contra ellos debe formularse la demanda ejecutiva (art. 685.1).

El deudor es el obligado por la relación jurídica material de crédito existente entre él y el acreedor, y en la mayoría de los casos coincide en él también la condición de hipotecante, es decir, de titular registral de la finca hipotecada. Pueden darse el caso de que los deudores sean varios y todos habrán de ser demandados.

El hipotecante no deudor (que puede llamarse también hipotecante por deuda ajena) no queda obligado por la relación jurídica material de crédito, no es deudor, pero asume una responsabilidad que queda limitada al bien hipotecado. Contra él sólo podrá ejercitarse la llamada pretensión hipotecaria, nunca la pretensión personal.

El tercer poseedor es el adquirente del dominio de la cosa hipotecada, de modo que: 1) Es ajeno a la constitución de la hipoteca, y 2) También lo es a la deuda. Cuando el adquirente del bien hipotecado, al adquirir el mismo, se ha subrogado en la deuda (para lo que se exige la conformidad del acreedor) no es un tercer poseedor, pues se ha convertido en el deudor.

Para que sea demandando como tal tercer poseedor tiene que haber acreditado al acreedor la adquisición del bien (art. 685.1 LEC).

> Tercer poseedor lo es no solo el que ha adquirido el dominio de la finca o bien hipotecado, sino también el que ha adquirido el usufructo o dominio útil de la cosa hipotecada, o bien la nuda propiedad o dominio directo (art. 662.2).
>
> En realidad respecto del tercer poseedor hay que distinguir dos posibilidades:
>
> 1.ª) Si el tercero ha acreditado al acreedor la adquisición del bien (y la ley no dice cómo debe efectuarse ese acreditamiento, por lo que de cualquier forma es válido), la demanda debe dirigirse contra el mismo. No entra aquí en juego si el tercero ha inscrito o no su título en el Registro y tampoco se cuestiona la forma de la adquisición.
>
> 2.ª) Si el tercero no ha acreditado la adquisición al acreedor pero ha inscrito su título, y así se comprueba con la certificación del Registrador relativa a la inscripción de dominio, debe ser notificado de la existencia del procedimiento y puede personarse en él como parte (arts. 689.1 y 662 LEC).

B) Desarrollo de la ejecución

La aplicación supletoria de las normas propias de la ejecución dineraria lleva a que en la regulación de este proceso especial sólo se contengan las normas específicas. Las mismas se refieren a:

a) Demanda

Es la normal del proceso de ejecución, refiriéndose las especialidades al título y a los documentos que deben acompañarse a la misma. En la ejecución hipotecaria adquiere especial trascendencia lo relativo a la ejecución por saldo de cuenta corriente (sobre todo en la hipoteca en garantía de cuenta corriente de crédito, arts. 572.2 y 573 LEC) y el cálculo del interés variable (en él se concierta hoy las hipotecas, art. 574 LEC).

Una de las aspiraciones de los registradores ha sido la de que el título ejecutivo en las ejecuciones hipotecarias sea la certificación del Registro (de la Propiedad o de la Hipoteca mobiliaria y prenda sin desplazamiento) de la inscripción y subsistencia de la hipoteca, y no la escritura pública de constitución de la hipoteca en la que conste la inscripción de la misma. En la LEC el art. 517.2, 4.º sigue diciendo que el título ejecutivo es la escritura pública.

> Hay algunos supuestos en los que no es preciso presentar el título inscrito, es decir, la primera copia de la escritura pública inscrita, pudiendo presentarse segunda copia acompañada de certificación del Registro que acredite la inscripción y subsistencia de la hipoteca. Se trata, en general, de que no pudiese presentarse el título inscrito (art. 685.2, II), pero en especial cuando la hipoteca es unilateral (art. 141 LH), cuando lo es garantía de títulos valores (art. 155 LH), cuando ha existido subrogación en la hipoteca (Ley 21/1994, de 30 de marzo) y, sobre todo, en la hipotecas constituidas a favor de una entidad de las que legalmente pueden

emitir cédulas hipotecarias o que al iniciarse el procedimiento garanticen créditos y préstamos afectos a una emisión de bonos hipotecarios (art. 685.4 LEC y Ley
2/1981, de 25 de marzo, de regulación del mercado hipotecario).

Cuando se trata de hipoteca naval el título suficiente para despachar la ejecución puede ser el documento privado de constitución de la hipoteca, inscrito en
el Registro conforme a lo dispuesto en el art. 3 de la Ley de Hipoteca Naval de 21
de agosto de 1893 (art. 685.3).

Naturalmente el auto despachando la ejecución, junto con la demanda,
será notificado al o a los ejecutados.

A los efectos previstos en el apartado 1 del artículo 579 será necesario, para
que pueda despacharse ejecución por la cantidad que falte y contra quienes proceda, que se les haya notificado la demanda ejecutiva inicial. Esta notificación
podrá ser practicada por el procurador de la parte ejecutante que así lo solicite
o cuando atendiendo a las circunstancias lo acuerde el letrado de la administración de justicia. La cantidad reclamada en ésta será la que servirá de base para
despachar ejecución contra los avalistas o fiadores sin que pueda ser aumentada
por razón de los intereses de demora devengados durante la tramitación del procedimiento ejecutivo inicial (art. 685.5).

b) Requerimiento de pago

Presentada la demanda con sus documentos, el tribunal, en su caso,
despachará la ejecución, y en el mismo auto puede tener que ordenar que
se proceda a requerir de pago al deudor y, en su caso, al hipotecante no
deudor o al tercer poseedor contra quienes se hubiere dirigido la demanda. El requerimiento se hará en el domicilio que resulte vigente según el
Registro (art. 686.1 LEC). En el requerimiento a que se refiere el párrafo
anterior habrán de incluirse las indicaciones contenidas en el art. 441.5,
produciendo iguales efectos.

En realidad el acreedor hipotecario puede optar entre la realización de
dos tipos de requerimientos:

1.º) Notarial: Antes de presentar la demanda el acreedor puede requerir
de pago a las personas indicadas, como mínimo diez días antes de dicha
presentación (art. 581.2 LEC).

El requerimiento al deudor y las notificaciones al tercer poseedor hipotecante
no deudor y titulares, en su caso, de derechos inscritos con posterioridad al derecho real de hipoteca que se ejerce, se realizará por el notario en el domicilio que
conste consignado en el Registro y en la persona del destinatario, si se encontrare
en el domicilio señalado; no encontrándose se llevará a efecto con la persona
mayor de edad que allí se encontrare y manifieste tener con el requerido relación
personal o laboral. El notario hará constar expresamente la manifestación de dicha persona sobre su consentimiento a hacerse cargo de la cédula y su obligación
de hacerla llegar a su destinatario.

No obstante lo anterior, será válido el requerimiento o la notificación realizada fuera del domicilio que conste en el Registro de la Propiedad siempre que se

haga en la persona del destinatario y, previa su identificación por el notario, con su consentimiento, que será expresado en el acta de requerimiento o notificación.

En caso de que el destinatario sea una persona jurídica el notario entenderá la diligencia con una persona mayor de edad que se encontrare en el domicilio señalado en el Registro y que forme parte del órgano de administración, que acredite ser representante con facultades suficientes o que a juicio del notario actúe notoriamente como persona encargada por la persona jurídica de recibir requerimientos o notificaciones fehacientes en su interés.

2.°) Judicial: Cuando el anterior no se ha practicado o se ha practicado defectuosamente debe efectuarse el requerimiento judicial, que podrá acabar realizándose por edictos (art. 868.3).

Naturalmente si el ejecutado paga, la ejecución finaliza aquí, y con o sin imposición de costas al mismo, según el caso (art. 585); si no lo hace continua la ejecución.

c) Certificación registral y nota marginal

Unas veces sin realización del requerimiento judicial (porque lo hubo notarial) y otras veces después de efectuado, el tribunal reclamara del Registro certificacion en la que se exprese: 1) Que la hipoteca a favor del ejecutante se halla subsistente y sin cancelar o, en su caso, la cancelacion o modificaciones que aparecieren en el Registro, 2) Titularidad del dominio y demás derechos reales que existan sobre el bien, y 3) Relación completa de derechos de cualquier naturaleza que existan sobre el bien y, en especial, las cargas inscritas, sean hipotecas o anotaciones de embargo o, en su caso, que se halla libre de cargas (art. 688.1).

Si de la certificación resulta que la hipoteca no existe o ha sido cancelada, el letrado de la administración de justicia dictará auto sobreseyendo la ejecución. Contra ese auto cabe apelación (art. 688.3 LEC).

En la misma fecha en que se expida la anterior certificación, el registrador hará constar por nota marginal en la inscripción de la hipoteca que ha emitido la certificación con expresión de su fecha y del proceso al que se refiere (art. 688.2 LEC). Esta nota cumple la función de servir de notificación de la existencia del proceso a todos los que accedan después al Registro, es decir, a los titulares registrales posteriores de inscripciones y anotaciones.

La existencia de la nota marginal no cierra el Registro, de modo que pueden efectuarse después de ella inscripciones y anotaciones relativas al bien hipotecado. Lo único que no puede inscribirse es la cancelación de la hipoteca por causas distintas de la propia ejecución. La cancelación de la nota marginal por mandamiento del letrado es lo único que posibilita la inscripción de la cancelación de la hipoteca (art. 688.2, II, LEC).

d) Tres notificaciones

La iniciación del proceso de ejecución especial puede exigir la realización de tres tipos de notificaciones, de comunicación de la existencia del proceso a tres titulares de situaciones jurídicas o derechos.

1.ª) A los acreedores posteriores: Por el propio registrador se hará la notificación de la existencia del proceso a los titulares de cargas o derechos reales no preferentes a la hipoteca por la que se ejecuta el bien, que accedieron al Registro con anterioridad a la nota marginal y que, por tanto, figuran en la certificación registral (arts. 689.2, 659 y 660).

> La notificación no debe hacerse ni a los titulares de carga o derecho real preferente sobre el bien hipotecado que se ejecuta, ni a los que tengan acceso al Registro después de la certificación y nota marginal. Se notifica a los titulares de derechos inscritos o anotados que deben ser cancelados cuando termine la ejecución, y la notificación persigue que tengan la posibilidad de satisfacer el importe del crédito, intereses y costas asegurados con la hipoteca, quedando subrogados en los derechos del ejecutante.

2.ª) Tercer poseedor: Por el Juzgado y según el art. 689.1, si de la certificación registral apareciere que la persona a cuyo favor resulte practicada la última inscripción de dominio no ha sido requerida de pago ni notarial ni judicialmente, se le notificará la existencia del procedimiento para que pueda intervenir en la ejecución o satisfacer el importe del crédito, intereses y costas en la parte que esté asegurada con la hipoteca.

> Si el tercer poseedor, antes de la incoación del proceso de ejecución, ha acreditado al acreedor la adquisición del bien, debe ser parte, dirigiéndose contra él la demanda y el despacho de la ejecución. Por el contrario, si el tercer poseedor no ha acreditado la adquisición al acreedor, pero ha inscrito su título en el Registro y aparece en la certificación registral, debe ser notificado de la existencia del proceso y, si le conviene, puede intervenir en la ejecución, esto es, puede constituirse como parte. Los peligros de una actuación fraudulenta del acreedor son evidentes.

3.ª) Arrendatarios y ocupantes de hecho: Después de una compleja evolución relativa a la extinción o no de los arrendamientos sobre la finca hipotecada con el remate de la misma, el art. 661 pretende facilitar la solución, a cuyo efecto previene que cuando de cualquier manera conste en el procedimiento la existencia e identidad de personas, distintas del ejecutado, que ocupen el inmueble hipotecado, se les notificará la existencia de la ejecución, lo que hará el Juzgado o el procurador del ejecutante. Esta norma está ubicada en la ejecución sobre bienes inmuebles, pero lo mismo que el art. 675 es aplicable en el proceso especial de ejecución hipotecaria.

e) Depósito o administración del bien

El inicio y desarrollo del proceso de ejecución no afecta, en principio, a la posesión del bien por el titular del mismo, pero existen en la ley dos posibilidades de que se atribuya al acreedor o el depósito del bien (cuando se trata de vehículos de motor hipotecados, art. 687 LEC), o la administración o posesión interina de la finca o bien hipotecado (art. 690 LEC).

> La primera medida (depósito de vehículo de motor) puede acordarse por el letrado, si hubo requerimiento notarial, o después del requerimiento judicial, si éste no fue atendido. La segunda (administración o posesión interina) puede pedirse transcurridos diez días o desde el despacho de la ejecución, si hubo requerimiento notarial, o desde el requerimiento judicial de pago, si no se atendió.

f) Subasta

Pasados veinte días desde que tuvieron lugar el requerimiento judicial de pago y las notificaciones antes expresadas, se procederá a instancia del actor, del deudor o del tercer poseedor, a la subasta de la finca o bien hipotecado. Para el anuncio y publicidad debe estarse a lo dispuesto en los arts. 667 y 668, y para este proceso de ejecución especial, sean muebles o inmuebles los bienes hipotecados, la subasta se realizará con arreglo a lo dispuesto en esta Ley para la subasta de bienes inmuebles.

Cuando se siga el procedimiento por deuda garantizada con hipoteca sobre establecimiento mercantil el edicto que se publique en el Portal de Subastas indicará que el adquirente quedará sujeto a lo dispuesto en la Ley sobre arrendamientos urbanos, aceptando, en su caso, el derecho del arrendador a elevar la renta por cesión del contrato.

El art. 693 preve, primero, la posibilidad de declarar vencida de modo total la obligacion garantizada con hipoteca ante el impago de tres plazos mensuales y, después, que el ejecutado pueda antes de que se cierre la subasta liberar el bien mediante la consignacion de la cantidad exacta que por principal e intereses estuviere vencida en la fecha de presentación de la demanda, incrementada, en su caso, con los vencimientos del préstamo y los intereses de demora que se vayan produciendo a lo largo del procedimiento y resulten impagados en todo o en parte. A estos efectos, el acreedor podrá solicitar que se proceda conforme a lo previsto en el apartado 2 del artículo 578.

Si el bien hipotecado fuese la vivienda habitual, el deudor podrá, aun sin el consentimiento del acreedor, liberar el bien mediante la consignación de las cantidades antes dichas.

g) Pago del crédito y destino del sobrante

Realizada la subasta y obtenida una cantidad de dinero, el destino de la misma es el siguiente:

1.°) Se pagará al ejecutante el principal del crédito, los intereses devengados y las costas causadas, aunque siempre con el límite de que lo entregado no puede exceder de lo garantizado con la hipoteca.

2.°) Si existe sobrante, es decir, si la cantidad obtenida supera el importe de lo garantizado con la hipoteca, puede ocurrir que:

1") Si existen acreedores posteriores, según la certificación registral de cargas, se depositará el remanente a su disposición.

2") Si el sobrante ha sido embargado en otra ejecución singular o debe ponerse a disposición de un proceso concursal, se efectuará así.

3") Si no se da alguno de los dos casos anteriores, se entregará el sobrante al propietario del bien hipotecado y subastado.

> Debe recordarse que el decreto de adjudicación es el título con el que proceder a la inscripción en el Registro, mientras que la cancelación de la hipoteca ejecutada y la de las inscripciones y anotaciones posteriores a ella precisa de mandamiento, en el que se expresará si el valor de lo vendido fue igual o inferior al importe total del crédito del actor y, en su caso, que se ha retenido el sobrante a disposición de los interesados, y que se realizaron las notificaciones antes dichas al tercer poseedor y a los acreedores posteriores (art. 692 LEC).

h) Insuficiencia de lo obtenido para cubrir el crédito

El art. 579 prevé el caso de que el dinero obtenido en la subasta no sea suficiente para cubrir el crédito, caso en el que dispone que el ejecutante podrá pedir el despacho de la ejecución por la cantidad que falte, y contra quienes proceda, y la ejecución seguirá conforme a las normas ordinarias de la ejecución forzosa.

> Existe norma especial cuando la ejecución hipotecaria se ha referido a la vivienda habitual hipotecada. Entonces la ejecución proseguirá para la completa satisfacción del ejecutante, pero con previsiones referidas a la liberación de la responsabilidad, tanto cuando se ha tratado de la existencia de un mejor postor ajeno a la ejecución o de que ha sido el propio ejecutante el que se ha adjudicado esa vivienda.

C) Suspensión y oposición a la ejecución

Tradicionalmente en la regulación de la ejecución hipotecaria se ha dispuesto que la misma no se suspenderá prácticamente por causa alguna y que el ejecutado no podía formular oposición. Ahora la LEC distingue:

a) Causas de suspensión

La LEC admite de modo expreso únicamente dos causas de suspensión de la ejecución, pero debe tenerse en cuenta que lo dispuesto en general para la ejecución dineraria es aquí aplicable. La regla general es, pues, la de que sólo se suspenderá la ejecución cuando la ley lo ordene de modo expreso (art. 565.1 LEC), y se ordena así en la ejecución hipotecaria en dos supuestos: 1) Tercería de dominio (art. 696 LEC), y 2) Prejudicialidad penal (art. 697 LEC), aunque deberá estarse a los arts. 56 y 57 de la LC.

> La tercería de dominio no persigue aquí levantar el embargo, pues éste no se ha practicado, sino que puede pretender que el bien quede excluido del proceso de ejecución o que de la hipoteca deban entenderse excluidos determinados bienes muebles en aplicación del art. 111, 1.º de la LH. El documento a presentar con la tercería, tratándose de bienes susceptibles de inscripción en un Registro, es la certificación registral expresiva de la inscripción del título del tercerista y la de no aparecer extinguido ni cancelado el asiento de dominio correspondiente; si el bien no es susceptible de inscripción (muebles) bastará el título de propiedad de fecha anterior a la escritura de hipoteca.
>
> La prejudicialidad penal, como causa de suspensión, exige acreditar la existencia de proceso penal sobre cualquier hecho de apariencia delictiva que determine la falsedad del título ejecutivo, la invalidez o ilicitud del despacho de ejecución o, en su caso, la falsedad de la certificación de la entidad acreedora de la que resulte la cantidad que sea objeto de reclamación.

Hay aún un tercer supuesto más general referido al concurso del deudor. En el supuesto cuando le conste al letrado de la administración de justicia esa declaración de concurso suspenderá la subasta aunque ya se hubiera iniciado. En este caso se reanudará la subasta cuando se acredite, mediante testimonio de la resolución del Juez del concurso, que los bienes o derechos no son necesarios para la continuidad de la actividad profesional o empresarial del deudor, siendo de aplicación lo dispuesto en el apartado 2 del artículo 649. En todo caso el Registrador de la Propiedad notificará a la Oficina judicial ante la que se siga el procedimiento ejecutivo la inscripción o anotación de concurso sobre la finca hipotecada, así como la constancia registral de no estar afecto o no ser necesario el bien a la actividad profesional o empresarial del deudor.

b) Oposición del ejecutado

En la regulación contenida en la LH y en la LHMYPD antes de la LEC/2000, se partía de que el ejecutado no podía formular oposición alguna a la ejecución, lo que hacía poner en duda la constitucionalidad de todo el proceso de ejecución. Ahora se admiten los dos tipos de oposición:

1.º) Procesal o formal: En este proceso de ejecución tiene que ser admisible la aplicación de las normas generales relativas a la oposición por defectos procesales (art. 559 LEC) y a la impugnación por infracciones legales en el curso de la ejecución (art. 562 LEC). Estas normas se contienen en el Título III, el relativo a las disposiciones generales, y no pueden dejar de aplicarse en ejecución alguna.

2.º) Motivos de fondo: El art. 695 LEC se refiere únicamente a la oposición por motivos de fondo y contiene una limitación extraordinaria de los mismos, limitación que es mayor que cuando se trata de la ejecución de títulos judiciales, incluida la sentencia firme de condena. Las causas de oposición son:

1") Extinción de la hipoteca, presentando certificación del Registro expresiva de la cancelación de la hipoteca o escritura pública de cancelación de la hipoteca.

> Es evidente que no podrá presentarse certificación del Registro expresiva de la cancelación de la hipoteca, porque en tanto que subsista la nota marginal de que se ha expedido la certificación de dominio y de cargas, el registrador no puede practicar asiento de cancelación de la hipoteca por causas distintas de la propia ejecución (art. 688.2, II, LEC), de modo que el único documento con que podrá acreditarse la extinción de la garantía hipotecaria es la escritura pública de cancelación de la hipoteca, escritura que ha de ser otorgada por el acreedor, con lo que en su mano queda constituir el único documento admisible en la oposición.

2") Extinción de la obligación garantizada, presentando escritura pública de carta de pago.

> Esta es la única posibilidad de que la oposición se refiera, no a la garantía hipotecaria, sino a la obligación, y se trata de una posibilidad sin realidad práctica. No existen escrituras públicas de carta de pago en las que no se cancele, al mismo tiempo, la garantía hipotecaria. Es absurdo pensar que un acreedor hipotecario otorgará carta de pago de la obligación, sin que, al mismo tiempo, no cancele la hipoteca.

3") Error en la determinación de la cantidad exigible, cuando la deuda garantizada sea el saldo que arroje el cierre de una cuenta entre ejecutante y ejecutado.

> La oposición con relación a la cantidad exigible puede basarse en la libreta. Dado que este medio de acreditar el saldo no existe hoy en la realidad práctica, baste con remitirse a los arts. 153, III y IV, LH, 246 RH y 695.1, 2.ª LEC.
>
> Lo normal será que se trate de contratos mercantiles otorgados por entidades de crédito, ahorro o financiación en los que se ha convenido que la cantidad exigible, en caso de ejecución, será la especificada en certificación expedida por la entidad acreedora, y entonces la oposición a la ejecución por error en la determinación de la cantidad exigible adquiere verdadero sentido.

4") Tratándose de hipoteca sobre bienes muebles, la sujeción de dichos bienes a prenda, hipoteca mobiliaria o inmobiliaria o embargo inscrito con anterioridad al gravamen que motive el proceso de ejecución, lo que deberá acreditarse por medio de certificación registral.

5") El carácter abusivo de una cláusula contractual que constituya el fundamento de la ejecución o que hubiese determinado la cantidad exigible.

Lo que más destaca en estas causas de oposición son las ausencias. Si en la ejecución de títulos judiciales el ejecutado puede oponer el pago, acreditándolo documentalmente, en la ejecución hipotecaria el ejecutado no puede oponer el pago con justificación documental (salvo escritura de carta de pago, que hemos dicho que es absurda por inútil). La «fuerza ejecutiva» de un título no judicial es superior al de un título judicial, y ello ofrece dudas de constitucionalidad.

Formulada la oposición, por alguna de las causas anteriores, se suspenderá la ejecución, y se convocará a las partes a una comparecencia, debiendo mediar quince días desde la citación, en la que oirá a las partes, admitirá los documentos que se presenten, y resolverá por medio de auto lo procedente. En ese auto pueden estimar la oposición (se sobresee la ejecución) o desestimar la oposición (la ejecución sigue adelante).

Cabe recurso de apelación sólo en los casos en que se dicte auto ordenando el sobreseimiento de la ejecución, la inaplicación de una cláusula abusiva o la desestimación de la oposición por la causa prevista en el apartado 1.4.° anterior. En los demás casos no hay recurso pero entendiéndose que los efectos del auto se limitan al proceso de ejecución en que se dicta.

D) Remisión a juicio ordinario

El incidente declarativo intercalado en esta ejecución es extraordinariamente limitado, tratándose de un incidente sumario, en el que se limitan las alegaciones del ejecutado, los medios de prueba y la cognición judicial. Esto permite acudir a un proceso declarativo plenario, el que corresponda por la cuantía, en el que podrá debatirse sobre todo lo relativo a la nulidad del título y al vencimiento, certeza, extinción y cuantía de la deuda (art. 698.1 LEC). De esta norma se desprende que:

1.°) En el proceso declarativo plenario no podrá debatirse respecto de la regularidad formal del proceso de ejecución. Todo lo relativo a esa regularidad tiene que haber quedado resuelto en la ejecución misma, pues en ella cabe la oposición por defectos procesales y la impugnación de los concretos actos ejecutivos. La nulidad procesal de un proceso no se resuelve en otro proceso.

2.º) El proceso declarativo puede versar sólo sobre la relación jurídica material, partiendo de que en el incidente declarativo intercalado en el proceso de ejecución no se produce cosa juzgada alguna, por lo que todo lo relativo a ella puede llevarse a ese proceso. Este puede incoarse pendiente aún el proceso de ejecución, aunque sin producir el efecto de suspender o entorpecer la ejecución.

En ese proceso declarativo debe tenerse en cuenta:

1) La competencia se determina por las reglas ordinarias.

2) El ejecutado, convertido en demandante, puede solicitar que se asegure la efectividad de la sentencia que llegue a dictarse en el mismo, con retención de todo o de parte de la cantidad que deba entregarse al ejecutante, para lo que puede tener que prestar garantía para responder de los intereses de demora y del resarcimiento de otros daños y perjuicios. La retención no se efectuará si el ejecutante, aquí demandado, afianza la cantidad que debe percibir.

3) Es dudoso que el ejecutado, ahora demandante, pueda pedir también la anotación preventiva de la demanda, con los efectos propios de esta medida cautelar, y lo es porque, primero, el art. 698 LEC no dice nada sobre ella y, segundo, el art. 131 LH dice que, después de la nota marginal de la certificación de cargas, «no se podrá tomar anotación de demanda de nulidad de la propia hipoteca, salvo que se base en alguno de los supuestos que pueden determinar la suspensión de la ejecución.

IV. EL PROCESO ESPECIAL DE EJECUCIÓN DE LA PRENDA SIN DESPLAZAMIENTO DE POSESIÓN

La Ley de hipoteca mobiliaria y prenda sin desplazamiento de posesión de 1954 reguló también un procedimiento judicial sumario para la ejecución de la prenda (arts. 92 y 93) que ha sido integrado en la LEC. Existe, pues, un proceso de ejecución que puede dirigirse directamente contra los bienes pignorados y que se regula básicamente por lo dicho antes para la ejecución de la hipoteca. Las especialidades cuando se trata de bienes pignorados son bastante limitadas:

1.ª) La competencia territorial se atribuye al Juzgado al que las partes se hubieren sometido en la escritura o póliza de constitución de la garantía y, en su defecto, el del lugar en que los bienes se hallen, estén almacenados o se entiendan depositados (art. 684.1, 4.º).

2.ª) Junto con la demanda se presentará el título inscrito del crédito pignoraticio (escritura o póliza) y, en caso de no poder hacerlo, se acompañará el título (segunda copia) con certificación del Registro que acredite la inscripción y subsistencia de la prenda (art. 685.2, II, LEC).

3.ª) Despachada la ejecución y hecho el requerimiento judicial de pago (o sin este requerimiento si precedió requerimiento notarial), el letrado ordenará que los bienes pignorados se depositen en poder del acreedor o persona que éste designe. Cuando no pudieren encontrarse los bienes ni constituirse el depósito, la ejecución no puede seguir adelante (art. 687).

4.ª) Constituido el depósito, se procederá a la realización de los bienes pignorados conforme a previsto en la LEC para el apremio (art. 694 LEC):

> El apremio puede realizarse atendiendo a la naturaleza del bien:
>
> 1") Si se trata de acciones, obligaciones u otros valores admitidos a negociación en mercado secundario se procederá conforme al art. 635.1, y si de acciones o participaciones societarias que no coticen en Bolsa según el art. 635.2 LEC.
>
> 2") En otro caso se procederá por el sistema de subasta, según lo regulado en los arts. 645 y ss. LEC, aunque el valor de los bienes será señalado en la escritura o póliza y si no se hubiese señalado el importe total de la reclamación por principal, intereses y costas.

5.ª) En la oposición a la ejecución cabe alegar que los bienes pignorados han sido sujetados a otra prenda o embargo (y, en su caso, hipoteca) inscritos con anterioridad al gravamen por el que se ejecuta, acreditándolo con la certificación registral, caso en el que se estimara la oposición y se sobreseerá la ejecución (art. 695.1, 3.ª).

Legislación: Ley de Enjuiciamiento Civil (arts. 681 a 698)
Lectura: MONTERO, *Ejecución de la hipoteca inmobiliaria*, Valencia, 2012.

CAPÍTULO V
EL PROCESO CONCURSAL

Lección Cuadragésimo primera
El proceso concursal

I. EL PROCESO CONCURSAL: REGULACIÓN Y PRINCIPIOS

Tutela de acreedores de deudor común que no hace frente a sus obligaciones.

Es un proceso civil especial que se aparta de los criterios procedimentales de la LEC. Se regula en la LConc de 2003, varias veces modificada para hacer frente a la situación económica tan grave que vivimos.

Principios: Unidad de regulación, de destinatario legal y unidad de procedimiento.

II. JUEZ, ÓRGANOS DEL CONCURSO Y PARTES

Es competencia del JMerc.

Los órganos del concurso: 1. Administrador concursal y 2. Junta de acreedores.

Partes:
1. Acreedores y el deudor concursado (persona física o jurídica).
2. Personas que tengan un interés legítimo, y, en su caso, el mediador, el FGS y el MF.

III. EL PROCESO CONCURSAL EN GENERAL

Proceso ordinario, proceso abreviado, incidente concursal.

IV. EL PROCESO CONCURSAL ORDINARIO

De articulación compleja, es la vía ordinaria del concurso voluntario o necesario.

A) Solicitud (demanda) de declaración de concurso

A instancia de parte (principio dispositivo), con diferente inicio y documentación aneja en función de si el concurso es voluntario o necesario.

B) Análisis judicial de la demanda y declaración del concurso

El JMerc: examen de presupuestos procesales y requisitos de legalidad ordinaria y admite la demanda, dando audiencia al deudor si no ha sido a su instancia.

El JMerc dicta auto declarando el concurso o no. Si lo declara es inmediatamente ejecutivo y abre la fase siguiente del proceso concursal ordinario, o el proceso abreviado

C) Fase común de tramitación

Varios trámites: 1. Apertura de las secciones o piezas del concurso. 2. Nombramiento de la administración concursal, 3. Efectos de la declaración del concurso y 4. Informe de la administración concursal y determinación de la masa activa y pasiva del concurso.

D) Terminación
1. Convenio, que debe ser preparado y tramitado formalmente,
2. Liquidación, si no hay acuerdo.

V. EL PROCESO CONCURSAL ABREVIADO

Menos complejo, por:
1. Número de acreedores
2. Cuantía del activo o del pasivo (inferior a cinco millones).

Es de tramitación sencilla, intentando evitarse que haya vista.

VI. EL INCIDENTE CONCURSAL

Remedio procesal para resolver las cuestiones no principales que se producen en este proceso concursal

A) Objeto: Se determinan legalmente, y son muchísimas.

B) Partes: Se determinan también legalmente, pero en forma confusa, quién lo insta y los instados.

C) Procedimiento: En esencia, el juicio verbal civil con especialidades.

VII. EL ACUERDO EXTRAJUDICIAL DE PAGOS

I. EL PROCESO CONCURSAL: REGULACIÓN Y PRINCIPIOS

La regulación de la tutela procesal de los acreedores frente a un deudor común, generalmente empresario, obligado a responder con todo su patrimonio de sus deudas e incapaz de hacer frente a sus obligaciones, normas que conforman lo que internacionalmente se llama el proceso concursal, era caótica, asistemática, vetusta, dispersa, ineficaz e inadecuada a la realidad económica actual, hasta que en 2003 se afrontó su reforma radical, modernizando las instituciones concursales. Antes de esa fecha no sólo no estaba garantizado el cobro de las deudas o de parte de ellas, sino que ni siquiera eran posibles otras soluciones mucho más acordes con la realidad económica del país, como intentar la salvación de la empresa para poder un día obtener el cobro de aquéllas.

> Se conocían hasta cuatro instituciones procesales para dicha tutela: Suspensión de pagos y quiebra, frente a deudores comerciantes; quita y espera y concurso, frente a deudores no comerciantes (éstas dos sin embargo en desuso). Las normas por las que se regían eran el Código de Comercio de 1829, el Código de Comercio de 1885, la Ley de Enjuiciamiento Civil de 1881, la Ley de Suspensión de Pagos de 1922, y multitud de normas especiales. Prácticamente todas ellas están hoy derogadas en lo que afecta al llamado Derecho Concursal.

La reforma se ha concretado en la aprobación de dos leyes distintas. Una básica, la llamada Ley Concursal (Ley 22/2003, de 9 de julio, LConc), que desarrolla el contenido sustantivo y procesal de la única institución que disciplina la bancarrota a partir de ahora, el concurso; y otra orgánica, la Ley Orgánica 8/2003, de 9 de julio, que modifica la LOPJ para crear el Juez de lo Mercantil (JMerc) y establecer sus competencias, así como regular los efectos del concurso sobre los derechos fundamentales del concursado.

Objetivo común de estas normas es la satisfacción de los acreedores, bien a través de la salvación de la empresa en crisis, bien llegando a su liquidación si no hay más remedio. La nueva situación es propia, además, de la economía de mercado, pues el deudor deja de encontrarse cómodo en una situación que le favorecía enormemente por la gran confusión existente, y el acreedor sabe que tiene mejor garantizados sus derechos económicos ante la claridad normativa y simplificación procedimental de la nueva regulación.

La LConc acepta como principios concursales los tres siguientes:

1°) Unidad de regulación, en cuya virtud el concurso pasa a contenerse, tanto en lo que afecta a lo material como a lo procesal, en una única ley, a salvo de las cuestiones orgánicas;

2º) Unidad de destinatario legal, por la que el concurso se aplica tanto a empresarios como a no empresarios, si bien lógicamente tiene una mayor incidencia respecto a los primeros; y

3º) Unidad de procedimiento, es decir, los procedimientos concursales dejan de ser cuatro para convertirse en uno sólo.

Especialmente este último principio debería significar que se ha simplificado enormemente el problema y que el estudio del proceso concursal se vuelve así más fácil, pero no es cierto, porque este principio, por la complejidad de la materia a regular sin duda alguna, es muy difícil de llevar a la práctica, de ahí que sea el peor desarrollado. El procedimiento ni empieza por demanda ni termina por sentencia, ni se identifican fácilmente en él las fases de alegaciones, de prueba y de resolución, y se regula un incidente concursal que parece ajeno al propio proceso. La razón que se aduce es que hay que prever todas las posibles situaciones concursales, que casan mal con unas normas procedimentales rígidas, lo que obliga a que el proceso concursal sea una mezcla de proceso civil declarativo y de proceso de ejecución al mismo tiempo. Se dice por ello que es un procedimiento flexible, pero no se ha logrado desde luego la sencillez que se quería.

La gran cantidad de reformas legales habidas desde 2003, por ejemplo, la operada por Ley 13/2009, de 3 de noviembre, cuya finalidad fue adaptar las normas concursales a la nueva realidad de la oficina judicial y las nuevas funciones del letrado de la administración de justicia, así como para permitir el uso de las nuevas tecnologías en el nuevo procedimiento; o la realizada por los arts. 361 y ss., entre otros, del Real Decreto Legislativo 1/2010, de 2 de julio, que aprobó el texto refundido de la Ley de Sociedades de Capital, para acomodar a la nueva realidad concursal estas sociedades cuando entrasen en fase de disolución, sólo hicieron que aumentar esas dificultades.

La grave crisis económica que sufre todo el mundo y particularmente España a partir de 2008 ha hecho necesario modificar aspectos de gran trascendencia de la legislación concursal, muy complejos técnicamente, en primer lugar por el RD-Ley 3/2009, de 27 de marzo, a efectos de facilitar la refinanciación de las empresas con dificultades financieras para evitar su insolvencia, y por otro, la extensa e importantísima reforma operada por la Ley 38/2011, de 10 de octubre, cuyo fin principal es adaptar el concurso a la tremenda realidad económica española actual, mucho peor que la de hace ocho años, corrigiendo los defectos estructurales del concurso. Estas dos últimas reformas constituyen sin duda una revisión a fondo de la legislación concursal aprobada hace menos de diez años. La reforma continúa: Ley 9/2012, de 14 de noviembre, de reestructuración y resolución de entidades de crédito (v. arts. 63 y 71); la Ley 14/2013, de 27 de septiembre, de apoyo a los emprendedores y su internacionalización (art. 21, que, entre otras normas, introduce el acuerdo extrajudicial de pagos y la mediación concursal); la Ley 26/2013, de 27 de diciembre, de cajas de ahorro y fundaciones bancarias (DF-7ª); la Ley 1/2014, de 28 de febrero, para la protección de los trabajadores a tiempo parcial y otras medidas urgentes en el orden económico y social (art. 10); y el RD-Ley 4/2014, de 7 de marzo, sobre medidas urgentes en materia de refinanciación y reestructuración de la deuda empresarial (que modifica, creando innecesaria confusión y en una técnica legislativa muy defectuosa, varias de las disposiciones de la Ley 14/2013); el RD-Ley 11/2014, de 5 de septiembre, de medidas urgentes en materia concursal (convalidado como Ley 9/2015, de 25 de mayo, que aumenta todavía más si cabe los preceptos reformados), que modifica fundamentalmente el convenio concursal y la fase de liquidación; la Ley 17/2014, de 30 de septiembre, por la que se adoptan medidas urgentes en materia de refinanciación y reestructuración de deuda empresarial, con el fin de aliviar la carga financiera de la deuda y permitir al acreedor optar razonablemente al cobro de la misma aunque en cantidad menor, para lo que se modifica básicamente el marco legal pre-concursal de los acuerdos de refinanciación, la administración concursal y el régimen de homologación judicial; y, de momento, entre otras reformas muy concretas en 2015, el RD-Ley 1/2015, de 27 de febrero, de mecanismo de segunda oportunidad, reducción de carga financiera y otras medidas de orden social, que flexibiliza el régimen de los acuerdos extrajudiciales de pago, así como sus efectos (convalidado como Ley 25/2015, de 27 de febrero, que aumenta también y sensiblemente su contenido).

Se ha regulado por el RD 892/2013, de 15 de noviembre, el Registro Público Concursal, en desarrollo del art. 198 LConc.

Además, la LConc permite fijarnos en los siguientes aspectos relevantes, que constituyen novedades importantes:

a) Reducción y simplificación de los órganos del concurso, pues ahora sólo es órgano necesario la administración concursal. La junta de acreedores únicamente interviene si el proceso termina por convenio, y ni siquiera ello si el convenio se tramita por escrito;

b) Mejora de la situación jurídica del deudor, pues la declaración del concurso no le priva necesariamente de la capacidad de administrar su patrimonio, y se sustituye la retroacción absoluta por medidas que le favorecen más;

c) Mayor efectividad del principio *par condictio creditorum*, es decir, que el tratamiento de los créditos tiene que ser igual en todos los casos, lo que se traduce en la desaparición de numerosos privilegios y preferencias de los acreedores (quedan como privilegios, por ejemplo, los créditos garantizados con hipoteca, art. 90.1-1° LConc; los créditos por salarios hasta una determinada cantidad, art. 91-1° LConc; o los créditos tributarios y de la Seguridad Social, art. 91-2° y 4° LConc); y

d) Facilitación del convenio, frente a la liquidación de la empresa, para favorecer que el deudor pueda pagar y los acreedores cobrar sus créditos.

II. JUEZ, ÓRGANOS DEL CONCURSO Y PARTES

A) Juzgados de lo Mercantil

El proceso concursal es competencia de los Juzgados de lo Mercantil (art. 86 bis LOPJ, introducido por la LO 8/2003, y art. 8 LConc). El legislador ha preferido la creación de estos nuevos Juzgados con base en la necesidad de operar una concentración competencial en ellos de todas las materias concursales y de gozar de una preparación especializada, por la obvia complejidad de la realidad social y económica. Se crean también Secciones Especializadas en lo Concursal en las AP (nuevo art. 82.4 LOPJ).

> En todos los casos se trata, atendiendo a la organización, de órganos jurisdiccionales ordinarios. No son órganos especiales, por la sencilla razón de que órganos jurisdiccionales especiales sólo pueden serlo en España los que están previstos específicamente en la Constitución, lo cual no es el caso aquí. El JMerc (y los demás citados) se incardina de lleno entre los tribunales previstos por la Ley Orgánica del Poder Judicial, es uno más de ellos, y sus titulares están sometidos al mismo estatuto jurídico que los miembros de esos otros órganos jurisdiccionales, los que conforman el Poder Judicial ordinario de acuerdo con la misma Constitución, accediendo, ascendiendo y cesando en el Poder Judicial con base en las mismas normas, estando sometidos a los mismos requisitos, prohibiciones e incapacidades personales, y gozando del mismo sueldo (art. 122.1CF).
>
> Por el contrario, los JMerc, en atención a la competencia, son órganos jurisdiccionales especializados, al igual que ocurre con otros órganos jurisdiccionales ordinarios por la organización, como los juzgados de violencia sobre la mujer o los juzgados de menores, puesto que su competencia no comprende una rama o sector del ordenamiento jurídico, sino asuntos específicos, que son los enumerados en el art. 86 ter LOPJ. Y es además un órgano que se integra en el orden jurisdiccional civil.

Los JMerc tienen competencia exclusiva y excluyente (art. 86 ter.1 LOPJ), en las materias especificadas en el art. 8 LConc y en el art. 955 LEC/1881, lo que significa que asumen la competencia para el conocimiento del proceso concursal y demás materias previstas por la LOPJ y por la propia LConc, excluyendo la competencia de cualquier otro órgano jurisdiccional civil en estos temas. Pueden recabar para sí el conocimiento de un asunto de esta naturaleza que esté en sede competencial de ese otro órgano. La idea con esta tajante declaración es reforzar al máximo el nivel competencial de estos órganos jurisdiccionales, de manera que todo el Derecho Concursal, sustantivo y procesal, quede en sus manos, porque el concurso tiene ciertamente carácter universal, se trata de pretensiones contra todo el patrimonio del deudor, que exigen una solución conjunta y no separada.

> Esto hace difícil el poder justificar las competencias no concursales del JMerc, básicamente las laborales (art. 86 ter.1, 2º LOPJ, art. 8, 2º LConc y DA-3ª Ley 36/2011, de la Jurisdicción Social), y las mercantiles del art. 86 ter.2 LOPJ, pues se comprende ese carácter exclusivo y excluyente cuando las pretensiones sean concursales, pero no cuando no lo sean, ya que entonces en realidad bastan las normas de acumulación para resolver los problemas que se puedan plantear en caso de pretensiones o procesos separados sin perjuicio de no poder descartar especialidades restrictivas, y así en seguros (arts. 168 y 169 de la Ley 20/2015, de 14 de julio).

Pero por lo que hace a las pretensiones concursales, el reforzamiento es claro porque los jueces civiles, los contencioso-administrativos y los laborales tienen vedado conocer de ellas, bajo sanción de nulidad de actuaciones (art. 50.1 LConc), con la excepción de que esos juzgados mantienen la competencia si se ha declarado ya el concurso y si se trata de una pretensión con trascendencia para el patrimonio del deudor (art. 50.4 LConc). Para completar el panorama, el planteamiento de una cuestión prejudicial penal no provoca la suspensión del proceso concursal (art. 189.1 LConc).

B) Órganos del concurso

El concurso requiere de dos organizaciones, llamadas por esto órganos del concurso, que ayudan al JMerc en sus funciones y que colaboran en la solución del conflicto jurídico que provoca la insolvencia del deudor. Son la administración concursal y la junta de acreedores. El juez no debe considerarse órgano del concurso, pues es quien resuelve el conflicto.

a) La administración concursal se pretende que sea unipersonal en la mayor parte de los casos, compuesta de un abogado experimentado o de un profesional económico experimentado, de manera tal que sea un órgano más profesionalizado, pudiendo ser designada igualmente una persona jurídica, con los condicionantes del varias veces reformado art. 27 LConc. Sus miembros tienen un estatuto jurídico propio (regulado con detalle en los arts. 27 a 39 LConc. Las funciones básicas de los administradores concursales son la rescisión de los actos fraudulentos y la intervención de los actos patrimoniales realizados por el deudor, la elaboración de un informe sobre su gestión, hacer el inventario de la masa activa, elaborar el listado de acreedores y la evaluación de las propuestas de convenio presentadas. Son retribuídos mediante arancel (art. 34.2 LConc).

b) Las juntas de acreedores sólo tienen como misión aprobar el convenio cuando la ley así lo autorice (arts. 116 y ss. LConc).

C) Partes

Determinar las partes que ocupan el lado activo y el lado pasivo en el proceso concursal no es cuestión fácil. La LConc, que rubrica oficialmente la norma sobre las partes bajo el título, de manera totalmente equivocada en lo procesal, de presupuesto subjetivo (art. 1), se refiere a los acreedores, al deudor o deudores, a las personas que tengan un interés legítimo, al Fondo de Garantía Salarial y al Ministerio Fiscal:

a) Los acreedores: Si instan la declaración de concurso del deudor (art. 3.1 LConc), tienen la cualidad de parte actora del proceso. Si es el deudor quien pide su propio concurso (art. 3.1 LConc), son al contrario parte demandada. Deben comparecer en forma y estar defendidos por letrado y representados por procurador en todos y cada uno de los actos procesales importantes enumerados en el art. 184.3 LConc. Si no comparecen en forma, sólo tienen derecho a examinar los autos (art. 185 LConc).

b) El deudor concursado, persona natural o jurídica: Es parte pasiva o activa del proceso en función de si los acreedores instan el concurso, o de si es él mismo quien pide la declaración de su propio concurso (arts. 1.1 y 3.1 LConc). No es necesario que comparezca en forma, pero debe estar defendido por letrado y representado por procurador (art. 184.2 LConc), con las excepciones previtas para la persona natural (DA 3.ª del RD-Ley 1/2015) y en el art. 184.6 LConc para los trabajadores. Las personas públicas enumeradas en el art. 1.3 LConc están fuera del concurso.

> El deudor goza de protección específica en materia de derechos fundamentales que puedan verse alterados por la investigación de los hechos durante el desarrollo del procedimiento concursal, pues de acuerdo con el art. 1 LO 8/2003, el JMerc puede decretar la intervención de sus comunicaciones, obligarle a residir en un lugar concreto, y ordenar la entrada y registro de su domicilio, con las garantías de la Constitución y de la LECRIM, previa audiencia del MF y mediante decisión especialmente motivada, recurrible en apelación con carácter preferente ante la AP.

c) Las personas que tengan un interés legítimo: Si el deudor es una persona jurídica, están también legitimados activamente para solicitar su declaración de concurso los socios, miembros e integrantes que sean personalmente responsables de las deudas de aquélla (art. 3.3 LConc), así como los herederos del deudor fallecido y el administrador de la herencia no aceptada (art. 3.4 LConc).

d) El mediador concursal tratándose de acuerdo extrajudicial de pagos, en los términos fijados por el art. 3.1 LConc, puede demandar el concurso, siendo entonces partes demandadas tanto el deudor como los acreedores.

e) El Fondo de Garantía Salarial es parte demandada si en el proceso concursal puede derivarse su responsabilidad para el abono de salarios o de indemnizaciones a los trabajadores (art. 184.1 LConc).

f) El Ministerio Fiscal defiende la legalidad en el trámite de calificación del concurso (art. 184.1 LConc), único momento procedimental en el que interviene además de con ocasión de la posible restricción de derechos fundamentales del concursado, por lo que puede estar al lado de la parte actora, o al lado de la demandada, en función de esa defensa en el caso concreto.

III. EL PROCESO CONCURSAL EN GENERAL

El proceso concursal es un proceso civil especial, de ahí su tratamiento en este volumen del manual. No se regula en la LEC por su complejidad, aunque es supletoria (DF-5ª LConc), si bien ello no desvirtúa su naturaleza, pues a través de él se ventilan asuntos de Derecho privado, lo que es materia propia del orden jurisdiccional civil (art. 9.2 LOPJ). Pero en este proceso se resuelven temas de ejecución universal, ya que concurren todos los acreedores para obtener la satisfacción de todos sus créditos con cargo al patrimonio del deudor considerado en su totalidad. Por ello, en nuestra opinión, a la vista de la naturaleza material de las pretensiones que deben resolverse en él, estamos ante una mezcla de proceso declarativo y de ejecución.

La LConc, en desarrollo del principio de simplificación procedimental, ha partido de una idea básica muy mal regulada: Establecer unos trámites esenciales, a los que llama legalmente de manera indistinta «procedimiento de declaración» (Capítulo II del Título I, arts. 8 y ss.), «fase común» del procedimiento (Sección 1ª del Capítulo I del Título V, v. arts. 98 y ss.), o simplemente «procedimiento de concurso» (Capítulo I del Título VIII, arts. 183 a 189), y luego unas particularidades, a las que llama «proceso abreviado» (Capítulo II del Título VIII, arts. 190 y 191), e «incidente concursal» (Capítulo III del Título VIII, arts. 192 a 196). Finaliza con la regulación de los recursos (art. 197). Estas normas han sido reformadas parcialmente en forma importante por la Ley 38/2011.

> La naturaleza de proceso civil especial mixto, declarativo y ejecutivo a un tiempo, tiene como consecuencia más visible que el legislador ha visto casi imposible poder adoptar como proceso concursal básico el juicio ordinario de la LEC, modelo de oralidad, con las especialidades pertinentes, no habiendo tenido más remedio que optar por un trámite diferente mucho más complicado, que en ningún caso puede identificarse ni siquiera parcialmente con el juicio ordinario, con fuerte predominio además del principio de la escritura, propio de la ejecución forzosa singular civil. Las últimas reformas ahondan todavía más en la crisis de la oralidad en el proceso concursal. El buscar ante todo eficacia ha llevado a esta mezcla sin duda alguna.

Pero para facilitar su estudio es mejor partir de la existencia de dos procedimientos concursales. El primero sería el ordinario, en donde se englobarían todas las instituciones procesales de la LConc, y el segundo el abreviado, en donde se consignarían las especialidades respecto al anterior que prevé el mismo texto legal, dejando aparte el incidente concursal. Veamos ahora el que denominamos proceso ordinario.

IV. EL PROCESO CONCURSAL ORDINARIO

El proceso concursal ordinario consta de las siguientes fases: Solicitud de declaración de concurso, análisis judicial de la solicitud, fase común de tramitación, y terminación del concurso.

A) Solicitud (demanda) de declaración de concurso

El proceso concursal ordinario se inicia formalmente mediante escrito de solicitud de declaración de concurso, que puede ser presentado tanto por los acreedores o demás personas legitimadas (así el mediador concursal), en cuyo caso se llama concurso necesario, como por el deudor, en cuyo caso estamos ante el concurso voluntario (art. 22 LConc).

El proceso concursal nunca se inicia de oficio, de manera que rige plenamente el principio dispositivo. El Ministerio Fiscal tiene facultades específicas en el inicio del proceso, en los términos del art. 4 LConc, si creyera, durante la investigación de hechos delictivos contra el patrimonio o el orden socioeconómico, que se dan las circunstancias para declarar el concurso, pero no es parte pública que pueda iniciarlo tampoco.

> Obsérvese que la ley evita el nombre de demanda, pero debe tratarse indubitadamente de este escrito, pues en él se ejerce el derecho de acción y se interpone la pretensión concursal. Sólo la tradición mercantilista, que no procesal, explica un nombre distinto, totalmente amorfo, a este escrito inicial.

a) *Concurso voluntario*: Para el deudor es obligatorio presentar el escrito si conoce su insolvencia, en los términos del art. 5 LConc. Deberá expresar en su escrito si su estado de insolvencia es actual o inminente, acompañando todos los documentos exigidos por el art. 6 LConc.

El deudor tiene en este caso la posibilidad de presentar con su demanda una propuesta anticipada de convenio (art. 104.1 LConc). El deudor puede evitar el concurso si intenta un acuerdo de refinanciación de sus deudas, negociar adhesiones de los acreedores a su propuesta anticipada de convenio, o solicitar un acuerdo extrajudicial de pago, y lo comunica al juzgado. Ello impide por tres meses instar la declaración voluntaria del concurso (art. 5 bis LConc, reformado por la Ley 17/2014 y por la Ley 9/2015).

> Esta norma es consecuencia del deseo del legislador de salvar la empresa, bien favoreciendo alternativas al concurso, como es el caso ahora, bien favoreciendo la conservación de la misma, por ejemplo, concediéndole créditos durante su tramitación. Esta intencionalidad es obvia con las salvaguardas que se establecen respecto a sociedades deportivas.

La propuesta de convenio, salvo que esté prohibido expresamente (art. 105 LConc), dándose los requisitos de los arts. 106 a 108 LConc, debe ir acompañada de adhesiones, que consisten fundamentalmente en afirmar que los acreedores la apoyan y que la administración concursal la evalúa favorablemente. Si el JMerc la aprueba, dicta sentencia siendo innecesarios todos los trámites procedimentales que se reflejan a partir de ahora desde la solicitud hasta la fase de convenio o liquidación (art. 109 LConc); si no la aprueba, o se lleva a junta de acreedores o se inicia el procedimiento de liquidación (art. 110 LConc).

b) *Concurso necesario*: Los acreedores u otras personas legitimadas podrán instar la declaración del concurso expresando en el escrito todo lo que es relevante en cuanto a los créditos, en los términos del art. 7.1 LConc. Deberán además expresar en el escrito los medios de prueba, con exclusión de la testifical si es la única, de que se valgan o intenten valerse para acreditar los hechos del concurso (art. 7.2 LConc).

Para que la solicitud pueda ser admisible se requiere la concurrencia de determinados requisitos materiales, a los que la ley llama presupuesto objetivo en la rúbrica oficial de su art. 2, consistentes en demostrar documentalmente el estado de insolvencia del deudor (art. 2.1 y 2 LConc).

> El presupuesto de la insolvencia tiene tres grados (Rojo): La insolvencia real o actual ya producida, demostrable porque el deudor no puede cumplir regularmente sus obligaciones exigibles (art. 2.2); la insolvencia inminente o amenazante, que es la previsión fundada de que el deudor no va a poder cumplir regular y puntualmente con sus obligaciones exigibles en un muy breve plazo de tiempo (v. arts. 2.3 y 6.1); y la insolvencia cualificada por determinados hechos externos muy graves regulados en el art. 2.4: Sobreseimiento en el pago de obligaciones, embargos, alzamiento o ruina del deudor, o incumplimiento de determinadas obligaciones, clase de insolvencia no definida en la ley, pero que incumbe probar documentalmente al acreedor.

Si la demanda la presenta el propio deudor, los documentos se establecen en el art. 2.3 LConc (la justificación de su endeudamiento y de su estado de insolvencia), y si la presentan los acreedores, en el art. 2.4 LConc (el título que demuestra la insolvencia del deudor, con varias posibilidades).

B) Análisis judicial de la demanda y declaración del concurso

La demanda se presenta ante el JMerc competente objetiva, funcional y territorialmente, de acuerdo con las normas orgánicas (art. 86 ter.1 LOPJ) y ordinarias (arts. 8, 9 y 10 LConc). Se prevén normas particulares sobre extensión y límites de la jurisdicción, con el fin de resolver problemas específicos de concursos internacionales, en los arts. 10 y 11 LConc. El demandado puede oponerse mediante declinatoria, que no suspende la tramitación (art. 12 LConc).

El JMerc procede a examinar la admisibilidad de la demanda, sin levantar mano (arts. 13.1 y 186.3 LConc). Si la demanda tiene defectos subsanables, se concede un plazo para subsanar. Si no los tiene, o se han subsanado, y por tanto la demanda y sus documentos están completos, el JMerc dicta auto inmediatamente (arts. 13 y 14 LConc), con el siguiente posible contenido:

1) Si el deudor ha sido el demandante, se declara el concurso en caso de que se constate por la documentación aportada la existencia de alguno de los hechos que acreditan su insolvencia (art. 14.1 LConc), ordenando en el auto el juez la formación de la sección (pieza) primera del concurso (arts. 16 y 183-1º LConc).

2) Si la demanda la ha presentado cualquier otro legitimado distinto del deudor, se admite a trámite si está completa, lo que tiene como consecuencia inicial la declaración del concurso (art. 15.1 LConc), la formación de la sección (pieza) primera del concurso antes aludida, y se abre un procedimiento específico contradictorio para darle la oportunidad al deudor de que se manifieste al respecto, así como para realizar otros actos procesales.

> En concreto, se procede al emplazamiento del deudor (art. 15.2 LConc); se acumulan en su caso demandas posteriores (art. 15.2, II LConc); se acuerdan medidas cautelares previas solicitadas a instancia de parte, en su caso (art. 17 LConc); se acuerdan también en su caso los actos restrictivos de derechos fundamentales del deudor, previa audiencia de éste y del MF: Intervención de comunicaciones, obligación de residencia, entrada y registro del domicilio del deudor o intervención telefónica (art. 1 LO 8/2003); se celebra una vista pública contradictoria (art. 19 LConc), con normas especiales sobre días y horas hábiles (art. 187.1 LConc) y sobre lugar de práctica de la prueba (art. 187.2 LConc); si el deudor comparece y consigna los créditos se declara concluso el concurso (art. 19.2 LConc), existiendo posibilidad de oposición del deudor a la declaración del concurso, por motivos tasados (art. 18.2 LConc); si el deudor no comparece se declara el concurso (art. 19.2 LConc); el JMerc tiene facultades *ex officio* en la práctica de la prueba de esta vista especial pudiendo interrogar directamente a partes, peritos y testigos (art. 19.5 LConc).

Cumplidos los trámites anteriores pertinentes, el JMerc dicta auto decidiendo la declaración del concurso o no (art. 20.1 LConc), recurrible en los términos del art. 20.2, 3 y 4 LConc. Si el deudor se allana a la solicitud de los acreedores o no se opone, se declara el concurso de acreedores (art. 18 LConc). El auto que declara el concurso tiene un contenido complejo (art. 21 LConc).

> Sin ánimo exhaustivo son de citar los siguientes aspectos: Declaración del carácter voluntario o necesario del concurso; nombramiento del administrador concursal (v. arts. 27 y ss.); efectos sobre las facultades de disposición y administración del deudor; adopción o ratificación de medidas cautelares; llamamiento de acreedores; publicidad de la declaración y registral, aspecto éste mejorado en 2011 (v. arts. 23, 24, y 198), sin perjuicio de que se puedan acordar ahora actos restrictivos de los derechos fundamentales del deudor que no se hayan decretado aún (art. 1 LO 8/2003). La declaración de concurso se inscribe en el Registro Mercantil, en el Registro de la Propiedad (art. 24 LConc), o en el Registro Civil (art. 72.2 LRCiv de 2011), en función de las particularidades.

El auto declarando el concurso es inmediatamente ejecutivo, independientemente de si se recurre o no, abre la fase común del procedimiento o su tramitación como proceso abreviado, y tiene como efecto principal la formación de las secciones segunda, tercera y cuarta (v. arts. 183-2º, 3º y 4º). En caso de varios concursos, los arts. 25, 25 bis y 25 ter, permiten la acumulación. A partir de la declaración de concurso, el impulso procesal es de oficio (art. 186 LConc).

> Es de destacar en particular que existe la posibilidad de que el deudor presente ahora, si no lo ha hecho antes al solicitar su concurso voluntario, una propuesta anticipada de convenio tras la declaración del concurso necesario (art. 104.1 LConc), salvo que esté prohibido expresamente por alguna de las causas del art. 105 LConc, como por ejemplo, por haber sido condenado por delito contra la Hacienda Pública, dándose además los requisitos de los arts. 106 a 108 LConc (adhesiones de acreedores e informe favorable de la administración concursal). Si el JMerc la aprueba, dicta sentencia, siendo innecesarios todos los trámites procedimentales posteriores hasta la fase de convenio o liquidación (art. 109 LConc). Si no la aprueba, se procede conforme al art. 110 LConc, antes visto.

En caso de apelarse el auto declarando el concurso y ser revocado por la AP, se debe declarar por el JMerc concluso el concurso, al que se pueden oponer los acreedores por los trámites del incidente concursal (art. 176.1 y 5 y 176 bis LConc), cabiendo recurso en este caso contra el auto que se dicte (art. 177.2 LConc), con los efectos favorables al deudor en cuanto a la disponibilidad de su patrimonio que se fijan en el art. 178 LConc. Otras causas de conclusión del concurso se regulan en el art. 176, por ejemplo la declaración firme de cumplimiento del convenio. El fallecimiento del concursado no implica por sí sólo la conclusión del mismo (art. 182 LConc). Es posible reabrir el concurso en los casos previstos en los arts. 179 a 181 LConc), por ejemplo, porque el empresario persona natural es vuelta a declarar en concurso en un plazo de 5 años.

Desde la declaración del concurso está abierta también la posibilidad del solicitante (el acreedor) de renunciar o desistir del concurso (art. 186.2 LConc).

C) Fase común de tramitación

La llamada por la LConc fase común de tramitación del concurso, o normas procesales generales comprende los cuatro primeros títulos de la misma (arts. 21.2 y 183). Podemos distinguir los siguientes aspectos:

a) *Inicio y contenido (las secciones o piezas del concurso)*

Se abre esta fase con el auto de declaración del concurso (art. 21.2), y comprende los trámites procedimentales previstos para las siguientes actuaciones:

1ª) Declaración del concurso (sección o pieza primera, Título I, arts. 1 a 25 ter LConc), que comprende a su vez lo relativo a la declaración de concurso, a las medidas cautelares, a la resolución final de la fase común, a la conclusión y, en su caso, a la reapertura del concurso.

2ª) Cumplimentación de la administración concursal (sección o pieza segunda, Título II, arts. 26 a 39 LConc), básicamente lo relativo a la administración concursal del concurso, al nombramiento y al estatuto del administrador persona física o de la persona jurídica concursales, a la determinación de sus facultades y a su ejercicio, a la rendición de cuentas y, en su caso, a la responsabilidad del administrador concursal.

3ª) Fijación de los efectos de la declaración del concurso sobre el deudor, sobre los acreedores, sobre los contratos y sobre los actos perjudiciales para la masa pasiva (sección o pieza tercera, Título III, arts. 40 a 73 LConc), es decir lo relativo a la determinación de la masa activa, a la sustanciación, decisión y ejecución de las acciones de reintegración y de reducción, a la realización de los bienes y derechos que integran la masa activa, al pago de los acreedores y a las deudas de la masa.

4ª) Informe de la administración concursal y determinación de las masas activa y pasiva del concurso (sección o pieza cuarta, Título IV, arts. 74 a 97 ter LConc), en donde se regula lo relativo a la determinación de la masa pasiva, y a la comunicación, reconocimiento, graduación y clasificación de créditos. En esta sección se incluirán también, en pieza separada, los juicios declarativos contra el deudor que se hubieran acumulado al concurso de acreedores y las ejecuciones que se inicien o reanuden contra el concursado.

> Con carácter general dispone el art. 188 LConc que, en caso de ser necesaria en estas fases una autorización del JMerc o de los administradores concursales, no se dice para qué, sino que se afirma en general, hay necesidad de celebrar un procedimiento contradictorio para su obtención, previsto en esa norma.

b) La administración concursal

El tema central para el buen fin del concurso es la administración concursal, órgano del concurso como sabemos, debido a las importantes tareas que corresponden al mismo. Ha sido profundamente reformada en 2014. El administrador concursal se nombra conforme al art. 27 LConc. Debe aceptar el cargo ante el JMerc (art. 29.1 LConc), y puede delegar determinadas funciones en auxiliares delegados si la complejidad del caso lo exige (art. 31 LConc).

Los administradores están sujetos por ello al deber de abstención (art. 29.1 LConc), pudiendo ser recusados (arts. 28 y 32 LConc). Están sujetos también a responsabilidad civil por los daños causados a la masa, al deudor, a los acreedores o a terceros con ocasión del ejercicio de su cargo (arts. 36 LConc y RD 1333/2012, de 21 de septiembre), y pueden ser separados del cargo judicialmente si existe causa justa (art. 37 LConc). Son retribuidos con cargo a la masa del concurso (art. 34 LConc). Sus funciones se regulan en el amplísimo art. 33 LConc.

c) Los efectos de la declaración del concurso

Debemos considerar los efectos sobre el deudor, los acreedores, los contratos y los actos perjudiciales para la masa activa.

1°) Sobre el deudor: El deudor tiene los deberes de comparecencia ante el JMerc y de colaborar con él (art. 42 LConc).

En caso de concurso voluntario, goza de las facultades patrimoniales previstas en el art. 40.1 LConc, por ejemplo, conserva las de administrar y disponer de su patrimonio; y en caso de concurso necesario, se suspenden estas facultades, que serán ejercidas a partir de ahora por los administradores concursales (art. 40.2 LConc). Existe posibilidad de alterar este régimen (art. 40.4 LConc).

Si el deudor actúa vulnerando estas disposiciones, cabe pretensión de anulación de actos del deudor en contra de las limitaciones impuestas, a tramitar por el incidente concursal (art. 40.7 LConc). Desaparece el arresto carcelario del quebrado, pero puede imponerse su arresto domiciliario (art. 1.1-2ª LO 8/2003).

En caso de ser el deudor persona jurídica los efectos se fijan en el art. 48 a 48 quáter LConc: Se mantienen los órganos de la persona jurídica, intervienen los administradores concursales y existe posibilidad de decretar como medida cautelar el embargo de bienes y derechos de los administradores del deudor (a efectos del art. 172 bis LConc).

2°) Sobre los acreedores: Sus créditos quedan integrados por mor de la ley en la masa pasiva del concurso (art. 49 LConc).

Es importante fijar los efectos con relación a las pretensiones individuales del acreedor frente al deudor en concurso. A este respecto, los juicios declarativos civiles y laborales con ese objeto pasan a ser, con alguna excepción, competencia del JMerc (art. 50), suspendiéndose su tramitación en algunos supuestos (art. 51 bis); se acumulan también con excepciones los procesos civiles declarativos pendientes (art. 51 LConc); se suspenden los efectos de los convenios arbitrales o de los pactos de mediación suscritos que puedan perjudicar al concurso, tramitándose los que estén en curso (art. 52 LConc); y el JMerc queda vinculado a sentencias y laudos arbitrales firmes, previos o posteriores a la declaración del concurso, salvo que haya existido fraude (art. 53 LConc).

La administración concursal, estando suspendido el deudor en las facultades de administración y disposición de su patrimonio, está legitimada para interponer pretensiones de índole no personal (art. 54 LConc).

Declarado el concurso, no podrán iniciarse ejecuciones singulares, judiciales o extrajudiciales, ni seguirse apremios administrativos o tributarios contra el deudor (art. 55 LConc), aunque la LConc prevé particularidades para los procedimientos administrativos de ejecución ya iniciados (art. 55.1, II), y en caso de ejecuciones de garantías reales y acciones de recuperación asimiladas (arts. 56 y 57 LConc).

En cuanto a los créditos en particular, hay prohibición de compensación de créditos y deudas del concursado, salvo que exista controversia, a resolver por el incidente concursal (art. 58 LConc); se suspende el devengo de intereses (art. 59 LConc); y el derecho de retención (art. 59 bis); y se interrumpe la prescripción (art. 60 LConc).

3º) Sobre los contratos: La LConc dedica una especial atención a esta materia, previendo los casos más comunes y los más problemáticos en sus arts. 61 a 69 LConc: Contratos con obligaciones recíprocas, contratos de trabajo, contratos de alta dirección, contratos con administraciones públicas, y, entre otros, el supuesto de enervación del desahucio en arrendamientos urbanos (v. art. 70 LConc).

La idea general es mantener la vigencia de todos los contratos firmados por el deudor en todos los casos en que sea posible y no perjudique a los fines del propio concurso. Si ello no pudiera ser, la administración concursal tiene facultades para resolverlos.

4º) Efectos sobre los actos perjudiciales para la masa activa: Lo básico es establecer el régimen jurídico de las pretensiones de reintegración de actos perjudiciales en la masa activa, aunque no haya existido intención fraudulenta por parte del deudor (art. 71 LConc).

La legitimación activa corresponde a la administración concursal (art. 72.1 y 2 LConc); la pasiva al deudor y a quienes hayan sido parte en el acto impugnado (art. 72.3 LConc), tramitándose por el procedimiento previsto para el incidente concursal (art. 72.4 LConc). Si la sentencia estima la rescisión, sus efectos particulares se prevén en el art. 73 LConc, básicamente la ineficacia del acto y la restitución de prestaciones, con frutos e intereses.

5º) Sobre los acuerdos de refinanciación, en los amplios y concretos términos fijados por el art. 71 bis (reformado en 2014) y DA-4ª (reformada en 2015) LConc.

d) El informe de la administración concursal y la determinación de las masas activa y pasiva del concurso

La actividad y funciones desarrolladas por la administración concursal se concretan en la elaboración de un informe, dentro de los plazos fijados por el art. 74 LConc, y cuyo contenido se fija en el art. 75 LConc, al que se deben acompañar estos cinco documentos (art. 75.2 LConc):

1°) Inventario de la masa activa, a elaborar conforme a las precisas normas de los arts. 76 a 81 LConc, a lo que hay que añadir lógicamente la determinación de la masa pasiva (arts. 84 a 93 LConc);

2°) Lista de acreedores incluidos con sus créditos e importes, así como la de los excluidos; y

3°) Escrito de evaluación de las propuestas de convenio que se hubieran presentado, en su caso.

4°) En su caso, el plan de liquidación; y

5°) Valoración de la empresa en su conjunto y de las unidades productivas que la integran bajo la hipótesis de continuidad de las operaciones y liquidación.

Este informe con sus documentos es público y puede ser impugnado por cualquier interesado, siendo aplicables los trámites del incidente concursal (arts. 95 a 97 ter LConc).

D) Terminación

El concurso puede terminar por convenio o por liquidación, una vez el inventario de la masa activa y la lista de acreedores son definitivos.

a) Por convenio

El convenio debe estar redactado por escrito y firmado por el deudor y todos sus acreedores proponentes (art. 99 LConc). Sus contenidos posibles son, de acuerdo con los arts. 100 a 103, proponer: 1) Quita y espera; 2) Proposiciones alternativas; 3) Proposiciones de enajenación de bienes y derechos; 4) Plan de pagos; ó 5) Plan de viabilidad, en su caso. Existe prohibición de cesión de bienes y derechos, y de propuestas condicionadas. Y no se admite propuesta de liquidación global del patrimonio del deudor.

Pero antes de llegar al convenio es preciso prepararlo procedimentalmente. Por eso dispone el art. 111.1 LConc que el JMerc dictará auto poniendo fin a la fase común del concurso si no hay solicitud de liquidación del concursado, ni se ha aprobado ninguna propuesta anticipada de convenio, abrirá la fase de convenio y ordenará la apertura de la sección (pieza) quinta del concurso, que comprenderá lo relativo al convenio o, en su caso, a la liquidación (art. 183-5° LConc).

Ese auto ordenará convocar a la Junta de Acreedores (art. 111.2 LConc), salvo que el convenio se haya tramitado por escrito conforme al nuevo art. 115 bis LConc. Están abiertas a partir de ahora diversas posibilidades de presentar una propuesta de convenio (art. 113 LConc), cuyo procedimiento concreto de admisibilidad se regula en el art. 114.1 y 2, siendo evaluadas por la administración concursal (art. 115 LConc).

Existiendo propuestas se llevarán a la Junta de Acreedores, que las tratará conforme a lo establecido en los arts. 116 a 125 LConc. El letrado levantará acta (art. 126 LConc), que será elevada al JMerc para su aprobación (art. 127 LConc).

Es importante mencionar que se abre un trámite específico de oposición a la aprobación del convenio, con amplia legitimación pero con motivos tasados (art. 128 LConc (reformado en 2011), por ejemplo, por infracción de norma legal reguladora del convenio), que se tramita por los cauces del incidente concursal, permitiéndose medidas cautelares específicas y resolviéndose por sentencia con el contenido y los efectos previstos en el art. 129 LConc, trascendentes en caso de que triunfando la oposición se rechace el convenio.

Si no hay o no triunfa la oposición, el JMerc dicta sentencia aprobando el convenio (art. 130 LConc), salvo que *ex officio* considere que es ilegal, lo que obliga a repetir la Junta de Acreedores, o, al parecer, si no se cumpliera con su decisión, a la liquidación (v. art. 131 LConc).

El auto aprobando el convenio es recurrible conforme al complejo sistema diseñado en el art. 197 LConc, que permite en ciertos casos el efecto no suspensivo (v. su ap. 6).

> La LConc regula específicamente la eficacia temporal, subjetiva y novatoria del convenio, así como su extensión en cuanto a las facultades patrimoniales: El convenio es plenamente eficaz desde la aprobación judicial por sentencia salvo recurso suspensivo cesando los efectos de la declaración del concurso, vinculando a quienes hayan votado a su favor (arts. 133 a 137).

El cumplimiento de lo acordado obliga al JMerc a dictar un auto de cumplimiento (art. 139 LConc), que una vez firme implica que el propio juez dicte otro auto, éste de conclusión del concurso (art. 141 LConc).

El incumplimiento, a demostrar por los acreedores, se tramita por el incidente concursal, suponiendo en caso afirmativo la rescisión del convenio.

Si no se presenta ninguna propuesta de convenio, se está abocado a la fase de terminación del proceso concursal por liquidación (art. 114.3 LConc).

Un procedimiento específico de homologación de acuerdos de refinanciación se prevé en la DA-4ª LConc (reformada por el RD-Ley 4/2014).

b) Por liquidación

Procede abrir la fase de liquidación como medio de terminación del proceso concursal por las causas previstas en el art. 142 LConc, tanto por el deudor, por ejemplo, cuando prevea el impago durante la vigencia del convenio, como por cualquier acreedor, cuando crea que se da un supuesto de insolvencia cualificada, o *ex officio* por el JMerc (art. 143 LConc).

La liquidación implica efectos trascendentales sobre las facultades dispositivas patrimoniales del concursado (art. 145 LConc), sobre la transmisión de las unidades productivas (art. 146 bis) y sobre los créditos, pues vencen anticipadamente (art. 146 LConc).

La administración concursal debe presentar un plan de liquidación o de realización de los bienes y derechos integrados en la masa activa del concurso, susceptible de discusiones previas a su aprobación por el JMerc (art. 148 LConc). Si no se aprueba el plan, el art. 149 LConc detalla las operaciones de liquidación del patrimonio del deudor, con reglas particulares en los arts. 150 y 151 LConc.

La administración debe rendir informes trimestralmente sobre la liquidación (art. 152 LConc), siendo posible su separación del cargo en caso de liquidación prolongada indebidamente (art. 153 LConc).

El pago a los acreedores se detalla en los arts. 154 a 162 LConc. No lo dice la LConc, pero se supone que una vez pagados los acreedores, el JMerc debe dictar un auto de conclusión del concurso (ex art. 141).

c) La calificación del concurso

La aprobación del convenio del plan de liquidación o de la liquidación ordenada en el caso del art. 167.1 LConc (quita igual o superior a un tercio del importe de los créditos o espera igual o superior a 3 años), implica la apertura de la sección (pieza) sexta de calificación del concurso (con el contenido fijado en el art. 183-6º LConc: Calificación del concurso y sus efectos), que lleva a la declaración del concurso como culpable, sin efectos prejudiciales (arts. 164 a 166 LConc), o fortuito (art. 163.1 LConc), pieza que se tramita conforme a las disposiciones de los arts. 167 a 175 LConc, interviniendo el MF, permitiéndose una oposición a la calificación a tramitar por los cauces del incidente concursal, y dictándose sentencia, que implica el archivo de las actuaciones si el concurso es fortuito (art. 170.1 LConc), o las graves consecuencias fijadas en los arts. 172 y 172 bis LConc si es culpable: Fijación de autoría, inhabilitación, pérdida de derechos y responsabilidad concursal de los administradores del deudor persona jurídica.

d) La segunda oportunidad para personas físicas

Tratándose de personas naturales deudoras, cuando el concurso haya concluido por liquidación o insuficiencia de la masa activa, la Ley 25/2015, de 14 de julio, permite al ciudadano que ha fracasado económicamente una nueva posibilidad de rehacer su vida sin arrastrar deudas imposibles de pagar, estableciendo los nêcesarios controles para evitar los siempre posibles fraudes. Los mecanismos consisten en establecer una exoneración de deudas razonable (arts. 176 bis.3 y 4, 178.2 y 178 bis LConc), y en potenciar los acuerdos extrajudiciales de pago (v. infra), dando mayor participación al mediador concursal (art. 231 a 242 bis LConc).

V. EL PROCESO CONCURSAL ABREVIADO

El desarrollo del proceso concursal ordinario puede ser demasiado complicado en casos sencillos, o ser innecesario tramitarlo como tal en determinados supuestos, de ahí que el legislador haya establecido una modalidad simplificada del mismo, denominada proceso concursal abreviado, regulado originariamente en los arts. 190 y 191 LConc, reformado el primero en 2009, y los dos, profundamente, en 2011, que ha añadido además los arts. 191 bis a quater.

> La idea es ofrecer soluciones más rápidas y económicas cuando la situación de la empresa en crisis, el número de trabajadores, las negociaciones de venta o de modificación estructural de la empresa que se estén llevando a cabo, lo permitan.

Esta modalidad procedimental procede en concursos que no revistan especial complejidad cuando el pasivo no supere los 5.000.000 €, o cuando existan menos de 50 acreedores, o cuando la valoración de los bienes no alcance los 5.000.000 € (art. 190.1 LConc). Es procedente también si el deudor presenta una propuesta, anticipada o no, de convenio que incluya una modificación estructural por la que se transmita íntegramente su activo y su pasivo (art. 190.2 LConc). El abreviado es obligado en el caso del art. 190.3 LConc.

También es posible que habiendo comenzado el proceso concursal como ordinario, se transforme en abreviado si el JMerc observa que se dan los anteriores requisitos (art. 190.4 LConc). No hay retroacción de actividades en este caso, y la transformación puede ser, según esa norma, a instancia de parte o de oficio. Del abreviado puede pasarse también a la inversa al ordinario por las mismas razones a contrario.

La LConc regula también el que llama contenido del proceso abreviado, básicamente un conjunto de simplificaciones que se traducen en la reducción de plazos (art. 191 LConc), unas especialidades en caso de solicitud de concurso con presentación de propuesta de convenio (art. 191 bis), y otras especialidades en caso de solicitud de concurso con presentación de plan de liquidación (art. 191 ter), aplicándose supletoriamente las normas del proceso concursal ordinario (art. 191 quater).

VI. EL INCIDENTE CONCURSAL

La tramitación del proceso concursal, sobre todo del ordinario, puede implicar que se susciten multitud de cuestiones incidentales que deban resolverse para llevar a buen término el mismo. En unos casos, esas cuestiones tienen un tratamiento específico en todo o en parte, bien en la propia LConc, bien en la LEC (v.gr., las causas de recusación de un administrador concursal, a la que se remite el art. 33.2 LConc), bien especialmente en la propia LConc aunque exista regulación general en la LEC (v.gr., la declinatoria, regulada en el art. 12 LConc). Pero en otros, ello no es posible. Por eso la LConc ha creado un incidente concursal en donde se establece un procedimiento común para la resolución de todas esas cuestiones, regulado en los arts. 192 a 196.

Es competente funcionalmente para tramitarlo el JMerc que esté conociendo del proceso concursal ordinario, o del proceso concursal abreviado. La doctrina suele distinguir entre un incidente concursal común y uno especial. El común será el que trataremos más ampliamente, y el especial sería el laboral, que veremos sucintamente al final de este apartado.

A) Objeto

El incidente concursal es el cauce, pues, para resolver todos los incidentes que no tengan una tramitación especial ni en la LConc, ni en la LEC por remisión expresa de aquélla.

> Existen numerosas cuestiones incidentales que se tramitan por el incidente concursal porque así lo prevé expresamente la LConc. A título de ejemplo, sin perjuicio de los casos ya mencionados en esta lección, citemos: La recusación de los administradores (art. 32.4); la anulación de los actos del deudor que infrinjan las limitaciones establecidas sobre las facultades de administración y disposición sobre sus bienes (art. 40.7); la resolución de contratos con obligaciones recíprocas pendientes de cumplimento (art. 61.2, II); la resolución de contratos por incumplimiento (62.2); las pretensiones individuales de carácter social que los trabajadores ejerciten contra el auto relativo a la modificación, suspensión o extinción colectiva de los contratos de trabajo (art. 64.8, II); pretensiones rescisorias y las demás de impugnación de actos perjudiciales para la masa activa (art. 72.4); pretensión contra la decisión de integrar en la masa activa los saldos acreedores de cuentas en las que el concursado figure como titular indistinto (art. 79.2);

impugnación de la decisión de los administradores denegando la separación de bienes ajenos de la masa activa (art. 80.2); todas las cuestiones que se susciten en materia de reconocimiento de créditos (art. 86.1, II); impugnación del inventario y la lista de acreedores (art. 96.5); oposición a la aprobación judicial del convenio (art. 129.1); pretensión de incumplimiento del convenio (art. 140.2); oposición a la calificación del concurso (art. 171.1); oposición a la conclusión del concurso (art. 176.2, II); y oposición a la aprobación de la rendición de cuentas de la administración concursal (art. 181.3).

Pero el verdadero problema que plantea el incidente concursal, así concebido, es que en absoluto sirve para resolver todos los temas que en un sentido amplio son incidentales. En ocasiones la propia LConc impide o excluye expresamente el planteamiento del incidente concursal, por ejemplo, el caso del art. 35.5 en materia de ejercicio del cargo de los administradores concursales; o del art. 192.3, respecto a solicitudes de actos de administración o de impugnación por razones de oportunidad.

En otros casos, la LConc prevé simplemente un procedimiento de solución diferente, además de la declinatoria y recusación antes citadas: Por ejemplo, la oposición a la declaración de concurso, para la que se sigue el trámite previsto en los arts. 18 a 20; el ejercicio de la pretensión de responsabilidad contra los administradores se debe hacer en el proceso civil declarativo que corresponda según la cuantía (art. 36.3); para acordar el cierre total o parcial de las oficinas, establecimientos y explotaciones o el cese de la actividad empresarial, siempre que lleve consigo la extinción, suspensión o modificación colectivas de los contratos de trabajo, para la que se seguirá el procedimiento previsto en el art. 64; resolución de contratos con obligaciones recíprocas pendientes de cumplimiento, cuando no se suscite contencioso (art. 61.2, II); modificación sustancial de las condiciones de trabajo o la suspensión o extinción colectiva de las relaciones laborales (art. 64); declaración judicial de cumplimiento del convenio, que debe seguir el procedimiento previsto en el art. 139.1; solicitud de liquidación realizada por los acreedores, que se sustanciará de acuerdo con el procedimiento establecido en los arts. 15 y 19 (art. 142.2, II); rendición de cuentas por parte de los administradores, en el caso de que no exista oposición a las presentadas, en cuyo caso el procedimiento se limita a prestar audiencia y a aprobarlas en el propio auto de conclusión del concurso (art. 181.3); para obtener la autorización judicial que sea precisa (art. 188); en el cambio de procedimiento (art. 190.4); etc.

Finalmente, en otros es sencillamente dudoso que se pueda aplicar el incidente concursal, como por ejemplo para separar a un administrador concursal del cargo (art. 37); o para fijar alimentos al concursado en el supuesto de que se encuentre en situación de suspensión de sus facultades patrimoniales (art. 47); etc.

B) Partes

Se regulan en el art. 193, de manera defectuosa y confusa:

1º) Es parte actora del incidente concursal quien lo inste, por tanto, cualquiera de los que sean parte en el proceso concursal ordinario o en el abreviado, en función del acto concreto objeto del incidente que deba resolverse. La LConc no lo dice expresamente, pero ello es obvio.

2º) Parte demandada es aquélla contra la que se dirige la demanda y cualquier otra que se oponga a lo pedido por el demandante incidental, declaración legal que es una obviedad.

3º) Finalmente, se regula la figura del coadyuvante, pues la ley permite que cualquier persona comparecida en forma en el concurso pueda intervenir coadyuvando con la parte demandante o con la demandada. La denominación es un error. Habría sido más oportuno en un proceso civil referirse al tercero interviniente del art. 13 LEC.

C) Procedimiento

Se regula en los arts. 194, 196 y 197 LConc. En esencia el procedimiento adecuado es el correspondiente al juicio verbal civil con especialidades, alguna de ellas muy importante. Debemos fijarnos en los siguientes trámites:

1º) Demanda: El incidente se inicia mediante demanda, cuyo contenido formal es el previsto en el art. 399 LEC (juicio ordinario). El JMerc resuelve sobre su admisión, denegándolo si la cuestión planteada es impertinente (curiosa expresión, más propia de la prueba), o carece de la suficiente entidad para tramitarla por vía incidental. El auto de inadmisión es apelable. Si la admite a trámite, se traslada la demanda incidental a las partes demandadas para que la contesten por escrito (como si fuera un juicio ordinario civil).

2º) Celebración de vista por los trámites del juicio verbal únicamente con carácter excepcional: La LConc opta porque se dicte sentencia a continuación sin más trámites, a no ser que deba convocarse una vista por darse los requisitos del nuevo art. 194.4 LConc. Llama la atención que sea el JMerc quien decida si el hecho discutido es relevante a efectos de celebrar la vista.

3º) Sentencia y recursos: El incidente termina por sentencia, que debe dictar el JMerc en el plazo de diez días. La sentencia se pronunciará sobre las costas y gozará de los efectos de cosa juzgada. Si el incidente se promovió en lo que la LConc llama la fase común o en la de convenio, no cabe recurso alguno contra la sentencia, aunque puede la parte reproducir la cuestión en la apelación más próxima conforme al art. 197.4 LConc. Pero si se promovió con posterioridad o en la fase de liquidación, cabe apelación preferente (art. 197.5 LConc)

El art. 195 regula un incidente en materia laboral, competencia igualmente del JMerc, con normas procedimentales propias tomadas del proceso laboral, pero siguiendo en esencia también el juicio verbal civil, cuyo objeto es resolver las pretensiones ejercitadas por los trabajadores contra el auto que acuerde la extinción o suspensión colectiva de los contratos de trabajo, en cuestiones que se refieran a la relación jurídica individual (art. 64.8, II). El recurso procedente es laboral principalmente el de suplicación (art. 197.8).

VII. EL ACUERDO EXTRAJUDICIAL DE PAGOS

El llamado acuerdo extrajudicial de pagos no es privativo del Derecho Concursal, pero tiene mucho sentido en él. Se introduce por la Ley 14/2013, añadiendo el Título X a la LConc (nuevos arts. 231 a 242 y dos disposiciones adicionales, la 7ª y la 8ª). Su finalidad principal es, ante la enorme crisis que estamos padeciendo en la actualidad, dar una oportunidad a los empresarios para resolver la insolvencia mediante mecanismos extrajudiciales más ágiles y efectivos, previos al proceso concursal.

El procedimiento, muy ágil, es competencia del notario o registrador de la propiedad. Se garantiza ante todo el principio de contradicción. Ellos procuran el nombramiento de un mediador concursal, que se introduce como novedad en nuestro Derecho de Insolvencia. El negociador propone una solución a los acreedores, que si se acepta pone fin al concurso. En otro caso, se abre el proceso concursal. El mediador puede ser una persona jurídica (cámaras oficiales, DA-1ª RD-ley 1/2015). Viene retribuido conforme a las normas de la DA-2ª RD-ley 1/2015.

Legislación: Ley Concursal de 2003.
Lectura: ROJO y BELTRÁN, *Comentarios a la Ley Concursal*, Madrid 2004; SÁNCHEZ-CALERO y GUILARTE (Dir.), *Comentarios a la legislación concursal*, Madrid 2004. CONDE FUENTES, J., *Los sujetos del proceso concursal*, Pamplona 2014. LÓPEZ SÁNCHEZ, J., *El proceso concursal*, Pamplona 2012; CORDÓN MORENO, *Proceso concursal*, 3ª ed., Pamplona, 2012; GÓMEZ AMIGO, L., *El nuevo régimen de los acuerdos extrajudiciales de pagos,* Madrid, 2016; CACHÓN CADENAS et als., *Problemas procesales del concurso de acreedores*, Barcelona 2013.